기본권론

김 수 갑

法 文 社

머 리 말

2013년 출간했던 '기본권론－이론과 실제－'을 이번에 전면 다시 검토하여 새로 출간하게 되었다. 구저는 법학전문대학원 강의편의를 위하여 강의안을 토대로 서둘러 집필된 관계로 많은 오탈자가 있었고, 인용이 누락된 것도 여러 곳이 발견되었다. 그리고 일부 이론에 대해서도 문헌을 더 보충할 필요를 느꼈고, 논리적으로 재검토할 필요성이 있는 주제도 있었다. 그리고 누락된 판례와 새로 나온 판례의 보충 필요성도 많이 발견되었다. 그리고 새로 나온 저서와 논문의 내용도 검토·반영하고 법령개정사항도 반영하다 보니 분량이 많이 증가하였다. 법학전문대학원 강의의 수험적합성도 반영해 달라는 요구도 있어 나름 노력하였으나, 기대에 부응할지는 모르겠다.

이러한 의도에도 불구하고 필자의 게으름과 능력부족으로 충실한 반영이 이루어졌다고 평가하기에는 부족함이 많음을 느낀다. 부족한 점은 추후에 보충할 것을 약속드린다. 이번에 기본권론을 내면서 본인의 능력부족을 또 다시 절감하였지만, 은사님, 동학, 학계 선·후배님의 훌륭하신 저작에 큰 도움을 받아 용기를 내어 집필하게 되었다는 점에서 이 분들께 깊은 감사를 드린다.

기본권이론의 발전은 물론 헌법재판소가 제 기능을 발휘하면서 기본권관련 수많은 판례를 내고 있어 기본권공부는 더욱 많은 노력이 요구되고 있다. 기본권에 관한 중요한 이론과 판례를 망라하여 나름대로의 기본권론을 정리해보고 싶은 욕망은 오래전부터 가지고 있었으나, 이미 훌륭한 저작들이 많은데 부족한 저작을 내기가 부끄러워 망설였다. 학교행정을 맡고부터는 더 이상 진척이 없이 미루어 놓았다가 작년 초부터 조금씩 자료를 모으면서 준비하였다. 코로나 19라는 전 세계적 재난에 사회적 거리두기 등 방역조치의 일환으로 대외적인 활동이 자제되고 각종 행사도 취소 또는 비대면진행으로 바뀌는 뉴노멀을 경험하고 있다. 뉴노멀한 상황에서도 국가적으로나 사회적으로 대응해야 할 과제가 많지만, 대학도 대응해야 할 과제가 넘쳐나고 있다. 하루빨리 재난으로부터 지구촌이 벗어나 정상화되길 간절히 소망한다.

일과가 끝나면 바로 퇴근하는 날이 많아지면서 집에서 책 작업의 많은 부분이 이루어져 새로 책을 낼 수 있었다. 출판사정의 어려움에도 불구하고 기본권론 출판을 가능하게 해주신 법문사의 사장님과 출간을 위한 제반 절차와 편집 등을 훌륭하게 도와주신 김성주 선생님과 김용석 선생님께 심심한 감사를 드린다.

마지막으로 몇년 전 갑자기 우리 곁을 떠나가신 아버님(故 金, 德자 圭자)의 명복을 빌며, 천국에서 안식을 누리시기를 간곡히 기도드리며, 늘 노심초사하시며 많은 것을 돌보아 주시는 어머님의 만수무강을 기원드린다. 항상 성원해주는 아내(최영미)와 아들(정한) · 딸(효정)에게도 감사한다.

2021년 6월

김 수 갑

차 례

제1편 기본권 총론 (기본권 일반이론)

제2편 기본권 각론 (개별적 기본권론)

■ 찾아보기

[주요 국내 참고문헌]

강경근, 헌법, 법문사, 2002
계희열, 신정2판 헌법학(상), 박영사, 2005
계희열, 신정2판 헌법학(중), 박영사, 2007
구병삭, 제2전정판 신헌법원론, 박영사, 1995
권영성, 헌법학원론(2010년판), 법문사, 2010
김철수, 학설・판례 헌법학(상)(하), 박영사, 2008
김승대, 제3판 헌법학강론, 법문사, 2015
김하열, 헌법강의, 박영사, 2018
김학성・최희수, 전정 4판[2020년판], 피앤씨미디어, 2020
박일경, 신헌법, 법경출판사, 1990
문광삼, 제2판 헌법학, 삼영사, 2015
문홍주, 한국헌법, 해암사, 1987
성낙인, 제19판 헌법학, 법문사, 2019
심경수, 헌법(제2판), 법문사, 2020
안용교, 한국헌법, 고시연구사, 1989
양 건, 제8판 헌법강의, 법문사, 2019
윤세창, 신헌법, 일조각, 1988
이관희, 한국민주헌법론 I, 박영사, 2019
이승우, 기본권론, 도서출판 두남, 2007
이준일, 제7판 헌법학강의, 홍문사, 2019
이준일, 제6판 인권법, 홍문사, 2015
전광석, 한국헌법론(제7판), 집현재, 2011
장영수, 제7판 헌법학, 홍문사, 2012
정만희, 헌법학개론, 피앤씨미디어, 2020
정재황, 제6판 신헌법입문, 박영사, 2016
정종섭, 제11판 헌법학원론, 박영사, 2016
최대권, 헌법학강의, 박영사, 2001
한동섭, 헌법, 향학사, 1964
한수웅, 제9판 헌법학, 법문사, 2019
허 영, 전정13판 한국헌법론, 박영사, 2017
홍성방, 헌법학(상)(중)(하), 박영사, 2010

(기타 인용도서 및 논문은 본문 각주 참조)

[법령 약칭표]

※ 본서에서 '헌법'은 별도의 표기를 하지 않았다.
본문의 할주에서 사용된 법제명의 약칭은 다음과 같다.

게임산업진흥에 관한 법률	게임산업법
공공기관의 정보공개에 관한 법률	정보공개법
공무원의 노동조합 설립 및 운영 등에 관한 법률	공무원노조법
공익사업을 위한 토지 등의 취득 및 보상에 관한 법률	공익사업토지보상법
교원의 노동조합 설립 및 운영 등에 관한 법률	교원노조법
국민의 형사재판 참여에 관한 법률	형사재판참여법
노동조합 및 노동관계조정법	노동조합법
독점규제 및 공정거래에 관한 법률	공정거래법
부동산 거래신고 등에 관한 법률	부동산거래신고법
부패방지 및 국민권익위원회의 설치와 운영에 관한 법률	부패방지법
생명윤리 및 안전에 관한 법률	생명윤리법
신문 등의 진흥에 관한 법률	신문법
아동 · 청소년의 성보호에 관한 법률	아동청소년성보호법
언론중재 및 피해구제 등에 관한 법률	언론중재법
음악산업진흥에 관한 법률	음악산업진흥법
잡지 등 정기간행물의 진흥에 관한 법률	정기간행물법
즉결심판에 관한 절차법	즉결심판법
지방교육자치에 관한 법률	지방교육자치법
집회 및 시위에 관한 법률	집시법
채무자 회생 및 파산에 관한 법률	채무자회생법
특정범죄 가중처벌 등에 관한 법률	특정범죄가중처벌법
파견근로자 보호 등에 관한 법률	파견근로자보호법
형사보상 및 명예회복에 관한 법률	형사보상법

제 1 편

기본권 총론
(기본권 일반이론)

제1장

기본권의 의의와 보장의 역사

제1절 기본권의 의의

Ⅰ. 인권과 기본권의 의의

1. 기본권의 개념

우리의 헌법전에는 기본권(基本權)이란 용어가 명시되어 있지 않다. 강학상 기본권이라는 말은 헌법상 보장된 국민의 기본적 권리(constitutional right)를 말한다. 실정법상 기본권이라는 용어는 헌법재판소법 제68조 제1항에서 사용되고 있다.[1)] 기본권을 이야기할 때 흔히 인권(人權)과의 관계가 문제된다. 인권(Human Rights, Menschenrecht) 또는 인간의 권리란 인간이기 때문에 당연히 갖는 권리를 말하며, 자연적이고 양도 불가능하며 신성불가침적인 권리이다. 한편 기본권은 헌법이 보장하는 국민의 기본적 권리로서, 여기에는 생래적 자연권인 인권 외에 국가내적인 권리(참정권, 생존권 등)도 포함되어 있다. 이 점에서 양자는 반드시 일치하는 개념은 아니지만, 기본권은 인권사상을 바탕으로 하여 인권을 실현시키려고 하는 것이므로 통상 양자가 동일하게 사용되기도 한다. 오늘날 민주주의 국가의 헌법 속에는 국민 내지 시민으로서의 권리뿐만 아니라 인간으로서의 권리 또한 포괄되어 있다. 이 점에서 '기본적 인권'이란 용어를 즐겨 쓰는 경우도 있다.

인권은 자연권의 성격을 지니고 기본권은 헌법에 법제화를 전제로 한 개념으로 구별되나, 인권보장의 국제화 경향 하에 인권을 법제화로 파악하는 좁은 의미의

1) "공권력의 행사 또는 불행사로 인하여 헌법상 보장된 **기본권**을 침해받은 자는 법원의 재판을 제외하고는 헌법재판소에 헌법소원심판을 청구할 수 있다. 다만, 다른 법률에 구제절차가 있는 경우에는 그 절차를 모두 거친 후에 청구할 수 있다"(헌법재판소법 제68조 제1항).

인권개념도 등장하고 있다. 즉 헌법 또는 국제적인 합의에 의하여 개인에게 보장되는 권리로 파악하는 것이 그것이다. '**국가인권위원회법**'도 **인권**을 "헌법 및 법률에서 보장하거나 대한민국이 가입, 비준한 국제인권조약 및 국제관습법에서 인정하는 인간으로서의 존엄과 가치 및 자유와 권리를 말한다"고 정의하고 있다(국가인권위원회법 제2조 제1호). 기본권은 법제화를 전제로 한 개념이라는 점에서 이러한 좁은 의미의 인권과 공통점이 있지만, 기본권은 헌법상 권리라는 점에서 헌법 및 법률상의 권리를 포함하는 이러한 의미의 인권과는 구별된다. 그런데 법률에서 정하고 있다고 하여 모두 법률상의 권리가 되는 것은 아니다. 법률은 헌법을 구체화하는 것이기도 하여 어떤 법률은 헌법에서 보장하는 기본권의 내용을 보다 구체적으로 정하기도 하는데, 이러한 경우에 법률에서 정하고 있는 권리는 기본권을 보다 구체화하는 권리로서 여전히 기본권으로서의 성질을 가지고 있다. 한편 헌법과 충돌하지는 않지만 법률의 수준에서 입법자가 입법형성권을 행사하여 창설하는 입법창설적 내용이 있다. 이러한 권리는 법률상의 권리인데, 기본권의 내용을 이룬다고 할 수 없으며 이러한 권리는 입법자가 그의 입법형성권의 행사로 폐지할 수도 있고 변경할 수도 있다.[2)]

무엇이 **헌법상 권리**인지, **법률상 권리**인지를 구별하는 것은 쉽지 않지만 이를 구별하는 것은 헌법소송법적으로 실익이 있다. 헌법재판소법은 헌법소원심판을 청구할 수 있는 경우를 공권력의 행사·불행사로 인하여 '헌법상 보장된 기본권'을 침해받은 경우로 정하고 있으므로(헌법재판소법 제68조 제1항) 법률에서 창설된 권리의 침해에 대해서는 헌법소원심판을 청구할 수 없다.

헌법상 권리인가? 법률상 권리인가?

1. '**대법원의 재판을 받을 권리**'는 헌법 제27조의 재판의 받을 권리에 반드시 포함되는 권리인가?

[1] 재판이란 사실확정과 법률의 해석적용을 본질로 함에 비추어 법관에 의하여 사실적 측면과 법률적 측면의 한 차례의 심리검토의 기회는 적어도 보장되어야 할 것은 물론, 또 그와 같은 기회에 접근하기 어렵도록 제약이나 장벽을 쌓아서는 안된다 할 것인바, 만일 그러한 보장이 제대로 안되면 헌법상 재판을 받을 권리의 본질적 침해의 문제가 생길 수 있다 할 것이다.

[2] 상소심에서 재판을 받을 권리를 헌법상 명문화한 규정이 없고 상고문제가 일반법률에 맡겨진 우리의 법제에서는 헌법 제27조에서 규정한 재판을 받을 권리에

2) 정종섭, 제11판 헌법학원론, 박영사, 2016, 291면.

모든 사건에 대해 상고법원의 구성법관에 의한, 상고심절차에 의한 재판을 받을 권리까지도 포함된다고 단정할 수 없을 것이고, 모든 사건에 대해 획일적으로 상고할 수 있게 하느냐 않느냐는 특단의 사정이 없는 한 **입법정책의 문제**라고 할 것이다.

[3] 소액사건에 관하여 일반사건에 비하여 상고 및 재항고를 제한하고 있는 소액사건심판법 제3조는 헌법 제27조의 재판을 받을 권리를 침해하는 것이 아니고, 상고제도라고 한다면 산만하게 이용되기보다 좀 더 크고 국민의 법률생활의 중요한 영역의 문제를 해결하는 데 집중적으로 투입 활용되어야 할 공익상의 요청과 신속·간편·저렴하게 처리되어야 할 소액사건절차 특유의 요청 등을 고려할 때 현행 소액사건상고제한 제도가 결코 위헌적인 차별대우라 할 수 없으며, 소액사건심판법 제3조는 대법원에 상고할 수 있는 기회를 제한하는 것이지 근본적으로 박탈하고 있는 것이 아니므로, 결국 위 법률조항은 헌법에 위반되지 아니한다.

[재판관 변정수의 반대의견]

변정수 재판관은 대법원의 재판을 받을 권리, 즉 상고권은 헌법 제27조 제1항에서 도출되는 기본권으로서 일종의 헌법상 보장된 절차적 기본권으로 보면서, 소액사건심판법 제3조는 헌법 제27조 제1항에서 도출되는 기본권인 대법원의 재판을 받을 권리의 본질적 내용을 침해하는 것이고 또한 단순히 소송가액만을 기준으로 하여 획일적으로 상고권을 제한하는 것이어서 헌법 제11조 제1항의 평등의 원칙에도 위배된다는 의견을 제시하였다.

헌재 1992. 6. 26. 90헌바25

2. 지방자치법상 **주민투표권**은 헌법상 기본권인지 여부

[1] 헌법 제117조 및 제118조가 보장하고 있는 본질적인 내용은 자치단체의 보장, 자치기능의 보장 및 자치사무의 보장으로 어디까지나 지방자치단체의 자치권으로 헌법은 지역주민들이 자신들이 선출한 자치단체의 장과 지방의회를 통하여 자치사무를 처리할 수 있는 대의제 또는 대표제 지방자치를 보장하고 있을 뿐이지 주민투표에 대하여는 어떠한 규정도 두고 있지 않다. 따라서 우리의 지방자치법이 비록 주민에게 주민투표권(제13조의2)과 조례의 제정 및 개폐청구권(제13조의3) 및 감사청구권(제13조의4)를 부여함으로써 주민이 지방자치사무에 직접 참여할 수 있는 길을 열어 놓고 있다 하더라도 이러한 제도는 어디까지나 입법자의 결단에 의하여 채택된 것일 뿐, 헌법이 이러한 제도의 도입을 보장하고 있는 것은 아니다. 그러므로 지방자치법 제13조의2가 주민투표의 법률적 근거를 마련하면서, 주민투표에 관련된 구체적 절차와 사항에 관하여는 따로 법률로 정하도록 하였다고 하더라도 주민투표에 관련된 구체적인 절차와 사항에 대하여 입법하여야 할 헌법상 의무가 국회에게 발생하였다고 할 수는 없다.

[2] 우리 헌법은 법률이 정하는 바에 따른 '선거권'과 '공무담임권' 및 국가안위에

관한 중요정책과 헌법개정에 대한 '국민투표권'만을 헌법상의 참정권으로 보장하고 있으므로, 지방자치법 제13조의2에서 규정한 주민투표권은 그 성질상 선거권, 공무담임권, 국민투표권과 전혀 다른 것이어서 이를 법률이 보장하는 참정권이라고 할 수 있을지언정 헌법이 보장하는 참정권이라고 할 수는 없다.

헌재 2001. 6. 28. 2000헌마735

3. **평화적 생존권**이 헌법상 보장된 기본권인가?

[1] 한미연합 군사훈련은 1978. 한미연합사령부의 창설 및 1979. 2. 15. 한미연합 연습 양해각서의 체결 이후 연례적으로 실시되어 왔고, 특히 이 사건 연습은 대표적인 한미연합 군사훈련으로서, 피청구인이 2007. 3. 경에 한 이 사건 연습결정이 새삼 국방에 관련되는 고도의 정치적 결단에 해당하여 사법심사를 자제하여야 하는 통치행위에 해당된다고 보기 어렵다.

[2] 청구인들이 평화적 생존권이란 이름으로 주장하고 있는 평화란 헌법의 이념 내지 목적으로서 추상적인 개념에 지나지 아니하고, 평화적 생존권은 이를 헌법에 열거되지 아니한 기본권으로서 특별히 새롭게 인정할 필요성이 있다거나 그 권리내용이 비교적 명확하여 구체적 권리로서의 실질에 부합한다고 보기 어려워 헌법상 보장된 기본권이라고 할 수 없다.

[3] 종전에 헌법재판소가 이 결정과 견해를 달리하여 '평화적 생존권을 헌법 제10조와 제37조 제1항에 의하여 인정된 기본권으로서 침략전쟁에 강제되지 않고 평화적 생존을 할 수 있도록 국가에 요청할 수 있는 권리'라고 판시한 2003. 2. 23. 2005헌마268 결정은 이 결정과 저촉되는 범위 내에서 이를 변경한다.

[재판관 김종대의 다수의견에 대한 보충의견]

기본권은 국가의 존립을 떠나서 관념할 수 없고, 국가 간에 전쟁이 일어나면 국가의 존립이 위협 받게 된다. 우리 헌법이 침략전쟁을 부인하고 평화를 중요한 이념으로 표방하고 있으므로 국가의 모든 기능은 전쟁이 아니라 평화를 향해 이루어져야 한다는 것은 우리 헌법의 기본원리상 당연한 이치이다. 그러나 여기서의 평화가 전쟁 없이 적국에 예속되는 것까지 감수하는 평화를 의미한다고 볼 수 없는 이상, 전쟁에 대비한 군사훈련을 하지 말아야 한다는 명분이 되어서는 안 된다. 그러므로 청구인들이 주장하는 평화적 생존권도 우리 헌법의 기초적 가치로서 이 같은 테두리 속에서 관념하면 되지 굳이 이를 구체적 기본권으로 관념하여 이를 근거로 전시에 대비한 군사훈련마저 저지하기 위한 독립된 대국가적 권리로 인정할 이유는 없다.

[재판관 조대현, 재판관 목영준, 재판관 송두환의 별개의견]

국민의 모든 기본권은 국가의 존립과 자유민주적 기본질서를 전제로만 존재할 수 있으므로, 국민의 기본권을 보장하기 위해서라도 국토와 국민을 방위하고 자유민주주의를 지키기 위한 전쟁수행 기타 군사활동은 불가피하다. 그러므로 이를 위하여 국가가 국민에게 국토방위의 의무를 부과하고 국군을 조직・유지하며 군사활동의 훈련을 실시하는 것도 허용된다. 그러나 국가가 위와 같은 목적을 현저히 벗어나 국민에게 국제적 평화를 파괴하는 침략적 전쟁에 참여하도록 요구할 수는 없다. 또한 침략전쟁과 테러 혹은 무력행위로부터 자유로워야 하는 것은 인간의 존엄과 가치를 실현하고 행복을 추구하기 위한 기본 전제이므로, 국민을 침략적 전쟁에 동원하거나 테러의 위해 속에 방치하는 것은 헌법 제10조가 선언한 국가의 헌법상 책무에도 반한다. 그러므로 국민은 국가에 대하여 침략전쟁에 강제되지 않고 테러 등의 위해를 받지 않으면서 평화적 생존을 할 수 있도록 요청할 수 있는 권리를 가지고 있고, 헌법상 기본권으로서 비록 헌법상 문언에 명시되어 있지 않다 하더라도, 국가에 대하여 요청할 수 있는 구체적 권리라고 할 것이다. 다만, 이 사건 연습결정은 국민의 평화적 생존권을 침해할 가능성이 있다고 볼 수 없으므로 이 사건 헌법소원 심판청구는 기본권침해 가능성이 결여된 부적법한 청구로서 각하되어야 한다.

[재판관 조대현의 별개의견에 대한 보충의견]

인간이 존엄과 가치를 누리면서 행복을 추구하려면 생명과 신체의 안전을 위협받지 않고 평화롭게 생존할 수 있어야 한다. 이처럼 "인간이 생명과 신체의 안전을 위협받지 않고 평화롭게 생존할 수 있는 자유와 권리"를 평화적 생존권이라고 부를 수 있다. 생명・신체의 안전권이 기본권으로 보장된다고 하여 그와 별도로 평화적으로 생존할 자유와 권리를 기본권으로 인정할 필요가 없는 것은 아니다.

평화적 생존권도 국가안전보장이나 질서유지를 위하여 필요한 경우에는 최소한의 범위에서 제한될 수 있지만, 군사훈련이 침략전쟁을 위한 것이라면, 국제평화의 유지에 노력하고 침략적 전쟁을 부인하도록 요구하는 헌법 제5조 제1항에 위반되는 것이므로, 평화적 생존권의 침해를 정당화하는 사유로 되지 못한다고 할 것이다.

헌재 2009. 5. 28. 2007헌마369

4. **납세자의 권리**는 헌법에서 보장하는 권리인지 여부

통일정신, 국민주권원리 등은 우리나라 헌법의 연혁적・이념적 기초로서 헌법이나 법률해석에서의 해석기준으로 작용한다고 할 수 있지만 그에 기하여 곧바로 국민의 개별적 기본권성을 도출해내기는 어려우며, 헌법전문에 기재된 대한민국 임시정부의 법통을 계승하는 부분에 위배된다는 점이 청구인들의 법적지위에 현실적이고 구체적인 영향을 미친다고 볼 수도 없다.

건국60년 기념사업 추진행위가 독도 영유권 포기에 관한 사업내용을 전혀 포함하고 있지 아니하므로 영토권이라는 기본권의 침해가능성 또한 존재하지 않는다.

기념사업 추진에 거액의 예산이 확보되었다고 하더라도 헌법상 조세의 효율성과 타당한 사용에 대한 감시는 국회의 주요책무이자 권한이고 국민은 선거를 통하여

> 간접적이고 보충적으로만 관여할 수 있고, 재정지출의 합리성과 타당성 판단은 재정 분야의 전문성을 필요로 하는 정책판단의 영역으로서 사법적으로 심사하는 데 어려움이 있을 수 있는 점을 고려하면, 청구인들에게 납세자로서의 권리라는 헌법상 기본권을 인정하기 어려우며, 세부담이 증가할 수 있다는 막연한 가능성만으로 재산권 침해의 가능성 또한 인정할 수 없다.
>
> 헌재 2008. 11. 27. 2007헌마517; 헌재 2009. 10. 29. 2007헌바63

2. 기본권 내지 기본적 인권의 일반적 특질

인권과 기본권을 굳이 구별하지 하지 않아도 무방하다는 관점에서 기본권 내지 기본적 인권의 일반적 특질로는 i) 인종·성별·신앙·사회적 신분 등에 구애받지 아니하고 모든 인간이 보편적으로 누리는 권리라는 점(인권의 보편성), ii) 인간이 인간으로서 생존하기 위해 당연히 누려야 할 인간에게 고유한 권리이지 국가나 헌법에 의하여 창설된 권리가 아니라는 점(인권의 고유성 및 천부성), iii) 일정기간에만 보장되는 권리가 아니라 영구히 보장되고 또 박탈당하지 아니하는 항구적 권리라는 점(인권의 항구성 및 불가침성) 등을 들 수 있다.[3)]

Ⅱ. 인권사상의 유래

인권사상은 고대 그리스철학을 비롯해서 로마의 스토아학파, 중세의 기독교사상·사언법이론·노넉철학·인성론 능이 작용해서 결실시킨 하나의 복합적인 사상적 열매이나, 르네상스와 계몽주의시대를 거치면서 인간의 이성과 자연법을 강조하는 자유주의 인권사상이 신학적 인권사상을 약화시키면서 인권사상은 비로소 제자리를 찾기 시작한 것으로 보고 있다. 즉, 그로티우스(H. Grotius)와 로크(J. Locke)에 의해서 대표되는 자연법이론이 근대적인 인권사상의 성립에 공헌한 점은 부인할 수 없다.[4)]

인권의 기원을 둘러싸고 **옐리네크**(G. Jellinek)와 **부뜨미**(E. Boutmy)가 벌인 논쟁은 유명하다. 옐리네크는 헌법적으로 보장된 인권의 이념은 17·8세기의 시민혁명에 그 근원을 두고 있는 것이 아니라 종교개혁에 그 근원을 두고 있다고 한다. 그는 종교의 자유가 최초의 실정화된 기본권이고 이를 포함하고 있는 1776년 버지니아 권리장전이 최초의 인권선언이며 그 이후의 각종 인권선언은 그를 모방한

3) 권영성, 헌법학원론(2010년판), 법문사, 2010, 287면.
4) 허영, 전정13판 한국헌법론, 박영사, 2017, 213면 참조.

것이라고 하였다.[5] 이에 반하여 부뜨미는 프랑스대혁명 당시의 '인간과 시민의 권리선언'은 계몽사상, 특히 루소의 사상에서 기원하는 독자적인 것이라 하였다.[6] 아무튼 위에서 살펴본 모든 것이 인권의 성립과 발전에 영향을 주었던 것은 사실이지만, 여러 나라의 인권선언과 헌법에 기본적 인권이 수용되는 데 결정적인 계기를 제공한 것은 자연법사상을 뿌리로 하는 자유주의인권사상이다.[7]

제2절 각국에 있어서 인권선언의 역사적 발전

Ⅰ. 영 국

왕과의 타협과 투쟁을 통해서 등족의 권익을 보호하면서 점차 국민의 기본권으로 발전시켜 나갔다(등족적 기본권). 이러한 점에서 영국에 있어서 인권 또는 자유와 권리는 영국인의 기존의 자유와 권리를 재확인한 것이거나 절차적 보장에 역점을 둔 것일 뿐 미국이나 프랑스처럼 천부인권의 불가침을 선언한 것은 아니라는 점에서 그 특질을 찾기도 하나,[8] 이후 전개된 자유보장의 계기 내지 기초가 된 점은 부인할 수 없을 것이다.[9]

---

5) 종교의 자유가 권리로서 관념되었던 것은 미국역사상 극히 예외적인 경우에 국한되었고, 일반적으로는 종교의 자유를 관용으로 이해했다는 논증들을 들어 종교의 자유에서 인권의 역사가 비롯되었다는 점에 대해서는 부정적으로 이해하는 견해도 있다(홍성방, 헌법학(상), 박영사, 2010, 244면).

6) 기본권(인권)의 기원과 관련하여 ⅰ) 프랑스대혁명과 1789년 8월 26일의 '인간과 시민의 권리선언'의 정신적 기초를 이루었던 계몽사상에서 찾는 견해, ⅱ) 종교개혁에서, 특히 종교의 자유를 제도적으로 보장하게 한 양심의 자유로운 결정을 강조하는 프로테스탄트의 원리에서 찾는 견해, ⅲ) 저항권이론에 담겨 있는 스토아철학과 기독교의 자연법전통에서 찾는 견해(기본권은 제도화된 저항권), ⅳ) 현실적인 정치적·경제적 요소에서, 즉 자유로운 상품거래의 조건을 확보하려는 자본가에서 그 기원을 찾는 견해, ⅴ) 영미법의 전통에서 기원을 찾는 견해 등 다양하다(계희열, 헌법학(중), 박영사, 2007, 3-4면).

7) 인권사상의 형성과 발전의 바탕이 된 18세기의 사상적 경향으로는 ⅰ) 개인주의사상의 형성, ⅱ) 평등사상의 발전, ⅲ) 절대적 진리에 대한 회의론 대두(종교적 교리와 세계관의 분열 및 근대적 과학의 발전에 따른 세계관적 회의론은 인간정신의 해방을 가능하게 하였으며 정신적 자유의 보장을 가져옴), ⅳ) 인간이성에 대한 낙관론적 신념의 확산(국가정책과 국가구조의 합리성이 요청되었으며, 이러한 신념은 바로 인간이성에 기초하여 국가와 사회를 재편성해야 한다는 구체적 강령으로 나타남) 등을 드는 견해가 있다(권영성, 앞의 책, 288-289면).

8) 권영성, 앞의 책, 289면.

9) 이러한 점에서 오늘날의 기본권과 유사한 인권의 시초는 등족의 권리, 즉 신분적 특권의 보호에서 찾는 견해를 이해할 수 있다(계희열, 앞의 책, 4-5면). 기본권의 초기형태는 오늘날과

▣ 영국에서의 인권문서의 발전과정과 주요 내용

1. 대헌장(Magna Carta Libertatum(the Great Charter of Freedoms) 1215)[10]

(1) 국왕 존(John)의 실정에 분개한 귀족들이 왕에게 승인하도록 한 문서

(2) 군주와 등족간의 약정서: 왕과의 타협과 투쟁을 통해서 등족의 권익을 보호

(3) 국왕이 귀족들의 동의를 얻지 못하는 한 돈을 거둘 수 없고, 법에 의한 심판 없이는 국왕에 의해 처벌받지 않는다는 원칙을 천명

2. 권리청원(Petition of Right 1628)

(1) 1628년 영국 하원에서 기초하여 그해 6월 7일 찰스 1세의 승인을 얻은 국민의 인권에 관한 선언(Edward Coke 경이 기초)

(2) 의회의 동의 없이는 어떠한 과세나 공채도 강제되지 않는다는 것

(3) 법에 의하지 않고는 누구도 체포·구금되지 않는다는 것(신체의 자유)

(4) 육군 및 해군은 인민의 의사에 반하여 민가에 숙박할 수 없다는 것

(5) 민간인의 군법에 의한 재판은 금지한다는 것

(6) 1629년 국왕은 이 권리청원을 무시하고 의회를 해산함과 동시에 의회의 지도자를 투옥한 뒤 11년간 의회를 소집하지 않고 전제정치를 함(청교도혁명의 원인)

3. 인민협약(Agreements of the People 1647)

(1) 1647년 영국의 청교도혁명 때 평등파(平等派, Levellers)가 기초한 정치개혁안

(2) 보통선거권을 포함하는 권리의 평등을 주장하였고 인구비례에 의한 선거구의 설치, 의회의 격년선거 규정

(3) 종교와 양심의 자유

(3) 종군강제거부권

(4) 법 앞에서의 만인의 평등 선언

(5) 법에 의한 인신과 재산에 대한 침해

(6) 크롬웰(O.C. Cromwell)이 서명을 거부함으로써 발효되지는 못함

4. 인신보호법(Habeas Corpus Act 1679)

(1) 청교도혁명 후 찰스 2세로부터 얻어낸 법

(2) 인신의 자유를 실효적인 것이 되게 하기 위해 절차적 보장을 강화

(3) 인신보호영장제(문서로 된 체포영장 없이 영국신민의 인신체포 금지)

(4) 구속적부심사제도를 제도화(체포된 자는 늦어도 30일 이내에 법관에게 구인되어 그 체포가 허용되는 것인가 여부를 심사할 것을 규정)

같은 모든 국민의 자유와 권리가 아니었고 지배자에 대한 권력의 제한, 특권, 등족의 권리와 자유 등이었으며, 여기서부터 차츰 모든 국민의 권리로 발전하게 된 것이다.

10) 대헌장의 기본권성에 대해서는 부정하는 견해도 많지만, "자유민은 그와 동등한 자의 적법한

5. **권리장전**(Bill of Rights 1689)
   (1) 1688~1689년 명예혁명의 결과 만들어진 의회제정법
   (2) 국왕의 의회의 동의 없는 법률효력 정지금지
   (3) 청원권
   (4) 언론의 자유 및 형사절차의 보장(지나친 보석금이나 벌금 및 형벌(刑罰)의 금지)
   (5) 의회의 동의 없이 평화시에 상비군의 징집 및 유지의 금지
   (6) 의원선거의 자유 보장

Ⅱ. 미 국

신앙의 자유를 찾아 신대륙 미국으로 이주한 영국인들은 본국으로부터의 간섭과 탄압에 반발하여 독립을 선언하게 되었는데, 1776년 7월 4일의 **독립선언**(Declaration of Independence, The Unanimous Declaration of the Thirteen Unite States of America)은 로크식의 자연법사상에 기초한 자유주의적 국가관을 공표한 것으로 개별적 인권목록을 제시하지는 않았지만, 모든 국민의 평등과 생명 · 자유 · 행복추구권, 혁명권 등이 선언되었다. 독립선언에 앞선 1776년 6월 12일 16개조의 **버지니아 권리장전**(Virginia Bill of Right)은 생명과 자유를 누릴 권리, 재산소유와 행복추구 및 저항권 등을 규정한 선언으로, 전(前)국가적 자연법사상에 기초한 기본적 인권을 확인한 최초의 기본권 목록 내지 **세계 최초의 성문헌법**으로 평가된다.

1787년 제정된 연방헌법은 처음에는 기본권을 규정하지 않았는데, 무엇보다도 인권규정이 인권제약의 근거가 될 수 있다는 것이 그 이유였다. 1791년 수정헌법에서 10개조의 인권조항이 추가되었다(종교 · 언론 · 출판 · 집회의 자유, 신체의 자유, 적법절차 · 사유재산의 보장 등). 그 후 새로운 조항들이 시대의 변천과 더불어 헌법에 추가되었다. 즉 노예제와 강제노역의 폐지, 인종에 따른 참정권의 차별금지, 부인참정권의 인정 그리고 무엇보다도 제5조의 적법절차조항을 주(州)에도 적용하도록 한 것은 미국의 인권보장사에 있어서 중요한 계기가 되었다. 그리고 미국에서

판정에 의하거나 국법에 의하지 아니하고는 체포, 구금되거나, 재산이 박탈되거나, 법적 보호가 박탈되거나, 추방되거나 다른 방법으로 침해당하지 않으며 우리가 그를 공격하거나 사람을 보내어 공격하지 아니한다"는 대헌장 제39조에 규정된 신체의 자유 관련 규정을 기본권의 모태로 평가하는 견해도 있다(Martin Kriele, Einfürung in die Staatslehre, 5. Aufl., 1994, S. 133).

헌법에 보장된 기본권들이 정부 및 의회다수파에 의해서 침해되는 것을 방지하는 데는 1803년 연방대법원의 위헌법률심사권을 확립한 **Mabury v. Madison 사건**에 힘입은 바 크다.

Ⅲ. 프랑스

1789년 프랑스대혁명 후 라파예트가 작성한 전문 17개조로 구성된 '**인간과 시민의 권리선언**'(**인권선언**)은 인간의 불가침·불가양의 신성한 자연권에 기초한 제 권리를 선언하였다. "자유·안전 및 압제에 대한 저항권"이 규정되었고(동선언 제2조), 입헌주의헌법의 특징을 단적으로 보여주고 있는 "법의 준수가 보장되지 않거나 권력분립이 이루어지지 않는 사회는 결코 헌법을 가지고 있다고 말할 수 없다"는 규정(동선언 제16조) 및 "자유란 타인을 해하지 않는 모든 것을 할 수 있는 것"(동선언 제4조) 등이 그 대표적인 규정이다.

이 인권선언은 2년 후에 제정된 1791년의 프랑스 혁명헌법에 편입되어 헌법의 구성요소가 되었다. 그 후 1793년의 프랑스헌법은 프랑스 혁명이 한창일 때 국민공회에서 채택된 헌법이다. 당시의 정식 명칭은 '공화력1년 헌법'이지만, 그 특성상 '자코뱅헌법' 또는 '몽타뉴헌법'(몽타뉴는 산악파를 의미)이라고도 불린다. 1793년 헌법은 35개의 인권목록을 수용하고 인권의 자연성·불가양성을 강조하였다. 그러나 공안위원회의 독재를 정당화하는 수단으로 전락하였고 결국 이 헌법은 시행되지 못하였다.

제1공화국헌법(1795년의 공화력3년 헌법)은 자연적·불가양적 권리가 아닌 공동체 내에서의 권리를 규정하였고, 그나마 나폴레옹의 쿠데타로 헌법은 폐기되었다. 1799년의 새 헌법에는 기본권규정을 두고 있지 않았다. 나폴레옹 몰락 후 제정된 1814년 헌법(왕정복고헌법)에는 기본권규정을 두고 있었으나 보수적이었다. 1848년 2월 혁명으로 제정이 무너지고 제2공화국헌법이 만들어졌다. 제2공화국헌법은 프랑스 최초로 보통·직접선거원리를 채택하였으며 기본권을 규정하고 있었으나, 보수적 성격에서 벗어나지 못하였다. 제3공화국헌법(1875)은 기본권규정을 두지 않았다. 제2차 대전 후 인권사상이 부활하여 제4공화국헌법(1946)과 제5공화국헌법(1958)에서 현대적 의미의 기본권이 채택되었다.

Ⅳ. 독 일

독일에서도 종교개혁, 계약사상, 계몽사상 등의 영향을 받으면서 인권사상이 발전하였지만, 1807년의 베스트팔렌왕국헌법과 1808년의 바이에른헌법이 신체·재산·신앙·출판 등 전통적 자유권을 규정한 것이 인권선언의 효시라 할 수 있으나, 대표적인 인권문서는 다음을 들 수 있다.

1849년의 프랑크푸르트헌법은 '독일국민의 기본권'이란 표현을 처음으로 사용하였으며, 60개 조항에 달하는 자유주의적 자유권목록을 수용하였다. 특히 학문의 자유, 형사보상청구권을 최초로 규정하였다. 그러나 복고세력의 재등장으로 효력을 발휘하지는 못하고 1851년 폐지되었다. 1850년 프로이센헌법은 흠정헌법으로 기본권규정은 큰 의미가 없었다. 다만 양심의 자유를 종교의 자유의 내포로 규정한 것이 특징이라고 할 수 있다. 양심의 자유와 종교의 자유를 분리한 것은 바이마르공화국헌법이 최초이다.

독일에서의 기본권 내지 인권사상은 전통적인 국가주의 내지 보수주의로 비교적 늦게 규정되었고, 그나마도 헌법의 규정은 명목화·실정권화의 특성을 보이다가 제1차 대전 후 바이마르헌법에서 비로소 실질적 인권을 규정하고 본(Bonn)기본법(1949)에서 완전히 자연권적 인권사상이 확립되었다.

제3절 기본권보장의 현대적 특색

20세기에 들어서면서 기본권보장과 관련하여 몇 가지 특색이 나타나게 되었는데, 인권선언의 사회화(사회적 기본권의 확대 현상), 자연법사상의 부활, 인권보장의 국제화 현상 등이 그 예이다. 이를 인권보장의 20세기적 경향 내지 인권보장의 현대적 전개라고 설명하기도 한다.

Ⅰ. 인권선언의 사회화

자연법사상을 뿌리로 하는 자유주의 인권사상 하에서의 기본권은 전국가적인 자유권 중심의 보장체계였으나, 자유주의의 모순이 드러나고 사회적 기본권이 등장하면서 그 중요성이 강조되게 되었다. 이를 '**인권선언의 사회화**' 내지 '**자연권의 생활권화**' 현상으로 부르기도 한다. 자본주의국가에서는 1919년의 바이마르헌법이 사회적 약자의 인간다운 생활의 보장을 이념으로 하는 사회적 기본권이 최초로 규정되었다(복지국가 내지 사회국가). 이에 반하여 사회주의적 인권선언의 효시는 1918년 러시아 혁명헌법('근로에서 착취당하는 인민의 권리선언')을 들 수 있다(사회주의국가). 바이마르헌법이 자유권적 기본권과 조화를 목적으로 하는 사회적 기본권 규정이 특징이라면 러시아 혁명헌법의 경우는 사회적 기본권의 현실화를 위한 자유권적 기본권의 명목화가 특징이라 하겠다.

Ⅱ. 자연법사상의 부활

2차 대전 당시의 나치즘, 파시즘, 군국주의의 인권유린에 대한 반성에서 자연법사상이 부활하고 인권의 자연권성이 강조되었다. 1948년 유엔의 세계인권선언은 '인간의 존엄과 평등 그리고 불가양의 권리'를 확인하고 있으며, 특히 패전국의 헌법에는 인간의 존엄성이 강조되고 있다. 1949년 독일기본법은 제1조 제1항에서 "인간의 존엄성은 불가침이다. 이를 존중하고 보호하는 것은 모든 국가권력의 의무이다"고 규정하고 있다.

Ⅲ. 인권보장의 국제화

20세기 들어와 양차 세계대전을 거치면서 인류는 극심한 인권침해를 경험하였다. 특히 나치의 유대인학살, 일본 관동군의 생체실험 등은 그 대표적인 예이다. 이를 계기로 인권보장의 문제는 한 나라의 국내문제에 그칠 수 없고 국제사회가 공동으로 대처하지 않으면 안 된다는 사실을 뼈저리게 인식하게 해주었다. 평화와 환경문제도 국제 공동노력이 필요한 대표적인 분야이다.[11] 인권보장의 국제화현상은 이미 제1차 세계대전 후에 시작되었다. 특히 1919년의 베르사유조약의 결과로 1919년 6월 28일 설립된 '국제노동기구'가 그 예이다. 그러나 인권이 본격적으로 국제적 선언 · 결의 · 협약 등에서 보장되기 시작된 것은 제2차 세계대전 이후부터이다.

---

11) 인권보장의 국제화현상을 '인권에 대한 국제적 관심의 증가'(허영), '인권법제의 국제화'(권영성)로 표현하기도 한다.

1. 유엔헌장(1945)

제2차 대전 후 1945년 6월 26일 '국제연합헌장'은 '인간의 기본권과 인격의 가치에 대한 믿음'을 선언하고 인간의 존엄과 가치, 기본적 인권과 평등 및 경제적・사회적 기본권 등을 선언하고 있다. 유엔헌장은 구속력이 있기보다는 인권에 대한 국제적 관심을 확인한 데 그 의의가 있다.

2. 유엔 세계인권선언(Universal Declaration of Human Rights, 1948)

1948년 12월 10일의 유엔 세계인권선언은 인간의 존엄성, 평등권, 신체의 자유, 표현의 자유, 정보수집의 자유, 망명자보호청구권 등 다양한 인권을 열거하고 있다. 비록 선언적 의미를 가지며 법적 구속력은 없지만, 국제인권보장사에 획기적인 계기를 이룬 것으로 평가되고 있다.

세계인권선언의 구속력

"국제연합의 '인권에 관한 세계선언'에 관하여 보면, 이는 그 전문에 나타나 있듯이 "인권 및 기본적 자유의 보편적인 존중과 준수의 촉진을 위하여 …… 사회의 각 개인과 사회 각 기관이 국제연합 가맹국 자신의 국민 사이에 또 가맹국 관할하의 지역에 있는 인민들 사이에 기본적인 인권과 자유의 존중을 지도 교육함으로써 촉진하고 또한 그러한 보편적, 효과적인 승인과 준수를 국내적・국제적인 점진적 조치에 따라 확보할 것을 노력하도록, 모든 국민과 모든 나라가 달성하여야할 공통의 기준"으로 선언하는 의미는 있으나 그 선언내용인 각 조항이 바로 보편적인 법적구속력을 가지거나 국제법적 효력을 갖는 것으로 볼 것은 아니다."

헌재 1991. 7. 22. 89헌가106

3. 국제연합인권규약(International Covenant on Human Rights, 1966)

국제연합인권규약은 세계인권선언 중에 규정된 기본적 인권들의 실효성을 뒷받침하기 위한 노력의 하나로서 체결되었다. 국제연합인권규약은 '경제적・사회적・문화적 권리에 관한 국제규약'(A규약), '시민적・정치적 권리에 관한 국제규약'(B규약), 그리고 '시민적・정치적 권리에 관한 국제규약의 선택의정서'의 셋으로 구성되어 있다. 1966년 12월 16일의 제21차 유엔총회에서 채택되어, A규약은 1976년 1월 3일 발효하고, B규약은 동년 3월 23일에 발효되었다. 1977년부터 서명국에 조약으로서의 효력이 발생하였다. 서명국은 i) 인권보고서 제출의무, ii) 인권을 침해당한 피해자의 서면신고에 대한 인권위원회의 의견송부・주의환기 등에 대해서 규정하고 있다.

우리나라는 1990년 이 규약에 서명・가입하였고, 1990년 7월 10일부터 효력이 발생하고 있다. 우리나라는 B규약 중 처음에 4개항을 유보하였으나 현재는 1개항만 유보하고 있다.

▣ 국제연합인권규약에 대한 우리나라의 유보 및 유보철회 상황

1. 상급심 재판을 받을 권리보장(제14조 제5항)

비상계엄 하 단심제를 규정하고 있는 우리나라 상황에서 유보하였으나, 2007년 4월 2일 유보를 철회하였다.

2. 일사부재리(이중처벌금지, 제14조 제7항)

외국에서 받은 형에 대한 임의적 감면규정을 두고 있는 형법규정[12]과 관련하여 유보하였으나 1993년 1월 21일 유보를 철회하였다.

3. 혼인 중 혼인해소 후 배우자평등조항(제23조 제4항)

민법상 대혼기간을 두고 있는 것과 관련하여 유보하였으나, 1991년 3월 15일 유보를 철회하였다.

4. 노조설립의 자유와 참여의 자유(제22조)

우리 헌법은 제33조 제2항에서 일부공무원의 노조설립과 참여를 제한하고 있기 때문에 이 조항을 유보하고 있다.

---

12) "범죄에 의하여 외국에서 형의 전부 또는 일부의 집행을 받은 자에 대하여는 형을 감경 또는 면제할 수 있다"고 규정한 형법 제7조의 위헌 여부가 다투어진 사건에서 헌법재판소는 이 조항이 **이중처벌금지조항에 위반되는 것은 아니지만 신체의 자유위반에 대해서는 과잉금지원칙에 위반된다**고 하면서 헌법불합치결정을 내린 바 있다. 즉 이중처벌금지원칙은 동일한 범죄에 대하여 대한민국 내에서 거듭 형벌권이 행사되어서는 안 된다는 뜻으로 새겨야 할 것이므로 이 사건 법률조항은 헌법 제13조 제1항의 이중처벌금지원칙에 위배되지 아니하지만, 외국에서 실제로 형의 집행을 받았음에도 불구하고 우리 형법에 의한 처벌 시 이를 전혀 고려하지 않는다면 신체의 자유에 대한 과도한 제한이 될 수 있으므로 그와 같은 사정은 어느 범위에서든 반드시 반영되어야 하고, 이러한 점에서 입법형성권의 범위는 다소 축소될 수 있다고 보면서, 입법자는 국가형벌권의 실현과 국민의 기본권 보장의 요구를 조화시키기 위하여 형을 필요적으로 감면하거나 외국에서 집행된 형의 전부 또는 일부를 필요적으로 산입하는 등의 방법을 선택하여 청구인의 신체의 자유를 덜 침해할 수 있음에도, 이 사건 법률조항과 같이 우리 형법에 의한 처벌 시 외국에서 받은 형의 집행을 전혀 반영하지 아니할 수도 있도록 한 것은 과잉금지원칙에 위배되어 신체의 자유를 침해한다고 보았다(헌재 2015. 5. 28. 2013헌바129). 헌법불합치결정이후 형법 제7조는 "**죄를 지어 외국에서 형의 전부 또는 일부가 집행된 사람에 대해서는 그 집행된 형의 전부 또는 일부를 선고하는 형에 산입한다**"고 개정되었다.

4. 지역적 인권보호 노력

1950년 11월 4일 채택된 '인권과 기본적 자유의 보호를 위한 유럽규약'(유럽인권규약)은 비록 유럽지역에 국한된 것이지만, 강제력을 가진 인권규약이라는 점에서 그 의의가 크다. 이 규약은 1953년 9월 30일부터 발효하여 회원국에 대하여 구속력을 갖게 되었다. 1959년 유럽인권재판소(European Court of Human Rights)가 설립되어 유럽인권협약 위반을 이유로 개인이 개별국가의 공권력 행사를 직접 제소할 수 있는 청구권을 인정하고 있다. 이 점에서 유럽인권재판소는 유럽의 헌법재판소라 불린다. 그리고 유럽연합(EU) 조약 및 제반 법률의 해석과 그 적용에 대한 판결을 통하여 유럽연합법의 이행을 최종적으로 보장하는 역할을 담당하는 유럽사법재판소(Court of Justice of the European Union)도 설치되었다.[13)]

한편 유럽인권규약에 영향을 받아 1954년 전미법률가협회는 '전미인권조약초안'을 작성하였고, 1969년에는 '전미인권협정'(American Convention on Human Rights)이 체결되어 1978년 7월 18일부터 효력을 발생하고 있다. 1969년 미주 인권재판소(Inter-American Court of Human Rights)도 설립되었다.

아프리카에서도 1981년 6월 27일 '인간의 권리와 인민의 권리에 관한 아프리카헌장'이 체결되어 1986년 10월 21일부터 효력을 발생하였다. 아프리카 연합(African Union) 55개 회원국 전체의 인권 보호를 위해 2006년 아프리카 인권재판소(African Court on Human and People's Rights)도 설립되었다.

아랍국가에서도 1945년 아랍연맹이 결성되었고, 2004년에는 '아랍인권헌장'(Arab Charter of Human Rights)이 채택되었고, 2013년에는 아랍인권재판소를 바레인에 설치하기로 아랍연맹에서 의결하였다.

아시아에서도 인권헌장 제정과 인권재판소설립 논의가 오래전부터 제기되고 있다. 1967년 8월 8일 방콕 선언(Bangkok Declaration)에 의해 창설된 동남아시아국가연합(Association of South-East Asian Nations, ASEAN으로 약칭)은 2007년 정상회의에서 회원국의 통합을 강화하기 위해 아세안공동체의 출범과 'ASEAN 헌장(ASEAN Charter)' 채택을 합의하였다. 2011년에는 '인권선언(Right Declaration)'을 통한 민주화 및 인권보호에 대한 제도적 틀을 마련하였다. 우리나라 헌법재판소는

13) 상급심인 사법재판소(Court of Justice, 1952년 설치)와 하급심 기관인 일반법원(General Court, 1988년 설치)으로 구성되는데, 일반법원은 유럽연합 내의 경쟁, 반덤핑 및 지식재산권 등에 대한 1차 심사를 담당한다. 2004년에 설립되었던 행정법원(Civil Service Tribunal)은 2016년부로 일반법원으로 이관되었다.

2014년 9월 서울에서 열린 세계헌법재판회의 제3차 총회에서 아시아인권재판소의 설립을 제안한 바 있다.

5. 특정한 영역의 인권침해를 다룬 국제인권조약과 선언채택

일반적인 인권보장에 관한 노력 외에 특정영역에서의 인권보장노력도 국제기구를 중심으로 활발히 전개되고 있으며 i) 대량학살범죄의 예방과 처벌에 관한 협약(1951), ii) 모든 형태의 인종차별배제에 관한 선언(1965), iii) 여성차별철폐에 관한 선언(1967), iv) 인간환경선언(1972), v) 고문폐지를 위한 국제앰네스티선언(1973), vi) 고문 등의 금지에 관한 협약(1987) 등을 대표적인 조약과 선언의 예로 들 수 있다.

6. UNESCO의 제3세대 인권론[14)]

UNESCO의 전문가들을 중심으로 새로운 인권으로서 제3세대 인권이 주장되고 있다. 특히 칼 바작(Karl Vasak)은 변화된 상황에 적용하기 위하여 국제인권법의 내용을 이루고 있는 시민적·정치적 권리를 제1세대인권이라면, 경제적·사회적·문화적 권리는 제2세대 인권이며, 현대에는 제3세대 인권으로서 연대권(連帶權, solidarity rights)이 추가되어야 한다고 주장하였다. 다시 부연하면 개인적 차원의 자유권보장이 1세대 인권이고, 국가적 차원의 생존권보장이 2세대 인권이며, 이제는 국제적 차원의 연대권이 제3세대 인권으로 강조되고 있다. 제3세대 인권의 이념적 기초로서 박애(형제애)를 들 수 있는데, 그 현대적 표현이 연대성이라고 할 수 있다.

제3세대 인권은 제1세대 및 제2세대 인권에 비하여 정치적 색채가 적고(비정치성), 공동체의 연대책임이 강조되며(국제성), 그 주체로서 민족과 국가가 들어지는(집단적 주체성) 성질을 가지는 것으로 설명되고 있다. 그 밖에 제1세대 인권과 제2세대 인권의 종합으로 묘사되기도 하며(종합권성), 제3세대 인권은 기존의 기본권의 대체가 아니라 이미 있는 인권을 보충한다는 점에서 보충성이 그 특징으로 들어지고 있다.

제3세대인권 내지 연대권의 내용은 학자에 따라 차이가 있으나, i) 개발에 관한 권리, ii) 평화에 관한 권리, iii) 의사소통의 권리, iv) 서로 다툴 수 있는 권리, v) 건강하고 조화된 환경에 살 권리, vi) 인류공동유산으로부터 이익을 받을

14) 홍성방, "제3세대 인권", 법정고시, 1996. 2, 32면 이하 참조.

권리, vii) 인도적 구조를 받을 권리 등이 내용으로 주장되고 있다.

Ⅳ. 새로운 또는 생성중인 인권

오늘날 정보화사회의 진전으로 정보기본권이 강조되고 있다. 정보의 자유 내지 알 권리와 개인정보자기결정권 등의 강조도 있는데 이들 권리를 어떻게 조화시킬 수 있는가도 중요한 쟁점이 되고 있다. 그 밖에 건강권, 일조권, 휴식권, 평화적 생존권, 문화향유권 등이 새로운 인권으로서 혹은 기존 기본권에서 도출되는 권리로서 강조되고 있다.

제4절 한국에서의 기본권보장의 역사

Ⅰ. 건국헌법 이전

1919년 설립된 대한민국임시정부의 각 헌법에는 기본권이라는 용어는 없지만, 선거권, 피선거권, 자유(1919년 4월 임시헌장)라는 용어가 사용되었고, 자유, 권리, 권(1919년 9월의 임시헌법, 1927년의 임시약헌, 1940년의 임시약헌, 1944년의 임시헌장)이라는 용어도 사용되고 있어 기본권에 대한 인식이 반영되었고, 사실 오늘날의 여러 기본권에 해당되는 기본권을 규정하고 있었다.[15] 광복 후 미군정하에서 미군정 법령에 의하여 근대적인 의미의 기본권보장이 도입되기도 하였다. 특히 1948년 3월의 미군정법령 제178호에 의하여 도입된 구속적부심사제도는 신체의 자유의 발전에 중요한 의미를 가진다고 하겠다.

---

15) 1919년 4월의 臨時憲章에는 '대한민국의 인민은 남녀 귀족 及 빈부의 계급이 無하고 一切 平等임'(제3조), '대한민국의 인민은 信教 言論 著作 出判 結社 集會 信書 住所移轉 身體 及 所有의 自由를 향유함'(제4조), '대한민국의 인민으로 公民자격이 有한 자는 選擧權 及 被選擧權이 有함'(제5조) 등의 규정을 두고 있었으며, 1919년 9월의 臨時憲法은 '대한민국의 인민은 一切 平等함'(제4조), '대한민국의 인민은 법률범위 내에서 下列 各項의 自由를 享有함 1. 信教의 자유, 2. 재산의 보존과 營農의 자유, 3. 언론 저작 출판 집회 결사의 자유, 4. 信書秘密의 자유, 5. 居住移轉의 자유'(제8조), '대한민국의 인민은 법률에 依하여 下列 各項의 權利를 有함 1. 법률에 依치 아니하면 逮捕 査察 訊問 處罰을 受치 아니하는 權, 2. 법률에 依치 아니하면 家宅의 侵入 또는 搜索을 受치 아니하는 權, 3. 선거권 及 피선거권, 4. 입법부에 請願하는 權, 5. 법원에 訴訟하여 그 裁判을 受하는 權, 6. 행정관청에 請願하는 權, 7. 文武官에 임용되는 權 또는 公務에 就하는 權'(제9조) 등을 규정하고 있었다.

Ⅱ. 제1공화국헌법

제1공화국은 헌법에 많은 기본권을 규정하고 있었다. 정부수립 후 1948년 제정된 헌법[16]에는 평등권과 신체의 자유 같은 고전적인 기본권은 물론 **근로자의 이익분배균점권(利益分配均霑權)**[17] 같은 사회적 기본권을 두었던 것이 특징이다. 그러나 제1공화국헌법의 기본권은 각 개별기본권마다 법률유보조항을 두어 기본권의 제한 가능성을 더 많이 열어 두고 있었다는 점에서 기본권을 천부인권이 아니라 실정헌법상의 권리로 보았다고 평가되고 있다.

Ⅲ. 제2공화국헌법

4.19 저항 이후 제정된 제2공화국헌법(1960년 헌법)은 기본권목록 자체에는 큰 변화가 없었지만, 개별적 법률유보조항을 많이 없앴다는 점과 기본권의 본질내용 침해금지규정을 두고 있는 점에서 기본권의 자연권성을 강조하고 있다.

Ⅳ. 제3공화국헌법

5.16 군사 쿠데타 이후에 제정된 제3공화국헌법은 기본권보장의 이념적 기초라고 할 수 있는 인간의 존엄과 가치규정이 신설되었고, 직업선택의 자유, 인간다운 생활을 할 권리, 신체의 자유와 관련하여 고문의 금지와 자백의 증거능력제한규정이 신설되었다. 근로자의 이익분배균점권과 공무원파면청원권이 삭제되었다.

Ⅴ. 제4공화국헌법

1972년의 유신헌법은 권위주의체제를 강화하기 위한 목적 하에 기본권보장을 상대화한 것이 그 특징이다. 즉 개별적 법률조항을 거의 모든 기본권에 두어 기본권을 실정권화하였으며, 구속적부심사제의 폐지, 자백의 증거능력제한 규정의 삭

16) 제헌헌법, 건국헌법 등으로 불리나, 본서에서는 건국헌법으로 사용한다.
17) "영리를 목적으로 하는 사기업에 있어서는 근로자는 법률의 정하는 바에 의하여 이익의 분배에 균점할 권리가 있다"(건국헌법 제18조 제2항). 근로자의 이익분배균점권은 1941년 임시정부의 건국강령에서 채택된 조소앙 선생의 三均主義(정치적 기회균등, 경제적 기회균등, 교육적 기회균등)가 반영된 것으로 이는 1962년 헌법에서 삭제되었다.

제, 언론・출판・집회・결사의 자유의 허가제・검열제금지규정의 삭제, 국가배상청구권에 있어서 군인・군속(현 군무원)・경찰공무원 등에 대한 제한의 특례(이중배상금지), 근로자의 단체행동권의 제한, 기본권의 본질내용 침해금지규정의 삭제 등으로 기본권보장이 많이 약화되었다. 또한 대통령의 긴급조치권으로 기본권의 중요요소를 제한할 수 있게 하여 기본권이 매우 위축되었다.

Ⅵ. 제5공화국헌법

1980년의 제5공화국헌법은 기본적 인권의 불가침성과 본질내용 침해금지규정의 부활로 기본권의 자연권성을 좀 더 명확히 하였고, 새로운 기본권을 많이 신설하였다. 인간의 존엄과 가치조항에 행복추구권을 신설하였고, 형사피고인의 무죄추정권, 사생활의 비밀과 자유(프라이버시권), 환경권, 연좌제의 폐지, 근로자의 적정임금보장, 평생교육에 관한 권리 등도 신설되었다. 그리고 소비자보호규정을 경제조항에 신설하였다. 새로운 기본권을 명문화한 것에 대해서는 신군부의 집권으로 만들어진 헌법이어서 권력구조를 강하게 하는 반면에 이를 희석하기 위하여 한 것이라는 평가도 있다.[18)]

Ⅶ. 현행헌법

1987년에 개정된 현행헌법은 기본권의 절차적 보장을 확대・강화하고, 새로운 유형의 기본권들을 신설한 것이 그 특색이다. 이전 헌법에 비해 개별적 법률유보조항을 거의 모두 삭제하고(신체의 자유와 재산권에 일부 남아 있음) 적법절차원칙, 체포・구속이유의 고지 및 통지제도, 구속적부심사의 확대 인정, 형사피해자의 재판절차진술권, 형사피의자의 형사보상청구권, 범죄피해자구조청구권, 최저임금제의 의무적 실시, 쾌적한 주거생활을 위한 국가의 노력의무, 모성보호의무, 국가의 재해예방노력의무, 여성・노인・청소년의 복지향상의무 외에 과학기술자의 권리보호, 대학의 자율성 보장, 통신・방송시설 기준의 법정 등이 신설되었다.

현행헌법 하에서는 신설된 헌법재판소에 의한 헌법재판이 활발해지면서 기본권보장을 비롯한 헌법의 규범력이 강화되고 있다. 그리고 인권의 국제화 경향으로 국제인권법제에 대한 관심과 국제인권법제의 국내수용이 강화되고 있다.

---

18) 정재황, 제6판 신헌법입문, 박영사, 2016, 216면.

제2장

기본권의 성격

제1절 서 언

기본권의 성격에 관한 논의는 i) 기본권이 개인을 위한 주관적 공권인가 아니면 반사적 이익인가? ii) 권리라고 한다면 구체적 권리인가 아니면 구체적 입법에 의해서만 현실적 권리가 될 수 있는 추상적 권리인가? iii) 그 권리는 자연법상의 권리인가 아니면 실정법상의 권리인가? iv) 기본권은 오로지 개인을 위한 주관적 공권이라는 성격만을 가지는 것인가 아니면 개인을 위한 주관적 공권성과 더불어 국가의 기본적 법질서의 구성요소라는 성격도 아울러 가지는가?(기본권의 이중성) 등의 주제를 포함하는 기본권이론과 직접적인 관계가 있다.

제2절 주관적 공권성

Ⅰ. 개 념

기본권은 시민이나 국민 각자가 스스로를 위하여 국가에 대한 부작위나 작위를 요청할 수 있는 개인의 권리라는 점에서 **주관적 공권성**을 가진다고 보는 것이 다수의 견해이다. 이러한 주관적 공권성으로 인하여 국가권력은 기본권에 기속된다. 다만 주관적 공권성을 부정하는 견해도 있다. 즉 켈젠(H. Kelsen)은 자유권의 주관적 공권성을 부정하고 법률이 강제하고 있지 않은 까닭에 그 범위 내에서 반사적 효과로서 누리는 반사적 이익으로 파악하고 있다.

Ⅱ. 구체적 권리인가 추상적 권리인가?

기본권의 주관적 공권성을 인정하더라도 그 자체로 당연히 현실적・구체적 권리인가 여부는 기본권에 따라 차이가 있다. 기본권을 대국가적 방어권으로 이해하는 자유권은 구체적, 현실적 권리의 성격이 강하나, 국가에 대한 급부청구권을 내용으로 하는 사회적 기본권(생존권)은 그 구체적 실현과 관련하여 추상적 권리 내지 프로그램(입법방침)규정의 성격이 강하다(**기본권 2분론**). 최근에는 생존권의 구체적 권리성을 주장하는 견해가 유력해지고 있다(후술).

제3절 자연권성

기본권이 자연권인가 아니면 실정권인가에 대한 논의는 자유권의 성격을 중심으로 전개된 결단주의 헌법관과 법실증주의 헌법관의 논쟁과 맥을 같이한다.

Ⅰ. 학 설

1. 실정권설

기본권은 헌법에서 비로소 인정된 실정권(**헌법선존설**)이라는 견해이다. 즉 법인인 국가가 창설하여 국민에게 부여한 것이라는 생각이 바탕이 되어 있다(법실증주의). 이 설은 ⅰ) 절대군주제하에서는 자연권설이 국가권력에 대하여 항의적・방어적 의미를 가졌지만, 현대 민주주의국가에서는 그러한 의미를 상실하였다는 점, ⅱ) 권리는 실정법을 떠나서는 성립할 수 없는 것이며 실정헌법에 규정된 이상 실정법상의 권리라는 점, ⅲ) 자유는 전(前)국가적이지만, 자유권은 국가내적인 것이라는 점 등을 근거로 제시하고 있다.

2. 자연권설

기본권은 국가・헌법 이전에 선험적으로 존재하는 것으로 보는 견해이다(**권리선존설**). 즉 헌법에 의해 기본권이 창설되는 것이 아니라, 헌법은 선존하는 기본권을 확인하고 선언하는 것이라는 주장이다. 이 설은 ⅰ) 기본권은 본질적으로 인간의 본성에 근거하는 것이고, ii) 기본권의 국가권력에 대한 항의적 성격은 오늘날에도 여전히 인정되며, iii) 모든 국가권력은 기본권존중이라는 시대정신에는 구속되어야 한다는 점을 논거로 한다.

■ 슈미트(C. Schmitt)의 기본권관[19)]

슈미트는 기본권을 본질적으로 방어권으로 파악한다(자유주의적 기본권관). 기본권은 천부적이며 실정법에 대해 선험적으로 존재한다고 파악한다(전국가적 기본권관). 개인의 자유영역은 전국가적인 것으로서 원칙적으로 무제한이고, 이 영역에 대한 국가의 침해는 원칙적으로 제한적인 것으로 파악한다(법치국가적인 배분의 원리). 이 견해는 복지국가이념과 부합되지 않는다는 점, 현대적 기본권(적극적·능동적 기본권)을 설명하기 어렵다는 점, 기본권의 대사인적 효력을 설명하기 어렵다는 점 등의 비판을 받는다.

3. 동화적 통합기능설

이 설은 우리 사회의 저변에 흐르고 있는 가치적인 Konsens를 집약한 것이 기본권이므로, 기본권은 국가의 성립과 유지의 원동력으로서 전국가적 자연권일 수도 없고, 법률 속의 기본권일 수도 없다고 한다. 우리 사회가 동화·통합되어 가기 위한 불가결의 전제조건이 기본권의 존중, 보장이라고 파악함이 타당하다고 한다. 결국 기본권의 성격은 그 국가형성적 기능과 동화적 통합기능에서 찾아야 한다고 한다.[20)]

4. 결 어

개별기본권의 성격에 따라서 차이는 있을 수 있지만, 오늘날에도 여전히 국가권력에 의한 기본권침해의 가능성이 존재하는 점에서 기본권의 항의적 성격은 인정될 수 있으며, 기본권 보장은 헌법·국가의 "목적"이고, 헌법제정권력의 한계가 된다는 점에서 자연권설이 타당하다. "기본적 인권을 확인하고 …… "(제10조 후단), "국민의 자유와 권리는 헌법에 열거되지 않은 이유로 경시되지 아니한다"(제37조 제1항), "자유와 권리의 본질적인 내용을 침해할 수 없다"(제37조 제2항 후단)는 헌법규정을 자연권설의 헌법적 근거로 제시할 수 있다.

---

19) C. Schmitt, Verfassungslehre, 3. Aufl. Neudruck, 1958, S. 126, 163–165, 181.
20) 허영, 전정13판 한국헌법론, 박영사, 2017, 244–245면.

제4절 기본권의 이중적 성격(이중성, 양면성)

Ⅰ. 기본권의 이중성의 의미

기본권은 **주관적 공권인 동시에 객관적 가치질서로서의 성격**을 가진다는 것이다. 여기서 객관적 법질서란 기본권은 모든 국법질서의 구성요소로서 모든 국법질서에 있어서 기본권을 침해해서는 안 된다는 법원칙을 의미한다. 예를 들어 법 앞의 평등이나 언론의 자유는 개인이 국가에 대하여 평등한 대우를 요구하며, 자유로이 의견을 발표할 수 있는 주관적 권리인 동시에 국가권력에 의한 자의적 불평등처우의 금지나 민주국가적 법질서의 내용을 규정하는 자유로운 여론형성과 여론존중의 원칙을 객관적으로 확인함으로써 민주주의의 원리를 유지・발전시키는 가치질서로서의 의미를 가진다는 것이다.

Ⅱ. 인정논의

기본권의 이중성은 기본권을 국민의 국가권력에 대하여 갖는 일정한 법상의 힘으로 이해하는 옐리네크(G. Jellinek), 켈젠(H. Kelsen), 슈미트(C. Schmitt)의 입장에서는 인정될 수 없었다. 즉 국민이 국가에 대하여 가지는 자유와 권리를 켈젠의 경우는 반사적 이익으로 파악하며, 옐리네크는 실정법에 의해서만 보호되는 주관적 공권으로 파악하고 있다. 슈미트의 결단주의적 헌법관에 의하면 기본권은 초국가적 자연권으로서 그 주관적 공권성이 강조되고 제도보장과는 엄격히 구별하고 있다. 반면 기본권을 사회저변에 깔려 있는 가치질서요 문화질서라고 주장하는 스멘트(R. Smend)의 통합론에서 그 이론적 근거를 가지게 된다. 1958년 1월 15일 독일의 연방헌법재판소가 내린 **뤼트 판결**(Lüth-Urteil)[21]은 기본권의 이중적 성격을

21) 나치의 선동적, 유대인혐오적 홍보영화를 제작했던 영화감독 Veit Harlan이 제작한 영화('불멸의 연인')에 대해 과거 Harlan의 사상에 불만을 품은 함부르크주의 영화감독 Erich Lüth가 이 영화를 보이콧하자고 발표하였다. 그로 인해 영화상영에 손실을 입게 되자 Harlan이 Lüth를 상대로 보이콧시위의 중지를 구하는 소송을 제기하였고 법원은 Harlan의 손을 들어 주었다. 이 판결에 불복한 Lüth는 자신의 언론의 자유를 주장하며 연방헌법재판소에 다시 소송을 제기하였다. 연방헌법재판소는 보이콧이 선량한 풍속에 반한다고 했던 하급심의 판결이 오히려 Lüth의 언론의 자유를 침해하였다고 판결하였다. Lüth 판결에서는 기본권의 이중성을 인정하고 기본권의 원칙규범적 성격 내지 객관적 질서의 성격으로부터 공・사를 불문하고 모든

인정했으며, 기본권의 이중성을 강조한 대표적 학자는 헷세(K. Hesse)를 들 수 있다. 그리고 기본권의 객관적 가치질서로서의 제도적 측면을 강조하여 "**제도적 기본권론**"을 주장한 학자는 헤벌레(P. Häberle)를 들 수 있다. 독일헌법 및 학설의 경향이며, 우리의 다수설도 기본권의 이중성을 인정하고 있다.

한편 기본권의 이중적 성격을 부정하는 견해는 독일기본법 제1조 제1항('독일국민은 침범할 수 없고 또 박탈할 수 없는 인권을 모든 인간 공동사회의 기초로서 세계에 있어서 평화와 정의의 기초로서 인정한다')과 같은 규정이 없는 우리 헌법 하에서는 기본권이 헌법에 규정됨으로써 헌법규범으로서 국가권력을 구속하기 때문에 결과적으로 객관적 질서를 구성하게 된 것이지 기본권 그 자체는 천부인권으로서의 공권일 뿐이라고 한다. 기본권의 주관적 공권성을 약화시킨다는 것도 중요한 부정논거이다.[22]

오늘날 개인의 생활은 국가의 적극적 활동에 의존하게 되고, 사회세력에 의한 개인의 기본권침해의 가능성이 증대되고 있는바, 기본권의 객관적 성격을 강조하지 않을 수 없는 환경 하에 있다. 기본권이 객관적 가치질서로 작용한다고 하여 기본권의 공권적 기능이 후퇴한다고 말할 수는 없다. 즉 기본권의 객관적 질서로서의 성격은 기본권의 주체인 국민이 적극적 또는 소극적으로 자신의 생활을 형성해 나갈 때 비로소 질서로서의 의미를 가지게 되므로 기본권의 주관적 공권성과는 불가분의 기능적 보완관계에 있다는 지적은 타당하다.

기본권의 이중성을 인정할 때, 기본권의 대사인적 효력, **국가의 기본권보호의무**를 설명하기 용이한 장점이 있다. 그리고 우리 헌법은 제10조 후문에서 "국가는 개인이 가지는 불가침의 기본적 인권을 확인하고 이를 보장할 의무를 진다"고 규정하고 있기 때문에, 모든 국가기관은 소극적인 기본권보호의무뿐만 아니라 적극적인 기본권실현의무를 가진다. 따라서 기본권의 이중적 성격을 인정하는 긍정설이 타당하다고 생각한다. 기본권의 향유주체는 원칙적으로 **기본권을 임의로 포기할 수 없다**는 점, 태아나 사자에게도 일정한 한도 내에서 기본권능력을 인정하는 점, **기본권의 제3자적 효력**이 인정된다는 점 등도 기본권의 객관적 가치질서성을 인정하는 근거가 될 수 있다고 생각한다.

생활영역에 효과를 미치게 되는 이른바 방사효(放射效, Ausstrahlungseffekt)를 인정하였다 (BVerfGE 7, 198).

22) 김철수, 학설·판례 헌법학(상), 박영사, 2008, 373면.

▣ 헤벌레(P. Häberle)의 제도적 기본권관

헤벌레의 '**제도적 기본권**'이론은 우호적 · 긍정적 국가관, 국가권력의 개입에 의한 기본권의 실질화를 주장하는(자유방임주의의 포기) 통합주의에 이론적 근거를 두고 있다. 제도적 기본권론은 전국가적 자연권론의 입장에서 '자유는 제도일 수가 없다'고 주장하는 슈미트(C. Schmitt)의 자유권적 기본권 중심의 결단주의의 한계를 극복하기 위함을 목적으로 한다. 즉 현실화되지 않은 절대적 · 형이상학적 · 천부적 기본권론은 무의미하고(기본권규범과 현실과의 괴리를 직시), 법률(제도)에 의해 구체화되지 않은 기본권은 이념에 불과하다는 주장이다. '자유는 제도일 수밖에 없다'는 시각에서 '자유란 법이나 국가를 떠나서 존재하는 것은 아니고 오로지 법 속에서만 현실화될 수 있고 또 충족될 수 있는 것'이라 주장한다.

헤벌레에 따르면 기본권에 대한 법적 규제는 기본권에 대한 제한이나 침해를 뜻한다기보다는 오히려 기본권을 모든 사람에게 실효성 있는 것으로 하기 위한 기본권의 '실현'이며 '강화'에 불과하게 된다. 즉 형성적 법률(기본권 보장을 위한 법률)에 의한 기본권의 제도화('헌법상 기본권'에 내용 · 실질을 부여), 국가권력(입법작용)에 대한 신뢰 등을 바탕으로 한다.

이러한 헤벌레의 제도적 기본권관에 대해서는 적극적 국가관(현대적 국가관), 현대적 기본권(생존권 등)에 관한 이론으로 타당성을 가지며 헌법규범과 헌법현실의 일치를 통한 헌법의 생활규범성 도출이라는 점은 긍정적으로 평가될 수 있다. 한편 제도는 그것이 자유의 실현을 위한 하나의 수단일 수 있어도 '제도'가 곧 '자유'를 뜻할 수는 없다는 비판과 인권을 공동화하고 기본권을 의무화할 우려가 있다는 비판도 있다.

Ⅲ. 관련 헌법재판소 판례

헌법재판소는 여러 결정에서 기본권의 이중적 성격을 인정하고 있다.

1. 정정보도청구사건

"오늘날 자유민주적 기본질서를 유지하기 위한 여론의 형성에서 언론이 차지하는 비중은 결코 과소평가할 수 없고, 민주주의를 지키고 발전시켜 나가기 위하여 표현의 자유의 우월적 지위는 반드시 보장되어야 한다. 반론권을 인정하는 근거는 공정한 여론형성에 참여할 자유나 객관적 질서로서의 언론제도를 보장하는 데 있다. …… 반론권으로서의 정정보도청구권은 바로 헌법상 보장된 인격권에 그 바탕을 둔 것으로서, 피해자에게 보도된 사실적 내용에 대하여 반박의 기회를 허용함으로써 피해자의 인격권을 보호함과 동시에 공정한 여론의 형성에 참여할 수 있도록 하여 언론보도의 객관성을 향상시켜 제도로서의 언론보장을 더욱 충실하게 할 수도 있을 것이라는 취지아래 제정된 것이다"(헌재 1999. 9. 16. 89헌마165).

2. 검사작성의 피의자신문조서에 대한 증거능력의 인정요건 (재판청구권과 평등권)

검사작성의 피의자신문조서에 대한 증거능력의 인정요건을 정한 형사소송법 제312조 제1항 단서의 위헌 여부를 다툰 사건에서 헌법재판소는 형사소송법 제312조 제1항 단서가 검사작성의 피의자신문조서에 대하여 그것이 전문증거임에도 불구하고 일정한 요건하에서 증거능력을 인정할 수 있도록 한 것은 형사소송법이 목적으로 하는 실체적 진실의 발견과 신속한 재판을 위한 것으로 그 목적의 정당성이 인정되고, 검사작성의 피의자신문조서와 검사이외의 수사기관이 작성한 피의자신문조서에 대하여 증거능력 인정의 요건에 차등을 두어 검사작성의 피의자신문조서의 증거능력 인정요건을 완화한 것은 피의자의 인권보호와 실체적 진실발견 및 재판의 신속한 진행 사이의 조화를 이루기 위한 것으로 그 합리적 이유가 인정되므로, 이는 재판청구권을 규정하는 헌법 제27조 제1항과 평등의 원칙을 선언한 헌법 제11조 제1항에 위반되지 아니한다고 판시하였다(헌재 1995. 6. 29. 93헌바45). 이 사건에서 "국민의 기본권은 국가권력에 의하여 침해되어서는 아니된다는 의미에서 소극적 방어권으로서 의미를 가지고 있을 뿐만 아니라, 헌법 제10조에서 국가는 개인이 가지는 불가침의 기본적 인권을 확인하고 이를 보장할 의무를 진다고 선언함으로써, 국가는 나아가 적극적으로 국민의 기본권을 보호할 의무를 부담하고 있다는 의미에서 기본권은 국가권력에 대한 객관적 규범 내지 가치질서로서의 의미를 함께 갖는다. 객관적 가치질서로서의 기본권은 입법·사법·행정의 모든 국가기능의 방향을 제시하는 지침으로서 작용하므로, 국가기관에게 기본권의 객관적 내용을 실현할 의무를 부여한다"고 하여 기본권의 이중성을 인정하고 있다.

3. 지가공시 및 토지 등의 평가에 관한 법률시행령 제30조 등 위헌확인사건 (직업선택의 자유 관련)

"직업의 선택 또는 수행의 자유는 각자의 생활의 기본적 수요를 충족시키는 방편이 되고, 또한 개성신장의 바탕이 된다는 점에서 주관적 공권의 성격이 두드러진 것이기는 하나, 다른 한편으로는 국민 개개인이 선택한 직업의 수행에 의하여 국가의 사회질서와 경제질서가 형성된다는 점에서 사회적 시장경제질서라고 하는 객관적 법질서의 구성요소이기도 한다"'(헌재 1996. 8. 29. 94헌마113).

4. 방송의 자유 관련

"방송의 자유는 주관적 권리로서의 성격과 함께 신문의 자유와 마찬가지로 자유로운 의견형성이나 여론형성을 위해 필수적인 기능을 행하는 객관적 규범질서로서 제도적 보장의 성격을 함께 가진다. 이와 같이 방송의 자유의 보호영역에는, 단지 국가의 간섭을 배제함으로써 성취될 수 있는 방송프로그램에 의한 의견 및 정보를 표현, 전파하는 주관적인 자유권 영역외에 그 자체만으로 실현될 수 없고 그 실현과 행사를 위해 실체적, 조치적, 절차적 형성 및 구체화를 필요로 하는 객관적 규범질서의 영역이 존재한다"(헌재 2003. 12. 18. 2002헌바49).

제5절 기본권과 제도보장의 관계

Ⅰ. 제도보장의 개념과 의의

제도보장(제도적 보장)이란 역사적, 전통적으로 형성된 일정한 기존의 객관적 제도 그 자체에 착안하여 그 제도의 본질적이고 핵심적인 요소를 특히 입법권의 침해로부터 객관적으로 보장하고 유지하기 위한 특정제도의 헌법적 보장을 말한다.

제도보장이론은 직접적으로는 바이마르공화국 출범당시에 사회주의적 질서의 채택과 같은 혁명적 개혁으로부터 전통적인 개인주의적·자유주의적 질서와 제도의 최소한을 수호하려는 것이 본래의 목적이지만, 간접적으로는 입법부의 일방적·자의적 입법으로 인한 기존제도의 폐지 등 **법률만능주의 내지 법실증주의로부터 기본적 인권을 수호하려는 의도**가 깔려 있다고 평가된다.[23)]

이러한 제도보장이론에 대해서는 "법률만능주의로부터 인권을 유지·수호하기 위하여 안출된 헌법이론임에도 불구하고 오늘날에는 인권과 제도의 주종관계가 역전하여 인권을 위하여 제도가 존재하는 것이 아니라 제도를 위하여 인권이 존재하는 것과 같은 이론(제도적 기본권이론)까지 제기되고 있는 실정이다. 이러한 이론에 따를 때 인권은 공동화하고 인권 대신에 제도적 의무만이 강조되어 오히려 제도적 보장이 헌법의 기본권보장체계를 붕괴시키는 도구로 이용될 위험성조차 없지 아니

---

23) 권영성, 헌법학원론(2010년판), 법문사, 2010, 183면.

하다"고 경고하는 견해가 있는가 하면(G. Dürig), 제도보장이론은 기본권을 주관적 권리로서 보장하는 반면에 제도보장은 객관적인 법규범을 보장한다는 견해에 기초하고 있는데, "기본권에 대해서 단지 방어권으로서 주관적 권리의 성격을 인정하는 데 그치지 않고 가치나 규범으로서 객관적 성격을 인정하는 한 제도보장이론은 의미를 상실한다"고 비판하는 견해도 있다.[24)]

> **제도적 보장의 의의**
>
> 제도적 보장은 객관적 제도를 헌법에 규정하여 당해 제도의 본질을 유지하려는 것으로서 헌법제정권자가 특히 중요하고도 가치가 있다고 인정되고 헌법적으로도 보장할 필요가 있다고 생각하는 국가제도를 헌법에 규정함으로써 장래의 법발전, 법형성의 방침과 범주를 미리 규율하려는데 있다. 이러한 제도적 보장은 주관적 권리가 아닌 객관적 범규범이라는 점에서 기본권과 구별되기는 하지만 헌법에 의하여 일정한 제도가 보장되면 입법자는 그 제도를 설정하고 유지할 입법의무를 지게 될 뿐만 아니라 헌법에 규정되어 있기 때문에 법률로써 이를 폐지할 수 없고, 비록 내용을 제한하더라도 그 본질적 내용을 침해할 수 없다. 그러나 기본권 보장은 "최대한 보장의 원칙"이 적용됨에 반하여, 제도적 보장은 그 본질적 내용을 침해하지 아니하는 범위 안에서 입법자에게 제도의 구체적 내용과 형태의 형성권을 폭넓게 인정한다는 의미에서 "**최소한 보장의 원칙**"이 적용될 뿐이다.
>
> 헌재 1997. 4. 24. 95헌바48

Ⅱ. 제도보장론의 역사적 발전

제도보장이론은 원래 바이마르헌법의 재산권규정과 관련하여 볼프(M. Wollf)가 창안해낸 것으로서 그 뒤에 슈미트에 의하여 체계화된 이론이다. 바이마르헌법의 제2편 '국민의 권리와 의무'에는 개인의 권리의무를 규정한 것이 아니라 자치제도의 보장(동헌법 제127조), 공무원제도(동헌법 제129조 제1항)와 같이 직접적으로 기본권과 관계없는 규정도 있는 바, 이러한 규정의 헌법규범적 의미를 명확히 하기 위하여 제도보장이론이 등장한 것이라 한다.[25)]

슈미트는 기본권과 제도보장을 엄격히 구별하여[26)] 제도보장은 국가내적 존재이며 헌법에 의하여 인정된 제도의 보장으로서 단순한 입법으로서는 그 배제가 불가

24) 이준일, 제7판 헌법학강의, 홍문사, 2019, 205면.
25) 김철수, 앞의 책(상), 374면.
26) 그러나 1931년 '독일헌법상의 자유권과 제도적 보장'이라는 논문에서 제도적 보장이론의 인권 보충적 기능을 강조하였다.

능한 것이라고 설명하였다.[27] 기본권을 천부인권인 자유권을 중심으로 이해하고 기본권이론을 구성한 슈미트에 의하면 자유는 법률로 규율되지 않으며 법률로 규율될 수도 없다고 한다. 자유를 법률로 규율하게 되면 그 자유주의적 성격이 상실된다. 그러므로 자유는 어떠한 내용의 제도적 보장도 포함할 수 없을 것이다('자유는 제도일 수가 없다'). 이처럼 슈미트는 **자유와 제도가 다르다는 전제하에서** 그의 제도보장론을 전개하고 있다. 그의 제도보장이론은 자유권과 구별되는 기본권의 다른 측면을 명백히 함으로써 기본권의 본질과 기능을 이해하는 데 커다란 이론적 기여를 한 것으로 평가된다.[28] 그리고 슈미트의 제도보장이론은 입법자의 기본권 구속성을 분명히 해주고 있다는 점에서 현대적 의미를 찾을 수 있다.

Ⅲ. 제도보장의 법적 성격

1. 기본권의 성격과 비교

종래 제도보장을 기본권과 비교하면서 그 성격을 설명하는 것이 일반적이다. 즉 기본권은 그 보장대상이 권리인 반면, 제도보장은 특정의 객관적 법규범이며, 보장의 정도도 기본권은 최대한의 보장인 반면, 제도보장은 최소한의 보장이 목적이라 한다. 또한 기본권은 모든 국가기관을 구속하며 침해시 **소권(訴權)**에 의하여 구제가 가능한 반면, 제도보장은 구체적 재판에 있어서 재판규범으로서 기능하지만, 제도보장의 침해시 개인은 그 구제를 청구할 수 없다고 한다.

2. 제도보장의 '최소한 보장'의 의미

헌법이 보장하는 것은 제도의 핵심인 본질의 침해만을 금지하는 것을 말한다. 즉 헌법재판소는 "제도적 보장은 그 본질적 내용을 침해하지 아니하는 범위 안에서 입법자에게 제도의 구체적 내용과 형태의 형성권을 폭넓게 인정한다는 의미에

---

27) 슈미트는 본래 공법적 제도(직업공무원제도, 지방자치제도, 학문과 교육제도의 보장(특히 대학의 자치), 예외법원의 금지)의 헌법적 보장을 제도적 보장(institutionelle Garantie)이라 부르고 사법적 제도의 보장(혼인과 가족의 보장, 친권의 보장, 재산권의 보장, 계약의 자유의 보장, 상속권의 보장)을 제도보장(Institut-Garantie)이라고 구분하였으나, 나중에는 이 구별을 포기하고 제도적 보장이라는 용어만을 사용했다. 특히 2차 대전 이후에는 공법적인 제도적 보장과 사법적인 제도보장의 구분은 절대적인 것이 아닌 것으로 보아 이를 합칭하여 제도보장(Einrichtungsgarantie)이라고 부르는 경향이 있다(Bleckmann). 이하에서도 제도보장을 이러한 의미로 사용하고자 한다.

28) 계희열, 헌법학(중), 박영사, 2007, 35면.

서 '최소한 보장의 원칙'이 적용될 뿐이다"라고 판시하고 있다.[29)]

3. 소권(訴權)과 제도

기본권은 입법권 · 집행권 · 사법권을 구속하는 법규범이며, 제도보장도 또한 사법권을 직접적으로 구속하여 적용되는 재판규범이다. 그러나 제도보장규정 그 자체를 직접 근거로 하여 개인이 자신의 권리보호를 위한 헌법소원 등의 소송을 제기할 수는 없다. 헌법소원제도를 가진 독일의 경우 연방헌법재판소는 개인의 주관적 권리의 침해를 헌법소원의 요건으로 요구하고 있다. 우리의 경우도 객관적 규범으로서의 제도보장규범만이 있을 때에는 헌법소원의 대상이 될 수 없다 할 것이다.[30)] 그러나 제도보장규정과 함께 다른 권리보장이 헌법상 존재하는 경우에는 헌법소원을 제기할 수 있다. 판례도 같은 취지로 이해된다.

> **경기도남양주시등33개도농복합형태의시설치등에관한법률 제8조 위헌확인(기각)**
>
> " …… 지방자치단체의 폐지 · 병합에 있어 그 주민을 타 지방자치단체와 차별하여 헌법 제11조에서 보장한 평등권 침해문제도 생길 수 있다. 또한 자치단체가 폐지 · 병합됨으로써 헌법 제24조 및 제25조에 보장된 그 주민의 참정권 내지 공무담임권이 침해될 수도 있다. 법률조항의 규정에 의하여 자치단체가 폐지되는 경우 이러한 주민의 기본권들의 침해는 별도의 집행행위의 매개를 거치지 않고 직접 그 법률조항의 시행에 의하여 발생할 수 있다. 이 사건 법률조항의 실시에 의하여 청구인들이 거주하여 온 영일군이 직접 폐지되고 포항시에 병합된다. 그러므로 이 사건 법률조항에 의하여 그 주민인 청구인들의 위와 같은 기본권의 침해가 별도의 집행행위의 매개를 거치지 않고 직접 발생할 수 있다. 그러므로 이 사건 법률조항의 시행으로 청구인들의 헌법상 보장된 위와 같은 기본권이 침해된다고 주장하여 제기된 이 사건 헌법소원은 자기관련성을 갖추었다고 할 것이다."
>
> 헌재 1995. 3. 23. 94헌마175

4. 제도보장이 헌법개정권력을 구속하는가?

종래 기본권은 헌법개정권력을 기속하지만, 제도보장은 입법권에 의하여 제도의 본질적 내용이 침해되는 것을 막는 것이 목적이라는 점에서 헌법개정권력을 구속하지 않는다고 설명하는 것이 일반적이다. "제도의 보장은 헌법에서 직접 정하

---

29) 헌재 1997. 4. 24. 95헌바48; 헌재 1994. 4. 28. 91헌바15; 헌재 2006. 2. 23. 2005헌마403.
30) 김철수, 앞의 책(상), 376면.

고 있기 때문에 이를 폐지하거나 그 내용을 변경하고자 하는 경우에는 헌법개정의 방법을 통하여야 한다. 이러한 의미에서 제도보장은 헌법개정권력을 구속하지 않는다"는 설명[31)]이 그것이다. 그러나 새로운 기본권적 기능들과 그에 상응한 객관적 측면에 의하여 논증가능한 제도보장의 내용들은 단지 기본권의 주관적 측면과 객관적 측면의 차이에 지나지 않기 때문에 기본권이 헌법개정에 의해서도 폐지할 수 없는 것이라면 제도보장도 헌법개정에 의해 폐지될 수 없는 것으로 이해되어야 한다는 견해[32)]도 있다.

Ⅳ. 기본권과 제도보장의 관계

바이마르 공화국 당시 기본권과 엄격하게 구별되는 제도보장론을 현대에서 그대로 유지하기는 어렵다고 하겠다. 기본권의 이중성을 인정하는 논리 하에서도 엄격하게 구별하는 것은 문제가 있다. 오늘날 기본권과 제도보장은 상호 밀접한 관계가 있으며 제도보장이 인권의 보충적 기능을 담당하고 있다고 하겠다. 예를 들어 특정의 기본권보장이 동시에 특정제도의 보장을 내포하고 있는 기본권과 제도의 병존형(재산권보장이 동시에 사유재산제도의 보장)이 있는가 하면, 특정제도의 보장으로 기본권이 부수적·간접적으로 보장되는 기본권의 제도종속형(복수정당제도의 보장으로 정당의 설립·가입·탈퇴의 자유의 보장)도 있으며, 특정의 기본권을 보장하기 위한 수단으로 특정제도의 보장을 필요로 하는 기본권의 제도수반형(참정권을 확보하기 위하여 민주적 선거제도의 보장)도 있기 때문이다.

Ⅴ. 현행 헌법상 제도보장의 예

현행 헌법상 제도보장의 예로는 복수정당제도, 선거제도, 직업공무원제도, 지방자치제도 등이 대표적으로 들어지고 있다. 그 밖에 판례와 학설에 따라 교육의 자주성·전문성·정치적 중립성 및 대학의 자치, 민주적 혼인·가족제도, 언론·출판·집회·결사제도, 사유재산제도, 농어민과 중소기업자의 자조조직의 존립보장(김철수), 국군의 정치적 중립성(권영성), 근로자의 근로3권(문홍주), 종교단체의 정교분리(구병삭), 의무교육제도(헌재 1991. 2. 11. 90헌가27) 등을 제도보장의 예로 들 수 있다.

---

31) 정종섭, 제11판 헌법학원론, 박영사, 2016, 308면.
32) 이준일, 앞의 책, 205－206면.

제3장

기본권의 주체

제1절 서 론

기본권의 주체란 헌법이 보장하고 있는 기본권의 향유자를 말한다. 기본권의 실현을 위해서는 그 기본권이 누구에 의해 주장될 수 있는지의 문제이다. 오늘날 민주헌법국가에서는 국민을 기본권의 주체로 규정하지만, 국민의 구체적인 신분 내지 대국가적 관계에 따라서 기본권의 주체인 국민의 법적 성격 내지 범위에 관하여 견해의 대립이 발생한다. 또한 외국인과 법인의 경우 현실적으로 어디까지 기본권주체성을 인정할 것인지도 논의의 대상이 된다.

제2절 국 민

Ⅰ. 일반국민 (대한민국 국적의 보유자)

한국의 국적을 가진 대한민국의 국민은 원칙적으로 누구나 헌법이 보장하는 기본권의 주체가 될 수 있다. 다만 기본권의 주체성은 기본권보유능력과 기본권행사능력과 관련하여 설명될 수 있다.

1. 기본권의 보유능력과 기본권행사능력

기본권보유능력은 기본권의 주체가 될 수 있는 지위 내지 자격이며(기본권 귀속능력), 기본권보유능력은 국민이면 누구나 가지는 것이므로, 이때의 국민 중에는 미성년자나 심신상실자 · 수형자 등도 포함된다.

기본권행사능력은 기본권의 주체가 자신의 기본권을 현실적으로 행사할 수 있는 자격 또는 능력을 말한다.

일반적으로 기본권능력과 행사능력은 일치하나(예: 신체의 자유), 선거권 등에서는 일치하지 않는다. 즉 헌법과 법률에서 기본권의 행사를 위한 요건을 요구하여 기본권행사를 제한하는 경우가 있다. 예를 들어 대통령의 피선거권 연령을 40세로 규정하고 하는 경우(제67조 제4항), 선거권연령을 18세로 규정하는 경우(공직선거법 제15조), 5년 이상의 국내거주를 대통령의 피선거권의 요건으로 규정하는 경우(동법 제16조) 등이 그것이다. 따라서 기본권행사능력은 각 기본권에 따라 개별적으로 검토하여야 한다.[33]

2. 기본권의 보유능력 및 행사능력과 민법상 능력과의 구별

능력 개념은 민법에서 차용된 것이긴 하지만, 기본권능력과 민법상 능력은 반드시 일치하는 것은 아니다. 예를 들어 민법상으로는 예외적으로만 권리능력이 인정되는 태아가 헌법상으로는 원칙적으로 생명권의 주체가 되는가 하면, 민법상 '권리능력 없는 사단'에게 기본권능력이 인정되고, 반대로 '권리능력'이 있는 법인의 기본권능력이 생명권, 인신권, 양심의 자유 등에서 제한되는 경우가 있다.

기본권의 행사능력이 헌법적 수권에 의해 법률에 의해서 구체화된다든지, 심지어는 헌법에는 명문의 규정이 없는데도 입법작용에 의해서 제한될 수 있지만(입법자의 형성의 자유), 형성의 자유에는 일정한 한계가 있다(과잉금지원칙).

Ⅱ. 특별권력관계에 있는 국민

종전에는 특별권력관계 하에 있는 국민은 여러 면에서 일반국민보다 기본권 보유 내지 행사가 제한되는 것을 기본권의 주체 문제로 다루는 경우도 있었으나, 특별권력관계에 있는 국민은 기본권의 주체의 문제라기보다는 기본권의 제한의 특수형태의 문제로 보아야 한다는 견해[34]가 타당하다고 생각한다.

전통적인 특별권력관계이론도 오늘날 실질적 법치주의 하에서는 부인되고 있으

---

33) 모든 기본권에서 기본권행위능력이 문제되는 것은 아니다. 기본권행위능력은 표현의 자유, 종교의 자유, 양심의 자유 등과 같이 **인간의 행위가능성을 보호하고자 하는 기본권**에서 문제된다. 인간의 존엄과 가치, 생명권, 신체불훼손권, 사생활의 보호, 인격권 등과 같이 단지 특정 법익이나 상태가 존재함으로써 그 자체로 공권력의 침해에 대한 기본권적 보호기능을 발휘하는 경우는 기본권행사능력이 문제되지 않는다(한수웅, 제9판 헌법학, 법문사, 2019, 392-393면).

34) 허영, 전정13판 한국헌법론, 박영사, 2017, 305면.

며, 법치주의가 적용되어야 한다. 다만 일정한 목적달성을 위하여 법에 의하여 제한될 수 있을 뿐이다. 특별권력관계 하에서도 제한할 수 없는 기본권으로 절대적 자유(양심, 신앙의 자유), 행정목적과 무관한 자유(신체의 자유, 손실보상청구권, 참정권) 등이 있다.

Ⅲ. 소수자인 국민

일부 견해는 기본권은 보호가 절실한 소수자에게만 의미가 있기 때문에 기본권의 주체성은 소수자인 국민에게 인정된다는 견해가 있으나, 헌법상의 국민이 소수자인 국민만을 의미하는 것은 아니다.

제3절 외 국 인

Ⅰ. 외국인의 개념

헌법이 제2장을 '국민의 권리와 의무'라고 규정하고 있어서 국민의 기본권 주체성은 부인할 수 없지만, 한편 제6조는 "외국인은 국제법과 조약이 정하는 바에 의하여 그 지위가 보장된다"고 규정하고 있어 외국인의 기본권주체성을 국민과 비교하여 얼마만큼 인정될 것인가가 논의된다. 여기서 외국인은 외국국적을 가진 자와 무국적자를 포함하는 개념으로 보아야 한다. 북한주민에 대해서는 영토조항과 관련하여 우리나라의 국민으로 보는 것이 다수설 및 판례의 입장이다. 다수의 견해 및 판례에 의하면 북한지역도 우리 영토이고(다만 평화통일조항과 관련하여 규범조화적 해석이 요구된다), 대한민국의 주권은 북한에도 미친다. 주권은 통치권을 통해 구현(구체화)되므로, 행정권은 물론 입법권(법률의 효력), 사법권도 북한지역에 적용된다고 볼 수 있다. 이러한 논리에 의하면 북한주민의 국적취득은 출생시(혈통주의)이므로, 귀순은 거주이전의 자유에 해당하고 귀순신고는 확인적 의미에 불과하다.

Ⅱ. 외국인의 기본권주체성 인정 여부

1. 학 설

(1) 헌법이론상 기본권주체성의 인정 여부

① 법실증주의

법실증주의자는 기본권을 국내 실정법에 의하여 인정되는 권리, 즉 **법률 속의 자유**, 법적 크기로 기본권을 이해하는 관점을 취하는데,[35] 국민이 아닌 외국인에 대해서는 기본권의 주체성을 원칙적으로 인정하지 않는 입장이다. 외국인에 대한 입법적 보호를 배제하는 것은 아니지만, 그것을 기본권적 보호로 볼 수는 없다는 것이다.[36]

② 결단주의

기본권(자유권)을 천부적·선국가적 권리로 이해하는 슈미트의 결단주의에 의하면 외국인도 기본권의 주체가 된다. 다만 천부인권으로 보지 않는 참정권, 사회적 기본권 등은 그 주체성이 부정될 수밖에 없을 것이다.

③ 통합주의

사회적 통합을 위한 생활양식이나 법질서의 바탕이 되는 가치체계로 기본권을 이해하는 스멘트적 통합주의적 헌법관에 기초하면 특정한 생활공동체의 구성원이 아닌 외국인은 원칙적으로 기본권의 주체가 될 수 없다. 다만 허영 교수는 동화적 통합이론에 기초하여 세계시민의 관점 및 자국민보호의 수단(상호주의의 원칙상 우리 헌법에서 외국인의 권리를 보호해 주어야 재외 한국인도 주재국의 권리를 보호받을 수 있다는 논리)에서 우리사회에 동화시키는 데 필요한 범위 내에서 기본권의 주체가 될 수 있다고 한다.[37]

---

35) 일부 법실증주의자는 헌법 제2장의 표제가 '국민의 권리와 의무'로 규정하고 있음을 이유로 외국인의 기본권주체성을 부정하기도 한다(박일경, "기본적 인권과 그 주체", 고시연구, 1974년 10월호, 12−17면). 이를 기본권문언설이라고도 한다.

36) 장영수, 제7판 헌법학, 홍문사, 2012, 468−469면 참조.

37) 허영, 앞의 책, 252−253면.

(2) 권리성질설

헌법이론상으로 고찰하면 위에서 설명한 결과가 나타날 수 있지만, 기본권의 성질이 인간의 권리인 경우에는 외국인에게도 권리의 성질상 인정된다고 보는 것이 통설이다.

2. 헌법재판소 판례

헌법재판소는 '재외동포법'의 적용대상에서 정부수립이전 이주동포를 제외한 규정의 위헌 여부가 쟁점이었던 사건[38]에서 "헌법재판소법 제68조 제1항 소정의 헌법소원은 기본권을 침해받은 자만이 청구할 수 있고, 여기서 기본권을 침해받은 자만이 헌법소원을 청구할 수 있다는 것은 곧 기본권의 주체라야만 헌법소원을 청구할 수 있고 기본권의 주체가 아닌 자는 헌법소원을 청구할 수 없다"고 한 다음, "**'국민' 또는 국민과 유사한 지위에 있는 '외국인'은 기본권의 주체가 될 수 있다**"고 판시하였다.[39] 청구인들이 침해되었다고 주장하는 인간의 존엄과 가치, 행복추구권은 대체로 "인간의 권리"로서 외국인도 주체가 될 수 있다고 보아야 하고, 평등권도 인간의 권리로서 참정권 등에 대한 성질상의 제한 및 상호주의에 따른 제한이 있을 뿐이다. 이 사건에서 청구인들이 주장하는 바는 대한민국 국민과의 관계가 아닌, 외국국적의 동포들 사이에 재외동포법의 수혜대상에서 차별하는 것이 평등권침해라는 것으로서 성질상 위와 같은 제한을 받는 것은 아니고 상호주의가 문제되는 것도 아니므로, 청구인들에게 기본권주체성을 인정함에 아무런 문제도 없다고 판시하였다.

3. 결 어

기본권이론상으로는 외국인의 기본권 주체성 인정 여부에 대해서 논의가 많으나, 오늘날 대체로 외국인에 대해서는 기본권의 성질에 따라 적용 또는 유추적용되거나 부인 여부가 결정된다고 보는 것이 타당하다. 일반적으로 전국가적 자연권은 인간의 권리이므로 외국인도 그 주체가 된다. 그러나 그 밖의 기본권은 외국인이 당연히 누리는 기본권이라고 보기 어려우며, 법률로써 인정 여부와 범위를 제한할 수 있을 것이다.

---

38) 헌재 2001. 11. 29. 99헌마494.
39) 헌재 1994. 12. 29. 93헌마120도 참조.

Ⅲ. 인정범위

외국인의 기본권주체성을 긍정한다 하더라도 국민과 똑같이 대우하여야 하는지가 문제된다. 구체적으로 어떠한 기본권이 어느 정도로 보장된다고 볼 것인가는 기본권의 성질, 조약, 국제법규, 그 나라의 입법태도, 정치·경제·사회·문화적 사정을 고려하여 결정할 문제이다. 재외동포법 사건에서 보듯이 헌법재판소의 입장도 기본권성질설과 상호주의의 입장이라고 해석할 수 있다.

1. 원 칙

(1) 성질상 인정되는 기본권

인간의 권리라고 할 수 있는 인간의 존엄과 가치, 행복추구권,[40] 신체의 자유, 양심의 자유, 학문·예술의 자유, 사생활의 비밀과 자유, 표현의 자유,[41] 통신의 자유, 주거의 자유 등은 외국인에게 인정된다. 평등권[42]과 일부 자유권은 인간의 권리로서 원칙상 외국인에게도 인정되나, 예외적으로 제한될 수 있다.

(2) 성질상 부정되는 기본권

국민의 권리로 볼 수 있는 참정권, 사회권(생존권) 등은 원칙적으로 외국인에게 인정될 수 없다. 다만 생존권은 원칙적으로 제한되지만, 입법정책상 인정하는 것은 바람직한 현상이라 할 수 있다.

2. 개별적 기본권에서의 인정범위

(1) 거주·이전의 자유

외국인에게 입국의 자유는 원칙적으로 부인된다. 입국허가 여부는 당해 국가의 자유재량사항이기 때문이다. 사증(査證, Visa)을 받아야만 입국이 가능하다. 다만 입

---

40) 우리 헌법재판소도 "청구인들이 침해되었다고 주장하는 인간의 존엄과 가치, 행복추구권은 대체로 '인간의 권리'로서 외국인도 주체가 될 수 있다고 보아야 한다"고 판시하고 있다(헌재 2001. 11. 29. 99헌마494).

41) 외국인도 언론·출판·집회·결사의 주체성을 일반적으로 인정할 수 있다. 다만 지상파방송사의 법인의 대표자, 방송편성책임자는 될 수 없다(방송법 제13조 제3항 제1호).

42) 평등권도 인간의 권리로서 참정권 등에 대한 성질상의 제한 및 상호주의에 따른 제한이 있을 수 있을 뿐이다(헌재 2001. 11. 29. 99헌마494).

국이 허용된 외국인에게는 출국의 자유는 허용된다(통설).

(2) 직업선택의 자유

일정한 직업은 외국인에게 제한된다. 예를 들어 도선사가 되려면 대한민국 국민이어야 하고 외국인은 될 수 없다(도선법 제6조 제1호).

(3) 재산권

재산권도 자유권적 성격을 가지므로 외국인에게 원칙적으로 인정될 수 있다. 다만 광업권, 토지소유권 등에서 보듯이 내국인에 비하여 상대적으로 제한을 받는다(광업법 제10조의2, 부동산거래신고법 제7조~제9조).

(4) 정치적 기본권(참정권)

선거권 · 피선거권 · 공무담임권 · 국민투표권 등 정치적 기본권은 국민주권의 원리에 따라 국민의 권리를 의미하므로 외국인에게는 인정되지 아니한다. 다만, 공직선거법과 주민투표법에 의하면 일정한 요건을 갖춘 외국인의 투표권이 인정되고 있다. 즉 2005년 공직선거법을 개정하여 일정한 자격을 갖추고 일정기간 이상 국내에 거주한 외국인에 대하여 지방선거와 주민투표, 주민소환 등에서의 선거권과 투표권을 부여하기 시작하였다. 다만 피선거권은 부여하지 않고 있다. 그러나 이는 헌법상 기본권이 아니라 법률상 권리로 보는 것이 헌법재판소의 입장이다.

외국인의 정당가입 및 정치활동의 자유도 제한되고 있다. 외국인의 정당가입은 여전히 금지되고 있다(정당법 제22조 제2항).

(5) 청구권적 기본권

청구권적 기본권은 본질상 "다른 기본권 보장을 위한 기본권"이므로, 외국인에게도 인정되는 기본권을 보장하기 위해서는 외국인도 청구권적 기본권을 행사할 수 있다고 보아야 한다. 특히 재판청구권은 외국인에게도 보장되어야 한다. 국제연합인권규약도 외국인의 재판청구권을 인정하고 있다.

청구권적 기본권 중 국가배상청구권과 범죄피해자구조청구권은 상호주의를 채택하고 있다.

(6) 사회적 기본권

사회권적 기본권은 본래 그 나라 국민의 사회적·경제적 지위를 보장하기 위하여 규정한 것이어서 외국인에게는 인정되지 않는다. 다만 앞에서 보았듯이 사회적 기본권(생존권)은 원칙적으로 제한되지만, 입법정책상 인정하는 것은 바람직한 현상이라 할 수 있다. 환경권·보건권 등은 사회권으로 분류되나, 인간으로서의 권리의 성격도 있으므로 외국인에게도 제한된 범위에서 인정된다.

사회권인 노동3권도 외국인에게 전면적으로 부정할 수 없다. 헌법재판소는 근로의 권리와 관련하여 근로의 권리의 자유권적 측면에 대해서 외국인의 기본권주체성을 인정하고 있다.

산업기술연수생 도입기준 완화결정 등 위헌확인사건

"근로의 권리가 '일할 자리에 관한 권리'만이 아니라 '일할 환경에 관한 권리'도 함께 내포하고 있는바, 후자는 인간의 존엄성에 대한 침해를 방어하기 위한 자유권적 기본권의 성격도 갖고 있어 건강한 작업환경, 일에 대한 정당한 보수, 합리적인 근로조건의 보장 등을 요구할 수 있는 권리 등을 포함한다고 할 것이므로 외국인 근로자라고 하여 이 부분에까지 기본권 주체성을 부인할 수는 없다. 즉 근로의 권리의 구체적인 내용에 따라, 국가에 대하여 고용증진을 위한 사회적·경제적 정책을 요구할 수 있는 권리는 사회권적 기본권으로서 국민에 대하여만 인정해야 하지만, 자본주의 경제질서하에서 근로자가 기본적 생활수단을 확보하고 인간의 존엄성을 보장받기 위하여 최소한의 근로조건을 요구할 수 있는 권리는 자유권적 기본권의 성격도 아울러 가지므로 이러한 경우 외국인 근로자에게도 그 기본권 주체성을 인정함이 타당하다."

헌재 2007. 8. 30. 2004헌마670

(7) 망명권(비호청구권)

망명권과 관련하여 우리 헌법에 명문규정이 없지만, 학설은 인권의 보편성과 인권보장의 국제화 경향에 비추어 인정해야 한다는 견해와 부정하는 견해의 대립이 있다. 망명권을 인정한 입법례로는 독일,[43] 이탈리아, 프랑스, 벨기에 헌법 등을 들 수 있다. 세계인권선언도 이를 인정하고 있다.

---

43) "정치적으로 박해를 받은 자는 비호청구권을 누린다"(독일기본법 제6조 제2항 2문). 종래 경제난민들이 이 조항을 악용(난민천국)한 점을 고려하여 헌법을 개정하여 정치적 난민이 아닌 자의 망명을 불허하고 있다.

우리나라는 1992년 12월 3일 '난민의 지위에 관한 조약'과 '난민의 지위에 관한 의정서'에 동시가입을 하였다. 그리고 '범죄인인도법'은 정치적 성격을 가진 범죄 등인 경우에 그 범죄인을 인도하여서는 아니 된다고 규정하고 있다(범죄인인도법 제8조). 난민 보호를 위한 기본법률로 2012년에 난민법(난민에 대한 정의, 강제송환의 금지, 난민인정 신청과 심사의 절차, 난민인정자 등의 처우에 대한 규정)이 제정되었다(2013. 7. 1. 시행). 출입국관리법은 난민의 출입국에 관한 규정들을 두고 있다(출입국관리법 제8장의 2). 인권의 보편성과 인권보장의 국제화 추세에 비추어 망명권을 부인할 수 없다고 본다. 대법원판례는 1984년 중국민항기 납치사건에서 소극적인 입장을 취한 바 있다.

망명권 인정 여부에 대한 대법원 판례

"중공의 정치, 사회현실에 불만을 품고 자유중국으로 탈출하고자, 민간항공기를 납치하여 입국한 피고인들의 경우 정치적 박해를 받거나 정치적 신조를 달리함으로써 타국에 피난한 정치적 피난민이라고 할 수 있겠으나, 정치적 피난민에 대한 보호는 소수의 국가가 국내법상으로 보장하고 있을 뿐 우리나라는 이를 보장하는 국내법규가 없으며 개개의 조약을 떠나서 일반 국제법상 보장이 확립된 것도 아니며 더구나 헤이그 협약 제8조는 항공기 납치 범죄를 체약국간의 현행 또는 장래 체결될 범죄인 인도범죄로 보며 인도조약이 없는 경우에도 범죄인의 인도를 용이하게 할 수 있는 규정을 마련하고 있는 점 등에 비추어 볼 때 민항기납치 행위가 순순한 정치적 동기에서 일어난 정치적 망명을 위한 상당한 수단으로 행하여진 것으로 세계 각국이 비호권을 인정하고 있다는 이유로 위법성이 조각된다고 볼 수 없다."

대판 1984. 5. 22. 84도39

제4절 법　인

Ⅰ. 법인과 기본권

법인은 법에 의하여 권리능력(인격)이 부여된 자를 말한다. 기본권에 관한 전통적인 논의는 국가와 자연인 사이의 관계를 중심으로 전개되어 왔다. 그러나 오늘날 다양한 조직·단체·법인 등이 사회에서 담당하는 활동의 중요성이 높아짐에 따라 개개의 자연인과 별도로 법인의 기본권을 인정할 것인지 여부가 문제된다. 법인의 기본권주체성 인정 여부와 관련하여, 독일기본법 제19조 제3항은 명문으로 이를 인정하고 있지만("기본권이 그 본질상 내국법인에게 적용될 수 있는 때에는 그들에게도 적용된다"), 우리 헌법은 이와 같은 규정을 두고 있지 않아 학설이 대립되고 있다.

Ⅱ. 법인의 기본권주체성 인정 여부

1. 헌법이론의 관점에서의 인정 여부

(1) 결단주의(부정설)

기본권을 본질적으로 천부적이며 선국가적인 권리로 파악하는 슈미트에 따르면 기본권은 "인간의 권리"이므로, 자연인에게만 인정될 수 있다.

(2) 법실증주의(긍정설)

"권리주체"인 이상, 법인(공법인 제외)은 자연인과 같이 구체적인 법질서에 의하여 형성된 규범적 주체를 뜻하기 때문에 기본권능력이 인정된다. 다만 법인격 없는 법인·공법인에게는 기본권능력 인정에 소극적이다. 한편 옐리네크처럼 지방자치단체에게 "독자적 결정권"(제한된 법인격)을 인정하는 견해도 있다.

(3) 통합주의(긍정설)

법인격 유무를 불문하고, 통합의 형식·주체로서 정치적 공동체의 구성원(생활공동체의 구성부분)이 될 수 있는지의 여부에 따라 기본권능력의 인정 여부가 결정된다고 본다.

2. 기타 학설

법인의제설의 관점에서 법인의 활동은 결국 자연인의 활동으로 환원되는 것이므로, 자연인의 기본권을 보장하는 것으로 충분하고 법인에게까지 기본권주체성을 인정할 필요는 없다고 한다. 한편 법인실재설에 기초하여 법인은 자연인들로 구성되어 있으나 자연인과는 별개로 실체를 가지고 있고 법에 의하여 권리주체성이 인정된 법인은 현대사회의 구성요소가 되고 있으므로, 법인도 독자적인 기본권주체성이 될 수 있다고 한다.

3. 헌법재판소 판례

헌법재판소는 "우리 헌법은 법인의 기본권향유능력을 인정하는 명문의 규정을 두고 있지 않지만, 본래 자연인에게 적용되는 기본권규정이라도 언론·출판의 자유, 재산권의 보장등과 같이 성질상 법인이 누릴 수 있는 기본권은 당연히 법인에게도 적용되어야 할 것으로 본다"[44]고 하여 권리성질설을 취하고 있다고 보인다.

4. 결 어

(1) 긍정설의 타당성

기본권의 주체는 연혁상 자연인임을 원칙으로 하지만, 법인도 법에 의하여 권리능력을 부여받고 있을 뿐 아니라, 법인의 활동은 궁극적으로 자연인의 이익을 목적으로 하는 것이므로 법인의 특성과 구체적 권리의 성질을 비교하여 양립의 가능성이 인정되는 한 법인에게도 인정되는 것이 바람직하다(다수설).

(2) 법인이 향유할 수 있는 기본권의 판단기준

법인의 기본권주체성을 인정한다고 하더라도, 법인이 향유할 수 있는 기본권의 유형과 범위에 관해서는 기본권기준설과 법인기준설로 갈리고 있다.

① 기본권기준설

개별적 기본권의 성질을 기준으로 하여 그것이 법인에게도 적용될 수 있는지 여부를 결정하고 이에 따라 법인에게 인정되는 기본권을 구체적으로 열거하는 견해이다. 예를 들어 평등권, 경제적·사회적 기본권, 청구권적 기본권 등은 성질상 법인에게도 일반적으로 인정되지만, 인간의 존엄과 가치·행복추구권 등과 종교의 자유·양심의 자유 등 내심의 자유 등은 법인에게는 원칙적으로 인정되지 않을 것이라고 한다.

② 법인기준설

각 법인의 특성(기능·목적·활동유형)에 따라 개별적·구체적으로 판단하여 문제되는 기본권의 적용 여부를 결정하는 입장이다.

---

44) 헌재 1991. 6. 3. 90헌마56(영화법 제12조 등에 대한 헌법소원사건).

Ⅲ. 구체적인 인정범위

법인이 수행하는 역할과 활동에 비추어 볼 때 법인의 기본권주체성을 제한된 범위 내에서 부분적으로 인정하는 것이 타당하다. 전면적 부정설은 비현실적이고, 전면적 긍정설도 문제가 있다.

1. 사법인(私法人)

민법상 권리능력의 유무나 사단법인·재단법인의 여부를 불문하고, 단체로서의 실질을 갖추었다면 원칙적으로 기본권의 주체가 될 수 있다.

성질상 법인에게도 인정될 수 있는 기본권으로는 직업선택의 자유, 재산권(**법인은 생래적인 유직자이자 유산자**), 평등권, 거주·이전의 자유, 주거의 자유, 언론·출판·집회·결사의 자유, 재판청구권, 국가배상청구권, 청원권, 손실보상청구권, 환경권, 적법절차의 보장, 명예권 등의 주체가 될 수 있다.

반대로 성질상 법인에게 부정되는 기본권으로는 인간의 존엄과 가치·행복추구권, 생명권, 신체의 자유(인신의 자유), 정신활동의 자유(양심의 자유, 신앙의 자유), 정치적 기본권 등과 참정권, 대부분의 생존권 등은 부인된다.

> **법인의 기본권 주체성**
>
> 1. 법인의 인격권 및 양심의 자유 관련('사죄광고의 위헌 여부에 관한 헌법소원사건')
>
> [1] 민법 제764조가 사죄광고를 포함하는 취지라면 그에 의한 기본권제한에 있어서 그 선택된 수단이 목적에 적합하지 않을 뿐만 아니라 그 정도 또한 과잉하여 비례의 원칙이 정한 한계를 벗어난 것으로 헌법 제37조 제2항에 의하여 정당화될 수 없는 것으로서 헌법 제19조에 위반[45]되는 동시에 헌법상 보장되는 인격권[46]의 침

45) 사죄광고의 강제는 양심도 아닌 것이 양심인 것처럼 표현할 것의 강제로 인간양심의 왜곡·굴절이고 겉과 속이 다른 이중인격형성의 강요인 것으로서 침묵의 자유의 파생인 양심에 반하는 행위의 강제금지에 저촉되는 것이며 따라서 우리 헌법이 보호하고자 하는 정신적 기본권의 하나인 양심의 자유의 제약(**법인의 경우라면 그 대표자에게 양심표명의 강제를 요구하는 결과가 된다**)이라고 보지 않을 수 없다.

46) 헌법재판소는 "사죄광고과정에서는 자연인이든 법인이든 인격의 자유로운 발현을 위하여 보호받아야 할 인격권이 무시되고 국가에 의한 인격의 외형적 변형이 초래되어 인격형성의 분열이 필연적으로 수반되게 된다. 이러한 의미에서 사죄광고제도는 헌법에서 보장된 인격의 존엄과 가치 및 그를 바탕으로 하는 인격권에도 큰 위해도 된다. …… 민법 제764조가 사죄광고를 포함시키는 취지라면 그에 의한 기본권 제한에 있어서 그 선택된 수단이 목적에 적합하

해에 이르게 된다.[47]

[2] 민법 제764조 "명예회복에 적당한 처분"에 사죄광고를 포함시키는 것은 헌법에 위반된다는 것은 의미는, 동조 소정의 처분에 사죄광고가 포함되지 않는다고 하여야 헌법에 위반되지 아니한다는 것으로서, 이는 동조와 같이 불확정개념으로 되어 있거나 다의적인 해석가능성이 있는 조문에 대하여 한정축소해석을 통하여 얻어진 일정한 합의적 의미를 천명한 것이며, 그 의미를 넘어선 확대는 바로 헌법에 위반되어 채택할 수 없다는 뜻이다.

헌재 1991. 4. 1. 89헌마160

2. 사단법인 한국영화인협회와 그 산하 감독위원회의 기본권 주체성('영화법 제12조 등에 의한 헌법소원사건')

[1] 헌법재판소는 사단법인 한국영화인협회의 기본권주체성은 인정하면서도, 자기관련성이 없다는 이유로 심판청구적격을 부정하고 있다. 즉 "청구적격의 요건인 자기 관련성에 대하여 볼 때, 영화인협회는 그 자신의 기본권침해가 아닌 단체소속회원들의 기본권침해를 이유로 헌법소원심판청구를 한 것으로 설문상 나타나 있다. 단체와 그 구성원을 서로 별개의 독립된 인격체로 인정하고 있는 현행의 우리나라 법제아래에서는 헌법상 보장된 기본권을 직접 침해당한 사람만이 원칙적으로 헌법소원심판절차에 따라 권리구제를 청구할 수 있는 것이고, **단체의 구성원이 기본권을 침해당한 경우 단체가 구성원의 권리구제를 위하여 그를 대신하여 헌법소원심판을 청구하는 것은 원칙적으로 허용될 수 없다**(헌재판례집 제3권, 297면). 헌법재판소법 제68조 제1항에 정한 헌법소원이 객관적 헌법보장제도의 기능도 가지고 있는 것이지만, 주관적 보장이 보다 중요한 기능의 하나인 것으로 본다면 더욱 그러하다(297면). 왜냐하면 특정인이 기본권을 침해당한 경우 헌법소원심판을 청구할 것인가의 여부는 오로지 그 본인의 뜻에 달려 있기 때문이다."

[2] 헌법재판소는 사단법인 한국영화인협회 산하 감독위원회에 대해서는 기본권 주체성을 부인하는 입장을 보이고 있다. 즉 "청구인 한국영화인협회 감독위원회는 영화인협회로부터 독립된 별개의 단체가 아니고, 영화인협회의 내부에 설치된 8개의 분과위원회 가운데 하나에 지나지 아니하며, 달리 단체로서의 실체를 갖추어 당사자능력이 인정되는 법인 아닌 사단으로 볼 자료도 없다"고 판시하고 있다.

[재판관 변정수의 반대의견]

사단법인은 구성원전체의 이익을 위한 것일 때에는 구성원의 권리구제를 위하여

지 않을 뿐 아니라 그 정도 또한 과잉하여 비례의 원칙이 정한 한계를 벗어난 것으로 …… 인격권의 침해에 이르게 된다"고 판시하고 있다.

47) 헌법재판소는 "양심표명의 강제이고 인격권의 제한임에 틀림없는 사죄광고제도가 명예훼손을 당한 피해자의 명예회복 즉 그 인격권보호와의 상관관계에서 헌법 제37조 제2항의 규정에 의하여 정당화될 수 있는 제한이라고 할 것인가"를 검토하고 있다.

자기의 이름으로 헌법소원을 제기할 수 있으므로 영화인협회는 자기자신의 기본권은 직접 침해된 것이 아니라고 하더라도 자기 구성원의 기본권구제를 위하여 헌법소원을 제기할 수 있다. 즉 이 자기관련성은 헌법질서의 유지라는 헌법소원의 객관적 기능에 비추어 되도록 넓게 그리고 관대하게 적용되어야 하는 것이다. 즉, 헌법소원이 민중소송화되는 것을 억제하는 한도에서 관대하게 적용해야 한다고 한다.

[재판관 한병채의 반대의견]

헌법재판에 있어서는 청구의 내용에 따라 집단의 당사자적격을 인정하여야 하는 것이 헌법적 정의실현에 합당한 경우도 있을 수 있으므로 청구인들의 당사자능력과 적격의 문제는 헌법재판의 본질적 기능에 비추어 보다 실질적으로 심리·검토하여야 한다고 한다.

헌재 1991. 6. 3. 90헌마56

3. 사립 중·고등학교의 기본권 주체성

청구인 남문중·상업고등학교는 교육을 위한 시설에 불과하여 우리 민법상 권리능력이나 민사소송법상 당사자능력이 없다고 할 것인바, 위 시설에 관한 권리의무의 주체로서 당사자능력이 있는 청구인 남문학원이 헌법소원을 제기하여 권리구제를 받는 절차를 밟음으로써 족하다고 할 것이고, 위 학교에 대하여 별도로 헌법소원의 당사자능력을 인정하여야 할 필요는 없다고 할 것이므로 동 학교의 이 사건 헌법소원심판청구는 부적법하다.

헌재 1993. 7. 29. 89헌마123

4. 대한예수교장로회총회 신학연구원의 기본권주체성[48)]

청구인의 당사자능력은 당해사건 이전에 있었던 폐쇄명령처분취소소송의 상고심(대법원 1998. 7. 24. 선고 96누14937 판결)에서 청구인은 장로회총회의 단순한 내부기구가 아니라 그와는 **별개의 비법인 재단**에 해당된다고 하여 이를 인정한 바 있고, 이 사건 위헌제청신청사건(98아344)에서도 이를 따르고 있으므로 헌법소원에 있어서도 달리 볼 만한 사정이 없어 헌법소원심판상의 당사자능력을 갖추었다고 볼 것이다.

헌재 2000. 3. 30. 99헌바14

48) 이 사건은 교육법 제85조 제1항 및 학원의 설립·운영에 관한 법률 제6조가 종교교육을 담당하는 기관들에 대하여 예외적으로 인가 혹은 등록의무를 면제하여 주지 않은 것의 위헌 여부가 다투어진 것이다. 헌법재판소는 "헌법 제31조 제6항이 교육제도에 관한 기본사항을 법률로 입법자가 정하도록 한 취지, 종교교육기관이 자체 내부의 순수한 성직자 양성기관이 아니라 학교 혹은 학원의 형태로 운영될 경우 일반국민들이 받을 수 있는 부실한 교육의 피해의 방지, 현행 법률상 학교 내지 학원의 설립절차가 지나치게 엄격하다고 볼 수 없는 점 등을 고려할 때, 위 조항들이 청구인의 종교의 자유 등을 침해하였다고 볼 수 없고, 또한 위 조항들로 인하여 종교교단의 재정적 능력에 따라 학교 내지 학원의 설립상 차별을 초래한다고 해도 거기에는 위와 같은 합리적 이유가 있으므로 평등원칙에 위배된다고 할 수 없다"고 판시하였다.

5. 기 타

헌법재판소는 부동산중개인협회,[49] 전국자동차대여사업조합,[50] 전라북도 학교운영위원회협의회[51] 등의 기본권 주체성을 인정하고 있다.

2. 공법인(公法人)

(1) 원칙적 부인

공법인은 원칙적으로 기본권의 주체가 될 수 없다. 왜냐하면 공법인은 기본권의 향유자의 지위가 아니라, **기본권의 수범대상·기본권보장의무자의 지위**를 가지기 때문이다. 공법인에 대하여 기본권주체성을 인정할 경우 기본권보장의무자가

---

49) 이 사건은 부동산중개업자로 하여금 법령이 정하고 있는 한도를 넘는 수수료를 받을 수 없도록 하고, 이를 위반한 경우 행정상 제재나 형사처벌을 할 수 있도록 하는 법정수수료제도가 부동산중개업자의 직업의 자유 내지 신체의 자유, 평등권 등을 침해하는지가 다투어진 사건이다. 이 사건에서 헌법재판소는 전국부동산중개인협회의 기본권주체성은 인정할 수 있지만, 단체의 구성원이 기본권을 침해당한 경우 단체가 구성원의 권리구제를 위하여 그를 대신하여 헌법소원심판을 청구하는 것은 원칙적으로 허용될 수 없다는 입장이다(헌재 2002. 6. 27. 2000헌마642).

50) 이 사건은 리스회사의 반환조건부 자동차리스업을 금지하고 있던 구 여신전문금융업법시행령 제2조 제2항이 삭제되어 리스회사가 자동차대여업(렌트카업)과 유사한 리스업을 영위할 수 있게 됨에 따라 기존의 자동차대여업자의 입장에서 볼 때 영업상 경쟁관계에 있는 자의 증가로 영업상 이익의 감소가 예상되는 경우에 자동차대여업자의 기본권 침해 문제가 발생하는지 여부가 다투어진 사건이다. 이 사건에서 헌법재판소는 청구인 전국자동차대여사업조합은 자동차대여사업의 건전한 발전과 자동차대여사업자의 지위향상을 위하여 여객자동차운수사업법 제55조에 근거하여 설립된 법인으로서, 기본권의 성질상 자연인에게만 인정되는 것이 아닌 한 청구인 조합도 기본권의 주체가 될 수 있고 기본권을 직접 침해당한 경우에는 청구인 조합의 이름으로 헌법소원심판을 청구할 수 있는 헌법소원심판청구능력도 있다고 전제하면서, 이 사건 청구인 조합은 직접 자동차대여사업을 영위하는 주체가 아니므로 이 사건 규정에 의하여 직접 기본권이 제한받는 자라 할 수 없으며, 청구인 조합의 이 사건 청구이유를 살펴보아도, 이 사건에서 청구인 조합이 문제삼고 있는 평등권과 직업의 자유의 내용은 청구인 조합의 구성원인 자동차대여업자의 평등권이나 직업의 자유에 관한 것이지 청구인 조합 자체의 기본권에 관한 것은 아니라 할 것이다. 또한 단체의 구성원이 기본권을 침해당한 경우 단체가 구성원의 권리구제를 위하여 또는 그를 대신하여 헌법소원심판을 청구하는 것은 원칙적으로 허용되지 아니한다고 판시하였다(헌재 2002. 10. 31. 2002헌마20).

51) 이 사건은 일부 선거구에서 시와 군이 하나의 선거구에 속하도록 정해진 전라북도 지역 교육위원 선거구획정이 교육위원 선거에서의 투표가치의 평등을 침해하거나 교육의 자주성과 지방자치제도를 보장하는 헌법정신에 반하는지 여부가 다투어진 사건이다. 이 사건에서 헌법재판소는 "단체는 원칙적으로 단체자신의 기본권을 직접 침해당한 경우에만 그의 이름으로 헌법소원심판을 청구할 수 있을 뿐이고 그 구성원을 위하여 또는 구성원을 대신하여 헌법소원심판을 청구할 수는 없는바, 그 회원인 학교운영위원들의 평등권, 행복추구권 등이 침해당하고 있다는 이유로 하는 전라북도학교운영위원협의회의 심판청구는 자기관련성을 갖추지 못하여 부적법하다"고 판시하였다(헌재 2002. 8. 29. 2002헌마4).

기본권을 주장하게 되어 기본권의 반전을 초래할 우려기 있기 때문이다.[52)]

> **공법인의 기본권주체성**
>
> 기본권 보장규정인 헌법 제2장의 제목이 "국민의 권리와 의무"이고 그 제10조 내지 제39조에서 "모든 국민은 …… 권리를 가진다"고 규정하고 있으므로 국민만이 기본권의 주체라 할 것이다. 그러므로 공권력의 행사자인 국가나 국가기관 또는 국가조직의 일부나 공법인이나 그 기관은 **기본권의** "**수범자**"이지 기본권의 주체가 아니다. 그러므로 국가기관 또는 국가조직의 일부나 공법인이나 그 기관은 헌법소원을 적법하게 청구할 수 없다.
>
> 헌재 1994. 12. 29. 93헌마120; 헌재 1995. 2. 23. 90헌마125

(2) 예외적 인정

예외적으로 공법인 중에 기본권 생활영역에 존재하는 것은 기본권주체성이 인정될 수 있다. 예를 들어 공법인인 KBS는 언론의 자유의 주체가 되며, 국립대학도 학문의 자유와 대학의 자치의 주체가 된다.

(3) 헌법이론상 인정 여부

법실증주의와 결단주의사상에서 볼 때 '공법인'은 기본권을 보장해 주는 기본권의 객체일 따름이지 절대로 기본권의 주체가 될 수 없지만, 통합론에서는 공법인도 그 스스로 '기본적 가치질서'를 실현시켜야 되는 통치기능적 책임 내지 의무와 조화될 수 있는 범위 내에서 기본권의 주체가 된다고 하며, 주체성을 인정할 수 있는 예로 지방자치단체, 국·공립대학, 국·공영방송국, 국책은행 등을 들고 있다.[53)]

(4) 공법인의 기본권 주체성과 관련한 헌법재판소 판례

① 국회 노동위원회는 증인출석요구를 받고도 출석하지 아니한 증인에 대하여 검찰청에 고발하였는데, 검찰은 이를 불기소처분하자, 국회 노동위원회가 재판절차진술권 침해를 이유로 헌법소원심판을 청구한 사건에서 헌법재판소는 "**국회노동위원회는 국가기관의 일부**이므로 기본권주체로서 헌법소원심판청구를 할 수 있는 적격이 없다 할 것이다"고 판시하였다.[54)]

---

52) 성낙인, 제19판 헌법학, 법문사, 2019, 931면.
53) 허영, 앞의 책, 258면.
54) 헌재 1994. 12. 29. 93헌마120.

② 일본어를 제2외국어 시험과목에서 제외한 서울대학교 1994학년도 신입생선발입시안에 대한 헌법소원사건에서 헌법재판소는 "서울대학교는 공법상의 영조물로서 공권력행사의 주체인 동시에 학문의 자유 및 대학의 자율권이라는 기본권의 주체이다"라고 판시한 바 있다.[55]

③ 지방자치단체에 속하는 농지개량시설을 농지개량조합이 포괄 승계하도록 하는 '구 농촌근대화촉진법 제16조 위헌소원'사건에서 헌법재판소는 "지방자치단체인 청구인은 기본권의 주체가 될 수 없고 따라서 청구인의 재산권 침해 여부는 더 나아가 살펴볼 필요가 없다"고 하여 자방자치단체의 기본권주체성을 부인하였다.[56]

④ 기존의 축협중앙회를 해산하여 신설되는 농협중앙회에 합병토록 하고 신설농협중앙회가 기존 축협중앙회의 자산 · 조직 및 직원을 승계하도록 규정한 농협협동조합법 위헌확인사건(기각)에서 헌법재판소는 "헌법상 기본권의 주체가 될 수 있는 법인은 원칙적으로 사법인에 한하는 것이고, 공법인은 헌법의 수범자이지 기본권의 주체가 될 수 없다. 또 예외적으로 공법인적 성질을 가지는 법인이 기본권의 주체가 되는 경우에도 그 공법인적 성격으로 인한 제한을 받지 않을 수 없다. …… 축협중앙회는 공법인성과 사법인성을 겸유한 특수한 법인으로서 이 사건에서 기본권의 주체가 될 수 있다고는 할 것이지만, 위와 같이 두드러진 공법인적 특성이 축협중앙회가 가지는 기본권의 제약요소로 작용하는 것만은 피할 수 없다고 할 것이다"고 하여 예외적으로 공법인의 기본권주체성을 인정하고 있으나, 그 보호의 정도는 다른 기본권주체에 비하여 낮은 것임을 지적하고 있다.[57]

⑤ 중앙선거관리위원회 위원장이 대통령에게 한 '대통령의 선거중립의무 준수요청 조치'에 의한 대통령의 정치적 표현의 자유 침해 여부가 다투어진 사건에서 헌법재판소는 "개인의 지위를 겸하는 국가기관이 기본권의 주체로서 헌법소원의 청구적격을 가지는지 여부는, 심판대상조항이 규율하는 기본권의 성격, 국가기관으로서의 직무와 제한되는 기본권 간의 밀접성과 관련성, 직무상 행위와 사적인 행위 간의 구별가능성 등을 종합적으로 고려하여 결정되어야 할 것이다. 그러므로 대통령도 국민의 한사람으로서 제한적으로나마 기본권의 주체가 될 수 있는바, 대통령은 소속 정당을 위하여 정당활동을 할 수 있는 사인으로서의 지위와 국민 모두에 대한 봉사자로서 공익실현의 의무가 있는 헌법기관으로서의 지위를 동시에 갖는데 최소한 전자의 지위와 관련하여는 기본권 주체성을 갖는다고 할 수 있다"

55) 헌재 1992. 10. 1. 92헌마68,76(병합).
56) 헌재 2006. 2. 23. 2004헌바50.
57) 헌재 2000. 6. 1. 99헌마553.

고 판시한 바 있다.[58]

⑥ 지방자치단체의 장으로 하여금 임기 중 대통령, 국회의원선거 등에의 입후보를 할 수 없도록 규정하고 있는 (구) 공직선거 및 선거부정방지법 제53조 제3항 및 지방자치단체의 활동상황을 알리기 위한 홍보물의 발행·배부를 제한하고 있는 법 제86조 제3항이 지방자치단체의 장들의 기본권을 침해하고 있느냐가 다투어진 사건에서 헌법재판소는 공선법은 선거의 공정성을 실현하기 위하여 이미 여러 가지 다양한 조치를 취하고 있으며, 특히 공선법 제53조 제1항의 '선거전 공직사퇴조항'을 통하여 충분히 선거의 공정성을 확보하고 있다고 판단되므로, 이를 넘어서 포괄적인 입후보금지규정을 두는 것은, 입법목적을 달성하기 위하여 필요한 조치를 넘어 청구인들의 피선거권을 과도하게 제한하는 것이라고 판시한 바 있다.[59]

3. 외국법인

내국법인에 국한해서 기본권주체성을 인정하는 명문규정을 두고 있는 입법례도 있지만(독일), 우리나라에서는 외국법인에게도 성질상 법인에게 인정될 수 있는 기본권은 외국인에 준하여 인정된다고 하겠다(재산권, 재판청구권, 영업의 자유 등).

4. 정 당

정당의 법적 형태를 민법상의 권리능력 없는 사단으로 보는 견해에 의하면, 법인에 관한 내용이 일반적으로 적용될 수 있다. 그러나 정당을 헌법제도와 결사의 혼성체로 보는 견해에 의하면 정당은 정치결사 또는 정치제도로서 선거에 있어서 평등권이나 언론·출판·집회·결사의 자유와 재판청구권 등이 인정된다고 본다. 우리 헌법재판소는 소유재산의 귀속관계에서는 정당을 법인격 없는 사단으로 보고 재산권의 주체가 됨을 인정하였고,[60] 정당의 선거에 있어서의 기회균등권을 인정했으며,[61] 정당의 설립·활동 등과 같은 정당의 자유의 주체성을 인정하고 있다.[62] 특히 정당의 자유는 단체로서의 정당이 가지는 기본권이자 국민이 개인적으로 갖는 기본권이라는 점을 명백히 하고 있다. 헌법재판소는 정당인 진보신당은 국민의 정치적 의사형성에 참여하기 위한 조직으로 성격상 권력능력없는 단체에

---

58) 헌재 2008. 1. 17. 2007헌마700.
59) 헌재 1999. 5. 27. 98헌마214.
60) 헌재 1993. 7. 29. 92헌마262.
61) 헌재 1991. 3. 11. 91헌마21.
62) 헌재 2004. 12. 16. 2004헌마456.

속하지만, 구성원과 독립하여 그 자체로서 기본권의 주체가 될 수 있고, 그 조직 자체의 기본권이 직접 침해당한 경우 자신의 이름으로 헌법소원을 청구할 수 있다고 판시하였다.[63] 한편 등록이 취소된 정당의 기본권주체성과 관련해서는 상반된 판례가 있다.

▣ 등록취소된 정당의 기본권주체성 관련 헌법재판소 판례 비교

1. 등록이 취소된 녹색사민당의 기본권주체성

법인·단체 등의 정치자금기부금지조항(정치자금법 제12조)에 대하여 등록이 취소된 녹색사민당이 평등권 침해를 이유로 헌법소원심판을 청구한 사건에서 헌법재판소는 등록이 취소된 녹색사민당은 더 이상 등록된 정당이 아니어서 기본권을 향유할 수 있는 주체가 될 수 없다고 하여 심판청구는 부적법하다고 각하결정을 내렸다(헌재 2006. 12. 16. 2004헌마456).

2. 등록이 취소된 사회당의 기본권주체성

정당등록요건 조항에 대해 정당등록이 취소된 사회당이 정당설립의 자유의 침해를 이유로 헌법소원을 청구한 사건에서 헌법재판소는 사회당은 등록이 취소된 이후에도 '등록정당'에 준하는 '권리능력 없는 사단'의 실질을 유지하고 있다고 보아 청구인능력을 인정하고 있다(헌재 2006. 3. 30. 2004헌마246). 정당설립의 자유는 그 성질상 등록된 정당에게만 인정되는 기본권이 아니라 청구인과 같이 등록정당은 아니지만 권리능력 없는 사단의 실체를 가지고 있는 정당에게도 인정되는 기본권이라는 점을 분명히 하고 있다.

3. 비 교

정당설립의 자유는 정당의 기본권이자 국민의 기본권이기 때문에 등록이 취소된 정당의 경우도 권리능력 없는 사단의 실체를 가지고 있는 한 부정할 수 없지만, 정치자금기부금지조항은 정당을 제외한 기타의 법인·단체에 적용되는 것이 합리적이고 정치자금기부금지조항은 좀 더 엄격한 규율이 요구된다는 점에서 정당이나 등록이 취소된 정당에게는 인정할 수 없다는 취지로 이해될 수 있다. 이런 점에서 등록이 말소되었기 때문에 기본권주체성이 없다고 한 녹색사민당 사건은 문제가 있다고 생각된다.

---

63) 헌재 2008. 12. 26. 2008헌마419등. 그러나 이 사건에서 헌법재판소는 진보신당이 침해되었다고 주장하는 기본권은 생명·신체의 안전에 관한 것으로서 이는 자연인에게만 인정되는 것으로 진보신당과 같은 권리능력없는 단체는 기본권의 행사에 있어 그 주체가 될 수 없다고 하였고, 또한 진보신당이 그 정당원이나 일반국민의 기본권이 침해됨을 이유로 이들을 위하거나 이들을 대신하여 헌법소원심판을 청구하는 것은 원칙적으로 허용되지 않는다고 판시하였다.

5. 노동조합

노동조합은 근로자의 근로조건의 향상을 위하여 활동하는 단체로서 역시 기본권을 행사할 수 있다.[64] 헌법재판소는 헌법상의 근로의 권리와 근로3권의 주체와 관련하여 노동조합의 기본권 주체성을 구분하여 판시하고 있다.

노동조합의 기본권주체성

[1] 헌법 제32조 제1항이 규정한 근로의 권리는 근로자를 개인의 차원에서 보호하기 위한 권리로서 개인인 근로자가 그 주체가 되는 것이고 노동조합은 그 주체가 될 수 없으므로, 이 사건 법률조항이 노동조합을 비과세 대상으로 규정하지 않았다 하여 헌법 제32조 제1항에 반한다고 볼 여지는 없다.

[2] 근로 3권은 자유권적 기본권으로서의 성격과 사회권적 기본권으로서의 성격을 모두 포함하는 것이어서 근로 3권이 제대로 보호되기 위하여는 근로자의 권리행사의 실질적 조건을 형성하고 유지해야 할 국가의 적극적인 활동 즉 적절한 입법조치를 필요로 한다. 이때 국가의 적극적인 활동이라 함은 입법자가 근로자단체의 조직, 단체교섭, 단체협약, 노동쟁의 등에 관한 노동조합 관련법의 제정을 통하여 노사간의 세력균형이 이루어지고 근로자의 근로 3권이 실질적으로 기능할 수 있도록 하기 위하여 필요한 법적 제도와 법규범을 마련하여야 할 의무가 있다는 것을 의미하는 것으로, 노동조합이 비과세 혜택을 받을 권리는 헌법 제33조 제1항이 당연히 예상한 권리의 내용에 포함된다고 보기 어려우며, 위 헌법 조항으로부터 국가의 조세법규범 정비의무가 발생한다고 보기도 어렵다. 따라서 노동조합을 사업소세 비과세 대상으로 규정하지 않은 이 사건 법률조항은 헌법 제33조 제1항에 위반된다고 할 수 없다.

[3] 사업소세의 비과세 대상을 규정하고 있는 이 사건 법률조항은, 공익적 성격을 지닌 사업체에 대하여 세제상의 혜택을 주기 위한 목적으로 제정된 것으로서, 이 사건 법률조항이 비과세대상을 한정하면서 노동조합을 이에 포함시키지 않았다 하더라도 이는 입법자에게 주어진 합리적 재량의 범위 내의 것으로 보이고, 달리 입법자가 그 재량을 행사함에 있어서 헌법재판소가 개입하여야 할 정도로 현저히 불합리하거나 자의적으로 행사함으로써 불완전하거나 불충분한 입법에 이른 것으로 보기는 어렵다 할 것이므로, 이 사건 법률조항이 평등원칙에 위반된다고 보기 어렵다 할 것이다.

헌재 2009. 9. 26. 2007헌바27

64) 헌재 1999. 11. 25. 95헌마154.

제4장

기본권의 효력

제1절 서 론

Ⅰ. 기본권의 효력의 개념

기본권의 효력은 기본권이 그 의미와 내용대로 실현될 수 있는 힘, 즉 기본권의 구속력을 말한다. 다시 말하면 기본권보장의 효력이 미치는 범위에 관한 문제이다.

Ⅱ. 기본권의 효력 문제의 구조

기본권의 효력 문제에서는 i) 기본권은 국가권력만을 구속하는 것인가 아니면 사인 상호간의 법률행위도 구속하는가? 그리고 ii) 행정권을 대상으로 하는 경우에도 공권력의 발동만을 구속하는가?, 비권력 행정행위도 구속하는 것인가?, 또한 iii) 기본권이 경합하거나 충돌하는 경우에 해결방법은 무엇인가? 등이 주로 논의된다.

제2절 대국가적 효력

Ⅰ. 대국가적 효력의 의의와 근거

기본권은 역사적 전개과정에서 알 수 있듯이 국가권력에 대한 방어권으로 발전되어 왔다. 따라서 본질상 기본권은 모든 국가권력을 구속한다. 이 점에서 기본권의 대국가 효력을 기본권의 본래적 효력이라고도 한다. 독일기본법은 기본권이 국가권력을 구속한다는 명문의 규정을 두고 있다.[1] 우리 헌법에서는 명문규정은 없지만, 기본권은 입법, 사법, 행정의 국가권력을 구속하며, 헌법개정권력도 구속한다는 것이 통설이다. 즉 기본권보장에 반하는 입법, 집행, 사법(판결)을 할 수 없으며, 헌법개정도 기본권을 존중하는 방향으로 행사되어야 한다. 공권력적 국가작용에 의한 위헌적 기본권침해는 불법행위가 되어 무효가 되거나 손해배상 등의 책임을 낳는다.

기본권이 직접적으로 국가권력을 구속하는 헌법적 근거로 우리나라의 학자들은 제10조에서 찾는 견해와, 제37조 제2항이나 다른 규정(제111조, 제27조, 제103조)에서 찾는 견해로 나뉜다. "국가는 개인이 가지는 불가침의 인권을 확인하고 이를 보장할 의무를 진다"라고 하여 국가의 존립목적이 국민의 불가침적 기본권을 보장하는 데 있음을 선언한 제10조 후단이 근거라고 보는 것이 타당하다고 생각한다.

Ⅱ. 국가의 공권력작용에 대한 구속력

1. 입법권에 대한 효력

국회의 입법권도 실질적 법치주의에 따라 그 내용이 기본권의 구속을 받는다. 기본권제한은 원칙적으로 법률에 의해서만 가능하되, 이러한 기본권제한법률은 기본권보장이념에 적합해야 하고 제한의 사유와 정도가 엄격히 규정하여 필요불가결한 경우에 그쳐야 하며 본질적 내용을 침해하지 못한다. 또한 종전과 같이 사회권을 추상적 권리로 이해할 때, 이에 해당하는 기본권은 법률이 제정되어야 비로소 구체적 권리로서 실현될 수 있는데, 이러한 기본권형성적 법률을 제정하는 입법자는 기본권을 제한하는 법률을 제정하는 경우에 비하여 상대적으로 큰 입법형성의 자유를 가진다. 그러나 이러한 형성의 자유도 무제한의 것은 아니고 과잉금지의 원칙 등의 제한을 받는다. 부작위가 위법이 되는 경우와 불충분·불완전에 대해서는 위헌심사가 가능하다. 그리고 인간실험이나 노예제도를 인정하는 법률은 인간의 존엄과 가치를 해치는 법률이어서 허용될 수 없다.

---

1) "이하의 기본권은 직접 효력을 갖는 법으로서 입법, 집행 및 사법을 구속한다"(독일기본법 제1조 제3항).

2. 집행권에 대한 효력

(1) 권력행정에 대한 효력

집행권의 행사도 기본권규정에 구속된다. 법률에 의하지 않고서는 집행권에 의하여 국민의 기본권을 제한할 수 없다. 집행권에 대한 기본권의 구속력은 명령·규칙·처분에 대한 위헌·위법 여부의 심사에 의하여 뒷받침된다. 행정을 수단 또는 형식에 따라 분류할 경우 권력행정(고권적 행정작용), 관리행정(단순공행정), 국고행정으로 나눌 수 있다. 관리행정과 국고행정은 권력행정에 대비하여 비권력행정으로 분류되기도 한다. 권력행정은 국가의 우월한 힘, 즉 공권력의 발동에 의하여 이루어지는 점에서 국민의 자유와 권리에 대한 제약가능성이 더욱 크다. 따라서 고권적 행정작용에 대한 기본권의 효력인정은 당연하다. 공권력행정에 의하여 기본권이 침해될 때에는 항고소송으로 권리구제를 다툴 수 있으며, 일정한 요건 하에 공권력행정의 행사·불행사로 국민의 기본권을 침해한 경우 헌법소원심판의 대상이 된다.

(2) 통치행위에 대한 효력

고도로 정치성을 띤 국가행위에 대해서는 사법심사의 대상에서 제외된다는 통치행위의 관념이 극히 한정적으로 인정되지만, 통치행위에 의한 기본권침해는 위헌무효로 본다.[2)]

(3) 특별권력관계(특수신분관계)에 있어서의 효력

특별한 법률원인으로 특별권력관계가 구성된 자에게는 설정한 행정목적 달성을 위하여 필요한 경우에는 법률에 의하지 않더라도 기본권을 제한할 수 있으며, 사법심사가 배제된다는 전통적인 특별권력관계이론은 오늘날 부인되고 있다. 특별한 행정목적 달성을 위하여 일반 국민에 비해 기본권이 제한될 수 있음을 인정하더라도 기본권제한은 원칙적으로 법률의 근거 하에 이루어져야 하며, 사법심사를 통한 구제가 인정되어야 한다.

---

2) 헌재 2004. 10. 21. 2004헌마554·566 참조.

(4) 비권력행정에 대한 효력[3]

3. 사법권에 대한 효력

법원의 사법작용에 있어서 재판절차 및 재판내용도 기본권 존중의 원칙에 기속된다. 즉 기본권을 침해하는 재판은 그 정당성이 부정된다. 기본권의 사법권에 대한 효력은 재판청구권(제27조)과 법관의 재판상독립(제103조) 등의 규정에 의해서 뒷받침되고 있다.[4]

4. 헌법개정권력에 대한 효력

헌법개정도 기본권을 개악하는 방향으로 행사되어서는 안 된다.

5. 지방자치권에 대한 효력

지방자치단체의 자치입법권과 자치행정권도 기본권에 구속된다.

Ⅲ. 비권력행정(관리행정과 국고행정)에 대한 효력[5]

1. 문제의 소재

국가작용 중에서 공권력의 발동인 권력작용은 국가기관에 의한 것이든 지방자치단체에 의한 것이든 모두가 기본권에 기속된다. 즉 기본권이 모든 국가작용 중 권력작용을 구속함은 이설 없이 인정할 수 있다. 그러나 같은 국가의 행정작용이지만, 비권력작용으로서의 관리행정과 국고행정에도 기본권의 효력이 미칠 것인가에 대해서는 견해의 대립이 있다.

2. 관리작용(단순공행정)에 대한 효력

(1) 행정이 공법의 규율을 받아가며 공법의 형식으로 행해지는 경우에, 공법행정 또는 고권적 행정이라고 한다. 공법행정에서도 명령·강제수단을 사용하여 행

---

3) Ⅲ.에서 상세히 다룬다.
4) 성낙인, 제19판 헌법학, 법문사, 2019, 935면.
5) 이 부분은 행정법 교과서도 참조하기 바란다.

해지는 행정을 권력행정 또는 권력고권적 행정이라고 하며, 공물과 영조물의 설치 및 관리, 공기업의 운영 등 명령·강제적 성격이 약하고 공법상의 계약 등 비권력적 행정수단을 사용하는 행정을 관리행정 또는 단순고권적 행정(단순공행정)이라 한다.[6] 이러한 관리행정은 행정주체가 공권력주체로서가 아니라 공기업·공물 등의 경영·관리주체로서 국민과 대등한 지위에서 행하는 작용이다. 이러한 행정작용도 공법형식에 의하여 수행되므로 공법적 규율을 받는다. 다만 공법적 규율이 없는 경우에는 사법규정이 준용될 여지가 크다.[7]

(2) 관리작용도 공공복리의 실현과 밀접한 관련이 있는 경우에는 특별한 공법적 규율을 받으므로, 관리작용으로 인하여 기본권을 침해받은 당사자는 예외적인 경우에 헌법재판소법 제68조 제1항의 헌법소원심판을 통하여 구제받을 수 있다. 관리작용에 대한 기본권의 효력과 관련하여 과거 전통적인 행정법이론은 국고행정과 마찬가지로 기본권규정에 구속되지 않는다는 견해도 있었으나, 오늘날은 이를 인정하기 어렵다.

3. 국고작용에 대한 효력

(1) 국고작용의 개념과 분류

국고작용이란 국가·지방자치단체 등 행정주체가 사법상의 재산권의 주체가 되어 행정에 필요한 물품의 구입계약이나 국유재산의 임대·매각행위 등과 같이 행정주체가 사인과 대등한 지위에서 법률관계를 형성하는 작용을 말한다(이를 사경제적 작용이라고도 한다). 국고작용은 다시 조달행정작용이나 영리적·경제적 활동인 순수한 국고작용(협의의 국고작용)과 공법규정에 의하여 사법원리가 수정되어 공법과 사법이 혼재하고 있는 행정사법(형식적 의미의 국고행정)으로 나누어진다. 이러한 국고작용, 특히 순수한 국고작용에도 기본권의 기속력이 미치는가에 대해서는 학설이 대립하고 있다.

(2) 국고작용에 대한 효력에 대한 학설

① 효력부정설

전통적인 행정법이론에서는 국고행위나 관리행위와 같은 비권력적 행정에 대해서는 기본권의 대국가적 구속력을 부인하고 있다. 즉 사법적 형식으로 행하여지기

---

6) 정하중, 행정법총론(제3판), 법문사, 2005, 19－20면.
7) 김동희, 행정법 I (제6판), 박영사, 2000, 20면.

때문에 기본권규정에 구속되지 않는다는 입장이다. '같은 성질의 관계는 같은 법으로 규율되어야 한다'는 논리에 입각하고 있다. 국고작용에 대한 기본권의 효력 문제는 기본권의 대사인적 효력의 문제로 보게 되며, 만약 기본권의 대사인적 효력을 부정한다면 국고작용에 대한 기본권의 기속력도 부정하게 된다.

② 효력긍정설

국가의 사법적(私法的) 활동도 사인(私人)의 사법적 활동과는 달리 공적 과제를 수행하기 위한 수단이며, 비록 국가의 일정한 임무수행을 위하여 사법의 형식이 이용된다고 하더라도 기본권으로부터 자유로울 수 없다는 점을 논거로 국고작용에도 기본권의 직접적 효력이 미친다고 본다. 헌법은 불가침적 기본권의 보장을 국가의 의무로 규정하고 있지만, 이때의 국가를 공권력주체로서의 국가에 한정하고 비권력적·경제적 주체로서의 국가를 여기에서 제외할 특별한 이유가 없다고 한다. 나아가 기본권의 대사인적 효력이 인정되는 오늘날 국가의 국고작용은 당연히 기본권에 기속되어야 한다고 한다.

③ 유형구분설

국고작용의 유형을 구분하여 순순한 국고작용(협의의 국고작용)의 경우 기본권의 효력이 미치지 아니하나, 국가가 사법의 형식으로 행정목적을 직접적으로 수행하는 행정사법작용(형식적 의미의 국고행정)의 경우는 기본권의 효력이 미치게 된다고 하는 견해이다.

④ 결 어

국가작용이 사법의 형식으로 이루어진다고 하여 사인과 동등하게 볼 수는 없으며, 국가는 여전히 기본권의 수범자로서의 지위를 지니므로 국고작용에도 기본권의 효력이 미친다고 보아야 한다. 기본권보장의 주체가 국가라면 그것이 권력작용의 주체이든 비권력작용의 주체이든 구별할 필요가 없이 기본권을 존중하고 보호해야 한다. 오늘날 순수한 사인 간에도 기본권의 효력이 인정된다고 보는 현실에서 국가의 국고작용에 기본권의 효력이 미치지 않는다는 것은 기본권의 본질에도 반한다. 이러한 해석은 실질적 법치주의, 현대 복리주의적 이념 하에서 더욱 정당성을 가지게 된다. 헌법재판소도 국고작용에 기본권의 효력이 미친다는 입장을 가지고 있는 것으로 파악된다.

국유잡종재산에 대하여도 시효제도의 적용이 있는지 여부가 다투어진 사건

헌법재판소는 국유잡종재산은 사경제적 거래의 대상으로서 사적자치의 원칙이 지배되고 있으므로 시효제도의 적용에 있어서도 동일하게 보아야 하고, 국유잡종재산에 대한 시효취득을 부인하는 동규정은 합리적 근거 없이 국가만을 우대하는 불평등한 규정으로서 헌법상의 평등의 원칙과 사유재산권 보장의 이념 및 과잉금지의 원칙에 반한다고 결정한 바 있다.

헌재 1991. 5. 13. 89헌가97

(3) 국고작용에 대한 기본권의 기속력이 미치는 방식

국고작용에도 기본권의 기속력이 미친다고 보는 경우에도 그 기속력이 미치는 방식에 대해서는 기본권의 대사인적 효력으로 이해하는 견해와 기본권의 대국가적 효력으로 이해하는 견해가 있지만, 대국가적 효력의 문제로 접근하는 것이 옳다고 본다.

(4) 국고작용으로 인한 기본권 침해시 권리구제방법

우선 헌법소원심판청구를 통하여 권리구제가 가능한가가 문제된다. 긍정설과 부정설이 대립하나 공권력의 행사에 해당한다고 보기 어려울 뿐만 아니라 보충성 요건의 충족도 곤란하여 헌법소원심판의 대상이 되기는 어렵다. 국고작용에 의한 기본권침해에 대해서는 민사소송으로 다투어야 할 것이며, 이 경우 기본권은 직접 적용되는 것이 아니라 민법의 일반조항을 통하여 간접적용된다고 보는 것이 타당하다.

두 번째로 국고작용으로 인한 손해에 대해서 국가배상청구가 가능한가가 문제된다. 이 경우 공무원의 '직무행위'의 범위를 어떻게 보느냐에 따라 결론이 달라질 수 있다. 직무행위의 범위를 권력작용으로만 보는 협의설, 권력작용과 관리작용으로 보는 설(광의설), 권력작용과 관리작용 외에 국고작용을 포함하는 설(최광의설)이 대립한다. 학설과 판례는 광의설의 입장이다. 학설과 판례의 입장을 따른다면 국고작용에 의한 기본권침해의 경우 민사소송의 인정은 별론으로 하더라도 국가배상청구는 인정되지 않는다.[8]

---

8) 대판 1970. 12. 24. 70다1148.

Ⅳ. 개별적 기본권의 대국가적 효력

원칙적으로 기본권은 모든 국가권력을 구속하지만, 기본권의 성질상 개별 기본권은 모든 국가권력을 구속할 수 없는 경우도 있다. 사회적 기본권을 모두 삭제한 독일기본법과는 달리 현행헌법은 다수의 사회적 기본권 규정들을 두고 있으며, 자유권과 사회권은 국가권력을 구속하는 방식 및 정도에 있어서 상당한 차이를 보이기 때문이다.[9)]

1. 인간의 존엄과 가치 · 행복추구권

인간의 존엄과 가치는 국가에 대해서는 모든 국가적 행위에 대해서 가치충족적인 척도를 제공하고 국가과업과 국가목적을 규정 · 제한하는 최고의 이념적 기초를 이루는 것으로서 당연히 모든 국가권력을 구속한다. 행복추구권의 성격을 인간의 존엄과 가치와의 관계에서 어떻게 이해하느냐에 관해서는 견해의 대립이 있지만, 모든 국가권력을 구속한다고 본다.

2. 평등권

평등권이 행정권과 사법권을 구속하는 데는 이설이 없다. 문제는 '법 앞의 평등'과 관련하여 입법권도 구속하는가가 문제된다. 법 앞의 평등을 법의 평등으로 보아 입법을 구속한다는 견해가 세계적 통설이다(입법구속설, 법평등설, 법내용평등설). 이에 반해 법 앞의 평등을 법의 적용에 있어서 평등, 즉 법률 앞에 평등으로 보아 입법을 구속하지 않는다는 견해도 있다(법적용평등설, 입법비구속설). 입법비구속설에 의하면 입법자의 자의를 인정하는 결과가 될 수 있고, 나아가서 입법에 의해 불평등을 도입할 수 있는 여지가 있으므로 부당하다.

3. 자유권적 기본권

자유권을 자연권으로 보든 실정권으로 보든 헌법상 구체적 권리로서의 특질을 가지므로 국가권력을 구속한다.

---

9) 장영수, 제7판 헌법학, 홍문사, 2012, 482면 이하.

4. 사회적 기본권(생존권)

생존권의 법적 성질에 대해서는 프로그램규정설, 추상적 권리설, 구체적 권리설이 주장되나, 우리나라의 종전의 다수설은 입법권과 행정권을 구속하되 헌법에 직접 근거해서 법원에 대해서는 소구할 수 없는 권리로 보고 있다(추상적 권리설). 추상적 권리에 의하더라도 구체적 입법이 행해지지 않으면 구제가 불가능하다는 점에서 프로그램규정설과 차이가 없다는 비판도 있다. 다만 구체적인 입법이 없는 경우에도 침해배제청구권은 인정된다고 보고 있다(생존권의 자유권적 측면). 기본권의 침해가 주로 국가권력이었던 시대에는 기본권을 전(前)국가적 자연권으로 보는 슈미트적 사고가 설득력이 있을 수 있지만, 기본권보장의 중점이 자유권에서 생존권으로 이동되었고, 국가에 대하여 적극적 작위를 요구하는 시대적 배경 하에서는 기본권의 국가적 효력에 있어서 생존권의 영역이라고 다를 것은 없다고 보는 견해가 설득력이 있다고 생각한다.[10] 최근에는 불완전하나마 생존권적 기본권의 구체적 효력설을 주장하는 견해가 유력해지고 있다.[11]

5. 참정권(정치권)

참정권은 비록 국법상의 권리이기는 하지만, 그것은 국민주권국가에서는 민주정치의 실현에 불가결한 것이므로, 모든 국가권력을 구속하는 것으로 본다.

6. 청구권적 기본권

청구권적 기본권도 국가내적인 권리로 보고 있지만, 기본권의 실효성을 보장하기 위해서는 청구권의 보장이 불가결한 것이므로 모든 국가권력을 구속하는 것으로 보고 있다.

---

10) 허영, 전정13판 한국헌법론, 박영사, 2017, 262면.
11) 권영성, 헌법학원론(2010년판), 법문사, 2010, 648면.

제3절 대사인적 효력(제3자적 효력)

Ⅰ. 서 언

기본권은 본래 국가권력에 대한 방어권으로 인정된 것이므로 대국가적 효력을 가지는 것이 원칙이나, 예외적으로 사인(사적 단체)의 힘의 증대로 사법관계에 있어서 사인 상호간에 기본권을 침해할 가능성이 높아지고 있어서, 사인 간의 기본권 침해에 대해서도 기본권의 헌법적 보장의 법리를 확장하여 기본권의 효력을 인정할 것인가가 논의되고 있다(사인 간의 인종차별, 근로3권의 침해).

Ⅱ. 대사인적 효력의 인정필요성과 이념적 기초

사회상황의 변화에 따른 국가유사의 사회적 세력(개인, 단체)의 증대로 인한 기본권침해를 보호할 필요가 있으며, 기본권의 새로운 이해, 즉 기본권을 주관적 공권성과 객관적 가치질서의 양면성을 가지는 것으로 보게 될 때, 기본권의 효력이 사인 상호간에도 미칠 수 있는 이념적 기초를 가지게 된다.

Ⅲ. 대사인적 효력을 구체화하는 방법

1. 헌법에 명문규정을 두는 방법

"권리와 자유 및 그 보장에 관한 헌법규정은 공·사조직체에 직접적용되어 구속력을 가진다"고 모든 기본권의 사인 간의 적용을 규정하는 입법례(포르투갈헌법 제18조 제1항)와 "근로조건 및 경제조건을 유지하고 또 개선하기 위하여 단체를 결성하는 권리는 각 개인 및 또는 직업에 대하여 보장된다. 이 권리를 제한하거나 방해하려고 하는 합의는 무효이며, 이를 목적으로 한 조치는 위법이다"고 특정 기본권에 대해서 적용을 규정하는 입법례(독일기본법 제9조 제3항)가 있다. 이처럼 헌법에서 명문규정을 두는 경우는 기본권의 대사인적 효력의 인정에 가장 명확한 방법이나, 공·사법의 체계를 혼란시킨다는 비판을 피할 수 없다.

2. 입법에 의한 방법

헌법에서 직접 규정하는 것은 헌법의 성질상 곤란함으로 법률에서 대사인적 효력을 규정하는 것이 바람직할 수 있다. 예를 들어 미국의 시민권법(Civil Rights Act), 우리나라의 '근로기준법' 및 '남녀고용평등과 일·가정 양립 지원에 관한 법률' 등은 입법에 의해서 사인에 의한 기본권침해를 금지하는 규정이다.

3. 헌법해석에 의한 방법

헌법의 명문규정이나 입법이 없는 경우 사인에 의한 기본권침해를 해결하기 위하여 헌법해석에 의한 방법이다. 독일과 미국의 이론이 있다.

Ⅳ. 독일의 이론

1. 적용부인설(효력부인설, 무관계설)

이 견해는 기본권은 국가에 대한 공권이므로 본질적으로 국가권력에 대해서만 구속력을 가지며, 사인 간의 관계는 원칙적으로 적용되지 않고 사인의 침해행위로 인한 자유와 권리의 보호는 사법(私法)규정으로 해결하면 된다고 한다. 바이마르헌법하의 다수설이었다.

이 설은 사법, 공법의 이원적 체제에서, 기본권은 공법상의 권리에 불과하고, 사법질서에서는 사적자치의 원리가 지배한다고 보고 사인 간의 문제는 사적자치의 원칙으로 해결해야 한다고 주장한다. 연혁적으로 국가의 침해로부터 개인의 자유를 보장하기 위해 기본권이 인정되었다는 점도 근거로 제시한다.

그러나 이 설은 사인에 의한 기본권침해를 방지할 현실적 필요성을 도외시하여 시대에 뒤진 이론이라는 비판을 받는다.

2. 직접적용설(직접효력설)

이 견해는 기본권은 국가에 대하여뿐만 아니라 사인 간의 관계에 대해서도 사법의 일반원칙을 매개하지 않고 직접적용된다고 한다. 이 설도 모든 기본권을 사법관계에 직접적용을 인정하는 절대적 직접적용설과 몇 가지 중요한 기본권(양심·사상·종교의 자유, 노예적 구속이나 강제노역에서의 자유 등)만 직접적용을 인정하는 한정적 직접적용설로 갈린다(Nipperdey, 연방노동법원).

기본권의 역사적 성격변화로 사인 간에도 기본권보장이 중요한 의미를 지니며, 사인 사이의 법률관계도 최고법인 헌법에 위반될 수 없다는 점과 사법(司法)에 의하여 기본권이 보호되는 이상 사법(司法)은 헌법의 기본권규정에 반하는 계약·일방적 법률행위·작위 또는 부작위를 위법으로 제재할 의무가 있다는 점을 근거로 든다.

이 설은 사적자치, 계약자유원칙을 침해할 우려가 있다가 있다는 비판을 받는다. 즉 이 견해의 최대의 문제점은 공·사법의 체계를 혼란시킨다는 점이다.

3. 간접적용설(公序良俗說)

이 견해는 기본권은 "**사법(私法)조항(특히, 일반조항)의 해석을 통해 간접적으로**" 사법관계에 적용되어야 한다고 한다. 즉, "기본권침해"는 신의성실·사회질서에 반한다고 해석함으로써, 공·사법의 이원적 체계·사적자치원칙을 유지하면서 사인에 의한 기본권침해도 방지할 수 있다고 본다. 헌법의 기본권 조항을 직접 사인에게 적용하는 것이 아니라, 사법의 일반조항을 매개물로 하여 간접적용시키고자 하는 것이다. 단 헌법상 명문의 근거규정이 있으면, 기본권규정은 당연히 사인 간에 "직접"적용된다고 한다.

뒤리히(Dürig)와 연방헌법재판소의 입장이다. 이 설에 따르면 헌법을 기초로 하는 전체 법질서의 통일성을 유지함과 동시에 사법질서의 독자성 및 고유법칙성을 동시에 존중하고자 하며, 모든 국가권력은 기본권을 존중할 의무가 부과되어 있을 뿐만 아니라, 제3자인 개인 또는 단체에 의한 침해로부터 이것을 보호할 의무가 부여되어 있다는 점을 주된 근거로 들고 있다. 부연하면 기본권은 일차적으로는 국가권력에 대한 국민의 방어적 권리로서 주관적 공권이지만, 그와 더불어 공동생활의 기초가 되는 원칙규범 내지 객관적인 질서의 요소도 되기 때문에 이러한 원칙규범적 성격 내지 객관적 질서의 성격으로부터 공·사를 불문하고 모든 생활영역에 효과를 미치게 되는 이른바 방사효(放射效, Ausstrahlungseffekt)를 가진다고 한다.

이 설에 대해서는 법관이 사인 간의 법률관계에 적용될 사법의 일반원칙의 내용을 발견할 때 기본권적 가치가 해석기준이 된다는 점에서 당해 법관에게 지나치게 넓은 재량이 부여된다는 점이 비판의 대상이 되고 있다.

V. 미국의 이론

1. 국가행위의제설, 국가유사설(state action doctrine, looks like government theory)

미국의 전통적인 입장은 기본권은 원칙적으로 국가권력에게만 미치고 사인 간에는 미칠 수 없다는 것을 전제로 하여, 사인의 행위가 국가의 행위(state action)와 동일시되거나 의제되어야 직접적용이 가능하다는 이론으로 판례에 의해서 발전하였다. 이 판례이론에 대하여는 기본권의 효력이 지나치게 확장됨으로써 사적자치의 이념이 크게 손상된다는 결과를 초래할 수 있다는 비판이 제기되기도 한다.[12]

2. 구체적인 판례이론

(1) 사법집행의 이론

흑인에게 부동산 매매를 금지하는 주민 간의 계약을 합헌이라고 판결한 경우와 같이 그 판결과 집행을 통하여 법원이 위헌행위를 한 것으로 의제하는 설이다(1948년 Shelly v. Kraemer).

(2) 국유재산의 이론

국가적 시설을 임차한 사인이 그 시설에서 개인의 기본권을 침해한 경우 국가적 행위로 의제하는 이론이다(1962년 Turner v. City of Memphis).

(3) 국가원조의 이론

국가로부터 재정적 원조, 토지수용권, 조세감면 또는 그 밖의 원조를 받고 있는 사인의 행위를 국가행위로 의제하는 이론이다(1944년 Steele v. Louisville and Nashville).

(4) 통치기능의 이론

정당이나 사립대학 등과 같이 실질적으로 통치적 기능이나 또는 행정적 기능을 행사하는 사인에 의한 인권침해행위를 국가적 행위(주(州)의 대리인)로 의제하는 이

12) 성낙인, 앞의 책, 938면.

론이다(1944년 Smith v. Allwright).[13]

(5) 특권부여의 이론

국가로부터 특종의 특권 내지 특별한 권한이 부여되어 그 한도 내에서 국가의 광범한 규제를 받아 국가와 밀접한 관계가 있는 경우의 사적 단체의 행위를 국가 행위와 동일시하는 이론이다(1952년 Public Utilities Commission v. Pollak).

Ⅵ. 우리나라에서의 대사인적 효력

간접적용설이 통설이다. 다만 예외적으로 직접적용되는 기본권을 인정하고 있다. 명문의 규정이나 권리의 성질상 직접적용되는 기본권의 예에 대해서는 학설이 갈리고 있다. 즉 근로3권만을 직접적으로 적용되는 기본권으로 드는 견해,[14] 근로3권, 언론·출판의 자유, 협의의 인간의 존엄과 가치·행복추구권, 참정권을 드는 견해,[15] 언론·출판의 자유(특히 제21조 제4항)를 드는 견해[16] 등이 대립한다. 그 밖에 환경권의 직접적 적용을 주장하는 견해는 제35조 제1항이 국가만이 아니라 사인에게도 환경보전의무를 부과하고 있다는 점을 들고 있다.[17] 직접적용을 확대하는 경우

13) 정당이 예비선거에서 흑인투표를 거부한 것이 문제된 사건이다.

14) 권영성, 앞의 책, 331면. 근로3권에 대해서는 노동조합 및 노동관계조정법에서 정하고 있으므로 실제로 헌법의 규정을 근거로 하여 사용자에게 직접 단결권, 단체교섭권, 단체행동권을 주장한다고 하기는 어렵다는 비판(정종섭, 제11판 헌법학원론, 박영사, 2016, 348면)과 현행헌법상 근로자의 단결권에 관한 규정내용도 이 점에 관해 직접적 사인효력을 인정하는 독일기본법과는 본질적으로 다르기 때문에 직접적 효력인정에 의문을 제기하는 견해도 있다(허영, 앞의 책, 272면).

15) 김철수, 학설·판례 헌법학(상), 박영사, 2008, 426면. 이들 권리는 사인 간의 관계를 전제로 할 뿐만 아니라 계약자유에 대한 제한원리를 내포하는 사회적 법치국가의 이념 하에서 직접적으로 보장되어 있는 것이기 때문이라고 한다.

16) 허영, 앞의 책, 271-272면. 허 교수는 현행헌법은 언론·출판의 자유가 현대사회에서 가지는 사회통합적·민주적 기능의 중요성을 감안해서 이 기본권에 대해서만 특별히 직접적인 사인효력을 인정하고 있고 나머지 기본권들은 사법상 일반원칙을 통해서 간접적으로만 사인 간에 적용할 수 있다고 보는 것이 해석상 무리가 없다고 한다. 이렇게 해석할 때 제21조 제4항의 헌법상 의미도 명백해진다고 한다. 민법상 불법행위에 관한 규정(민법 제750조 이하)만으로도 충분히 해결될 수 있는 사항을 헌법에서 특별히 규정한 이유는 '언론·출판의 자유'가 현대사회에서 가지는 사회통합적·민주적 기능 때문에 이 기본권에 대해서 특별히 직접적 사인효력을 인정하여 언론의 사회적 책임을 강조하고 동화적 통합 분위기조성을 촉진시키고자 하는 데 헌법상 의의가 있다고 한다.

17) 대법원 판례는 헌법상의 기본권으로서의 법률규정이 없는 한 환경권에 관한 규정(제35조 제1항)만으로서는 개개의 국민에게 직접적으로 구체적인 사법상 권리를 부여한 것이라고 보기는 어렵다고 판시하고 있다(대판 1995. 5. 23. 94마2218).

공·사법의 체계를 혼란시킬 우려가 있고 간접적용으로 문제를 해결하는 것이 어렵지 않기 때문에 직접적용은 제한적으로 해석하는 견해가 다당하다고 생각한다. 근로3권과 언론·출판의 자유와 관련한 제21조 제4항 등이 직접적용되는 규정으로 보고 그 외의 기본권은 사인 간에 간접적용된다고 보는 것이 타당하다고 생각한다. 이렇게 직접적용되는 기본권을 제외하고는 간접적용된다고 본다.

한편 일정한 기본권은 성질상 사인 간에는 적용되지 않는다. 이와 관련하여 대사인적 효력(제3자적 효력)이 부인되는 기본권의 예로 드는 것에 대해서도 견해의 차이가 존재한다. 직업공무원제도, 지방자치제도, 죄형법정주의, 묵비권, 일사부재리원칙, 고문을 받지 않을 권리, 변호인의 조력을 받을 권리, 공개재판을 받을 권리, 구속적부심사청구권, 형사보상청구권 등과 같은 사법절차적인 기본권은 성질상 사인 간에는 적용될 수 없다는 견해[18]가 있는가 하면, 직업공무원제도, 지방자치제도는 제도이고 형법불소급의 원칙, 죄형법정주의는 법원리에 불과하므로 제3자효 인정 여부에 앞서 '기본권성'이 결여되어 있다고 비판하는 견해가 있다.[19] 이와 관련하여 형법불소급의 원칙, 죄형법정주의는 생명·신체에 관한 헌법적 지도원리로서 기본권성이 인정되지만, 대사인적 효력이 허용될 수 없는 기본권에 속한다고 보는 견해[20]도 있다.

성질상 국가에 대해서만 요구할 수 있는 기본권, 예를 들어 청구권적 기본권(청원권, 재판청구권, 국가배상청구권, 형사보상청구권, 범죄피해자구조청구권, 형사피해자의 재판절차진술권 등)이 그것이다. 그 밖에 공무담임권, 소급입법에 의한 재산권박탈금지와 참정권제한금지 등이 논의된다.

현실적으로 제3자적 효력의 적용가능성(간접적용)이 가장 큰 권리는 평등권을 들 수 있다. 지금은 입법으로 많이 해결되고 있지만 성별에 의한 차별 등이 제3자적 효력의 인정 여부에서 대표적인 사례였다(동일노동 동일임금, 결혼퇴직제 등).

제4절 기본권의 경합과 충돌 (기본권의 갈등)

기본권의 경합과 충돌을 포함하여 기본권의 갈등(Grundrechtskonflikt)이라고도 표현한다.[21] 동일한 기본권주체가 두 개 이상의 기본권을 주장하는 기본권의 경합

18) 김철수, 앞의 책(상), 428면.
19) 권영성, 앞의 책, 331-332면.
20) 허영, 앞의 책, 272면.

과 서로 다른 기본권주체가 서로 대립하는 기본권을 주장하는 기본권의 충돌은 어떤 기본권을 우선시킬 것인가 또는 어떤 기본권을 어느 정도 적용할 것인가가 문제된다. 이 점에서 기본권의 경합과 충돌문제는 기본권의 해석의 문제이자 효력의 문제이다.

Ⅰ. 기본권의 경합(경쟁)

1. 의 의

동일한 기본권의 주체가 일정한 사안에 관하여 동시에 여러 기본권을 주장한 경우에 이들 기본권 상호간의 관계를 기본권의 경합(Konkurrenzen)이라고 말하며,[22] 이 경우 어느 기본권을 우선적으로 적용할 것인가가 헌법문제로서 제기된다. 기본권의 경합은 기본권의 대국가적 효력에 있어서 중요한 의미를 가진다. 기본권 경합의 예로는 집회나 시위에 참여하려는 사람을 체포・구속한 경우 신체의 자유와 집회의 자유를 동시에 주장하는 경우와 재산적 가치가 있는 예술작품을 강제로 철거하는 경우 예술의 자유와 재산권을 동시에 주장하는 경우 등을 들 수 있다.

2. 기본권경합과 유사경합

기본권이 경합되는 경우는 어떠한 행위가 여러 기본권의 구성요건에 해당하는 경우이지만, 그러한 기본권구성요건들이 일반법과 특별법의 관계에 있는 경우에도 기본권경합을 인정할 것인가가 문제된다. 즉 기본권경합의 경우에도 기본권충돌의 경우와 마찬가지로 기본권의 '유사경합'의 문제가 제기될 수 있다. 예를 들어 학문적 표현이나 예술적 수단을 이용한 광고 또는 선전행위를 하는 경우에 영업의 자유나 재산권이외에 학문과 예술의 자유까지도 경합적으로 주장할 수 있는가가 그것이다. 각 기본권은 그 자체로서 독자적인 것이며 따라서 기본권규정 상호간에는 법조경합이라는 것이 존재할 수 없으며, 원칙적으로 어떤 기본권도 다른 기본권의 특수범주로 볼 수 없기 때문에 기본권간에는 경합이 있을 수 있다는 견해(경합긍정설)와 어떠한 행위가 일반규범과 특수규범에 각각 해당하는 경우 특수적 기본권의 침해 여부만이 문제된다는 견해(경합부정설)가 대립된다.

---

21) 다만 기본권의 갈등이라는 용어는 기본권의 충돌에는 적합하지만, 기본권의 경합에는 적합하지 않다는 견해가 있다(계희열, 앞의 책(중), 116면).
22) 학자에 따라서는 기본권의 경쟁이라고도 한다(허영, 앞의 책, 274면).

3. 기본권 경합의 해결원칙

(1) 학 설

제한 정도가 다른 기본권이 경합하는 경우에는, 최약효력설과 최강효력설이 해결원칙으로 주장된다. 최약효력설은 헌법상 제한의 가능성과 정도가 가장 큰 기본권, 즉 가장 약한 성질의 기본권이 우선되어야 한다는 견해이다. 이에 반해 최강효력설은 헌법상 제한의 가능성과 정도가 가장 작은 기본권, 즉 가장 강한 성질의 기본권이 우선되어야 한다는 견해이다. 이 밖에 사안과 가장 밀접한 관련이 있는 기본권을 우선한다는 견해도 존재한다.

(2) 헌법재판소 판례

① 개 관

대부분의 헌법재판소 판례는 사안에 조금이라도 관련이 있는 것으로 보이면 헌법재판의 근거로 나열하고 있는 입장인데, 이러한 헌법재판소의 종래의 관행에 대하여 기본권적 보호범위의 획정이라는 관점이나 헌법판단의 경제성이라는 관점에서는 문제가 있다는 비판이 있다.[23] 최근에 헌법재판소는 다양한 입장을 보여주고 있다.

② 병렬적으로 적용한 예

ⅰ) 검찰총장 퇴직 후 일정기간 동안 정당의 발기인이나 당원이 될 수 없도록 규정한 '검찰청법 제12조 제4항에 대한 헌법소원' 사건에서 "직업선택의 자유와 공무담임권을 침해하는 것으로 헌법상 허용될 수 없다"고 판시하였다.[24]

ⅱ) '검사불기소처분에 대한 헌법소원' 사건에서 하나의 기본권이 아니라 평등권과 재판절차진술권을 동시에 적용하는 입장을 보여주고 있다.[25]

ⅲ) '체육시설의 설치 · 이용 등에 관한 법률 시행규칙 제5조에 대한 헌법소원' 사건에서는 직업선택의 자유와 평등권을 동시에 적용하는 입장을 채택하고 있다.[26]

---

23) 권영성, 앞의 책, 334면.
24) 헌재 1997. 7. 16. 97헌마26.
25) 헌재 1993. 9. 27. 92헌마179.
26) 헌재 1993. 5. 13. 92헌마80.

③ 특별기본권을 우선 적용한 예

i) '퇴직 경찰청장의 정당활동을 제한한 경찰법 제11조 제4항 등 위헌확인' 사건에서 "청구인들은 직업의 자유도 침해되었다고 주장하나, 공무원직에 관한 공무담임권을 직업의 자유에 우선하여 적용되는 특별법적 규정이고, …… 공무담임권(피선거권)은 이 사건 법률조항에 의하여 제한되는 청구인들의 기본권이 아니므로, 직업의 자유 또한 이 사건 법률조항에 의하여 제한되는 기본권으로서 고려되지 아니한다"고 판시하여 특별기본권만 판단하였다.[27)]

ii) 대학교원을 제외한 교육공무원의 정년을 65세에서 62세로 단축한 '교육공무원법 제47조 제1항에 대한 헌법소원' 사건에서도 공직으로서의 공무담임권은 직업선택의 자유에 대하여 특별기본권임을 밝히고 있다.[28)]

iii) 국가유공자 등에 대한 가산점을 부여하는 '국가유공자등 예우에 관한 법률 제34조 제1항 위헌확인' 사건에서도 가산점제도가 국가기관의 공무원 채용시험과 관련하여 공무담임권을 침해하는지 여부를 심사한 이상 이와 별도로 직업선택의 자유의 침해를 심사할 필요는 없을 것이라고 판시하고 있다.[29)]

④ 관련사안과의 관련성 및 침해의 정도 등을 기준으로 한 예

i) 음란물을 출간한 출판사의 등록을 취소하도록 한 '출판사 및 인쇄소의 등록에 관한 법률 제5조의2 제5호 등 위헌제청' 사건에서 헌법재판소는 "이 사건 법률조항은 언론·출판의 자유, 직업선택의 자유 및 재산권을 경합적으로 제약하고 있다. 이처럼 하나의 규제로 인해 여러 기본권이 동시에 제약을 받는 기본권경합의 경우에는 기본권침해를 주장하는 제청신청인과 제청법원의 의도 및 기본권을 제한하는 입법자의 객관적 동기 등을 참작하여 사안과 가장 밀접한 관계에 있고 또 침해의 정도가 큰 주된 기본권을 중심으로 해서 그 제한의 한계를 따져 보아야 할 것이다. 이 사건에서는 제청신청인과 제청법원이 언론·출판의 자유의 침해를 주장하고 있고, 입법의 일차적 의도도 출판내용을 규율하고자 하는 데 있으며, 규제수단도 언론·출판의 자유를 더 제약하는 것으로 보이므로 언론·출판의 자유를 중심으로 해서 이 사건 법률조항이 그 헌법적 한계를 지키고 있는지를 판단하기로 한다"고 판시하고 있다.[30)]

27) 헌재 1999. 12. 23. 99헌마135.
28) 헌재 2000. 12. 14. 99헌마112.
29) 헌재 2001. 2. 22. 2000헌마25.
30) 헌재 1998. 4. 30. 95헌가16.

ii) 위 사건에서 헌법재판소는 "이 사건 법률조항 중 '음란한 간행물' 부분은 헌법에 위반되지 아니하고, '저속한 간행물' 부분은 명확성의 원칙에 반할 뿐만 아니라 출판의 자유와 성인의 알 권리를 침해하는 규정이어서 헌법에 위반된다"고 결정한 바 있다(일부위헌, 일부합헌).

(3) 결 어

기본권경합의 경우에는 당해사안과 가장 밀접한 관련이 있는 기본권을 우선적으로 적용하고, 사안과의 관련성이 동일하거나 사안과의 관련성 판단이 불가능한 경우에는 기본권의 최대존중과 최대보호를 지향하는 헌법정신에 비추어 볼 때 제한가능성이 가장 적은 최강효력설에 의하여 판단하며, 사안과의 관련성 및 기본권의 효력 등이 동일한 경우에는 관련 기본권 모두를 적용하는 것이 타당하고 논리적이라 생각한다.[31]

Ⅱ. 기본권의 충돌(상충)

1. 의 의

복수의 기본권주체가 상충하는 이해관계에 따라 국가에 대해 각기 대립하는 기본권의 적용을 주장하는 경우에 발생하는 기본권 상호간의 관계를 기본권의 충돌(Kollisionen)이라 하며,[32] 기본권의 대사인적 효력에 있어서 중요한 의미를 갖는다. 실질적으로는 '사인 상호간에 이해관계가 충돌'하는 경우라 하더라도 기본권규정의 적용과 관련된 권리자와 의무자는 국가와 사인일 수밖에 없기 때문에 원칙적으로 국가에 대하여 기본권을 주장하는 경우를 말한다. 또한 기본권주체들이 각기 주장하는 대립되는 기본권은 반드시 상이한 기본권이어야만 하는 것은 아니다. 예를 들어 언론사 편집장·발행인의 언론의 자유가 편집사원·평기자의 언론의 자유와 대립하는 경우도 기본권의 충돌로 인정될 수 있다.

일정한 장소에서의 흡연행위와 관련하여 혐연권과 흡연권의 충돌, 기업주가 공해사업을 운영하는 경우 기업주의 직업의 자유(또는 재산권)와 인근주민의 건강권(환경권)과 충돌하는 경우 등을 예로 들 수 있다.

---

31) 권영성, 앞의 책, 333−334면.
32) 학자에 따라서는 기본권의 상충이라고도 한다(허영, 앞의 책, 274면).

2. 유사충돌과 구별

외견상으로는 기본권의 충돌처럼 보이지만, 기본권의 적용을 주장하는 일방 기본권주체의 행위가 당해 기본권규정의 보호범위를 벗어난 것인 경우에는 진정한 의미에서의 기본권충돌이 아니라 기본권의 유사충돌의 경우에 불과하다. 예를 들어 출판업자가 출판을 위하여 종이를 절취하여 종이의 소유자에게 출판의 자유를 주장하는 경우, 출판업자의 출판의 자유와 종이 소유자의 재산권은 진정한 기본권의 충돌이 아니다. 여기서 출판업자의 출판의 자유의 주장은 '기본권의 남용' 또는 '기본권의 한계일탈'행위에 불과하다.

한편 기본권의 충돌은 서로 대립하여 적용을 주장하는 것이 모두 기본권이어야 한다. 양심상병역거부권의 경우 양심상병역거부권 주장과 대립하는 것은 국방의무라는 공익이기 때문에 진정한 기본권의 충돌이 아니다. 이와 같은 예를 비진정한 기본권의 충돌이라고 보는 견해도 있다.

3. 기본권충돌의 해결원칙

(1) 입법의 자유영역이론

헌법해석으로 기본권의 충돌을 해결하려는 것을 원칙적으로 거부하면서, 이의 해결은 자유로운 입법형성을 그 과제로 하는 입법자의 임무라고 보는 설이다. 즉 기본권충돌의 해결에 입법자의 역할을 강조하고 해결주체를 입법기관으로 보는 견해이다. 헌법해석을 포기하는 점에 대해서 비판을 받고 있다.

(2) 기본권의 서열이론

기본권의 서열이론은 기본권간의 서열을 규정하고, 그 서열을 근거로 기본권의 충돌을 해결하고자 하는 이론이다. 기본권의 서열을 정하는 방법으로는 개별적 기본권에 수반된 상이한 법률유보로부터 기본권의 서열을 추론해내려는 방법, 인간의 존엄성보장에 대한 각 기본권의 친근의 정도를 기준으로 하여 서열을 결정하려는 방법, 인적 가치냐 물적 가치냐, 자유권이냐 평등권이냐, 공익관련 기본권이냐 사익관련 기본권이냐에 따라 서열을 결정하는 방법 등이 제시되고 있다.

이 이론에 따르면 상위기본권과 하위기본권의 충돌은 상위기본권 우선의 원칙이 적용되고, 동위기본권이 충돌하는 경우는 인격적 가치우선의 원칙, 자유권 우선의 원칙 등이 제시되고 있다.

이 이론에 대해서는 각 기본권은 그 사제로서 독자적으로 보장되는 것이므로 원칙적으로 동등한 서열을 가지는 것이며, 상이한 법률유보는 사회에 미치는 위험성의 차이에 따라 부가된 것일 뿐 상이한 법률유보가 곧 상이한 가치서열이라 할 수 없다는 비판이 제기된다.

(3) 이익형량이론

이익형량이론은 상충하는 기본권의 법익(이익)을 서로 비교하여 보다 더 큰 법익을 가진 기본권을 우선하여 보호한다는 이론이다. 비교하여 서열을 정하는 서열이론과 개념상 구별되지만 결과에 있어서는 큰 차이가 없을 것 같다. 일반적・추상적 법익형량이론을 기본권서열이론과 같이 보는 것도 무리는 아니다. 이익형량 결과 이익이 적은 기본권을 언제나 완전히 희생하는 것으로 보는 양자택일식의 이익형량이론이나 하위의 기본권은 무조건 이를 희생시키는 양자택일식 서열이론은 채택하기 곤란하다. 기본권의 최대보장원칙에 반하기 때문이다. 하위기본권도 상위기본권의 행사에 방해가 되지 않는 범위 내에서 최대한 이를 보장해줄 수 있고, 법익형량의 방법이 쌍방의 적절한 양보를 통한 최적치를 찾기 위하여 조금씩 양보하는 것이라면 양자는 크게 다르지 않으며, 양자 모두 비례의 원칙을 적용하기 위한 과정이 된다. 이렇게 이해하는 구체적・개별적 법익형량은 다음에서 설명하는 규범조화적 해석의 원칙의 주요요소이기도 하다.

(4) 규범조화적 해석의 원칙(실제적 조화의 원리)

이 설은 기본권간의 위계질서를 전제하지 않으며, 충돌하는 기본권 모두가 최대한으로 그 기능과 효력을 나타낼 수 있는 조화의 방법을 구하려는 견해이다. 일명 실제적 조화의 이론이라고도 한다.

규범조화를 실현하기 위한 방안으로는 ⅰ) 두 기본권을 모두 제약하되 제약은 최소한으로 줄인다는 과잉금지의 방법, ⅱ) 충돌하는 기본권을 다치지 않도록 제3의 대안을 마련한다는 대안식해결 방법,[33] ⅲ) 기본권보호를 위하여 필요하다 하

33) 자녀의 생명을 구하기 위하여는 수혈이 최선의 방식인데, 종교적 이유로 수혈을 거부하는 경우에 부모의 동의 대신에 후견법원이나 친족회의 동의를 얻는 방식을 대안식 해결방법의 예로 들고 있다. 또한 양심적 병역거부자에게 대체역무를 부과하는 것도 대안식 해결방식의 예로 들기도 하나(허영, 앞의 책, 280－281면), 이는 기본권과 기본권이 충돌하는 경우가 아니고 병역의무라는 공익과 양심의 자유가 충돌하는 경우로 진정한 기본권충돌이라 볼 수 없기 때문에 대안식 해결방식의 예로 드는 것에는 의문이 있다.

더라도 모든 수단을 최후까지 동원하지 않는다는 최후수단의 억제방법 등이 제시되고 있다. [34]

(5) 규범영역의 분석이론

기본권충돌시 그 궁극적인 판단기준을 헌법자체에서 구할 뿐 아니라 기본권의 해석을 통하여 기본권의 규범영역을 분석하고 이에 따라 비전형적인 기본권행사방식은 당해 기본권의 내용으로부터 배제해버림으로써 기본권의 충돌을 해결하려는 견해이다. 예를 들어 도로에서 그림을 그리는 행위는 예술의 자유의 규범영역을 넘는 것이므로 기본권의 충돌은 일어나지 않는다는 것이다.[35] 이 견해도 기본권의 충돌 문제를 기본권의 해석 문제로만 파악함으로써 입법자의 역할을 무시하고 있다는 비판을 받는다.[36]

(6) 결 어

제37조 제2항의 기본권의 본질적 내용의 침해 금지의 취지와 헌법의 통일성을 도모하는 헌법정신에 비추어 볼 때 원칙적으로 규범조화적 해석방법이 타당하다고 본다. 예외적으로 이익형량의 방법에 의한 보충적 해결이 필요하다.

4. 기본권충돌 관련 헌법재판소 판례

(1) 규범조화적 해석방법에 의한 해결 예

① 정정보도청구사건(보도기관이 누리는 언론의 자유와 피해자의 반론권의 충돌)

" …… 반론권은 보도기관이 사실에 대한 보도과정에서 타인의 인격권 및 사생활의 비밀과 사유에 대한 중대한 침해가 될 직접적 위험을 초래하게 되는 경우 이러한 법익을 보호하기 위한 적극적 요청에 의하여 마련된 제도인 것이지 언론의 자유를 제한하기 위한 소극적 필요에서 마련된 것은 아니기 때문에 이에 따른 보

---

34) 허영, 앞의 책, 280－281면 이하 참조.

35) 권영성, 앞의 책, 341－344면. 권영성 교수는 제1차적 준거로 기본권의 규범내용을 해석론을 통하여 유사경합이나 유사충돌을 여과하고, 제2차적 준거로는 모든 기본권의 갈등을 해석론으로 해결하는 것이 불가능하기 때문에 기본권의 갈등을 조정하고 중화시키는 헌법원칙(이익형량의 원칙, 형평성의 원칙(공평한 제한의 원칙, 대안발견의 원칙))으로 해결하며, 이러한 준거에 의해서도 해결이 되지 않는 경우에는 최종적으로 입법에 의해서 해결한다(제3차적 준거)는 견해를 제시하고 있다.

36) 권영성, 앞의 책, 341면.

도기관이 누리는 언론의 자유에 대한 제약의 문제는 결국 피해자의 반론권과 서로 충돌하는 관계에 있는 것으로 보아야 할 것이다.

이와 같이 두 기본권이 서로 충돌하는 경우에는 헌법의 통일성을 유지하기 위하여 상충하는 기본권 모두가 최대한으로 그 기능과 효력을 나타낼 수 있도록 하는 조화로운 방법이 모색되어야 할 것이고, 결국은 이 법에 규정한 정정보도청구제도가 과잉금지의 원칙에 따라 그 목적이 정당한 것인가 그러한 목적을 달성하기 위하여 마련된 수단 또한 언론의 자유를 제한하는 정도가 인격권과의 사이에 적정한 비례를 유지하는 것인가의 여부가 문제된다 할 것이다."[37]

② 근로자의 단결선택권과 노동조합의 집단적 단결권의 충돌

노동조합의 조직강제(Union Shop 협정)를 인정하고 있는 '노동조합 및 노동관계조정법 제81조 제2호 단서 위헌소원' 사건에서 헌법재판소는 "개인적 단결권과 집단적 단결권이 충돌하는 경우 기본권의 서열이론이나 법익형량의 원리에 입각하여 어느 기본권이 더 상위기본권이라고 단정할 수는 없다. 왜냐하면 개인적 단결권은 헌법상 단결권의 기초이자 집단적 단결권의 전제가 되는 반면에, 집단적 단결권은 개인적 단결권을 바탕으로 조직·강화된 단결체를 통하여 사용자와 사이에 실질적으로 대등한 관계를 유지하기 위하여 필수불가결한 것이기 때문이다. 즉 개인적 단결권이든 집단적 단결권이든 기본권의 서열이나 법익의 형량을 통하여 어느 쪽을 우선시키고 다른 쪽을 후퇴시킬 수는 없다고 할 것이다. 따라서 이러한 경우 헌법의 통일성을 유지하기 위하여 상충하는 기본권 모두가 최대한으로 그 기능과 효력을 발휘할 수 있도록 조화로운 방법을 모색하되(규범조화적 해석[38]), 법익형량의 원리, 입법에 의한 선택적 재량 등을 종합적으로 참작하여 심사하여야 한다"고 판시하고 있다.[39]

(2) 이익형량 내지 기본권서열이론을 적용한 예

① 흡연권과 혐연권의 충돌

금연구역을 지정하고 있는 '국민건강증진법시행규칙' 제7조가 흡연권을 침해하

---

37) 헌재 1991. 9. 16. 89헌마165; 헌재 2011. 8. 30. 2009헌바42도 참조. 이 사건에서는 대화자의 통신의 비밀과 공개자의 표현의 자유가 충돌한 경우인데, 헌법재판소는 규범조화적 해석을 하고 있다.

38) 헌재 1991. 9. 16. 89헌마165.

39) 헌재 2005. 11. 24. 2002헌바95·96, 2003헌바9(병합).

는가 여부가 다투어진 사건에서 헌법재판소는 "1. 흡연권은 사생활의 자유를 실질적 핵으로 하는 것이고 혐연권은 사생활의 자유뿐만 아니라 생명권에까지 연결되는 것이므로 혐연권이 흡연권보다 상위의 기본권이다. 2. 상하의 위계질서가 있는 기본권끼리 충돌하는 경우에는 상위기본권우선의 원칙에 따라 하위기본권이 제한될 수 있으므로, 흡연권은 혐연권을 침해하지 않는 한에서 인정되어야 한다. 3. 흡연은 국민의 건강을 해치고 공기를 오염시켜 환경을 해친다는 점에서 국민 공동의 공공복리에 관계되므로, 공공복리를 위하여 개인의 자유와 권리를 제한할 수 있도록 한 헌법 제37조 제2항에 따라 흡연행위를 법률로써 제한할 수 있다. 4. 금연구역의 지정에 관하여 규정하고 있는 국민건강증진법시행규칙 제7조는 국민의 건강을 보호하기 위한 것으로서 목적의 정당성을 인정할 수 있고, 일정한 내용의 금연구역을 설정하는 방법의 적정성도 인정할 수 있으며, 달성하려는 공익이 제한되는 사익보다 커 법익균형성도 인정되고, 금연구역 지정의 대상과 요건을 고려할 때 최소침해성도 인정되므로, 과잉금지원칙에 위반되지 아니한다. 5. 국민건강증진법시행규칙 제7조는 흡연자들의 권리를 보다 제한하고 있으나, 국민의 건강과 혐연권을 보장하기 위하여 흡연권을 제한하는 것으로서 차별에 합리적인 이유가 있으므로 평등원칙에 위반되지 아니한다"고 판시하고 있다.[40)]

② 근로자의 단결하지 아니할 자유와 노동조합의 적극적 단결권(조직강제권)의 충돌

노동조합의 조직강제(Union Shop 협정)를 인정하고 있는 '노동조합 및 노동관계조정법 제81조 제2호 단서 위헌소원' 사건에서 헌법재판소는 앞에서 살펴 본 근로자의 단결선택권과 노동조합의 집단적 단결권의 충돌과 달리 근로자의 단결하지 아니할 자유와 노동조합의 적극적 단결권(조직강제권)의 충돌과 관련해서는 "이 사건 법률조항은 노동조합의 조직유지·강화를 위하여 당해 사업장에 종사하는 근로자의 3분의 2 이상을 대표하는 노동조합('지배적 노동조합')의 경우 단체협약을 매개로 한 조직강제(이른바 유니언 샵(Union Shop) 협정의 체결)를 용인하고 있다. 이 경우 근로자의 단결하지 아니할 자유와 노동조합의 적극적 단결권(조직강제권)이 충돌하게 되나, 근로자에게 보장되는 적극적 단결권이 단결하지 아니할 자유보다 특별한 의미를 갖고 있고, 노동조합의 조직강제권도 이른바 자유권을 수정하는 의미의 생존권(사회권)적 성격을 함께 가지는 만큼 근로자 개인의 자유권에 비하여 보다 특별한 가치로 보장되는 점 등을 고려하면, 노동조합의 적극적 단결권은 근로

40) 헌재 2004. 8. 26. 2003헌마457.

자 개인의 단결하지 않을 자유보다 중시된다고 할 것이고, 또 노동조합에게 위와 같은 조직강제권을 부여한다고 하여 이를 근로자의 단결하지 아니할 자유의 본질적인 내용을 침해하는 것으로 단정할 수는 없다"고 판시하고 있다.[41]

41) 헌재 2005. 11. 24. 2002헌바95 · 96, 2003헌바9(병합).

제5장

기본권의 한계와 제한

제1절 기본권제약(제한과 한계)의 유형

기본권이 최대한 보장을 받아야 한다는 기본이념을 존중하더라도 기본권은 어떠한 제약도 받지 않는 절대적·무제한의 권리는 아니다. 헌법이나 법률에 의하여 일정한 제한을 명시하고 있는 경우도 있고 명문의 제한규정이 없는 경우에도 기본권 자체에 내재하는 암묵적인 한계가 있다는 소위 내재적 한계론도 주장되고 있다.

기본권의 한계와 제한 문제에 있어서는 먼저 **기본권의 내재적 한계**와 **기본권의 제한**을 구별할 것인가가 논의된다. 우리나라의 학자들은 제한과 별도로 내재적 한계를 인정하는 견해와 내재적 한계를 인정하지 않는 견해로 나누어진다. 내재적 한계와 기본권의 제한은 논리구조가 다르므로 구별할 필요가 있다고 본다.[1)]

기본권제한은 기본권보호영역 내의 행위를 금지하거나 제약하는 것이다. 즉 기본권의 제한은 기본권에 의해 보호되는 생활영역인 기본권의 보호영역을 전제로 하는 개념이다. 기본권의 보호영역은 통상적인 법학적 해석수단을 통해 법문을 중심으로 기본권보장의 목적 및 다른 기본권규범과의 체계를 고려하여 확정되어야 한다. 보호영역을 위헌적으로 축소·제한되는, 정당화되지 않는 제한을 의미하는 기본권침해와 기본권의 제한과 구별된다.

---

1) 허영 교수는 기본권의 내재적 한계는 헌법이론적으로 기본권 속에서 일종의 불문의 한계를 찾아냄으로써 기본권에 대한 불가피한 제한을 정당화시키려는 논리형식인데 반해, 처음부터 그 제한가능성을 전제로 해서 그 제한의 기준과 방법 및 한계를 따지는 '헌법해석적인 기본권제한'의 문제와는 구별해야 한다고 한다. 즉 기본권의 내재적 한계는 그 헌법이론적인 테마성 때문에 헌법해석적인 기본권제한의 이념적인 바탕이 되는 것이고 기본권제한은 법률유보의 본질을 밝히려는 것이기 때문에 엄격히 구별되어야 한다고 한다(허영, 전정13판 한국헌법론, 박영사, 2017, 282면 이하).

Ⅰ. 헌법유보에 의한 제한

헌법이 명문으로 기본권의 제약을 규정하고 있는 경우로 이를 헌법유보에 의한 제한,[2] 헌법직접적 제한,[3] 헌법적 한계[4]라고 표현하기도 한다. 헌법유보에 의한 제한도 일반적 헌법유보와 개별적 헌법유보로 나누어 볼 수 있다.

1. 일반적 헌법유보

어느 특정기본권을 헌법에서 직접 제한하는 것이 아니라, 기본권일반을 헌법에서 직접 제한하는 것이다. 우리 헌법에는 그 예가 없다. 일반적 헌법유보의 예로는 “이 헌법이 국민에게 보장하는 자유 및 권리는 국민의 부단한 노력에 의하여 이를 保持하지 않으면 안 된다. 또 국민은 이를 남용해서는 안 되는 것이므로 항상 공공의 복지를 위하여 이를 이용할 책임을 진다”라고 규정한 일본헌법 제12조를 들 수 있다. 한편 “누구든지 타인의 권리를 침해하지 아니하고 또한 헌법적 질서 또는 도덕질서에 위반되지 아니하는 한 인격의 자유로운 발현권을 가진다”고 규정한 독일기본법 제2조 제1항에 대하여 타인의 권리, 헌법질서, 도덕률 등에 의한 내재적 제한을 명문화한 일반적 헌법유보조항으로 보는 견해[5]가 있는가 하면, 이는 인격의 자유발현권에 대한 헌법적 제약이기 때문에 일반적 헌법유보로 볼 수 없다는 견해[6]가 대립한다. 인격의 자유발현권을 개별적 기본권으로 본다면 일반적 헌법유보로 보기 어렵다고 본다.

2. 개별적 헌법유보

기본권 전체를 제한하는 것이 아니라 특정기본권을 헌법에서 직접 제한하는 것이다. 우리 헌법상으로는 정당의 목적과 활동이 민주적 기본질서에 반하지 못하도록 한 규정(제8조 제4항),[7] 언론·출판에 의한 타인의 권리침해금지 규정(제21조 제4항), 재산권의

2) 권영성, 헌법학원론(2010년판), 법문사, 2010, 346면.
3) 김철수, 학설·판례 헌법학(상), 박영사, 2008, 435면.
4) 허영, 앞의 책, 288면.
5) 권영성, 앞의 책, 346면.
6) 김철수, 앞의 책(상), 435면.
7) 국민의 정치적 의사형성에 참여하는 데 필요한 민주적인 조직과 활동을 전제로 해서 정당설립의 자유를 보장한 제8조 제1항과 제2항도 헌법적 한계로 보는 견해로는 허영, 앞의 책, 288면 참조.

행사는 공공복리에 적합하게 행사할 것을 요구한 재산권의 사회화규정(제23조 제2항) 등을 개별적 헌법유보조항으로 볼 수 있다.[8] 그 밖에 기본권의 주체에 대한 헌법적 제한의 예로 국민의 국가배상청구권을 보장하면서도 군인 · 군무원 · 경찰공무원 등의 배상청구권을 제한한 규정(제29조 제2항), 근로3권을 보장하면서도 공무원인 근로자는 부분적으로만 근로3권을 가질 수 있도록 하는 규정(제33조 제2항), 근로3권을 보장하면서 주요방위산업체근로자에게 단체행동을 제한하는 것(제33조 제3항)도 헌법적 한계규정으로 보기도 한다.[9]

Ⅱ. 법률유보에 의한 제한

1. 의 미

기본권제한의 방식으로 '법률의 형식'을 요구하는 것을 말한다. 즉 기본권의 제한을 헌법이 직접 규정하지 않고 법률에 위임하는 경우이다. 이를 헌법간접적 제한이라고도 한다.

2. 법률유보의 유형

(1) 기본권제한적 법률유보·기본권구체화적 법률유보·기본권형성적 법률유보

법률유보의 유형을 유보의 기능 · 성질에 따라 '기본권제한적 법률유보', '기본권구체화적 법률유보', '기본권형성적 법률유보'로 나누기도 한다. 기본권제한적 법률유보는 '법률에 의하지 아니하고는 제한되지 아니한다'는 형식으로 이를 본래의미의 법률유보라 한다. 입법을 기다리지 않고 직접 실현될 수 있는 평등권, 행복추구권, 자유권 등의 법률유보는 대체로 제한적 법률유보의 형식을 띤다. 기본권구체화적 법률유보는 '법률이 정하는 바에 의하여 …… 가진다'는 형식의 법률유보로 헌법상 기본권은 구체적 권리이지만, 법률에 의하여 비로소 그 행사절차나 내용이 구체화되는 청구권, 정치적 기본권 등의 법률유보이다.[10] 한편 사회적 기본권 등과 같이 법률에 의하여 기본권의 내용이 구체적으로 형성되는 경우의 법률유보를 기본권형성적 법률유보로 이해하기도 한다.[11] 다만, 사회적 기본권을 추상적 권리

8) 권영성 교수는 이들 규정은 내재적 한계성을 확인한 개별적 헌법유보조항으로 보고 있다(권영성, 앞의 책, 347면).
9) 허영, 앞의 책, 289면.
10) 권영성, 앞의 책, 347－348면.

가 아니라 구체적 권리로 보면 기본권형성적 법률유보는 수용할 수 없다는 견해도 있다.12)

(2) 일반적 법률유보와 개별적 법률유보

법률유보에도 기본권 일반을 법률에 의한 제약대상으로 하는 일반적 법률유보와 개별적 기본권조항에 법률이 정하는 바에 따라 제한할 수 있음을 명시한 개별적 법률유보로 나누어진다. "국민의 모든 자유와 권리는 국가안전보장·질서유지 또는 공공복리를 위하여 필요한 경우에 한하여 법률로써 제한할 수 있으며, 제한하는 경우에도 자유와 권리의 본질적인 내용을 침해할 수 없다"고 규정한 제37조 제2항은 일반적 법률유보규정으로 기본권제한에 있어서 가장 중요한 근거조항이다.13)

한편 일반적 법률유보조항 외에 우리 헌법에는 특정한 기본권에 대한 법률에 의한 제한가능성을 규정한 개별적 법률유보조항이 1972년 헌법, 1980년 헌법에 비해 많이 삭제되었지만, 신체의 자유(제12조 제1항), 재산권의 내용과 한계(제23조 제1항) 등에 남아 있다. 개별적 법률유보가 많으면 많을수록 기본권이 실정권화되고 기본권보장은 상대화될 가능성이 많다고 하겠다.

Ⅲ. 기본권의 구성요건

협의의 기본권제한의 문제는 아니나, 독일에서는 기본권의 구성요건(혹은 기본권

11) 허영, 앞의 책, 304-305면. 허영 교수는 기본권형성적 법률유보는 '기본권의 실현형식'으로서의 법률을 염두에 둔 개념형식으로 기본권 형성적 법률유보도 '기본권 실현적 내지 기본권 행사절차적 유보'와 '기본권강화 내지 보장적 법률유보'로 나누고 있다. 재산권의 내용(제23조 제1항 2문), 손실보상의 방법과 내용(제23조 제3항), 선거권(제24조), 공무담임권(제25조), 청원권(제26조), 형사보상청구권(제28조), 국가배상청구권(제29조 제1항), 교육의 자주성·전문성·정치적 중립성 및 대학의 자율성(제31조 제4항), 국가유공자의 우선적 근로권(제32조 제6항), 범죄피해자구조청구권(제30조), 형사피해자의 공판진술권(제27조 제5항), 생활무능력자의 보호청구권(제34조 제5항), 환경권(제35조 제2항) 등은 전자의 예로, 국선변호인의 도움을 받을 권리(제12조 제4항), 저작자·발명가·과학기술자와 예술가의 권리(제22조 제2항), 재산권의 제한과 보상의 법률유보(제23조 제3항), 정당한 재판을 받을 권리(제27조 제1항), 민간인에 대한 군사재판의 특례(제27조 제2항), 교육제도의 법률유보(제31조 제6항), 근로조건의 법정주의 등은 후자의 예로 들고 있다.

12) 권영성, 앞의 책, 348면. 이러한 관점에서 사회적 기본권의 법률유보도 기본권구체화적 법률유보로 보고 있다.

13) 헌법 제37조 제2항의 규정은 기본권제한입법의 수권(授權)규정이지만, 그것은 동시에 기본권제한입법의 한계(限界)규정이기도 하다(헌재 1990. 9. 3. 89헌가95).

의 규범영역) 속의 구체적인 구성요소(예: 양심의 자유나 직업선택의 자유에 있어서 양심이나 직업)의 의미를 개념적으로 확정함으로써 그 효력의 범위가 제한되는 것을 기본권의 제한의 문제와 연결시켜 다루고 있다고 한다.[14] 이를 내재적 한계이론 중 개념내재적 한계론으로 보기도 한다.[15]

Ⅳ. 헌법내재적 한계

1. 내재적 한계론의 논의 배경

개별적 법률유보형식을 취한 독일기본법이 종교 · 양심 · 학문 · 예술의 자유, 혼인의 자유, 평화로운 집회의 자유, 단체교섭권, 청원권 등에 대해서는 그 유보조항을 두지 않아 법리적으로 어떠한 제한이 불가능함에도 불구하고 현실적으로 제한의 필요가 있는 경우를 해결하기 위하여 고안된 이론이다. 법률유보에 의한 제한을 인정하고 있지 않는 이른바 **'절대적 기본권'의 경우에도 일종의 불문의 한계가 있는가**에 대한 논의이다. 독일에서는 그 논증방법에 대해 견해가 대립하고 있으며, 우리 헌법은 일반적 법률유보형식을 취하고 있어 어느 기본권이든 법률에 의한 제한가능성이 인정되기 때문에 독일에서와는 다른 상황이지만 내재적 한계를 인정할 것인가에 대해서는 견해의 대립이 있다.

2. 독일에서의 논증방법

(1) 3한계이론

독일기본법[16]은 인격의 자유발현권의 한계로 제시한 ⅰ) 타인의 권리, ⅱ) 헌법질서, ⅲ) 도덕률을 다른 모든 기본권의 내재적 한계로 적용하여 문제를 해결하려는 입장이다. 일종의 사회공동체유보이론이라고도 한다.

(2) 국가공동체유보이론

모든 기본권은 국가공동체의 존립을 전제로 하고 국가공동체에 의해서 보장되는 것임을 이유로 국가존립의 보장을 기본권의 내재적 한계로 보는 견해이다.

---

14) 김철수, 앞의 책(상), 432면.
15) 허영, 앞의 책, 284면.
16) "누구든지 타인의 권리를 침해하지 않고 헌법질서나 도덕률에 반하지 않는 한, 자신의 인격을 자유로이 발현할 권리를 가진다"(독일기본법 제2조 제1항).

(3) 규범조화를 위한 한계이론

기본권행사에 의해서 타인의 기본권이나 헌법이 보호하는 다른 가치와 충돌이 생기는 경우에는 헌법의 통일성의 관점에서 그 기본권에 대한 개별적인 관계에서의 제한이 불가피하다는 입장으로 현재 독일의 학설과 연방헌법재판소가 취하는 지배적 견해이다.

3. 우리나라에서의 인정 여부

(1) 긍정설

"자유는 타인을 해하지 아니하는 모든 것을 행할 수 있는 것이다"라는 프랑스 인권선언(제4조)과 "권리의 행사가 타인의 권리를 침해하는 것이어서는 아니 되고, 헌법질서에 위배되는 것이어서는 아니 되며, 도덕률에 위배되는 것이어서는 아니 된다"는 독일기본법(제2조 제1항)은 명시적으로 내재적 한계를 규정하고 있지만, 헌법의 명문규정 유무를 불문하고 국가적·사회적 공동생활을 위하여 기본권에 불가피하게 내재하는 한계요소를 인정할 수 있다는 견해이다.[17] 권영성 교수는 제8조 제4항(정당해산조항)과 제21조 제4항(언론출판의 사회적 책임조항)은 개별적 헌법유보인 동시에 기본권의 내재적 한계의 명문화(혹은 내재적 한계의 확인)로 보고 있다.

(2) 부정설

① 우리 헌법은 절대적 기본권을 규정하고 있지 않으며, 모든 기본권에 대하여 제37조 제2항에 의하여 법률로써 제한할 수 있는바 기본권의 내재적 한계론보다는 기본권제한의 한계문제를 중요시하여야 한다고 한다.[18]

② 최대권 교수는 기본권제한과 보장한계에 관한 헌법내재적 제한이나, 일반적 헌법유보에 대하여 반대하는 이유로 우리 헌법상 기본권의 제한을 가능한 한 적게 해야 한다는 목적론적 견지에서 민주적 기본질서에 의한 기본권 제약을 부정하고 있다. 여론이나 선거와 같은 수단을 통한 정치적 통제가 살아있는 제도로서 확립된 여건을 가지지 못한 우리 현실에서는 제37조 제2항 하나만으로 충분하고 그 이상의 개념, 기본권제한을 정당화하는 개념을 도입하는 것은 바람직하지 못하다고 한다. 즉 실정법 근거 없이도 기본권이 제한될 수 있는 근거를 만들어 줄 가능

17) 권영성, 앞의 책, 345-346면.
18) 김철수, 앞의 책(상), 439면.

성이 있기 때문이라고 한다.[19]

(3) 제한적 인정설

독일에서 절대적 기본권의 제한을 위해 구성된 기본권의 내재적 한계이론을 우리나라에서는 현실적으로 제기될 수 있는 이론상의 소지가 희박하다는 점을 지적하면서, 다만 우리 헌법처럼 원칙적으로 모든 기본권을 법률에 의한 제한대상으로 삼는 경우에도 '신앙과 양심의 자유'처럼 법률에 의한 외부적 제약을 가하는 것이 적당치 못한 기본권이 있다는 점도 부인하기 어려운데, 우리 헌법상 기본권의 내재적 한계가 문제될 수 있다면 이 같은 법률의 규제권 밖에 있는 기본권이 다른 기본권 또는 헌법에 의하여 보호되고 있는 다른 헌법적 가치와 충돌을 일으키는 경우 그 구체적인 문제를 해결하기 위한 수단으로 원용하는 때에 국한한다고 보아야 한다고 주장한다.[20] 이 견해는 내재적 한계이론을 확대 적용할 경우 우리 헌법이 기본권제한의 최후적 한계로 명시하고 있는 기본권의 본질적 내용에 대한 침해금지를 공동화시킬 소지도 있다는 점을 강조한다.

(4) 결 어

법률유보에 의한 기본권제한보다 내재적 한계로 제한함이 쉽기 때문에 악용될 위험이 있으며, 일반적 법률유보에 의하여 제한된 기본권을 또다시 내재적 한계로 제한한다면 기본권의 본질적인 내용은 증발해 버릴 위험성도 도사리고 있다는 점(본질적 내용의 침해금지의 공동화)에서 부정설의 논리도 정당성을 가지지만, 내재적 한계를 제한적으로 인정할 필요성도 존재한다고 본다.

4. 헌법재판소 판례

헌법재판소는 '형법 제241조(간통죄)의 위헌 여부에 관한 헌법소원' 사건에서 "간통죄의 규정이 개인의 성적자기결정권을 제한하는 것임은 틀림없다. 그러나 개인의 성적자기결정권도 국가적·사회적·공공복리 등의 존중에 의한 내재적 한계가 있는 것이며, 따라서 절대적으로 보장되는 것은 아닐 뿐만 아니라 헌법 제37조 제2항이 명시하고 있듯이 질서유지(사회적 안녕질서), 공공복리(국민공동의 행복과 이익) 등 공동체 목적을 위하여 그 제한이 불가피한 경우에는 성적자기결정권의 본

19) 최대권, 헌법학－법사회학적 접근－, 박영사, 1989, 197－197면.
20) 허영, 앞의 책, 286－287면.

질적 내용을 침해하지 않는 한도에서 법률로써 제한할 수 있는 것이다"[21]고 하여 내재적 한계를 인정하고 있다고 볼 수 있다.

제2절 일반적 법률유보에 의한 기본권 제한(기본권제한의 일반원칙)

Ⅰ. 제한의 대상이 되는 기본권

i) 일반적으로 국민의 모든 자유와 권리가 대상이 된다고 볼 수 있으나, 구체적으로 살펴보면 성질상 제한의 대상이 될 수 없는 기본권(절대적 기본권)은 제한할 수 없고 **상대적 기본권**만 제한 가능하다. 예를 들어 양심의 자유, 협의의 신앙의 자유, 학문연구의 자유 등은 제한할 수 없다.

ii) 독일에서 말하는 이른바 절대적 자유란 법률유보에 의하여 제한될 수 없는 기본권을 말하고, 이러한 절대적 기본권에 있어서도 내재적 한계가 있는가가 문제된다. 우리 헌법의 제37조 제2항에 의하면 모든 기본권이 제한의 대상이 될 수 있으므로 엄밀히 독일식의 절대적 기본권은 생각하기 어렵다. 따라서 우리 헌법학에서 말하는 절대적 자유(신앙의 자유 등)와 독일식의 절대적 자유와는 구별된다.

Ⅱ. 제한의 목적

제37조는 기본권제한의 목적으로 국가안전보장, 질서유지, 공공복리를 들고 있다. 국가안전보장과 질서유지는 소극목적, 공공복리는 적극목적이라고 할 수 있다.

1. 국가의 안전보장(제7차 개헌에 포함)

(1) 개 념

국가안전보장은 제7차 개헌(1972년 헌법)에서 추가되었는데, 추가되기 이전에는 대체로 질서유지에 포함되는 것을 해석되었다. 국가안전보장의 의미에 대해서는 국가질서의 유지에 포함된다고 보는 설, 국가의 존립과 안전에 관계되는 모든 경우에 해당된다는 설도 있지만, 현행 헌법이 국가안전보장을 질서유지개념과 별개

21) 헌재 1990. 9. 10. 89헌마82.

로 규정하고 있는 점을 고려하면 국가안전보장은 협의의 개념으로 이해하는 것이 타당하다고 본다. 즉 국가안전보장은 국가의 독립과 영토의 보전, 헌법과 법률의 규범력과 헌법기관의 유지 등 국가안전의 확보를 말한다.[22)]

(2) 제한법률 예

국가의 안전보장을 위하여 기본권을 제한하는 법률로는 형법(내란 · 외환 · 국교에 관한 죄), 국가보안법, 군사기밀보호법 등을 들 수 있다.

2. 질서유지

(1) 개 념

질서유지의 개념과 관련해서는 자유민주적 기본질서를 포함하는 헌법질서는 물론이고 그 밖의 사회적 안녕질서를 말한다고 보는 견해[23)]가 있는가 하면, 질서유지의 개념을 광의로 해석하는 경우에는 국가질서나 민주적 기본질서가 포함될 것이며, 이를 협의로 해석하는 경우에는 국가질서나 민주적 기본질서는 국가의 안전보장에 속하고 질서유지는 헌법질서와 사회질서유지만을 의미한다고 볼 수 있는데, 질서유지란 개념은 협의로 보아 '공공의 안녕질서'를 의미하며 헌법의 기본질서유지 이외에 타인의 권리유지, 도덕질서유지, 사회공공의 안녕질서유지 등이 포함되어 있다고 보는 견해[24)]가 있다. 후자가 타당하다고 생각한다.

(2) 제한법률 예

질서유지를 위하여 기본권을 제한하는 법률로는 형법, 집회 및 시위에 관한 법률, 경찰관직무집행법, 도로교통법, 경범죄처벌법, 총포 · 도검 · 화약류 등의 안전관리에 관한 법률, 화염병 사용 등의 처벌에 관한 법률, 성매매알선 등 행위의 처벌에 관한 법률, 풍속영업의 규제에 관한 법률 등을 들 수 있다.

---

22) 헌법재판소는 '군사기밀보호법 제6조 등에 대한 위헌심판' 사건에서 "헌법 제37조 제2항에서 기본권 제한의 근거로 제시하고 있는 국가의 안전보장의 개념은 국가의 존립 · 헌법의 기본질서의 유지 등을 포함하는 개념으로서 결국 국가의 독립, 영토의 보전, 헌법과 법률의 기능, 헌법에 의하여 설치된 국가기관의 유지 등의 의미로 이해될 수 있을 것이다"라고 판시하여 비교적 넓게 인정하고 있다(헌재 1992. 2. 25. 89헌가104).
23) 권영성, 앞의 책, 351면.
24) 김철수, 앞의 책(상), 449면.

3. 공공복리

(1) 개 념

공공복리의 개념은 매우 다의적으로 사용될 수 있으며 불확정개념이지만 대체로 사적 이익에 대한 대립적 개념으로 볼 수 있다. 다만 개인적 이익을 초월하여 국가적 차원에서 결정된 전체적 이익인 국가절대주의적 공공복리개념이 아니라, 여기서의 공공복리는 개개인의 사적 이익에 우월하면서 개개인에게 공통된 이익을 의미하는 국민공동의 공공복리인 **사회국가적 공공복리개념**으로 파악해야 한다. 사회국가적 공공복리는 자유권에 대해서는 제한의 사유가 되지만, 사회적 기본권에 대해서는 실천목표가 된다.[25)]

(2) 제한법률 예

공공복리를 위하여 기본권을 제한하는 법률로는 소비자보호법, 국토의 계획 및 이용에 관한 법률, 구 농지개혁법, 하천법, 의료법, 자연재해대책법, 도시공원 및 녹지 등에 관한 법률, 공익사업을 위한 토지 등의 취득 및 보상에 관한 법률 등을 들 수 있다.

Ⅲ. 제한의 형식

1. 법 률

(1) 법률의 개념

여기서 법률에 의해 제한된다고 할 때 법률은 원칙적으로 국회가 정당한 절차에 따라 제정한 형식적 의미의 법률(gesetz)을 의미한다.

(2) 법률의 요건

① 형식의 일반성 · 추상성

기본권 제한법률은 그 규율대상이 불특정다수인 국민일반에 적용되어야 하며(**일반성**), 불특정사례에 반복적으로 적용되어야 한다(**추상성**). 따라서 규율대상이나 규

---

25) 권영성, 앞의 책, 352면.

범수신인이 특정되어 있는 처분적 법률이나 의회가 어떤 집단이나 개인이 범죄자임을 선언하고 재판없이 처벌하는 **사권박탈법**(私權剝奪法, Bill of Attainder)[26]은 권력분립의 원리나 평등의 원칙에 위배될 가능성이 있어 원칙적으로 금지된다. 기본권 제한법률의 일반성과 추상성을 요구하는 이유는 법적 예측가능성 및 법적 안정성보장, 평등원칙, 권력분립원리 등에서 찾을 수 있다.

② 내용의 명확성 · 구체성

기본권 제한법률의 내용은 명백하고 구체적이어야 한다.[27] 위반시 '막연하기 때문에 무효'(void for vagueness)의 이론에 따라 당해 법률은 무효가 된다.

③ 처분적 법률의 원칙적 금지

i) 처분적 법률의 개념

처분적 법률은 개별적 법률 또는 조치적 법률이라고도 불린다. 다수설은 처분적 법률을 "행정집행이나 사법재판을 매개로 하지 아니하고 직접 국민에게 권리나 의무를 발생하게 하는 법률(자동집행적 법률)"이라고 정의하고 있다. 처분적 법률은 일정한 범위의 국민을 대상으로 하는 어떠한 처분이나 조치 등 구체적이고 개별적인 사항을 내용으로 하며, 개별인법률, 개별사건법률, 한시법률의 3유형이 있다고 설명한다. 즉 다수설은 처분적 법률과 개별적 법률을 동일시하고 있다고 보인다. 헌법재판소도 국가보위입법회의법 부칙 제4항 후단이 규정하고 있는 " …… 그 소속 공무원은 이 법에 의한 후임자가 임명될 때까지 그 직을 가진다"라는 내용은 행정집행이나 사법재판을 매개로 하지 아니하고 직접 국민에게 권리나 의무를 발생하게 하는 법률, 즉 법률이 직접 자동집행력을 갖는 처분적 법률의 예에 해당한다고 판시하고 있어 이러한 입장에 있다고 할 수 있다. 한편 처분적 법률을 특정의 구체적 목적을 실현하기 위해서 특정의 사람이나 특정의 사항을 대상으로 제정되는 법률이라고 보아 자동집행력을 갖는 집행적 법률과 구별하는 견해도 있다.[28] 그리고 처분적 법률은 행정집행을 매개하지 않는 법률이라고 보면서 사법재판을 매개하지 않는 사법적 법률과 구별하기도 한다.

현대 사회(복지)국가에서는 생존과 복지의 보장과 비상적 위기상황을 대처하기

---

26) 적법절차의 한 부분으로 미국 연방헌법은 이런 사권박탈법을 금지하고 있다(수정헌법 제5조).
27) 명확성원칙은 신체의 자유를 참조하기 바란다.
28) 집행적 법률의 예로 법률에 의한 수용(입법수용) 또는 법률에 의한 자치단체의 구역변경 등을 들고 있다(김학성 · 최희수, 전정 4판[2020년판], 피앤씨미디어, 2020, 384면).

위하여 처분적 법률의 필요성도 증대하고 있다.

ii) 처분적 법률의 유형

㉠ 개별인 법률

일정범위의 국민만을 대상으로 하는 법률을 말한다(예: 구 부정선거관련자처벌법, 부정축재처리법 등).

㉡ 개별사건법률

개별적·구체적인 상황 또는 사건을 대상으로 하는 법률을 말한다(예: 긴급금융조치법).

㉢ 한시법률

시행기간이 한정되어 있는 법률을 말한다(예: 구 재외국민취적·호적정정 및 호적정리에 관한 임특법).

iii) 처분적 법률과 관련한 헌법재판소 판례

㉠ 국가보위입법회의법 부칙 제4조 후단의 성격

"국가보위입법회의법 부칙 제4항 후단이 규정하고 있는 " …… 그 소속 공무원은 이 법에 의한 **후임자가 임명될 때까지 그 직을 가진다**"라는 내용은 행정집행이나 사법재판을 매개로 하지 아니하고 직접 국민에게 권리나 이무를 발생하게 하는 법률, 즉 법률이 직접 자동집행력을 갖는 처분적 법률의 예에 해당하는 것이며 따라서 국가보위입법회의 의장 등의 면직발령은 위 법률의 후속조치로서 당연히 행하여져야 할 사무적 행위에 불과하다고 할 것이다"(헌재 1989. 12. 18. 89헌마32 등).[29]

㉡ 뉴스진흥에 관한 법률 제10조 등 위헌 확인

헌법재판소는 심판대상조항은 상법상의 주식회사에 불과한 연합뉴스사를 주무관청인 문화관광부장관의 지정절차도 거치지 아니하고 바로 법률로써 국가기간뉴스통신사로 지정하고, 법이 정하는 계약조건으로 정부와 뉴스정보 구독계약을 체결하게 하며, 정부가 위탁하는 공익업무와 관련하여 정부의 예산으로 재정지원을 할 수 있는 법적 근거를 법률로써 창설하고 있는바, 이는 특정인에 대해서만 적용

29) 이 사안에서 본인의 귀책사유 등을 묻지 않고 단지 후임자가 임명될 때까지 그 직을 가진다는 법규정은 직업공무원제도에 반하다고 위헌 결정을 내린 바 있다. 또한 이 사건에서는 이미 폐지된 법률(실효된 법률)이라도 헌법재판소법 제68조 제2항의 헌법소원심판청구인들의 침해된 법익을 보호하기 위하여 그 위헌 여부가 가려져야 할 필요가 있는 때에는 심판의 대상이 된다고 판시한 바 있다.

되는 '개인대상법률'로서 처분적 법률에 해당한다고 하면서,

"[2] 뉴스통신진흥에 관한 법률 제10조 등은 청구인 회사(뉴스통신사)와 서로 경업관계에 있는 연합뉴스사를 국가기간뉴스통신사로 지정하고 이에 대하여 재정지원 등 혜택을 부여함을 그 내용으로 하는바, 그 혜택의 범위에서 제외된 청구인 회사의 경우 영업활동이 부당하게 축소되므로 그러한 범위에서 기본권에 대하여 직접 법적인 제한을 받는 것으로 보아야 한다.

[3] 헌법은 처분적 법률로서 개인대상법률 또는 개별사건법률의 정의를 따로 두고 있지 않음은 물론, 처분적 법률의 제정을 금하는 명문의 규정도 두고 있지 않은바, 특정규범이 개인대상 또는 개별사건 법률에 해당한다고 하여 그것만으로 바로 헌법에 위반되는 것은 아니다. 따라서 연합뉴스사를 위한 심판대상조항의 차별적 규율이 합리적인 이유로 정당화되는 경우에는 이러한 처분적 법률도 허용된다"고 판시하였다(헌재 2005. 6. 30. 2003헌마841).

㉢ 5 · 18민주화운동 등에 관한 특별법의 성격

"특별법 제2조는 제1항에서 "1979년 12월 12일과 1980년 5월 18일을 전후하여 발생한 …… 헌정질서파괴행위에 대하여 …… 공소시효의 진행이 정지된 것으로 본다"라고 규정함으로써, 특별법이 이른바 12 · 12 사건과 5 · 18 사건에만 적용됨을 명백히 밝히고 있으므로 다른 유사한 상황의 불특정다수의 사건에 적용될 가능성을 배제하고 오로지 위 두 사건에 관련된 헌정질서파괴범만을 그 대상으로 하고 있어 특별법 제정당시 이미 적용의 인적범위가 확정되거나 확정될 수 있는 내용의 것이므로 개별사건법률임을 부인할 수는 없다"(헌재 1996. 2. 16. 96헌가2 등).[30)]

㉣ 세무대학설치법폐지법률의 성격

"이 사건 폐지법은 세무대학설치의 법적 근거로 제정된 기존의 세무대학설치법을 폐지함으로써 세무대학을 폐교하는 법적 효과를 발생하는 것이므로, 동법은 세

30) 이 사건에서 헌법재판소는 5.18특별법을 개별사건법률로 보면서도 "개별사건법률은 원칙적으로 평등원칙에 위배되는 자의적 규정이라는 강한 의심을 불러일으키는 것이지만, 개별법률금지의 원칙이 법률제정에 있어서 입법자가 평등원칙을 준수할 것을 요구하는 것이기 때문에 특정규범이 개별사건법률에 해당한다 하여 곧바로 위헌을 뜻하는 것은 아니며, 이러한 차별적 규율이 합리적인 이유로 정당화될 수 있는 경우에는 합헌적일 수 있다. 이른바 12 · 12 및 5 · 18 사건의 경우 그 이전에 있었던 다른 헌정질서파괴범과 비교해 보면, 공소시효의 완성여부에 관한 논의가 아직 진행 중이고, 집권과정에서의 불법적 요소나 올바른 헌정사의 정립을 위한 과거청산의 요청에 미루어 볼 때 비록 특별법이 개별사건법률이라고 하더라도 입법을 정당화할 수 있는 공익이 인정될 수 있으므로 위 법률조항은 헌법에 위반되지 않는다"고 판시한 바 있다.

무대학과 그 폐지만을 규율목적으로 삼는 처분법률의 형식을 띤다. 그러나 이와 같은 처분법률의 형식은 폐지대상인 세무대학설치법 자체가 이미 처분법률에 해당하는 것이므로, 이를 폐지하는 법률도 당연히 그에 상응하여 처분법률의 형식을 띨 수밖에 없는 필연적 현상이다. 한편 어떤 법률이 개별사건법률 또는 처분법률의 성격을 띠고 있다고 해서 그것만으로 헌법에 위반되는 것은 아니다(헌재 1996. 2. 16. 96헌가2등)"(헌재 2001. 2. 22. 99헌마613).[31]

ⓜ 보훈기금법 부칙 제5조의 성격

"원호대상자 정착직업재활조합 서울목공분조합("분조합")의 자산은 헌법 제23조 제1항에 의하여 보장되는 재산권의 객체가 된다. 만약 보훈기금법 시행 전에 대한민국이 이 사건 분조합의 재산에 관한 처분권 내지 소유권을 적법절차에 따라 정당하게 취득하였다면, 보훈기금법 부칙 제5조는 대한민국에 귀속된 이 사건 분조합 자산의 회계와 관리청을 지정하기 위하여 제정된 정부 내부의 행정절차적인 규정으로 해석할 수 있고, 이와 같이 해석하는 한 보훈기금법 부칙 제5조는 이 사건 분조합원들의 재산권을 침해한 것이 아니다. 그러나 보훈기금법 시행 전에는 여전히 이 사건 분조합원이 분조합 자산에 관한 소유권을 합유하고 있었다면, 보훈기금법 부칙 제5조는 이 사건 분조합 또는 분조합원의 사유재산을 박탈하여 보훈기금에 귀속시키기 위한 개별적 처분법률이고, 보훈기금법의 어디에도 이 사건 분조합의 자산을 수용하기 위하여 헌법이 정한 요건과 절차를 규정하고 있지 아니하여, 보훈기금법 부칙 제5조는 국민의 재산권을 보장하는 헌법 제23조 제1항, 제3항에 위반된다"(헌재 1994. 4. 28. 92헌가3).

ⓑ '한나라당 대통령후보 이명박의 주가조작 등 범죄혐의의 진상규명을 위한 특별검사의 임명 등에 관한 법률' 제2조의 성격

청구인들은 이 사건 법률 제2조가 특별검사에 의한 수사대상을 특정인에 대한 특정 사건으로 한정한 것은 이른바 처분적 법률로서 입법권의 한계를 벗어난 것이

---

31) 이 사건에서 헌법재판소는 1. 고등학교 학생인 청구인들의 경우, 세무대학 진학을 목표로 공부를 해 왔다는 사실만으로는 아직 세무대학에서 학업할 수 있는 자격을 확정적으로 부여받았다고 볼 수 없어 청구인적격(자기관련성)이 인정될 수 없으므로 이들의 심판청구는 부적법하다고 판시하고, 세무대학은 세무공무원 채용환경의 변화 및 정부기능 간소화 등 주변여건의 변화에 따라 기존 세무공무원의 교육기관으로 통합·전환해야 할 필요가 있어서 이를 폐지한 것이다. 이와 같은 상황은 입법자의 차별취급을 정당화할 수 있을 정도로 중요한 성질의 것이다. 따라서 세무대학과 마찬가지로 국비로 운영되는 경찰대학과 달리 이 사건 폐지법으로 세무대학만을 폐교한다고 하더라도 이와 같이 차별취급하는 합리적이고 실질적인 이유가 있는 것이므로, 이 사건 폐지법이 청구인들의 평등권을 침해한다고 볼 수 없다고 판시하였다.

고, 수사 대상을 규정하고 있는 방식이나 내용이 적법절차의 원칙, 명확성의 원칙, 과잉금지의 원칙 등을 위반하여 청구인들의 평등권, 신체의 자유, 공정한 재판을 받을 권리를 침해하였다고 주장한 데 대하여 헌법재판소는 "우리 재판소는, 특정한 법률이 이른바 처분적 법률에 해당한다고 하더라도 그러한 이유만으로 곧바로 헌법에 위반되는 것은 아니라는 점을 수차 밝혀 왔다. 즉 우리 헌법은 처분적 법률로서의 개인대상법률 또는 개별사건법률의 정의를 따로 두고 있지 않음은 물론, 이러한 처분적 법률의 제정을 금하는 명문의 규정도 두고 있지 않으므로 특정한 규범이 개인대상 또는 개별사건법률에 해당한다고 하여 그것만으로 바로 헌법에 위반되는 것은 아니다. 다만 이러한 법률이 일반국민을 그 규율대상으로 하지 아니하고 특정 개인이나 사건만을 대상으로 함으로써 차별이 발생하는바, 그 차별적 규율이 합리적인 이유로 정당화되는 경우에는 허용된다고 할 것이다(헌재 1996. 2. 16. 96헌가2등; 헌재 2001. 2. 22. 99헌마613; 헌재 2005. 6. 30. 2003헌마841 등 참조). …… 결국 특별검사에 의한 수사의 실시와 그 대상을 규정하고 있는 이 사건 법률 제2조에 의한 차별취급은 합리적인 이유가 있어 정당화된다 할 것이므로, 청구인들의 평등권이 침해된 것으로 볼 수 없다"(헌재 2008. 1. 10. 2007헌마1468).

iv) 처분적 법률의 한계(위헌성 여부)

㉠ 권력분립원리에 모순되는 것이 아닌가?

다수설은 극단적인 처분적 법률(예: K를 사형에 처한다, L을 대통령으로 임명한다는 식의 법률)이 아닌 한 사회국가의 요청상 부득이한 것으로 받아들인다.

보안관찰처분대상자에게 출소 후 신고의무를 부과하고 그 의무위반행위를 형사처벌하는 보안관찰법 제6조 제1항 전문 규정의 위헌 여부 사건

" …… 이 사건조항은 보안관찰처분대상자 모두에게 적용되는 일반적, 추상적 법률규정으로서 법률이 직접 출소 후 신고의무를 부과하고 있다고 하더라도 처분적 법률 내지 개인적 법률에 해당한다고 볼 수 없으므로 권력분립주의에 위반되지 아니한다."

헌재 2003. 6. 26. 2001헌가17 등

증거의 조사 없이 법원으로 하여금 피고인에 대하여 형을 선고하도록 규정한 반국가행위자의 처벌에 관한 특별조치법 제7조 등에 대한 위헌제청사건

"또한 특조법 제7조 제7항 본문은 나아가 헌법 제101조 제1항에 의해 부여된 법원의 사법권을 과도하게 제약하고 있다. 사법(司法)의 본질은 법 또는 권리에 관한

> 다툼이 있거나 법이 침해된 경우에 독립적인 법원이 원칙적으로 직접 조사한 증거를 통한 객관적 사실인정을 바탕으로 법을 해석·적용하여 유권적인 판단을 내리는 작용이라 할 것이다. 그런데 특조법 제7조 제7항이 특정 사안에 있어 법관으로 하여금 증거조사에 의한 사실판단도 하지말고, 최초의 공판기일에 공소사실과 검사의 의견만을 듣고 결심하여 형을 선고하라는 것은 입법에 의해서 사법의 본질적인 중요부분을 대체시켜 버리는 것에 다름 아니어서 우리 헌법상의 권력분립원칙에 어긋나는 것이다. 우리 헌법은 권력 상호간의 견제와 균형을 위하여 명시적으로 규정한 예외를 제외하고는 입법부에게 사법작용을 수행할 권한을 부여하지 않고 있다. 그런데도 입법자가 법원으로 하여금 증거조사도 하지 말고 형을 선고하도록 하는 법률을 제정한 것은 헌법이 정한 입법권의 한계를 유월하여 사법작용의 영역을 침범한 것이라고 할 것이다. 따라서 특조법 제7조 제7항 본문은 사법권의 법원에의 귀속을 명시한 헌법 제101조 제1항에도 위반된다."
>
> 헌재 1996. 1. 25. 95헌가5

ⓛ 평등의 원칙에 위반되는 것이 아닌가?

다수설은 오늘날의 평등은 실질적·상대적 평등을 의미하므로 합리적인 이유가 있는 처분적 법률은 허용되는 것으로 본다.

ⅴ) 처분적 법률에 대한 사법심사

우리나라가 구체적 규범통제제도를 취하고 있는 상황에서 처분적 법률에 대한 위헌심사를 바로 인정하기는 어렵다. 따라서 처분적 법률에 의해서 직접 기본권이 침해되고 현재 침해되는 경우에 법령헌법소원을 제기할 수 있다. 법령을 직접 소송물로 하는 소송유형이 없기 때문에 보충성원칙의 예외가 인정된다.

2. 법률이외의 제한형식

제한은 법률의 형식에 의하는 것이 원칙이나, 법률과 동일한 효력을 가지는 긴급명령, 긴급재정경제명령에 의해서도 예외적으로 제한될 수 있으며, 법률과 동일한 효력을 가지는 조약과 일반적으로 승인된 국제법규에 의해서도 제한될 수 있다. 그리고 법률의 위임이 있는 경우 엄격한 요건 하에 명령에 의해서도 제한이 가능하다.

> **1. 법규명령에 의한 기본권제한**
>
> [5] 헌법 제37조 제2항에 의하면 기본권은 원칙적으로 법률로써만 이를 제한할 수 있다고 할 것이지만, 헌법 제75조에 의하여 법률의 위임이 있고 그 위임이 구체

적으로 범위를 정하여 하는 것이라면 대통령령에 의한 기본권의 제한도 가능하다.

그런데 군행형법 제15조는 제2항에서 수용자의 면회는 교화 또는 처우상 특히 부적당하다고 인정되는 사유가 없는 한 이를 허가하여야 한다고 규정하여 면회의 횟수를 제한하지 않는 자유로운 면회를 전제로 하면서, 제6항에서 "면회에의 참여……에 관하여 필요한 사항은 대통령령으로 정한다"라고 규정함으로써, 면회에의 참여에 관한 사항만을 대통령령으로 정하도록 위임하고 있고 면회의 횟수에 관하여는 전혀 위임한 바가 없다. 따라서 이 사건 시행령규정이 미결수용자의 면회횟수를 매주 2회로 제한하고 있는 것은 법률의 위임 없이 접견교통권을 제한하는 것으로서, 헌법 제37조 제2항 및 제75조에 위반된다.

[6] 이 사건 시행령규정은, 행형법시행령이 미결수용자의 접견횟수를 매일 1회로 하고 있는 것과는 달리, 미결수용자의 면회횟수를 매주 2회로 제한하고 있는바, 수용기관은 면회에 교도관을 참여시켜 감시를 철저히 한다거나, 필요한 경우에는 면회를 일시 불허하는 것과 같이 청구인들의 기본권을 보다 적게 침해하면서도 '도주나 증거인멸 우려의 방지 및 수용시설 내의 질서유지'라는 입법목적을 달성할 수 있는 똑같이 효과적인 다른 방법이 존재하므로, 이것은 기본권제한이 헌법상 정당화되기 위하여 필요한 피해의 최소성 요건을 충족시키지 못한다. 따라서 이 사건 시행령규정은 청구인들의 접견교통권을 과도하게 제한하는 위헌적인 규정이다.

[7] 이 사건 시행령규정은 위와 같은 입법목적의 관점에서 볼 때 동일한 처지에 있다고 할 수 있는 미결수용자 중 군행형법의 적용을 받는 자의 면회횟수를 행형법의 적용을 받는 자에 비하여 감축하고 있는바, 전자의 경우라고 하여 후자의 경우에 비하여, 특히 도주나 증거인멸을 막아야 할 필요성이 크다거나 그 수용시설 내의 질서유지가 더욱 절실히 요청된다고 보기는 어렵기 때문에 양자를 달리 취급함에 있어서 객관적으로 납득할 만한 합리적 이유를 찾아 볼 수 없다. 따라서 이 사건 시행령규정은 군행형법시행령의 적용을 받는 미결수용자를 행형법시행령의 적용을 받는 미결수용자에 비하여 자의적으로 다르게 취급하는 것으로서 평등권을 침해하는 것이다.

헌재 2003. 11. 27. 2002헌마193

2. 법령보충적 행정규칙에 의한 기본권의 제한[32)]

[2] 오늘날 의회의 입법독점주의에서 입법중심주의로 전환하여 일정한 범위 내에서 행정입법을 허용하게 된 동기가 사회적 변화에 대응한 입법수요의 급증과 종래의 형식적 권력분립주의로는 현대사회에 대응할 수 없다는 기능적 권력분립론에 있

32) 이 사건은 금융산업의 구조개선에 관한 법률 제2조 제3호 가목, 제10조 제1항 제2호, 제2항에서 입법사항을 금융감독위원회의 고시에 위임한 것이 헌법에 위반되는지 여부가 다투어진 것이다.

다는 점 등을 감안하여 헌법 제40조와 헌법 제75조, 제95조의 의미를 살펴보면, 국회입법에 의한 수권이 입법기관이 아닌 행정기관에게 법률 등으로 구체적인 범위를 정하여 위임한 사항에 관하여는 당해 행정기관에게 법정립의 권한을 갖게 되고, 입법자가 규율의 형식도 선택할 수도 있다 할 것이므로, 헌법이 인정하고 있는 위임입법의 형식은 예시적인 것으로 보아야 할 것이고, 그것은 법률이 행정규칙에 위임하더라도 그 행정규칙은 위임된 사항만을 규율할 수 있으므로, 국회입법의 원칙과 상치되지도 않는다. 다만, 형식의 선택에 있어서 규율의 밀도와 규율영역의 특성이 개별적으로 고찰되어야 할 것이고, 그에 따라 입법자에게 상세한 규율이 불가능한 것으로 보이는 영역이라면 행정부에게 필요한 보충을 할 책임이 인정되고 극히 전문적인 식견에 좌우되는 영역에서는 행정기관에 의한 구체화의 우위가 불가피하게 있을 수 있다. 그러한 영역에서 행정규칙에 대한 위임입법이 제한적으로 인정될 수 있다.

[3] 행정규칙은 법규명령과 같은 엄격한 제정 및 개정절차를 요하지 아니하므로, 재산권 등과 같은 기본권을 제한하는 작용을 하는 법률이 입법위임을 할 때에는 "대통령령", "총리령", "부령" 등 법규명령에 위임함이 바람직하고, 금융감독위원회의 고시와 같은 형식으로 입법위임을 할 때에는 적어도 행정규제기본법 제4조 제2항 단서에서 정한 바와 같이 법령이 전문적·기술적 사항이나 경미한 사항으로서 업무의 성질상 위임이 불가피한 사항에 한정된다 할 것이고, 그러한 사항이라 하더라도 포괄위임금지의 원칙상 법률의 위임은 반드시 구체적·개별적으로 한정된 사항에 대하여 행하여져야 한다.

[4] 금융산업의 구조개선에 관한 법률 제2조 제3호 가목은 부실금융기관을 결정할 때 '부채와 자산의 평가 및 산정'의 기준에 관하여, 위 법률 제10조 제1항·제2항은 적기시정조치의 기준과 내용에 관하여 금융감독위원회의 고시에 위임하고 있는바, 위와 같이 입법위임된 사항은 전문적·기술적인 것으로 업무의 성질상 금융감독위원회의 고시로 위임함이 불가피한 사항일 뿐만 아니고, 위 각 법률의 자체에서 금융감독위원회의 고시로 규제될 내용 및 범위의 기본사항이 구체적으로 규정되어 있어 누구라도 위 규정으로부터 금융감독위원회의 고시에 규정될 내용의 대강을 예측할 수 있다 할 것이어서, 포괄위임입법금지를 선언한 헌법 제75조에 위반되지 아니한다.

헌재 2004. 10. 28. 99헌바91

Ⅳ. 제한의 방법 및 정도

1. 과잉금지의 원칙(비례의 원칙)

(1) 과잉금지원칙의 의의

기본권제한의 목적을 충족하더라도 무조건 기본권제한이 가능한 것은 아니다. 그러한 목적에 부합되고 그 목적을 달성할 수 있는 효과를 가지는 제한방법을 강구하여야 한다. 과잉금지원칙은 일명 비례의 원칙이라고도 하며 기본권을 제한함에 있어서는 **제한의 목적과 수단 사이에는 적당한 비례관계가 유지되어야 한다**는 원칙으로 기본권을 제한함에 있어 국가작용의 한계를 명시한 것으로 기본권을 제한함에 있어서 가장 중요한 한계를 설정하는 원칙이다. 헌법재판소는 과잉금지의 원칙의 요소로 목적의 정당성, 수단의 적합성, 침해의 최소성, 법익의 균형성을 들고 그 어느 하나에라도 저촉되면 위헌으로 보고 있다.

과잉금지원칙은 본래 경찰행정법의 영역에서 발전하였으나 오늘날은 기본권을 제한하는 모든 국가권력에 대하여 적용되는 원칙이다. 그리고 자유권만이 아니라 모든 기본권이 과잉금지원칙의 적용을 받는다.

(2) 과잉금지원칙의 헌법적 근거

헌법재판소는 "과잉금지원칙은 …… 법치국가의 원리에서 당연히 파생되는 헌법상의 기본원리의 하나인 비례의 원칙을 말하는 것이다. 이를 우리 헌법은 제37조 제1항에서 '국민의 자유와 권리는 헌법에 열거되지 아니한 이유로 경시되지 아니한다' 제2항에서 '국민의 모든 자유와 권리는 국가안전보장, 질서유지 또는 공공복리를 위하여 필요한 경우에 한하여 법률로써 제한할 수 있으며, 제한하는 경우에도 자유와 권리의 본질적인 내용을 침해할 수 없다'라고 선언하여 입법권의 한계로서 과잉입법금지의 원칙을 명문으로 인정하고 있으며 이에 대한 헌법위반 여부의 판단은 헌법 제111조와 제107조에 의하여 헌법재판소에서 관장하도록 하고 있다"고 판시하고 있다.[33] 즉 과잉금지원칙은 법치국가원리에서 당연히 파생되는 기본원리로 보면서 그 헌법적 근거로 제37조 제1항과 제2항을 들고 있다. 그러나 제37조 제1항은 기본권의 포괄성을 확인하는 규정으로 과잉금지원칙의 근거로 보기에는 무리가 있고 제37조 제2항을 과잉금지원칙의 헌법적 근거로 볼 수

33) 헌재 1992. 12. 24. 92헌가8.

있다. 구체적으로 제37조 제2항의 '필요한 경우에 한하여'가 직접적 근거라고 할 수 있다.

(3) 과잉금지원칙의 요소(내용)

① 목적의 정당성

국민의 기본권을 제한하려는 입법의 목적이 헌법 및 법률의 체제상 그 정당성이 인정되어야 한다는 것을 말한다. 개별법률이 추구하는 목적이 국가안전보장 · 질서유지 · 공공복리를 위한 것이어야 한다. 과잉금지원칙은 목적과 수단의 관계를 규율하므로 목적의 정당성의 문제는 이와 필연적인 관련성은 없지만, 헌법재판소는 목적의 정당성을 과잉금지원칙에서 일괄적으로 검토하고 있다. 그리고 목적의 정당성이 부인되는 경우는 아주 드물다. 헌법재판소가 "동성동본금혼을 규정한 민법 제809조 제1항은 …… 그 입법목적이 이제는 혼인에 관한 국민의 자유와 권리를 제한할 '사회질서'나 '공공복리'에 해당할 수 없다는 점에서 헌법 제37조 제2항에 위반된다고 할 것이다"[34]고 하면서 헌법불합치결정을 내린 것이 대표적으로 목적의 정당성이 부인된 사례이다.[35]

② 방법의 적정성

그 목적의 달성을 위하여 그 방법이 효과적이고 적절하여야 한다는 것을 말한다. **수단의 적합성**, **수단의 상당성**이라고도 한다. 즉 목적과 방법 간에 관련성을 가지는가, 그 방법이 그 목적을 실현하는 가능성을 가진 것인가 하는 문제이다. 그 방법이 기본권제한을 가장 적게 가져오는지 여부는 묻지 않는다. 방법의 적정성은 입법목적의 최적실현을 요구하는 것은 아니기 때문에 그 방법이 입법목적 달성에 유효한 수단인가 하는 점에 한정되는 것이다.[36]

방법의 적정성 여부를 심사함에 있어서 수단(방법)이 객관적으로 목적을 달성할 수 있는지 여부만을 판단하면 되는 것인지, 수단이 헌법상 허용되는 것인지 여부

---

34) 헌재 1997. 7. 16. 95헌가6 내지 13(병합).

35) 그 밖에 자도소주구입명령제를 규정한 주세법 제38조의7 등 위헌제청사건(헌재 1996. 12. 26. 96헌가18)과 재외국민의 선거권을 제한한 공직선거 및 선거부정방지법 제15조 제2항 등 위헌확인사건(헌재 2007. 6. 28. 2004헌마644 등)에서 목적의 정당성을 인정할 수 없어 위헌이라고 판시한 바 있다. 헌법재판소는 자도소주구입명령제도는 오로지 일정 주류시장의 중소기업을 경쟁으로부터 보호하려는 것 외에 달리 구입명령제도의 정당성을 인정할 근거를 찾을 수 없다고 보고 재외국민의 선거권 행사에 대한 전면적인 부정에 대해서는 어떠한 정당한 목적도 찾기 어렵다고 보고 있다.

36) 헌재 2006. 6. 29. 2002헌바80 · 87 · 88, 2003헌가22(병합).

도 심사해야 하는지와 관련하여 헌법재판소는 "어떤 입법목적을 달성하기 위한 수단이 헌법이념과 이를 구체화하고 있는 전체 법체계와 저촉된다면 적정한 정책수단이라고 평가하기 어려울 것이다"고 판시하여[37] **수단의 합헌성**도 아울러 요구하고 있다.

또한 방법의 적정성은 선택된 수단이 목적달성을 위하여 **유일한 수단**일 것을 요건으로 하지 않는다.[38]

③ 피해의 최소성

입법권자가 선택한 기본권제한의 조치가 입법목적달성을 위하여 설사 적절하다 할지라도 보다 완화된 형태나 방법을 모색함으로써 기본권의 제한은 필요한 최소한도에 그치도록 하여야 한다는 것을 말한다. **최소침해성**이라고도 한다. 이 원칙은 수단과 수단과의 관계를 집중적으로 고찰하여 최소침해의 수단을 발견해 내는 것이다.

헌법재판소는 "어떤 법률의 입법목적이 정당하고 그 목적을 달성하기 위해 국민에게 의무를 부과하고 그 불이행에 대해 제재를 가하는 것이 적합하다고 하더라도 입법자가 그러한 수단을 선택하지 아니하고도 보다 덜 제한적인 방법을 선택하거나, 아예 국민에게 의무를 부과하지 아니하고도 그 목적을 실현할 수 있음에도 불구하고 국민에게 의무를 부과하고 그 의무를 강제하기 위하여 그 불이행에 대해 제재를 가한다면 이는 과잉금지원칙의 한 요소인 '최소침해성의 원칙'에 위배된다"고 하면서 "부동산을 공급하는 경우에는 법인에게 계산서 교부, 합계표 제출의무를 부과하지 아니하더라도 각 과세관청은 부동산등기법이나 부동산등기특별조치법에 의하여 등기소나 검인관청으로부터 거래자료를 송부 받아 그 거래 내용을 파악하고 관리할 수 있는 방도를 법적으로 확보하고 있다. 그러함에도 불구하고, 납세자들로 하여금 부가적으로 위와 같은 의무를 부담하게 하고, 이를 이행하지 아니하는 경우 공급가액의 1%에 이르는 가산세를 부과하는 구 법인세법 제41조 제14항 제1호 중 '제66조 제1항의 규정에 의하여 계산서를 교부하지 아니한 경우' 부분, 제2호 중 '제66조 제2항의 규정에 의하여 매출 …… 처별 계산서합계표를 동조에 규정된 기간 내에 제출하지 아니하거나' 부분과 구 법인세법 제76조 제9항 제1호 중 '제121조 제1항 …… 의 규정에 의하여 계산서를 교부하지 아니한 경우' 부분, 제2호 중 '제121조 제3항의 규정에 의하여 매출 …… 처별 계산서합계표를

37) 헌재 1999. 12. 23. 98헌마363(제대군인 가산점제도 위헌확인사건).
38) 헌재 1989. 12. 22. 88헌가13.

동조에 규정된 기간 내에 제출하지 아니하거나' 부분 중 토지 또는 건축물의 공급에 관련된 부분은 법익침해의 최소성원치에 어긋나 납세자의 재산권을 침해한다"고 판시한 바 있다.[39]

기본권을 제한하는 규정은 기본권행사의 '방법'에 관한 규정과 기본권행사의 '여부'에 관한 규정으로 구분할 수 있는데, 헌법재판소는 "침해의 최소성의 관점에서, 입법자는 그가 의도하는 공익을 달성하기 위하여 우선 기본권을 보다 적게 제한하는 단계인 기본권행사의 '방법'에 관한 규제로써 공익을 실현할 수 있는가를 시도하고 이러한 방법으로는 공익달성이 어렵다고 판단되는 경우에 비로소 그 다음 단계인 기본권행사의 '여부'에 관한 규제를 선택해야 한다"고 하면서 기부금품모집목적의 제한을 기본권행사의 '방법'이 아니라 기본권행사의 '여부'에 해당한다고 판시하고 있다.[40]

입법자가 **임의적 규정**으로도 입법목적을 달성할 수 있음에도 불구하고 필요적 규정을 두었다면 이 역시 피해최소성원칙에 위배된다.[41]

④ 법익의 균형성

그 입법에 의하여 보호하려는 공익과 침해되는 사익을 비교형량할 때 보호되는 공익이 더 커야 한다는 것이다. 이 원칙은 실질적 공평의 요청에서 유래한 것으로 배분적 정의의 실현이라고 할 수 있다.

태아의 성별에 대하여 이를 고지하는 것을 금지하는 구 의료법 제19조의2 제2항의 과잉금지원칙에 위반되는지 여부

"이 사건 규정의 태아 성별 고지 금지는 낙태, 특히 성별을 이유로 한 낙태를 방지함으로써 성비의 불균형을 해소하고 태아의 생명권을 보호하기 위해 입법된 것이다. 그런데 임신 기간이 통상 40주라고 할 때, 낙태가 비교적 자유롭게 행해질 수 있는 시기가 있는 반면, 낙태를 할 경우 태아는 물론, 산모의 생명이나 건강에 중대한 위험을 초래하여 낙태가 거의 불가능하게 되는 시기도 있는데, 성별을 이유로 하는 낙태가 임신 기간의 전 기간에 걸쳐 이루어질 것이라는 전제 하에, 이 사건 규정이 낙태가 사실상 불가능하게 되는 임신 후반기에 이르러서도 태아에 대한 성

39) 헌재 2006. 6. 29. 2002헌바80 등(병합).
40) 헌재 1998. 5. 28. 96헌가5.
41) 건축사가 업무범위를 위배하여 업무를 행한 경우 이를 필요적 등록취소사유로 하는 것(헌재 1995. 2. 23. 93헌가1), 형사사건으로 기소되었다는 사유만으로 공무원을 필요적으로 직위해제시키는 것(헌재 1998. 5. 28. 96헌가12 등), 자동차를 이용한 범죄행위에 대해 필요적으로 운전면허를 취소하는 것(헌재 2005. 11. 24. 2004헌가28).

> 별 정보를 태아의 부모에게 알려 주지 못하게 하는 것은 최소침해성원칙을 위반하는 것이고, 이와 같이 임신후반기 공익에 대한 보호의 필요성이 거의 제기되지 않는 낙태 불가능 시기 이후에도 의사가 자유롭게 직업수행을 하는 자유를 제한하고, 임부나 그 가족의 태아 성별 정보에 대한 접근을 방해하는 것은 기본권 제한의 법익 균형성 요건도 갖추지 못한 것이다. 따라서 이 사건 규정은 헌법에 위반된다 할 것이다"고 판시하면서, 이 규정은 "의료인의 직업수행의 자유와 태아 부모의 태아성별 정보에 대한 접근을 방해받지 않을 권리를 침해하므로 헌법에 위반된다. 그런데 위와 같은 이 사건 심판대상 규정들에 대해 단순위헌결정을 할 경우 태아의 성별고지 금지에 대한 근거 규정이 사라져 법적 공백상태가 발생하게 될 것이므로 헌법불합치결정을 한다. 그리고 의료법 제20조 제2항은 입법자가 2009. 12. 31.을 기한으로 새 입법을 마련할 때까지 잠정 적용하며, 구 의료법 제19조의2 제2항은 이미 개정되어 효력을 상실하고 있지만, 2005헌바90 당해 사건과 관련하여서는 여전히 그 효력을 유지하고 있다고 할 것이므로 당해 사건과 관련하여 그 적용을 중지하고, 국회가 의료법 규정을 개정하면 그 개정법률을 적용하여야 한다."[42]
>
> 헌재 2008. 7. 31. 2004헌마1010 등

⑤ 헌법재판에서의 적용·심사의 척도

현재 헌법재판소는 기본권의 종류에 따라 합리성심사인 완화된 심사원칙에 그치는 경우와 4가지 요소로 구성된 비례원칙의 심사인 엄격심사를 하는 경우로 나누어 심사를 행하는 경향을 보이고 있다. 또한 헌법재판소는 비례심사를 하는 경우에도 그 밀도(엄격의 강도)를 달리하기도 한다.

2. 이중기준의 원칙

미국의 판례에 의하여 정립된 이중기준의 이론(Double Standard Theory)은 정신적 자유(특히, 표현의 자유)는 경제적 기본권에 비하여 우월하여 제한시 그 제한기준이 달라야 한다는 원칙이다. 즉 정신적 자유를 제한하는 경우 법률의 합헌성 여부에 대한 판단은 엄격하게 심사하여야 하지만, 경제적 자유권을 제한하는 경우에는 합리적 사유가 있으면 충분하다는 이론이다. 한편, 정신적 자유의 우월성을 보장하기 위한 헌법원칙으로 ⅰ) 사전억제금지의 원칙, ⅱ) 명백하고도 현존하는 위험의 원칙, ⅲ) 명확성의 원칙(void for vagueness, void on it's face), ⅳ) 필요최소

42) 개정된 현행 의료법 제20조 제2항(구 제19조의2 제2항)은 "의료인은 임신 32주 이전에 태아나 임부를 진찰하거나 검사하면서 알게 된 태아의 성(性)을 임부, 임부의 가족, 그 밖의 다른 사람이 알게 하여서는 아니 된다"고 규정하고 있다(2009. 12. 31. 개정).

한의 규제수단의 선택의 원칙(LRA원칙), ⅴ) 입증책임의 전환원칙 등이 논의된다.[43)]

Ⅴ. 제한의 한계

1. "본질적 내용의 침해금지" 규정

기본권을 제한하는 법률은 그 내용상 기본권의 본질적인 내용을 침해할 수 없다는 한계가 있다. 따라서 과잉금지의 원칙에 반하는 것이 아니라도 본질적 내용을 침해하는 기본권의 제한은 위헌이 된다. 우리 헌법은 기본권제한의 한계로 제3차 개헌에서 본질적 내용의 침해금지규정을 두었다. 이 규정은 제7차 개헌(유신헌법)에서 삭제되었다가 부활하였다.

2. 본질적인 '내용'의 의미

본질적인 내용의 의미가 무엇인가를 놓고 절대설과 상대설이 대립된다.[44)]

(1) 절대설

본질적인 내용이란 모든 기본권에 공통된 어떤 절대적 가치로 입법자가 좌우할 수 없는 핵심내용으로 이해한다. 과잉금지원칙은 기본권제한법률의 제1차적이고 상대적인 한계규정이고, 본질적 내용침해금지원칙은 과잉금지원칙을 준수하였다 하더라도 추가적으로 지켜야만 하는 최종적이고 절대적인 한계규정이라고 한다. 이 설은 본질적인 내용의 의미를 어떻게 이해하느냐에 따라 인간존엄성설과 핵심영역보장설로 나뉜다. 전자는 본질적 내용을 인간의 존엄과 가치라고 파악하여, 인간존엄과 가치를 침해하는 것은 곧 기본권의 본질적 내용을 침해하는 것이라는 견해이고, 후자는 본질적 내용을 각 기본권의 내용 중에서 절대적으로 침해해서는 안 되는 핵심영역 내지 근본적 실체라고 파악하여, 본질적 내용의 침해란 그 제한으로 말미암아 기본권이 유명무실해지는 것을 의미한다는 견해이다.

---

43) 자세한 것은 표현의 자유 부분에서 설명한다.

44) 본질내용침해 금지규정과 관련하여 이 조항이 보호하려는 대상은 국민 개개인의 주관적 권리인가(주관설), 객관적 법원리인가(객관설)의 대립도 있다. 본질적 내용의 침해금지는 기본권의 '내용적 최소핵심'을 보호한다는 점에서 주관적 권리를 보호한다고 보는 견해(홍성방, 헌법학(상), 박영사, 2010, 420면)가 타당하다고 본다. 기본권제한의 한계에 대한 독일 및 국내학설의 정리 및 평가에 대해서는 김대환, 기본권제한의 한계, 법영사, 2001 참조.

(2) 상대설

기본권의 본질내용은 기본권을 제한하는 법률의 목적과 그 제한의 정도에 따라 달라진다고 보아 본질적 내용의 상대화를 인정하는 입장으로서, 본질적 내용침해금지와 과잉금지원칙(법익의 균형성)을 동일시하여 기본권제한이 합리적인 범위 내에서 행해져야 함을 다시 한 번 강조한 것에 불과하다고 본다. 따라서 개인의 기본권을 완전히 배제하는 제한일지라도 보다 높은 법익을 위하여 최소한으로 이루어졌다면 합헌이라고 한다.

(3) 절충설

모든 기본권에 공통된 어떤 절대적 가치(인간의 존엄성 등)에다 각 기본권에 특유한 어떤 고유가치를 더한 것이 기본권의 본질적 내용이 되는 것이라고 파악한다[45]. 독일 연방행정재판소는 기본권의 핵심을 절대적으로 보호하는 것은 긍정하지만, 예외적으로 공동체의 존립을 위해 필요한 한에서는 공동체법익의 보호를 위해서 개인의 기본권의 핵심까지도 침해할 수 있다는 절충설을 취하였다.

(4) 결 어

상대설은 본질내용침해금지를 유명무실하게 할 우려가 있기 때문에 부당하다. 절대설 중 핵심영역설은 그 한계설정이 모호하다는 비판이 있으나, 인간의 존엄성설은 결국 제10조의 인간의 존엄성 존중규정으로 귀속되기 때문에 제37조 제2항을 사실상 무의미하게 만들 수 있다는 비판을 고려할 때 핵심영역설이 타당하다고 생각한다. 다음의 헌법재판소 판례는 절대설 중 핵심영역설을 취한 것으로 볼 수 있다.

> **재산권의 본질적 내용**
>
> "재산권의 본질적인 내용이라는 것은 재산권의 핵이 되는 실질적 요소 내지 근본적 요소를 뜻하며, 재산권의 본질적인 내용을 침해하는 경우라고 하는 것은 그 침해로 인하여 사유재산권이 유명무실해지거나 형해화(形骸化)되어 헌법이 재산권을 보장하는 궁극적인 목적을 달성할 수 없게 되는 지경에 이르는 경우라고 할 것이다."
>
> 헌재 1990. 9. 3. 89헌가95; 헌재 1989. 12. 22. 88헌가13

45) 권영성, 앞의 책, 354－355면.

한편 상대설의 입장을 취하고 있는 것으로 생각되는 판례도 있다.[46)]

사형제도의 위헌성 여부

"생명권 역시 헌법 제37조 제2항에 의한 일반적 법률유보의 대상이 될 수밖에 없는 것이나, 생명권에 대한 제한은 곧 생명권의 완전한 박탈을 의미한다 할 것이므로, 사형이 비례의 원칙에 따라서 최소한 동등한 가치가 있는 다른 생명 또는 그에 못지아니한 공공의 이익을 보호하기 위한 불가피성이 충족되는 예외적인 경우에만 적용되는 한, 그것이 비록 생명을 빼앗는 형벌이라 하더라도 헌법 제37조 제2항 단서에 위반되는 것으로 볼 수는 없다."

헌재 1996. 11. 28. 95헌바1

3. 인간의 존엄과 가치와의 관계

기본권의 본질적 내용과 인간의 존엄과 가치와의 관계에 관하여 양자가 동일한 것으로 보는 견해,[47)] 인간의 존엄과 가치를 더 좁은 개념으로 보는 견해,[48)] 상호 밀접한 관계를 지니나 양자가 상호 독립된 것으로 보는 견해[49)] 등이 대립된다.

4. 본질내용침해금지 위반의 경우

위헌법률심사와 헌법소원에 의하여 구제받을 수 있다. 헌법실무와 관련하여 본질적 내용의 침해금지원칙은 공권력행위의 위헌성을 판단하기 위하여 불가결한 최소한의 규범적 기준을 제시할 수 없기 때문에 심사기준으로는 사실상 기능할 수 없다는 점을 지적하며, 입법자가 기본권을 제한하는 경우에도 본질적 내용을 침해해서는 안 된다는 의미에서 입법자에게 호소하고 경고하는 기능을 가진다고 보는

---

46) 절대설의 입장에서는 기본권에 따라서는(예를 들어 사형제도와 관련한 생명권) 제한하고 나면 남는 것이 아무것도 없는, 즉 본질적 내용이 침해될 수밖에 없는 것들이 있는데, 이 문제를 해결할 수 없다는 문제점이 있다(계희열, 앞의 책(중), 161면 참조).

47) 허영, 앞의 책, 296면. 허영 교수는 헌법상의 기본권은 따지고 보면 '인간의 존엄과 가치'라는 '가치의 핵'을 모든 인간의 생활영역에서 실현하기 위한 일종의 Konsens적 가치질서라고 볼 수 있기 때문에, '인간의 존엄과 가치'를 정면으로 침해하는 기본권의 제한은 법률에 의해서도 허용되지 않는다고 한다.

48) 김학성・최희수, 앞의 책, 393면. 본질적 내용은 인간의 존엄과 가치를 기초로 개별기본권마다 특유한 부분을 의미하며, 양자는 불가분의 관계를 이루고 있어 어느 하나를 침해하면 전체로서 본질적 내용의 침해가 된다고 보고 있다.

49) 김철수, 앞의 책(상), 463면. 김철수 교수는 상호독립적인 것으로 보면서도 기본권의 본질적 내용은 각 기본권의 근본요소라고 볼 것이므로 이것은 협의의 인간의 존엄과 가치와도 밀접한 관계가 있다고 보고 있다.

견해가 있다.[50] 한편 입법자는 기본권을 제한함으로써 기본권을 사실상 공동화시킬 수 있기 때문에 이 규정은 공동화에 대한 방지규정으로서 의의를 가진다는 점을 지적하는 견해가 있다.[51] 그러나 본질내용 침해금지원칙은 과잉금지원칙을 준수한 경우에도 추가적으로 지켜야 할 최종적인 한계규정으로 본다면 헌법실무에서도 본질내용 침해금지의 기준을 정립하는 노력을 계속하여야 하며, 그 점에서 기본권보장에 중요한 의미를 가진다고 생각된다.

본질적 내용을 침해한 것으로 위헌을 확인한 사건[52]

"국가배상법 제2조 제1항 단서는 헌법 제26조(현행헌법 제29조)에서 보장된 국민의 기본권인 손해배상청구권을 헌법 제32조 제2항(현행헌법 제37조 제2항)의 질서유지 또는 공공복리를 위하여 제한할 필요성 없이 제한한 것이고, 또 헌법 제9조(현행헌법 제11조)의 평등의 원칙에 반하여 군인 또는 군속인 피해자에 대해서만 그 권리를 부인함으로써 그 권리 자체의 본질적인 내용을 침해하였으며, 기본권제한의 범주를 넘어 권리 그 자체를 박탈하는 규정이므로, 이는 헌법 제26조, 제8조(인간의 존엄과 가치), 제9조 및 제32조 제2항에 위반한다 할 것이다."

대판 1971. 6. 22. 70다1010

제3절 기본권의 특별한 제한

기본권의 제한은 법률에 의해서만 제한될 수 있는 것이 원칙이지만, 종래 법률의 형식에 의하지 않고도 제한할 수 있는 국가긴급권으로서의 긴급명령, 긴급재정경제명령, 비상계엄(포고령), 조약을 포함한 국제법규에 의한 제한과 특수한 신분관계로 인한 예외적 제한을 기본권의 예외적 제한[53] 내지 기본권의 특별한 제한[54]으로 설명하고 있다.

50) 한수웅, 제9판 헌법학, 법문사, 2019, 515－516면. 공권력행위가 과잉금지원칙에 위반되는 경우 비로소 본질적 내용이 침해되었는지를 판단해야 할 필요성이 있는데, 이 경우 이미 과잉금지원칙위반으로 인하여 기본권침해행위의 위헌성이 확인되었으므로 결과적으로 더 이상 본질적 내용의 침해 여부를 밝힐 실익이 없다고 한다.

51) 홍성방, 앞의 책(상), 420－421면.

52) 군인・군무원 등에게 국가배상에 있어서 이중배상을 제한한 국가배상법 규정을 3공화국 대법원이 위헌결정을 내린 사건이다.

53) 김철수, 앞의 책(상), 464면 이하.

54) 홍성방, 앞의 책(상), 426면 이하; 김학성・최희수, 앞의 책, 389면 이하.

Ⅰ. 국가긴급권에 의한 제한

헌법은 긴급명령, 긴급재정경제명령, 긴급재정경제처분, 비상계엄에 의한 기본권제한을 예외적으로 인정하고 있다(제76조, 제77조).

국가긴급권에 의한 기본권제한이 이루어지는 경우라도 기본권의 본질적인 내용은 침해할 수 없으며, 국가긴급권의 발동요건에 대해서는 국회의 승인, 국회에의 통고 등의 절차를 요구하는 경우가 있다.

Ⅱ. 조약에 의한 제한

기본권을 제한하는 조약은 그 체결·비준에 국회의 동의를 요하는 통제제도가 마련되어 있다(제60조 제1항). 조약에 의한 기본권제한의 경우에도 비례의 원칙, 본질적 내용을 침해해서는 안 되는 제한의 한계를 가진다. 관세조약은 기본권을 제한하는 조약의 대표적인 예이다.

Ⅲ. 특별권력관계에 의한 제한

법률의 규정 또는 당사자의 동의에 따른 특별한 법률상의 원인에 근거하여 공법상의 특정목적에 필요한 범위 내에서, 포괄적으로 당사자 일방이 타방을 지배하고 타방이 이에 복종하는 것을 내용으로 하는 이주체 간의 관계를 특별권력관계라고 한다. 전통적인 특별권력관계이론은 법률의 근거 없이도 기본권제한이 가능하고 사법심사가 배제된다는 입장이었지만,[55] 오늘날은 이러한 특별권력관계론은 용인될 수 없다. 특별권력관계에서의 기본권제한도 최소한 법률의 근거를 요한다. 기본권제한의 구체적인 방법과 정도는 특별권력관계의 설정목적과 성질 및 기능 등에 따라 구체적으로 검토(헌법에 의한 제한, 법률에 의한 제한)되어야 하고 특별권력관계 내에서의 기본권침해에는 사법적 구제가 인정되어야 한다.

---

55) **전통적인 특별권력관계이론**은 19세기 후반 독일에서 **군주와 시민(의회)의 타협의 산물**로 등장한 것으로 의회가 군주의 권력을 제한하는 반대급부로 군주에게 법률로부터 자유로운 영역을 확보해 주는 역할을 하였다.

제6장

기본권의 침해와 구제(기본권의 보호)

제1절 국가의 기본권보호의무

제10조 2문은 "국가는 개인이 가지는 불가침의 기본적 인권을 확인하고 이를 보장할 의무를 진다"라고 하여 국가의 기본권확인의무와 기본권보호의무를 규정하고 있다.

Ⅰ. 기본권 확인의무

여기서 불가침의 기본적 인권을 '확인'한다는 것은 법에 의하여 비로소 인정되는 권리가 아니라 천부적·생래적 권리로 존재하는 기본권을 헌법을 비롯한 국법체계에서 재확인하고 이들의 보장을 명확히 규정해야 한다는 의미로 이해된다.[1)]

Ⅱ. 국가의 기본권보호의무

1. 의무의 성격

헌법에서 규정하고 있는 국가의 기본권보호의무가 법적 의무인가 도덕적 의무인가가 논의되지만, 법적 의무로 보아야 기본권보장의 실효성을 높일 수 있다는 점에서 법적 의무로 보아야 한다.

1) 권영성, 헌법학원론(2010년판), 법문사, 2010, 363면.

2. 보장(보호)의 의미

국가가 기본적 인권을 침해해서는 안 된다는 소극적 의미와 적극적으로 보호하고 실현해야 하는 의미를 포함한다.

3. 기본권보호의무의 구체적 내용

국가의 기본권보호의무는 국가에 의한 기본권의 소극적 침해금지의무가 포함됨은 물론이고, 국가는 기본적 인권을 최대한 실정법화할 의무와 적극적으로 기본권을 실현시킬 의무를 부담한다는 점에서는 의문의 여지가 없다. 나아가 사인에 의해서도 기본권이 침해되지 아니하도록 국가가 보호할 의무를 부담하는가가 문제된다. 국가의 기본권보호의무의 핵심은 바로 여기에 있다고 할 것이다. 헌법재판소도 "기본권 보호의무란 기본권적 법익을 기본권 주체인 사인에 의한 위법한 침해 또는 침해의 위험으로부터 보호하여야 하는 국가의 의무를 말하며, 주로 사인인 제3자에 의한 개인의 생명이나 신체의 훼손에서 문제된다"고 판시하고 있다.[2)]

4. 사인에 의해서도 기본적 인권이 침해되지 아니하도록 보호할 의무

(1) 의 의

기본권으로 보호되는 법익을 제3자의 위법한 위해로부터 보호해야 할, 즉 그 위해를 예방하거나 그로 인한 피해발생을 방지할 의무를 말한다.

(2) 헌법적 근거와 이론적 근거

사인에 의한 기본권침해에 대한 국가의 기본권보호의무의 헌법적 근거는 제10조 후단, 헌법전문의 개인의 안전 확보, 범죄피해자구조청구권,[3)] 환경보호의무,[4)]

---

2) 헌재 2011. 2. 24. 2008헌바40; 헌재 2015. 12. 23. 2011헌바139.

3) 범죄피해자의 보호에 대한 국가의 의무와 관련하여 헌법재판소는 "국가는 국민에게 국방의 의무와 납세의 의무를 부과함과 아울러 국민에 대하여 국가 외부에서 초래되는 외적의 침입과 국가 내부에서 초래되는 범죄의 발생을 예방하고 이를 물리칠 의무를 스스로 부담하고 있다. 따라서 국가는 이미 범죄가 발생한 경우에는 범인을 수사하여 형벌권을 행사함으로써 국민을 보호하여야 할 것이고, 형벌권을 행사하지 아니하는 경우에도 최소한 형벌권을 행사하지 아니하는 것이 오히려 보다 더 나은 결과를 초래할 수 있다고 기대되는 경우에 한정되어야 할 것이다"고 판시하고 있다(헌재 1989. 4. 17. 88헌마3).

4) 건강하고 쾌적한 환경에서 생활할 권리를 보장해야 할 국가의 의무와 관련하여 헌법재판소는 "국가의 기본권보호의무(헌법 제10조), 국가와 국민의 환경보전을 위하여 노력할 의무(헌법

혼인·가족생활의 보호, 소비자보호운동(소비자의 생명·건강·재산보호) 등에서 찾을 수 있다. 기본권보호의무의 이론적 근거는 기본권의 이중성을 들 수 있겠다. 즉 기본권은 개인의 주관적 공권성의 성질을 가지는 동시에 객관적 가치질서로서의 성격도 아울러 가지기 때문에, 기본권은 국가법질서의 기초를 이루는 가치체계로서 정치적 생활공동체인 국가를 구성하는 실질적 요소가 된다. 이처럼 기본권이 객관적 가치질서로서 공동체를 형성하는 기능을 수행한다면, 기본권은 필연적으로 국가권력을 구속할 뿐만 아니라 당연히 사인 상호간에도 효력이 미치게 된다. 즉 기본권은 국가는 물론 사인도 존중하고 보호하지 않으면 안 된다는 논리가 도출된다.

(3) 기본권보호의무의 발생요건

① 보호의 대상이 되는 기본권

기본권보호의무는 기존의 법적 지위를 사인의 위해로부터 보존하는 것을 목표로 하기 때문에, 기본권보호의무의 문제는 자유권적 기본권에 의하여 보호될 가치가 있는 모든 법익과 관련하여 발생할 수 있다. 따라서 사회적 기본권의 내용이 되는 국가의 사회적 급부는 보호의무의 적용대상에서 제외된다.

② 위험원은 국가가 아닌 사인

사인이외의 위험원, 즉 자연력에 의한 위해 또는 마약복용, 음주, 흡연 등에 의해 기본권주체 스스로 자신의 기본권적 법익에 대하여 초래하는 자초위험은 여기의 기본권보호의무의 대상에 포함되지 않는다.

③ 위법성

사인에 의한 기본권침해에 대해서 항상 국가의 기본권보호의무가 발생하는 것은 아니며, 사인에 의한 기본권침해가 객관적으로 위법한 것이어야 한다.

④ 현실적인 피해의 발생 및 피해발생의 위험성

현실적으로 피해가 발생한 경우는 물론이지만, 가해의 객관적인 위험이 존재하는 경우에도 국가의 기본권보호의무가 발생한다. 왜냐하면 법익을 효과적으로 보

제35조 제1항) 및 환경침해는 사인에 의해서 빈번하게 유발되므로 입법자가 그 허용 범위에 관해 정할 필요가 있다는 점, 환경피해는 생명·신체의 보호 등 중요한 기본권적 법익 침해로 이어질 수 있다는 점 등을 고려할 때, 일정한 경우 국가는 사인인 제3자에 의한 국민의 환경권 침해에 대해서도 적극적으로 기본권 보호조치를 취할 의무를 진다"고 판시하였다(헌재 2008. 7. 31. 2006헌마711).

호하기 위해서는 실제적인 피해발생 이전에 국가가 사인의 행위를 조정하는 것이 필요하기 때문이다.

(4) 보호의무의 내용

① 보호의무의 수범자

입법, 행정, 사법의 국가권력이 기본권보호의무를 진다. 다만 1차적으로는 입법부에게 책임이 있다. 즉 입법부는 필요한 경우 입법의무, 입법개선의무를 통하여 사인에 의한 기본권침해를 방지하여야 한다. 집행부와 사법부는 입법의 내용에 따른 집행과 재판을 통하여 기본권을 구체적으로 실현하게 되며, 이 과정에서 집행부와 사법부는 기본권의 보장의무를 담당하게 된다.

② 보호의 정도와 통제

국가의 기본권보호의무를 어느 정도의 수준에서 보장할 것인가 및 기본권 보장수단과 방법의 선택과정에서 입법부는 재량을 가진다. 다만 입법부도 헌법적으로 요구되는 유효적절한 보호조치를 선택해야 하는 한계가 있다. 헌법재판소는 권력분립의 관점에서 소위 **과소보호금지원칙**을, 즉 국가가 국민의 법익보호를 위하여 적어도 적절하고 효율적인 최소한의 보호조치를 취했는가를 기준으로 심사하게 된다.[5] 부연하면 헌법재판소는 ⅰ) 국가가 기본권을 제한하는 경우와 ⅱ) 국가가 기본권을 보장하는 경우를 달리 보아 ⅰ)의 경우는 과잉금지의 원칙이 적용되나 ⅱ)의 경우 그 의무를 다하였는지의 심사에 있어서 과소보호금지원칙을 적용하여 최소한의 보호조치를 취했는가를 심사한다는 입장이다. 그 근거는 입법재량과 권력분립원리에서 찾고 있다.

기본권의 최대보장의 원칙에 비추어 볼 때 위 과소보호금지원칙의 적용에 대해서는 신중한 검토가 있어야 한다. 입법부와 행정부는 과소보호금지원칙의 준수에 머물러서는 아니 되고 보다 적극적인 기본권보장의무를 수행하여야 한다.[6]

---

5) 헌재 1997. 1. 16. 90헌바110 등.
6) 정재황, 제6판 신헌법입문, 박영사, 2016, 301면.

(5) 국가의 기본권보호의무에 상응하여 국민에게 보호청구권까지 인정할 수 있는가?

① 보호청구권인정설

국가의 보호의무에 상응하여 개인의 보호청구권이 인정되는 것이 기본권보장에서 더 효과적이라는 점을 근거로 하여, 주관적 공권으로서의 보호청구권을 인정해야 한다는 설이다.

② 보호청구권부정설

권리가 소구(訴求)가능할 정도로 보호를 받기 위해서는 그 내용이 확정되어야 하는데, 객관적 규범으로서의 기본권은 실현의 방향만을 제시할 뿐 그 자체 내용적으로는 불명확하기 때문에 보호청구권을 인정할 수 없다는 설이다.

③ 결 어

기본권의 객관적 성격에 관한 논의가 기본권의 효력강화를 위한 것이라면 기본권의 실현을 전적으로 입법자에게 위임하는 것은 기본권의 논의의 의미를 반감시키는 결과가 될 것이다. 따라서 헌법에서 파생하는 보호의무가 다른 방법으로 충족될 수 없고, 기본권의 침해가 명확한 경우에는 기본권의 객관적 성격에서 개인의 주관적 권리인 보호청구권이 도출될 수 있다고 하겠다. 행정법에서 논의되는 재량의 영(零)으로의 수축이론 등이 원용될 수 있을 것이다.

제2절 기본권의 침해와 구제

Ⅰ. 침해의 유형

기본권은 크게 국가기관에 의하여 침해되는 경우와 사인에 의하여 침해되는 경우로 나누어 볼 수 있다. 국가기관에 의한 침해의 유형은 다시 입법기관에 의한 침해, 행정기관에 의한 침해, 사법기관에 의한 침해로 나누어 볼 수 있다. 따라서 기본권이 침해된 경우 그 구제수단도 기본권침해의 유형에 따라 다양하게 나타나고 있다.

Ⅱ. 입법기관에 의한 침해와 구제

1. 적극적 입법에 의한 침해와 구제

국가의 적극적인 법률제정행위에 의해 기본권이 침해되는 경우에는 그 구제수단으로서 우선 청원권의 행사를 들 수 있겠다. 즉 국민은 입법의 폐지나 개정을 청원할 수 있다. 국회에 대한 청원은 의원의 소개가 있어야 한다.

그러나 보다 실효적인 구제수단은 헌법소송을 통한 방법이다. 적극적인 입법이 있고 그 법률에 의해 국민의 기본권이 침해된 경우에는 위헌법률심판과 헌법소원을 통해 구제받을 수 있다. 다만 우리나라의 경우 추상적 규범통제는 인정되지 않기 때문에 그 법률이 시행되어 재판의 전제가 된 경우에만 위헌법률심판을 청구할 수 있다. 즉 법률에 의해 기본권이 구체적으로 침해되고 그 법률의 위헌 여부가 재판의 전제가 된 경우 법원의 직권 또는 소송당사자의 신청에 의한 결정으로 헌법재판소에 위헌 여부의 심판 여부를 제청하고 헌법재판소가 당해 법률을 위헌으로 결정하면 그 법률은 효력을 상실하게 된다. 따라서 위헌법률에 의한 기본권침해는 구제받을 수 있게 된다.

그리고 헌법소원은 공권력의 행사·불행사에 의하여 기본권이 직접·현재 침해된 경우에 제기할 수 있는데, 헌법소원은 **보충성원칙상** 다른 구제수단을 거치고 최후의 수단으로 제기할 수 있다. 따라서 통상 일반·추상적인 형태의 규범정립작용인 입법은 집행행위의 매개를 통하여 국민에게 적용되는데, 집행작용에 의한 경우 보충성원칙상 우선 행정쟁송으로 구제를 청구하여야 한다. 그런데 우리나라의 헌법소원은 재판을 제외하고 있기 때문에(헌법재판소법 제68조 제1항) 행정소송을 거친 사항은 원칙적으로 헌법소원을 제기할 수 없다. 따라서 적극적 입법에 의한 기본권침해의 경우 헌법소원은 집행행위의 매개를 거치지 않고 법률에서 직접·현재 기본권을 침해한 경우에만 제기할 수 있다(**자동집행적 법률**).[7]

---

7) 헌법재판소는 "공권력 행사의 일종이라고 할 입법, 즉 법률 자체에 의한 기본권침해가 문제가 될 때에는 **일반법원에 법령자체의 효력을 직접 다투는 것을 소송물로 하여 제소하는 길은 없어**, 구제절차가 있는 경우가 아니므로, 헌법재판소법 제68조 제1항 단서 소정의 구제절차를 모두 거친 후에 헌법소원을 내야하는 제약이 따르지 않는 이른바 보충성의 예외적인 경우라고 볼 것이다"이라고 판시하고 있다(헌재 1989. 3. 17. 88헌마1).

2. 입법의 부작위에 의한 침해와 구제

(1) 입법부작위의 의의와 유형

입법부작위라 함은 국회가 법률을 제정하지 아니하거나 불충분한 입법을 하는 것을 말한다. 입법부작위에는 i) 단순히 입법을 하지 아니하고 있는 단순입법부작위, ii) 입법자가 헌법상 입법의무가 있는 어떤 사항에 관하여 전혀 입법을 하지 아니함으로써 '입법행위의 흠결'이 있는 **진정입법부작위**, iii) 입법자가 헌법상 입법의무가 있는 어떤 사항에 관하여 입법은 하였으나 그 입법의 내용·범위·절차 등이 불완전 또는 불충분하여 '입법행위에 결함'이 있는 **부진정입법부작위** 등이 있다. 입법의 부작위에 의한 기본권침해는 주로 국가의 적극적 입법이 요구되는 정치적 기본권, 청구권적 기본권, 생존권적 기본권 등에서 주로 문제된다.[8] 입법의 부작위에 의한 기본권침해의 경우 입법의 청원, 선거를 통한 책임추궁 외에 소송절차에 의한 구제가 인정될 수 있는가가 특히 문제된다.

(2) 입법부작위에 의한 기본권침해의 구제수단

① 단순입법부작위의 경우

입법기관이 입법을 하여야 할 법적인 의무를 지고 있지 않아서 입법을 할 것인가, 한다면 어떤 내용으로 할 것인가가 입법기관에 전적으로 맡겨져 있는 경우에 단순히 입법을 하지 않는 것을 의미한다. 입법의무가 존재하지 않으므로 법적으로 문제될 여지는 없다. 단순입법부작위의 경우는 청원권행사는 별론으로 하더라도 이에 대한 소구청구권은 인정되지 않는다.

② 진정입법부작위의 경우

헌법상 입법부에 입법의무가 있는 것으로 인정되는데도 이를 이행하지 아니하여 입법이 존재하지 아니하는 경우에 입법청원이외에 다른 구제수단이 인정되는가 여부에 대해서는 논란이 있다.

---

8) 청구권적 기본권과 정치적 기본권은 헌법규정만으로 직접효력을 발생하고 그에 관한 법률유보는 단지 기본권을 구체적으로 행사하기 위한 절차를 법률로써 규정하여야 한다는 의미를 가지는 것이므로, 이들 기본권을 행사하기 위한 절차에 관한 입법의 지연이나 태만은 곧 위헌으로 보고, 사회적 기본권의 경우는 그 법적 성질(추상적 권리설)과 관련하여 그 구제수단의 가능성을 검토하는 견해가 있다(권영성, 앞의 책, 365-366면).

i) 위헌법률심판

위헌법률심판은 '법률이 헌법에 위반되는 여부'를 심사하는 것으로 입법이 전혀 없는 진정입법부작위의 경우 위헌법률심판의 대상이 될 수 없다.

ii) 입법부작위 위헌확인소송

입법부작위 위법확인소송과 의무화소송문제와 관련하여, 소극설은 권력분립의 원칙상 사법절차에 의한 권리실현을 구할 수 없다고 한다. 즉 재판을 통해 입법을 강제할 수 있는가의 문제는 3권분립의 원리에 비추어 부인될 수밖에 없다고 한다.[9] 이에 대하여 헌법재판소법에 따라 헌법소원을 제기할 수 있고, 나아가 부작위가 위헌임을 확인할 수 있으며, 헌법불합치·입법촉구결정까지 할 수도 있으며, '피청구인은 인용결정의 취지에 따라 새로운 처분을 하여야 한다'는 헌법재판소법(제75조 제3항)에 따라 새로운 입법의 의무를 이행하지 않으면 안 된다는 견해가 있는가 하면, 사회적 기본권이 입법부작위로 말미암아 침해되는 경우 현행법제하에서도 헌법재판소가 입법부작위 위헌확인결정(헌법불합치결정)과 더불어 입법촉구결정을 하는 것은 가능하다는 견해도 있다.[10] 그러나 이러한 견해는 다음에서 설명할 헌법소원이 가능하다는 것이지 본래 의미의 부작위소송은 아니라고 본다.

iii) 헌법소원심판

헌법이 명시적 입법의무를 규정하였음에도 입법의 부작위로 인하여 기본권이 침해된 경우에는(진정입법부작위) 입법부작위에 대한 헌법소원을 제기할 수 있다.[11] 다만 진정입법부작위가 헌법소원의 대상이 되는 '공권력의 불행사'에 해당하기 위하여는 입법자에게 헌법상 입법의무가 부과되어 있어야 한다. 그 외에 헌법소원 일반의 적법요건이 요구됨은 당연하다. 입법부작위에 대한 헌법소원이 인정되기 위해서는 다음과 같은 적법요건을 갖추어야 한다.

㉠ 입법의무가 부과되어 있을 것

입법의무는 헌법의 명시적 위임이 있는 경우와 이러한 명시적 위임이 없더라도 헌법의 기본권 규정을 총체적으로 파악할 때에 입법기관의 입법이 있어야만 그러한 기본권의 보호가 가능한 경우에는 입법기관에 대해 헌법상 입법의무가 부과되어 있다고 해석하여야 할 것이다. 이에 대하여 독일에서는 i) 통치권력은 기본권

9) 계희열, 신정2판 헌법(중), 박영사, 2007, 168면.
10) 권영성, 앞의 책, 366면.
11) 헌재 1989. 3. 17. 88헌마1.

에 기속되는 것이므로 국가는 기본권보호의무를 지고 따라서 헌법상 명시적인 위임이 없어도 해석을 통하여 입법기관의 입법의무가 도출될 수 있다는 '보호의무이론'과 ii) 비록 입법기관이 그 입법의무를 이행하더라도, 시간의 경과에 따라 기존의 입법만으로는 현실의 기본권을 보호할 수 없게 된 경우 입법부에게는 이러한 입법을 개선할 의무가 있다는 '개선의무이론'이 논의되고 있다.

㉡ 입법의무 위반이 명백할 것

위와 같은 입법의무가 존재한다고 하더라도, 현재의 법상황이 이러한 입법의무에 위반한 것으로 명백히 인정되는 경우에 한하여 헌법소원 등을 통해 입법부작위를 다툴 수 있다고 보아야 한다.

㉢ 헌법소원의 일반적 요건

위에서 본 두 요건 외에도 i) 청구인 자신의 기본권이 침해될 것, ii) 현재성이 있을 것, iii) 직접 침해받고 있을 것 등 헌법소원의 일반적 요건이 요구된다. 또한 입법부작위의 경우에는 아예 입법이 흠결되어 있기 때문에 행정청이나 법원에 어떠한 구제절차를 밟는다는 것이 불가능하므로 헌법소원의 보충성 요건은 문제되지 않는다고 보아야 할 것이다. 그리고 청구기간의 문제도 제기될 수 있으나, 공권력 불행사에 대한 헌법소원 심판은 그 불행사가 계속되는 한 기간의 제약 없이 적법하게 청구할 수 있다. 헌법재판소도 이러한 법리를 설시하고 있다.

iv) 국가배상청구의 가능성

국가배상청구는 과실책임주의이기 때문에 국회나 국회의원의 고의 또는 과실을 인정할 수 있느냐가 관건인데, 부정적으로 보는 것이 지배적이어서 국가배상청구는 해석론상 불가능하다고 할 것이다.

③ 부진정입법부작위의 경우

부진정입법부작위에 의한 기본권침해에 대한 구제수단으로는 청원이 가능하고, 국가배상청구는 진정입법부작위와 같은 이유로 인정되기 어렵지만, 위헌법률심판과 헌법소원심판청구가 가능한가는 좀 더 분석을 요한다.

i) 위헌법률심판

부진정입법부작위는 불충분·불완전하지만 입법이 존재하는 경우로 이러한 입법에 의하여 기본권을 침해하고 재판의 전제성을 갖추는 한 위헌법률심판제청신청이 가능하고, 법원이 제청신청을 기각하는 경우 헌법재판소법 제68조 제2항의 헌법소원(위헌심사형 헌법소원)을 청구할 수 있다.

ii) 헌법소원심판

부진정입법부작위에 의한 기본권침해의 경우는 부작위 자체의 위헌성이 아니라, 불완전·불충분한 법규 자체의 위헌 여부를 다투어야 한다.[12] 즉 불완전·불충분한 입법이 집행행위의 매개를 거치지 않고 직접 기본권을 침해하는 경우에는 앞에서 설명한 적극적인 입법에 의한 기본권침해와 마찬가지로 법률 자체를 직접 대상으로 하여 헌법소원을 청구할 수 있다. 부연하면 부진정부작위의 경우 부작위를 이유로 한 헌법소원은 인정되지 않고 적극적 입법에 의한 **법령헌법소원**의 가능성은 인정된다.[13]

Ⅲ. 행정기관에 의한 침해와 구제

1. 침해의 유형

법령의 집행과정에서 행정기관에 의한 기본권이 침해되는 경우가 많은 부분을 차지한다. 행정기관에 의해 기본권이 침해되는 유형은 행정기관이 위헌의 법령을 그대로 집행하는 경우(**법령위헌**), 행정기관이 위헌적인 법해석을 통하여 집행하는 경우(**적용위헌**), 행정기관이 법률을 위법하게 적용하는 경우(**불법행위**), 법률을 집행하지 않는 소극적 부작위의 경우(**행정부작위**) 등으로 분류할 수 있다.

2. 구제수단

(1) 행정기관에 의한 구제수단

행정기관에 의하여 기본권이 침해된 국민은 우선 청원을 통하여 행정처분의 취소·무효확인 또는 관계공무원의 해임 등을 청원할 수 있다(제26조). 청원은 사후적으로도 행사할 수 있으나, 침해의 우려가 있는 경우에도 관련 행정기관에게 기본권 침해예방을 위해서도 행사할 수 있다. 행정기관에 의한 기본권침해를 사전에 예방할 수 있는 제도로 행정절차제도가 있다. 즉 행정작용이 행해지기 전에 이해관계인의 청문, 이유부기, 공청회, 입법예고 절차를 통하여 기본권침해를 사전에 예방할 수 있다(행정절차법 참조).

12) 헌재 1993. 3. 11. 89헌마79 등.
13) 헌재 1989. 3. 17. 88헌마1.

그리고 행정청의 위법 또는 부당한 처분에 대해서는 행정심판을 청구할 수 있다. 또한 공무원의 직무상 불법행위로 인하여 손해를 받은 국민이나 영조물의 설치 · 관리 하자로 인하여 손해를 받은 국민은 국가배상을 국가나 공공단체에 청구할 수 있다(국가배상법 제2조, 제5조). 그 밖에 형사보상제도나 특별한 인권옹호기관(국가인권위원회, 국민권익위원회 등)에 의한 구제방법(법률구조제도, 인권상담)도 있다.

(2) 법원에 의한 구제수단

행정기관에 의한 기본권침해에 대해 가장 효과적인 사후구제수단은 법원에 의한 구제이다. 법원에 의한 구제수단으로는 행정소송에 의한 방법과 명령 · 규칙심사제도에 의한 방법이 있다.

① 행정소송

위법한 행정처분에 대해서는 항고소송으로서 취소소송, 무효 등 확인소송을 제기할 수 있으며, 행정청의 부작위에 대해서는 부작위위법확인소송을 통하여 이행하지 않은 부작위[14]의 위법을 확인할 수 있다. 나아가 일정한 행위의 의무이행을 구할 수 있느냐가 논란이 되고 있다. 즉 행정의 부작위에 대해서 의무화소송 내지 의무이행소송이 인정되느냐의 문제이다. 우리의 행정소송법은 법정항고소송으로 의무이행소송을 인정하고 있지 않고 의무이행소송은 권력분립의 원리에도 반할 수 있다는 점에서 부정하는 견해가 많지만, 학자에 따라서는 독일이나 오스트리아처럼 의무화소송도 무명항고소송으로 가능하다는 견해도 유력하게 주장되고 있다. 우리 행정소송법은 부작위위법확인소송까지만 인정하고 있지만, 재처분의무[15]와 간접강제제도[16]를 두어 운용에 따라서는 의무화소송을 인정한 것과 같은 효과를

---

14) 행정소송법은 부작위를 "행정청이 당사자의 신청에 대하여 상당한 기간 내에 일정한 처분을 하여야 할 법률상 의무가 있음에도 불구하고 이를 하지 아니하는 것을 말한다"고 정의하고 있다(행정소송법 제2조 제2호).

15) 행정소송법은 취소판결 등의 기속력을 부작위위법확인소송에도 준용하고 있다(제38조 제2항). 따라서 "판결에 의하여 취소되는 처분이 당사자의 신청을 거부하는 것을 내용으로 하는 경우에는 그 처분을 행한 행정청은 판결의 취지에 따라 다시 이전의 신청에 대한 처분을 하여야 한다"는 규정(행정소송법 제30조 제2항)도 부작위위법확인소송에 적용된다.

16) 행정소송법은 또한 거부처분취소판결의 간접강제를 부작위위법확인소송에도 준용하고 있다(제38조 제2항). 따라서 "① 행정청이 제30조제2항의 규정에 의한 처분을 하지 아니하는 때에는 제1심수소법원은 당사자의 신청에 의하여 결정으로써 상당한 기간을 정하고 행정청이 그 기간 내에 이행하지 아니하는 때에는 그 지연기간에 따라 일정한 배상을 할 것을 명하거나 즉시 손해배상을 할 것을 명할 수 있다"(동법 제34조 제1항)는 간접강제제도가 부작위위법확인소송에도 적용된다.

거둘 수도 있다고 생각한다. 장차는 의무화소송 내지 의무이행소송을 인정하는 방향으로 나아가야 한다고 생각한다.

② 명령·규칙에 대한 심사제도

행정기관이 헌법과 법률에 위반되는 명령·규칙을 제정함으로써 국민의 기본권을 침해한 경우 법원은 그 심사권을 통하여 기본권침해를 구제할 수 있다. 다만 명령·규칙심사제도도 추상적 규범통제가 인정되지 않기 때문에 명령·규칙이 헌법이나 법률에 위반되는지의 여부가 재판의 전제가 된 경우에만 법원은 심사권을 가진다(제107조 제2항). 법원이 심사결과 명령·규칙이 위헌·위법이라고 판단될 때에는 당해 사건에 동 명령·규칙의 적용을 거부함으로써 기본권을 보호할 수 있다(**개별적 효력의 부인**).

(3) 헌법재판소에 의한 구제수단

① 헌법소원

행정작용도 공권력의 행사라는 점에서 일반적으로는 행정처분에 의한 기본권침해에 대해서는 헌법소원심판청구가 가능하다고 할 수 있다. 그러나 우리나라의 헌법소원제도상 보충성원칙으로 인하여 먼저 행정소송을 제기하여야 하고 판결이 확정된 다음에는 헌법재판소법 제68조 제1항 본문의 재판소원의 금지원칙 때문에 그 확정판결을 헌법소원의 대상으로 삼을 수 없다. 이러한 상황 하에서 행정처분에 대해서는 헌법소원으로 구제받을 길이 없다고 해도 과언이 아니다. 그런데 현대국가는 행정국가로서 국가권력작용 중에서 행정작용의 부분이 비대하고, 그 작용은 주로 행정처분의 형태로 이루어지고 있다. 이러한 현실에서 행정처분이 헌법소원의 대상에서 제외된다면 국민의 기본권에 직접적인 영향을 미치는 2대 공권력작용의 대부분이 헌법소원의 대상에서 제외되게 되고, 헌법소원의 대상은 법령 및 입법부작위, 검사의 불기소처분,[17] 기타 법원의 재판의 대상이 될 수 없는 공권력

17) 2008년 개정 이전의 형사소송법은 범죄의 피해자가 검사의 불기소처분에 대하여 법원에서 다툴 수 있는 재정신청절차를 규정하면서 이를 단지 공무원의 특정범죄 등에 대해서만 매우 제한적으로 허용하고 있었기 때문에, 헌법재판소는 검찰의 기소권 행사에 대한 유효한 견제수단으로 검사의 불기소처분에 대한 헌법소원을 인정하였다. 헌법재판소 발족 초기부터 검사의 불기소처분이 헌법소원의 대상이 되는지에 대해서 논란이 있었으나, 헌법재판소는 "검사의 불기소처분은 공권력의 행사에 해당하며, 불기소처분이 자의적으로 행해진 경우 형사피해자는 헌법 제27조 제5항의 재판절차에서의 진술권과 제11조의 평등권을 침해당했다고 주장할 수 있다"고 판시한 이래(헌재 1989. 4. 17. 88헌마3), 검사의 불기소처분에 대한 헌법소원사건은 헌법재판소가 처리하는 사건 중 거의 절반을 차지하는 유형이 되었다. 그러나 2008. 1. 1.부

의 행사 또는 불행사에 국한하게 된다.[18)]

행정처분의 위법성을 다툰 행정재판에서 법원의 재판이 확정된 경우 그 재판을 대상으로 하는 헌법소원은 재판소원의 금지원칙에 따라 허용되지 않지만, 그 재판을 대상으로 하는 것이 아니라 원행정처분에 대하여 헌법소원을 제기하는 것이 가능한지에 관해서는 법률상의 명문규정이 존재하지 않는다. 이 때문에 다른 법률상 구제절차인 행정심판 · 행정소송 등을 모두 경유한 후 다시 원행정처분에 대하여 헌법소원을 청구할 수 있는지에 관하여 학설과 판례가 대립하고 있는 상황이다.[19)] 헌법재판소는 원칙적으로 원행정처분에 대한 헌법소원을 부정한다. 다만 당해 행정처분을 심판의 대상으로 삼았던 법원의 재판이 예외적으로 헌법소원의 심판대상이 되어 그 재판 자체가 취소된 경우에 한하여 청구할 수 있다는 견해를 취하고 있다. 이는 그동안 일관된 판례의 입장이다.[20)]

행정권력의 부작위에 대한 헌법소원에 대해서 헌법재판소는 "행정권력의 불행사에 대한 헌법소원은 공권력의 주체에게 헌법에서 유래하는 작위의무가 특별히 구체적으로 규정되어 있어 이에 따라 기본권의 주체가 행정행위를 청구할 수 있음에도 공권력의 주체가 그 의무를 해태하는 경우에 비로소 허용된다"고 판시하고 있다.[21)]

② 위헌법률심판

위헌법률의 집행에 의하여 기본권이 구체적으로 침해되고 그 법률의 위헌 여부가 재판의 전제가 된 경우에는 법원의 직권 또는 당사자의 신청에 따른 결정으로 헌법재판소에 위헌 여부의 심판을 제청하고 헌법재판소의 결정에 의해 법률에 의하여 침해된 기본권이 구제를 받을 수 있다. 그러나 위헌법률심판의 대상은 법률이므로 위헌법률심판은 입법권에 의한 기본권침해에 대한 구제수단이다. 다만 위

터 시행된 형사소송법의 개정으로 재정신청의 대상범죄가 모든 범죄로 확대됨에 따라 피의자가 청구하는 헌법소원을 제외한 대부분의 불기소처처분이 헌법소원의 대상에서 제외되었다.

18) 정태호, "원처분의 헌법소원대상성에 관한 소고", 헌법논총 제6집, 헌법재판소, 1995, 251면.

19) 원행정처분에 대한 헌법소원의 인정 여부에 대해 자세히는 김수갑, "원행정처분에 대한 헌법소원", 법학연구 제23권 제1호, 충북대 법학연구소, 2012, 57−83면 참조.

20) 헌재 1997. 12. 24. 96헌마172 등; 헌재 1998. 5. 28. 91헌마98 등; 헌재 1998. 6. 25. 95헌바24; 헌재 1998. 6. 25. 91헌마174; 헌재 1998. 7. 16. 95헌마77; 헌재 1999. 1. 28. 98헌마16; 헌재 1999. 5. 27. 98헌마357; 헌재 1999. 9. 16. 97헌마160; 헌재 1999. 10. 21. 97헌마301; 헌재 1999. 10. 21. 96헌마61 등; 헌재 2001. 2. 22. 99헌마409; 헌재 2001. 6. 28. 98헌마485; 헌재 2002. 5. 30. 2001헌마781.

21) 헌재 2002. 12. 18. 2002헌마52; 헌재 1991. 9. 16. 89헌마163; 헌재 1996. 6. 13. 95헌바39 등.

헌법률의 집행에 의한 기본권침해를 구제한다는 점에서 간접적으로 위헌법률심판은 행정권에 의한 기본권침해의 구제수단이 된다고 하겠다.

Ⅳ. 사법기관에 의한 침해와 구제

1. 침해의 유형

사법기관에 의한 기본권침해는 다른 기관에 의한 기본권침해보다 상대적으로 적지만 오판, 무죄추정의 원칙 위반, 소송지연 기타 재판절차에서 진술기회의 박탈 등으로 기본권이 침해되는 경우가 있다.

2. 구제수단

(1) 심급제도에 의한 구제

법령해석이나 사실판단의 잘못으로 인한 기본권침해에 대해서는 상소, 재심, 비상상고제도를 통한 구제가 가능하다.

(2) 형사보상청구에 의한 구제

구속된 피고인이 무죄판결을 받거나 구속된 피의자가 법률이 정하는 불기소처분을 받은 때에는 형사보상을 청구할 수 있다(제28조). 하급심의 유죄판결이 상급심에서 무죄판결된 경우 이 역시 사법기관에 의한 구제로 볼 수도 있다면 사법권에 의한 기본권침해로 볼 수 없지만, 간접적으로 사법기관에 의한 기본권침해에 대한 구제수단도 된다고 하겠다. 특히 오판으로 사형이 집행된 경우 형사보상청구는 사법권에 의한 기본권침해에 대한 구제수단이 된다. 형사보상의 요지는 일간신문에 공시하도록 신청할 수 있다(형사소송법 제24조 제1항).

(3) 헌법소원심판

법원의 재판에 의한 기본권침해에는 헌법소원이 효과적인 구제수단이 될 수 있지만, 우리 헌법재판소법은 재판을 헌법소원에서 제외하고 있기 때문에 구제에 한계가 존재한다. 따라서 법원의 재판 자체를 대상으로 하는 헌법소원은 원칙적으로 금지된다. 다만 헌법재판소는 헌법재판소법 제68조 제1항 본문(법원의 재판을 헌법소원의 대상에서 제외한다)에 대하여 헌법재판소에 의하여 위헌으로 결정된 법령을 적용하여 국민의 기본권을 침해한 법원의 재판에 대하여까지 헌법소원을 허용하지 않고 있는 한도에서 위헌이라고 결정(한정위헌결정)함으로써 법원의 재판도 예외적으로 헌법소원의 대상이 된다고 판시하고 있다.[22]

(4) 대통령의 사면권 행사에 의한 구제

대통령은 국가원수의 지위에서 사면권을 가지며(제79조), 사면권을 행사함으로써 사법권에 의하여 침해될 수 있는 기본권을 보호할 수 있다. 다만 대통령의 사면권행사에는 일정한 한계가 존재한다.

Ⅴ. 사인에 의한 침해와 구제

사인에 의한 기본권침해에 대한 구제에 대해서는 가해자의 고소·고발을 통한 형사상 구제와 손해배상·위자료 등을 구하는 민사상 구제제도가 있다. 명예권을 침해한 경우 법원의 판결로 명하는 사죄광고는 위헌결정을 받아 허용되지 않는다. 자율적 규제의 이름으로 당사자나 제3자의 권리를 침해하는 경우 일반 법률에 의하여 기본권이 전혀 또는 충분히 보호되지 않는 경우에는 기본권의 제3자적 효력의 인정(직접 또는 간접)으로 기본권을 보호할 수 있다.[23]

Ⅵ. 국가인권기구 등에 의한 구제

국가기관뿐만 아니라 사인에 의한 기본권 침해에 대해서는 국가인권위원회나 국민권익위원회 같은 국가인권기구나 법률구조공단 등에 의하여 보호받을 수 있는 제도가 마련되어 있다.

국가인권위원회는 '국가인권위원회법'에 근거하여 인권을 보호하고 그 수준을 향상시키기 위하여 설립된 독립된 국가기관이다. 국가나 지방자치단체 또는 구금·보호시설의 업무수행(국회의 입법 및 법원·헌법재판소의 재판을 제외한다)과 관련하여 헌법 제10조 내지 제22조에 보장된 인권을 침해당하거나 차별행위를 당한 경우와 법인 또는 사인에 의하여 차별행위를 당한 경우에는 대한민국 국민이나 대한민국 영역 안에 있는 외국인은 국가인권위원회에 그 내용을 진정할 수 있다

---

22) 헌재 1997. 12. 24. 96헌마172·173(병합).
23) 기본권의 대사인적 효력 참조.

(국가인권위원회법 제30조, 제4조). 국가인권위원회는 진정이 없는 경우에도 예외적으로 직권으로 조사를 할 수 있다. 국가인권위원회는 인권의 구제를 위하여 합의의 권고, 직권조정, 구제조치의 권고, 고발 및 징계요구 등을 통하여 기본권보호업무를 담당하고 있다.

국민권익위원회는 '부패방지 및 국민권익위원회의 설치 및 운영에 관한 법률'에 근거하여 국무총리 소속으로 설치된 기관으로 종전의 국민고충처리위원회, 국가청렴위원회 및 국무총리행정심판위원회를 통합한 기관이다. 국민은 누구나 국민권익위원회에 부패신고상담, 고충민원상담 및 행정심판을 통하여 권리의 구제와 권익보호를 받을 수 있다. 법률구조공단은 '법률구조법'에 의하여 설치된 법인이다(법률구조법 제9조). 법률구조법은 "경제적으로 어렵거나 법을 몰라서 법의 보호를 충분히 받지 못하는 자에게 법률구조(法律救助)를 함으로써 기본적 인권을 옹호하고 나아가 법률 복지를 증진하는 데에 이바지함을 목적"으로 제정되었는데, 동법은 "법률구조"를 이 법의 목적을 달성하기 위하여 법률상담, 변호사나 「공익법무관에 관한 법률」에서 정한 공익법무관에 의한 소송대리(訴訟代理), 그 밖에 법률 사무에 관한 모든 지원을 하는 것을 말한다고 정의하고 있다(동법 제2조).

Ⅶ. 예외적인 구제방법

1. 저항권 행사에 의한 구제

기본권을 침해하는 국가기관에 대하여 기본권의 보호를 위해 모든 가능한 제도적 구제수단을 다하였으나, 기본권의 침해가 계속되는 경우에는 최후의 수단으로 저항권을 행사할 수 있다. 저항권(Widerstandsrecht, right of resistance, droit de la resistance, ius resisistendi)은 그 의미를 넓은 의미로 파악하느냐 협의로 파악하느냐에 따라 다르고, 시간과 장소에 따라 달리 이해될 수 있는 다의적 개념으로서, 오늘날에도 그 개념에 대해서는 다양한 견해들이 제시되고 있다. 그러나 시민혁명이 성공하고 입헌민주체제가 확립된 현대 민주주의 국가에서는 그 체제를 변혁하려는 혁명 등은 인정할 수 없으므로 저항권의 개념에서 혁명 등은 제외되고 저항권을 현존 법질서의 수호적 개념으로 보는 견해가 지배적으로 되었다. 즉 다수의 학자들은 저항권을 불법적 권력행사에 대해 기존 헌법적 가치질서의 수호를 위한 최후의 수단으로 이해하고 새로운 개선된 질서의 실천을 의미하는 것이 아니라고 본다. 독일 연방헌법재판소가 "**단지 보수적인 의미에서만**(im konservierenden sinne), 즉 헌법질서의 유지 또는 회복을 위한 헌법보장수단으로서만 인정될 수 있다"고

한 것은 현존 법질서의 수호적 개념으로 파악한 대표적인 것이라 하겠다.

저항권은 국민의 기본권의 일종이면서 헌법수호수단으로서 기능한다. 저항권이 자연권인가 실정권인가가 논의되지만 다수설은 저항권을 자연권으로 보고 있다. 우리 헌법에는 저항권에 대한 직접적인 명문규정은 없다. 다만 현행헌법의 전문에는 간접적으로 저항권을 나타내 주고 있는 " …… 불의에 항거한 4.19민주이념을 계승하고 …… "라는 문구가 있어서 이를 저항권에 관한 근거규정으로 볼 수도 있다. 그러나 저항권을 자연권으로 보는 한 규정의 여하는 그렇게 중요한 것은 아니다.

저항권은 국가기관의 불법이 명백하고 중대할 뿐만 아니라 다른 구제수단이 효과적으로 기능할 수 없는 최후의 수단으로 인정되는 것이므로 엄격한 요건 하에서만 행사되어야 한다.

입법과정의 하자와 저항권행사

"저항권은 국가권력에 의하여 헌법의 기본원리에 대한 중대한 침해가 행하여지고 그 침해가 헌법의 존재 자체를 부인하는 것으로서 다른 합법적인 구제수단으로는 목적을 달성할 수 없을 때에 국민이 자기의 권리·자유를 지키기 위하여 실력으로 저항하는 권리이므로, 국회법 소정의 협의 없는 개의시간의 변경과 회의일시를 통지하지 아니한 입법과정의 하자는 저항권 행사의 대상이 되지 아니한다."

헌재 1997. 9. 25. 97헌가4

2. 정당방위 또는 자력구제

급박한 기본권침해에 대해서는 정당방위나 긴급피난과 같은 자력구제 제도도 기본권보호의 역할을 할 수 있다고 하겠다.

제7장

기본권의 분류와 체계

제1절 기본권의 분류

1. 성질에 따른 분류

(1) 초국가적 기본권과 국가내적 권리

초국가적 기본권은 자연법사상에서 나온 천부인권, 인간의 권리를 지칭한다. 예를 들어 평등권, 자유권, 행복추구권 등은 초국가적 권리의 성격을 가진다. 반면 국가내적 권리는 국가의 입법에 의하여 그 내용이 확정되고 제한될 수 있는 권리로 생존권, 참정권, 청구권 등을 예로 들 수 있다.

(2) 진정한 기본권과 비진정한 기본권

진정한 기본권과 비진정한 기본권은 슈미트가 분류한 것으로 진정한 기본권은 실질적 권리로서, 국가에 대하여 작위·부작위를 청구할 수 있는 주관적 공권성을 가진 기본권으로 평등권, 청구권적 기본권 등을 예로 들 수 있다. 비진정한 기본권은 헌법이 일정한 질서나 제도를 규정하고 있는 결과 누리는 기본권으로 교육제도에 기인한 교육시설 이용권 및 평등교육수혜권, 경제질서에 기인한 독과점 거부권 등을 예로 들 수 있다.

(3) 절대적 기본권과 상대적 기본권

절대적 기본권은 어떠한 이유로도 제한될 수 없는 기본권으로 신앙·무신앙의 자유, 양심형성의 자유, 연구의 자유 등을 그 예로 들 수 있다. 독일식의 절대적 자유권이란 법률유보에 의해서도 제한될 수 없는 기본권을 의미하기 때문에 의미의 차이가 있다. 앞에서 본 바와 같이 기본권의 내재적 한계이론은 이러한 절대적 자유권도 제약될 수 있다는 논리 하에서 독일에서 정립된 이론이다. 상대적 기본권은 여러 목적(국가안전보장, 질서유지, 공공복리 등)을 위하여 제한이 가능한 기본권을 말한다. 제37조의 일반적 법률유보에 의한 기본권제한에서 기본권은 상대적 기본권을 말한다.

2. 주체에 따른 분류

(1) 인간의 권리와 국민의 권리

인간의 권리는 모든 인간(내외국인 불문)에게 속한 권리로서 전국가적 자연권의 성격을 가진다. 국민의 권리는 국적을 가진 국민만이 누릴 수 있는 권리로서 외국인에게는 원칙적으로 인정되지 않는다.

(2) 자연인의 권리와 법인의 권리

자연인이 향유하는 기본권을 자연인의 권리라 하고 법인이 향유할 수 있는 권리를 법인의 권리라 한다. 자연인은 내국인이냐 외국인이냐에 따라 차이가 있지만 원칙적으로 모든 기본권의 주체가 된다. 법인은 통상 성질이 허용하는 기본권만 향유주체가 될 수 있다. 법인이 누릴 수 있는 기본권의 예로는 평등권, 재산권, 직업선택의 자유, 거주・이전의 자유, 통신의 자유, 결사의 자유, 재판을 받을 권리 등을 들 수 있다.[1)]

3. 효력에 따른 분류

(1) 현실적 권리와 프로그램적(입법방침적) 기본권

현실적 권리는 모든 국가권력(입법, 행정, 사법)을 직접적으로 구속하는 권리이다. 평등권, 자유권, 참정권 등을 예로 들 수 있다. 프로그램적 기본권은 입법의 방침만 제시하고, 입법에 의해서 비로소 공권이 발생하는 기본권이다. 종래 권리가 아닌 프로그램규정과 권리이지만 입법자에 대하여 의무를 부과할 뿐 집행권과 사법권에 대한 직접적 구속력이 없는 권리를 추상적 권리라 구별하나, 구별의 실익은 크지 않다.

사회적(생존권적) 기본권의 성격에 대해서는 학설이 나뉜다. 종래 입법이 없는

---

1) 자세하는 기본권의 주체를 참조.

한 국가에 대해서 재판으로 구제를 청구할 수 없는 권리라는 추상적 권리설이 다수설이었지만, 자유권과 같은 구체적 권리는 아니지만 생존권을 구체적 권리로 파악하는 견해가 유력해지고 있다.[2)]

(2) 대국가적 기본권과 대사인적(제3자적) 기본권

대국가적 기본권은 국가에 대해 효력을 발생하는 기본권으로 기본권보장의 역사를 볼 때 모든 기본권은 대국가적 효력을 갖는다. 대사인적 기본권은 사인에 대해서도 효력을 발생하는 기본권으로 대표적으로 근로3권을 들 수 있지만, 다른 기본권들도 성질이 가능한 경우 대사인적 효력을 갖는다.[3)]

4. 내용에 따른 분류

기본권을 내용에 따라 분류하는 것은 일찍이 옐리네크에서 전형을 볼 수 있다. 옐리네크는 국민이 국가에 대해서 가지는 지위를 소극적 · 적극적 · 능동적 · 수동적 지위로 나누고, 이와 같은 상위개념으로부터 각각 그에 대응하는 자유권 · 수익권 · 참정권 · 의무의 체계를 구성하였다.[4)] 기본권을 자유권 · 수익권 · 참정권으로 분류하는 3분법이 우리나라에서도 1960년대까지 지배적이었으나, 오늘날에는 5분법, 6분법, 7분법 등으로 다양하게 분류되고 있다.

제2절 우리 헌법상 기본권의 분류론

우리 헌법에 규정된 기본권의 분류방식에 대해서는 학자들은 대체로 내용과 성질을 기준으로 분류하고 있다.[5)] 분류방식은 학자에 따라서 차이가 있다. 그러나

---

2) 자세히는 사회적 기본권의 법적 성격 참조.
3) 자세히는 기본권의 효력 참조.
4) G. Jellinek, Allgemeine Staatslehre, 김효전(역), 일반국가학, 법문사, 2005, 342−348면 참조.
5) 김철수 교수는 인간의 존엄과 가치 · 행복추구권을 주기본권으로 파악하고 이러한 인간의 존엄과 가치 · 행복추구권은 개별적인 기본권으로 분화된다고 보면서, 개별적 기본권을 ⅰ) 협의의 인간의 존엄과 가치 · 행복추구권(생명권, 자기결정권, 인격권, 최협의의 행복추구권, 평화적 생존권), ⅱ) 평등권, ⅲ) 자유권적 기본권(일반적 행동자유권, 신체의 자유권, 사회적 · 경제적 자유권(거주 · 이전의 자유, 직업선택의 자유, 주거의 자유, 사생활의 비밀과 자유, 통신의 자유, 재산권의 보장), 정신적 자유권(양심의 자유, 종교의 자유, 학문과 예술 · 과학기술의 자유), 정신적 표현의 자유권(언론 · 신문 · 방송 · 출판의 자유, 집회 · 결사의 자유), 정치적 자유권(정치적 표현의 자유, 정당설립 · 가입과 정당활동의 자유, 투표와 공직선거입후보 및

새로운 기본권이 많이 등장하는 현대에 있어서 종전과 같은 기본권분류로 파악하

선거운동의 자유)), ⅳ) 생존권적 기본권(인간다운 생활을 할 권리, 교육을 받을 권리, 근로의 권리, 근로자의 근로3권, 혼인과 가족·보건에 관한 권리, 환경권), ⅴ) 청구권적 기본권(청원권, 재판청구권, 형사보상청구권, 국가배상청구권, 범죄피해자구조청구권, 구속적부심사청구권, 재산상 손실보상청구권), ⅵ) 참정권(선거권, 피선거권과 공무담임권, 국민투표권) 등으로 분류하고 있다(김철수, 학설·판례 헌법학(상), 박영사, 2008, 380면, 499면 이하). 권영성 교수는 ⅰ) 기본권보장의 이념과 포괄적 기본권(인간으로서의 존엄과 가치, 행복추구권), ⅱ) 평등권(법 앞의 평등), ⅲ) 자유권적 기본권(인신의 자유권(생명권, 신체를 훼손당하지 아니할 권리, 신체의 자유), 사생활자유권(사생활의 비밀과 자유(자기정보관리통제권 포함), 주거의 자유, 거주이전의 자유, 통신의 자유), 정신적 자유권(양심의 자유, 종교의 자유, 언론·출판의 자유, 집회·결사의 자유, 학문과 예술의 자유)), ⅳ) 경제적 기본권(재산권, 직업선택의 자유, 소비자의 권리), ⅴ) 정치적 기본권(정치적 자유권, 참정권, 그 밖의 정치적 활동권), ⅵ) 청구권적 기본권(권리보장적 기본권)(청원권, 재판청구권, 국가배상청구권, 국가보상청구권(손실보상청구권, 형사보상청구권), 범죄피해자구조청구권), ⅶ) 사회적 기본권(인간다운 생활권(생존권), 근로의 권리, 근로3권, 교육을 받을 권리, 환경권, 쾌적한 주거생활권, 건강권) 등으로 분류하고 있다(권영성, 헌법학원론(2010년판), 법문사, 2010, 308-309면). 허영 교수는 생활영역에 따른 분류를 시도하고 있는데, ⅰ) 기본권의 이념적 기초로서의 인간의 존엄성, ⅱ) 기본권실현의 방법적 기초로서의 평등권, ⅲ) 인신권, ⅳ) 사생활영역의 보호(주거의 자유, 사생활의 비밀과 자유, 통신의 비밀), ⅴ) 정신·문화·건강생활영역의 보호(양심의 자유, 종교의 자유, 학문과 예술의 자유, 교육을 받을 권리, 보건에 관한 권리, 환경권), ⅵ) 경제생활영역의 보호(거주·이전의 자유, 직업의 자유, 재산권의 보장, 근로활동권), ⅶ) 정치·사회생활영역의 보호(참정권, 청원권, 언론·출판의 자유, 집회·결사의 자유), ⅷ) 권리구제를 위한 청구권(국가배상청구권, 범죄피해자구조청구권) 등으로 분류하고 있다(허영, 전정13판 한국헌법론, 박영사, 2017, 338면 이하). 구병삭 교수는 ⅰ) 포괄적 기본권(인간의 존엄과 가치, 행복을 추구할 권리, 생명권, 평화적 생존권, 새로운 인권과 그 보장, 법 앞에서의 평등), ⅱ) 자유권적 기본권과 내면적 정신활동의 자유(양심(사상)의 자유, 종교의 자유, 학문과 예술의 자유), ⅲ) 외면적 정신활동의 자유(언론·출판의 자유, 언론매체에 대한 액세스권, 국민의 알 권리와 정보공개, 집회·결사의 자유, 통신의 비밀(자유), 사생활의 자유와 정보화사회), ⅳ) 신체의 자유에 관한 기본권(신체의 자유, 적법절차, 주거의 자유, 거주·이전의 자유), ⅴ) 경제적 자유에 관한 기본권(직업선택의 자유, 재산권의 보장, 소비자의 권리), ⅵ) 생존권적 기본권(인간다운 생활을 할 권리, 교육을 받을 권리와 교육의무, 근로의 권리와 의무, 근로3권, 최저임금제의 보장, 가족생활기본권, 환경권), ⅶ) 청구권적 기본권(청원권, 재판을 받을 권리, 형사보상청구권, 재산권의 손실보상청구권, 국가배상청구권, 범죄피해자구조청구권), ⅷ) 참정기본권(참정권, 국민의 저항권) 등으로 분류하고 있다(구병삭, 제3전정판 신헌법원론, 박영사, 1996, 396면 이하). 계희열 교수는 ⅰ) 인간의 존엄과 가치 및 행복추구권, ⅱ) 평등권, ⅲ) 자유권적 기본권(인신에 관한 자유(생명권, 신체를 훼손당하지 않을 권리, 신체의 자유), 정신생활영역의 자유(양심의 자유, 종교의 자유, 표현의 자유, 학문의 자유, 예술의 자유), 사생활영역의 자유(사생활의 비밀과 자유, 주거의 자유, 통신의 자유), 정치생활영역의 자유(언론·출판·집회·결사의 자유), 사회·경제적 생활영역의 자유(거주이전의 자유, 직업의 자유, 재산권, 소비자의 권리)), ⅳ) 정치적 기본권(정치적 자유권, 참정권), ⅴ) 청구권적 기본권(청원권, 재판청구권, 국가배상청구권, 손실보상청구권, 형사보상청구권, 범죄피해자구조청구권), ⅵ) 사회적 기본권(인간다운 생활을 할 권리, 교육을 받을 권리, 근로의 권리, 근로자의 근로3권, 환경권, 혼인과 가족·보건에 관한 권리} 등으로 분류하고 있다(계희열, 신정2판 헌법(중), 박영사, 2007, 188면).

기 어려운 복합적 성격의 기본권이 등장(휴식권, 일조권, 평화적 생존권)하고 있어 기본권분류의 재검토가 필요한 것은 사실이다.

제3절 본서에서의 개별기본권의 분류

본서에서는 우리 헌법 제10조부터 제36조까지 명문으로 규정된 개별기본권과 기타 학설·판례 등을 통하여 인정되거나 다른 기본권에서 도출될 수 있는 기본권을 제2편 기본권각론(개별적 기본권)에서 편의상 다음과 같이 분류하고 내용을 서술하고자 한다.

제1장 인간의 존엄과 가치·행복추구권·생명권
제2장 평등권
제3장 자유권적 기본권
  제1절 자유권적 기본권 총론
  제2절 신체의 자유
  제3절 사생활의 자유권
  제4절 정신적 자유권(내면적인 정신의 자유)
  제5절 표현의 자유(외면적인 정신의 자유)
  제6절 사회·경제적 자유권
제4장 사회적 기본권(생존권적 기본권)
제5장 청구권적 기본권
제6장 참정권(정치적 기본권)
제7장 국민의 기본의무

제2편

기본권 각론

(개별적 기본권론)

제1장

인간의 존엄과 가치 · 행복추구권 · 생명권

제1절 인간의 존엄과 가치

I. 서 언

1. 헌법 제10조의 구성

우리 헌법은 제2장 '국민의 권리와 의무' 장의 맨 앞에서 "모든 국민은 인간으로서의 존엄과 가치를 가지며, 행복을 추구할 권리를 가진다. 국가는 개인이 가지는 불가침의 기본적 인권을 확인하고 이를 보장할 의무를 진다"고 규정하고 있다(제10조). 인간의 존엄과 가치 · 행복추구권을 규정한 제10조 1문은 모든 개별적 기본권이 지향해야 할 목표 내지 이념을 규정한 것으로 이해된다. 인간의 존엄과 가치 · 행복추구권을 어떻게 이해할 것인가에 대해서는 학설이 대립하지만, 대체로 인간의 존엄과 가치 · 행복추구권으로부터 생명권, 인격권, 일반적 행동의 자유, 자기결정권 등의 기본권을 도출해 낼 수 있다. 2문은 국민에 대한 국가의 기본권보호의무를 규정하고 있다.

2. 연혁 및 입법례

인간의 존엄성을 존중하는 사상은 근대 자유주의사상의 이데올로기적 바탕이 되어 버지니아 권리장전(1776), 미국의 독립선언(1776)과 프랑스 시민혁명의 사상적 기초를 이루어 오다가, 특히 제2차 세계대전 중 독일과 일본의 전체주의 · 군국주의에 의한 비인간적 만행을 경험한 데 대한 반성과 자각에서 각국 헌법(독일, 일본, 그리스, 스페인, 터키 등)과 국제조약(세계인권선언, 유럽인권규약, 국제연합인권규약 등)에 명문화되었다. 우리나라의 경우 인간의 존엄과 가치를 제5차 개정헌법에서 규정한 후, 제8차 개정헌법에서는 행복추구권을 추가로 규정하였다. 인간의 존엄과 가치는 독일기본법에 영향을 받은 것이고 행복추구권은 미국헌법의 영향을 받은 것이라 할 수 있다.

Ⅱ. 인간의 존엄과 가치의 의의

1. 인간의 의미

인간의 존엄과 가치에서 말하는 인간은 개인주의에서의 고립적, 이기적 인간이나 전체주의에서의 국가권력의 객체로 격하된 인간상이 아니라, 인간의 고유가치를 유지하면서 사회와 긴밀한 관계를 가지며 사회에 구속되는 사회 속의 인간을 의미한다. 즉 중용의 덕인 '**인격주의적 인간상**'을 의미한다는 것이 통설[1] · 판례의 입장이다.

헌법질서가 예정하는 인간상

"우리 헌법질서가 예정하는 인간상은 '자신이 스스로 선택한 인생관 · 사회관을 바탕으로 사회공동체 안에서 각자의 생활을 자신의 책임 아래 스스로 결정하고 형성하는 성숙한 민주시민'(헌재 1998. 5. 28. 96헌가5; 헌재 2000. 4. 27. 98헌가16)인 바, 이는 사회와 고립된 주관적 개인이나 공동체의 단순한 구성분자가 아니라, 공동체에 관련되고 공동체에 구속되어 있기는 하지만 그로 인하여 자신의 고유가치를 훼손당하지 아니하고 개인과 공동체의 상호연관 속에서 균형을 잡고 있는 인격체라 할 것이다."

헌재 2003. 10. 30. 2002헌마518

▌독일판례▐

독일 연방헌법재판소도 독일기본법이 보장하는 인간으로서의 존엄과 가치를 가지는 인간상을 "고립된 개체로서의 개인주의적 인간상이나 국가권력의 객체로서의 인간상이 아니라 개인 대 사회라는 관계에서 인간고유의 가치를 훼손당하지 아니하면서 사회관계성과 사회구속성을 수용하는 인간상"으로 표현하고 있다.

BVerfGE 4, 7(15)

---

1) 권영성, 헌법학원론(2010년판), 법문사, 2010, 376면; 허영, 전정13판 한국헌법론, 박영사, 2017, 340면; 계희열, 신정2판 헌법(중), 박영사, 2007, 193면; 성낙인, 제19판 헌법학, 법문사, 2019, 1000면; 정종섭, 제11판 헌법학원론, 박영사, 2016, 407면.

2. 존엄과 가치

인간의 존엄과 가치가 무엇을 의미하는가에 대해서는 견해가 대립된다. 즉 인간의 존엄은 인간을 인간으로 만드는 인격 그 자체이며, 인간의 가치란 인간의 독자적 평가를 의미한다는 견해,[2] 인간의 존엄과 가치를 인간의 본질로 간주되는 존귀한 **인격주체성**을 의미한다는 견해,[3] 인간의 존엄과 가치를 인격의 내용을 이루는 윤리적 가치로 보는 견해[4] 등이 그것이다. 이처럼 존엄과 가치를 구별해서 이해하는 견해와 통일적으로 이해하는 견해로 대별된다. 외국헌법에서는 human dignity로 지칭하는 점을 들어 통일적으로 이해하는 것이 타당하다는 견해도 있지만,[5] 존엄과 가치의 어원상 차이를 고려하면 구별해서 이해하는 것이 바람직하다고 행각한다. 따라서 인간의 존엄은 인간본질인 인격 내지 인격성을 의미하고 인간의 가치는 인격에 대한 총체적 평가를 의미한다고 본다(Maunz). 헌법에 규정된 인간의 존엄과 가치는 인간은 그 자체의 목적으로 존재하며 어떠한 경우에도 타자의 수단으로 존재하지 않는다는 점과 국가는 물론 개개인이 공히 존중해야 할 최고 가치를 헌법적으로 명시하였다는 점에서 그 의의를 찾을 수 있다. 인격의 주체성은 언제나 현실적이어야 한다는 것은 아니고 **추상적 내지 잠재적인 것**이면 족하다.

Ⅲ. 인간의 존엄과 가치의 법적 성격

1. 헌법의 최고원리

인간의 존엄과 가치가 기본권보장의 대전제가 되는 이념적 기초를 의미하고 기본권 보장을 지배하고 관통하는 최고원리라는 점에는 큰 이의가 없다. 다만 인간의 존엄과 가치가 구체적 기본권인가를 두고서는 견해의 대립이 있다. 만약 인간의 존엄과 가치를 헌법의 이념적 기초이자 헌법원리로만 볼 경우는 위헌법률심판에서 위반 여부는 다투어질 수 있더라도 기본권이 아니기 때문에 헌법소원심판에서는 그 침해 여부를 다툴 수 없을 것이다.

---

2) 김철수, 학설 · 판례 헌법학(상), 박영사, 2008, 510면.
3) 권영성, 앞의 책, 377면.
4) 허영, 앞의 책, 339면.
5) 정종섭, 앞의 책, 408면.

2. 구체적 기본권성

인간의 존엄과 가치는 개인의 주관적 공권, 구체적 기본권을 부여한 것이 아니라 다른 모든 기본권의 전제가 되는 객관적인 헌법의 최고 원리를 선언한 것으로 보았던 것이 종전의 유력한 견해였다. 즉 인간의 존엄과 가치를 "모든 기본권의 이념적 전제가 되고 모든 기본권의 목적이 되는 객관적 헌법원리를 규범화한 것",[6] "기본권질서의 이념적 · 정신적 출발인 동시에 가치적 핵심으로서의 성격을 갖고 있기 때문에 우리나라 헌법질서의 바탕이며 우리 헌법질서에서 절대적이고 양보할 수 없는 최고의 가치적 Konsens"[7]로 보는 것이 그것이다. 이에 대해서 인간의 존엄과 가치는 헌법의 객관적 질서인 동시에 주관적 권리라는 이중적 성격을 인정하는 견해가 있다.[8] 즉 제10조는 인간의 존엄권이라는 주기본권을 헌법이 보장한 것으로 개별적 · 구체적 권리를 인정하고 있다고 한다. 이 견해는 구체적으로 i) 제11조 이하의 기본권들은 제10조의 주기본권으로부터 파생된 기본권으로 보며, ii) 제37조 제1항의 "국민의 자유와 권리는 헌법에 열거되지 아니한 이유로 경시되지 아니한다"는 규정은 이 주기본권을 전제로 한 것으로 해석함이 옳다고 하며, iii) 제10조의 기본권은 주기본권인 동시에 협의에 있어서 인간의 존엄과 가치를 보장하고 있다고 주장한다.

최근에는 인간의 존엄과 가치의 기본권성을 인정하는 견해가 늘고 있다.[9] 계희

6) 권영성, 앞의 책, 378면.
7) 허영, 앞의 책, 341면. 한편 허영 교수는 '인간의 존엄성' 규정의 헌법상 의의를 기본권보장의 가치지표, 기본권실현의 목적, 헌법질서의 최고 가치, 국가작용의 가치적 실천기준으로 이해하면서 '인간의 존엄성'에 관한 헌법규정이 독자적인 기본권으로서의 성질을 갖느냐를 둘러싼 국내 학자들의 논쟁은 무의미하고 불필요하다고 한다(341면, 각주1 참조).
8) 김철수, 앞의 책(상), 507면.
9) 인간의 존엄과 가치를 기본권으로 인정하지 않으면 인격이 침해될 경우 국가에 권리보호를 요구할 수 없게 된다는 점에서도 기본권성을 인정해야 한다는 견해(정재황, 제6판 신헌법입문, 박영사, 2016, 312면), 첫째, 적어도 형식적인 측면에서 볼 때 인간의 존엄과 가치에 관한 기본권도 기본권장에 규정되어 있다는 점, 둘째, 기본권을 원칙으로 이해하여 최대한의 실현이 요구되는 규범으로 보면서 이러한 최대실현의 가능성은 주관적 권리로서 인정될 때 커진다는 점을 고려할 때 인간의 존엄과 가치에 관한 기본권에 대해 주관적 권리성이 인정되어야 한다는 견해(이준일, 제7판 헌법학강의, 홍문사, 2019, 394-395면), 인간의 존엄과 가치를 실현하기 위해서는 필요하지만, 개별기본권의 명문규정으로나 해석상 인정될 수 없는 구체적 기본권을 인정하는 근거규정으로서 인간의 존엄과 가치의 기본권성을 인정하는 것이 헌법해석상 타당하다는 견해(성낙인, 앞의 책, 1005면) 등이 그것이다. 그 밖에 제10조는 인격적 생존에 불가결한 모든 것을 포함한 포괄적 권리이며, 모든 생활에 있어서 일반적 자유를 보장한다는 점에서 구체적 권리성을 인정하는 것이 타당하다는 견해(구병삭, 제2전정판 신헌법원론, 박영사, 1995, 400-401면), 헌법 제10조 인간의 존엄과 가치는 인간의 인격성 즉 인간의 정

열 교수는 인간이 그 인격성 때문에 존엄성을 갖는다고 하면 모든 인간은 인격자로서의 정체성을 주장할 권리를 갖는다는 것은 당연하다고 한다. 즉 인간의 존엄성 규정은 구체적 기본권으로서의 성격도 가진다고 본다.[10] 다만 인간의 존엄성 규정이 기본권으로서의 성격을 갖는다고 하여 이 규정이 주기본권으로서 포괄적 기본권이라고 할 수는 없다고 한다. 이유는 독일헌법과 달리 우리 헌법은 제37조 제1항이 있기 때문에 인간의 존엄성 규정을 포괄적 기본권으로 보아야 할 필요가 없다고 한다.[11]

우리의 헌법재판소는 헌법소원심판에서 제10조의 인간의 존엄과 가치의 침해 여부를 판단한 바 있는데,[12] 이 점에서 인간의 존엄과 가치의 기본권성을 인정하고 있는 것으로 판단된다.

한편 인간의 존엄과 가치 그 자체는 기본권은 아니지만, 이러한 원리에서도 기본권을 도출할 수 있다고 보는 견해에 따르면 헌법재판소가 독자적 기본권으로서 '인간의 존엄과 가치권'을 인정하는 것인지가 불분명하다고 한다.[13]

독자적인 기본권성을 가지기 위해서는 구체적인 내용을 가져야 한다는 점에서 그리고 인간의 존엄과 가치를 실현하기 위해서 많은 개별적 기본권이 규정되어 있는 현실에서 추상적인 인간의 존엄과 가치권을 인정할 실익이 있는가 하는 의문이 있을 수 있지만, 인간의 존엄과 가치의 보장의 사각지대를 막는다는 점에서 보충적으로 기본권성을 인정하는 것이 타당하다고 본다. 우리 헌법재판소는 대체로 인간의 존엄과 가치에서는 인격권이, 행복추구권에 있어서는 일반적 행동자유권, 자

체성을 보호하는 권리로서 구체적으로는 개인의 일반적 인격권과 생명권을 보장하는 주관적 공권이라는 견해(강경근, 헌법, 법문사, 2002, 364면)도 인간의 존엄과 가치의 구체적 기본권성을 인정하고 있다.

10) 계희열, 앞의 책(중), 208면.

11) 계희열, 앞의 책(중), 208－209면. 다만 제37조 제1항에는 열거되지는 않았으나 경시되어서는 안 되는 국민의 자유와 권리를 인식할 수 있는 내용적 표지가 없기 때문에 바로 인간의 존엄성규정은 헌법에 열거되지 않은 모든 '자유와 권리'를 인식하는 내용적 표지가 된다고 한다. 한편 이준일 교수는 오로지 규범적 포괄성을 의미하는 한에 있어서는 인간의 존엄과 가치에 관한 기본권은 포괄적 권리라 부를 수 있지만, 포괄성은 대체로 개념적 또는 경험적 포괄성을 의미하기 때문에 이러한 의미에서는 인간의 존엄과 가치에 관한 기본권은 포괄적 기본권으로 볼 수 없다고 한다(이준일, 앞의 책, 396면).

12) 헌재 2000. 6. 1. 98헌마216; 헌재 2004. 10. 28. 2002헌마328.

13) 정종섭, 앞의 책, 402－403면. 전광석 교수는 인간의 존엄과 가치는 헌법의 최고원리이며 헌법질서의 구조적 원리이고 기본권질서의 이념적 출발점이기 때문에 자유권적 기본권뿐 아니라 사회적 기본권을 지도하는 이념으로 보면서, 생명권과 인격권을 인간의 존엄과 가치에서 도출되는 구체적 기본권으로 보고 있다(전광석, 한국헌법론(제7판), 집현재, 2011, 247면). 알 권리도 인간의 존엄과 가치에서 도출되는 기본권으로 보면서도 알 권리의 헌법적 근거의 논란상 표현의 자유에서 설명하고 있다.

기결정권이 도출된다고 판시하고 있다. 사죄광고의 위헌성과 관련하여 헌법재판소는 " …… 사죄광고 과정에서는 자연인이든 법인이든 인격의 자유로운 발현을 위해 보호받아야 할 인격권이 무시되고 국가에 의한 인격의 외형적 변형이 초래되어 인격형성에 분열이 필연적으로 수반되게 된다. 이러한 의미에서 사죄광고제도는 헌법에서 보장된 인격의 존엄과 가치 및 그를 바탕으로 하는 인격권에 큰 위해도 된다고 볼 것이다"라고 판시한 바 있고,[14] 간통죄와 관련해서는 "헌법 제10조는 '모든 국민은 인간으로서의 존엄과 가치를 가지며, 행복을 추구할 권리를 가진다. 국가는 개인이 가지는 불가침의 기본적 인권을 확인하고 이를 보장할 의무를 진다'라고 규정하여 모든 기본권 보장의 종국적 목적(기본이념)이라 할 수 있는 인간의 본질이며 고유한 가치인 개인의 인격권과 행복추구권을 보장하고 있다. 그리고 개인의 인격권·행복추구권에는 개인의 자기운명결정권이 전제되는 것이고, 이 자기운명결정권에는 성행위 여부 및 그 상대방을 결정할 수 있는 성적자기결정권이 또한 포함되어 있으며 간통죄의 규정이 개인의 성적자기결정권을 제한하는 것임은 틀림없다"고 판시하고 있다.[15] 한편 태아의 성별을 알 권리는 부모의 일반적 인격권에서 나오는 것이고 이를 임신중절불가능 기간에도 고지 받지 못하게 하는 것은 일반적 인격권 침해로 의료법 제19조의2 제2항은 헌법에 합치되지 않는다고 판시하고 있다.[16]

3. 근본규범성

인간의 존엄과 가치는 우리 헌법질서의 최고·궁극의 객관적 가치지표로서 모든 국법질서의 정당성 판단기준이 되고 헌법(특히 기본권)의 해석기준이 되며, 헌법개정의 한계를 이룬다.[17]

헌법재판소는 유치장내 화장실설치 및 관리행위 위헌확인사건에서 헌법 제10조의 인간의 존엄과 가치규정은 "모든 기본권의 종국적 목적이자 기본이념이라 할 수 있는 인간의 존엄과 가치를 규정하고 있는바, 이는 인간의 본질적이고도 고유한 가치로서 모든 경우에 최대한 존중되어야 한다"고 전제하면서, 유치기간 동안 차폐시설이 불충분한 구조의 화장실을 사용하도록 강제하는 행위는 "인간으로서의 기본적 품위를 유지할 수 없도록 하는 것으로서, 수인하기 어려운 정도라고 보여

14) 헌재 1991. 4. 1. 89헌마160.
15) 헌재 1990. 9. 10. 89헌마82.
16) 헌재 2008. 7. 31. 2004헌마1010.
17) 권영성, 앞의 책, 379면; 김철수, 앞의 책(상), 503-504면; 성낙인, 앞의 책, 1001면.

지므로 전체적으로 볼 때 비인도적 · 굴욕적일 뿐만 아니라 동시에 비록 건강을 침해할 정도는 아니라고 할지라도 헌법 제10조의 인간의 존엄과 가치로부터 유래하는 인격권을 침해하는 정도에 이르렀다고 판단된다"고 판시하고 있다.[18)]

4. 전국가적 자연권성

인간의 존엄과 가치는 인간 본질의 전국가적 자연법원리의 규범화로서 기본권의 이념적 기초이다. 논리적으로는 인간의 존엄과 가치를 구체적 기본권으로 인정할 때만, 자연권의 인정 여부의 문제가 제기된다. 인간의 존엄과 가치의 기본권성을 인정한다면, 인간의 존엄과 가치는 초국가적인 자연권성을 인정할 수밖에 없다. 제10조 후단의 "국가는 개인이 가지는 불가침의 기본적 인권을 확인하고 이를 보장할 의무를 진다"는 규정도 기본권의 자연권성을 확인해주는 규정으로 해석하여야 한다.

다만 인간의 존엄과 가치의 기본권성을 부인하는(행복추구권의 기본권성은 인정) 견해 중에도 간접적(제2차적)으로는 대국가적 방어권(존엄권)의 성격을 지닌다고 보기도 한다.[19)] 즉 국가가 인간으로서의 존엄과 가치를 침해하는 행위를 하는 경우에는 제10조 1문 전단을 근거로 그 침해행위의 위헌 · 무효와 더불어 침해행위의 배제를 청구할 수 있음은 물론이고 그로 말미암아 피해를 입은 경우에는 국가에 대하여 손해배상을 청구할 수 있다고 한다.

5. 반전체주의성

인간의 존엄과 가치는 나치즘과 군국주의의 만행에 대한 교훈으로 인간이 국가전체의 이익을 위해 희생되어야 한다는 전체주의를 단호히 배격하는 의미를 가진다.

Ⅳ. 인간의 존엄과 가치의 주체

1. 자연인

인간의 존엄권은 **육체 · 심령 · 정신의 총합체**(Leib-Seele-Geist-Einheit)인 자연인만이 가질 수 있다. 모든 인간의 권리로서 외국인과 무국적자를 포함한다. 자연

---

18) 헌재 2001. 7. 19. 2000헌마546.
19) 권영성, 앞의 책, 379-380면.

인인 한 신체적·정신적 상태와 상관없이 인정된다. 법인이나 권리능력 없는 사단이나 재단은 성질상 부인된다. 이 점에서 법인에게 인격권을 인정한 사죄광고판결을 비판하는 견해도 있다.[20)]

2. 사자(死者)

인간의 존엄과 가치는 인격성과 연결되기 때문에 우선 생자(生者)가 주체가 됨이 원칙이다.[21)] 그렇다고 사자(死者)에게는 인격권이 전혀 인정되지 않는다는 것도 인정하기 어렵다. 학설상으로는 사자에게는 원칙적으로는 인간의 존엄을 인정할 수 없지만, 예외적으로 가족관계 등에서 인정된다는 견해[22)]와 인간인 이상 살아있는 인간의 존재는 물론이고 사망한 인간 존재에게도 인정된다는 견해의 대립[23)]이 있다. 사자에게 인간의 존엄권의 주체성을 인정하는 견해도 살아있는 인간과 달리 존엄과 가치가 보호되는 범위가 한정된다고 보기 때문에[24)] 큰 차이는 없지만, 사자의 인격권을 충실하게 보장한다는 관점에서 후자의 입장이 타당하다고 생각한다. 사자는 인격성이 없다는 점에서 존엄권의 주체가 될 수 있는가에 대해서는 논란이 되지만, 존엄을 보호해야 할 국가의 의무는 사후에도 존재한다. 이러한 점에서 인간의 존엄성은 사후에도 어느 정도 작용한다. 예를 들어 장례, 망자의 안식, 유언 등에 관한 규정이 그 예이다. 따라서 원칙적으로 사자도 존엄권의 주체성이 인정되지만, 생자에 비하여 보호범위가 한정될 뿐이라고 보는 것이 타당하다고 생각한다.[25)] 독일 연방헌법재판소는 인간은 인격자이기 때문에 존엄성이 부여되는데, 만약 사후에는 이 보편적 존중요구권이 경시되고 비하된다면 이는 모든 기본권의 기초가 되는 헌법적으로 보장된 인간존엄성의 불가침원칙에 반한다는 것이다.[26)]

---

20) 정종섭, 앞의 책, 413면.

21) 민법에서는 시체를 물건으로 다루는 입장이다. 즉 특수한 소유권 내지는 관습법상의 관리권의 대상으로 하고 있다.

22) 권영성, 앞의 책, 380면. 시체를 산업적으로 이용하는 경우에 예외적으로 주체성을 인정하고 있다. 한편 김철수 교수는 사자의 경우에는 가족관계와 관련하여 제한적으로 인정하는 견해를 취하면서도, 시체를 산업용으로 이용하는 경우에 예외적으로 인정하는 견해는 사자의 육신만을 생각한 것이고 사자의 인격권을 무시한 이론이라고 비판하면서 사자에게도 저작권 등이 인정되고 있는 것을 볼 때, 사자에게도 생존시에 이루어 놓은 명예·인격권 등을 인정해야 할 것이라고 한다(김철수, 앞의 책(상), 512－513면).

23) 정종섭, 앞의 책, 412－413면.

24) 정종섭, 위의 책, 413면.

25) 사자(死者)의 경우 인간의 존엄과 가치가 인정되는 범위의 결정에는 해당 공동체의 문화가 큰 영향을 미친다(정종섭, 위의 책, 413면).

26) BVerfGE 30, 173(194). 이와 관련하여 이는 사자의 존엄권이 아니라 사자에 대한 추억과 관

따라서 존엄권은 사후에도 일정기간 인정되어야 한다는 입장이다.

헌법재판소는 '일제강점하 반민족행위 진상규명에 관한 특별법'의 규정이 조사대상자인 **사자(死者)의 사회적 평가**와 아울러 **유족(후손)의 인격권**을 제한하는 것이라 보면서도 이러한 제한이 과잉금지원칙에 위배되지 않는다고 판시한 바 있다.[27]

3. 태아 및 배아

아직 출생하지 않는 태아의 인간의 존엄성 인정에 관해서는 견해의 대립이 있다. 태아의 인간존엄권의 주체성을 긍정하는 입장에서는 태아도 인간으로서의 실체를 이미 가지고 있고 또 생성과정에 있는 인간이기 때문이라는 견해,[28] 존엄권의 향유능력이 이 권리를 사실적으로 행사할 자율적 능력을 꼭 전제로 하지 않기 때문이라는 견해[29] 등이 제시되고 있다. 태아는 생명권의 주체성은 인정할 수 있으나 인간의 존엄권의 주체성은 부정하는 견해도 있다.[30]

헌법상 **생명의 시기**가 언제부터냐가 특히 문제된다. 오늘날 의학의 발전으로 인하여 인간의 존엄성은 특히 인공수정이나 수정란의 조작 등과 관련하여 생명이 형성되기 전 단계에서부터 보호될 것이 요청된다. 자궁에 착상하기 이전의 수정란에 대한 조작행위나 침해행위에 대해서는 종래 내부지침에 의하여 운영되는 실정이었으나, 특별법의 제정을 통하여 일정한 기준과 금지행위를 명문화할 필요가 있다는 지적이 있었고, 현재 '생명윤리 및 안전에 관한 법률'에 일부 규율이 있다.

헌법재판소는 **아직 모체에 착상되거나 원시선이 나타나지 않은** 초기배아에 대하여 기본권주체성을 부정한 바 있다.[31]

련한 유족의 일반적 인격권이 침해되었다고 보는 견해도 있다(계희열, 앞의 책(중), 211면).

27) 헌재 2010. 10. 28. 2007헌가23; 헌재 2011. 3. 31. 2008헌바111; 헌재 2011. 11. 24. 2009헌바292.

28) 권영성, 앞의 책, 380면.

29) 계희열, 앞의 책, 210면.

30) 김학성 · 최희수, 전정 4판[2020년판], 피앤씨미디어, 2020, 405면.

31) 헌재 2010. 5. 27. 2005헌마346.

V. 인간의 존엄과 가치의 내용 (실현수단)[32]

1. 적극적 내용

인간의 존엄과 가치의 실현을 위한 자유와 권리를 적극적으로 보장하는 것이다. 이러한 권리의 보장은 헌법에 규정된 권리(제10조-제36조)의 보장은 물론, 헌법에 명시적 규정이 없는 권리(제37조 제1항 참조), 예를 들어 생명권, 일반적 행동의 자유, 평화적 생존권, 휴식권, 일조권 등도 포함한다.

한편 헌법 자체에 명시적으로 인간의 존엄성을 보장하도록 명령하고 있는 사항이 규정되어 있는데, '근로조건의 기준으로서의 인간의 존엄성 보장'(제32조 제1항), '혼인과 가족생활에서의 개인의 존엄성 보장'(제36조 제1항) 등이 그것이다.

2. 소극적 내용

인간의 존엄과 가치의 침해는 자유와 권리의 침해로서 금지된다. 특히 인간을 인격적인 존재로 보지 않고 물적 취급을 하는 행위는 금지된다. 예를 들어 노예제도, 인신매매, 집단학살, 고문, 인간실험, 입양아의 상업적 중개행위, 강제단종, 사회적으로 무가치한 생명의 훼멸 등은 금지된다. 그 밖에 문제되는 것으로는 사형제도, 안락사, 인간복제,[33] 거짓말탐지기 및 최면술 및 마취분석 등이 문제된다. 인간의 정신적·영적 정체성과 완전성이 존중되지 않을 때 존엄성이 침해된다고 볼 때 당사자의 동의 없는 거짓말탐지기의 사용,[34] 최면술의 적용은 금지된다. 마

---

32) 참고로 인간의 존엄과 가치·행복추구권의 기본권성을 인정하는 견해(김철수)는 광의의 인간의 존엄과 가치·행복추구권은 주기본권으로서 국민의 기본적 인권의 전반을 지칭하는 것으로 평등권, 자유권, 생존권, 청구권, 참정권 같은 개별적 기본권으로 분화된다고 보며, 협의의 인간의 존엄과 가치·행복추구권의 내용으로는 생명권, 행복추구권(일반적 행동의 자유권, 신체의 불훼손권, 평화적 생존권 등), 알 권리·읽을 권리·들을 권리, 일반적 인격권(명예권, 성명권, 초상권) 등을 든다.

33) 인간의 정체성을 부정하는 행위일 뿐만 아니라, 한 개체로서의 고유한 존엄과 가치를 부정하는 것으로 부정되어야 한다.

34) 거짓말 탐지기의 증거능력과 관련하여 인간의 인격권을 침해하는 것이므로 피검자의 동의가 있었는가를 불문하고 위법한 것으로 증거능력을 부인해야 한다는 견해도 있으나, 대법원은 피의자의 승낙과 함께 엄격한 요건 하에서 증거능력을 인정하고 있다. 즉 "기계의 성능, 피검자의 정신상태, 질문방법, 검사자 및 판정자의 지식·경험, 검사장소의 상황 등의 제반사정에 비추어 검사결과의 정확성이 보증되고 피검사자의 동의가 있는 경우에 한하여 증거능력이 인정된다"고 하면서, 이러한 조건이 갖추어진 상태에서 검사가 시행되었다고 볼 자료가 없는 검사결과의 증거능력은 부정된다고 판시하였다(대판 1979. 5. 22. 79도547).

취분석은 인간의 의사지배능력을 배제하고 인간의 가치를 부정하는 위법한 수사방법으로 동의 여하를 불문하고 증거능력이 배제된다. 학자에 따라서는 교도소시설의 열악성(과밀수용)은 수형자의 인간의 존엄성을 침해하는 것이며,[35] 필요한 최소한의 수입(收入)에 과세하는 것도 인간의 존엄성을 침해하는 것으로 보고 있다.

3. 인격권

(1) 인격권의 개념

인격권이란 권리의 주체인 자신과 분리할 수 없는 인격적 이익의 향유를 내용으로 하는 권리를 말한다. 인격이란 사람의 품격으로 인간에서 비교적 일관되게 나타나는 성격 및 경향과 그에 따른 독자적인 행동경향을 나타낸다. 인격권은 이러한 품격, 자아, 정체성, 명예 등이 존중받을 권리를 말한다.[36] 종래 인격권은 권리의 주체와 분리할 수 없는 인격적 이익을 내용으로 하는 권리, 즉 생명, 신체, 자유, 정조, 성명 등을 목적으로 하는 사권(私權)으로, 명예, 프라이버시권, 초상권 등 개인의 인격과 밀접한 관련이 있는 권리를 포괄하는 의미로 사용되고 있었다. 이러한 사권의 의미를 넘어 인격권을 기본권으로 인정할 것인가에 대해서는 사생활의 비밀과 자유를 포괄적으로 규율하고 있는 우리 헌법에서는 인격권을 별도로 인정할 필요가 없다는 견해도 있으나, 학설과 판례는 인격권을 기본권으로 인정하고 있다.

(2) 인격권의 헌법적 근거

헌법에 인격권에 관한 명문규정이 없는 관계로 견해의 대립이 있다. 제10조에서 찾는 견해, 제10조, 제17조, 제37조 제1항 등에서 찾는 견해, 제10조와 제37조 제1항에서 찾는 견해 등이 그것이다. 헌법재판소는 제10조로부터 일반적 인격권이 도출되는 것으로 파악하고 있으며,[37] 제10조에서 도출되는 인격권에는 인격의 형성 · 유지 · 표현권 등이 포함되어 있고, 인격권으로 거론되는 것으로는 명예권, 초상권, 성명권, 음성권 등을 들고 있다.[38] (일반적) 인격권의 근거는 헌법재판소의 주된 판례와 같이 제10조 인간의 존엄과 가치에서 찾는 것이 타당하다고 생각한

35) 헌법재판소도 구치소 내 과밀수용행위가 수형자인 청구인의 인간의 존엄과 가치를 침해한다고 판시하였다(헌재 2016. 12. 29. 2013헌마142).
36) 정재황, 앞의 책, 316-317면.
37) 헌재 1990. 9. 10. 89헌마82; 헌재 2003. 6. 26. 2002헌가14.
38) 헌재 2008. 7. 31. 2004헌마1010, 2005헌바90(병합).

다.[39)]

(3) 인격권의 주체

원칙적으로 자연인이 인격권의 주체가 되지만, 법인도 명예권, 상호권 등의 주체가 된다. 헌법재판소는 "사죄광고과정에서는 자연인이든 법인이든 인격의 자유로운 발현을 보장받아야 할 인격권이 무시되고"라고 하여 법인의 인격권주체성을 인정하고 있다.[40)]

(4) 인격권의 내용

인격권의 내용을 일반적 인격권과 개별적 인격권으로 구분하기도 하는데, 일반적 인격권과 개별적 인격권의 이해에는 견해의 대립이 있다. 즉 주관적 공권으로서의 인간의 존엄과 가치는 일반적 인격권으로 이해하면서, 일반적 인격권은 인격에 대하여 소극적으로 침해받지 않을 권리와 적극적으로 보호받을 권리를 포함하며 일반적 인격권의 내용으로서는 명예권, 성명권, 초상권 등이 있다고 보는 견해가 있는가 하면,[41)] 인격권을 포괄적인 일반적 인격권과 개별적 인격권으로 나누어 이해하면서 개별적 인격권의 예로 ⅰ) 명예권, ⅱ) 정체성보호를 위한 인격권으로서의 성명권, 초상권, ⅲ) 가정생활에서의 자녀와 부모의 인격권, ⅳ) 사회생활에서의 인격권, ⅴ) 교육영역에서의 아동과 학생의 인격권, ⅵ) 형사절차, 강제절차에서의 인격권(특히 침해)을 드는 견해[42)]가 있다. 또한 일반적 인격권은 포괄적 성

---

39) 인간의 존엄과 가치의 기본권성을 인정한다면 인격권을 인간의 존엄과 가치에서 찾는 견해가 타당하다고 생각한다(성낙인, 앞의 책, 1007-1008면). 정종섭 교수는 일반적 인격권을 인간의 존엄과 가치에서 도출되는 권리로 보고 있다(정종섭, 앞의 책, 427면). 그러나 많은 학자들은 일반적 인격권을 행복추구권의 내용으로 설명하고 있다. 예를 들어 계희열 교수는 행복추구권을 인격의 자유발현권으로 보면서 인간의 존엄과 가치의 보장이 인격의 매우 좁은 영역과 관련하여서만 인격권을 인정할 수 있는데 반해 인격의 자유로운 발현을 위한 보다 넓은 영역은 독자적인 기본권으로 구성되는 행복추구권의 보호아래 놓이게 된다고 한다. 그리고 일반적 인격권의 구체적인 내용은 자기결정, 자기유지, 자기표현에 대한 권리로 나타난다고 한다(계희열, 앞의 책(중), 217-221면). 홍성방 교수도 인격권과 인격발현권(판례에 따르면 일반적 행동자유권과 자기결정권, 일부 학설에 따르면 비정형적이고 광범한 자유행동권을 말하는 일반적 행동자유권)은 행복추구권의 내용으로 보고 있다(홍성방, 헌법학(중), 박영사, 2010, 41면). 김학성 · 최희수 교수도 일반적 인격권과 일반적 행동의 자유를 행복추구권의 내용으로 설명하고 있다(김학성 · 최희수, 앞의 책, 417면 이하). 그 밖에 이준일, 앞의 책, 404면도 참조. 필자는 인격권은 인간의 존엄과 가치의 내용으로 일반적 행동의 자유와 자기결정권은 행복추구권의 내용으로 고찰하고자 한다.

40) 헌재 1991. 4. 1. 89헌마160.

41) 성낙인, 앞의 책, 1008면 이하.

격을 지니며, 헌법이 보장하고 있는 개별적 인격권으로는 주거의 자유(제16조), 사생활의 비밀과 자유(제17조), 통신의 자유(제18조)를 들며, 일반적 인격권은 이들 개별적 기본권에 대하여 보충적으로 적용된다고 한다.[43] 정리하자면, 헌법에서 명시적으로 규정한 사생활 보호 영역에서 인격권보호(주거의 자유, 사생활의 비밀과 자유, 통신의 비밀)를 개별적 인격권으로 보고 헌법에 명시되지 아니한 인격권을 일반적 인격권으로 보는 견해와 헌법에 열거되지 아니한 성명권, 명예권, 초상권 등을 개별적 인격권으로 이해하는 견해의 대립이 있는 것이다. 생각건대 인간의 존엄과 가치 · 행복추구권과 관련하여 논의되는 인격권은 일반적 인격권으로 보는 것이 타당하다고 생각된다. 일반적 인격권을 인격형성권, 인격유지권, 인격표현권으로 나누는 견해도 있지만,[44] 일반적 인격권은 인격유지권에 핵심이 있다고 보며, 여기서는 명예권, 성명권, 초상권, 음성권을 일반적 인격권의 내용으로 다루고자 한다.[45]

① 명예권(名譽權)

인격권의 하나로 개인의 명예를 위한 권리를 이르며, 이것을 해치는 행위는 명예훼손이다. 헌법재판소는 '민주화운동 관련자 명예회복 및 보상 등에 관한 법률' 제2조 제1호 등 위헌확인사건[46]에서 "이 사건 결정으로 인하여 침해될 수 있는 청

---

42) 정재황, 앞의 책, 317－318면.

43) 김학성 · 최희수, 앞의 책, 420면 이하. 한수웅 교수도 일반적 인격권은 헌법에 규정된 개별적 인격권에 대하여 보충적으로 적용되는 기본권으로 보고 있다. 즉 우리 헌법은 일반적 인격권의 보호범위 중에서 '사생활의 보호'에 관한 부분은 사생활 영역을 보호하는 개별적 기본권인 주거의 자유(제16조), 사생활의 비밀과 자유(제17조), 통신의 비밀(제18조)을 통하여 직접 구체적으로 규범화하였는데, '사생활의 보호'에 관한 한, 일반적 인격권이 아니라 그에 대하여 일반 · 특별관계에 있는 개별기본권이 적용되어야 한다고 한다. 그러나 이러한 개별기본권들은 인격발현의 모든 요소를 포괄하는 것이 아니라 '사생활 보호'라는 부분적인 측면만을 보호하는 것이므로 인격권의 포괄적인 보호, 특히 사회적 영역에서 인격발현의 기본조건의 보호('사회적 인격상에 관한 자기결정권')는 헌법에 명시적으로 규정되지 아니한 인격권을 보장하는 일반적 인격권에 의하여 이루어진다고 한다(한수웅, 제9판 헌법학, 법문사, 2019, 560면).

44) 김철수, 앞의 책(상), 523－535면. 김 교수는 인격형성권으로 알 권리, 정보공개청구권, 학습권 등을, 인격유지권으로 존엄권, 명예권, 성명권, 초상권 등을 예로 들고 있다. 그러나 알 권리, 정보공개청구권, 인격표현권 등은 언론의 자유(표현의 자유)에서, 학습권은 교육을 받을 권리와 관련하여 다루는 것이 타당하다고 생각한다.

45) 헌법재판소는 "배아생성자는 배아에 대해 자신의 유전자정보가 담긴 신체의 일부를 제공하고, 또 배아가 모체에 성공적으로 착상하여 인간으로 출생할 경우 생물학적 부모로서의 지위를 갖게 되므로, 배아의 관리 또는 처분에 대한 결정권을 가진다. 이러한 배아생성자의 배아에 대한 결정권은 헌법상 명문으로 규정되어 있지는 아니하지만, 헌법 제10조로부터 도출되는 일반적 인격권의 한 유형으로서의 헌법상 권리라 할 것이다"고 판시하고 있다(헌재 2010. 5. 27. 2005헌마346).

46) 이 사건은 민주화운동관련자명예회복및보상심의위원회가 '○○대 사건'에서 유죄판결을 받은

구인들의 기본권으로는 일반적 인격권을 상정할 수 있다. 헌법 제10조로부터 도출되는 일반적 인격권에는 개인의 명예에 관한 권리도 포함될 수 있으나(헌재 1999. 6. 24. 97헌마265), 여기서 말하는 '명예'는 사람이나 그 인격에 대한 '사회적 평가', 즉 객관적·외부적 가치평가를 말하는 것이지 단순히 주관적·내면적인 명예감정은 포함하지 않는다고 보아야 한다"고 결정한 바 있다.[47]

② 성명권(姓名權)

종래 성명권은 자기의 성명(姓名)을 사용하는 것을 내용으로 하는 사권(私權)으로 이해되는 경우가 많았지만, 오늘날은 일반적 인격권의 하나인 기본권으로도 인정되고 있다. 사회적 존재로서 인간의 모든 생활관계는 개인의 동일성을 인식하고 특정하는 것에서부터 시작된다. 개인의 동일성을 식별하는 가장 기본적인 기호로 흔히 성명(姓名)이 사용된다. 헌법재판소는 "성명은 개인의 정체성과 개별성을 나타내는 인격의 상징으로서 개인이 사회 속에서 자신의 생활영역을 형성하고 발현하는 기초가 되는 것이라 할 것이므로 자유로운 성의 사용 역시 헌법상 인격권으로부터 보호된다고 할 수 있다"고 판시하고 있다.[48]

권리자의 성명권 사용을 방해하는 자나 부당하게 권리자의 성명을 사용하는 자에 대하여 권리자는 방해배제청구권(妨害排除請求權) 및 손해배상청구권(損害賠償請求權)을 가진다. 저작자나 예술가 등이 필명(筆名) 기타 가명(假名)을 사용하는 경우에도 성명과 같이 법적 보호를 받는다. 또 타인의 성명(姓名)을 당사자의 동의 없이 무단히 상표로 사용할 수 없다(상표법 제7조 제1항 제6호).

헌법재판소는 지방선거에서 통일된 기호를 부여받는 정당이 같은 선거구에 2인 이상의 후보자를 추천하는 경우 후보자 성명의 가나다순 기준으로 기호를 배정하도록 하는 공직선거법 제150조 제5항 후문이 인격권의 일종인 성명권 등을 침해한다는 주장에 대해 "이 사건 조항은 후보자성명의 가나다순에 따라 기호배정을 하고 있는 것일 뿐 후보자의 성명을 간섭하거나 박탈하는 내용이 아니어서 성명권과는 직접 관련이 없다 할 것이므로, 성명권을 제한하는 것이라고 볼 수도 없다"

윤○호 외 45인을 2002. 4. 27. 민주화운동관련자명예회복및보상등에관한법률 제2조 제2호 소정의 민주화운동관련자로 결정하자, ○○대 사건에서 사망한 경찰관들의 가족인 청구인들이 2002. 4. 27. 자 결정 및 그 결정의 근거가 되는 민주화운동관련자명예회복및보상등에관한법률 제2조 제1호·제2호 라목, 제4조 제1항, 제2항 제1호·제3호, 제7조가 헌법상 보장된 자신들의 행복추구권 등을 침해하는 것이라며 헌법소원심판을 청구한 것이다.

47) 헌재 2005. 10. 27. 2002헌마425.

48) 헌재 2005. 12. 22. 2003헌가5·6(병합).

고 판시하였다.[49)]

부성주의(父性主義)의 위헌성 여부[50)]

1. 헌법불합치 의견(다수의견)

헌법불합치의견에는 일치하지만, (1) 부성주의 자체는 위헌이 아니나 예외를 인정하지 않는 것이 위헌이라는 의견과 (2) 부성주의 자체가 위헌이라는 의견으로 나뉜다.

(1) 재판관 윤영철, 재판관 김효종, 재판관 김경일, 재판관 주선회, 재판관 이공현의 의견

이 사건 법률조항의 위헌성은 부성주의의 원칙을 규정한 것 자체에 있는 것이 아니라 부의 성을 사용할 것을 강제하는 것이 부당한 것으로 판단되는 경우에 대해서까지 아무런 예외를 규정하지 않고 있는 것에 있다 할 것이다. 그런데 이 사건 법률조항에 대하여 위헌을 선고할 경우 부성주의원칙 자체에 대해서까지 위헌으로 선언하는 결과를 초래하게 되므로 헌법불합치결정을 선고하되 이 사건 법률조항에 대한 개선 입법이 있을 때까지 이 사건 법률조항의 효력을 유지시키기로 하는바, 이 사건 법률조항에 대한 개정 법률이 이미 공포되어 2008. 1. 1. 그 시행이 예정되어 있으므로 2007. 12. 31.까지 이 사건 법률조항의 잠정적인 적용을 명함이 상당하다.

(2) 재판관 송인준, 재판관 전효숙의 의견

이 사건 법률조항은 혼인과 가족생활에 있어 개인의 성을 어떻게 결정하고 사용할 것인지에 대해 개인과 가족의 구체적인 상황이나 의사를 전혀 고려하지 않고 국가가 일방적으로 부성의 사용을 강제하면서도 그와 같은 부성 사용의 강제에 대한 구체적인 이익을 찾을 수 없어 혼인과 가족생활에 있어서의 개인의 존엄을 보장하고 있는 헌법 제36조 제1항에 위반된다. …… 이 사건 법률조항은 개인의 성을 정하고 사용하는 원칙을 규정한 조항인바, 만약 헌법재판소가 이 사건 법률조항에 대해 위헌결정을 선고한다면 헌법재판소가 결정을 선고한 때부터 이 사건 법률조항은 그 효력을 상실하게 되어 성의 결정과 사용에 대해 아무런 기준이 없어지게 되는

49) 헌재 2007. 10. 4. 2006헌마364 등. 현재는 지역구자치구 · 시 · 군의원선거에서 정당이 같은 선거구에 2명 이상의 후보자를 추천한 경우 그 정당이 추천한 후보자 사이의 투표용지 게재순위는 해당 정당이 정한 순위에 따르되, 정당이 정하지 아니한 경우에는 관할선거구선거관리위원회에서 추첨하여 결정한다. 이 경우 그 게재순위는 "1－가, 1－나, 1－다" 등으로 표시한다(공직선거법 제150조 제7항).

50) 민법 제781조 제1항 본문 중 "자(子)는 부(父)의 성(姓)과 본(本)을 따르고" 부분이 헌법에 위반되는지 여부가 다투어진 사건으로 심판대상 법률조항에 대해 헌법불합치를 선고하면서 그 법률조항의 잠정적용을 명하였으나 헌법불합치 주문에 대한 이유에 있어 재판관들의 의견이 상이했던 사건이다.

법적 공백과 혼란이 예상된다. 따라서 이 사건 법률조항이 개정되어 시행되기 전까지는 이 사건 법률조항의 효력을 유지시켜 잠정적인 적용을 허용하는 내용의 헌법불합치결정을 선고함이 상당한바, 이 사건 법률조항에 대한 개정 법률이 공포되어 2008. 1. 1. 그 시행이 예정되어 있으므로 2007. 12. 31.까지만 이 사건 법률조항의 잠정적인 적용을 명함이 상당하다.

2. 재판관 권성의 반대의견

가족제도 중에도 부성주의는 헌법에 선행하는 문화이다. 기존의 문화 내지 제도가 후행의 헌법적 가치에 어긋난다는 의심을 받는 경우에는 기존의 문화가 가지는 합리성을 확인하고 그 합리성과 헌법적 가치 사이의 간극의 크기를 측정한 후, 그 간극의 크기가 더 이상 용납하기 어려운 경우에 그 간극을 해소하는 기술의 합리성을 확인하며, 그 다음으로 시기의 적합성을 판단하여야 한다. 부성주의는 출산과 수유라는 사실로 인해 외관상 확인가능한 모와의 혈통관계에 비해 본질적으로 불확실한 부와의 혈통관계를 대외적으로 공시하고 부와 자녀간의 일체감과 유대감을 강화하여 가족의 존속과 통합을 보장한다. 기호체계에 불과한 성이 여성의 실체적인 법적 지위나 법률관계에 영향을 미친다고는 볼 수 없으며, 부성의 사용으로 인해 재혼이나 입양 등의 경우에 있어서 개인이 받는 불이익은 재혼이나 입양에 대한 사회적 편견 내지 사시(斜視)가 그 원인이지 부성주의가 그 원인은 아니다. 자유와 평등의 잣대만으로 우리 사회에서 여전히 유효하게 존속하면서 그 가치를 인정받고 있는 생활양식이자 문화추상적인 현상인 부성주의의 합헌성을 부정하는 것은 시기상조(時機尙早)의 부적절한 일이다.

헌재 2005. 12. 22. 2003헌가5 · 6(병합)

③ 초상권(肖像權)

사람은 누구나 자신의 얼굴 기타 사회통념상 특정인임을 식별할 수 있는 신체적 특징에 관하여 함부로 촬영 또는 그림으로 묘사되거나 공표되지 아니하며 영리적으로 이용당하지 않을 권리를 가지는데, 이를 초상권이라 한다. 초상권을 **자신의 형상**(eigene Bild)**에 관한 권리**라고도 한다.[51] 대법원은 이러한 초상권을 우리 헌법 제10조 1문에 의하여 헌법적으로 보장되는 권리라는 점을 분명히 하고 있다.[52] 당사자의 동의 없이 신문 · 잡지 · 영화 · TV 등에서 초상사진을 게재하는 것은 초상권의 침해가 된다. 다만 정당한 이유가 있는 경우에는 초상의 공개도 허용될 수 있으며 역사적 인물의 경우 초상은 국민의 알 권리를 충족시키기 위하여 공표하는 것은 허용된다.[53]

51) 김철수, 앞의 책(상), 524-525면.
52) 대판 2006. 10. 13. 2004다16280.

④ 음성권(音聲權)

음성권이란 한마디로 말해서 자신의 목소리에 대한 권리라고 할 수 있다. 자기 음성, 발언, 대화의 녹음된 것 등에 관한 권리로, **자신의 말**(eigene Worte)**에 관한 권리**라고도 한다.[54)]

제3자가 동의를 받지 아니하고 타인의 음성을 비밀로 녹음하거나 이를 언론매체에 공개하는 행위, 언론사 등이 타인의 음성을 동의를 받지 아니하고 매스미디어를 통해 내보내는 행위 등은 모두 음성권의 침해가 될 수 있다. 하급심판례는 언론사소속 기자가 음주운전단속에 관한 보도를 하면서 평범한 시민에 불과한 원고의 촬영거부의사를 무시하고 원고를 아는 주위사람들이 충분히 원고를 알 수 있는 원고의 모습과 음성 및 행동을 촬영하여 방영한 것은 원고의 인격권(초상권과 음성권)을 침해하여 명예를 훼손하는 불법행위가 된다고 판시한 바 있다.[55)] 통신비밀보호법도 누구든지 이 법과 형사소송법 또는 군사법원법의 규정에 의하지 아니하고는 우편물의 검열 · 전기통신의 감청 또는 통신사실확인자료의 제공을 하거나 공개되지 아니한 타인간의 대화를 녹음 또는 청취하지 못한다고 규정하고 있다(동법 제3조 제1항). 다만 당사자의 동의나 공적인 관심사에 대하여 중대한 공익상의 필요에 의하여 부득이 하게 이루어진 때에는 위법성이 조각된다.

(5) 인격권 관련 주요 헌법재판소 판례

① 형사절차, 강제절차에서의 인격권 침해 여부

> **신체과잉수색행위(위헌)**
>
> "청구인들이 성남 남부경찰서 유치장에 수용되는 과정에서 흉기 등 위험물 및 반입금지물품의 소지 · 은닉 여부를 확인하기 위하여 경찰관에게 등을 보인 채 돌아서서 상의를 속옷과 함께 겨드랑이까지 올리고 하의를 속옷과 함께 무릎까지 내린 상태에서 3회에 걸쳐 앉았다 일어서게 하는 방법으로 실시한 피청구인의 청구인들에 대한 이 사건 신체수색은 그 수단과 방법에 있어서 필요한 최소한도의 범위를 벗어나 청구인들에게 수인하기 어려울 정도의 모욕감과 수치심을 안겨준 행위로서 헌법 제10조 및 제12조에 의하여 보장되는 청구인들의 인격권 및 신체의 자유를 침해한 것이어서 마땅히 취소되어야 할 것이다. 다만 위 권력적 사실행위는 이미 종료되었

53) 김철수, 앞의 책(상), 525면.
54) 김철수, 앞의 책(상), 525면.
55) 서울지판 1999. 10. 22. 99나49001.

으므로 동일 또는 유사한 기본권 침해의 반복을 방지하기 위하여 선언적 의미에서 그에 대한 위헌확인을 하기로 하여 주문과 같이 결정한다. 이 결정은 관여재판관 전원의 일치된 의견에 의한 것이다.”

헌재 2002. 7. 18. 2000헌마327

유치장의 불충분한 차폐상태의 화장실을 사용하도록 한 행위(위헌)

“보통의 평범한 성인인 청구인들로서는 내밀한 신체부위가 노출될 수 있고 역겨운 냄새, 소리 등이 흘러나오는 가운데 용변을 보지 않을 수 없는 상황에 있었으므로 그때마다 수치심과 당혹감, 굴욕감을 느꼈을 것이고 나아가 생리적 욕구까지도 억제해야만 했을 것임을 어렵지 않게 알 수 있다. 이 사건 청구인들로 하여금 유치기간동안 위와 같은 구조의 화장실을 사용하도록 강제한 피청구인의 행위는 인간으로서의 기본적 품위를 유지할 수 없도록 하는 것으로서, 수인하기 어려운 정도라고 보여지므로 전체적으로 볼 때 비인도적·굴욕적일 뿐만 아니라 동시에 비록 건강을 침해할 정도는 아니라고 할지라도 헌법 제10조의 인간의 존엄과 가치로부터 유래하는 인격권을 침해하는 정도에 이르렀다고 판단된다.”

헌재 2001. 7. 19. 2000헌마546

수사·재판과정에서의 미결수용자에 대한 재소자용 수의 착용의 강제(위헌)[56]

“수사 및 재판단계에서 유죄가 확정되지 아니한 미결수용자에게 재소자용 의류를 입게 하는 것은 미결수용자로 하여금 모욕감이나 수치심을 느끼게 하고, 심리적인 위축으로 방어권을 제대로 행사할 수 없게 하여 실체적 진실의 발견을 저해할 우려가 있으므로, 도주 방지 등 어떠한 이유를 내세우더라도 그 제한은 정당화될 수 없어 헌법 제37조 제2항의 기본권 제한에서의 비례원칙에 위반되는 것으로서, 무죄추정의 원칙에 반하고 인간으로서의 존엄과 가치에서 유래하는 인격권과 행복추구권, 공정한 재판을 받을 권리를 침해하는 것이다.”

헌재 1999. 5. 27. 97헌마137 등

상시적 계구착용(위헌)

“피청구인이 수용시설의 안전과 질서유지를 책임지는 교도소의 소장으로서 청구

---

56) 다만 헌법재판소는 구치소 등 수용시설 안에서는 재소자용 의류를 입더라도 일반인의 눈에 띄지 않고, 수사 또는 재판에서 변해(辯解)·방어권을 행사하는 데 지장을 주는 것도 아닌 반면에, 미결수용자에게 사복을 입도록 하면 의복의 수선이나 세탁 및 계절에 따라 의복을 바꾸는 과정에서 증거인멸 또는 도주를 기도하거나 흉기, 담배, 약품 등 소지금지품이 반입될 염려 등이 있으므로 미결수용자에게 시설 안에서 재소자용 의류를 입게 하는 것은 구금 목적의 달성, 시설의 규율과 안전유지를 위한 필요최소한의 제한으로서 정당성·합리성을 갖춘 재량의 범위 내의 조치로 판단하고 있다.

인의 도주 및 자살, 자해 등을 막기 위하여 수갑 등의 계구를 사용한 목적이 정당하고 이 사건 계구사용행위가 이를 위한 적합한 수단이라 볼 수 있다. 그러나 청구인은 1년이 넘는 기간 동안 일주일에 1회 내지 많으면 수회, 각 약 30분 내지 2시간 동안 탄원서나 소송서류의 작성, 목욕, 세탁 등을 위해 일시적으로 해제된 것을 제외하고는 항상 이중금속수갑과 가죽수갑을 착용하여 두 팔이 몸에 고정된 상태에서 생활하였고 이와 같은 상태에서 식사, 용변, 취침을 함으로써 일상생활을 정상적으로 수행할 수 없었으므로 그로 인하여 신체적, 정신적으로 건강에 해를 입었을 가능성이 높고 인간으로서 최소한의 품위유지조차 어려운 생활을 장기간 강요당했다. 또한 적어도 기본적인 생리현상을 해결할 수 있도록 일시적으로 계구를 해제하거나 그 사용을 완화하는 조치가 불가능하였다고 볼 수도 없고, 청구인에게 도주의 경력이나 정신적 불안과 갈등으로 인하여 자살, 자해의 위험이 있었다 하더라도 그러한 전력과 성향이 1년 이상의 교도소 수용기간동안 상시적으로 양팔을 몸통에 완전히 고정시켜둘 정도의 계구사용을 정당화 할 만큼 분명하고 구체적인 사유가 된다고 할 수 없다. 따라서 이 사건 계구사용행위는 기본권제한의 한계를 넘어 필요 이상으로 장기간, 그리고 과도하게 청구인의 신체거동의 자유를 제한하고 최소한의 인간적인 생활을 불가능하도록 하여 청구인의 신체의 자유를 침해하고, 나아가 인간의 존엄성을 침해한 것으로 판단된다."

헌재 2003. 12. 18. 2001헌마163

금치처분 받은 수형자에 대한 운동금지(위헌)

"아무리 가장 중한 징벌인 금치 처분을 받은 수형자라고 하여도 인간으로서의 기본적 건강을 유지할 수 없도록 하는 조치를 수인하도록 강요하는 것은 문명국가에서는 이를 수용하기 어려운 비인도적인 징벌이라 아니할 수 없다. 또한 금치 기간의 장단(長短)에 관계없이, 또한 예외의 여지없이 금치 처분을 받은 수형자의 운동을 절대적으로 금지하는 것은 지나치게 징벌 집행의 편의만을 위한 조치라고 할 것이다. 그렇다면 금치 처분을 받은 수형자에 대한 절대적인 운동의 금지는 징벌의 목적을 고려하더라도 그 수단과 방법에 있어서 필요한 최소한도의 범위를 벗어난 것이며, 수형자의 헌법 제10조의 인간의 존엄과 가치 및 신체의 안전성이 훼손당하지 아니할 자유를 포함하는 제12조의 신체의 자유를 침해하는 정도에 이르렀다고 판단된다."

헌재 2004. 12. 16. 2002헌마478

사죄광고강제(위헌)

"사죄광고과정에서는 자연인이든 법인이든 인격의 자유로운 발현을 위하여 보호받아야 할 인격권이 무시되고 국가에 의한 인격의 외형적 변형이 초래되어 인격형성의 분열이 필연적으로 수반되게 된다. 이러한 의미에서 사죄광고제도는 헌법에서 보장된 인격의 존엄과 가치 및 그를 바탕으로 하는 인격권에도 큰 위해도 된다. …… 민법 제764조가 사죄광고를 포함시키는 취지라면 그에 의한 기본권 제한에 있어서 그 선택된 수단이 목적에 적합하지 않을 뿐 아니라 그 정도 또한 과잉하여 비례의 원칙이 정한 한계를 벗어난 것으로 …… 인격권의 침해에 이르게 된다."

헌재 1991. 4. 1. 89헌마160

부는 방식에 의한 음주운전측정(합헌)

"음주운전으로 야기될 생명·신체·재산에 대한 위험과 손해의 방지라는 절실한 공익목적을 위하여 더욱이 주취운전의 상당한 개연성이 있는 사람에게 부과되는 제약이라는 점을 생각하면 그 정도의 부담을 두고 인간으로서의 인격적 주체성을 박탈한다거나 인간의 존귀성을 짓밟는 것이라고는 할 수 없으므로, 이 사건 법률조항은 헌법 제10조에 규정된 인간의 존엄과 가치를 침해하는 것이 아니다."

헌재 1997. 3. 27. 96헌가11

마약류사범에 대한 정밀신체검사(합헌)

"이 사건 정밀신체검사는 수용자의 생명·신체에 대한 위해를 방지하고 구치소 내의 안전과 질서를 유지하기 위하여 흉기 등 위험물이나 반입금지 물품의 소지·은닉 여부를 조사하기 위한 것으로 그 목적이 정당하고(목적의 정당성), 마약류 등은 항문에 충분히 은닉할 수 있어 그 수단도 적합하며(수단의 적합성), 청구인은 마약류관리법위반으로 구속영장이 집행된 자로서 그 이전에도 동종의 전과가 있어 신체의 은밀한 부위에 마약 등 반입금지물품을 은닉하였다고 의심할 합리적인 이유가 있고, 마약 등을 항문에 은닉할 경우 외부 관찰 또는 촉수검사, 신체검사의를 입고 속옷을 벗거나 쪼그려 앉았다 서기를 반복하는 방법 등으로는 은닉물을 찾아내기 어려우며, 다른 사람들은 볼 수 없는 차단된 공간에서 같은 성별의 교도관과 1 대 1의 상황에서 짧은 시간 내에 손가락이나 다른 도구의 사용 없이 시각적으로만 항문을 보이게 하였고, 그러한 신체검사의 목적과 방법을 미리 설명하면서, 소지한 반입금지품을 자진 제출하도록 한 점 등에 비추어 수용자의 명예나 수치심 등을 충분히 배려하여 기본권의 침해의 여지를 최소화 하였으며(최소침해성), 청구인이 느끼는 모욕감이나 수치심에 비하여, 마약류 등이 구치소 내에 반입되는 것을 차단함으로써 수용자들의 생명·신체를 보호하고, 구치소 내의 안전과 질서를 보호할 수 있는 공익이 훨씬 크다고 할 것이므로(법익의 균형성), 과잉금지의 원칙에 반하지 않는다."

헌재 2006. 6. 29. 2004헌마826

청소년의 성매수자에 대한 신상공개사건(합헌)

"신상공개제도는 범죄자 본인을 처벌하려는 것이 아니라, 현존하는 성폭력위험으로부터 사회 공동체를 지키려는 인식을 제고함과 동시에 일반인들이 청소년 성매수 등 범죄의 충동으로부터 자신을 제어하도록 하기 위하여 도입된 것으로서, 이를 통하여 달성하고자 하는 '청소년의 성보호'라는 목적은 우리 사회에 있어서 가장 중요한 공익의 하나라고 할 것이다. 이에 비하여 청소년 성매수자의 일반적 인격권과 사생활의 비밀의 자유가 제한되는 정도를 살펴보면, 법 제20조 제2항은 "성명, 연령, 직업 등의 신상과 범죄사실의 요지"를 공개하도록 규정하고 있는바, 이는 이미 공개된 형사재판에서 유죄가 확정된 형사판결이라는 공적 기록의 내용 중 일부를 국가가 공익 목적으로 공개하는 것으로 공개된 형사재판에서 밝혀진 범죄인들의 신상과 전과를 일반인이 알게 된다고 하여 그들의 인격권 내지 사생활의 비밀을 침해하는 것이라고 단정하기는 어렵다.

또한, 신상과 범죄사실이 공개되는 범죄인들은 이미 국가의 형벌권 행사로 인하여 해당 기본권의 제한 여지를 일반인보다는 더 넓게 받고 있다. 청소년 성매수 범죄자들이 자신의 신상과 범죄사실이 공개됨으로써 수치심을 느끼고 명예가 훼손된다고 하더라도 그 보장 정도에 있어서 일반인과는 차이를 둘 수밖에 없어, 그들의 인격권과 사생활의 비밀의 자유도 그것이 본질적인 부분이 아닌 한 넓게 제한될 여지가 있다. 그렇다면 청소년 성매수자의 일반적 인격권과 사생활의 비밀의 자유가 제한되는 정도가 청소년 성보호라는 공익적 요청에 비해 크다고 할 수 없으므로 결국 법 제20조 제2항 제1호의 신상공개는 해당 범죄인들의 일반적 인격권, 사생활의 비밀의 자유를 과잉금지의 원칙에 위배하여 침해한 것이라 할 수 없다."

헌재 2003. 6. 26. 2002헌가14

② 정정보도청구사건과 인격권[57)]

[1] '정기간행물의 등록 등에 관한 법률'상의 정정보도청구권은 정기간행물의 보도에 의하여 인격권 등의 침해를 받은 피해자가 반론의 게재를 요구할 수 있는 권리, 즉 이른바 "반론권"을 뜻하는 것으로서 헌법상 보장된 인격권, 사생활의 비밀과 자유에 그 바탕을 둔 것이며, 나아가 피해자에게 반박의 기회를 허용함으로써 언론보도의 공정성과 객관성을 향상시켜 제도로서의 언론보장을 더욱 충실하게 할 수도 있다는 뜻도 함께 지닌다.

[2] 현행 정정보도청구권제도는 언론의 자유와는 비록 서로 충돌되는 면이 없지 아니하나 전체적으로 상충되는 기본권 사이에 합리적 조화를 이루고 있으므로 정기간행물의 등록 등에 관한 법률 제16조 제3항, 제19조 제3항은 결코 평등의 원칙에

57) 헌법재판소는 정정보도청구권을 이른바 '반론권'을 뜻하는 것으로 보면서 이는 헌법상 보장된 인격권, 사생활의 비밀과 자유에 그 바탕을 둔 것으로 보고 있다.

반하지 아니하고, 언론의 자유의 본질적 내용을 침해하거나 언론기관의 재판청구권을 부당히 침해하는 것으로 볼 수 없어 헌법에 위반되지 아니한다.

헌재 1991. 9. 16. 89헌마165

③ 가족관계와 관련한 인격권

친생부인의 소의 제기기간을 1년의 단기로 한 것(헌법불합치)

"헌법 제10조는 모든 국민은 인간으로서의 존엄과 가치를 가지며 행복을 추구할 권리가 있다고 규정하고 있는바, 이로써 모든 국민은 그의 존엄한 인격권을 바탕으로 하여 자율적으로 자신의 생활영역을 형성해 나갈 수 있는 권리를 가지는 것이다. 그런데 이 사건의 경우 친생부인의 소의 제척기간을 일률적으로 자의 출생을 안 날로부터 1년으로 규정함으로써 부가 자의 친생자 여부에 대한 의심도 가지기 전에 그 제척기간이 경과하여 버려 결과적으로 부로 하여금 혈연관계가 없는 친자관계를 부인할 수 있는 기회를 극단적으로 제한하고 또 자의 출생 후 1년이 지나서 비로소 그의 자가 아님을 알게 된 부로 하여금 당사자의 의사에 반하면서까지 친생부인권을 상실하게 하는 것이다. 이는 인간이 가지는 보편적 감정에도 반할 뿐 아니라 자유로운 의사에 따라 친자관계를 부인하고자 하는 부의 가정생활과 신분관계에서 누려야 할 인격권 및 행복추구권을 침해하고 있는 것이다."

헌재 1997. 3. 27. 95헌가14 등

태아의 성별고지 금지사건(헌법불합치)

[1] 이 사건 규정의 태아 성별 고지 금지는 낙태, 특히 성별을 이유로 한 낙태를 방지함으로써 성비의 불균형을 해소하고 태아의 생명권을 보호하기 위해 입법된 것이다. 그런데 임신 기간이 통상 **40주**라고 할 때, 낙태가 비교적 자유롭게 행해질 수 있는 시기가 있는 반면, 낙태를 할 경우 태아는 물론, 산모의 생명이나 건강에 중대한 위험을 초래하여 낙태가 거의 불가능하게 되는 시기도 있는데, 성별을 이유로 하는 낙태가 임신 기간의 전 기간에 걸쳐 이루어질 것이라는 전제 하에, 이 사건 규정이 낙태가 사실상 불가능하게 되는 임신 후반기에 이르러서도 태아에 대한 성별 정보를 태아의 부모에게 알려 주지 못하게 하는 것은 **최소침해성원칙**을 위반하는 것이고, 이와 같이 임신후반기 공익에 대한 보호의 필요성이 거의 제기되지 않는 낙태 불가능 시기 이후에도 의사가 자유롭게 직업수행을 하는 자유를 제한하고, 임부나 그 가족의 태아 성별 정보에 대한 접근을 방해하는 것은 기본권 제한의 법익 균형성 요건도 갖추지 못한 것이다. 따라서 이 사건 규정은 헌법에 위반된다 할 것이다.

[2] 국회는 2007. 4. 11. 법률 제8366호로 의료법을 전부 개정하여 위 19조의2 제2항을 제20조 제2항에서 규정하고 있는데, 그 내용에는 변함이 없으므로 이 규정

역시 **의료인의 직업수행의 자유**와 **태아 부모의 태아성별 정보에 대한 접근을 방해받지 않을 권리**를 침해하므로 헌법에 위반된다.

그런데 위와 같은 이 사건 심판대상 규정들에 대해 단순위헌결정을 할 경우 태아의 성별 고지 금지에 대한 근거 규정이 사라져 법적 공백상태가 발생하게 될 것이므로 헌법불합치결정을 한다. 그리고 의료법 제20조 제2항은 입법자가 2009. 12. 31.을 기한으로 새 입법을 마련할 때까지 잠정 적용하며, 구 의료법 제19조의2 제2항은 이미 개정되어 효력을 상실하고 있지만, 2005헌바90 당해 사건과 관련하여서는 여전히 그 효력을 유지하고 있다고 할 것이므로 당해 사건과 관련하여 그 적용을 중지하고, 국회가 의료법 규정을 개정하면 그 개정법률을 적용하여야 한다.

헌재 2008. 7. 31. 2004헌마1010 등

Ⅵ. 다른 헌법규정과의 관계

1. 인간의 존엄과 가치와 다른 기본권과의 관계

(1) 목적과 수단관계

인간의 존엄과 가치조항은 기본권보장의 궁극적 목적조항으로 다른 기본권조항은 인간의 존엄과 가치의 실현을 위한 수단조항이 된다.

(2) 개별적인 기본권의 주장방법

① 제11조 내지 제36조에 규정된 기본권의 경우

특별규정이 우선 적용된다. 즉 개별규정에 근거하여 기본권을 주장하면 족하다. 다만 헌법재판소는 개별규정은 물론 전문 · 제10조 · 제37조 제1항도 함께 주장할 수 있다고 본다.

② 제11조 내지 제36조에 규정되지 않은 기본권의 경우

제10조를 근거로, 즉 제10조에서 파생되는 기본권으로 직접 주장할 수 있다.

2. 제37조와의 관계

(1) 제37조 제1항(“**헌법에 열거되지 아니한 권리**”)과의 관계는 통합적 관계 내지 상호보완적 관계로 보아야 한다.

(2) 제37조 제2항(“**일반적 법률유보조항**”)과의 관계는 법률에 의한 기본권 제한의

한계를 의미하는 것으로, 인간의 존엄과 가치를 침해하여서는 안 된다.

Ⅶ. 효 력

1. 대국가적 효력

국가권력(입법, 행정, 사법, 헌법개정권력)을 직접 구속하는 직접적 효력규정으로 국가권력의 실천목표이자 가치(정당성)판단의 기준이 된다. 국가의 침해행위에의 배제청구 및 손해배상의 청구와 같은 대국가적 방어권으로 기능한다.

2. 대사인적 효력

인간의 존엄과 가치는 인간존재가치로서 모든 법(공·사법)원리의 근원으로서 사인 간의 법질서에서도 개인의 인간의 존엄과 가치의 실현을 목적으로 하는 효력규정이다. 인간의 존엄과 가치를 침해하는 사인의 행위는 불법행위가 된다. 다만 사인 간에 직접적용되는가 간접적용되는가에 대해서는 논란이 있다. 직접효력을 인정하는 것이 다수의 견해이나, 인간의 존엄성은 우리나라 기본권질서의 이념적·정신적 출발점이고 기초를 의미하기 때문에 직접적이든 간접적이든 모든 국가생활의 가치지표가 된다고 볼 때 인간의 존엄성의 직접적 사인효력을 인정하는 것은 결과적으로 모든 기본권의 직접적 사인효력을 긍정하는 것이나 다름없다고 보아 부정적으로 보는 견해도 있다.[58)]

제2절 행복추구권

Ⅰ. 행복추구권의 의의

행복추구권에 대해서는 그 개념, 법적 성격, 내용 등에 관하여 해석상 견해의 대립이 있다. 행복추구권을 별도로 규정한 것은 한국헌법의 전 체계에 비추어보거나 행복추구권의 실체가 애매한 것이라는 점 등을 감안할 때, 입법론상으로는 문제가 있다는 견해도 있다.[59)]

---

58) 허영, 앞의 책, 272－273면.

59) 인기만을 의식한 개헌시안들의 무책임성과 무지의 일면을 드러낸 좋은 일례라고 하는 견해(권

행복추구권은 **행복**이라는 말이 가지는 다의적 · 주관적 성격으로 인하여 명확한 개념정의는 어렵지만,[60] '고통과 불쾌감이 없는 만족감을 느끼는 상태를 실현할 수 있는 권리'[61]라고 정의할 수 있다. 여기서 행복은 역사적 조건이나 시(時) · 소(所)에 따른 상대적 개념이며 공적 · 사적 행복과 정신적 · 물질적 행복을 포함하는 개념이다.

동성동본인 혈족 사이의 혼인을 금하고 있는 민법 제809조 제1항의 위헌 여부 사건에서의 소수의견

"행복추구권이란 소극적으로는 고통과 불쾌감이 없는 상태를 추구할 권리, 적극적으로는 만족감을 느끼는 상태를 추구할 수 있는 권리라고 일반적으로 해석되고 있으나, 행복이라는 개념 자체가 역사적 조건이나 때와 장소에 따라 그 개념이 달라질 수 있으며, 행복을 느끼는 정신적 상태는 생활환경이나 생활조건, 인생관, 가치관에 따라 각기 다른 것이므로 일률적으로 정의하기가 어려운 개념일 수밖에 없고, 이와 같이 불확실한 개념을 헌법상의 기본권으로 규정한데 대한 비판적 논의도 없지 아니하며 …… "라고 의견을 제시하고 있다.

헌재 1997. 7. 16. 95헌가6 내지 13(병합)

Ⅱ. 행복추구권의 연혁 및 헌법규정

행복추구의 권리가 처음 규정된 인권문서는 버지니아 권리장전(1776)을 들 수 있다. 버지니아 권리장전은 '행복과 안전을 추구 · 획득하는 수단을 수반해서 생명과 자유를 향유하는 권리'를 보장하고(동 제1조), 이어 미국 독립선언(1787)은 '생명, 자유 및 행복을 추구할 권리'를 규정하고 있었다. 현대헌법에는 일본헌법과 우리 헌법이 행복추구권을 명문화한 대표적인 예이다. 미국 연방헌법에는 이에 대한 명문규정이 없다. 일본헌법은 '생명 · 자유 및 행복추구에 대한 국민의 권리'를 규정하

영성, 앞의 책, 382면)와 너무나 당연한 사항을 규정함으로써 오히려 불필요한 의문을 생기게 하며 행복추구는 기본권의 문제로 다루어지기보다는 인간본능의 문제로 다루어져야 할 사항이기 때문에 처음부터 규범화의 대상이 될 수 없다는 견해(허영, 앞의 책, 346면)가 그것이다.

60) 주관적인 행복을 법적으로 정의하기는 곤란하며, 이에 반해 자신의 행복을 위하여 개인이 노력하는 것인 행복의 추구는 일정한 형태로 객관화하는 것이 가능하다는 입장에서 행복추구권의 보호대상은 행복 그 자체가 아니라 행복을 추구하는 개인의 활동이라는 견해도 있다(장영수, 제7판 헌법학, 홍문사, 2012, 566면).

61) '안락하고 풍족한 삶을 추구할 수 있는 권리'(권영성, 앞의 책, 383면), '물심양면에 걸쳐서 안락한 삶을 추구하는 권리'(성낙인, 앞의 책, 1012면), '각자가 행복이라고 생각하는 바를 얻기 위해 자유롭게 노력하고 행동하는 권리'(계희열, 앞의 책(중), 217면) 등으로 정의하고 있다. 계희열 교수는 행복추구권을 인격의 자유발현권에 대한 또 다른 표현으로 보고 있다.

고 있다(동헌법 제13조). 우리 헌법은 제8차 개헌에서 인간의 존엄과 가치와 나란히 행복추구권을 규정하고 있다(제10조).

Ⅲ. 행복추구권의 본질과 법적 성격

1. 본 질

행복추구권은 기본권체계 내에서 어떠한 위치를 차지하는가의 문제이다. 이와 관련해서는 ⅰ) 사회권에 대한 총칙규정으로 이해하는 견해와 ⅱ) 자유권의 총칙규정으로 이해하는 견해도 있지만,[62] 행복추구권의 포괄적 성격으로 보아 자유권적 성격과 사회권적 성격이 공존하는 **인권 전반에 관한 총칙규정**으로 이해하는 것이 타당하다.[63]

2. 법적 성격

(1) 주관적 공권성

헌법은 "모든 국민은 …… 행복을 추구할 권리를 가진다"고 규정하여 문구상으로는 주관적 공권성을 분명히 하고 있다. 행복추구권의 주관적 공권성을 인정할 것인지 여부, 이를 인정하더라도 포괄적 권리로 볼 것인지 개별적 권리로 볼 것인지에 대해서는 학설이 대립힌다.

① 제1설

주관적 공권성을 부정하고 추상적 법원리로 보는 견해이다. 이 견해는 '행복'이 법조문화할 수 있는 개념이 아님을 근거로 하여, 행복추구권은 추상적 법원리를 규정한 것에 불과하다고 하면서 그 주관적 공권성을 부정하고 있다.[64] 한편 허영 교수는 행복추구란 기본권의 문제로 다루어지기보다는 인간의 본능의 문제로 다루어져야 할 사항이기 때문에 처음부터 규범화의 대상도 될 수 없다면서 행복추구권

---

62) 이 견해는 행복추구권의 구체적 기본권성을 부정하고 '행복추구권을 자유권을 위한 일반원칙조항'으로 본다. 이 견해에 따르면 행복추구권은 자유권을 위한 원칙조항으로서 사회적 기본권을 위한 일반원칙조항인 '인간다운 생활을 할 권리'(제34조 제1항)와 함께, 다시금 '인간의 존엄과 가치'라는 최고의 이념을 지향하는 수단으로서의 위치에 놓인다고 한다(김운용, "행복추구권의 해석", 고시연구, 1988. 12, 61－62면).

63) 권영성, 앞의 책, 384면.

64) 박일경, 신헌법, 법경출판사, 1990, 227면.

은 독자적인 기본권을 보장했다고 하기보다는 모든 국민의 당위적인 삶의 지표를 분명히 해놓은 것으로 이해하고 있다.[65] 정종섭 교수도 행복추구권은 본질상 개별적인 권리와 달리 포괄적이고 총체적인 가치이므로 구체적인 권리로 존재하는 것이 아니라, 개별적인 권리를 창출하고 작용하게 하는 원리로 존재한다고 한다.[66]

② 제2설

인간의 존엄과 가치와 행복추구권을 통합하여 모든 기본권을 포괄하는 하나의 주기본권으로 보는 견해이다. 이 견해는 위와 같이 통합하여 하나의 주기본권으로 보면서 그 아래에 다시 일반적 행동자유권, 신체불훼손권, 평화적 생존권 등을 내용으로 하는 협의의 행복추구권을 인정하고 있다.[67]

③ 제3설

인간의 존엄과 가치의 권리성은 부인하면서, '행복추구권'은 헌법에 열거되지 아니한 자유와 권리까지 포괄하는 기본권으로 이해하는 견해이다.[68]

④ 제4설

행복추구권을 독자적 기본권조항으로 보는 견해이다. 불기소처분에 대한 헌법소원에서 헌법재판소는 고소인의 행복추구권의 침해 여부를 직접 판단하고 있다.[69]

⑤ 소 결

제1설을 제외하고 나머지는 모두 행복추구권의 주관적 공권성을 인정하고 있다. 우리 헌법이 '권리'성을 분명히 하기 때문에 현행헌법의 해석상 행복추구권의 주관적 공권성을 부정할 수 없다.[70] 주관적 공권성을 인정할 경우 일부 헌재 판례는 행복추구권의 독자적 기본권성을 인정한 것도 있지만, 행복추구권의 포괄적 성격을 고려하면 행복추구권은 행복을 추구하는 데 필요한 것이면 헌법에 열거되지

---

65) 허영, 앞의 책, 346면.

66) 정종섭, 앞의 책, 433면. 행복추구권이 권리를 뜻하는 '권'이라는 표현에도 불구하고 직접 행사할 수 없는 성질의 것이므로 이의 침해에 대하여 권리구제절차를 통하여 주장할 수 없다고 하며, 행복의 추구가 침해되는 경우에는 구체적인 영역과 사항에 해당하는 개별적 기본권의 침해를 주장할 수 있을 뿐이라고 한다.

67) 김철수, 앞의 책(상), 515면.

68) 권영성, 앞의 책, 384면.

69) 헌재 1989. 10. 27. 89헌마56.

70) 계희열 교수는 행복추구권은 주관적 권리로서의 성격을 가지며, 다른 한편으로 객관적 원리의 성격의 이중적 성격을 가진다고 본다(계희열, 앞의 책(중), 225면).

않는 자유와 권리까지도 그 내용으로 하는 포괄적 기본권으로 이해하는 것이 타당하다고 생각한다.

(2) 자연권성

행복추구권은 인간존재에 고유한 인간의 생래적 권리이므로 자연권설이 타당하다. 한편 오늘날 실정화된 모든 기본권은 헌법이 규정한 바에 따라, 헌법의 테두리 내에서 보장되고 있다는 점을 들면서 오늘날 기본권과 국가질서의 이중적 관계를 고려할 때, '자연권이냐 실정권이냐' 또는 '자연법론자이냐 법실증주의자냐'를 흑백논리로 따지는 것은 옳지 않다는 주장도 있다.[71]

(3) 소극적 · 방어적 권리인 동시에 적극적 · 능동적 성질을 갖는 총합적 권리

행복을 물질적 풍요와 정신적 만족의 동시적 충족으로 이해하는 한, 인간의 행복을 위한 모든 조건에 대한 추구의 권리라는 측면에서 행복추구권은 소극적 권리의 측면과 적극적 권리의 측면의 양면성을 가지는 것으로 보는 것이 옳을 것이다. 헌법재판소 판례 중에는 아래와 같이 이 권리의 적극적 권리성을 부정하는 듯한 입장을 취하고 있는 것도 있다.

> **국가유공자예우 등에 관한 법률 제9조 본문에 대한 위헌심판사건[72]**
>
> "헌법 제10조의 행복추구권은 국민이 행복을 추구하기 위하여 필요한 급부를 국가에게 적극적으로 요구할 수 있는 것을 내용으로 하는 것이 아니라, 국민이 행복

71) 장영수, 앞의 책, 568면.

72) 위 사건은 제청신청인들은 군복무중 전상(戰傷) 내지 공상(公傷)을 입고 전역 또는 퇴직한 자 및 그 유족들인데, 관계법령의 부지로 당국에 국가유공자(또는 구 군사원호보상법상의 군사원호대상자)로서의 등록신청을 늦게 하여 그 등록신청 후부터는 국가유공자 예우 등에 관한 법률 소정의 보상금을 지급받고 있으나, 위 등록신청 전의 기간에 대하여는 예우법 제9조 본문에 의하여 보상금의 지급을 거절당하고 있다. 제청신청인들은 보상을 받을 수 있는 권리의 발생시기를 등록신청을 한 날이 속하는 달로 규정한 이 사건 법률조항이 위헌무효임을 전제로 대한민국을 상대로 하여 서울민사지방법원에 보상금을 지급받을 수 있는 원인이 발생한 때(전·공상을 입고 전역 또는 퇴직한 때)로부터 등록신청시까지의 기간에 대한 보상금의 지급을 구하는 소를 제기하고, 위 법원 93카기1980, 1981, 1982호로 이 사건 법률조항에 관한 위헌법률심판제청신청을 하였으며, 위 법원은 그 신청을 받아들여 1993. 10. 21. 이 사건 위헌제청결정을 하였으나, 헌재는 합헌결정을 내린 바 있다. 한편 국가 등의 양로시설 등에 입소하는 국가유공자에게 부가연금, 생활조정수당 등의 지급을 정지하도록 한 '국가유공자 등 예우 및 지원에 관한 법률' 제20조 제2항 등이 국가유공자의 인간으로서의 존엄과 가치 및 행복추구권을 침해하는지 여부가 다투어진 사건에서도 헌법재판소는 행복추구권은 국민이 행복을 추구하기 위하여 필요한 급부를 국가에게 적극적으로 요구할 수 있는 것을 내용으로 하는

을 추구하기 위한 활동을 국가권력의 간섭없이 자유롭게 할 수 있다는 포괄적인 의미의 자유권으로서의 성격을 가지므로 국민에 대한 일정한 보상금의 수급기준을 정하고 있는 이 사건 규정이 행복추구권을 침해한다고 할 수 없다."

헌재 1995. 7. 21. 93헌가14

(4) 개별적 · 구체적 권리가 아닌 포괄적 권리

행복추구권은 헌법에 규정된 **개별적 기본권의 총화**이며, 헌법에 열거되지 않은 자유와 권리를 포함하는 기본권이다.[73]

헌법재판소도 '약사법 부칙 제4조 제2항 위헌소원사건'에서 "이 사건 법률조항은 청구인의 재산권과 평등권을 침해하는 것이 아니고, 직업의 자유의 제한과 관련하여서도 신뢰이익보호원칙, 비례의 원칙을 준수하고 있으므로, 이 조항이 포괄적이고 일반조항적인 성격을 갖고 있는 행복추구권을 침해하는 것이라고는 볼 수 없어 청구인의 위 주장도 부당하여 받아들이지 아니한다"고 판시하고 있으며,[74] '제1종 운전면허의 적성기준으로 양쪽 눈의 시력이 각각 0.5 이상일 것을 요구하는 규정의 위헌성을 다툰 사건'에서 "헌법 제10조에 의거한 행복추구권은 헌법에 열거된 기본권으로서 행복추구의 수단이 될 수 있는 개별적 기본권들을 제외한 헌법에 열거되지 아니한 권리들에 대한 포괄적인 기본권의 성격을 가지며, '일반적 행동자유권', '개성의 자유로운 발현권', '자기결정권', '계약의 자유' 등이 그 보호영역 내에 포함된다"고 판시하고 있어,[75] 행복추구권의 포괄적 성격을 인정하고 있다.

Ⅳ. 행복추구권과 다른 기본권과의 관계

1. 인간의 존엄과 가치와의 관계

인간의 존엄과 가치가 목적이라면 행복을 추구할 권리는 인간의 존엄과 가치라

권리가 아니라고 보면서, 이 사건 규정이 행복추구권을 침해하지 않는다고 판시하였다(헌재 2000. 6. 1. 98헌마216).

73) 행복추구권은 인간의 존엄과 가치의 다른 표현(영미식 표현)으로 보면 인간의 존엄과 가치의 법적 성격을 가지게 된다. 이 점에서 입법론상 비판을 가할 수 있다.

74) 헌재 1997. 11. 27. 97헌바10. 이 사건은 위 약사법 규정에 의해 한약사가 아닌 약사의 한약조제가 원칙적으로 금지되고, 위 개정법률 시행당시에 1년 이상 한약을 조제해 온 약사는 시장 등의 확인을 받아 그 시행일로부터 2년간만 한약을 조제할 수 있게 되자, 2년간의 유예기간 이후에도 한약조제권이 있다고 주장하며 청구한 위헌심사형 헌법소원심판사건이다.

75) 헌재 2003. 6. 26. 2002헌마677.

는 목적을 위한 수단이라고 할 수 있다.

2. 다른 기본권과의 관계

행복추구권은 헌법에 열거된 기본권 외에도 행복을 추구하는 데 필요한 것이면 헌법에 열거되지 아니한 자유와 권리까지도 포괄하는 기본권이기 때문에 어떤 자유나 권리의 헌법적 근거가 문제될 경우, 당해 기본권조항을 적용할 것인가 아니면 행복추구권 규정을 경합적으로 적용할 것인가가 문제된다. 이에 대해서는 i) 행복추구권을 우선적으로 적용해야 한다는 설, ii) 두 조항을 동시에 적용해야 한다는 **보장경합설**, iii) 직접적용해야 할 기본권조항이 없는 경우에 한하여 행복추구권을 적용해야 한다는 **보충적 적용설** 등이 갈린다. 헌법재판소는 종전에 보장경합설에 입각하여 관련기본권을 모두 열거하는 입장을 주로 취하였으나, 최근에는 행복추구권조항을 보충적으로 적용한다는 견해를 보이고 있는 판례도 나오고 있다. 생각건대 행복추구권의 포괄적 성격으로 말미암아 개별기본권이 우선 적용되고 행복추구권은 보충적으로 적용되는 것이 기본권의 공동화를 방지하고 행복추구권조항으로의 안일한 도피를 막는다는 점에서도 보충적 적용설이 타당하다고 본다.

경합적 보장을 인정한 판례

1. 군검찰관의 무혐의 피의자에 대한 기소유예처분사건

"범죄혐의가 없음이 명백한 사안인데도 이에 대하여 검찰관이 자의적(恣意的)이고 타협적으로 기소유예처분을 했다면 이는 헌법 제11조 제1항의 평등권, 헌법 제10조의 행복추구권을 침해한 것이다."

헌재 1989. 10. 27. 89헌마56

2. 검사의 불기소처분으로 인한 기본권침해가 인정된 사례

"청구인에 대한 범죄혐의를 인정할 만한 아무런 증거가 없어 청구인에 대하여 혐의없음 처분을 하였어야 할 것임에도, 검사가 명백한 증거자료 없이 청구인에 대한 범죄혐의를 인정한 후, 청구인에 대하여 기소유예 처분을 한 것은 청구인의 헌법상의 기본권인 평등권, 행복추구권을 침해하였다고 할 것이다."

헌재 1999. 12. 23. 99헌마403; 헌재 1999. 11. 25. 99헌마422

보충적 적용을 인정한 판례

1. 교육공무원의 정년 위헌확인사건

"행복추구권은 다른 기본권에 대한 보충적 기본권으로서의 성격을 지니므로, 공무담임권이라는 우선적으로 적용되는 기본권이 존재하여(청구인들이 주장하는 불행이란 결국 교원직 상실에서 연유하는 것에 불과하다) 그 침해 여부를 판단하는 이상, 행복추구권 침해 여부를 독자적으로 판단할 필요가 없다."

헌재 2000. 12. 14. 99헌마112·137(병합)

2. 요양기관 강제지정제를 규정한 '구 의료보험법' 제32조 제1항 등 위헌소원, '국민건강보험법' 제40조 제1항 위헌확인사건

"'일반적 행동의 자유'는 이른바 보충적 자유권이다. 청구인들은 강제지정제에 의하여 '비요양기관으로서 의료행위를 할' 청구인의 일반적 행동의 자유가 제한된다고 주장하나, 이러한 내용의 자유는 직업의 자유에 의하여 보호되는 내용이다. 따라서 직업의 자유와 같은 개별 기본권이 적용되는 경우에는 일반적 행동의 자유는 제한되는 기본권으로서 고려되지 아니한다."

헌재 2002. 10. 31. 99헌바76

Ⅴ. 행복추구권의 주체

인간의 권리로서 인간(자연인)이면 누구나 행복을 추구할 권리를 가진다. 법인은 제외된다.

Ⅵ. 행복추구권의 내용

1. 개 관

행복추구권의 포괄적 권리로서의 성격상 그 내용은 다양성과 상대성을 띤다. 광의로 보면 헌법에 규정된 개별적 권리를 모두 포함한다고 볼 수 있으나, 협의로는 헌법에 열거되지 아니한 자유와 권리가 행복추구권의 중요한 내용이 된다. 예를 들어 학설은 행복추구권의 내용으로 생명권, 신체를 훼손당하지 않을 권리, 인격권(성명권, 초상권, 명예권) 및 평화적 생존권,[76] 휴식권,[77] 수면권, 일조권, 스포츠

---

76) 헌법재판소는 종전에 '평화적 생존권을 헌법 제10조와 제37조 제1항에 의하여 인정된 기본권으로서 침략전쟁에 강제되지 않고 평화적 생존을 할 수 있도록 국가에 요청할 수 있는 권리'라고 판시한 바 있지만(헌재 2003. 2. 23. 2005헌마268), 그 뒤 판례를 변경하여 "청구인들이

권 등을 들기도 하고,[78] 헌법재판소는 행복추구권에서 일반적 행동의 자유와 개성의 자유로운 발현권을 도출한 바 있으며, 동시에 계약의 자유는 일반적 행동의 자유권에서 파생되는 것으로 보고 있다. 또한 성적 자기결정권이 개인의 인격권·행복추구권에서 전제되어 있는 개인의 자기운명결정권에 포함되어 있는 것으로 본 판례도 있다.[79] 한편 대법원은 행복추구권의 내용으로 '만나고 싶은 사람을 만날 권리',[80] '일시 오락의 정도에 불과한 도박행위를 할 수 있는 권리',[81] '자신이 먹고 싶은 음식이나 마시고 싶은 음료수를 자유롭게 선택할 권리'[82] 등을 들고 있어

평화적 생존권이란 이름으로 주장하고 있는 평화란 헌법의 이념 내지 목적으로서 추상적인 개념에 지나지 아니하고, 평화적 생존권은 이를 헌법에 열거되지 아니한 기본권으로서 특별히 새롭게 인정할 필요성이 있다거나 그 권리내용이 비교적 명확하여 구체적 권리로서의 실질에 부합한다고 보기 어려워 헌법상 보장된 기본권이라고 할 수 없다"고 판시하여 평화적 생존권을 헌법상 기본권으로 보지 않는 입장을 취하고 있다(헌재 2009. 5. 28. 2007헌마369).

77) 사법시험 제1차 시험의 시행 일자를 일요일로 정하여 공고한 '2000년도 공무원임용시험시행계획 공고'의 기본권침해 여부가 다투어진 헌법소원심판사건에서 헌법재판소는 공고를 헌법소원의 대상이 되는 공권력의 행사로 인정하면서 종교의 자유, 공무담임권, 휴식권 침해에 대해서는 소극적으로 판단하고 있다. 이 사건에서 헌재는 "휴식권은 헌법상 명문의 규정은 없으나 포괄적 기본권인 행복추구권의 한 내용으로 볼 수 있을 것이다. 사법시험 시행일을 일요일로 정한 피청구인의 이 사건 공고는 청구인 등에게 공무담임의 기회를 제공하는 것이어서 행복추구의 한 방편이 될지언정 거꾸로 이를 침해한다고 볼 수는 없다"고 판시하고 있다(헌재 2001. 9. 27. 2000헌마159).

78) 권영성, 앞의 책, 385－386면.

79) '제1종 운전면허의 적성기준으로 양쪽 눈의 시력이 각각 0.5 이상일 것을 요구하는 규정의 위헌성을 다툰 사건'에서 "행복추구권은 ……포괄적인 기본권의 성격을 가지며, '일반적 행동자유권', '개성의 자유로운 발현권', '자기결정권', '계약의 자유' 등이 그 보호영역 내에 포함된다"고 한 예(헌재 2003. 6. 26. 2002헌마677), '제42회 사법시험 제1차시험 시행일자 위헌확인사건'에서 "일반적인 행동자유권과 개성의 자유로운 발현권을 포함한다"고 한 예(헌재 2001. 9. 27. 2000헌마159), 자도소주구입을 강제하는 '주세법 제38조의7 등에 대한 위헌제청사건'에서 "소비자의 행복추구권에서 파생되는 자기결정권도 제한하고 있다"고 한 예(헌재 1996. 12. 26. 96헌가18), 보험가입을 강제하는 '화재로 인한 재해보상과 보험가입에 관한 법률 제5조 제1항에 대한 헌법소원사건'에서 "이른바 계약의 자유도 여기의 일반적 행동자유권으로부터 파생되는 것이라 할 것이다"고 한 예(헌재 1991. 6. 3. 89헌마204)', 수질개선부담금의 부과로 마실 물을 자유로이 선택할 국민의 행복추구권이 침해되는지 여부 등이 다투어진 '구 먹는물관리법 제28조 제1항 위헌제청사건'에서 "국민이 마시고 싶은 물을 자유롭게 선택할 권리를 빼앗겨 행복추구권을 침해받는다고 할 수 없다"고 한 예(헌재 1998. 12. 24. 98헌가1), 미결수용자의 접견교통권은 헌법재판소가 헌법 제10조의 행복추구권에 포함되는 기본권의 하나로 인정하고 있는 일반적 행동자유권으로부터 나온다고 본 예(헌재 2003. 11. 27. 2002헌마193), '군검찰관의 기소유예처분에 대한 헌법소원사건'에서 "군검찰관이 자의(恣意)로 기소유예처분에 이른 것은 헌법 제10조 소정의 행복추구권을 침해한 것"이라고 하여 행복추구권을 구체적 권리로 본 예(헌재 1989. 10. 27. 89헌마56) 등을 들 수 있다.

80) 대판 1992. 5. 8. 91누7552.

81) 대판 1993. 3. 22. 92도2157.

82) 대판 1994. 3. 8. 92누1728.

행복추구권을 일반적 행동의 자유권으로 보고 있는 듯하다. 헌법재판소는 행복추구권에서 도출되는 기본권으로 대표적으로 **일반적 행동의 자유**, **자기결정권**을 등을 들고 있다.[83] 행복추구권이 포괄적 성격의 권리이기 때문에 매우 다양한 내용을 포함하고 있고 헌법재판소 판례도 매우 다양한 내용을 들고 있어 모든 내용을 검토하는 것이 쉽지는 않으나, 여기에서는 헌법재판소가 드는 대표적인 내용으로 일반적 행동의 자유, 자기결정권만을 보도록 하겠다.

2. 일반적 행동의 자유

(1) 개 념

자신이 하고 싶은 일을 적극적으로 자유롭게 행할 수 있는 자유는 물론, 소극적으로 자신이 원하지 않는 행위를 하지 않을 권리를 말한다. 좌석안전띠 미착용시 범칙금을 부과하도록 규정한 '도로교통법 제118조 위헌확인사건'에서 헌법재판소는 "일반적 행동자유권은 모든 행위를 할 자유와 행위를 하지 않을 자유로 가치 있는 행동만 그 보호영역으로 하는 것은 아닌 것으로 그 보호영역에는 개인의 생활방식과 취미에 관한 사항도 포함되며, 여기에는 위험한 스포츠를 즐길 권리와 같은 위험한 생활방식으로 살아갈 권리도 포함된다"고 하고 있다.[84]

(2) 성 격

일반적 행동의 자유권은 '포괄적' 자유권으로서 일반조항적 성격을 가진다. 따라서 개별적 자유권이 있으면 그것을 적용하고 일반적 행동자유권은 보충적으로 적용된다.[85]

---

83) 한편 기소유예처분에 대한 헌법소원심판에서는 행복추구권을 독자적인 권리로 본 것이 아닌가 하는 의문을 가지게 한다.

84) 이 사건에서 헌법재판소는 "좌석안전띠를 매지 않을 자유는 헌법 제10조의 행복추구권에서 나오는 일반적 행동의 자유영역에 속한다"고 하면서 착용의무위반시 범칙금을 부과하고 있으므로 "청구인의 일반적 행동의 자유에 대한 제한이 존재한다"고 판시하고 있다(헌재 2003. 10. 30. 2002헌마518).

85) "'일반적 행동의 자유'는 이른바 보충적 자유권이다. 청구인들은 강제지정제에 의하여 '비요양기관으로서 의료행위를 할' 청구인의 일반적 행동의 자유가 제한된다고 주장하나, 이러한 내용의 자유는 직업의 자유에 의하여 보호되는 내용이다. 따라서 직업의 자유와 같은 개별 기본권이 적용되는 경우에는 일반적 행동의 자유는 제한되는 기본권으로서 고려되지 아니 한다" (헌재 2002. 10. 31. 99헌바76).

(3) 내 용

헌법재판소가 그동안 일반적 행동의 자유권에 속하고 거기서 파생된다고 보는 자유권으로 여러 가지를 열거하고 있다.

① 계약의 자유

헌법재판소는 화재보험 강제가입사건에서 "행복추구권 속에는 일반적 행동자유권이 들어 있고, 이 일반적 행동자유권으로부터 계약의 자유가 파생된다. 계약의 자유란 계약체결의 여부, 계약의 상대방, 계약의 방식과 내용 등을 당사자의 자유로운 의사로 결정하는 자유"를 말한다고 하고 있다.[86)]

② 사적자치의 원칙

사적자치의 원칙이란 자신의 일을 자신의 의사로 결정하고 행하는 자유뿐만 아니라 원치 않으면 하지 않을 자유로서 제10조의 행복추구권에서 파생되는 일반적 행동자유권의 하나이다. 이런 사적자치의 원칙은 법률행위의 영역에서는 계약자유의 원칙으로 나타난다.[87)]

③ 미결수용자의 변호인 아닌 타인과의 접견·교통권

구속된 피의자 또는 피고인이 갖는 변호인 아닌 자와의 접견교통권은 가족 등 타인과 교류하는 인간으로서의 기본적인 생활관계가 인신의 구속으로 인하여 완전히 단절되어 파멸에 이르는 것을 방지하고, 또한 피의자 또는 피고인의 방어를 준비하기 위해서도 반드시 보장되지 않으면 안 되는 인간으로서의 기본적인 권리에 해당하므로 이는 성질상 헌법상의 기본권에 속한다고 보아야 할 것이다. 미결수용자의 접견교통권은 헌법재판소가 제10조의 행복추구권에 포함되는 기본권의 하나로 인정하고 있는 일반적 행동자유권으로부터 나온다고 보아야 할 것이고, 무죄추정의 원칙을 규정한 제27조 제4항도 그 보장의 한 근거가 될 것이다.[88)]

④ 운전의 자유

헌법재판소는 "운전은 직업과는 무관하게 이동의 수단 또는 취미생활과 같이 일상 생활의 한 부분으로서 이루어지는 경우도 많은데 이 사건 조문에서 정한 시

---

86) 헌재 1991. 6. 3. 89헌마204; 헌재 1998. 10. 29. 97헌마345; 헌재 2006. 7. 27. 2005헌바19.
87) 헌재 2003. 5. 15. 2001헌바98.
88) 헌재 2003. 11. 27. 2002헌마193.

력기준에 미달하여 제1종 운전면허 대상 차량을 운전하지 못하게 되는 것은 행복추구권인 일반적 행동의 자유에 대한 제한이 될 수 있다. 그러나 일반적 행동의 자유는 개인과 밀접히 관련되어 있어 최대한 존중되어야 하는 것이지만 헌법 제37조 제2항에 따라 제한될 수 있는 것인바, 이 사건 조문이 추구하는 질서유지 및 공공복리의 증진이라는 공익은 이로써 제한되는 일반적 행동의 자유라는 사익보다 훨씬 더 크다고 할 것이어서 기본권 제한의 입법한계인 비례의 원칙을 준수하였으므로 이 사건 조문은 행복추구권인 일반적 행동자유권을 침해하지 아니한다"고 판시한 바 있다.[89]

⑤ 하기 싫은 일(음주측정에 응하는 일)을 강요당하지 아니할 자유

헌법재판소는 도로교통법 제41조 제2항, 제107조의2 제2호 중 주취운전의 혐의자에게 주취 여부의 측정에 응할 의무를 지우고 이에 불응한 사람을 처벌하는 것과 관련하여 "이 법률조항에 의하여 일반적 행동이 자유가 제한될 수 있으나, 그 입법목적의 중대성, 음주측정의 불가피성, 국민에게 부과되는 부담의 정도, 처벌의 요건과 정도에 비추어 헌법 제37조 제2항의 과잉금지의 원칙에 어긋나는 것이라고 할 수 없으므로, 이 사건 법률조항은 헌법 제10조의 규정된 행복추구권에서 도출되는 일반적 행동의 자유를 침해하는 것이라고도 할 수 없다"고 판시한 바 있다.[90]

⑥ 기부금품모집행위의 자유

허가를 받지 아니하고 기부금품을 모집하여 '기부금품모집금지법' 제3조 및 제11조를 위반하였다는 공소사실로 재판이 계류 중인 자의 신청에 따른 법원의 위헌법률심판제청사건에서 헌법재판소는 기부금품의 모집행위도 행복추구권에서 파생하는 일반적인 행동자유권에 의하여 기본권으로 보장된다고 보고 있다.[91]

⑦ 부동산 양수인의 소유권이전등기를 할 것인지 여부를 스스로 결정할 자유

헌법재판소는 부동산소유권이전등기신청을 의무화하고 그 의무위반에 대하여 과태료에 처할 수 있도록 규정하고 있는 '부동산등기특별조치법' 제11조 제1항 본문 중 제2조 제1항에 관한 부분에 대한 위헌소원사건에서 "부동산을 양수한 자는 특별한 사정이 없는 이상 소유권이전등기를 할 것인지 여부를 스스로 결정할 자유

89) 헌재 2003. 6. 26. 2002헌마677.
90) 헌재 1997. 3. 27. 96헌가11.
91) 헌재 1998. 5. 28. 96헌가5.

가 있다 할 것이고, 이러한 자유는 헌법 제10조에 규정된 행복추구권에 함축되어 있는 일반적 행동의 자유권의 한 내용을 이루고 있는 것이다"라고 판시하면서, 위 법률조항은 헌법에 위반되지 않는다고 판시한 바 있다.[92)]

⑧ 결혼식 등에 온 하객들에게 음식물을 접대하는 행위의 자유

헌법재판소는 가정의례의 참뜻에 비추어 합리적인 범위 안에서 대통령령이 정하는 행위를 제외하고 경조기간 중 주류 및 음식물의 접대를 금지한 '가정의례에 관한 법률' 제4조 제1항 제7호 위헌확인사건에서 "결혼식 등의 당사자가 자신을 축하하러 온 하객들에게 주류와 음식물을 접대하는 행위는 인류의 오래된 보편적인 사회생활의 한 모습으로서 개인의 일반적인 행동의 자유 영역에 속하는 행위이므로 이는 헌법 제37조 제1항에 의하여 경시되지 아니하는 기본권이며 헌법 제10조가 정하고 있는 행복추구권에 포함되는 일반적 행동자유권으로서 보호되어야 할 기본권이다"라고 전제하고 "가정의례의 참뜻에 비추어 합리적인 범위 안"이란 개념은 그 대강의 범위를 예측하여 이를 행동의 준칙으로 삼기에는 부적절한 것이며, 법집행자의 자의를 초래할 우려가 크다고 할 것이므로 이 사건 규정은 결국 죄형법정주의에 있어서 명확성 원칙을 위배한다고 판시하였다.[93)]

⑨ 기 타

헌법재판소는 그 밖에도 ⅰ) 사립학교를 자유롭게 운영할 자유,[94)] ⅱ) 무상 또는 일회적·일시적으로 가르치는 행위의 자유,[95)] ⅲ) 18세 미만자의 당구를 칠 자유,[96)] ⅳ) 유언의 자유,[97)] ⅴ) 노동조합 가입을 강제당하지 않을 자유,[98)] ⅵ) 이륜

92) 헌재 1998. 5. 28. 96헌바83.
93) 헌재 1998. 10. 15. 98헌마168.
94) 헌재 2006. 4. 27. 2005헌마1119.
95) 헌재 2000. 4. 27. 98헌가16 등. 지속적 소득활동으로서 가르치는 행위의 자유는 직업의 자유에 해당한다.
96) 헌재 1993. 5. 13. 92헌마80. 헌법재판소는 당구장 출입자의 자숙이나 시설, 환경의 정화로 당구의 실내 스포츠로서의 이미지 개선은 가능한 것으로 사료되며 당구 자체에 청소년이 금기시해야 할 요소가 있는 것으로는 보이지 않기 때문에 당구를 통하여 자신의 소질과 취미를 살리고자 하는 소년에 대하여 당구를 금하는 것은 헌법상 보장된 행복추구권의 한 내용인 일반적인 행동자유권의 침해가 될 수 있을 것이라고 판시하였다.
97) 헌법재판소는 "유언의 자유는 단순한 재산권 처분의 권능 이외에도 사적 자치의 실현이라는 의미를 지닌다는 점에서 유언을 할지의 여부, 그 구체적인 내용의 선택, 유언의 방식 등은 기본적으로 개인의 자유로운 의사결정에 맡겨져 있다. 그러므로 이 사건 법률조항과 같이 자필증서에 의한 유언에 있어서 그 방식을 제한하는 것은 헌법 제10조의 행복추구권에서 파생된 유언자의 일반적 행동의 자유를 제한하는 것이 된다"고 판시하였다(헌재 2008. 3. 27. 2006헌바82).

자동차 운전자의 통행의 자유,[99] vii) 비직업적 의료행위의 자유,[100] viii) 요트를 이용한 레저활동을 즐길 자유,[101] ix) 좌석안전띠를 매지 않을 자유,[102] x) 광장에 출입하는 행위[103] 등을 일반적 행동의 자유에 속하거나 그것에서 파생하는 자유로 보고 있다.

---

98) 헌법재판소는 당해 사업장에 종사하는 근로자의 3분의 2 이상을 대표하는 노동조합의 경우 단체협약을 매개로 한 조직강제[이른바 유니언 샵(Union Shop) 협정의 체결]를 용인하고 있는 노동조합및노동관계조정법 제81조 제2호 단서에 대한 위헌소원사건에서 "근로자가 노동조합을 결성하지 아니할 자유나 노동조합에 가입을 강제당하지 아니할 자유, 그리고 가입한 노동조합을 탈퇴할 자유는 근로자에게 보장된 단결권의 내용에 포섭되는 권리로서가 아니라 헌법 제10조의 행복추구권에서 파생되는 일반적 행동의 자유 또는 제21조 제1항의 결사의 자유에서 그 근거를 찾을 수 있다. 이와 같이 근로자의 단결하지 아니할 자유와 노동조합의 적극적 단결권이 충돌하는 경우 단결권 상호간의 충돌은 아니라고 하더라도 여전히 헌법상 보장된 일반적 행동의 자유 또는 결사의 자유와 적극적 단결권 사이의 기본권 충돌의 문제가 제기될 수 있다"고 판시한 바 있다(헌재 2005. 11. 24. 2002헌바95등).

99) 구 도로교통법 제58조가 긴급자동차를 제외한 이륜자동차와 원동기장치자전거에 대하여 고속도로 또는 자동차전용도로의 통행을 금지하고 있는 것이 청구인들의 통행의 자유(일반적 행동의 자유) 등을 침해하는지 여부가 다투어진 사건에서 헌법재판소는 이 법률조항이 과잉금지원칙에 위배되지 않는다고 결정하였다(헌재 2007. 1. 17. 2005헌마1111 등).

100) 헌법재판소는 "'의료행위'를 개인의 경제적 소득활동의 기반이자 자아실현의 근거로 삼으려는 청구인의 기본권, 즉 직업선택의 자유를 제한하거나, 또는 청구인이 의료행위를 지속적인 소득활동이 아니라 취미, 일시적 활동 또는 무상의 봉사활동으로 삼는 경우에는 헌법 제10조의 행복추구권에서 파생하는 일반적 행동의 자유를 제한하는 규정이다"라고 판시하였다(헌재 2002. 12. 18. 2001헌마370).

101) 요트조종면허제를 규정한 수상레저안전법 제4조 제2항 제2호가 청구인의 행복추구권(일반적 행동자유권)을 침해하지 않는다고 판시하였다(헌재 2008. 4. 24. 2006헌마954).

102) 헌법재판소는 "자동차 운전자에게 좌석안전띠를 매도록 하고 이를 위반했을 때 범칙금을 납부하도록 통고하는 것은, 교통사고로부터 국민의 생명 또는 신체에 대한 위험과 장애를 방지·제거하고 사회적 부담을 줄여 교통질서를 유지하고 사회공동체의 상호이익을 보호하는 공공복리를 위한 것으로 그 입법목적이 정당하고, 운전자의 불이익은 약간의 답답함이라는 경미한 부담이고 좌석안전띠 미착용으로 부담하는 범칙금이 소액인데 비하여 좌석안전띠 착용으로 달성하려는 공익은 동승자를 비롯한 국민의 생명과 신체를 보호하고 교통사고로 인한 사회적인 비용을 줄여 사회공동체의 이익을 증진하는 것이므로 달성하고자 하는 공익이 침해되는 청구인의 좌석안전띠를 매지 않을 자유라는 사익보다 크며, 제도의 연혁과 현황을 종합하여 볼 때 청구인의 일반적 행동자유권을 비례의 원칙에 위반되게 과도하게 침해하는 것이 아니다"고 판시하였다(헌재 2003. 10. 30. 2002헌마518).

103) 경찰청장이 서울광장을 차벽으로 둘러싸 청구인들이 2009. 6. 3. 서울광장에 출입하려는 것을 제지한 행위가 일반적 행동자유권을 비례(과잉금지)원칙에 반하여 침해한 위헌임을 확인한다는 결정을 하였다(헌재 2011. 6. 30. 2009헌마406).

3. 자기결정권

(1) 개 념

자기결정권이란 자기의 사적 영역의 사안에 대하여 국가 등 외부의 간섭 없이 스스로 자유로이 결정할 수 있는 권리를 말한다. 자기결정권은 스스로 선택하고 결정하는 권리로서 자율성을 가지며 자신이 원하지 않는 행위를 하지 않을 권리라는 점에서는 소극적인 성격을 가지지만 자신이 하고자 하는 구체적인 행위를 스스로 정하고 행할 수 있는 권리로서 적극성도 가진다.

(2) 헌법적 근거

헌법에 명문규정은 없지만, 학설과 판례는 자기결정권을 인정하고 있다. 대체로 자기결정권의 근거로 제10조를 드는 것이 지배적인 견해이다. 다만 제10조는 인간의 존엄과 가치와 행복추구권이 같이 규정되고 있어 문제가 된다. 헌법재판소는 간통죄를 규정하고 있는 '형법 제241조에 대한 헌법소원심판'에서는 "헌법 제10조는 …… 개인의 인격권과 행복추구권을 보장하고 있는 바, 개인의 인격권・행복추구권에는 개인의 자기운명결정권이 전제되는 것이고, 자기운명결정권에는 성행위 여부 및 그 상대방을 결정할 수 있는 성적 자기결정권이 포함되어 있다"고 판시하여 인격권(헌재는 인간의 존엄과 가치를 인격권으로 파악)과 행복추구권 모두를 근거로 하고 있다.[104] 한편 같은 '간통죄를 처벌하는 형법 제241조 위헌소원사건'에서는 "개인의 인격권에는 개인의 자기운명결정권이 전제되는 것이고 이 자기운명결정권에는 성행위 여부 및 그 상대방을 결정할 수 있는 성적 자기결정권이 포함되어 있으며 …… "라고 하여 같은 제10조를 근거로 하면서도 성적 자기결정권의 도출근거로서 인격권을 들고 있다.[105] 한편 혼인빙자간음죄를 처벌하는 '형법 제304조 위헌소원사건'에서는 "헌법 제10조에서 보장하는 인격권 및 행복추구권, 헌법 제17조에서 보장하는 사생활의 비밀과 자유는 타인의 간섭을 받지 아니하고 누구나 자기운명을 스스로 결정할 수 있는 권리를 전제로 하는 것이다. 이러한 권리내용 중 성적자기결정권이 포함되는 것은 물론이다"라고 하여 성적 자기결정권의 도출근거로 제10조는 물론 제17조도 들고 있다.[106]

---

104) 헌재 1990. 9. 10. 89헌마82.
105) 헌재 2001. 10. 25. 2000헌바60.
106) 헌재 2002. 10. 31. 99헌바40, 2002헌바50(병합).

가장 최근의 헌법재판소 판례는 "헌법 제10조가 정하고 있는 행복추구권에서 파생되는 자기결정권 내지 일반적 행동자유권은 이성적이고 책임감 있는 사람의 운명에 대한 결정 · 선택을 존중하되 그에 대한 책임은 스스로 부담함을 전제로 한다"고 하여 자기결정권의 근거로 제10조 중 행복추구권을 제시하고 있다.[107)]

(3) 일반적 행동자유권과 자기결정권

서로 다른 권리로 인정하는 견해도 있지만, 양자는 서로 밀접한 관계에 있다. 둘 다 헌법에는 열거되지 않은 권리이며 제10조에서 파생되는 권리로 인정되고 있다. '스스로의 문제를 스스로의 의사에 따라 결정하고 타인, 특히 국가의 간섭을 받음이 없이 자유롭게 행동할 수 있는 권리'로 자기결정권은 **결정의 측면**을, 일반적 행동자유권은 **행동의 측면**을 강조하는 것에 불과하다는 견해도 있다.[108)]

(4) 사생활의 자유와 자기결정권

미국에서는 프라이버시권을 판례에 의하여 인정하고 있고, 미국 판례에서는 임산부의 자기결정권을 프라이버시권에 찾고 있는 판례가 있다. 우리나라의 경우 자기결정권의 내용과 사생활의 비밀과 자유의 내용이 중복되는 경우가 있어 제17조의 사생활의 자유에 의하여 보호되는 영역을 제외한 나머지 사항에 한정하여 자기결정권을 인정하는 것이 타당하다. 독일과 일본은 이에 관한 별도의 규정이 없기 때문에 자기결정권의 헌법적 근거를 일반적 인격권조항이나 인간의 존엄과 행복추구권에서 찾는 것이 가능하다.

(5) 자기결정권의 내용(보호영역)

① 생명 · 신체의 처분에 대한 자기결정권

협의의 자기결정권은 낙태나 치료, 장기기증 등 생명과 신체에 관한 문제와 같이 제17조에 의해 포섭하기 어려운 사항에 관한 결정을 보호영역으로 한다.[109)] 즉 생명 · 신체의 처분과 직결되는 자기결정권을 지칭한다. 이러한 영역에서 환자의 자기결정권, 의료소비자의 자기결정권 등이 문제된다. 대법원과 헌법재판소는 회복 불가능한 사망한 단계에 이른 경우 연명치료의 거부를 결정할 환자의 자기결정권

---

107) 헌재 2004. 6. 24. 2002헌가27.
108) 김주현, "자기결정권과 그 제한", 헌법논총 제7집, 1996, 33면.
109) 성낙인, 앞의 책, 1021면.

을 인정하고 있다.[110)]

② 인생의 전반에 걸친 설계에 있어서의 자기결정권

결혼, 이혼, 출산, 피임 등 여부 및 시기 등을 스스로 결정할 권리이다.

③ 성적인 자기결정권

헌법재판소는 종래 형법 제241조 간통죄에 대한 위헌제청사건에서 "개인의 인격권·행복추구권에는 개인의 자기운명결정권이 전제되는 것이고, 이 자기운명결정권에는 성행위 여부 및 그 상대방을 결정할 수 있는 성적자기결정권이 또한 포함되어 있으며 간통죄의 규정이 개인의 성적자기결정권을 제한하는 것임은 틀림없다. 나아가 이 사건 법률조항은 개인의 성생활이라는 내밀한 사적 생활영역에서의 행위를 제한하므로 우리 헌법 제17조가 보장하는 사생활의 비밀과 자유 역시 제한하는 것으로 보인다. 그러나 위와 같은 기본권도 절대적으로 보장되는 것은 아니며, 헌법 제37조 제2항에 따라 국가안전보장, 질서유지 또는 공공복리를 위하여 필요한 경우에는 그 본질적 내용을 침해하지 않는 한도에서 법률로써 제한할 수 있는 것이다"라고 하면서 위헌의견[111)]인 재판관이 4인, 헌법불합치의견[112)]인 재판관이 1인이어서 위헌결정을 위한 심판정족수에 이르지 못한다고 하여 합헌결정을 한 바 있었고,[113)] 그 이전에는 형법상 간통죄 법률조항에 대하여 모두 합헌결정을 한 바 있었다.[114)]

---

110) 대판 2009. 5. 21. 2009다17417; 헌재 2009. 11. 26. 2008헌마385.

111) 4인의 위헌의견 중 3인의 재판관(김종대, 이동흡, 목영준)은 "이 사건 법률조항은 과잉금지원칙에 위반하여 개인의 성적(性的) 자기결정권과 사생활의 비밀과 자유를 제한하는 것으로 위헌이다. 오늘날 성(性)에 대한 국민 일반의 법감정이 변하고 있고, 도덕적으로 비난받을 만한 행위 모두를 형사처벌의 대상으로 삼는 것은 바람직하지 아니하며, 간통 및 상간행위의 형사처벌이 일부일처제와 가정보호·부부간의 성적 성실의무 보호·여성의 보호에 실효적인 기능을 하지도 못한다는 점 등을 고려할 때 이 사건 법률조항의 수단의 적절성 및 피해의 최소성을 인정하기 어렵다. 또한 이 사건 법률조항은 개인의 내밀한 성생활의 영역을 형사처벌의 대상으로 삼아 국민의 성적 자기결정권 등 기본권을 지나치게 제한하여 법익균형성을 상실한 것이다"란 의견을 제시하였고, 1인의 재판관(송두환)은 "이 사건 법률조항이 간통 및 상간행위를 형사처벌하도록 한 자체는 헌법에 위반되지 아니하나, 법정형으로 징역형만을 규정한 것은 구체적 사안의 개별성과 특수성을 고려할 수 있는 가능성을 배제 또는 제한하여 책임과 형벌간 비례의 원칙에 위배되어 헌법에 위반된다"라는 의견을 제시한 바 있다.

112) 1인의 재판관(김희옥)은 "이 사건 법률조항은 단순히 도덕적 비난에 그쳐야 할 행위 또는 비난가능성이 없거나 근소한 행위 등에까지 형벌을 부과하여 법치국가적 한계를 넘어 국가형벌권을 행사한 것으로 헌법에 합치되지 아니한다"하여 헌법불합치의견을 제시하고 있다.

113) 헌재 2008. 10. 30. 2007헌가17 등.

그러다가 2015년 헌법재판소는 형법 제241조 간통죄에 대하여 위헌결정을 내려 그간의 논란을 종식시켰다.[115] 5인의 위헌 다수의견은 "사회 구조 및 결혼과 성에 관한 국민의 의식이 변화되고, 성적 자기결정권을 보다 중요시하는 인식이 확산됨에 따라 간통행위를 국가가 형벌로 다스리는 것이 적정한지에 대해서는 이제 더 이상 국민의 인식이 일치한다고 보기 어렵고, 비록 비도덕적인 행위라 할지라도 본질적으로 개인의 사생활에 속하고 사회에 끼치는 해악이 그다지 크지 않거나 구체적 법익에 대한 명백한 침해가 없는 경우에는 국가권력이 개입해서는 안 된다는 것이 현대 형법의 추세여서 전세계적으로 간통죄는 폐지되고 있다. 또한 간통죄의 보호법익인 혼인과 가정의 유지는 당사자의 자유로운 의지와 애정에 맡겨야지, 형벌을 통하여 타율적으로 강제될 수 없는 것이며, 현재 간통으로 처벌되는 비율이 매우 낮고, 간통행위에 대한 사회적 비난 역시 상당한 수준으로 낮아져 간통죄는 행위규제규범으로서 기능을 잃어가고, 형사정책상 일반예방 및 특별예방의 효과를 거두기도 어렵게 되었다. 부부 간 정조의무 및 여성 배우자의 보호는 간통한 배우자를 상대로 한 재판상 이혼 청구, 손해배상청구 등 민사상의 제도에 의해 보다 효과적으로 달성될 수 있고, 오히려 간통죄가 유책의 정도가 훨씬 큰 배우자의 이혼수단으로 이용되거나 일시 탈선한 가정주부 등을 공갈하는 수단으로 악용되고 있기도 하다. 결국 심판대상조항은 과잉금지원칙에 위배하여 국민의 성적 자기결정권 및 사생활의 비밀과 자유를 침해하는 것으로서 헌법에 위반된다"고 한다. 1인의 위헌의견은(김이수 재판관) " …… 사실상 혼인관계의 회복이 불가능한 파탄상태로 인해 배우자에 대한 성적 성실의무를 더 이상 부담하지 아니하는 간통행위자나 미혼인 상간자의 상간행위 같이 비난가능성 내지 반사회성이 없는 경우도 있다. 그럼에도 불구하고, 심판대상조항이 일률적으로 모든 간통행위자 및 상간자를 형사처벌하도록 규정한 것은 개인의 성적 자기결정권을 과도하게 제한하는 국가형벌권의 과잉행사로서 헌법에 위반된다"는 견해를 제시하였고, 또 다른 1인의 위헌의견은(강일원 재판관) "형법은 간통죄를 친고죄로 규정하면서, 배우자의 종용이나 유서가 있는 경우 간통죄로 고소할 수 없도록 규정하고 있는데, 소극적 소추조건인 종용이나 유서의 개념이 명확하지 않아 수범자인 국민이 국가 공권력 행

---

114) 헌재 1990. 9. 10. 89헌마82; 헌재 1993. 3. 11. 90헌가70; 헌재 2001. 10. 25. 2000헌바60.

115) 7인의 위헌의견과 2인의 합헌의견(이정미, 안창호 재판관)이 있었는데, 7인의 위헌의견에서도 5인(박한철, 이진성, 김창종, 서기석, 조용호 재판관)의 위헌의견과 달리 2인(김이수, 강일원 재판관)은 이유를 달리하고 있다(헌재 2015. 2. 26. 2009헌바17 · 205, 2010헌바194, 2011헌바4, 2012헌바57 · 255 · 411, 2013헌바139 · 161 · 267 · 276 · 342 · 365, 2014헌바53 · 464, 2011헌가31, 2014헌가4(병합)).

사의 범위와 한계를 확실하게 예측할 수 없으므로 심판대상조항은 명확성원칙에 위배되며, 긴통 및 상간행위에는 행위의 태양에 따라 죄질이 현저하게 다른 수많은 경우가 존재함에도 반드시 징역형으로만 응징하도록 한 것은 구체적 사안의 개별성과 특수성을 고려할 수 있는 가능성을 배제 또는 제한하여 책임과 형벌간 비례의 원칙에 위배되어 헌법에 위반된다"는 견해를 제시하고 있다.

또한 동성동본금혼제에 대한 사건에서 헌법재판소는 헌법 제10조를 언급하면서 "모든 기본권의 종국적 목적(기본이념)이라 할 수 있고 인간의 본질이며 고유한 가치인 개인의 인격권과 행복추구권을 보장하고 있다. 그리고 이러한 개인의 인격권·행복추구권은 개인의 자기 운명결정권을 그 전제로 하고 있으며, 이 자기운명결정권에는 성적(性的)자기결정권 특히 혼인의 자유와 혼인에 있어서 상대방을 결정할 수 있는 자유가 포함되어 있다"고 판시하고 있다.[116)]

한편 형법 제304조 중 "혼인을 빙자하여 음행의 상습없는 부녀를 기망하여 간음한 자" 부분(혼인빙자간음죄)이 헌법 제37조 제2항의 과잉금지원칙을 위반하여 남성의 성적 자기결정권 및 사생활의 비밀과 자유를 침해하는지 여부가 다투어진 사건에서 "이 사건 법률조항이 혼인빙자간음행위를 형사처벌함으로써 남성의 성적 자기결정권을 제한하는 것임은 틀림없고, 나아가 이 사건 법률조항은 남성의 성생활이라는 내밀한 사적 생활영역에서의 행위를 제한하므로 우리 헌법 제17조가 보장하는 사생활의 비밀과 자유 역시 제한하는 것으로 보인다"고 하면서 "이 사건 법률조항은 목적의 정당성, 수단의 적절성 및 피해최소성을 갖추지 못하였고 법익의 균형성도 이루지 못하였으므로, 헌법 제37조 제2항의 과잉금지원칙을 위반하여 남성의 성적자기결정권 및 사생활의 비밀과 자유를 침해하는 것으로 헌법에 위반된다. 종전에 헌법재판소가 이 결정과 견해를 달리해 형법 제304조는 헌법에 위반되지 아니한다고 판시한 결정[117)]은 이 결정과 저촉되는 범위 내에서 이를 변경하기로 한다"고 하여 위헌결정을 내린 바 있다.[118)]

---

116) 헌재 1997. 7. 16. 95헌가6 내지 13(병합). 이 사건에서는 법률조항이 헌법에 위반된다는 점에 있어서는 재판관 7명의 의견이 일치되었으나, 재판관 5명은 단순위헌결정을 선고함이 상당하다는 의견이고 재판관 2명은 헌법불합치결정을 선고함이 상당하다는 의견으로서, 재판관 5명의 의견이 다수의견이기는 하나 헌법재판소법 제23조 제2항 제1호에 규정된 "법률의 위헌결정"을 함에 필요한 심판정족수에 이르지 못하였으므로 헌법불합치의 결정을 선고하였다(위 법률조항은 입법자가 1998. 12. 31.까지 개정하지 아니하면 1999. 1. 1. 그 효력을 상실한다. 법원 기타 국가기관 및 지방자치단체는 입법자가 개정할 때까지 위 법률조항의 적용을 중지하여야 한다).

117) 헌재 2002. 10. 31. 99헌바40, 2002헌바50(병합).

118) 헌재 2009. 11. 26. 2008헌바58 등.

그 밖에 성폭력범죄의 처벌 등에 관한 특례법 제8조 제1항 외 여러 조항에 대한 위헌소원,[119] 형법 제298조(강제추행) 위헌소원[120] 등에서 성적 자기결정권을 언급하고 있다.

④ 생활스타일의 자기결정권

생활스타일, 즉 복장, 두발형, 음주 등 생활습관이나 방식을 어떻게 할 것인가와 취미에 관한 사항에 대하여 스스로 결정하는 권리이다.

⑤ 자기정보통제에 대한 자기결정권

자기정보를 비익할 것인가, 공개할 것인가, data base에 있는 자기정보의 공개정정을 요구할 수 있는 자기결정권을 말한다. 다른 자기결정권과 달리 정보화시대에 있어서 개인정보자기결정권(자기정보결정권)은 적극적인 청구권적인 성격도 아울러 가지고 있는 것으로 파악되고 있다. 개인정보자기결정권의 근거에 대해서는 헌법재판소의 주류적 입장은 인간의 존엄과 가치 · 행복추구권을 규정한 제10조 1문에서 도출되는 일반적 인격권 및 제17조의 사생활의 비밀과 자유를 들고 있다.[121] 독일의 연방헌법재판소는 1983년 12월 인구조사판결에서 "개인정보자기결정권은 언제, 어떠한 범위 안에서 개인의 생활관계가 공개될 것인지를 결정할 수 있는 권리, 즉 자기의 개인적 정보의 제공과 이용에 대하여 원칙적으로 결정할 수 있는

---

119) 헌재 2012. 7. 26. 2012헌바144; 헌재 2012. 5. 31. 2011헌바381; 헌재 2010. 7. 29. 2009헌바350 등.

120) 헌재 2011. 9. 29. 2010헌바66.

121) 서울특별시 교육감 등이 졸업생의 성명, 생년월일 및 졸업일자 정보를 교육정보시스템(NEIS)에 보유하는 행위가 그 정보주체의 개인정보자기결정권을 침해하는지 여부가 다투어진 사건에서 헌법재판소는 "인간의 존엄과 가치, 행복추구권을 규정한 헌법 제10조 제1문에서 도출되는 일반적 인격권 및 헌법 제17조의 사생활의 비밀과 자유에 의하여 보장되는 개인정보자기결정권은 자신에 관한 정보가 언제 누구에게 어느 범위까지 알려지고 또 이용되도록 할 것인지를 그 정보주체가 스스로 결정할 수 있는 권리이다. 즉 정보주체가 개인정보의 공개와 이용에 관하여 스스로 결정할 권리를 말한다. 개인정보자기결정권의 보호대상이 되는 개인정보는 개인의 신체, 신념, 사회적 지위, 신분 등과 같이 개인의 인격주체성을 특징짓는 사항으로서 그 개인의 동일성을 식별할 수 있게 하는 일체의 정보라고 할 수 있고, 반드시 개인의 내밀한 영역이나 사사(私事)의 영역에 속하는 정보에 국한되지 않고 공적 생활에서 형성되었거나 이미 공개된 개인정보까지 포함한다. 또한 그러한 개인정보를 대상으로 한 조사 · 수집 · 보관 · 처리 · 이용 등의 행위는 모두 원칙적으로 개인정보자기결정권에 대한 제한에 해당한다"고 판시한 바 있다(헌재 2005. 7. 21. 2003헌마282; 헌재 2005. 5. 26. 99헌마513, 2004헌마190(병합). 한편 헌법재판소는 개인정보자기결정권을 "독자적 기본권으로서 헌법에 명시되지 아니한 기본권이라고 보아야 할 것"이라고 판시한 경우도 있다(헌재 2005. 5. 26. 99헌마513; 헌재 2010. 5. 27. 2008헌마663; 헌재 2010. 5. 27. 2008헌마663).

권리이며, 즉 자기의 개인적 정보의 제공과 이용에 대하여 원칙적으로 스스로 결정할 수 있는 권리이며, 이는 기본법 제1조 제1항과 결합한 제2조 1항의 일반적 인격권에서 도출된다"고 하였다.[122]

개인정보자기결정권은 사회로부터 은둔할 수 있는 사생활 영역의 권리가 아니고, 사회에 참여하는 데 필요한 사회적 영역의 권리로 보면, 제17조의 사생활의 비밀과 자유에서 그 근거를 찾기보다는 제10조에서 도출되는 일반적 인격권 및 자기결정권에서 찾는 것이 타당하다고 생각한다. 우리나라처럼 행복추구권 규정이 없는 독일의 경우는 일반적 인격권에서 찾는 것이 일반적이고 우리나라에서도 일반적 인격권에서 개인정보자기결정권을 도출하는 것이 일반적이지만, 행복추구권에서 도출되는 자기결정권에서 그 근거를 찾는 것이 무난하다고 생각한다.

⑥ 기타의 자기결정권

ⅰ) 소비자의 상품선택에 대한 자기결정권

헌법재판소는 행복추구권으로부터 소비자가 자신의 의사에 따라 자유롭게 상품을 선택할 수 있는 소비자의 자기결정권이 파생한다고 보고 있다. 즉 주세법 제38조의7의 자도소주 구입명령제도가 헌법에 위반되는지 여부가 다투어진 사건에서 헌법재판소는 "구입명령제도는 소주판매업자의 직업의 자유는 물론 소주제조업자의 경쟁 및 기업의 자유, 즉 직업의 자유와 소비자의 행복추구권에서 파생된 자기결정권을 지나치게 침해하는 위헌적인 규정이다. 소주시장과 다른 상품시장, 소주판매업자와 다른 상품의 판매업자, 중소소주제조업자와 다른 상품의 중소제조업자 사이의 차별을 정당화할 수 있는 합리적인 이유를 찾아 볼 수 없으므로 이 사건 법률조항은 평등원칙에도 위반된다. 지방소주제조업자는 신뢰보호를 근거로 하여 구입명령제도의 합헌성을 주장할 수는 없다 할 것이고, 다만 개인의 신뢰는 적절한 경과규정을 통하여 고려되기를 요구할 수 있는 데 지나지 않는다"고 판시하였다.[123]

한편 탁주의 공급구역제한제도를 규정하고 있는 주세법 제5조 제3항이 헌법에 위반되는지 여부가 다투어진 사건에서는 재판관 5인의 위헌의견이 있으나 법률의 위헌결정을 위한 심판정족수에는 이르지 못하여 합헌이 결정되었다. 즉 "탁주의 공급구역제한제도에 의한 탁주제조업자와 다른 상품 제조업자간의 차별은 탁주의 특성 및 중소기업을 보호하고 지역경제를 육성한다는 헌법상의 경제목표를 고려한

---

122) BVerfGE 65, 1(이상명, "개인정보자기결정권의 헌법적 근거에 관한 고찰", 공법연구 제36집 제3호, 2008. 2, 236면에서 재인용).
123) 헌재 1996. 12. 26. 96헌가18.

합리적 차별로서 평등원칙에 위반되지 아니하고, 탁주의 공급구역제한제도로 인하여 부득이 다소간의 소비자선택권의 제한이 발생한다고 하더라도 이를 두고 행복추구권에서 파생되는 소비자의 자기결정권을 정당한 이유없이 제한하고 있다고 볼 수 없다"고 판시하였다.[124] 그 밖에 헌법재판소는 의료보험요양기관 강제지정제를 정한 구 의료보험법 제32조 제1항 등 위헌소원, 국민건강보험법 제40조 제1항 위헌확인사건에서도 의료소비자의 자기결정권을 침해하지 아니한다고 판시한 바 있다.[125]

ii) 자기결정권의 한계논리로서 자기책임의 원리

헌법재판소는 자기운명에 대한 결정선택권을 보장함은 그 결과에 대한 책임부담을 전제로 하며 이를 자기책임의 원리라 하고 있다. 즉 담배소비세가 면제된 담배를 공급받은 자가 이를 당해 용도에 사용하지 않은 경우 면세담배를 공급한 제조자에게 담배소비세와 이에 대한 가산세의 납부의무를 부담시키는 지방세법 제233조의7 제2항 제1호 중 제232조 제1항에 관한 부분이 헌법에 위반되는지 여부가 다투어진 사건에서 " …… 법적 제재가 위반행위에 대한 책임의 소재와 전혀 상관없이 이루어지도록 법률이 규정하고 있다면 이는 자기책임의 범위를 벗어나는 제재로서 헌법위반의 문제를 일으킨다. 헌법 제10조가 정하고 있는 행복추구권에서 파생되는 자기결정권 내지 일반적 행동자유권은 이성적이고 책임감 있는 사람의 자기의 운명에 대한 결정 · 선택을 존중하되 그에 대한 책임은 스스로 부담함을 전제로 한다. 자기책임의 원리는 이와 같이 자기결정권의 한계논리로서 **책임부담의 근거**로 기능하는 동시에 자기가 결정하지 않은 것이나 결정할 수 없는 것에 대하여는 책임을 지지 않고 책임부담의 범위도 스스로 결정한 결과 내지 그와 상관관계가 있는 부분에 국한됨을 의미하는 **책임의 한정원리**로 기능한다. 이러한 자기

---

124) 헌재 1999. 7. 22. 98헌가5.

125) "기관강제지정제로 인하여 의료소비자인 국민은 의료인과의 사적 계약을 통하여 의료행위의 질, 범위, 보수 등을 자유롭게 정할 수 있는 것이 아니라 원칙적으로 법이 정하는 기준에 따른 보험급여를 받게 된다. 그러나 국민은 진료를 받고자 하는 의료기관을 자유롭게 선택할 수 있을 뿐 아니라, 의료보험법과 국민건강보험법은 의료행위를 비급여대상으로 제공할 수 있는 가능성을 인정함으로써, 의료보험에 의하여 보장되는 급여 부분 외에 의료소비자의 자율적인 결정에 따라 자신의 부담으로 선택할 수 있는 소위 비급여대상의 의료행위를 함께 제공하고 있다. 따라서 모든 의료기관이 요양기관으로서 법이 정한 기준의 보험급여를 제공하고 이에 따라 의료소비자의 선택권이 제한을 받는다고 하더라도, 이러한 제한은 의료보험의 기능확보라는 중대한 공익의 실현을 위하여 행해지는 것이며, 제한을 받는 경우에도 보험급여의 대상이 되지 않는 비급여대상 의료행위를 선택할 수 있는 가능성을 가지고 있으므로, 의료소비자인 국민의 선택권도 과도하게 침해하는 것이라고 볼 수 없다"고 판시하였다 (헌재 2002. 10. 31. 99헌바76 등).

책임의 원리는 인간의 자유와 유책성, 그리고 인간의 존엄성을 진지하게 반영한 원리로서 그것이 비단 민사법이나 형사법에 국한된 원리라기보다는 근대법의 기본 이념으로서 법치주의에 당연히 내재하는 원리로 볼 것이고 헌법 제13조 제3항(모든 국민은 자기의 행위가 아닌 친족의 행위로 인하여 불이익한 처우를 받지 아니한다)은 그 한 표현에 해당하는 것으로서 자기책임의 원리에 반하는 제재는 그 자체로서 헌법위반을 구성한다고 할 것이다"라고 판시한 바 있다.[126]

Ⅶ. 행복추구권의 효력

행복추구권은 주관적 공권으로서의 성격만이 아니라 객관적 가치질서로서의 성격을 가지고 있다. 따라서 모든 국가권력에 대하여 효력을 가지며(대국가적 효력), 사인에 대해서도 효력을 가진다(대사인적 효력). 사인 간에 행복추구권이 적용되는 경우는 일반법률에 의해 행복의 추구가 전혀 또는 충분히 보장되지 못한 경우에만 국한되어야 하며, 구체적 상황에 따라 그때그때 직접 또는 간접적용될 수 있다.[127]

Ⅷ. 행복추구권의 한계와 제한

타인의 행복추구권을 방해해서는 안 되며 남용이 금지된다(내재적 한계). 행복추구권도 제37조 제2항의 일반적 법률유보에 의해 제한할 수 있다. 다만 본질적 내용은 침해할 수 없다.

18세 미만인 자의 노래방출입제한 사건(합헌)

노래방에 18세 미만인 자의 출입을 금지한 것이 행복추구권을 침해하는가와 관련하여 헌법재판소는 "행복추구권도 국가안전보장 · 질서유지 또는 공공복리를 위하여 제한될 수 있는 것이고, 18세 미만자에 대하여 노래연습장의 출입을 금지하고 있는 이 사건 법령조항들은 직업선택의 자유와 관련하여 살펴본 바와 같이 목적의 정당성, 방법의 적정성 등의 요건을 모두 갖추고 있으므로 위 조항들이 청구인이나 18세 미만의 청소년들의 행복추구권을 침해한 것이라고 볼 수도 없다"고 판시한 바 있다.

헌재 1996. 2. 29. 94헌마13

126) 헌재 2004. 6. 24. 2002헌가27.
127) 계희열, 앞의 책(중), 226면.

제3절 생 명 권

Ⅰ. 생명권의 의의

생명권, 즉 생명에의 권리(Recht auf Leben)는 너무도 당연한 인간의 권리이면서도, 그 실정화가 늦었다. 생명권은 1776년 미국독립선언에서 " …… 생명 · 자유 및 행복을 추구할 권리가 포함되어 있다"라고 최초로 실정화된 이후로 1946년 일본국헌법 제13조, 1948년 세계인권선언 제3조 등에 규정되었으며, 특히 독일기본법 제2조 제2항은 "누구든지 생명에의 권리와 신체불훼손의 권리를 가진다"고 규정하고 있고 동법 제102조는 "사형은 폐지된다"고 규정하고 있다. 이것은 과거 나치스 독일의 유대인학살사건에 대한 반성에서 실정화한 것으로 새삼 생명권에 대한 인식을 새로이 한 것으로 의미가 크다. 우리 헌법상에는 생명 및 생명권에 관한 명문의 규정을 두지 않고 있지만, 통설과 판례는 생명의 권리를 헌법상 권리로 인정하고 있다.

Ⅱ. 헌법상 근거 (실정헌법의 해석 · 적용상 생명권의 보장근거)

생명권의 이론적 근거에 대해서는 "'생명권'은 '신체적 완전성' 및 '신체활동의 임의성'을 보장하는 '신체의 자유'의 당연한 전제일 뿐 아니라, '인간의 존엄성'을 가치적인 핵으로 하는 우리나라 기본권질서의 논리적인 기초"[128]라고 설명되기도 하지만, 헌법적 근거에 대해서는 견해의 대립이 있다. 인격적 존재로서의 인간이든 육체적 존재로서의 인간이든, 인간의 생명권은 인간의 존엄성을 규정한 제10조, 신체의 자유를 규정한 제12조 제1항, 헌법에 열거되지 않은 권리를 규정한 제37조 제1항을 드는 견해,[129] 제10조의 인간의 존엄권에서 구하는 견해,[130] 신체적 완전성 및 신체활동의 임의성을 보장하는 신체의 자유의 전제일 뿐만 아니라 인간의 존엄성을 그 가치적인 핵으로 하는 우리나라 기본권질서의 논리적 기초로 보면서 헌법의 명문규정의 유무에 관계없이 당연한 헌법상 권리로 보는 견해,[131] 제10조

128) 허영, 앞의 책, 370면.
129) 권영성, 앞의 책, 410면.
130) 김철수, 앞의 책(상), 517－518면.

와 제12조 신체의 자유에서 구하는 견해,[132] 제37조 제1항에서 근거를 찾는 견해[133] 등 다양하다. 헌법재판소는 사형제도와 관련하여 "인간의 생명은 고귀하고, 이 세상에서 무엇과도 바꿀 수 없는 존엄한 인간존재의 근원이다. 이러한 생명에 대한 권리는 비록 헌법에 명문의 규정이 없다 하더라도 인간의 생존본능과 존재목적에 바탕을 둔 선험적이고 자연법적인 권리로서 헌법에 규정된 모든 기본권의 전제로서 기능하는 기본권 중의 기본권이라 할 것이다"[134]라고 하여 생명권을 자명한 권리로 인정하고 있으나, 그 헌법적 근거에 대해서는 구체적으로 밝히고 있지 않다. 생각건대 위 조항들 모두 생명권과 관계가 있으나, 생명권은 인간의 본질적 가치에 해당한다고 보면 제10조에서 구하는 것이 무난하다고 본다.

Ⅲ. 생명권의 법적 성격

1. 대국가적 방어권

생명권은 자연법적 권리로서 국가로부터의 생명에 대한 침해를 방어하는 권리, 즉 국가에 대한 주관적 공권의 성격을 가진다. 따라서 국가는 집단학살이나 우생학적 단종시술과 같이 생명을 단절하는 행위를 할 수 없다.

2. 국가적 보호청구권

생명권은 모든 질서의 기초를 이루는 객관적 요소의 성격도 가지기 때문에, 사인에 의한 생명권 침해에 대해서는 국가의 기본권보장의무에 기초하여 제3자의 침해로부터 보호하여 줄 것을 국가에 대하여 요구할 수 있는 권리의 성격도 가지고 있다. 따라서 제3자에 의한 살인은 금지되며, 기아 · 질병 · 공해 · 사적 폭력 등에 의해 생명의 위협을 받고 있는 국민을 구호하지 않고 방치하는 국가의 부작위도

---

131) 허영, 앞의 책, 370－374면. 허영 교수는 생명권을 인신에 관한 실체적 권리로 신체의 자유와 함께 설명하고 있다.

132) 성낙인, 앞의 책, 1053면. 제10조 인간의 존엄성 규정에서 비롯될 뿐만 아니라 생명은 인간의 신체의 안전과 자유의 본원적 기초이므로 인신의 안전과 자유를 규정한 제12조도 함께 그 근거가 될 수 있다고 한다.

133) 계희열, 앞의 책(중), 273면. 계희열 교수는 제37조 제1항(헌법에 열거되지 않은 권리)을 생명권의 헌법적 근거로 보면서, 제37조 제1항에는 그 내용적 표지가 규정되지 않기 때문에 제10조가 이를 인식하는 내용적 표지로서 제37조 제1항과 더불어 생명권의 근거가 된다고 한다.

134) 헌재 1996. 11. 28. 95헌바1.

허용되지 않는다. 기타 생명권이 국가에 대하여 생존을 위한 사회 · 경제적 여건을 조성해 줄 것을 요구할 수 있는 생존권으로서의 성격(생명조성청구권)이 인정되는가에 대해서는 견해의 대립이 있다.[135]

Ⅳ. 생명권의 주체

1. 인간의 권리

인간의 권리로서 내외국인을 불문하고 자연인이 권리의 주체가 된다. 법인은 성질상 생명권의 주체가 될 수 없다.

2. 태 아

태아도 생명권의 주체가 된다는 점에서는 이설이 없다. 헌법재판소도 "…형성 중의 생명인 태아에게도 생명에 대한 권리가 인정되어야 한다. 따라서 태아도 헌법상 생명권의 주체가 되며, 국가는 헌법 제10조에 따라 태아의 생명을 보호할 의무가 있다"라고 판시하고 있다.[136] 독일 연방헌법재판소도 태아의 생명권을 경시한 입법을 무효선언한 바 있다.[137]

다만 낙태와 관련하여 언제부터 태아로 볼 것인가가 문제된다. 태아의 시기와 관련해서는 크게 **수정시설**과 **착상시설**로 학설이 나뉜다. 독일 연방헌법재판소는 생명의 시작은 수태 후 14일이 지난 태아로 보고 있다.[138] 생물학적 개념으로 수

135) 후술 생명권의 내용 참조.

136) 헌재 2008. 7. 31. 2004헌바81. 이 결정에서 다수의견과 소수의견은 태아의 생명권의 주체성을 인정하고 있지만, 그 헌법적 근거를 설명함에는 다수의견과 소수의견은 차이를 보이고 있다. 다수의견은 태아 생명권의 인간의 존엄과 가치와 관련성을 명시하지 않고 일반적인 국가의 기본권보호의무(제10조 2문)의 보호대상으로만 파악한 반면, 소수의견은 인간의 존엄과 가치(제10조 1문)의 객관적 보호내용으로 국가의 보호의무(제10조 2문)의 대상임을 주장하고 있다(이 결정에 대한 평석에 대해서는 장영철, "태아의 생명권에 대한 국가의 보호의무 – 헌재 2008. 7. 31. 2004헌바81결정에 대한 평석", 공법학연구 제10권 제2호, 한국비교공법학회, 2009, 129면 이하 참조).

137) BVerfGE 39, 1ff.

138) 독일의 1974년 형법은 수태 후 12주간 이내라면 임산부의 동의하에 의사가 행하는 인공임신중절을 처벌하지 않는 **기한모델**을 채택하였는데, 연방헌법재판소는 태아의 생명권과 국가의 생명보호의무의 관점에서 국가의 형벌을 완전히 배제한 동법을 위헌판결(제1차 **낙태판결**)한 것이다(BVerfGE 39, 1); 1992년 독일 형법은 다시 임신 12주간 이내에 충분한 조언을 받은 후에 임산부의 희망에 의하여 의사가 행한 중절은 위법하지 않다고 개정하였으나 연방헌법재판소는 이에 대해서도 위헌무효로 판단(제2차 낙태판결)한 바 있다(BVerfGE 88,

정한 때부터 **원시선**이 생기는 14일까지의 존재(접합체, 상실배, 배반포)를 **초기배아**(pre-embryo, 전배아)로 분류하여, 2주부터 모든 장기가 형성되는 8주까지의 존재인 배아, 즉 **후기배아**(post-embryo)와 구별한다. 그리고 8주 이후 장기들이 단순히 양적인 성장을 하는 때의 존재는 태아(fetus)로 분류한다.[139] 그러나 착상시부터 낙태죄로부터 보호받는 것을 생각하면 생명권의 주체로서의 태아는 후기배아를 포함하는 것으로 해석해야 한다. 즉 생명권의 주체로서의 배아는 전기배아를 말하고, 태아는 발생학적인 것과는 달리 착상이후부터로 해석해야 한다고 생각한다. 한편 미국 연방대법원은 독자적 생존가능 여부에 따라 생명의 시작을 판단한 예가 있다. 즉 Roe v. Wade **사건**[140]에서는 태아가 생존할 수 있는 능력(viability)과 관련하여 임신 초기 3월, 그 다음 3월, 마지막 3월에 따라 달리 판단하고 있다. 이 판결은 Texas 주 형법상의 낙태금지규정에 의해서는 낙태시술을 받을 수 없었던 임신 중인 Jane Roe와 의사가 Dallas 군지방검찰관 Wade를 상대로 제기한 소송이다. 이 사건에서 미국 연방대법원은 3개월 이내의 임신중절은 privacy권으로 보호되기 때문에 주정부가 개입할 수 없고 오로지 임부와 의사의 자율에 맡겨야 한다고 하였고, 그 다음 3개월에는 개인의 **privacy권**과 임부의 건강을 보호하기 위한 주의 정당한 이익이 형량되어야 하며, 마지막 3개월은 태아의 생명을 보호하기 위한 주의 이익이 개인의 privacy권보다 우월하다고 판시하였다. 그러나 태아의 생존할 능력을 누가 어떻게 평가할 수 있는가도 문제이지만, 인간으로 발달하는 과정 중의 어느 한 시점을 선택하여 그 전과 그 후를 질적으로 달리 평가할 수 있는 합리적 근거를 발견하기 어려워 채택하기는 어렵다고 하겠다.[141]

---

203).

139) National Bioethics Advisory Commission, “Human Stem cell research and Potential for Clinical Application”, 「Ethical issues in Human Stem Cell Research(volume 1)」, 1999. September, p. 10.

140) Roe v. Wade, 410 U.S. 113(1973).

141) 미국에서는 1992년 Planned Parenthood of Southeastern Pennsylvania v. Casey 사건에서 배우자고지조항에 대하여 엄격한 심사기준이 아닌 보다 완화된 ‘부당한 심사기준(undue burden test)’을 적용하여, 낙태를 시술하려는 의사는 남편으로부터 낙태수술계획을 고지하였다는 서명 있는 진술서를 임산부에게 받은 후에만 수술을 할 수 있도록 규정한 펜실베니아주 낙태법(Section 3209)은 여성의 낙태권에 대한 부당한 부담이 된다고 판시하였다(505 U.S. 893(1992)). 일반적으로 이 사건에서 Roe v. Wade 사건은 수정된 것으로 평가하고 있다.

3. 배 아

의학의 발달로 **체외수정**이 실현됨에 따라 **배아**[142)]의 생명도 보호되어야 하는가, 보호되어야 한다면 어느 정도로 보호되어야 하는가라는 문제가 제기된다. 배아는 사람으로 발전하고 성장할 수 있으므로 이를 보호하여야 함은 마땅하다. 배아의 시기는 정자와 난자가 만나 수정된 시점으로 보아야 한다. 헌법상 생명권을 폭넓게 보장하기 위해서는 생명은 수태의 시기에 이미 존재하는 것으로 보는 것이 타당하기 때문이다.[143)] 그러나 배아를 태아와 똑같이 다루기에는 문제가 있다. 특히 **잔여배아**[144)]의 처리와 관련하여 문제가 많다. 배아를 태아와 동일시 할 경우 배아의 폐기는 낙태죄가 성립될 수 있기에 배아의 연구는 불가능할 수 있고, 연구실에서 수정된 배아를 자궁에 착상된 태아와 동일하게 다루는 것은 역시 문제가 있다. 따라서 배아에 대하여는 보호의 필요성과 함께 연구의 필요성도 반영하여 어느 정도까지 보호할 것인가가 관건이다.

우리의 '생명윤리 및 안전에 관한 법률'은 배아의 생성을 엄격히 제한하고 있다. 즉 누구든지 임신외의 목적으로 배아를 생성하여서는 아니 된다고 규정하고, 임신을 목적으로 배아를 생성함에 있어서도 ⅰ) 특정의 성을 선택할 목적으로 정자와 난자를 선별하여 수정시키는 행위, ⅱ) 사망한 자의 정자 또는 난자로 수정시키는 행위, ⅲ) 미성년자의 정자 또는 난자로 수정시키는 행위(혼인한 미성년자가 그 자녀를 얻기 위한 경우를 제외) 등을 하지 못하도록 하고 있다(동법 제13조 제1항, 제2항). 또한 인공수태시술을 위하여 정자 또는 난자를 채취 · 보관하거나 이를 수정시켜 배아를 생성하고자 하는 의료기관은 보건복지부장관으로부터 배아생성의료기관으로 지정받도록 하고 있다(동법 제14조). 그리고 배아의 보존기간은 원칙적으로 5년으로 하고 이 기간이 도래하면 법이 인정하는 연구목적으로 이용하지 아니하고자 하는 배아는 폐기하도록 하고 있다(동법 제16조 제1항, 제2항). 배아의 보존기간이 경과된 잔여배아는 발생학적으로 원시선이 나타나기 전까지에 한하여 체외에서 ⅰ) 불임치료법 및 피임기술의 개발을 위한 연구, ⅱ) 근이영양증 그 밖에 대통령령이 정하는 희귀 · 난치병의 치료를 위한 연구, ⅲ) 그 밖에 ⅰ)과 ⅱ)에 준하는 연구로서 대통령령이 정하는 연구 등

142) '생명윤리 및 안전에 관한 법률'은 '**배아**'를 "**수정란 및 수정된 때부터 발생학적으로 모든 기관이 형성되는 시기까지의 분열된 세포군**"으로 정의하고 있다(동법 제2조 제2호).

143) J. Ipsen, "Der verfassungsrechtliche Status des Embryos in vitro", JZ 2001, S. 994f.

144) '생명윤리 및 안전에 관한 법률'은 '잔여배아'를 "인공수정으로 생성된 배아 중 임신의 목적으로 이용하고 남은 배아"로 정의하고 있다(동법 제2조 제3호).

의 목적으로 이용할 수 있도록 하고 있다(동법 제17조). 그 밖에 **체세포복제배아**[145]를 연구목적으로 생성하고 연구하는 것도 '생명윤리 및 안전에 관한 법률'에 의하여 허용되고 있다(동법 제22조, 제23조).

법에 의하여 허용된 배아 생성 등에 대해서도 위헌성 논란이 있지만, 법에 의해서 허용되어 생성된 배아 등도 생명권의 주체가 된다고 볼 수 있다. 그래야만 배아에 대한 더 두터운 보호를 기할 수 있기 때문이다. 한편 배아에게 생명권의 주체성을 부인하면서 배아를 생명권으로부터 도출되는 생명보호의무에 의한 보호대상으로는 보고 있는 견해가 있는가 하면,[146] 출생을 목적으로 모체에 이식된 배아는 생명권의 주체성을 인정하고 그 밖의 배아는 적어도 국가의 생명보호의무에 의한 보호대상이 된다고 보는 견해도 있다.[147] 최근의 헌법재판소 판례는 후자와 비슷한 입장을 취하고 있는 것으로 판단된다. 즉 헌법재판소는 착상 전의 초기배아가 헌법상 기본권의 주체로서 헌법소원을 제기할 청구적격이 있는지 및 배아생성자의 배아의 관리 또는 처분에 대한 결정권을 갖는지가 다투어진 사건[148]에서 배아의 기본권주체성을 인정하지 않고 있으며, 배아생성자는 배아에 대한 결정권을 가지지만 제한될 수 있는 기본권으로 생명윤리법상 규정은 배아생성자의 결정권을 제한하는 비례의 원칙에 위배되지 않는다고 판시한 바 있다.[149] 헌법재판소는 출생 전 형성 중의 생명에 대해서 헌법적 보호의 필요성이 크고 일정한 경우 그 기본권 주체성이 긍정된다고 하더라도, 어느 시점부터 기본권 주체성이 인정되는지, 또 어떤 기본권에 대해 기본권 주체성이 인정되는지는 생명의 근원에 대한 생물학적 인식을 비롯한 자연과학·기술 발전의 성과와 그에 터 잡은 헌법의 해석으로부터 도출되는 규범적 요청을 고려하여 판단하여야 할 것이라고 전제하면서, "청구인 1, 2는 수정란 및 수정된 때부터 발생학적으로 모든 기관이 형성되는 시

---

145) '생명윤리 및 안전에 관한 법률'은 체세포복제배아를 "**체세포핵이식행위**(핵이 제거된 인간의 난자에 인간의 체세포 핵을 이식하는 것)에 의하여 생성된 배아"로 정의하고 있다(동법 제2조 제4호, 제5호).

146) J. Ipsen, a.a.O., S. 995.

147) 계희열, 앞의 책(중), 278-279면.

148) 청구인들은 '생명윤리 및 안전에 관한 법률' 제16조 제1항, 제2항 등이 임신목적의 배아 생성을 허용하면서 인공수정배아를 인간이 아닌 세포군으로 규정하여 이에 대한 연구목적의 이용 가능성을 열어두고 있고, 잔여배아의 보존기간과 그 폐기 및 연구에 관해 불충분하게 규율하고 있으며, 생성배아의 수효에 관한 제한 및 인공수정을 할 수 있는 전제와 기준·방법 등에 대하여 규율하지 않고, 체세포핵이식행위를 통해 생성된 체세포복제배아의 연구·폐기를 허용함으로써 청구인들의 기본권을 침해한다고 주장하며 2005. 3. 31. 그 위헌확인을 구하는 이 사건 헌법소원심판을 청구하였다.

149) 헌재 2010. 5. 27. 2005헌마346.

기까지의 분열된 세포군을 말하는 생명윤리법상의 '배아'(생명윤리법 제2조 제2호 참조)에 해당하며, 그 중에서도 수정 후 14일이 경과하여 원시선이 나타나기 전의 수정란 상태, 즉 일반적인 임신의 경우라면 수정란이 모체에 착상되어 원시선이 나타나는 그 시점의 배아 상태에 이르지 않은 배아들이다(이하에서 배아를 '초기배아'라고 약칭하기로 한다). 이 시기의 청구인 1, 2가 수정이 된 배아라는 점에서 형성 중인 생명의 첫걸음을 떼었다고 볼 여지가 있기는 하나 아직 모체에 착상되거나 원시선이 나타나지 않은 이상 현재의 자연과학적 인식 수준에서 독립된 인간과 배아 간의 개체적 연속성을 확정하기 어렵다고 봄이 일반적이라는 점, 배아의 경우 현재의 과학기술 수준에서 모태 속에서 수용될 때 비로소 독립적인 인간으로의 성장가능성을 기대할 수 있다는 점, 수정 후 착상 전의 배아가 인간으로 인식된다거나 그와 같이 취급하여야 할 필요성이 있다는 사회적 승인이 존재한다고 보기 어려운 점 등을 종합적으로 고려할 때, 초기배아에 대한 국가의 보호필요성이 있음은 별론으로 하고, 청구인 1, 2의 기본권 주체성을 인정하기 어렵다"고 판시하였다.[150] 즉 헌법재판소는 기본권의 주체가 될 수 없으므로 헌법소원을 제기할 수 있는 청구인적격을 부정한 바 있다. 다만 오늘날 생명공학 등의 발전과정에 비추어 인간의 존엄과 가치가 갖는 헌법적 가치질서로서의 성격을 고려할 때 인간으로 발전할 잠재성을 갖고 있는 초기배아라는 원시생명체에 대하여도 위와 같은 헌법적 가치가 소홀히 취급되지 않도록 노력해야 할 국가의 보호의무는 인정하고 있다.[151]

V. 생명권의 내용

1. 생명권의 대상으로서의 '생명'

생명권에 대한 논의는 '생명'의 개념에서 시작된다. 생명권의 대상인 생명을 이해하는 데 있어 생명을 자연적인 개념으로 이해할 것인가, 법적인 개념으로 이해할 것인가에 대해서는 견해의 대립이 있다.

그동안 다수의 견해는 뒤리히(Dürig)가 정의한 바와 같이[152] **생명권의 대상이 되는 생명**(life, leben)이란 자연적 개념으로서 '아직 생명이 아닌 것'(Noch-Nicht-Leben)과 죽음(死, Tod)에 반대되는 인간의 육체적 존재형태(körperliche Daseinsform), 즉

150) 위의 판례.
151) 위의 판례.
152) Günter Dürig in: Maunz-Dürig-Herzog-Scholz, Grundgesetz Kommentar, Band 1, C · H · Beck, München, 1994, Art. 2 Abs. II Rdnr. 9.

'생존'(Lebendigsein)을 의미하며, 언제부터 언제까지를 생존으로 볼 것인가는 원칙적으로 자연과학적 판단에 따라야 한다는 입장을 취하고 있다. 이 견해에 따르면 생명은 인간의 존재 그 자체로 자연적으로 인정되는 것이기 때문에 이러한 자연적 존재에 대하여 사회적 또는 법적인 기준으로 그 가치를 부정하거나 평가할 수 없다. 따라서 '존재할 가치가 없는 생명', '무의미한 생명'이라는 등의 가치판단은 법적으로 허용되지 않는다.[153]

법적 개념설은 생명이 자연현상이라는 부분을 일부 인정하면서 자연과학적이고 의학적인 바탕 하에서 법적인 개념으로 논의되어야 한다고 한다. 인간의 생명은 그들이 속한 사회 속에서 법의 보호아래 생명의 평가를 받아야지 자연과학자나 의학자의 손에 맡기는 것은 부당하다고 보고 자연현상이나 사물에 대한 자연과학적·의학적 인식은 법학적 기초가 될 수는 있어도, 자연과학적 인식 그 자체가 법적 개념은 될 수 없으므로 생명을 법적 개념으로 보아야 한다는 견해이다. 생명이 하나의 법익으로 보호되려면 생명의 개념은 법적 개념으로 확정되지 않으면 안 된다고 한다.[154]

양 견해는 생명권의 확고한 보장을 추구하려는 목적에서는 공통점이 있고, 양 견해가 그 예외를 인정하고 있다는 면에서 결과적으로는 큰 차이는 없다고 보인다. 자연적 개념으로 이해하는 견해는 사회적 기능 여하에 따라 특정 생명에 대한 무가치한 생명의 평가를 부정하는 데 중점이 있고, 법적 개념으로 이해하는 견해는 가변적인 생리학적·의학적인 생명개념에서 기인하는 법적 안정성의 결여를 방지하자는 데 중점이 있다고 할 수 있다. 생각건대 생존으로서의 생명의 개념은 생리학적 인식방법으로 판단해야 하고 생리학적 제 조건이 존재하는 한 사회적·법적 관점에 따른 생존의 차별적 취급은 원칙적으로 허용할 수 없다고 보는 것이 타당하다고 생각한다. 다만 자연적 개념에 따른다고 하더라도 생명이 충돌하는 경우

---

153) 김철수, 앞의 책(상), 518면; 권영성, 앞의 책, 409면; 성낙인, 앞의 책, 1055면; 정종섭, 앞의 책, 479면; 장영수, 앞의 책, 596면; 홍성방, 앞의 책(중), 21면.

154) 계희열, 앞의 책(중), 274면. 계희열 교수는 물론 이 경우에도 자연과학적 생명의 개념을 무시하는 개념의 확정은 있을 수 없다고 한다. 다만 헌법은 생명권을 보다 철저하게 보호하기 위하여 생명의 개념을 포괄적으로 규정해야 한다고 하면서 그래야만 태아의 생명과 같은 것이 헌법적 생명의 개념에 포함되게 되고, 이러한 법적 기초 위에서 타인의 생명을 부정하거나 생명과 생명이 충돌하는 경우 법적 평가가 가능하다고 한다. 허영 교수도 생명의 개념을 정하는 것은 법학의 문제라고 하여 원칙적으로 법적 개념설의 입장을 취하고 있다고 생각된다(허영, "생명권에 대한 헌법적 고찰", 율산 한태연 박사 회갑기념논문집, 1978, 139면). 구병삭 교수도 헌법에 의해서 보호되는 인간의 생명은 자연현상을 바탕으로 한 법적 개념으로 파악될 수 있다고 한다(구병삭, 신헌법원론, 박영사, 1996, 412면).

에는 예외적으로 사회적 · 법적 평가가 허용된다고 본다면 절충설이라고도 할 수 있을 것이다. 현재 대부분의 학설도 원칙적으로는 **자연적 개념설**에 따르면서 예외적으로 법적 평가가 허용된다고 보는 입장이라고 하겠다.

2. 생명권의 구체적 내용

(1) 생명에 대한 침해배제권(대국가적 방어권)

생명권은 무엇보다도 국가의 생명에 대한 침해로부터 이를 방어하는 권리, 즉 국가에 대한 주관적 공권으로서의 성격을 가진다. 말하자면 국가에 대한 부작위청구권으로서의 의미를 가지는 권리이다. 방어권으로서의 생명권은 모든 국민은 자신의 생명에 대해서 국가가 침범하는 경우 이를 중지해달라고 요구할 수 있는 권리를 가지며 이에 상응하여 국가는 모든 국민에게 그의 생명을 침범하는 행위를 하지 않을 의무가 발생한다. 예를 들어 국민은 집단학살이나 우생학적 단종시술과 같이 생명을 단절하는 행위를 중지해줄 것을 요구할 수 있는 권리를 가지며, 국가도 이러한 행위를 하지 않을 의무를 부담해 줄 것을 요구할 수 있다. 생명권이 국가에 대한 방어권으로서의 성격을 가진다고 하더라도 일반적인 자유권과는 구별된다. 왜냐하면 생명권은 다른 여러 가지 기본권, 특히 정신적, 경제적, 신체적 자유의 전제가 되는 기본권이며, 더구나 자유권은 그것이 침해되더라도 회복이 불가능하지 않지만, 생명권은 그것이 일단 침해되면 사후에 회복이 불가능한 점에서 결정적인 차이점이 존재한다. 따라서 그 보장도 자유권(정신적 자유권을 포함)보다도 특히 강도의 보장이 요청된다. 생명권을 침해하는 살인죄가 형사법상 독자의 범죄의 유형으로 구성되고 자유권을 침해하는 범죄유형 이상으로 중한 형벌이 가해지는 것도 이 때문이다.

(2) 생명에 대한 보호청구권

① 제3자의 침해에 대한 국가적 보호청구권

생명권은 제3자의 침해로부터 보호하여 줄 것을 국가에 대하여 요구할 수 있는 보호청구권으로서의 성격을 가진다. 기본권의 제3자적 효력을 부정하는 견해도 있지만, 생명권도 객관적 가치질서로서의 성격도 가진다고 보면 제3자적 효력을 인정하지 않을 수 없다. 인간생명의 침해는 국가에 의한 경우보다 사인에 의해 자행되는 경우가 많으므로 사인에 의한 생명침해를 방치한다면 생명권의 존재가치를 훼손하게 될 것이다.[155] 이 점에서 생명권은 제3자에 의한 생명침해로부터 자신의 생명을 보호해 줄 것을 요구할 수 있는 적극적 보호청구권을 내포하고 있다.

② 국가의 부작위에 의한 생명침해에 대한 보호청구권

생명권은 국가에 대해 직접적 효력이 미치므로 입법권, 행정권, 사법권 등 국가기관은 이에 기속된다. 따라서 국가기관은 개인의 생명을 보호할 의무를 가지고 있다. 즉 국가의 의무는 소극적으로 개인의 생명권을 침해하지 않을 뿐 아니라, 적극적으로 개인의 생명권을 보호할 의무를 의미하며 여기에는 제3자에 의한 침해로부터 적극적으로 보호해야 할 의무와 생명의 위협에 빠져 있는 개인이나 집단을 구호하지 않고 방치하는 국가의 부작위도 허용되지 않는다. 화재, 전염병유행 등 생명침해의 위협이 있는 일정한 경우 국가는 국민의 생명보호를 위한 적극적인 작위의무를 진다. 국가는 이를 위하여 각종 보건제도, 산업안전제도 등을 적극 마련해야 할 의무를 지지만, 국민도 국가의 부작위에 대하여 일정한 요건 하에 국가에 생명보호를 청구할 권리가 있다. 이러한 보호청구권을 사회국가가 내지 사회권의 관점에서 접근하는 것은 다음에서 보는 바와 같이 문제가 있다고 생각한다.

③ 소 결

이러한 보호청구권으로부터 살인은 금지되며, 기아·질병·공해·사적 폭력 등에 의해 생명의 위협을 받고 있는 국민을 구호하지 않고 방치하는 국가의 부작위도 허용되지 않는다. 국가의 보호는 형법규범의 제정과 같은 규범적 급부를 그 내용으로 하는데, 어떠한 입법행위를 할 것인지는 입법자의 형성의 자유에 속하지만 적어도 최소한의 급부를 이행할 것은 명령된다.

(3) 적극적인 생명조성청구권의 포함 여부

생명권이 국가에 대하여 생존을 위한 사회·경제적 여건을 조성해 줄 것을 요구할 수 있는 생존권(**생명조성청구권**)으로서의 성격도 가지는가가 문제된다. 이에 대해서는 인정설[156]과 부정설[157]이 대립하고 있는데 생명권과 생존권은 개념상 법

155) 허영, 앞의 논문, 143-144면.

156) 김철수, 앞의 책(상), 518면; 성낙인, 앞의 책, 443면. 일본의 山內敏弘은 생명권에 최저한도의 생존보장을 국가에 요구하는 권리가 포함되는 것은 국제연합인권제규약의 생명권에 대해서도 유력하게 주장되고 있지만, 다수의 생명이 기아(飢餓) 등에 의해서 희생되고 있는 세계의 현실을 근거로 그리고 현대 국제사회의 역할이 당연히 그러한 생명의 상실을 방지하는 점에 있다는 점을 근거로 한다면 어떤 의미에서는 당연하다고 한다(山內敏弘, 앞의 논문, 336면). 그러나 이러한 권리는 일본헌법 제25조에 구체적으로 보장되어 있다고 하고 있어, 제13조 생명권의 내용으로 파악하는지는 불분명하다.

적으로 구별되고 생존권이 별도로 규정되어 있는 경우 생명권에 생존권의 성질을 별도로 인정하는 것은 무리라고 생각된다. 이 문제는 생명권을 근거로 청구하기보다는 생존권의 구체적 권리성의 문제로 해결하는 것이 바람직하다고 생각한다.[158] 생명권은 법적 성격에서도 보았듯이 우선 국가가 개인의 생명을 침해하는 경우 이를 배제할 수 있는 대국가적 방어권을 그 내용으로 한다는 점에 대해서는 이론이 없다.

(4) 생명처분권의 인정 여부

생명권에 있어서도 자신의 생명을 포기할 수 있는 이른바 '처분권'이 허용되는가 또는 타인에게 자신의 생명에 관한 처분권을 위임하는 것이 허용되는가의 문제가 제기된다. 자신의 생명에 관한 처분권을 타인에게 위임하는 것은 허용되지 않지만, 자살의 경우에는 타인에게 해를 미치는 것이 아니므로 헌법상 허용된다는 견해도 있지만,[159] 헌법상 자신의 생명에 대한 자유로운 처분권, 즉 **자살권**은 인정되지 않는다.[160] 형법상 자살이 처벌될 수 없다는 점과는 다른 차원의 문제이다. 국가는 국민의 기본권보호차원에서 자살을 방지하기 위한 조치를 강구해야 한다. 단식투쟁을 하는 자의 생명이 위험한 수준에 이른 경우 강제적 생명의 유지조치는 그 방법이 그의 존엄성을 침해하지 않는 한 허용된다.[161] 아울러 자신의 생명에 대한 처분권을 타인에게 위임할 수도 없다. 이 경우 타인은 형법상 촉탁·승낙에 의한 살인 및 자살방조죄로 처벌된다. 생명권에 관한 한 이른바 '자기결정권'은 용납되지 않으며, 이러한 처분권에 근거한 것이라면 낙태나 안락사는 용인하기 어렵다.

Ⅵ. 생명권의 효력

생명권은 직접적인 대국가적 효력을 가지며, 제3자적 효력도 가진다. 대국가적 효력의 관점에서 보면 입법, 행정, 사법은 생명권에 구속된다. 국가는 생명을 보호

---

157) 정종섭, 앞의 책, 481면
158) 계희열 교수는 생명권은 사회국가원리와 연합하여 – 비록 극히 예외적인 경우에 한정되기는 하지만 – 국가에게 생명의 유지(생존)에 필요한 최소생계비의 지급의무를 지운다고 한다(계희열, 앞의 책(중), 276면).
159) 정종섭, 앞의 책, 483면.
160) Günter Dürig, a.a.O., Art. 2 Abs. Ⅱ Rdnr. 12,
161) 계희열, 앞의 책(중), 275면.

하고 육성할 의무가 있다. 이 의무에는 국가의 직접적인 침해가 금지될 뿐 아니라 일정한 경우에 국가가 국민의 생명이 없어짐을 적극 방지하고 보호해야 할 의무를 진다. 그리고 사인의 침해로부터 생명권을 보호할 책임이 있다.

생명권은 사인 상호간에도 존중되어야 한다. 국가는 민사법, 형사법 등을 통하여 이를 구체적으로 보장한다. 그러나 이로써 생명권을 충분히 보호할 수 없는 경우 생명권은 직접 또는 간접적으로 사인 간에 적용될 수 있다.[162)]

현행 헌법상 국가의 작위 또는 부작위에 의한 부당한 생명침해에 대해서는 국가의 법적 책임이 인정된다. 먼저 법원사법에 의한 사형집행이 오판에 의한 경우에는 제28조의 형사보상책임이 인정된다. 그리고 공무원의 직무상 불법행위에 따른 생명침해인 경우에는 제29조에 의한 국가배상책임이 인정되며, 타인의 범죄행위로 생명·신체에 대한 피해를 받은 국민(사망의 경우 유족)에게 제30조에 의한 국가의 구조책임도 인정된다. 또한 사인에 의한 생명침해는 형사상 살인죄로 처벌되며, 민사상 불법행위에 따른 손해배상책임이 인정된다.[163)]

Ⅶ. 생명권의 제한과 그 한계

1. 생명권의 제한가능성

(1) 제한가능한 상대적 기본권

모든 생명은 등가적으로 평가되어야 하며, 생명에 관하여 사회적 또는 법적으로 평가하는 것은 원칙적으로 허용할 수 없다. 그러나 타인의 생명권의 부정, 둘 이상의 생명권의 충돌의 경우에 생명권의 한계문제가 제기된다. 이는 생명에 대한 법적 평가가 예외적으로 허용되는 경우이다. 우리의 대법원 판례에서 언급되고 있듯이 "생명은 한번 잃으면 영원히 회복할 수 없고 이 세상 무엇과도 바꿀 수 없는 절대적 존재이며 전 지구보다도 무겁고 또 귀중하고 엄숙한 것이며 존엄한 인간존재의 근거"[164)]로서 생명의 절대성을 부정할 수는 없다. 그리고 고립된 개인의 차원에서 생명권의 절대성을 인정할 수밖에 없지만, 개인은 사회와 고립된 존재가

162) 위의 책, 280면.

163) 생명권의 객관적 법질서성을 고려할 때 대사인 간에도 직접적용될 수 있는 기본권이므로 생명권은 주관적 공권성뿐만 아니라 주관적 사권성 또한 인정된다고 보는 견해도 유력하다(한상운, "현행 헌법상 생명존중에 관한 연구－배아복제, 낙태, 사형, 안락사의 문제를 중심으로－", 성균관법학 제18권 제1호, 2006, 129면).

164) 대판 1967. 9. 19. 67도988.

아니라 사회와의 연관 속에 존재하는 사회적 존재로서 개인에게 인정되는 권리는 사회 속에서 상대화될 수 있는데, 생명권도 마찬가지로 볼 수 있다. 우리 헌법재판소는 생명권 역시 제37조 제2항에 의한 일반적 법률유보의 대상이 되는 권리로 보고 있다. 다만 다른 기본권에 비하여 생명권의 중요성을 고려하면 "정당한 이유 없이 타인의 생명을 부정하거나 그에 못지 아니한 중대한 공공이익을 침해한 경우에"만 한정하여 국가개입을 인정해야 할 것이다.

(2) 헌법에서의 직접적 제한가능성

우리 헌법규정이 생명권에 대한 성문의 헌법직접적 제한규범을 규정하고 있는가와 관련해서는 제110조 제4항과 관련하여 다툼이 있을 수 있다. 제110조 제4항은 "비상계엄하의 군사재판은 군인 · 군무원의 범죄나 군사에 관한 간첩죄의 경우와 초병 · 초소 · 유독음식물공급 · 포로에 관한 죄 중 법률이 정한 경우에 한하여 단심으로 할 수 있다. 다만, 사형을 선고한 경우에는 그러하지 아니하다"고 규정하고 있는데, 이와 관련하여 헌법의 명시적인 문구로만 보면 사형제도를 허용하고 있는 것으로 보인다고 하면서 이 조항을 생명권에 대한 헌법적 제한규범으로 보는 견해도 있다.[165] 다른 사람의 기본권이나 헌법적 법익을 불문의 헌법직접적 제한규범으로 보는가는 별론으로 하더라도, 생명권에 관한 명문의 규정이 없는 우리 헌법상 이 규정을 생명권을 헌법에서 직접제한 가능성을 인정한 규정으로 볼 수 있는가는 의문이다.

(3) 법률유보에 의한 제한가능성

우리 헌법은 생명권 자체에 대하여 명시적 규정을 두고 있지 않기 때문에 생명권의 제한을 수권하는 개별적 법률유보조항은 애초부터 문제되지 않는다. 다만 일반적 법률유보조항인 헌법 제37조 제2항에 의하여 국가안전보장, 질서유지, 공공복리를 위하여 법률로 제한될 수 있는가가 문제될 뿐이다.

생명권은 헌법 제10조 등에서 인정되고 있으며, 생명권에 대한 침해는 성질상 생명의 박탈을 의미하기 때문에 생명권은 제37조 제2항의 기본권 제한에 관한 일반적 법률유보의 대상이 될 수 없다는 견해도 있지만,[166] 앞에서도 본 바와 같이

---

165) 이준일, 앞의 책, 443면. 다만 입법자가 사형제도를 반드시 규정하도록 헌법적으로 명령하고 있는 것은 아니기 때문에 입법자가 사형제도를 폐지하는 것도 가능하다고 한다. 즉 사형제도에 관해서는 입법자의 형성의 자유에 있다고 보고 있다.

166) 구병삭, 앞의 책, 414면.

생명권은 법률유보에 의해서도 제한될 수 없는 소위 절대적 기본권은 아니다. 따라서 정당한 이유 없이 타인의 생명을 부정하거나 둘 이상의 생명이 충돌하는 경우 생명권의 제한은 불가피하다. 헌법재판소도 "한 생명의 가치만을 놓고 본다면 인간존엄성의 활력적인 기초를 의미하는 생명권은 절대적 기본권으로 보아야 함이 당연하고, 따라서 인간존엄성의 존중과 생명권의 보장이란 헌법정신에 비추어 볼 때 생명권에 대한 법률유보를 인정한다는 것은 이념적으로는 법리상 모순이라고 할 수도 있다. 그러나 현실적인 측면에서 볼 때 정당한 이유 없이 타인의 생명을 부정하거나 그에 못지아니한 중대한 공공이익을 침해한 경우에 국법은 그중에서 타인의 생명이나 공공의 이익을 우선하여 보호할 것인가의 규준을 제시하지 않을 수 없게 되고, 이러한 경우에는 비록 생명이 이념적으로 절대적 가치를 지닌 것이라 하더라도 생명에 대한 법적 평가가 예외적으로 허용될 수 있다고 할 것이므로, 생명권 역시 헌법 제37조 제2항에 의한 일반적 법률유보의 대상이 될 수밖에 없다 할 것이다"고 판시하여 생명권이 일반적 법률유보의 대상이 될 수 있음을 밝히고 있다.[167)]

2. 제한의 한계

(1) 과잉금지의 원칙

생명권이 법률유보조항에 의하여 제한된다고 하더라도 그것은 지극히 신중을 기해야 한다. 생명권에 대한 제한은 곧 생명권의 완전한 박탈을 의미한다 할 것이므로, 비례의 원칙에 따라서 최소한 동등한 가치가 있는 다른 생명 또는 그에 못지아니한 공공의 이익을 보호하기 위한 불가피성이 충족되는 예외적인 경우에만 허용되어야 한다. 둘 이상의 생명권이 서로 대립하고 있는 경우에 여러 생명을 모두 보호할 수 없는 상황에서 어떤 생명을 우선적으로 보호할 것인가를 결정하는 것은 매우 어려운 일이다. 원칙적으로 최고의 보호법익인 인간생명은 동일가치이기 때문에 그 판단은 더욱 어렵다. 결국 구체적인 경우 타인의 생명을 부정하는 정당한 이유가 있는지를 따져야 할 것이고 둘 이상의 생명이 충돌하는 경우 형량을 통해서 결정할 수밖에 없으며, 그 형량의 기준은 획일적으로 정할 수는 없고 그때그때 구체적으로 정할 수밖에 없다.[168)]

구체적 형량의 예로 범죄자의 생명보다 선량한 시민의 생명의 존중, 생존가능

---

167) 헌재 1996. 12. 28. 95헌바1(형법 제250조 등 위헌소원).

168) 계희열, 앞의 책(중), 280면.

성이 보다 큰 생명 우선, 한 생명보다 다수의 생명 존중을 예로 들고 있는 견해가 있는가 하면,[169] 인질범의 경우 범인을 살해하지 않고도 인질을 구출하는 것이 가능한데도 불구하고 인질범을 살해하는 것은 비례의 원칙을 어긴 생명권의 침해이며, 내란 · 폭동 등과 같은 국가비상사태가 발생한 경우에도 인간생명의 희생이 최소한에 그칠 수 있는 작전명령이 필요하다는 견해가 있다.[170] 그 밖에 구출될 수 있는 생명은 구출될 수 없는 생명보다 중요시할 수 있을 것이다.

우리 헌법재판소는 상관을 살해한 경우 사형만을 유일한 법정형으로 규정하고 있는 군형법 제53조 제1항의 위헌성이 다투어진 사건에서 "법정형의 종류와 범위를 정하는 것이 기본적으로 입법자의 권한에 속하는 것이라고 하더라도, 형벌은 죄질과 책임에 상응하도록 적절한 비례성이 지켜져야 하는바, 군대 내 명령체계유지 및 국가방위라는 이유만으로 가해자와 상관 사이에 명령복종관계가 있는지 여부를 불문하고 전시와 평시를 구분하지 아니한 채 다양한 동기와 행위태양의 범죄를 동일하게 평가하여 사형만을 유일한 법정형으로 규정하고 있는 이 사건 법률조항은, 범죄의 중대성 정도에 비하여 심각하게 불균형적인 과중한 형벌을 규정함으로써 죄질과 그에 따른 행위자의 책임 사이에 비례관계가 준수되지 않아 인간의 존엄과 가치를 존중하고 보호하려는 실질적 법치국가의 이념에 어긋나고, **형벌체계상 정당성**을 상실한 것이다"고 판시한 바 있다.[171]

(2) 본질적 내용의 침해금지

기본권을 제한하는 법률은 그 내용상 기본권의 본질적인 내용을 침해할 수 없다는 한계가 있다. 우리 헌법 제37조 제2항은 그 후단에서 "국민의 모든 자유와 권리는 …… 제한하는 경우에도 자유와 권리의 본질적 내용은 침해할 수 없다"고 이를 명시하고 있다. 우리 헌법은 기본권제한의 한계로 제3차 개헌에서 본질적 내용의 침해금지규정을 처음 신설하였으나, 제7차 개헌(유신헌법)에서 삭제되었다가 1980년 헌법에서 부활하여 오늘에 이르고 있다.

'본질적인 내용'의 의미가 무엇인가를 놓고 절대설과 상대설이 대립된다(이에 대해서는 기본권의 제한 참조).

---

169) 위의 책, 280면.
170) 허영, 앞의 책, 371－372면. 그 밖에 형벌에 있어서 종신형으로 충분히 목적달성이 가능하다면 사형선고는 되도록 피하는 것이 옳다고 한다.
171) 헌재 2007. 11. 29. 2006헌가13. 위헌 결정 후 2009년 11월 1일 군형법이 개정되어 "상관을 살해한 자는 사형 또는 무기징역에 처한다"고 규정하였다(군형법 제53조 제1항).

특히 생명권의 경우 절대설을 취할 경우 생명권의 제한이 곧 생명권의 박탈이기 때문에 제한하고 남는 것이 있어야 한다는 것이 지켜질 수 없는 면이 있지만, 본질내용침해금지원칙을 유명무실하게 할 수 있다는 상대설에 대한 비판도 무시할 수 없다. 따라서 원칙적으로는 본질내용침해금지조항의 취지, 즉 입법자에 의한 기본권의 사실상의 공동화를 방지한다는 점에서 모든 기본권에 공통된 본질적 내용을 인정하지 않을 수 없다. 본질적 내용을 무엇으로 볼 것인가는 여전히 논란이 있을 수 있지만, 그것은 규범영역의 분석을 통하여 구체적으로 정립될 것이다. 따라서 기본적으로 기본권의 본질적 내용을 절대적으로 이해하면서도, 엄격하고 극히 제한된 해석을 통하여 인정된 일정한 경우에는 **생명권의 형해화**라 할 수 있는 생명권의 박탈(본질적 내용의 침해)을 예외적으로 허용할 수 있다고 해석하는 것이 타당하다고 생각한다.

3. 생명권의 제한과 관련된 개별적 쟁점

생명은 그 어느 것이나 등가적이므로 생명에 대한 사회적·법적 평가는 원칙적으로 허용되지 않으나, 예외적으로 정당한 이유 없이 타인의 생명을 부정하거나 둘 이상의 생명이 충돌할 경우에만 그 사회적·법적 평가가 가능하다. 그러한 관점에서 제37조 제2항의 일반적 법률유보조항에 의하여 생명권도 제한가능한 기본권이라 할 수 있다. 그러나 이 경우의 제한은 언제나 다른 생명을 보호하기 위한 것에 한해야 하고 과잉금지원칙과 본질내용침해금지원칙에 반해서는 안 된다.

(1) 사형제도와 생명권

사형제도의 존폐론에 관하여는 다양한 견해들이 있지만, 생명권과 관련한 위헌논의에서는 크게 i) 생명권은 절대적 기본권이라는 이유로 또는 사형제도는 생명권의 본질적 내용을 침해하는 것이므로 위헌이라는 견해와 ii) 생명권도 상대적 기본권으로서 제37조 제2항에 의한 제한을 예상하고 있는 것이므로 사형제도는 합헌이라는 견해가 대립하고 있다. 우리 대법원[172]과 헌법재판소는 사형제도를 합

---

172) "우리나라의 실정과 도덕적 감정을 고려해서 질서유지와 공공복리를 위해서 사형은 위헌이 아니다"(대판 1992. 8. 14. 92도1086); "사형은 인간의 생명자체를 영원히 박탈하는 냉엄한 극형으로서 그 생명을 존치시킬 수 없는 부득이한 경우에 한하여 적용되어야 할 궁극의 형벌이므로, 사형을 선택함에 있어서는 범행의 동기, 태양, 죄질, 범행의 수단, 잔악성, 결과의 중대성, 피해자의 수, 피해감정, 범인의 연령, 전과, 범행후의 정황, 범인의 환경, 교육 및 생육과정 등 극형이 불가피하다고 인정되는 경우에 한하여 허용될 수 있다"(대판 1995. 1. 13. 94도2662); 대판 1987. 9. 8. 87도1458 참조.

헌으로 보고 있다. 헌법재판소의 다수의견은 " 1) 생명권 역시 헌법 제37조 제2항에 의한 일반적 법률유보의 대상이 될 수밖에 없는 것이나, 생명권에 대한 제한은 곧 생명권의 완전한 박탈을 의미한다 할 것이므로, 사형이 비례의 원칙에 따라서 최소한 동등한 가치가 있는 다른 생명 또는 그에 못지아니한 공공의 이익을 보호하기 위한 불가피성이 충족되는 예외적인 경우에만 적용되는 한, 그것이 비록 생명을 빼앗는 형벌이라 하더라도 헌법 제37조 제2항 단서에 위반되는 것으로 볼 수는 없다. 2) 모든 인간의 생명은 자연적 존재로서 동등한 가치를 갖는다고 할 것이나 그 동등한 가치가 서로 충돌하게 되거나 생명의 침해에 못지아니한 중대한 공익을 침해하는 등의 경우에는 국민의 생명 · 재산 등을 보호할 책임이 있는 국가는 어떠한 생명 또는 법익이 보호되어야 할 것인지 그 규준을 제시할 수 있는 것이다. 인간의 생명을 부정하는 등의 범죄행위에 대한 불법적 효과로서 지극히 한정적인 경우에만 부과되는 사형은 죽음에 대한 인간의 본능적 공포심과 범죄에 대한 응보욕구가 서로 맞물려 고안된 '필요악'으로서 불가피하게 선택된 것이며 지금도 여전히 제기능을 하고 있다는 점에서 정당화될 수 있다. 따라서 사형은 이러한 측면에서 헌법상의 비례의 원칙에 반하지 아니한다 할 것이고, 적어도 우리의 현행 헌법이 스스로 예상하고 있는 형벌의 한 종류이기도 하므로 아직은 우리의 헌법질서에 반하는 것으로 판단되지 아니한다"고 판시하고 있다.[173] 한편 "국민의 생명과 자유를 박탈 내지 제한하는 것이나 잔인하고 비인간적인 형벌제도를 채택하는 것은 헌법 제10조에 반한다. 사형제도는 나아가 양심에 반하여 법규정에 의하여 사형을 언도해야 하는 법관은 물론, 또 그 양심에 반하여 직무상 어쩔 수 없이 사형의 집행에 관여하는 자들의 양심의 자유와 인간으로서의 존엄과 가치를 침해하는 비인간적인 형벌제도이기도 하다"라는 의견(김진우 재판관)과 "사형제도는 생명권의 본질적 내용을 침해하는 생명권의 제한이므로 헌법 제37조 제2항 단서에 위반된다. 가사 헌법 제37조 제2항 단서상의 생명권의 본질적 내용이 침해된 것으로 볼 수 없다고 가정하더라도, 형벌의 목적은 응보 · 범죄의 일반예방 · 범죄인의 개선에 있음에도 불구하고 형벌로서의 사형은 이와 같은 목적달성에 필요한 정도를 넘어 생명권을 제한하는 것으로 목적의 정당성, 그 수단으로서의 적정성 · 피해의 최소성 등 제원칙에 반한다"는 의견(조승형 재판관)이 소수의견으로 제시된 바 있다.

학설은 위헌설과 합헌설로 갈린다. 위헌설을 주장하는 김철수 교수는 죄수의

---

173) 헌재 1996. 11. 28. 95헌바1.

생명권의 본질적인 내용의 침해라고 보아야 하고 헌법재판소의 소수의견처럼 사형집행인이라든가 사형선고인, 사형집행확인인 등의 인간의 존엄권을 침해하는 것으로 위헌이라고 한다.[174] 합헌설을 주장하는 견해는 대체로 아주 제한적인 경우에만 사형을 인정하고 있는 입장이라고 하겠다.[175]

헌법재판소의 합헌결정으로 사형제도는 일단 계속해서 그 효력을 유지하게 되었으나 사형제도와 관련된 생명권의 위헌성 문제는 헌법논리상 사형이 생명권의 본질적 내용을 침해하는 것인지 여부에 대하여 위 결정이 명쾌한 해답을 제시하지는 못했기 때문에 논란의 불씨를 간직하고 있다.[176]

흉악범죄가 발생할 때의 국민의 반응을 보면 사형은 '필요악'이 아닌가 하는 생각도 들지만, 사형이 범죄자의 교화·개선에 전혀 기여하지 못하고 일반예방적 효과도 명확하게 입증되지 않고 있다는 점, 사형집행인 등의 인간의 존엄을 침해한다는 점, 사형은 생명권의 본질적 내용을 침해하는 것이 아닌가 등을 생각하면 위헌의 의심이 더 크다고 생각된다. 장차는 폐지되는 방향으로 가야 하지만, 과도기적으로 정치범 등의 양심범과 일반인범죄에 대해서 사형을 폐지하는 방안을 고려

---

174) 김철수, 앞의 책(상), 541면; 홍성방 교수는 사형제도는 인간으로서의 존엄과 가치 및 생명권과 정면으로 모순되기 때문에 지극히 예외적인 경우라도 사형선고를 내릴 수는 없다고 한다(홍성방, 앞의 책(중), 25면); 계희열 교수는 우리 헌법이 간접적으로 사형제도를 인정하고 있지만, 생명권을 보장하려면 사형제도를 폐지하는 것이 논리적 일관성을 가지며 사형제도는 원칙적으로 위헌이라는 견해를 피력하고 있다(계희열, 앞의 책(중), 281면).

175) 권영성 교수는 헌법 제110조 제4항은 사형제도를 간접적으로 시인한 규정으로 보고 있다(권영성, 앞의 책, 412면). 허영 교수는 사실상 사형제도는 '생명보호의 위협효과' 때문에 일응 그 정당성이 인정된다고 할지라도 사형선고는 생명권의 관점에서 매우 신중한 검토 후에 지극히 예외적으로만 행해져야 한다고 한다(허영, 앞의 책, 358－359면). 성낙인 교수는 생명의 박탈은 원칙적으로 생명권의 본질적 내용을 침해하지만, 예외적으로 사회 또는 국가의 유지에 필수적인 경우에는 위헌이라 할 수 없다고 하면서 가능한 한 좁게 인정하여야 한다고 한다(성낙인, 앞의 책, 469면). 장영수 교수는 사형제도 자체는 위헌으로 보기 어렵지만 헌법은 사형을 금지하지 않을 뿐, 사형의 폐지를 배제한 것도 아니기 때문에 법률로 사형을 폐지하는 것은 가능하다고 한다(장영수, 앞의 책, 269면). 이준일 교수는 생명권은 원칙의 성격을 가지는 상대적 기본권으로서 비례성원칙에 따라 제한될 수 있기 때문에 생명권의 제한불가능성이나 절대적 본질내용설에 기초하여 사형제도의 위헌성을 주장하는 것은 타당하지 않다고 하면서, 사형제도의 위헌성 여부는 범죄자의 생명권과 범죄피해자의 생명권 또는 범죄예방이라는 공익을 비례성원칙에 따라 합리적으로 형량한 결과에 의하여 판단되어야 한다고 한다. 그러면서 헌법에 명시적인 규정이 없는 한 '의심스러울 때는 자유에 유리하게'라는 이성법의 원칙에 따라 위헌론을 지지하는 것이 타당하지만, 현행 헌법에는 헌법직접적 제한규범(제110조 제4항)을 규정함으로써 일반예방효과에 대하여 긍정하는 견해를 선택하고 있기 때문에 사형제도는 합헌이라고 한다(이준일, 앞의 책, 430－431면).

176) 최두훈, "생명권의 헌법상 제한원리", 법학논문집 제30집 제1호, 중앙대학교 법학연구소, 2006. 8, 245면 이하 참조.

해 볼 수 있다. 그리고 중국에서 채택하고 있는 사형집행유예제도의 예처럼 사형수에 대하여 원칙적으로 일정한 기간 집행을 연기하면서 그 사람의 개선효과를 참작하여 감형할 수 있는 제도의 도입을 고려해볼 만하다.[177)]

(2) 인공임신중절(낙태)과 생명권

인공임신중절(낙태)이란 자연적인 분만의 시기가 도래하기 전에 자궁에서 발육 중인 태아의 생명을 제거하는 행위를 말한다. 모자보건법은 '**인공임신중절수술**'을 "태아가 모체 밖에서는 생명을 유지할 수 없는 시기에 태아와 그 부속물을 인공적으로 모체 밖으로 배출시키는 수술"로 정의하고 있다(모자보건법 제2조 제7호). 태아에게도 생명권이 인정되므로 인공임신중절은 원칙적으로 금지해야 한다. 그러나 생명권도 제한될 수 있는 상대적 기본권으로 이해한다면 인공임신중절의 허용 자체가 위헌이라고 말하기는 어렵다.

인공임신중절의 허용 여부는 결국 임산부의 자기결정권 및 생명권과 태아의 생명권이 상호 충돌하는 경우에 이를 어떻게 조화적으로 해결하느냐의 문제라고 하겠다. 일반적으로 **낙태허용론**과 **낙태금지론**이 대립하지만 어느 견해도 절대적이지 않다. 낙태에 관한 논의는 우선 생명의 시점을 출생이전의 어느 시점에서 인정할 것인가가 문제된다.[178)] 다음으로 낙태의 허용 여부에 대해서는 전면적 금지설, 예외적 허용설, 전면적 허용설로 대별되는데, 태아는 생명권의 주체로서 인정되고, 국가는 태아의 생명을 보호할 적극적 의무가 인정된다는 점에서 전면적인 낙태의 수용을 허용할 수 없다. 그렇지만 태아의 생명권과 마찬가지로 임산부의 존엄과 가치를 구현하기 위한 자기결정권 및 생명권 또한 존중되어야 한다는 점에서 전면적으로 금지하는 것도 문제가 있다. 따라서 원칙적으로는 금지하되 예외적으로 허용하는 예외적 허용설이 타당하다고 생각한다.

허용하는 기준에는 낙태를 허용하는 기한을 정하는 방식(**기한모델**)과 낙태를 정당화하는 사유를 정하는 방식(**적응모델**)이 있지만, 우리의 **모자보건법**은 후자의 방식을 취하고 있다. 즉 우리나라의 경우 낙태죄를 처벌하면서 예외적으로 모자모건법상에 정하는 사유에 해당하는 경우에 낙태를 허용하고 있다.[179)] 그리고 모자보

177) 김병록, "생명권과 관련된 몇 가지 문제점들", 공법연구 제28집 제4호 제2권, 2000. 6, 112면.

178) 이에 대해서는 김수갑, "기본권으로서의 생명권", 과학기술과 법 창간호, 충북대학교 법학연구소, 2010, 11－16면 참조.

179) 모자보건법 제14조 (인공임신중절수술의 허용한계) ① 의사는 다음 각 호의 어느 하나에 해당되는 경우에만 본인과 배우자(사실상의 혼인관계에 있는 사람을 포함한다. 이하 같다)의

건법시행령은 인공임신중절수술의 한계로 인공임신중절수술은 임신 24주일 이내인 사람만 할 수 있다고 규정하고 있다(동법 제15조 제1항). 우리나라의 모자보건법의 인공임신중절의 예외적 허용사유는 지나치게 넓게 인정하여 단순한 모체의 건강이나 가벼운 유전적 질환 또는 우생학적 이유로도 낙태가 허용될 수 있는 여지가 있어서 문제이다.[180] 낙태문제에 있어서는 윤리적 고려 및 인구정책적 고려보다 항상 태아의 생명권을 우선하는 사고 하에 가능한 한 낙태의 자유를 규제하는 정책이 바람직하다고 생각한다. 이러한 점에서 낙태의 정당화 사유는 임신의 지속이 모체의 생명에 커다란 위험을 가져오는 경우에 한정해야 한다고 본다.

(3) 안락사와 생명권

일반적으로 안락사의 개념에 대하여 학계의 견해는 다양하다. 견해에 따라 조금의 차이는 있지만, **안락사**(Euthanasia, Sterbehilfe)란 불치 또는 난치의 병으로 고통 받는 말기 환자 또는 회복불가능한 혼수상태에 있는 환자를 위하여 의사가 고통 없이 죽음에 이르게 하는 행위를 말한다. 생명의 단축을 초래하지 않는 안락사(**진정안락사**)는 형법상 아무런 문제가 없으며 오히려 요구되는 상황이다. 안락사의 문제는 인위적인 생명의 단축이 있다는 점에서 문제가 된다.

생명의 단축을 가져오는 안락사도 환자의 자발적 동의 여부[181]에 따라 **자발적 안락사**(voluntary euthanasia)와 **비자발적 안락사**[182]로 구별되지만 학계에서 인정

동의를 받아 인공임신중절수술을 할 수 있다.

1. 본인이나 배우자가 대통령령으로 정하는 우생학적(優生學的) 또는 유전학적 정신장애나 신체질환이 있는 경우
2. 본인이나 배우자가 대통령령으로 정하는 전염성 질환이 있는 경우
3. 강간 또는 준강간(準强姦)에 의하여 임신된 경우
4. 법률상 혼인할 수 없는 혈족 또는 인척 간에 임신된 경우
5. 임신의 지속이 보건의학적 이유로 모체의 건강을 심각하게 해치고 있거나 해칠 우려가 있는 경우

② 제1항의 경우에 배우자의 사망·실종·행방불명, 그 밖에 부득이한 사유로 동의를 받을 수 없으면 본인의 동의만으로 그 수술을 할 수 있다.

③ 제1항의 경우 본인이나 배우자가 심신장애로 의사표시를 할 수 없을 때에는 그 친권자나 후견인의 동의로, 친권자나 후견인이 없을 때에는 부양의무자의 동의로 각각 그 동의를 갈음할 수 있다.

180) 모자보건법 제14조의 위헌논의에 대해서는 홍성방, "낙태와 헌법상의 기본가치", 서강법학연구 제3권, 2001, 45-48면; 허영, "인공임신중절과 헌법", 공법연구 제5집, 1977, 88-91면 참조.

181) 추정적 동의를 인정할 것인가는 문제될 수 있지만, 엄격한 요건 하에 인정하는 견해가 있다.

182) 우생학적 이유로 생명단축을 허용하는 이른바 도태적 안락사를 하나의 예로 들 수 있으며, 이것은 절대로 인정할 수 없다.

여부에 관하여 주로 논의가 되는 것은 자발적 안락사이다. 그리고 자발적 안락사도 적극적인 작위에 의하여 이루어지는 **적극적 안락사**(positive euthanasia)와 소극적 부작위에 의하여 이루어지는 **소극적 안락사**(negative euthanasia)로 구별된다. 그 밖에 **간접적 안락사**란 유형도 들고 있는데, 이는 고통을 완화시키기 위한 약물투여 등과 같은 처치가 필연적으로 생명단축이라는 부수적인 효과를 가져 오는 것을 말한다. 예를 들어 말기 암환자에게 고통을 완화시켜 줄 목적으로 모르핀을 계속 증량 상용한 결과 환자가 자연적 사기를 앞당겨 사망한 경우를 들 수 있다. 간접적 안락사에 대해서 형법학자들은 환자의 반대가 없는 한 사회상규에 위배되지 않는 행위,[183] 긴급피난,[184] 업무로 인한 행위[185]로서 위법하지 않다거나 허용된 위험[186]으로서 인정하는 견해와 적극적 안락사와 다르지 않다는 견해의 대립이 있다. 후자가 타당하다고 생각한다.

적극적 안락사는 현대의학상 불치의 질병에 걸려 이에 수반된 견디기 어려운 육체적 고통을 제거하기 위하여 환자가 아닌 제3자가 직접적으로 생명의 단축을 야기하는 것으로 이를 협의의 안락사라 부르기도 한다.[187] 소극적 안락사는 부작위로 의술을 시술치 않거나 **생명유지장치를 제거**하는 등으로 사망에 이르게 하는 것을 말한다.

적극적 안락사에 관해서는 예외적으로 인정하는 경우도 있지만,[188] 대체로 위헌으로 보고 있으며 형법상 촉탁 · 승낙에 의한 살인죄 내지 살인죄에 해당한다고 보고 있다. 네덜란드는 국가적 차원에서 적극적 안락사가 합법화된 최초의 국가이다. 즉 1993년 네덜란드는 의사가 말기환자의 자살을 돕거나 환자의 명백한 요구에 따라 환자를 사망케 하여도 형사처벌을 받지 않도록 하는 법안을 통과시켰다.[189]

183) 이재상, "안락사의 형태와 허용한계", 김종원교수화갑기념논문집, 1991, 580면.
184) 전지연, "현행 형법에 따른 안락사의 허용 여부에 대한 검토", 명형식교수화갑기념논문집, 1998, 163면.
185) 정성근, 형법총론, 법지사, 1998, 343면.
186) 이형국, 형법각론연구Ⅰ, 법문사, 1997, 20면.
187) 홍성방, 앞의 책(중), 25면.
188) 적극적 안락사는 적극적인 작위에 의해 사람의 생명을 단축시키는 것이므로 원칙적으로 인정할 수 없으며 이를 인정하는 경우 부작용도 무시해서는 안 되지만, 극심한 고통을 겪고 있는 환자에게 국가가 고통의 감수를 강요할 수 있는가는 의문이라며 아주 엄격한 조건에서 적극적 안락사를 인정할 필요가 있다는 견해가 있다(성낙인, 구저, 437면). 성낙인 교수는 신저에서 예외적 의견을 삭제하여 견해를 바꾼 것으로 생각된다(성낙인, 앞의 책, 1058면); 적극적 안락사의 예외적 허용조건에 대해서는 일본의 名古屋 高等裁判所 판례가 인용되고 있다(名古屋 高判 1962(昭和 37). 12. 12; 권영성, 앞의 책, 410면 참조).
189) 이 법은 10년 이상 네덜란드에서 행해졌던 진료관행에 법적 효력을 부여한 것인데, 법에 의하여 의사가 처벌을 면하려면 28개의 점검리스트를 따르도록 요구하고 있다고 한다(김명수,

미국에서도 자살조력과 같은 적극적 안락사의 합법화운동은 대부분 실패했으나, 이에 대한 유일한 예외가 **Oregon주의 존엄사법**이다. Oregon주는 1994년 주민투표를 통하여 미국 최초로 존엄사법을 주민 51%의 찬성으로 통과시켰다. 그러나 이 법안에 대해서는 Oregon주의 의사인 Lee와 Petty 박사 및 말기환자들이 연방헌법상의 평등권침해라는 이유로 연방법원에 소송을 제기하였고, 제9순회 연방항소법원이 원고들의 당사자적격이 결여되었음을 이유로 기각하자 원고들은 연방대법원에 상고하였고 1997년 10월 14일 연방대법원은 원고의 상고를 기각하여 존엄사법은 위헌시비를 벗어났다. Oregon주는 주민의 의사를 재확인하기 위하여 1997년 11월 4일 이 법안의 폐지법안을 주민투표에 붙여 약 60%가 반대하고 존엄사법의 존치를 지지하여 1997년 11월부터 시행되었다.[190] Oregon주 존엄사법은 의사에 의해 말기질병(6개월 내 사망할 질병)으로 진단되고 자발적으로 죽을 의사를 표시한 Oregon 주민만을 적용대상으로 규정한다.[191]

소극적 안락사는 환자의 의사 여부에 따라 예외적으로 허용된다는 견해도 있다.[192] 최근에 논의되는 **존엄사**(death with dignity)라는 개념도 학자에 따라 다의적으로 쓰이지만, 일반적으로 회복의 가능성이 없는 말기상태의 환자에 대해서는 생명유지치료를 중지하여 인간으로서의 존엄을 유지하면서 죽음을 맞이하게 하는 것이다. 존엄사는 그 목적이 인간의 존엄성, 즉 '**인간다운 죽음을 맞을 권리**'를 보호한다는 점에 그 중점이 있고, 그 시행방법으로는 적극적 안락사의 형식과 소극적 안락사의 형태가 있을 수 있다. 이러한 점에서 존엄사를 소극적 안락사의 일종으로 보는 것은 약간의 문제가 있다.[193] 물론 존엄사에서도 생명유지장치의 연장거

"인간의 존엄성－생명권, 안락사 등을 중심으로", 세계헌법연구 제15권 제2호, 2010, 135－137면 참조).

190) 자세한 과정과 내용에 대해서는 한상훈, "안락사의 허용성에 대한 비교법적 고찰－미국, 네덜란드, 독일, 일본을 중심으로", 형사법연구 제21호, 2004, 165－166면 참조,

191) 오리건존엄사법(Oregon Death with Dignity Act)의 대상은 의사능력이 있고 18세 이상의 Oregon 주민이어야 하며 시한부질병을 앓고 있어야 하며, 자살조력의 요청은 자의적인 것이어야 한다. 또한 존엄사법은 동법의 남용 내지 악용을 방지하기 위하여 여러 안전장치들(투약요청서 형식의 법정주의, 요청서에 환자의 서명, 환자이외의 2인의 증인 서명, 주치의의 설명과 구체적 절차, 일정한 대기기간, 관련서류의 의료기관보고 등)을 마련하고 있다(한상훈, 앞의 논문, 166－167면 참조).

192) Albert Bleckmann, Staatsrecht II － Die Grundrechte, 3. Aufl., Carl Heymanns Verlag KG. Köln · Berlin · Bonn · München, 1989, S. 508. 환자의 의사에 반하여 생명을 연장하는 치료를 하거나 계속할 헌법적 의무는 없기 때문이라고 한다.

193) 존엄사는 환자가 의식불명상태이므로 고통이 문제되지 않고, 또한 환자의 자기결정권이 없다는 점에서 소극적 안락사와 구별하기도 하나(김일수, 한국형법 I, 박영사, 1992, 707면), 구분이 명확하지 않다.

부와 같은 소극적 안락사 형태가 주로 문제되기 때문에 큰 차이는 없다고 보인다.[194] 적극적 안락사 형식의 존엄사는 협의의 적극적 안락사의 문제와 같이 다루어져야 할 것이다. 소극적 안락사 형식의 존엄사를 원칙으로 본다면 소극적 안락사를 존엄사와 같이 다루어도 크게 문제될 것은 없다고 생각한다.

소극적 안락사는 고통을 줄이고 환자의 자기결정권을 존중해주는 의미에서 관행적으로 묵인되는 경우가 많았던 것이 사실이다. 미국에서 1976년 3월 31일 뉴저지주 대법원은 **In Re Quinlan 사건**[195]에서 말기환자나 그 대리인은 생명유지장치를 제거하거나 치료를 거부할 수 있는 권리를 헌법상 보호받는다고 판시하였다. 또한 주 대법원은 일정한 경우 사람은 의료치료를 거부할 헌법상 권리를 가지며 이러한 권리의 근거는 프라이버시권에서 나온다고 하였다. 그리고 이러한 권리는 환자의 충분한 의사능력에 근거해야 하며, 이 판결에서 Quinlan의 프라이버시권이 후견인인 그녀의 아버지에 의해서 주장될 수 있다고 하였다. 이 판결은 의식불명이 된 환자에 대하여 소극적 안락사를 인정하는 최초의 판결로서 의미를 가진다. 한편 **Cruzan 판결**,[196] 즉 교통사고로 식물인간이 된 Nancy Cruzan의 부모가 생명유지장치를 제거하도록 법원에 요청한 사건에서 미국 연방대법원은 충분한 의사능력이 있는 사람은 수정 제14조의 적법절차조항에 따라 의료치료를 거절할 헌법상 보호되는 자유이익을 가진다는 점은 인정했으나 충분한 의사능력을 갖추지 못한 사람에게는 이 자유이익이 인정될 수 없다고 판단하였다. 이 사건에서 Cruzan이 "식물인간인 채로" 살기를 원치 않았다는 전 룸메이트의 진술은 그녀가 치료를 거절했으리라는 분명하고 확신을 주는 증거로 볼 수 없다고 하였다.[197]

독일의 연방대법원은 2010년 6월 25일(현지시간) 생명유지장치에 의존한 불치병 말기 환자는 원하면 죽을 수 있는 권리를 가져야 한다고 판결했다.[198] 안락사 논

---

194) 최근에는 고통의 완화에 초점을 둔 안락사보다는 무의미한 연명치료를 중지하여 인간다운 품위 있는 죽음을 맞이할 권리라고 하는 존엄사에 초점이 맞추어지고 있으며, 여기에 안락사 논의의 현대적 재구성이 이루어지게 된 것이다.

195) 355 A2d 647(NJ, 1976).

196) Cruzan v. Director, Missouri Department of Health, 497 U.S. 261(1990).

197) 미국에서의 '죽을 권리'에 대한 자세한 고찰은 권혜령, 헌법에 열거되지 않은 권리에 관한 연구 – 미국 연방헌법 수정 제9조를 중심으로, 이화여자대학교 대학원 법학박사학위논문, 2008, 179면 이하 참조.

198) 이 사건은 지난 2002년 70세의 한 할머니가 뇌출혈로 혼수상태에 빠지기 전 딸에게 인위적으로 생명을 연장하고 싶지 않다는 뜻을 구두로 밝혔고, 딸은 어머니가 식물인간이 된 지 5년 만에 변호사의 조언에 따라 어머니의 영양공급 튜브를 잘라내면서 발생한 것이다. 이 사건에서 의료진들은 다시 튜브를 연결시켰으나 이 할머니는 2주 후 세상을 떠났고 딸과 변호사는 살인미수 혐의로 기소되었으며, 지방법원은 딸에게는 무죄, 변호사(볼프강 푸츠)에게는

쟁에 대해 세계 각국이 논쟁을 벌이고 있는 가운데 독일 사법당국은 이를 허용하는 역사적인 판결을 내린 것으로 평가되고 있다.[199)]

우리나라의 경우 말기 암환자와 같은 가망이 없는 환자들의 본인이나 가족의 퇴원 요구를 받아들여 주는 형태로 소극적 안락사가 시행되어 왔으나, 최근에 대법원은 엄격한 요건 하에 소극적 안락사(정확히는 **연명치료중단**)를 허용하는 결정을 한 바 있다. 법학계에서는 연명치료중단 문제를 단순히 안락사와 같은 차원의 문제로 보고 별다른 논쟁이 없었으나, 최근 들어 이에 논의가 활발해지고 있다. 의료계에서는 안락사와 연명치료중단의 문제를 구분하여 보고 있다.[200)] 의사윤리지침을 보면 안락사나 의사조력자살에 관여함에는 허용하지 않으면서도 무의미한 연명치료중단(동지침 제16조)은 허용하고 있다.[201)] 최근 김할머니 사건 판결문에서도 안락사 등의 용어를 사용하지 않고 있다. 원심을 맡았던 서울고등법원 이인복 부장판사(대법관 역임)는 "안락사는 역사적으로 잘못 사용된 사례가 있어 오해가능성이 있고 존엄사란 건 죽음의 과도한 미화가능성이 있기 때문에" 판결문에서 안락사나 존엄사란 용어를 사용하지 않았다고 밝히고 있다.[202)]

우리 대법원은 2004년 선고한 소위 '**보라매병원 사건**'[203)]에서 주치의와 전공의에 대하여 살인방조죄를 인정한 바 있다.[204)] 이 사건의 1심법원은 판결문에서 "의료행위의 중지가 곧바로 환자의 사망이라는 중대한 결과를 초래하는 경우에 있어

징역 9개월에 집행유예를 선고했고 그러자 변호사가 항소하면서 이번 소송이 화제가 되었다.

199) 이날 판결에 대해 독일 법무장관은 "오늘 판결로 자살 방조에서 소극적으로 무엇이 허용되고, 적극적 의미에서는 무엇이 금지되는지에 관한 근본적 문제가 법적으로 투명해졌다"고 풀이하면서 "이는 개인의 자기결정권에 관한 것으로, 존엄 있는 삶에 관한 핵심적 문제를 다룬 것"이라고 평가했다(헤럴드 경제, 2010. 6. 26.자 기사 참조).

200) 안락사와 연명치료중단은 치료의 결정을 환자 본인이 하느냐, 아니면 환자가 아닌 보호자나 법정대리인 등의 제3자가 하느냐에 따라 구분할 수 있다는 보는 견해가 있다. 즉 안락사가 환자 본인에 의하여 치료중단의 결정이 이루어진다면 연명치료중단은 소극적 안락사가 허용되는 기본여건을 갖춘 상태에서 대부분 의식이 없는 환자에게서 본인이 아닌 제3자의 결정에 의하여 이루어진다고 한다(이경환 · 김재춘 · 김영주, "생명윤리관련 법률문제의 체계적 이해", 저스티스 통권 115호, 158면).

201) 2006년 전문개정된 의사윤리지침은 논란이 되었던 안락사 및 의사조력자살 금지에 관한 규정을 삭제한 바 있다.

202) 노동일, "치료거부권, 죽을 권리 및 존엄사에 대한 재검토: 헌법적 관점에서", 공법학연구 제10권 제2호, 2009 참조.

203) 1997. 12. 4. 병원응급실에 의식이 혼미한 채 실려 온 환자에 대하여 의료진이 응급수술을 시행하였는데 수술 후 하루도 지나기 전에 환자의 처가 경제적 어려움을 이유로 퇴원을 요구하였고 의료진은 치료를 지속하도록 설득하였으나, 보호자의 강력한 요구에 따라 퇴원시켰으며 퇴원 후 환자가 곧바로 사망한 사건이다.

204) 대판 2004. 6. 24. 2002도995.

서는 의료행위의 중지, 즉 퇴원요구를 받은 의사로서는 환자의 생명을 보호하기 위하여 의료행위를 계속하여야 할 의무와 환자의 요구에 따라 환자를 퇴원시킬 의무와의 충돌이 일어나게 되는 바, 그러한 의무의 충돌이 있는 경우 의사로서는 더 높은 가치인 환자의 생명을 보호할 의무가 우선하여 환자의 퇴원요구에도 불구하고 환자를 보호하여야 할 지위나 의무가 종료되지 아니한다고 할 것이다"고 설시한 바 있다.[205] 이 사건은 존엄사 내지 연명치료중단과는 성격이 다른 사건이라 하겠으며 환자의 생명보호에 무게를 둔 판결로 타당하다고 본다.

우리 대법원은 소위 '**세브란스 병원 존엄사**' **사건**[206](**일명** '**김할머니 사건**')에서 국내 최초로 무의미한 연명치료 장치제거를 허용하였다. 대법원 전원합의체 판결에서 다수의견은 '**회복불가능한 사망의 단계**'[207]에 이른 후에는 의학적으로 무의미한 신체침해행위에 해당하는 연명치료를 환자에게 강요하는 것은 오히려 인간의 존엄과 가치를 해하게 되므로 …… 환자가 인간으로서의 존엄과 가치 행복추구권에 기초하여 자기결정권을 행사하는 것으로 인정되는 경우에는 특별한 사정이 없는 한 연명치료중단이 허용될 수 있다고 하였다. 또한 '**환자의 사전의료지시**'[208]가 있거나 환자의 사전의료지시가 없는 상태에서 회복불가능한 사망의 단계에 진입하였더라도 환자의 평소가치관이나 신념 등에 비추어 연명치료를 중단하는 것이 객관적으로 환자의 최선의 이익에 부합한다고 인정되어 환자 스스로 연명치료를 중단을 선택하였을 것이라고 볼 수 있는 경우에는 환자의 의사를 추정할 수 있다고 인정하는 것이 합리적이고 사회상규에 부합한다고 하였다.[209] 이 사건은 '회복불가

205) 서울남부지판 1998. 5. 15. 98고합9.

206) 환자는 2008. 2. 폐암 여부를 확인하기 위한 조직 검사를 받다 과다 출혈에 따른 뇌손상으로 지속적 식물인간상태(PVS)에 빠져 병원의 중환자실에서 인공호흡기를 부착한 상태로 항생제 투여, 인공영양 공급, 수액공급 등의 치료를 받고 있었으며 인공호흡기를 제거하면 곧바로 사망할 것으로 예상되는 상태였다. 환자의 가족들은 환자의 의식이 이미 회복불가능한 상태로서 환자에 대하여 이루어지고 있는 치료는 생명만을 단순히 연장시키는 것에 불과하므로 의학적으로는 의미가 없고 환자가 평소 무의미한 생명연장을 거부하고 자연스러운 사망을 원한다는 의사를 표시하였으므로 환자에게는 인공호흡기 제거의 의사가 있다고 주장하였다. 1심법원은 인용판결을 하였으며 병원의 항고에 대하여 서울고등법원은 기각하였고 병원의 상고에 대하여 대법원도 기각함으로써 판결이 확정되었다.

207) '회복불가능한 사망의 단계'를 대법원은 "의학적으로는 환자가 의식의 회복가능성이 없고 생명과 관련된 중요한 생체기능의 상실을 회복할 수 없으며 환자의 신체상태에 비추어 짧은 시간 내에 사망에 이를 수 있음이 명백한 경우"로 보고 있다.

208) '사전의료지시'를 대법원은 "환자가 회복불가능한 사망의 단계에 이르렀을 경우에 대비하여 미리 의료인에게 자신의 연명치료거부 내지 중단에 관한 의사를 밝힌 경우"로 보고 있다. 다만 대법원은 '사전의료지시'가 없더라도 일정한 경우 환자의 의사를 추정할 수 있음을 인정하고 있다.

209) 대판 2009. 5. 21. 2009다17417. 이 판결에 대한 평석으로는 이준일, "대법원의 존엄사인정

능한 사망의 단계'와 '환자의 사전의료지시'의 두 요건을 허용의 잣대로 삼고 있으며 환자 측이 직접 법원에 소를 제기한 경우가 아니라면, 환자가 회복불가능한 사망의 단계에 이르렀는지 여부에 관하여는 전문의사들로 구성된 위원회의 판단을 거치는 것이 바람직하다고 한 점은 나름대로 타당성을 가진다고 보겠다. 다만 이 사건에서는 연명장치를 제거한 다음에도 환자가 자가호흡에 의하여 지속적으로 연명한 것은 '회복불가능한 사망의 단계'에 대한 법원의 판단에 문제가 있고, 또한 인공호흡기를 제거한 후에도 영양분과 산소를 공급했고 약물치료를 했다는 점에서 존엄사 내지 연명치료중단으로 볼 수 있는가도 다툼이 있을 수 있다.

존엄사 내지는 연명치료중단에 대해서도 생명권의 포기불가능성을 그 내용으로 하므로 인정할 수 없다는 견해도 있지만,[210] '회복불가능한 사망의 단계'에 대한 전문가 위원회의 판단 및 신중을 담보할 수 있는 안전장치를 제도화[211]하는 조건으로 허용될 수 있다고 본다. 이는 생명에 대한 자기결정권에 근거한 것이라기보다 '인간답게 죽을 권리'라는 차원에서 인정되는 것으로 보아야 한다.[212]

한편 연명치료중인 환자의 자녀들이 제기한 '연명치료의 중단에 관한 기준, 절차 및 방법 등에 관한 법률'의 입법부작위 위헌확인에 관한 헌법소원 심판청구 사건에서 헌법재판소는 "환자가 장차 죽음에 임박한 상태에 이를 경우에 대비하여 미리 의료인 등에게 연명치료 거부 또는 중단에 관한 의사를 밝히는 등의 방법으로 죽음에 임박한 상태에서 인간으로서의 존엄과 가치를 지키기 위하여 연명치료의 거부 또는 중단을 결정할 수 있다 할 것이고, 위 결정은 헌법상 기본권인 자기결정권의 한 내용으로서 보장된다 할 것이다"고 하면서도 "'**연명치료 중단에 관한 자기결정권**'을 보장하는 방법으로서 '법원의 재판을 통한 규범의 제시'와 '입법' 중

(大判 2009다17417)과 인간의 존엄 및 생명권", 고시계, 2009. 7, 92－102면 참조.

210) 홍성방, 앞의 책(중), 25면. 홍성방 교수는 안락사란 명칭을 **안락살**(安樂殺)로 바꾸어야 한다고 주장한다.

211) 연명치료중지 가능 대상으로 말기암, AIDS환자, 만성질환의 말기상태, 뇌사상태 및 임종환자 외에도 3개월 이상 식물인간상태가 지속되는 경우(이 경우 환자에게 인공호흡기를 중지하기 위해서는 지속적 식물인간 상태가 최소한 6개월 이상이어야 한다)를 포함하고 있는 2009. 8. 25. 의료계가 만든 '연명치료중지에 관한 지침'(안)을 참조할 수 있을 것이다(이경환·김재춘·김영주, 앞의 논문, 163면).

212) 2013. 5. 20. 대통령 소속 국가생명윤리심의위원회 산하 '무의미한 연명치료 중단 제도화 특별위원회'는 '무의미한 연명치료 중단에 관한 권고안'을 공개했다. 권고안에는 대상 환자, 대상 의료, 환자의 의사 확인, 제도화 방법으로 항목을 나눠 규정했다. 의학적으로 회생 가능성이 없는 임종기 환자에 대한 심폐소생술 등 전문적인 의학 지식과 기술, 장비가 필요한 특수 연명의료를 대상으로 하고, 환자의 명시적 의사가 있거나 없더라도 의사의 추정이나 대리결정에 의해 연명치료를 중단할 수 있도록 하는 입법을 권고했다.

어느 것이 바람직한가는 입법정책의 문제로서 국회의 재량에 속한다 할 것이다"고 판시하고 있다.[213] 현재 '호스피스 · 완화의료 및 임종과정에 있는 환자의 연명의료결정에 관한 법률'(2016. 2. 3. 제정, 2017. 8. 4. 시행)이 연명의료에 대한 기본원칙, 연명의료결정의 관리체계, 연명의료의 결정 및 그 이행 등에 필요한 사항을 정하여 임종과정에 있는 환자의 연명의료결정을 제도화하고 있다.

(4) 특수직업종사자와 생명권

특수직업종사자(군인 · 경찰관 · 소방관 · 의료업무종사자 등)는 생명의 위험을 무릅쓰고 직무수행에 최선을 다할 의무가 있다. 물론 전투, 정당방위, 직무수행으로 인한 살인(적의 사살, 인질범의 살해 등)은 정당방위나 정당행위로 면책될 수 있지만, 문제는 특수직업종사자로 하여금 다른 사람의 생명이나 공익을 이유로 자신의 생명권을 포기하게 할 수 있는가이다.

이와 관련해서는 타인의 생명을 구출하기 위하여 생명의 희생을 감수하도록 하는 것은 생명권을 침해하는 위헌행위가 되지 아니하고 면책된다는 견해,[214] 직무의 위험성을 충분히 알고 그 직업을 선택한 사람들을 위험한 상황에 투입하는 것은 불가피하다는 견해[215]처럼 긍정설과 자기생명의 희생이 확실시되는 직무집행을 강요할 수는 없고 그 직무명령[216]을 어긴 경우에 대한 국가의 형벌권은 인정될 수 없다는 부정설,[217] 어느 정도까지 생명의 위험을 무릅쓰고 직무를 수행해야 하느냐의 문제는 명시적인 규정이 없는 한 그때그때 상황에 따라 결정되어야 할 것이고 이 경우 비례의 원칙이 적용되어야 한다는 일종의 절충적 견해[218] 등

---

213) 헌재 2009. 11. 26. 2008헌마385.
214) 권영성, 앞의 책, 414면.
215) 장영수, 앞의 책, 600면.
216) 위법한 직무명령이라고는 할 수 없다고 한다.
217) 허영, 앞의 책, 372-373면. 허영 교수는 '다수의 생명'이 '한 사람의 생명'보다 항상 우선해야 한다는 논리는 성립할 수 없기 때문에 인간생명에 관한 법학적 이익형량의 어려움이 있다고 한다.
218) 계희열, 앞의 책(중), 284면. 김철수 교수는 이는 국민의 생명권을 보호하기 위한 의무에서 나오는 것이지만, 비례의 원칙에 어긋나는 정도의 생명에 대한 위험이 따르는 경우에는 생명을 바칠 것을 요구할 수 없다고 보아야 할 것이라고 한다(김철수, 앞의 책(상), 543면). 한편 이준일 교수는 어떤 경우에도 다른 사람의 생명, 특히 다수의 생명을 구하기 위해서 또는 공익을 이유로 한 사람의 생명이 포기되도록 명령하는 것은 헌법적으로 허용되지 않는다고 하면서도, 일정한 직업이 다른 사람의 기본권이나 공익 때문에 반드시 필요한 것으로 인정될 수 있고, 그 직업을 선택하여 생명의 위험을 무릅쓰기로 스스로 결정하였다면 위험한 상황에 참가하라는 명령에 대해서는 원칙적으로 거부할 수 없다고 한다(생명권과 충돌하는 다른 사람의 기본권이나 공익이 우월한 경우에만 거부할 수 없다). 다만 비록 거부하는

이 대립한다.

경우에도 다수의 희생자가 발생하였다는 이유 때문에 거부자에 대하여 형벌권을 행사하도록 규정할 수는 없고 다만 파면 등 징계책임의 대상이 될 수 있을 뿐이라고 한다(이준일, 앞의 책, 456면).

제2장

평 등 권

제1절 서 론

Ⅰ. 평등사상과 평등원칙의 전개과정 (연혁)

1. 고대와 중세

인간의 평등사상은 고대로부터 계승되어 내려온 것으로 그리스 시대의 평등사상은 곧 **정의**(正義) 관념과 결부되어 있었다. 아리스토텔레스(Aristoteles)가 정의를 일반적 정의와 특수적 정의로 나누고, 특히 사람과 사람 사이의 이해조절의 원리로서 특수적 정의를 평등이라 하고, 이 평등을 **평균적 정의**(절대적 평등)와 **배분적 정의**(상대적 평등)로 나눈 것은 매우 유명한 것이다. 대체로 평균적 정의는 모든 인간을 같게 취급하는 것이며, 배분적 정의는 인간의 능력과 공적에 따라 달리 취급하는 것을 말한다. 중세의 평등사상은 '신 앞의 평등'으로서의 의의를 가진 것이었다.

2. 근대의 평등사상

그러나 근세에 이르러 신 앞의 평등은 진보적 기독교 사상가들에 의해 세속적 영역에도 적용되어야 한다는 사상으로 발전하였다. 즉 캘빈(Calvin)파는 기독교원리인 '신' 앞에서의 평등이 정치적·경제적 영역에도 적용되어야 한다고 주장하였다. 또한 로크(J. Locke)와 루소(J. J. Rousseau) 등 17·18세기의 합리적 자연법론자들은 신의 권위를 자연법이론으로 전환시켜 자연법에 바탕한 인간의 생래적 평등을 역설하였다. 이에 기초하여 근대 국가의 성립 이후 평등의 이념은 '법 앞의 평등'으로 발전하였다.

평등권은 1776년 미국의 버지니아 권리장전을 통하여 헌법상 원리로 수용되었고, 1789년 프랑스혁명의 구호인 자유 · 평등 · 박애는 프랑스 헌법 제1조에서 프랑스의 국시로 채택되어 있다.[1)]

3. 현대의 평등사상

19세기 이후에는 형식적 평등에 입각한 기회균등 · 자유경쟁 등으로 말미암아 새로운 사회계급이 형성되고 이로 인한 경제적 강자와 약자의 대립은 종래의 형식적 평등관에 대한 근본적인 반성을 촉구하기에 이르렀고, 그 결과 오늘날에는 추상적 · 형식적 평등이 아니라 사회적 · 경제적 원리에 의한 실업 · 빈곤 등을 제거하여 모든 국민으로 하여금 인간다운 생활을 가능하게 하는 생존이 요청되고 있다. 즉 **실질적 평등**(배분적 정의의 실현)사상이 강조되고, 정치적 평등에서 경제적 평등이 강조되고, 소극적 평등 외에 **적극적 평등**이 강조되고 있다.

실질적 평등사상은 사회 · 경제적 약자의 인간다운 생활보장을 사회적 법치국가의 지도원리로 성문화한 1919년 바이마르헌법에 의하여 확립된 후에 각국헌법에 반영된 재산권 등에 대한 사회적 제약이라든가 근로기본권 · 생존권 등과 같은 사회적 기본권의 등장으로 종래의 추상적 · 형식적 평등의 수정과 극복을 의미하는 것이었다.[2)] 한편 미국에서는 인종 · 소수민족 · 여성에 대하여 특정의회, 고등교육, 고용 등에서 평등보장을 위한 이론으로 **우선적 처우이론**(preferential treatment)이 등장하였는데, 이도 실질적, 적극적 평등을 실현하기 위한 이론이다. 이러한 호의적 처우(benign treatment), **적극적 평등실현조치**(affirmative action)로 인하여 **역차별**(reverse discrimination)이론이 대두되기도 한다.

Ⅱ. 우리 헌법에서의 평등권규정

우리나라 헌법은 전문에서 "정치, 경제, 사회, 문화의 모든 영역에 있어서 각인의 기회를 균등히 하고 …… 국민생활의 균등한 향상을 기하고"라는 표현에서 평등의 이념을 선언하고 있으며, 제11조 제1항에서는 법 앞의 평등과 차별금지를, 제2항에서는 사회적 특수계급의 부인을, 제3항에서는 영전일대의 원칙을 각각 규

1) 성낙인, 제19판 헌법학, 법문사, 2019, 1025면.
2) 권영성, 헌법학원론(2010년판), 법문사, 2010, 386면.

정하고 있다. 그리고 제11조의 평등원칙과 평등권을 개별적 기본권 등에서 다시 구체화하고 있다. 즉 교육의 기회균등(제31조 제1항), 근로조건의 여성차별금지(제32조 제4항), 혼인·가족생활에서의 양성의 평등(제36조), 평등선거(제41조, 제67조), 정당간의 평등(제116조 제1항), 경제적 평등의 실현(제119조 제2항) 등이 그것이다.

Ⅲ. 제11조 제1항의 체계적 이해

제11조 제1항은 "모든 국민은 법 앞에 평등하다. 누구든지 성별·종교 또는 사회적 신분에 의하여 정치적·경제적·사회적·문화적 생활의 모든 영역에 있어서 차별을 받지 아니한다"고 규정하고 있는데, 이와 관련해서는 평등원리를 규정한 것이라는 견해와 평등원리와 평등권을 아울러 규정한 것이라는 견해의 대립이 있다.

제11조 제1항은 근대헌법의 기본원칙인 평등의 원칙과 개인을 위한 주관적 공권으로서의 평등권을 규정하고 있다고 보는 것이 다수설이며[3] 판례의 입장이라고 하겠다.

> " …… 제11조 제1항에 "모든 국민은 법 앞에 평등하다"고 규정하여 기회균등 또는 평등의 원칙을 선언하고 있는바, 평등의 원칙은 국민의 기본권 보장에 관한 우리 헌법의 최고원리로서 국가가 입법을 하거나 법을 해석 및 집행함에 있어 따라야 할 기준인 동시에, 국가에 대하여 합리적 이유 없이 불평등한 대우를 하지 말 것과, 평등한 대우를 요구할 수 있는 모든 국민의 권리로서, 국민의 **기본권 중의 기본권**인 것이다."
> 헌재 1989. 1. 25. 88헌가7; 헌재 2002. 12. 18. 2001헌마546; 헌재 2001. 11. 29. 99헌마494

제2절 평등의 원칙

Ⅰ. 평등의 원칙의 의의

평등의 원칙이란 법적용의 대상이 되는 모든 인간을 원칙적으로 공평하게 다루어야 한다는 법원칙을 말하며, 기회균등과 자의금지를 그 중심내용으로 한다. 평등

3) 권영성, 앞의 책, 389면 이하; 김철수, 학설·판례 헌법학(상), 박영사, 2008, 583면; 계희열, 신정2판 헌법학(중), 박영사, 2007, 227면; 정종섭, 제11판 헌법학원론, 박영사, 2016, 437면; 성낙인, 앞의 책, 1026면.

의 원칙은 '**같은 것은 같게, 다른 것은 다르게**' 다룸으로써 사회정의를 실현하려는 원리이다.[4)]

Ⅱ. 평등원칙의 규범적 성격

평등원칙은 다음과 같은 규범적 성격을 가지고 있다고 논의된다.[5)] ⅰ) 기본권보장을 '위한' 그리고 기본권보장에 '관한' 최고의 헌법원리이다.[6)] ⅱ) 공동체의 생활관계에서 모든 구성원을 부당하게 차별하여서는 아니 된다는 법원칙이다. ⅲ) 민주국가의 법질서를 구성하는 요소이다. ⅳ) 원칙규범으로서의 평등원리는 국가질서에 있어서 최고규범을 뜻하며, 이에 위반되는 법률 또는 명령은 무효가 되며, 모든 국가권력을 구속하며, 헌법해석의 기준이 되며 헌법개정의 한계를 이룬다.

Ⅲ. 평등의 원칙의 내용(법 앞의 평등)

제11조 제1항 1문의 "모든 국민은 법 앞에 평등하다"는 규정은 일반적 평등의 원칙[7)]을 규정한 것이자 주관적 공권으로서의 기본권의 성격을 가지고 있는 것으로 파악된다. 헌법재판소도 제11조 제1항으로부터 평등원칙뿐만 아니라 평등권이 인정되어 이의 침해에 대해 헌법소원으로 다툴 수 있는 것으로 인정하고 있다.[8)]

1. '법'의 의미

우리 헌법의 '**법 앞의 평등**'이란 규정에 대하여 법의 의미가 우선 문제로 된다. 이 법은 의회가 제정한 법률뿐만 아니라 헌법을 정점으로 피라미드 구조를 이루고 있는 모든 법규범을 의미한다. 또한 성문법은 물론이고 불문의 관습법도 포함된다고 보는 것이 통설이다. 그러므로 법률・명령・조례・규칙 등 모든 형태의 법규범

---

4) 권영성, 앞의 책, 387면.
5) 권영성, 위의 책, 389면; 김철수, 앞의 책(상), 582면.
6) 허영 교수는 기본권실현의 방법적 기초 및 방향제시, 기본권의 실효성 및 사회통합효과 촉진수단이란 점을 평등권보장의 헌법상 의의로 강조하고 있다(허영, 전정13판 한국헌법론, 박영사, 2017, 349면).
7) 정종섭 교수는 헌법이 정하고 있는 일반적 평등의 원칙은 모든 개별적 기본권을 보장함에 있어 횡적으로 공통된 기반을 이루는 기본권보장의 방법적 기초로 기능한다고 하며, 구체적 기본권으로 적용되는 것이 아니라 일반조항으로서의 성격을 지니고 있어 개별적 평등원칙을 정하지 않은 경우에 적용되는 보충적인 성격을 가진다고 한다(정종섭, 앞의 책, 429면).
8) 헌재 2005. 3. 31. 2003헌마87.

은 자연법적 원리인 평등의 원리에 위반하여서는 아니 된다.

2. 법 '앞에'의 의미

법 '앞'의 의미와 관련해서는 입법은 구속하지 못하고 만들어진 법을 적용하는 데 있어서 평등이라는 의미를 가진다고 보는 설(법적용평등설 또는 입법불구속설)과 입법까지도 평등의 원칙에 구속된다는 설(법평등설 또는 입법구속설)의 대립이 있으나, **입법구속설**이 세계적 통설이다.

우리 헌법이 선언하고 있는 '법 앞의 평등'원칙은 행정부나 사법부에 의한 법적용상의 평등만을 의미하는 것이 아니고, 입법권자에게 정의와 형평의 원칙에 합당하게 합헌적으로 법률을 제정하도록 하는 것을 명하는 법내용상의 평등을 의미하고 있기 때문에 그 입법내용이 정의와 형평에 반하거나 자의적으로 이루어진 경우에는 평등권 등의 기본권을 본질적으로 침해한 입법권의 행사로서 위헌성을 면하기 어렵다고 할 것이다.[9)]

3. '평등'의 의미

'법 앞의 평등'에서 평등의 의미에 대해서도 절대적 평등설(평균적 정의), 상대적 평등설(배분적 정의)의 대립이 있으나 통설·판례의 입장은 상대적 평등으로 보고 있다. 즉, '평등'은 결코 일체의 차별적 대우를 부정하는 절대적 평등을 의미하는 것이 아니라 입법과 법의 적용에 있어서 합리적인 근거가 없는 차별을 하여서는 아니 된다는 상대적 평등을 뜻한다. 그리하여 위와 같은 제한이 제37조 제2항에서 규정하는 정당한 제한의 범위 내라고 인정될 수 있는 경우에는 이는 평등의 원칙에 반하는 것이라고는 할 수 없는 것이다. 그러나 생활영역에 따라서 평등의 의미가 변용될 수 있으며(정치적 영역에서는 절대적 평등 중시, 사회·경제적 영역에서는 상대적 평등의 중시 등), **적법한 평등**만을 의미한다.[10)]

상대적 평등의 기준으로는 다음에서 보는 바와 같이 합리성, 자의금지의 원칙,

---

9) 헌재 1992. 4. 28. 90헌바24 참조.

10) 평등보호에서는 적법한 상태와 행위만이 보호의 대상이 되고 불법의 상태나 위법행위는 보호의 대상이 되지 않는다. 법치주의는 본질상 불법의 영역은 처음부터 법의 보호영역에 속하지 않는 것으로 본다(**불법의 평등**문제). 예를 들어 불법주차를 여러 대가 한 경우 그중 한 대에만 범칙금을 부과한 경우 그 해당자는 자기와 동일한 처지에 있는 사람들에 대하여 국가가 동일한 조치를 취하지 않고 차별하였다고 하여 평등원칙이나 평등권 위반을 주장할 수는 없다는 것을 말한다(정종섭, 앞의 책, 434면).

형평과 정의 등이 논의되고 있다.

> **평등의 의미(상대적 · 실질적 평등)**
> "무릇 헌법상 평등의 원칙이라는 것은 모든 국민이 모든 경우에 모든 점에서 절대적 · 형식적으로 평등일 것을 요구하는 것이 아니라, 구체적 인간 및 규율대상인 생활관계의 차이 등을 전제로 하고 이러한 차이에 대응하여 상이한 법적 취급을 인정할 수 있는 상대적 · 실질적 평등을 말하는 것으로서, '본질적으로 같은 것을 자의적으로 다르게 취급하거나, 본질적으로 다른 것을 자의적으로 같게 취급해서는 아니 된다'는 의미이므로, 정당한 입법목적, 규율대상인 생활관계를 고려한 합리적인 차별까지를 배제하는 것은 아니다."
> 헌재 1991. 5. 13. 89헌가97(조규광 · 변정수 · 김양균 재판관의 의견)

4. 불합리한 차별의 금지(평등심사의 기준)

(1) 개 관

평등의 의미를 상대적 평등으로 보면 합리적 이유가 있는 차별은 허용되므로 어떠한 차별이 합리적인가에 대한 기준이 중요한 문제로 제기된다. 이와 관련하여 차별이 인간의 존엄과 가치에 반하는가를 **합리적 차별의 기준**으로 해야 한다는 인간의 존엄성설,[11] 차별이 정당한 입법목적을 달성하기 위하여 불가피하고 또 그것이 사회통념상 적정한 것인가 여부를 합리적 차별의 기준으로 해야 한다는 입법목적설,[12] 인간의 존엄성이라는 최고의 헌법원리+정당한 입법목적의 달성 +수단의 적정성이라는 세 가지 복합요소를 기준으로 해야 한다는 절충설[13] 등이 있다. 우리 헌법재판소는 "평등권의 침해 여부에 대한 심사는 그 심사기준에 따라 자의금지원칙에 의한 심사와 비례원칙에 의한 심사로 크게 나누어 볼 수 있다"는 입장이다.

(2) 독일의 경우

독일 연방헌법재판소는 초기부터 **자의금지**(Willkürverbot)**원칙**에 따라 평등원칙의 위배 여부를 결정하였다. 독일판례에 따르면 '본질적으로 평등한 것을 자의적으로 불평등하게 취급하거나, 본질적으로 불평등한 것을 자의적으로 평등하게 취급하는 것의 금지'라고 하여 자의의 금지를 이중적인 의미로 객관화시키고 있다. 최

---

11) BVerfGE 2, 12.
12) 미국, 일본의 헌법판례에 적용된 바 있다.
13) 권영성, 앞의 책, 390면; 헌재 1997. 5. 29. 94헌바5.

근에는 상대적 평등의 기준을 강화하여 **엄격심사**(비례원칙, 과잉금지원칙)를 하는 경향이 있다고 한다.[14] 즉 평등권을 제한하는 입법 간에 입법목적의 정당성이 있는가, 또 비례성이 있는가를 엄격하게 심사한다. 최종적으로는 그 제한이 정의의 이념에 합치하는가 하는 체계정당성과 결과정당성의 심사가 이루어지게 된다. 1980년 인적 차별과 사항적 차별로 나누어 전자는 비례의 원칙, 후자는 자의금지원칙을 적용하는 심사방식('새로운 정식')과 1993년 그 규율대상과 차별표지에 따라서 단순한 자의심사에서부터 엄격한 비례성심사에 이르기까지 다양하게 입법자 구속의 정도를 결정하는 심사방식('최신의 방식')이 연방헌법재판소에 의해 제시된 바 있다.[15]

(3) 미국의 경우

미국의 경우 평등에 대한 사법심사기준은 전통적인 합리성기준에서 Warren 법원시대에는 합리성기준과 엄격심사기준이라는 이중심사기준으로, 나아가 Burger 법원시대에는 중간심사기준을 추가하여 3중심사기준으로 발전한 바 있다.

① 합리성(rationality) 기준

정당한(legitimate) 국가이익을 달성하기 위한 목적과 수단 사이에 **합리적 관련성**(reasonable relation)이 인정되면 차별을 합헌이라고 보는 전통적 기준을 말한다(arbitrary and irrational). 입증책임(burden of persuasion)은 정부행위를 공격하는 자가 부담한다.

② 엄격심사(strict scrutiny)기준 – 이중심사기준

평등문제를 이원화시켜 '**의심스러운 차별**'(suspect classification)[16]이나 '**기본적 권익**'(fundamental interests)[17]에 해당하는 사항에 대해서는 엄격심사기준을, 사회·경제적 입법에 대해서는 최소한의 합리성기준을 적용하는 방법을 말한다. 엄격심사기준이 적용되는 경우 입법이 합헌이기 위해서는 단순히 입법목적과 차별 간에 합리적 관련성만을 요구하는 것이 아니라 입법목적이 '**필수불가결한**'('**긴요한**'(compelling))것이어야 하고 그 목적달성을 위하여 그 차별이 **필수적**(necessary)일 것을 요구한다. 정부당국이 입증책임을 져야 한다.

---

14) 김철수, 앞의 책(상), 586면.
15) 독일에서의 평등심사기준과 관련해서는 계희열, 앞의 책, 237–240면 참조.
16) 인종, 출신국, 종교에 주로 적용된다.
17) 기본적 인권으로서 헌법에 보장되어 있는 권리와 투표권, 항소권 등에 적용된다.

③ 중간심사(middle level review, intermediate scrutiny)기준 – 3중심사기준

중간심사기준은 1976년 크레이그 사건[18]에서 연방대법원이 성별에 의한 구별은 정부의 중요한 목적과 그 목적 달성의 수단 간에 실질적 관계가 성립되어야 한다고 하여 2단계기준의 중간위치에 해당하는 새로운 기준을 제시한 것이다. 즉 중간기준으로서 실질적 심사기준인 **엄격한 합리성**(strict rationality) **기준**을 새로 도입하였다. 이는 차별이 '**중요한**'(important) 국가목적을 달성하기 위한 것이어야 하고 차별수단이 목적수행에 '**실질적 관련성**'(substantially related)이 있어야 한다는 것이다. 실질적 심사기준은 차별수단이 합법적 통치목적과 합리적 관련성을 요구하는 것보다는 엄격하고, 긴요한 목적과 필수적 관련성을 요구하는 엄격심사기준보다는 완화된 것이다. 남녀차별이나 사생활차별에 적용된다. 입증책임이 누구에게 부담될 것인가 확실하지 않지만 대개 정부에게 부과될 것이다.

(4) 우리 헌법재판소의 입장

① 인간의 존엄성설과 입법목적설 모두를 고려한 판례

누범을 가중 처벌하는 '형법 제35조 등 위헌소원사건'에서 헌법재판소는 "헌법상의 평등의 원칙은 일체의 차별적 대우를 부정하는 절대적 평등을 의미하는 것이 아니라 입법과 법의 적용에 있어서 합리적인 근거가 없는 차별을 하여서는 아니 된다는 상대적 평등을 뜻하고 따라서 합리적인 근거가 있는 차별 내지 불평등은 평등의 원칙에 반하는 것이 아니다. 그리고 합리적인 근거가 있는 차별인가의 여부는 그 차별이 인간의 존엄성 존중이라는 헌법원리에 반하지 아니하면서 정당한 입법목적을 달성하기 위하여 필요하고도 적정한 것인가를 기준으로 하여 판단하여야 한다"고 판시한 바 있다.[19]

② 자의금지원칙을 따른 판례

헌법재판소는 "자의금지원칙에 관한 심사요건은 첫째 본질적으로 동일한 것을 다르게 취급하고 있는지에 관하여 차별취급의 존재 여부와 둘째 이러한 차별취급이 존재한다면 이를 자의적인 것으로 볼 수 있는지 여부라고 할 수 있다. 첫째 요건에 관련하여 두 개의 비교집단이 본질적으로 동일한가의 판단은 일반적으로 관련 헌법규정과 당해 법규정의 의미와 목적에 달려있고, 둘째 요건에 관련하여 차

---

18) Craig v. Boren, Governor of Oklahoma, 429 U.S. 190.
19) 헌재 1995. 2. 23. 93헌바43; 헌재 1994. 2. 24. 92헌바43 참조.

별취급의 자의성은 합리적인 이유가 결여된 것을 의미하므로, 차별대우를 정당화하는 객관적이고 합리적인 이유가 존재한다면 차별대우는 자의적인 것이 아니게 된다"고 판시하였다.[20] 사법서사법시행규칙에 관한 헌법소원사건,[21] 국회의원선거법 제33조, 제34조의 위헌심판사건,[22] 공권력행사(권력적 사실행위)로 인한 재산권에 대한 헌법소원사건[23] 등에서 헌법재판소는 자의금지원칙을 적용한 바 있다.

③ 비례성심사원칙을 따른 판례

'**제대군인가산점제도사건**'에서 헌법재판소는 "평등위반 여부를 심사함에 있어 엄격한 심사척도에 의할 것인지, 완화된 심사척도에 의할 것인지는 입법자에게 인정되는 입법형성권의 정도에 따라 달라지게 될 것이나, 헌법에서 특별히 평등을 요구하고 있는 경우와 차별적 취급으로 인하여 관련 기본권에 대한 중대한 제한을 초래하게 된다면 입법형성권은 축소되어 보다 엄격한 심사척도가 적용되어야 할 것인바, 가산점제도는 헌법 제32조 제4항이 특별히 남녀평등을 요구하고 있는 '근로' 내지 '고용'의 영역에서 남성과 여성을 달리 취급하는 제도이고, 또한 헌법 제25조에 의하여 보장된 공무담임권이라는 기본권의 행사에 중대한 제약을 초래하는 것이기 때문에 엄격한 심사척도가 적용된다"고 하면서, 위헌결정을 내렸다.[24] 엄격한 심사를 한다는 것은 자의금지원칙에 따른 심사, 즉 합리적 이유의 유무를 심사하는 것에 그치지 아니하고 비례성원칙에 따른 심사, 즉 차별취급의 목적과 수단 간에 엄격한 비례관계가 성립하는지를 기준으로 한 심사를 행함을 의미한다.

한편 **국가공무원 7급 시험에서 기능사 자격증에는 가산점을 주지 않는 규정**의 위헌성이 다투어진 '공무원임용및시험시행규칙 제12조의3 위헌확인사건'에서 헌법재판소는 "제대군인 가산점 사건에서 '차별적 취급으로 인하여 관련 기본권에 대한 중대한 제한을 초래하게 된다면 입법형성권은 축소되어 보다 엄격한 심사척도가 적용되어야 할 것이다'고 한 바 있는데,[25] 이러한 판시는 차별적 취급으로 인하여 기본권에 중대한 제한을 초래할수록 보다 엄격한 심사척도가 적용되어야 한다는 취지이며, **기본권에 대한 제한이기는 하나 중대하지 않은 경우에는 엄격한 심사척도가 적용되지 않는다는 취지는 아니라고 볼 것이다**"라고 하면서 "7급 공무원

20) 헌재 2007. 2. 22. 2005헌마548; 헌재 2003. 1. 30. 2001헌바64.
21) 헌재 1989. 3. 17. 88헌마1.
22) 헌재 1989. 9. 8. 88헌가6(기탁금 · 기탁금의 예외적 국가귀속).
23) 헌재 1993. 7. 29. 89헌마31(국제그룹해체사건).
24) 헌재 1999. 12. 23. 98헌마363.
25) 헌재 1999. 12. 23. 98헌마363.

시험에서 기능사 자격증에 대하여 가산점을 부여하지 않고 있는 것은 그 입법목적과 수단 간에 비례성을 충족하고 있는 것이므로, 공무담임권 및 평등권을 침해한 것이라 할 수 없다"고 판시한 바 있다.[26]

④ 비례성원칙의 완화적용을 인정한 판례

'**국가유공자에 대한 가산점 사건**'에서 헌법재판소는 "이 사건의 경우는 위 결정에서 비례심사를 하여야 할 첫 번째 경우인 헌법에서 특별히 평등을 요구하고 있는 경우에는 해당하지 아니한다. 왜냐 하면, 헌법 제32조 제6항은 '국가유공자·상이군경 및 전몰군경의 유가족은 법률이 정하는 바에 의하여 우선적으로 근로의 기회를 부여 받는다'고 규정함으로써, 국가유공자 등에 대하여 근로의 기회에 있어서 평등을 요구하는 것이 아니라 오히려 차별대우(우대)를 할 것을 명령하고 있기 때문이다. 그렇다면 이 사건 가산점제도의 경우와 같이 입법자가 국가유공자와 그 유족 등에 대하여 우선적으로 근로의 기회를 부여하기 위한 입법을 한다고 하여도 이는 헌법에 근거를 둔 것으로서, 이러한 경우에는 입법자는 상당한 정도의 입법형성권을 갖는다고 보아야 하기 때문에, 이에 대하여 비례심사와 같은 엄격심사를 적용하는 것은 적당하지 않은 것으로 볼 여지가 있다. 그러나 이 사건의 경우는 비교집단이 일정한 생활영역에서 경쟁관계에 있는 경우로서 국가유공자와 그 유족 등에게 가산점의 혜택을 부여하는 것은 그 이외의 자들에게는 공무담임권 또는 직업선택의 자유에 대한 중대한 침해를 의미하게 되는 관계에 있기 때문에, 헌법재판소의 위 결정에서 비례의 원칙에 따른 심사를 하여야 할 두 번째 경우인 차별적 취급으로 인하여 관련 기본권에 대한 중대한 제한을 초래하게 되는 경우에는 해당한다고 할 것이다. 따라서 자의심사에 그치는 것은 적절치 아니하고 원칙적으로 비례심사를 하여야 할 것이나, 구체적인 비례심사의 과정에서는 헌법에서 **차별명령규정**을 두고 있는 점을 고려하여 보다 완화된 기준을 적용하여야 할 것이다"고 판시하면서 비례성원칙에 반하지 않는다고 결정한 바 있다.[27]

그러나 '국가유공자등 예우 및 지원에 관한 법률 제31조 제1항 등 위헌 확인사건'에서 헌법재판소는 '국가유공자'가 아니라 '국가유공자의 가족'에 대한 공무원시험에서의 10% 가산점 부여제도는 헌법이 직접 요청하고 있는 것이 아니라, 입법정책으로서 채택된 것이며, 이처럼 "단지 법률적 차원의 정책적 관점에서 능력주의의 예외를 인정하려면 해당공익과 일반응시자의 공무담임권의 차별사이에 엄밀

---

26) 헌재 2003. 9. 25. 2003헌마30.
27) 헌재 2001. 2. 22. 2000헌마25.

한 법익형량이 이루어져야 할 것이다"라고 하여 비례원칙을 엄격 적용하여 국가유공자 가족에 대한 가산점제도를 헌법불합치결정을 내렸다.[28]

대한민국 국민인 남자에 한하여 병역의무를 규정한 병역법규정과 관련하여 헌법재판소의 다수의견은 "이 사건 법률조항은 헌법이 특별히 양성평등을 요구하는 경우나 관련 기본권에 중대한 제한을 초래하는 경우의 차별취급을 그 내용으로 하고 있다고 보기 어려우며, 징집대상자의 범위 결정에 관하여는 입법자의 광범위한 입법형성권이 인정된다는 점에 비추어 이 사건 법률조항이 평등권을 침해하는지 여부는 완화된 심사기준에 따라 판단하여야 한다"고 판시하였다.[29]

5. 적극적 평등실현조치(Affirmative Action)

(1) 개 념

우선적 처우(preferential treatment)의 일종으로 종래 사회로부터 차별을 받아온 일정집단(예: 유색인종, 여성 등)에 대해 그러한 차별로 인한 불이익을 보상해주기 위하여 그 집단의 구성원이라는 것을 이유로 취업이나 학교입학 기타 사회적 이익을 직접 또는 간접으로 부여한 정부의 정책을 말한다. **잠정적 우대조치**라고도 한다. 잠정적 우대조치의 특징으로는 이러한 정책이 개인의 자격이나 실적보다는 집단의 일원이라는 것을 근거로 하여 혜택을 준다는 점, 기회의 평등보다는 **결과의 평등**을 추구한다는 점, 항구적 정책이 아니라 구제목적이 실현되면 종료하는 임시적 조치라는 점 등을 들 수 있다.[30]

(2) 인정 여부

① 반대론

적극적 평등실현조치에 반대하는 견해는 ⅰ) 적극적 평등실현조치는 인종이나 성과 같은 객관적이고 생래적인 요소를 근거로 하여 차별을 하고 있으므로 우리 헌법의 평등의 원칙에 반한다. ⅱ) 과거의 차별을 이유로 현재의 무고한 다수를 희생할 수 없다(역차별). ⅲ) 소수인종이나 여성을 집단으로 우대할 것이 아니라 우선적 처우를 개별화하여 차별의 실제 피해자라면 누구든지 우선적 처우를 받아야 한다. ⅳ) 소수집단 내에서 이익을 받아온 자들까지도 우선적 처우의 혜택을

28) 헌재 2006. 2. 22. 2004헌마675.
29) 헌재 2010. 11. 25. 2006헌마328.
30) 헌재 1999. 12. 23. 98헌마363.

입을 수 있다는 점 등을 논거로 하고 있다.

② 찬성론

적극적 평등실현조치에 찬성하는 견해는 i) 차별을 받아온 소수집단에 대한 평등보호는 단순히 현재의 법의 평등한 보호만으로는 실질적 평등의 실현이 이루어지지 않는다는 점에서 과거의 불이익한 지위를 보상해줌으로써 사실상 평등한 지위를 보장해야 한다(기회의 평등보장뿐만 아니라 결과의 평등보장). ii) 사회의 여러 분야에 다양한 인종과 배경을 가진 사람이 속하게 됨으로써 사회의 다양성을 촉진한다. iii) 소수집단 내에서도 향상된 서비스 공급을 받을 수 있게 되어 사회전체의 이익이 증진된다는 점을 논거로 하고 있다.

③ 소 결

실질적 평등의 실현이라는 점에서 제한적으로 긍정하는 것이 타당하다고 생각한다. 국가인권위원회법은 "현존하는 차별을 없애기 위하여 특정한 사람(특정한 사람들의 집단을 포함)을 잠정적으로 우대하는 행위와 이를 내용으로 하는 법령의 제정·개정 및 정책의 수립·집행은 평등권 침해의 차별행위로 보지 아니한다"라고 규정하고 있다(국가인권위원회법 제2조 제3호 단서).

(3) 실현방법

① 할당제

할당제란 할당률을 정하여 그에 이를 때까지 사회적 약자에게 우선적 처우를 하는 방법이다. 할당제에도 할당률을 확정하여 자격요건에 무관하게 소수집단에게 최소율을 배정하거나 또는 다수집단에 최고율을 설정하는 방법과 할당률을 정하기는 하지만 최소자격요건만을 인정하여 어느 정도 탄력성을 인정하는 방법이 있다.

② 목표제

목표제는 장래에 있어 취업, 승진, 입학 등에 있어서 소수인종, 여성 등에게 배정하여야 할 목표를 설정하는 방법이다. 목표제는 그 실행을 탄력적이고 유연하게 하도록 하는 것이 보통이나 목표율이 확정적인 경우도 있다. 우리나라의 경우 과거 1996년부터 구 공무원임용시험령 제11조의3과 구 지방공무원임용령 제51조의2에서 여성공무원채용목표제가 채택된 바 있다.[31][32] 이러한 채용목표제는 이른바

31) 구 공무원임용시험령 제11조의3 (여성의 합격) ① 시험실시기관의 장은 여성의 공무원 임용기

잠정적 우대조치의 일환으로 시행되는 제도이다.

③ 소 결

확정할당제(특히, 자격을 고려하지 않은 확정할당제)는 달성되어야 할 비율이 경직되어 있어 위헌의 가능성이 크지만, 목표제 중 그 목표가 탄력적이고 유동적인 것은 상대적으로 위헌의 소지가 적다고 하겠다.

(4) 실정법에서의 구현

우리나라에서는 장애인, 이공계 전공자, 저소득층 등 공직 내 소수집단에 대하여 적극적인 우대와 실질적 양성평등 실현정책을 실시할 수 있다는 규정을 둔 공무원법(국가공무원법 제26조 단서, 지방공무원법 제25조 단서),[33] **장애인고용할당제**를 규정하고 있는 장애인고용촉진 및 직업재활법,[34] **대학교원 양성평등채용목표제**를 규정하고 있는 교육공무원법,[35] 공

회를 확대하기 위하여 필요하다고 인정하는 경우에는 제11조 제1항·제3항 및 제4항의 규정에 불구하고 한시적으로 여성이 시험실시단계별로 선발예정인원의 일정비율이상이 될 수 있도록 선발예정인원을 초과하여 여성을 합격시킬 수 있다.

② 제1항의 규정에 의하여 여성을 합격시킬 경우에 그 실시대상시험의 종류, 여성채용목표비율, 합격자결정방법 기타 시험의 시행에 관하여 필요한 사항은 시험실시기관의 장이 정한다; 구 지방공무원임용령 제51조의2(여성의 합격)도 참조.

이러한 법적 근거 하에 행정·외무고등고시, 7급 및 9급 국가공무원 채용시험 등에서 연도별 여성채용목표비율을 정해놓고(7급 공채의 경우 1996년 10%, 1997년 13%, 1998년 15%, 1999년 20%, 2000년 20%, 2001년 23%, 2002년 25%, 9급 공채의 경우는 1999년 20%, 2000년 20%, 2001년 25%, 2002년 30%), 여성합격자가 목표비율 미만인 경우 5급 공채는 −3점, 7·9급 공채는 −5점의 범위 내에서 목표미달 인원만큼 추가로 합격처리하는 제도로 운영된 바 있다.

32) 헌법재판소는 '군제대자 가산점사건'에서 가산점제도와 채용목표제는 제도의 취지, 기능을 달리 하는 별개의 제도라는 것을 분명히 하고, 채용목표제의 효과는 매우 제한적인 것인 반면에 가산점제도는 제대군인에 비하여, 여성 및 제대군인이 아닌 남성을 비례성원칙에 반하여 차별하는 것으로서 헌법 제11조에 위배되며, 이로 인하여 청구인들의 평등권이 침해된다고 판시한 바 있다(헌재 1999. 12. 23. 98헌마363).

33) **국가공무원법 제26조** (임용의 원칙) 공무원의 임용은 시험성적·근무성적, 그 밖의 능력의 실증에 따라 행한다. 다만, 국가기관의 장은 대통령령 등으로 정하는 바에 따라 장애인·이공계전공자·저소득층 등에 대한 채용·승진·전보 등 인사관리상의 우대와 실질적인 양성 평등을 구현하기 위한 적극적인 정책을 실시할 수 있다.

34) 장애인고용촉진 및 직업재활법은 국가와 지방자치단체의 장에게 장애인을 소속 공무원 정원에 대하여 1. 2017년 1월 1일부터 2018년 12월 31일까지: 1천분의 32, 2. 2019년 이후: 1천분의 34의 구분에 해당하는 비율 이상 고용하게 하고, 사업주에게도 장애인 고용의무를 인정하고 있다(동법 제27조, 제28조).

35) **교육공무원법 제15조의5** (양성평등을 위한 임용계획의 수립 등) ① 국가와 지방자치단체는 대학의 교원 임용에서 양성평등을 위하여 필한 정책을 수립·시행하여야 한다.

② 교육부장관과 지방자치단체의 장은 제1항에 따른 정책을 수립하기 위하여 대학의 교원 임

직후보자 **여성추천보조금제도**를 두고 있는 정치자금법(동법 제26조), 비례대표후보자에 대한 50% **여성공천할당제**를 도입하고 있는 공직선거법(동법 제47조 제3항) 등에서 적극적 평등실현조치를 담고 있다. 그리고 양성평등기본법,[36] 남녀고용평등과 일·가정 양립 지원에 관한 법률[37] 등에서 이러한 취지를 반영하고 있다.

(5) 위헌성심사기준

적극적 평등실현조치는 필연적으로 다수집단을 역으로 차별하는 결과를 야기하기 때문에 무한정으로 인정될 수 없는 한계가 있다. 여기서 그 한계를 일탈하여 위헌은 아닌지를 판단하는 데 있어서 그 기준이 무엇인지가 문제된다.

엄격한 심사기준이 적용되어야 한다는 견해는 i) 적극적 평등실현조치 역시 인종 등을 기준으로 한 차별이라는 점, ii) 소수자를 차별하는 것이나 다수를 차별하는 것이나 동일기준이 적용되어야 한다는 점을 논거로 하고 있다. 이에 반해 완화된 심사기준이 적용되어야 한다는 견해는 i) 새로이 차별받게 되는 다수는 과거에 집단적으로 차별받아온 적이 없기 때문에 그들을 차별하는 것은 '의심스러운 차별'이 아니라는 점, ii) 과거의 차별이 현재까지 영향을 미치고 있는 상황에서는 인종중립적인 정책만으로는 부족하다는 점을 논거로 하고 있다.

생각건대 다수집단이 적극적 평등실현조치로 받는 해악은 과거 소수집단이 입은 해악과는 근본적으로 다르다는 점, 적극적 평등실현조치의 목적은 차별받아온 소수를 돕는 데 있다는 점을 고려하면, **완화된 심사기준**을 따르는 것이 타당하다

용에서 양성평등 관련 실태조사를 실시할 수 있으며, 실태조사의 방법과 내용 등에 필요한 사항은 대통령령으로 정한다. <신설 2018. 12. 18.>

③ 국가는 국가가 설립·경영하는 전체 대학 교원 중 특정 성별이 4분의 3을 초과하지 아니하도록 노력하여야 한다. 이 경우 교원의 성별 구성에 관한 연도별 목표 비율은 대통령령으로 정한다. <신설 2020. 1. 29.>

36) **양성평등기본법 제20조** (적극적 조치 등) ① 국가와 지방자치단체는 차별로 인하여 특정 성별의 참여가 현저히 부진한 분야에 대하여 합리적인 범위에서 해당 성별의 참여를 촉진하기 위하여 관계 법령에서 정하는 바에 따라 적극적 조치를 취하도록 노력하여야 한다.

② 여성가족부장관은 국가기관 및 지방자치단체의 장에게 제1항에 따른 적극적 조치를 취하도록 권고하고, 그 이행 결과를 점검하여야 한다.

* 2015년 7월 1일 1995년 제정된 '여성발전기본법'을 전부개정하고 법제명을 '양성평등기본법'으로 변경하였다. 이는 양성평등과 관련된 권리 보장과 정부의 책임성을 강화하고, 양성평등 정책 추진체계의 내실화, 양성평등 촉진을 위한 시책 강화, 정책의 양성평등 효과를 강화하기 위한 성 주류화 조치의 체계화 등을 통하여 여성과 남성이 동등한 참여와 대우를 받고 모든 영역에서 평등한 책임과 권리를 공유하는 실질적 양성평등 사회를 실현하려고 하는 의미를 담고 있다. 이로써 여성채용목표제는 양성평등채용목표제로 전환되었다고 할 수 있다.

37) 제1장 총칙 제4절 적극적 고용개선조치(제17조의3부터 제17조의9 참조).

고 생각한다. 국가유공자와 그 유족 등에게 채용시험에서 가산점을 부여하는 것과 관련하여 헌법재판소는 헌법 제32조 제6항이 근로의 기회에 있어서 국가유공자 등을 우대할 것을 명령하고 있는 점을 고려하여 비례원칙을 적용하되 보다 완화된 기준을 적용하여야 할 것이라고 판시하고 있다.[38)]

(6) 역평등과 역차별

역평등(reverse equality)이란 경제적·사회적 약자에 대하여 국가가 우선적으로 처우(preferential treatment)나 적극적 평등실현조치(affirmative action)를 함으로써 실질적 평등을 기하려는 평등의 현대적 경향을 말한다.

과부에게는 재산세를 면제해주면서 처를 잃은 남자에게는 이를 면제해 주지 않은 법률을 합헌으로 본 미국 연방대법원의 칸(Kahn) 사건[39)]과 의대입학정원에서 소수인종에게 일정쿼터를 배정하여(100명의 입학정원 중 소수인종에게 16명 배정) 자기보다 낮은 점수를 받은 소수인종이 합격하고 자기가 불합격한 것을 이유로 소송을 제기한 Bakke 사건[40)]이 대표적인 예이다. 그러나 이는 상대적으로 백인이나 남성에게 불평등을 초래하게 되는 역차별(reverse discrimination)의 문제를 초래하고 있다. 역평등의 필요성이 여전히 존재하고 이로 인한 역차별은 합리적 평등구현의 결과(반사효과)인 불평등이며, 현대국가의 보편적인 현상으로서, 평등원칙의 현대적인 구현이라고 보지만, 우대정도가 지나쳐 다수집단의 기본권에 중대한 제한을 초래한다면 이는 적극적 평등실현조치의 한계를 벗어난 것이라 할 수 있다.

제3절 평 등 권

Ⅰ. 평등권의 의의와 법적 성격

평등권이란 국가로부터 부당하게 차별을 받지 아니함은 물론 평등한 처우를 요구할 수 있는 권리를 말한다. 이처럼 평등권은 주관적 공권이며, 실정권이 아니라 전(前)국가적 자연권성을 가진다. 그리고 자유권의 일종이 아니며 기본권 전반에

---

38) 헌재 2001. 2. 22. 2000헌마25(국가유공자가산점사건) 참조.
39) Kahn v. Shevin, 416 U.S. 351(1974).
40) Regents of Univ. of California v. Bakke 438 US 265(1978). 다수의견은 위헌으로 결정한 바 있다.

적용될 기능적, 수단적 권리로 독립의 권리성을 가지며, 소극적 성격과 적극적 성격을 이울리 기지는 총합적 권리이다. 또한 일정한 경우에는 제한될 수 있는 상대적 권리이며, 주관적 공권성 외에 국법질서의 구성요소로서의 성격도 아울러 가지는 이중성을 띠고 있다.

Ⅱ. 평등권의 주체

자연인과 법인도 평등권의 주체가 된다. 평등권의 주체와 관련하여 과거 법실증주의 헌법관을 유지하는 학자들 가운데서 ⅰ) 평등권은 천부인권이 아닌 실정법상의 권리이고, ⅱ) 헌법규정이 명시적으로 '국민'이라고 규정하고 있으며, ⅲ) 참정권과 재산권 등에서 외국인의 평등권주체성을 부인하는 것이 당연시된다는 의미에서 외국인의 평등권주체성을 부인한 바 있다. 그러나 기본권 일반이론에서 논의된 것처럼 평등권의 주체의 경우도 우리 헌법이 '국민'이라고 명시하고 있지만, 자연인은 물론이고 외국인 및 법인의 경우도 그 주체가 된다고 하는 점에 대하여 오늘날 이론이 없다.[41]

국민이 아니지만 외국인에게 인정되는 지위가 국적에 관계없이 인간으로서 당연히 인정된 경우에는 외국인이나 무국적자 또는 다국적자도 평등권의 주체가 된다. 다만 이들은 구체적인 권리의 성질과 그 나라의 이해관계에 따라 내국인과 달리 일정한 제한 또한 인정된다. 예를 들어 참정권, 직업의 자유, 재산권 등에 있어서 내국인과의 차별은 인정된다. 법인은 물론 법인격 없는 사단이나 재단도 평등권의 주체가 된다. 정당도 일정한 경우에 평등권의 주체가 된다.

정당의 평등권 주체성

시·도의회의원선거에서 정당이 후보자의 추천과 후보자를 지원하는 선거운동을 통하여 소기의 목적을 추구하는 경우, 평등권 및 평등선거원칙으로부터 나오는 (선거에 있어서의) 기회균등의 원칙은 후보자는 물론 정당에 대해서도 보장되는 것이므로 정당추천의 후보자가 선거에서 차등대우를 받는 것은 정당이 선거에서 차등대우를 받는 것과 같은 결과가 된다.

헌재 1991. 3. 11. 91헌마21

---

41) 이승우, 기본권론, 도서출판 두남, 2007, 164면.

Ⅲ. 평등권의 내용 (차별금지 사유와 영역)

1. 차별금지사유

제11조 제1항에 규정된 차별의 금지사유인 성별, 종교, 사회적 신분은 예시규정이다. 따라서 그 밖에 학력, 건강, 정치관, 연령,[42] 출신지역, 인종, 언어, 피부색 등을 사유로 한 불합리한 차별도 금지된다.

(1) 성 별

헌법은 성별에 의한 차별을 금지하고 있다. 이는 남녀평등의 이념을 선언한 것으로도 평가할 수 있다. 여기서 성별에 의한 차별은 **남녀의 성에 관한 가치판단에 의한 차별은 금지**된다는 뜻이며, 생리·능력의 차이에 따른 차별은 합리적인 것으로 인정된다.

결혼퇴직제, 부당한 임금차별, 친족·상속법상의 차별,[43] 간호학과 및 가정대학의 남학생 입학금지, 제대군인 가산점제 등은 위헌이며, 병역의무, 여성노동자의 특별한 보호 등은 합헌이다. 한편 강간죄의 객체를 종전에는 '부녀'로 한정했으나, 2012년 형법을 개정하여 강간죄의 객체를 '사람'으로 확장하였으며[44] 또한 변화된 시대 상황을 반영하여 다양화된 성범죄에 효과적으로 대처하기 위하여 유사강간죄를 신설하고, 친고죄 및 혼인빙자간음죄를 폐지하였다. 헌법재판소는 혼인빙자간음죄와 관련하여 형법 제304조 중 "혼인을 빙자하여 음행의 상습없는 부녀를 기망하여 간음한 자" 부분이 헌법 제37조 제2항의 과잉금지원칙을 위반하여 남성의 성적 자기결정권 및 사생활의 비밀과 자유를 침해한다고 위헌결정을 내린 바 있다.[45]

---

42) '고용상 연령차별금지 및 고령자고용촉진에 관한 법률'은 사업주는 합리적인 이유 없이 1. 모집·채용, 2. 임금, 임금 외의 금품 지급 및 복리후생, 3. 교육·훈련, 4. 배치·전보·승진, 5. 퇴직·해고 등 분야에서 연령을 이유로 근로자 또는 근로자가 되려는 사람을 차별하여서는 아니 된다고 규정하고, 이를 적용할 때 합리적인 이유 없이 연령 외의 기준을 적용하여 특정 연령집단에 특히 불리한 결과를 초래하는 경우에는 연령차별로 본다는 규정을 두고 있다(제4조의4 제1항, 제2항). 한편 직무의 성격에 비추어 특정 연령기준이 불가피하게 요구되는 경우(진정직업자격) 등 사유가 있을 때에는 차별금지의 예외를 인정하고 있다(제4조의5 제1호－제4호 참조).

43) 종래 성별에 의한 차별과 관련하여 문제되어 위헌 또는 헌법불합치결정이 내려졌던 친족·상속법상 규정들은 동성동본 불혼제(헌법불합치), 호주제와 부성주의(헌법불합치)가 있으며, 국적법상 출생에 의한 국적취득시 부계혈통주의(헌법불합치), 형법상 간통죄(위헌) 등이 있다.

44) 2011년 '아동·청소년의 성보호에 관한 법률'은 간음의 객체를 '여자 아동·청소년'에서 '아동·청소년'으로 확장하였다.

그리고 종전에는 부부 간에 벌어지는 폭력적 성관계에 대해서는 면책권이 인정되었으며 강간죄는 본질적으로 남성이 피해자로 인정되지 않는 범죄였지만, 2013년에 대법원은 전원합의체 판결을 통해 혼인관계가 유지되고 있던 부부 사이의 강간(부부강간죄)을 처음으로 인정하였다.[46]

종중 구성에 있어서 남녀평등

1. 남자만을 종중의 구성원으로 인정한 구판례

"종중은 공동선조의 후손 중 성년 이상의 남자를 종원으로 하여 구성되는 종족의 자연발생적 집단이므로, 그 성립을 위하여 특별한 조직행위를 필요로 하는 것이 아니고, 다만 그 목적인 공동선조의 분묘 수호, 제사 봉행, 종원 상호간의 친목을 규율하기 위하여 규약을 정하는 경우가 있고, 또 대외적인 행위를 할 때에는 대표자를 정할 필요가 있는 것에 지나지 아니하며, 반드시 특별한 명칭의 사용 및 서면화된 종중규약이 있어야 하거나 종중의 대표자가 선임되어 있는 등 조직을 갖추어야 성립하는 것은 아니다."

대판 1997. 11. 14. 96다25715; 그 밖에 대판 1995. 9. 15. 94다49007, 대판 1996. 2. 13. 95다34842, 대판 1992. 9. 22. 92다15048, 대판 2002. 6. 28. 2001다5296 등 참조

2. 성별 구별 없는 종중구성원 인정 판례

"종원의 자격을 성년 남자로만 제한하고 여성에게는 종원의 자격을 부여하지 않는 종래 관습에 대하여 우리 사회 구성원들이 가지고 있던 법적 확신은 상당 부분 흔들리거나 약화되어 있고, 무엇보다도 헌법을 최상위 규범으로 하는 우리의 전체 법질서는 개인의 존엄과 양성의 평등을 기초로 한 가족생활을 보장하고, 가족 내의 실질적인 권리와 의무에 있어서 남녀의 차별을 두지 아니하며, 정치·경제·사회·문화 등 모든 영역에서 여성에 대한 차별을 철폐하고 남녀평등을 실현하는 방향으로 변화되어 왔으며, 앞으로도 이러한 남녀평등의 원칙은 더욱 강화될 것인바, 종중은 공동선조의 분묘수호와 봉제사 및 종원 상호간의 친목을 목적으로 형성되는 종족단체로서 공동선조의 사망과 동시에 그 후손에 의하여 자연발생적으로 성립하는 것임에도, 공동선조의 후손 중 성년 남자만을 종중의 구성원으로 하고 여성은 종중의 구성원이 될 수 없다는 종래의 관습은, 공동선조의 분묘수호와 봉제사 등 종중의 활동에 참여할 기회를 출생에서 비롯되는 성별만에 의하여 생래적으로 부여하거나 원천적으로 박탈하는 것으로서, 위와 같이 변화된 우리의 전체 법질서에 부합하지 아니하여 정당성과 합리성이 있다고 할 수 없으므로, 종중 구성원의 자격을 성년 남자만으로 제한하는 종래의 관습법은 이제 더 이상 법적 효력을 가질 수 없게

45) 헌재 2009. 11. 26. 2008헌바58.
46) 대판 2013. 5. 16. 2012도14788·전도252(병합).

> 되었다."
>
> 대판 2005. 7. 21. 2002다13850; 그 밖에 대판 2010. 9. 9. 2007다42310,42327, 대판 2019. 2. 14. 2018다264628, 대판 2020. 4. 9. 2019다216411 등 참조

(2) 종 교

종교를 이유로 하는 차별은 금지된다. 따라서 종교를 믿는다는 이유로 공직취임을 제한하거나 취업이나 근로의 기회 및 교육을 받을 권리 등을 제한하는 차별은 금지된다. 종교의 유무 또는 어느 종교를 믿는가에 따른 차별의 금지를 규정하고 있는 이 규정은 중세에는 큰 의의를 가졌다. 그러나 오늘날 우리나라에서는 종교에 의한 차별은 그다지 심하지 않지만 종종 문제되고 있다. 우리 헌법은 종교의 자유를 규정하면서 국교부인의 원칙(제20조 제2항)을 규정하고 있는데, 이는 제11조의 평등을 구현하기 위한 의미도 지니고 있다.

종교의 자유 제한이나 정교분리 위배의 문제는 특정 종교, 특히 소수종교와 관련하여 문제되기도 한다. 자신의 의사와 무관하게 강제로 배정된 사립중고등학교에서의 특정종교교육에 대해서 대법원은 "신앙을 갖지 않거나 학교와 다른 신앙을 가진 학생의 기본권을 고려하지 않은 것은, 우리사회의 건전한 상식과 법감정에 비추어 용인될 수 있는 한계를 벗어나 학생의 종교에 관한 인격적 법익을 침해하는 위법한 행위이다"라고 판시한 바 있다.[47]

모든 종교에 대하여 특별한 대우를 하는 것은 무종교의 자유가 있기 때문에 무신자에 대한 차별대우로서 위헌이 될 수 있다.

일요일에 사법시험 제1차 시험을 치르게 하는 것은 기독교인을 불합리하게 차별하는 것은 아니다.[48]

전통사찰의 소유로서 전법(傳法)에 제공되는 경내지(현 전통사찰보존지)[49]의 건조

---

47) 대판 2010. 4. 22. 2008다38288. 본서 종교의 자유 부문 참조.

48) 헌법재판소는 " …… 청구인의 종교의 자유가 어느 정도 제한된다 하더라도 이는 공공복리를 위한 부득이한 제한으로 보아야 할 것이고 그 정도를 보더라도 비례의 원칙에 벗어난 것으로 볼 수 없고 청구인의 종교의 자유의 본질적 내용을 침해한 것으로 볼 수도 없다. 또한 기독교 문화를 사회적 배경으로 하고 있는 구미 제국과 달리 우리나라에서는 일요일은 특별한 종교의 종교의식일이 아니라 일반적인 공휴일로 보아야 할 것이고 앞서 본 여러 사정을 참작한다면 사법시험 제1차 시험 시행일을 일요일로 정한 피청구인의 이 사건 공고가 청구인이 신봉하는 종교를 다른 종교에 비하여 불합리하게 차별대우하는 것으로 볼 수도 없다"고 하였다(헌재 2001. 9. 27. 2000헌마159).

49) '전통사찰보존지'란 불교의 의식, 승려의 수행 및 생활과 신도의 교화를 위하여 사찰에 속하는 토지로서 다음 각목의 토지를 말한다<가.~사. 생략>(전통사찰의 보존 및 지원에 관한 법률 제2조 제3호).

물과 토지에 관하여는 저당권이나 그 밖의 물권의 실행을 위한 경우 또는 파산한 경우 외에는 전통사찰의 등록 후에 발생한 사법(私法)상의 금전채권으로 압류하지 못하도록 규정한 것은 다른 종교단체의 재산과는 달리 불교 전통사찰 소유의 재산만을 압류 금지 재산으로 정하고 있으므로 청구인의 평등권 및 종교의 자유를 침해한다는 주장에 대해 헌법재판소는 "'전통사찰의 보존 및 지원에 관한 법률' 제14조는 '전통사찰의 일반 채권자'를, '기타의 일반 채권자', '전통사찰의 담보물권부 채권자' 및 '전통사찰의 파산 채권자'와 차별취급하고 있으나, 이는 전통문화유산을 보존함으로써 민족문화의 향상에 이바지하기 위한 것이라는 점, 담보 제공의 경우 관할관청으로부터 허가를 받아 전통사찰의 보호에 지장을 주지 아니한다는 것이 일응 인정된 것으로 볼 수 있는 점, 그리고 파산의 경우 법원이 파산 신청의 원인 유무 등에 대하여 조사한 후 파산 선고 여부를 결정하고 법원의 감독을 받는 파산관재인이 환가절차를 진행한다는 점을 고려하면 차별취급에 합리적인 이유가 있으므로, 평등권을 침해하지 않는다"고 판시하였다.[50)]

(3) 사회적 신분

① 사회적 신분의 의미

사회적 신분의 의미에 대해서는 출생에 의해 결정되는 신분(인종, 존·비속, 가문 등)만을 의미한다고 보는 선천적 신분설과 신분에는 선천적 신분은 물론 사회에서 장기간 차지하고 있는 지위도 포함된다고 보는 후천적 신분설이 대립한다. 그러나 선천적 신분설은 지나치게 협소한 해석으로 채택할 수 없으며, 예컨대 전과자, 부자, 빈자, 사용자, 근로자, 상인, 농민, 귀화자 등 후천적으로 취득한 신분에 의해서도 불합리하게 차별받아서는 안 된다. 따라서 **후천적 신분설**이 타당하다(다수설). 헌법재판소도 "사회적 신분이란 사회에서 장기간 점하는 지위로서 일정한 사회적 평가를 수반하는 것을 의미한다 할 것이므로 전과자도 사회적 신분에 해당된다고 할 것"이라고 하여 후천적 신분설에 따르고 있다.[51)]

② 합리적 차별로 인정된 예

i) 선거사범에 대한 피선거권 제한

선거범으로서 형벌을 받은 자에 대하여 일정기간 피선거권을 정지하는 규정 자

50) 헌재 2012. 6. 27. 2011헌바34.
51) 헌재 1995. 2. 23. 93헌바43.

체는 이로써 선거의 공정을 확보함과 동시에 본인의 반성을 촉구하기 위한 법적 조치로서 국민의 기본권인 공무담임권과 평등권을 합리적 이유 없이 자의적으로 제한하는 위헌규정이라 할 수 없고, 그 경우에 구체적으로 어떤 종류의 형벌을 얼마만큼 형량 선고받은 자에 대하여 어느 정도의 기간 동안 피선거권의 행사를 제한시킬 것인가의 문제는 기본적으로 입법형성권을 갖고 있는 입법권자가 결정할 입법재량에 속하는 사항으로서 그것이 합리적 재량의 한계를 벗어난 것이 아닌 한 위헌이라 볼 수 없다.[52)]

ii) 누범과 상습범에 대한 가중처벌

헌법재판소는 "누범을 가중하여 처벌하는 것은 사회방위, 범죄의 특별예방 및 일반예방, 더 나아가 사회의 질서유지의 목적을 달성하기 위한 하나의 적정한 수단이기도 하는 것이므로 이는 합리적 근거 있는 차별이어서 헌법상의 평등의 원칙에 위배되지 아니한다고 할 것이다"고 판시하고 있다. 그리고 '폭력행위 등 처벌에 관한 법률' 제2조 제1항이 각 상습범들에 대하여 일률적으로 1년 이상의 유기징역형에 처하도록 규정에 대한 헌법소원사건에서 "폭력적 범죄의 상습범이 증가되고 있는 현상을 특히 중요시하여 그에 대한 대책으로서 그 상습범을 가중처벌하기 위하여 둔 특별법으로서, 재판에 있어서 각 형법본조의 불법내용과 정상에 따라 양형이 조절될 수 있는 것이므로 위 각 상습범들에 대하여 일률적으로 1년 이상의 유기징역형에 처하도록 규정하였다고 해서 형평에 반한다거나 가혹한 형벌을 정한 것이라고 볼 수 없고 또 죄형법정주의에 반한다고도 볼 수 없다"고 판시한 바 있다.[53)]

iii) 현업에 종사하는 공무원에 대해서만 근로3권을 인정하는 것

근로3권이 보장되는 공무원의 범위를 사실상 노무에 종사하는 공무원에 한정하고 있는 국가공무원법 제66조 제1항에 대한 위헌소원사건에서 헌법재판소는 "위 법률조항이 사실상 노무에 종사하는 공무원에 대하여서만 근로3권을 보장하고 그 이외의 공무원들에 대하여는 근로3권의 행사를 제한함으로써 일반근로자 또는 사실상 노무에 종사하는 공무원의 경우와 달리 취급하는 것은 헌법 제33조 제2항에 그 근거를 두고 있을 뿐 아니라 합리적인 이유가 있다 할 것이므로 헌법상 평등의 원칙에 위반되는 것이 아니다"고 판시한 바 있다.[54)]

52) 헌재 1993. 7. 29. 93헌마23.
53) 헌재 1989. 9. 29. 89헌마53.
54) 헌재 1992. 4. 28. 90헌바27.

iv) 교육위원직 겸직에 있어서 초·중등교원과 대학교원을 차별하는 것

같은 규정이 초·중등학교 교원에 대해서는 교육위원직 겸직을 금지하면서 대학교원에게는 겸직을 허용한다 하더라도 이는 양자간 직무의 본질이나 내용 그리고 근무태양이 다른 점을 고려할 때 합리적인 차별이라고 할 것이어서 평등권을 침해하는 것이라고 할 수 없다.[55)]

v) 직계존속에 대한 범죄행위를 가중처벌하는 것

존속과 비속이 사회적 신분에 해당하는가? 자연적 신분에 해당하는가?와 관련하여 논란이 있지만, 헌법의 차별금지사유를 예시적 규정으로 보는 한 존속과 비속 관계에도 평등조항은 적용된다. 헌법재판소는 존속상해치사죄의 가중처벌과 관련하여 "비속의 직계존속에 대한 존경과 사랑은 봉건적 가족제도의 유산이라기보다는 우리 사회윤리의 본질적 구성부분을 이루고 있는 가치질서로서, 특히 유교적 사상을 기반으로 전통적 문화를 계승·발전시켜 온 우리나라의 경우는 더욱 그러한 것이 현실인 이상, '비속'이라는 지위에 의한 가중처벌의 이유와 그 정도의 타당성 등에 비추어 그 차별적 취급에는 합리적 근거가 있으므로, 이 사건 법률조항은 헌법 제11조 제1항의 평등원칙에 반한다고 할 수 없다"고 판시하였다.[56)] 참고로 일본 최고재판소는 존속살해에 대한 가중처벌규정에 대하여 종전 판례를 변경하여 위헌결정을 내린 바 있으며, 그 뒤 가중처벌 규정을 삭제한 바 있다. 우리 형법은 존속살해에 대해서 일반살인과 달리 사형, 무기 또는 7년 이상의 징역에 처한다고 하여 가중처벌하고 있다(형법 제250조 제2항).[57)]

vi) 자기 또는 배우자의 직계존속을 고소하지 못하도록 하는 것

헌법재판소는 자기 또는 배우자의 직계존속을 고소하지 못하도록 하는 형사소송법 제224조에 대한 위헌소원사건에서 '효'라는 우리 고유의 전통규범을 수호하기 위하여 비속이 존속을 고소하는 행위의 반윤리성을 억제하고자 이를 제한하는 것은 합리적 근거가 있는 차별이라고 하였다.[58)]

---

55) 헌재 1993. 7. 29. 91헌마69.
56) 헌재 2002. 3. 28. 2000헌바53.
57) 과거의 형법규정은 사형, 무기징역을 규정하고 있었다. 일본에서의 위헌논의과정(**중벌위헌설**)에 영향을 받아 사형, 무기 또는 7년 이상의 징역으로 완화한 것으로 생각된다.
58) 헌재 2011. 2. 24. 2008헌바56.

vii) '일제강점하 반민족행위 진상규명에 관한 특별법'상 특정행위를 한 자를 재산이 국가에 귀속되는 대상인 친일반민족행위자로 보는 '친일반민족행위자 재산의 국가귀속에 관한 특별법' 규정

헌법재판소는 "**친일재산**은 이를 보유하도록 보장하는 것 자체가 정의 관념에 반하고, 귀속대상을 사안이 중대하고 범위가 명백한 친일재산으로 한정하고 있으므로 이 사건 귀속조항이 평등의 원칙에 반한다고 볼 수 없다"고 판시하고 있다.[59]

viii) 흡연자의 권리를 제한하는 것

국민건강증진법시행규칙 제7조는 흡연자들의 권리를 보다 제한하고 있으나, 국민의 건강과 **혐연권**을 보장하기 위하여 **흡연권**을 제한하는 것으로서 차별에 합리적인 이유가 있으므로 평등원칙에 위반되지 아니한다. [60]

③ 위헌적 차별로 본 예

한편 헌법재판소는 ⅰ) 국·공립대학 사범대학출신자를 교육공무원인 국·공립학교교사로 우선 임용하는 것,[61] ⅱ) 과거의 특정신분(검찰총장경력)만을 이유로 한 개별적 기본권제한,[62] ⅲ) 배우자나 직계존·비속 사이에 이루어지는 증여에 있어

59) 헌재 2011. 3. 31. 2008헌바141. 헌법재판소는 이 사건에서 평등원칙(귀속조항) 외에 법률의 명확성원칙(정의조항), 재판청구권(추정조항)과 적법절차원칙, 진정소급입법금지원칙(귀속조항), 재산권(귀속조항), 연좌제금지원칙(귀속조항)에 위반되는지를 검토하여 위반되지 않는다는 합헌결정을 내린 바 있다.

60) 헌재 2004. 8. 26. 2003헌마457.

61) 헌법재판소는 "국·공립사범대학 등 출신자를 교육공무원인 국·공립학교 교사로 우선하여 채용하도록 규정한 교육공무원법 제11조 제1항은 사립사범대학졸업자와 일반대학의 교직과정 이수자가 교육공무원으로 채용될 수 있는 기회를 제한 또는 박탈하게 되어 결국 교육공무원이 되고자 하는 자를 그 출신학교의 설립주체나 학과에 따라 차별하는 결과가 되는 바, 이러한 차별은 이를 정당화할 합리적인 근거가 없으므로 헌법상 평등의 원칙에 어긋난다"고 판시하였다(헌재 1990. 10. 8. 89헌마89).

62) 구 검찰청법 제12조 제4항은 검찰총장 퇴임 후 2년 이내에는 법무부장관과 내무부장관직뿐만 아니라 모든 공직에의 임명을 금지하고 있었다. 이와 관련하여 헌법재판소는 "검찰청법 제12조 제4항은 …… 심지어 국·공립대학교 총·학장, 교수 등 학교의 경영과 학문연구직에의 임명도 받을 수 없게 되어 있다. 그 입법목적에 비추어 보면 그 제한은 필요 최소한의 범위를 크게 벗어나 직업선택의 자유와 공무담임권을 침해하는 것으로서 헌법상 허용될 수 없다"고 판시하였으며, 또한 검찰총장 퇴직 후 일정기간 동안 정당의 발기인이나 당원이 될 수 없도록 하는 검찰청법 제12조 제5항, 부칙 제2항은 "과거의 특정신분만을 이유로 한 개별적 기본권제한으로서 그 차별의 합리성을 인정하기 어렵고, 검찰권 행사의 정치적 중립이라는 입법목적을 얼마나 달성할 수 있을지 그 효과에 있어서도 의심스러우므로, 결국 검찰총장에서 퇴직한지 2년이 지나지 아니한 자의 정치적 결사의 자유와 참정권(선거권과 피선거권) 등 우월적 지위를 갖는 기본권을 과잉금지원칙에 위반되어 침해하고 있다고 아니 할 수 없다"고 판시한

서도 일반증여당사자와 차별하는 것,[63] 부부 자산소득 합산제[64] 등은 특별한 사정이 없는 한 그 차별의 합리성을 인정하기 어렵다고 판시한 바 있다.

(4) 간접차별의 문제

간접차별이란 법규범상으로는 중립적 성격을 지니고 있으나, 사실상의 차이로 불평등한 차별을 초래하고 있는 경우를 지칭한다. 장애인에게 형식상으로는 제한・배제・분리・거부하는 것은 아니지만 장애를 고려하지 않는 기준을 적용해 결과적으로 특정 장애인 집단에 불리한 결과를 초래하는 것이나, 공무원채용시 명시적인 남녀차별규정은 없지만 신체구조상 충족하기 어려운 여성에게 불리한 결과를 초래하는 경우(예: 신장 175센티미터 이상) 등을 간접차별의 예로 들 수 있다. 직접차별은 장애가 있다는 이유 또는 여성이라는 이유만으로 차별하는 것이므로 간접차별과 구별된다.

'남녀고용평등과 일・가정 양립 지원에 관한 법률'은 "사업주가 채용조건이나 근로조건은 동일하게 적용하더라도 그 조건을 충족할 수 있는 남성 또는 여성이 다른 한 성(性)에 비하여 현저히 적고 그에 따라 특정 성(性)에게 불리한 결과를 초래하며 그 조건이 정당한 것임을 증명할 수 없는 경우"를 차별로 정의하여 (동법 제2조 제1호) 간접차별개념을 명문화하였다. 또한 '장애인차별금지 및 권리구제 등에 관한 법률'(장애인차별금지법)도 "장애인에 대하여 형식상으로는 제한・배제・분리・거부 등에 의하여 불리하게 대하지 아니하지만 정당한 사유 없이 장애를 고려하지

바 있다(헌재 1997. 7. 16. 97헌마26).

63) 헌법재판소는 "상속세법 제29조의4 제2항의 규정은 실지조사와 쟁송의 번거로움을 피하고 편리한 세금징수의 방법만을 강구한 나머지 조세형평이나 국민의 기본권 보장은 도외시한 채 오직 조세행정의 편의만을 위주로 하여 제정된 매우 불합리한 법률이고 기본권 경시와 행정편의주의 및 획일주의 정도가 지나쳐 헌법 제11조 제1항의 평등권, 제23조 제1항의 재산권, 제27조 제1항의 재판청구권의 본질적 내용을 침해하는 것이어서 헌법 제37조 제2항에 위배되고 그럼으로써 헌법 제38조, 제59조의 조세법률주의에 위배되는 위헌법률이다"고 판시하였다(헌재 1992. 2. 25. 90헌가69 등).

64) "부부간의 인위적인 자산 명의의 분산과 같은 가장행위 등은 상속세및증여세법상 증여의제규정 등을 통해서 방지할 수 있고, 부부의 공동생활에서 얻어지는 절약가능성을 담세력과 결부시켜 조세의 차이를 두는 것은 타당하지 않으며, 자산소득이 있는 모든 납세의무자 중에서 혼인한 부부가 혼인하였다는 이유만으로 혼인하지 않은 자산소득자보다 더 많은 조세부담을 하여 소득을 재분배하도록 강요받는 것은 부당하며, 부부 자산소득 합산과세를 통해서 혼인한 부부에게 가하는 조세부담의 증가라는 불이익이 자산소득합산과세를 통하여 달성하는 사회적 공익보다 크다고 할 것이므로, 소득세법 제61조 제1항이 자산소득합산과세의 대상이 되는 혼인한 부부를 혼인하지 않은 부부나 독신자에 비하여 차별취급하는 것은 헌법상 정당화되지 아니하기 때문에 헌법 제36조 제1항에 위반된다"(헌재 2002. 8. 29. 2001헌바82).

아니하는 기준을 적용함으로써 장애인에게 불리한 결과를 초래하는 경우"를 차별행위로 규정하고 있다(동법 제4조 제1항 제2호). 헌법재판소가 위헌결정을 한 제대군인가산점제는 제대군인과 비제대군인 간의 차별이지만, 여성제대군인이 극히 적은 현실에서 이 또한 간접차별이 된다.

2. 차별금지영역

제11조 제1항 후문은 "누구든지 …… 정치적·경제적·사회적·문화적 생활의 영역에서 차별을 받지 아니한다"라고 규정하고 있다. 여기서 정치적·경제적·사회적·문화적 생활영역도 역시 예시적 규정으로 그 외 모든 생활영역에서 차별이 금지된다.

(1) 정치적 생활영역

정치적 생활영역은 국민주권주의 요청상 다른 영역보다 절대적 평등의 보장요구가 크다고 하겠다. 참정권의 차별금지, 즉 선거권, 공무담임권, 피선거권, 국민투표권 등에서의 불합리한 차별은 금지된다.

평등선거원칙은 **표면가치**(산술적 계산가치)**의 평등뿐만 아니라 결과가치**(성과가치)**의 평등**도 요구한다. 결과가치의 평등이란 모든 투표자들이 행사한 하나하나의 표가 선거결과에 미치는 비중까지도 실질적으로 평등하여야 한다는 것이다. 성과가치의 평등과 관련해서는 선거구인구의 편차를 어느 정도 인정할 것인가가 특히 문제된다.

1995년 헌법재판소 판례는 2 : 1을 넘으면 위헌의 가능성이 있으나, 지세, 행정구역 등 여러 요소를 고려하더라도 그 배인 4 : 1(평균인구수[65] 기준 상하 60% 편차)이 되면 위헌이라고 판시한 바 있으나, 2001년 판례는 3 : 1(평균인구수 기준 상하 50% 편차)을 초과한 것을 위헌으로 판시하면서, 현행 공직선거법의 선거구역표를 2003년 12월 31일을 시한으로 입법자가 개정할 때까지 계속 적용한다는 헌법불합치결정을 내린 바 있다.[66] 헌법재판소는 2014년 다시 2 : 1(평균인구수 기준 상하 33⅓ 편차)을 넘으면 위헌이라고 판시하면서 헌법불합치결정을 내렸다.[67] 그러

65) 여기서 평균인구수란 전체인구수를 선거구수로 나눈 것이다.

66) 헌재 2001. 10. 25. 2000헌마92 등(병합).

67) 헌법재판소는 "**인구편차 상하 33⅓%**를 넘어 인구편차를 완화하는 것은 지나친 투표가치의 불평등을 야기하는 것으로, 이는 대의민주주의의 관점에서 바람직하지 아니하고, 국회를 구성함에 있어 국회의원의 지역대표성이 고려되어야 한다고 할지라도 이것이 국민주권주의의 출

나 지방의회의원 선거구의 경우는 광역의회, 기초의회 모두 상하 60%의 편차범위를 인정한다. 즉, 최대선거구(160%) : 최소선거구(40%)가 4 : 1을 넘으면 위헌으로 보고 있다.[68]

그 밖에 초·중등학교의 교원과는 달리 대학교원에게는 그 직을 보유한 채 공직선거 등에 입후보할 수 있도록 한 것,[69] 교육감선거 입후보 시 현직 교육감과 달리 일반 교원에게만 사직의무를 부여한 것[70] 등은 합리적 차별이나, 집행유예자와 수형자의 선거권을 제한하는 것[71]과 예비후보자의 배우자가 그와 함께 다니는 사람 중에서 지정한 1명이 예비후보자를 위해 명함교부나 지지호소의 선거운동을 할 있도록 한 것[72]은 위헌적인 차별이다.

발점인 투표가치의 평등보다 우선시될 수는 없다. 특히, 현재는 지방자치제도가 정착되어 지역대표성을 이유로 헌법상 원칙인 투표가치의 평등을 현저히 완화할 필요성이 예전에 비해 크지 아니하다. 또한, 인구편차의 허용기준을 완화하면 할수록 **과대대표**되는 지역과 **과소대표**되는 지역이 생길 가능성 또한 높아지는데, 이는 지역정당구조를 심화시키는 부작용을 야기할 수 있다. 같은 농·어촌 지역 사이에서도 나타날 수 있는 이와 같은 불균형은 농·어촌 지역의 합리적인 변화를 저해할 수 있으며, 국토의 균형발전에도 도움이 되지 아니한다. 나아가, 인구편차의 허용기준을 점차로 엄격하게 하는 것이 외국의 판례와 입법추세임을 고려할 때, 우리도 인구편차의 허용기준을 엄격하게 하는 일을 더 이상 미룰 수 없다. 이러한 사정들을 고려할 때, 현재의 시점에서 헌법이 허용하는 인구편차의 기준을 인구편차 상하 33⅓%를 넘어서지 않는 것으로 봄이 타당하다. 따라서 심판대상 선거구구역표 중 인구편차 상하 33⅓%의 기준을 넘어서는 선거구에 관한 부분은 위 선거구가 속한 지역에 주민등록을 마친 청구인들의 선거권 및 평등권을 침해한다"는 취지로 결정하였다(헌재 2014. 10. 30. 2012헌마190·192·211·262·325, 2013헌마781, 2014헌마53(병합)).

68) 헌재 2009. 3. 26. 2006헌마67. 광역자치단체의 경우는 헌재 2007. 3. 29. 2005헌마985 참조.

69) 대학교수의 주된 직무는 연구기능이고, 학생의 연령 및 교육 정도 등을 고려했을 때 학생에게 미치는 영향력에도 차이가 있으므로, 초·중등학교의 교원과는 달리 대학교원에게는 그 직을 보유한 채 공직선거 등에 입후보할 수 있도록 하더라도, 불합리한 차별로 볼 수 없다(헌재 2019. 11. 28. 2018헌마222).

70) 교육감은 교육행정을 총괄하는 자로서, 학생들에게 미치는 영향력 측면에서 일반 교원과 차이가 있으며, 직무전념성이 갖는 의미 역시 다를 수밖에 없다. 교육감의 연임이 허용되고 있는 상황에서 그 직을 그만두도록 한다면 교육감의 임기가 사실상 줄어드는 결과가 발생하며, 업무의 연속성과 효율성이 저해될 우려도 크므로, 교육감선거 입후보 시 현직 교육감과 달리 일반 교원에게만 사직의무를 부여한 것이 불합리한 차별에 해당한다고 보기 어렵다(헌재 2019. 11. 28. 2018헌마222).

71) 이 사건은 집행유예자와 수형자의 선거권을 제한하는 조항인 공직선거법 제18조 제1항 제2호와 형법 제43조 제2항 중 '집행유예기간 중인 자'와 '수형자'에 관한 부분은 청구인들의 선거권을 침해하고 헌법 제41조 제1항 및 제67조 제1항이 규정한 보통선거원칙에 위반하여 집행유예자와 수형자를 차별취급하는 것이므로 평등의 원칙에도 어긋난다고 결정한 사안이다. 헌법재판소는 위 조항 중 집행유예기간 중인 자에 관한 부분은 헌법에 위반되고, 수형자에 관한 부분은 수형자에게 선거권을 부여하는 구체적인 방안은 입법형성의 범위 내에 있다는 점을 고려하여 헌법에 합치되지 아니한다는 결정을 선고하였다(헌재 2014. 1. 28. 2012헌마409등).

72) 이 사건은 공직선거법 제60조의3 제2항 제3호 중 예비후보자의 배우자가 그와 함께 다니는

(2) 경제적 생활영역

경제적 생활영역에서의 차별은 조세의 부담, 재산의 수용, 기타 고용과 임금과 같은 국민의 경제활동 및 직업의 선택 및 직업영위에 있어서 차별이 문제된다.

① 합리적 차별이라고 본 예

i) 한약업사의 허가 및 영업행위에 대하여 지역적 제한을 가한 것

한약업사의 허가 및 영업행위에 대하여 지역적 제한을 가한 내용의 약사법 제37조 제2항은 오로지 국민보건의 유지·향상이라는 공공의 복리를 위하여 마련된 것이고, 그 제한의 정도 또한 목적을 달성하기 위하여 적정한 것이라 할 것이므로 헌법 제11조의 평등, 제15조의 직업선택의 자유 등 기본권을 침해하는 것으로 볼 수 없어 헌법에 위반되지 아니한다.[73)]

ii) 보증인 등을 정리계획인가에 따른 면책 등의 효력이 미치는 범위에서 제외한 것

회사정리법 제240조 제2항이 보증인 등을 정리계획인가에 따른 면책 등의 효력이 미치는 범위에서 제외함으로써 회사정리절차에서 정리채권자 등에 비하여 보증채무자 등을 차별하여 불이익하게 다루고 있다고 하더라도, 이것은 회사정리절차상 정리계획인가에 따른 면책제도의 목적, 정리계획의 성립형식상의 특성 및 정리절차에 있어서 정리채권자 등과 보증인 등의 이해조정 등의 모든 관점에서 그 목적의 정당성, 수단의 적정성, 피해의 최소성 및 법익의 형평성 등의 합리적인 근거를 가지고 있으므로 헌법상 평등원칙에 위반되지 않을 뿐 아니라 재산권 보장이나 일반적 법률유보에 관한 헌법조항에도 위반된다고 볼 수 없다.[74)]

iii) 주택재개발사업이 아닌 주택재건축사업에 한하여 재건축부담금을 부과하도록 한 것

"주택재건축사업에서 발생되는 재건축초과이익에 대하여 재건축부담금을 징수하도록 규정한 구 재건축초과이익 환수에 관한 법률 제3조 등은 주택재개발사업과 주택재건축사업은 사업목적과 대상, 구체적인 사업의 시행방식 및 절차, 개발이익

사람 중에서 지정한 1명이 예비후보자를 위해 명함교부나 지지호소의 선거운동을 할 수 있도록 한 부분은 배우자 없는 예비후보자를 차별하는 것으로 평등권을 침해하여 헌법에 위반된다고 결정한 사안이다(헌재 2013. 11. 28. 2011헌마267).

73) 헌재 1991. 9. 16. 89헌마231.

74) 헌재 1992. 6. 26. 91헌가8,9(병합).

환수의 방식과 정도가 모두 다르다고 할 것이어서, 개발이익 환수의 필요성 측면에서 주택재건축사업과 주택재개발사업이 동일하다고 볼 수 없다. 그렇다면 주택재건축사업과 주택재개발사업은 이 사건 재건축부담금 부과와 관련하여 헌법적으로 의미 있는 비교집단이라고 볼 수 없다. 따라서 주택재개발사업이 아닌 주택재건축사업에 한하여 재건축부담금을 부과하도록 한 이 사건 환수조항 등은 헌법상 평등원칙에 위반되지 아니한다."[75]

iv) 의료인이 의료법인과 달리 둘 이상의 의료기관을 개설·운영할 수 없도록 한 것

헌법재판소는 이 사건 법률조항(의료법 제33조 제8항 및 제87조 제1항 제2호)은 수범자를 의료인으로 한정하여, 의료법인 등은 위 조항의 적용을 받지 않고 둘 이상의 의료기관을 운영할 수 있다고 보면서, "의료법인 등은 설립에서부터 국가의 관리를 받고, 이사회나 정관에 의한 통제가 가능하며, 명시적으로 영리추구가 금지된다. 이처럼 의료인 개인과 의료법인 등의 법인은 중복운영을 금지할 필요성에서 차이가 있으므로, 의료인과 의료법인 등을 달리 취급하는 것은 합리적인 이유가 인정된다. 따라서 이 사건 법률조항은 평등원칙에 반하지 않는다"고 판시하였다.[76]

v) 대형마트 등에 대하여 영업시간 제한 및 의무휴업일 지정을 할 수 있도록 한 것

특별자치시장·시장·군수·구청장으로 하여금 대형마트 등에 대하여 영업시간 제한 및 의무휴업일 지정을 할 수 있도록 한 유통산업발전법 조항들(동법 제12조의2 제1항, 제2항, 제3항)은 영업제한을 받는 대형마트 등과 그러한 제한을 받지 않는 다른 형태의 대규모점포들을 차별 취급하고 있으나, 이는 지역상권에 미치는 영향에 차이가 있음을 고려한 것으로 합리적 이유가 있다. 또 심판대상조항은 대형마트 중에서 농수산물의 판매 비중이 55% 이상인 대형마트를 그렇지 않은 대형마트와 차별 취급하고 있으나, 이는 농수산물의 특성과 농어업에 대한 국가의 보호의무 등을 고려한 것으로서 합리적 이유가 있다. 따라서 심판대상조항은 평등원칙에 위배되지 않는다.[77]

② 위헌적 차별이라고 본 예

i) 법무사법시행규칙 제3조 제1항은 법원행정처장이 법무사를 보충할 필요가 없다고 인정하면 법무사시험을 실시하지 아니해도 된다는 것으로서 상위법인 법무사법 제4조 제1항에 의하여 모든 국민에게 부여된 법무사 자격취득의 기회를 하위

75) 헌재 2019. 12. 27. 2014헌바381.
76) 헌재 2019. 8. 29. 2014헌바212, 2014헌가15, 2015헌마561, 2016헌바21(병합).
77) 헌재 2018. 6. 28. 2016헌바77·78·79(병합).

법인 시행규칙으로 박탈한 것이어서 평등권과 직업선택의 자유를 침해한 것이다.[78)]

ⅱ) 금융기관인 은행에게는 아무런 제한조건 없이 항고를 허락하면서, 금융기관으로부터 돈을 빌린 자(채무자)에게는 상당금액의 공탁을 명하고 있는 것은 합리적 이유 없이 은행을 우대한 것이다.[79)]

ⅲ) 국가를 상대로 한 재산권의 청구에 관하여는 **가집행선고**를 할 수 없다는 규정은 합리적 근거 없이 제11조의 평등의 원칙을 위배한 것으로 위헌이다.[80)]

ⅳ) 회원제 골프장 이용자에게만 국민체육진흥기금의 재원인 부가금을 부과한 것

헌법재판소는 **골프장 부가금**은 조세와 구별되는 것으로서 국민체육진흥계정의 재원을 마련하는 데에 그 목적이 있을 뿐, 그 부과 자체로써 골프장 부가금 납부의무자의 행위를 특정한 방향으로 유도하거나 골프장 부가금 납부의무자 이외의 다른 집단과의 형평성 문제를 조정하고자 하는 등의 목적이 있다고 보기 어렵다는 점 등을 고려할 때, 재정조달목적 부담금에 해당한다고 보면서, 심판대상조항(구 국민체육진흥법 제20조 제1항 제3호 및 같은 내용의 현행법 조항)이 규정하고 있는 골프장 부가금은 일반 국민에 비해 특별히 객관적으로 밀접한 관련성을 가진다고 볼 수 없는 골프장 부가금 징수 대상 시설 이용자들을 대상으로 하는 것으로서 합리적 이유가 없는 차별을 초래하므로, 헌법상 평등원칙에 위배된다고 판시하였다.[81)]

ⅴ) 일반적인 보험과 달리 우체국 보험의 보험금 및 환급금 청구채권에 대하여 압류를 금지하고 있는 것

일반적인 보험과 달리 **우체국 보험**의 보험금 및 환급금 청구채권에 대하여 압류를 금지하고 있는 '우체국예금 · 보험에 관한 법률' 관련조항(동법 제45조)에 대하여 헌법재판소는 "우체국보험과 일반 인보험 모두 그 가입자와 보험자(우체국 또는 보험회사) 사이의 자유로운 선택에 의하여 임의로 보험계약을 체결하는 점, 각각 생명 · 신체의 상해라는 보험사고 발생시 보험금을 지급하는 것을 내용으로 하는 점 등에서 본질적으로 동일하고, 이 사건 법률조항이 도입될 때와 비교하여 사회보장제도가 구비되고, 금융 · 보험시장이 발달하는 등 사회 · 경제적 환경이 변화하였으며, 우체국보험은 소득, 지역, 장애 여부 등에 관계없이 누구나 자유롭게 여러 우체국보험 상품에 가입할 수 있어 이제는 공적인 사회보장제도라기보다는 사적인 임의

78) 헌재 1990. 10. 15. 89헌마178.
79) 헌재 1989. 5. 24. 89헌가37.
80) 헌재 1989. 1. 25. 88헌가7.
81) 헌재 2019. 12. 27. 2017헌가21.

보험의 성격을 가지게 되었다. 이러한 우체국보험에 대하여 일반 보험회사의 인보험에 가입한 경우와는 달리 그 수급권이 사망, 장해나 입원 등으로 인하여 발생한 것인지, 만기나 해약으로 발생한 것인지 등에 대한 구별조차 없이 그 전액에 대하여 무조건 압류를 금지하여 우체국보험 가입자를 보호하는 것은 우체국보험 가입자의 채권자를 일반 인보험 가입자의 채권자에 비하여 불합리하게 차별취급하는 것이므로, 헌법 제11조 제1항의 평등원칙에 위반된다"고 하면서 헌법불합치결정을 내렸다.[82)]

(3) 사회적 생활영역

사회적 생활영역에 있어서도 평등이 보장되어야 하기 때문에 주거・여행・공공시설이용 등에서의 차별, 적자와 서자의 차별, 혼인과 가족생활에서의 남녀의 차별은 허용되지 아니한다.[83)]

사실혼 배우자에게 상속권을 인정하지 않는 것(합헌)

상속으로 인한 법률관계는 분쟁을 방지하고 법률관계를 조속히 확정하며 거래의 안전을 도모하는 것이 요청되므로 사실혼을 법률혼과 동일하게 취급할 수 없다고 봄이 상당하다. 또한, 자발적으로 사실혼을 선택한 당사자는 법적 구속을 받지 않으려는 스스로의 적극적인 의사에 따라 국가의 개입을 거부하는 것이므로, 혼인의 효과로서 획일적으로 규정되어 있는 상속권을 인정하지 않는 것이 불합리하다고 보기 어렵다. 이러한 점들을 고려할 때, 상속권에 관하여 사실혼 배우자와 법률혼 배우자를 차별하고 있다고 하더라도, 그러한 취급에는 수긍할 만한 합리적인 이유가 있으므로, 이를 두고 자의적인 차별로서 평등권을 침해한다고 보기는 어렵다.

헌재 2014. 8. 28. 2013헌바119

상속회복청구권 행사기간을 '상속권의 침해행위가 있은 날로부터 10년'이라고 규정한 것(합헌)

상속회복청구권 행사기간을 '상속권의 침해행위가 있은 날로부터 10년'이라고 규정한 개정 민법 제999조 제2항이 '개시된 날로부터 10년'으로 규정하던 구법 조항에 비해 합리적인 정도로 기간을 연장한 이상, 상속에 의하여 재산권을 취득한 자와 그 밖의 원인에 의하여 재산권을 취득한 자를 비합리적으로 차별한다고 볼 수 없다.

헌재 2002. 11. 28. 2002헌마134

---

82) 헌재 2008. 5. 29. 2006헌바5.
83) 권영성, 앞의 책, 397면.

한정승인신고를 한 집단과 상속포기신고를 한 집단이 본질적으로 동일한 집단인지 여부(합헌)

'한정승인제도'와 '상속포기제도'는 그 방식 및 법률효과 등 여러 가지 측면에서 본질적으로 상이한 제도이기 때문에, '한정승인신고를 한 집단'과 '상속포기신고를 한 집단'은 본질적으로 동일한 '두 개의 비교집단'이라고 볼 수 없고, 따라서 '특별한정승인제도'만을 규정하고 '특별상속포기제도'를 규정하지 아니한 이 사건 법률조항으로 인하여 한정승인신고가 아닌 상속포기신고를 한 청구인들의 평등권이 침해되었다고 볼 수 없다.

헌재 2003. 12. 18. 2002헌바91등

호주제와 남녀평등(헌법불합치)

호주제는 성역할에 관한 고정관념에 기초한 차별로서, 호주승계 순위, 혼인 시 신분관계 형성, 자녀의 신분관계 형성에 있어서 정당한 이유없이 남녀를 차별하는 제도이고, 이로 인하여 많은 가족들이 현실적 가족생활과 가족의 복리에 맞는 법률적 가족관계를 형성하지 못하여 여러모로 불편과 고통을 겪고 있다. 숭조(崇祖)사상, 경로효친, 가족화합과 같은 전통사상이나 미풍양속은 문화와 윤리의 측면에서 얼마든지 계승, 발전시킬 수 있으므로 이를 근거로 호주제의 명백한 남녀차별성을 정당화하기 어렵다.

헌재 2005. 2. 3. 2001헌가9등

계자를 계모의 상속인으로 규정하지 않은 것(합헌)

계모의 직계비속은 계모와 자연혈족관계가 있는 혈족이지만, 계자는 계모와 자연혈족관계가 인정되지 않는 인척관계에 불과해, 양자는 평등권 심사에 있어서 같은 비교집단으로 구성되기 어렵다. **계모자관계**는 그 폐해로 인하여 합리성을 인정받지 못하고 입법자의 결단에 의하여 폐지된 것이고, 계모자관계를 폐지하였음에도 불구하고 계자를 계모의 상속권자로 인정한다면 사실상 계모자 간에 법정혈족관계를 다시 인정하는 것이 되고, 계모자 간에 상속권을 인정할 경우 평등의 원칙상 계부자 상호간 및 적모서자 상호간에도 상속권을 인정하여야 하는 부당한 결과가 초래되는 점에 비추어 볼 때, 계자를 합리적 이유 없이 부당하게 차별하는 것이라고 볼 수 없다.

헌재 2009. 11. 26. 2007헌마1424

(4) 문화적 생활영역

여기서 문화적 생활영역이란 교육, 문화, 공보 등에 있어서의 평등을 말한다. 미국에서 'separate but equal'(**분리하되 평등하게**)의 원칙이 상당히 오래 지속되었으나, 1954년 교육에서의 격리철폐를 가져온 대법원 판결(Brown v. Board of Education of Topcka) 이래 통합화의 경향을 나타내고 있다. 헌법재판소는 중학교 의무교육을 일시에 전면 실시하는 대신 단계적으로 확대 실시하도록 한 것은 주로 전면실시에 따르는 국가의 재정적 부담을 고려한 것으로 실질적 평등의 원칙에 부합된다고 판시하였다.[84] 나아가 현재 도서·벽지·접적지역과 특수학교에 한하여 의무교육을 실시하고 있는 것은 그러한 경우에는 지리적 여건이나 피교육자의 특성상 교육을 받을 기회가 상대적으로 불리하다는 점을 고려한 것으로 이는 오히려 실질적 평등의 원칙에 부합된다고 할 수 있다고 한다.

Ⅳ. 그 외 구체적 평등권의 제도화

1. 사회적 특수계급제도의 부인

헌법은 "사회적 특수계급의 제도는 인정되지 아니하며, 어떠한 형태로도 이를 창설할 수 없다"고 규정하고 있다(제11조 제2항). 이러한 제도들은 평등원칙에 위반하는 것으로 당연히 인정되지 아니한다. 그런데 여기서 사회적 특수계급이라 함은 조선시대의 반상제도나 서양의 귀족제도, 노예제도와 같은 것을 말하는 것으로 고래의 **반상계급(班常階級)제도를 타파**하기 위한 것이다. 영전에 수반되는 연금 등의 보훈제도나 전직대통령에 대한 예우는 여기에 해당하지 아니한다.

2. 영전일대의 원칙

제11조 제3항은 "훈장 등의 영전은 이를 받은 자에게만 효력이 있고, 어떠한 특권도 이에 따르지 아니한다"라고 규정하고 있다. 이는 영전의 세습을 금지함으로써 특수계급의 발생을 막으려는 것이다. 따라서 영전을 받은 자의 자손에게 조세를 감경하거나 처벌을 면제하는 것 또는 고급공무원채용에 있어서 우대를 하는 것 등은 영전일대의 원칙에 반한다. 그러나 훈장에 수반되는 연금의 지급이나 국가유공자, 군경유가족에 대한 구호는 위헌이 아니다. 공무원이 외국정부로부터 영전을 받을 경우에는 대통령의 허가를 얻어야 한다.

---

84) 헌재 1991. 2. 11. 90헌가27.

3. 그 외 규정

제32조 제4항에서 "여자의 근로는 …… 고용·임금 및 근로조건에 있어서 부당한 차별을 받지 아니한다"고 하여 근로관계에 있어서 여성에 대한 부당한 차별을 금지하고 있다. 그리고 제36조 제1항에서 "혼인과 가족생활은 …… 양성의 평등을 기초로 성립되고 유지되어야 하며"라고 하여 혼인과 가족생활에 있어서 양성평등을 특별히 강조하고 있다. 그 외에도 교육의 기회균등(제31조 제1항), 평등선거(제41조 제1항, 제67조 제1항), 경제질서에 있어서 균형성(제119조 제2항, 제123조 제2항) 등을 강조하고 있다.

Ⅴ. 평등권(평등조항)의 효력

평등조항(평등의 원칙과 평등권)은 모든 국가권력을 직접 구속하는 대국가적 효력을 가진다. 따라서 입법기관이 불평등한 내용의 법을 제정하거나 집행기관과 사법기관이 법을 불평등하게 집행 또는 적용한다면, 그것은 평등의 원칙조항에 위배되고 평등권을 침해하는 것이 된다. 그러나 평등의 원칙과 평등권이 사법상의 법률관계에도 적용되는가에 관해서는 견해가 갈리고 있다. 이 점에 관하여 통설은 간접적용설에 따라 사인 상호간의 법률관계에도 평등의 원칙과 평등권의 효력이 미친다고 보고 있다. 국가인권위원회법 제30조 제1항 제2호도 "사인에 의하여 평등권침해의 차별행위를 당한 경우"에는 인권위원회에 진정하여 침해된 평등권을 구제받을 수 있다고 하고 있다. 아무튼 통설을 따를 때, 사기업에서도 동일자격·동일취업의 원칙과 동일노동·동일임금의 원칙이 준수되어야 하고, 종교나 사회적 신분 등에 의한 차별은 허용되지 아니한다고 본다.

Ⅵ. 평등권의 제한

1. 헌법상의 제한과 예외적 특권인정

법률에 의한 평등권의 제한과 그 성격을 달리하는 것으로서 우리 헌법이 직접 규정하고 있는 헌법적 한계의 경우가 있다. 즉 특수한 신분관계의 원활한 기능을 위하여 공무원과 방위산업체 근로자에게 근로자의 근로3권을 제한하고(제33조 제2항, 제3항), 직업공무원제도의 특수성을 감안하여 군인·군무원·경찰공무원 등에게는 국가배상청구권을 제한하고(제29조 제2항), 군인·군무원에 대하여는 군사법원의 재판을 받도록 하여 그 재판청구권을 제한하며(제110조), 현역군인은 국무총리와 국무위원이 되지 못하게 하고 있다(제86조 제3항, 제87조 제4항).

또한 정당국가에서 요구되는 정당활동을 보호하기 위하여 일반결사에 비하여 정당해산에 대한 특별한 보호를 하고 있다(제8조). 그리고 헌법기관의 통치기능이 순조롭게 행해지도록 하기 위하여 대통령에 대한 형사상의 특권(제84조)과 국회의원에 대한 불체포특권(제44조) 및 면책특권(제45조)을 인정하는 등 헌법정책적으로 평등권에 대한 제한규정을 두고 있다. 한편 국민의 애국정신을 고취시키기 위하여 국가유공자・상이군경 및 전몰군경의 유가족에게 우선적인 근로의 기회를 부여하는 등(제32조 제6항) 사회정책적 관점에서 평등권을 제한하는 규정도 두고 있다.[85]

2. 국가긴급권에 의한 제한

국가위기시에 발하는 긴급명령이나 긴급재정경제명령, 비상계엄에 의해서도 평등권이 제한될 수 있다. 다만 제한하더라도 본질적인 내용은 침해할 수 없다.

3. 법률상의 제한

제37조 제2항에 의하면 국민의 자유와 권리는 국가안전보장・질서유지 또는 공공복리를 위하여 필요한 경우에 법률로써 제한할 수 있다. 평등권도 마찬가지로 법률로써 제한할 수 있다. 다만 평등권을 제한하는 법률의 위헌 여부를 판단함에 있어서는 제11조를 비롯한 헌법상 평등조항과 제37조 제2항과의 관계를 고려하여야 한다. 이 경우 기본권침해 여부에 대한 일반기준인 비례의 원칙을 사실상 내포하고 있으면서도 평등권에 특화된 심사기준으로 작동하고 있는 자의금지원칙과 비례의 원칙을 기준으로 하여 판단하여야 한다.

공무원 등 특수신분관계에 있는 자에 대하여는 국가공무원법 등에서 일반사인과는 달리 여러 가지 제한이 가해지고 있다. 예컨대 공무원의 겸직금지・정당가입금지와 정치활동제한・복종의무・직장이탈금지 등이 그것이다. 특히 군인에 대하여 영내근무를 명할 수 있다. 또한 공직선거법은 일정범위 전과자에 대하여 공무담임권을 제한하고 있으며, 출입국관리법은 외국인의 체류와 출국의 제한 등을 규정하고 있으며, 부동산거래신고법은 외국인의 토지소유 및 주식소유제한 등을 규정하고 있다.

---

85) 이승우, 앞의 책, 177면.

제3장

자유권적 기본권

제1절 자유권적 기본권 총론

Ⅰ. 자유권적 기본권의 의의

1. 개 념

자유권(Freiheitsrechte, Rights to Freedom) 내지 자유권적 기본권은 개인이 그 자유로운 영역에 관해 **국가권력의 간섭 내지 침해를 받지 않을 권리**를 말한다. 즉 국가의 공권력에 의한 구속, 강제, 간섭이나 제지를 받지 않고 자신의 의지에 따라 어떠한 행위를 하거나 하지 않을 수 있는 권리이다.

2. 연 혁

기본권보장의 역사는 곧 자유권보장의 역사라 할 수 있다. 인간은 유사 이래 항상 온갖 속박과 억압 속에서 생활하여 왔으며, 다른 한편 자유의 확보를 위한 인간의 노력과 투쟁이 끊임없이 전개되었고 그것이 곧 인권을 발달시키는 원동력이 되었다. 자유권은 1215년 영국의 대헌장 제39조에서 신체의 자유의 형태로 처음 헌법문서에 등장하였으며, 인권발달사에서는 **제1세대 인권**을 이룬다.[1]

자유권은 본래 자연권 사상에 기초한 천부적, 생래적 권리로 인식된 전국가적 권리로 인정되었다. 그러나 근대 국가에 들어서서 자유권도 실정법에 의한 보호나 인정을 요구한다는 사상(**법실증주의**)이 점점 강해지면서 자연권성이 퇴색되는 경향을 보여주었고, 결국 양차 세계대전에서 기초적인 자유권의 박탈, 특히 나치에 의

1) 홍성방, 헌법학(중), 박영사, 2010, 72면.

한 인권유린을 겪게 되었다. 양차 대전 후에는 이에 대한 반성으로 다시금 자유권의 **자연권적 성격이 강조**되고 고양되기에 이르렀다. 다른 한편 현대에서는 자유주의 경제체제가 가져온 모순으로 인하여 생존권이 강조되어 경제적 자유권에 대한 사회적 제약이 요구되었다.

Ⅱ. 자유권적 기본권의 법적 성격

1. 자연권성

법실증주의적인 논리에 따르면 인간의 자유는 전국가적일 수 있으나, 권리로서의 자유권은 국가 안에서의 자유를 의미하므로 자유권은 자연법적 권리가 아니라 국가 내적인 권리에 불과하다고 본다. 그러나 자유권이란 개인이 그 자유영역에 대하여 국가권력으로부터 침해를 받지 아니할 소극적 권리이다. 그것은 곧 자연법적인 논리에 기초한 **국가로부터의 자유**를 의미한다. 하지만 자유권은 제한이 불가능한 권리가 아니라 국법질서체계 내에서 일정한 제한이 가능하다. 따라서 자유권도 제37조 제2항에 입각하여 법률에 의한 제한이 가능하다. 제10조 후문에서 "국가는 개인이 가지는 불가침의 기본적 인권을 확인하고"라고 규정하고 있음에 비추어 우리 헌법상 자유권은 자연권인 자유권이 실정헌법 속에 구현된 것으로 보아야 한다.

자유권의 자연권적 성격에 비추어 보건대, 자유권은 국민으로서의 권리에 한정되는 것이 아니라 인간의 권리로서의 특성을 갖기 때문에 자유권은 원칙적으로 내국인뿐만 아니라 외국인도 누릴 수 있는 권리이다.[2)]

2. 소극적 공권

자유권의 권리성 여부에 관해서는 **반사적 이익설**과 공권설이 대립하고 있다. 반사적 이익설은 자유권 그 자체의 권리성을 부인하고, 자유권을 단지 실정법이 국가권력의 발동을 억제하는 규정을 두고 있는 결과 얻게 되는 법의 반사적 이익에 불과하다고 한다(H. Kelsen). 그러나 공권설에 의하면, 자유권은 그것이 국가권력에 의하여 침해될 경우, 그 침해행위의 배제를 국가에 대해 요구할 수 있으므로, 일종의 권리임에 틀림이 없으며, 그것은 국가에 대한 개인의 **소극적·방어적 공권**

---

2) 성낙인, 제19판 헌법학, 법문사, 2019, 1049면.

을 의미한다고 한다(통설).[3)]

3. 이중적 성격

자유권은 국가에 대한 주관적 공권임과 동시에 객관적 가치질서로서의 성격을 가지는 것으로 파악한다. 자유권이 민주주의질서를 비롯한 공동체의 객관적 질서의 기본요소가 된다는 점은 분명하다고 한다. 자유권의 이 두 가지 성격은 기능적으로 상호 보완하고 강화하는 관계를 갖는다.[4)] 한편 헤벌레(Peter Häberle)는 자유권의 실현은 결국 국가 내의 제도를 통해 실현된다는 의미에서 자유권을 제도로 파악하기도 한다(**제도설**).

4. 포괄성

자연권으로서 인간생활 전반에 걸쳐 인정되는 권리로서 포괄성을 가진다. 헌법에 규정된 자유권은 예시적인 것이고 이외에도 인간의 여러 생활영역에서 많은 다른 자유권들이 일반적으로 파생된다. 헌법재판소는 제10조의 행복추구권에서 일반적 행동자유권이라는 포괄적 자유권이 나온다고 보고 있다.

Ⅲ. 자유권적 기본권의 주체와 효력

1. 주 체

우리 헌법은 자유권의 주체 내지 향유자를 '국민'이라고 하고 있지만, 자유권은 성질상 자연권으로서 '인간'의 권리이다. 따라서 자유권은 외국인에게도 인정되는 것이 원칙이다. 자유권을 법인이 향유할 수 있는가에 관해서는 견해가 대립하고 있으나, 신체의 자유나 내심의 자유 등은 자연인에게만 인정되고 법인은 성질상 사회적·경제적 자유권 또는 언론·출판의 자유권 등의 주체만이 될 수 있다.

2. 효 력

국가에 대한 방어권으로서의 자유권적 기본권은 직접적 효력규정으로서 모든 국가권력을 직접 구속한다. 이 점에서 사회적 기본권과 다른 특색을 가지고 있다.

---

3) 권영성, 헌법학원론(2010년판), 법문사, 2010, 407면.
4) 계희열, 신정2판 헌법학(중), 박영사, 2007, 267－268면.

자유권은 이처럼 본래 대국가적인 기본권이었으나, 사인에 의한 자유권침해가 갈수록 심해지자 대사인적 효력도 주장되게 되었다. 오늘날 일부의 자유권, 예를 들면 언론의 자유(특허, 제21조 제4항) 등은 직접적 효력을 가지나 사회적·경제적 자유권 등은 사법의 일반조항을 통하여 간접적으로 적용된다고 하겠다.[5)]

Ⅳ. 자유권적 기본권의 구조와 분류

1. 자유권적 기본권의 구조

헌법상 자유권은 **열거된 자유권**과 **열거되지 않은 자유권**으로 구분될 수 있다. 열거된 자유권은 제12조부터 제23조에 규정된 기본권을 말한다. 명문화는 되어 있지 않지만 제10조(행복추구권)에서 도출하는 일반적 행동의 자유를 주자유권 또는 일반적·포괄적 자유권으로 보는 견해도 있지만,[6)] 우리나라에서는 제37조 제1항(열거되지 아니한 기본권)이 있기 때문에 독일과 같은 일반적·포괄적 자유권규정이 불필요하다. 다만 우리 헌법상으로는 인간의 존엄 및 행복추구권 규정은 열거되지 아니한 자유권을 인식하는 내용적 표지로 작용하게 된다.[7)]

2. 자유권적 기본권의 분류

자유권적 기본권은 다양한 기준에 의해서 분류될 수 있다. 종래는 **성질과 내용**에 따라 분류하는 것이 지배적이었다. 그러나 하나의 기본권이 여러 가지 성질을 가지는 경우가 많기 때문에 자유권을 포함한 기본권의 분류체계를 통일적으로 확립하는 것은 불가능에 가깝다고 하겠다. 여기서는 강학상 자유권적 기본권을 다음과 같이 분류해보고자 한다.

(1) 신체의 자유[8)]

(2) 사생활의 자유권

① 사생활의 비밀과 자유

② 주거의 자유

③ 통신의 자유

---

5) 김철수, 학설·판례 헌법학(상), 박영사, 2008, 671면.

6) 위의 책, 671면.

7) 계희열, 앞의 책(중), 271면.

8) 신체의 자유와 성격은 다소 차이가 있지만, 신체불훼손의 권리도 편의상 신체의 자유에서 설명한다.

(3) 정신적 자유권
　① 양심의 자유
　② 종교의 자유
　③ 학문·예술의 자유
(4) 표현의 자유(외면적인 정신적 자유권)
　① 언론·출판의 자유
　② 집회·결사의 자유
(5) 사회·경제적 자유권
　① 거주·이전의 자유
　② 직업의 자유
　③ 재산권
　④ 소비자의 권리[9]

제2절 신체의 자유

Ⅰ. 개 관

1. 연 혁

신체의 자유는 근대 헌법이 보장하는 가장 기본적인 자유로서 모든 사회적·경제적·정신적 자유의 근간 또는 전제가 되는 것이며,[10] 연혁상으로도 다른 기본권에 앞서 신체의 자유가 쟁취된 것이었다.[11] 신체의 자유에 관한 보장은 영국에서 1215년의 대헌장(Magna Carta)에서 비롯하여 1628년의 권리청원을 거쳐 1679년의 인신보호율(Habeas Corpus Act), 1689년의 권리장전에 의하여 완성되었다. 1776년 미국의 버지니아 권리장전과 1787년 연방헌법, 그리고 1789년 프랑스 인권선언에서도 자유를 규정하고 있으며, 오늘날 대부분의 헌법은 예외 없이 신체의 자유를 규정하고 있다.

우리 헌법은 1948년 건국헌법이래 신체의 자유를 규정하고 있다. 신체의 자유

9) 소비자의 권리도 복합적인 성질을 가지나, 편의상 사회·경제적 자유에서 설명한다.
10) 신체의 자유가 보장되지 않으면 다른 모든 기본권은 사실상 무의미해진다(계희열, 앞의 책(중), 289면).
11) 김철수, 앞의 책(상), 692면.

보장을 위한 상세한 규정을 두고 있고, 신체의 자유에 관한 많은 규정은 인신보호법 내지 형사소송법의 핵심적인 원리를 규정하고 있으며, 이러한 이념을 받은 형사소송법은 '헌법적 형사소송법'으로 운용되어야 한다. 특히 8차 개정헌법(제5공화국헌법)에서는 신체의 자유와 관련하여 연좌제금지, 형사피고인의 무죄추정권 등이 명문으로 규정되었으며, 현행헌법에서는 적법절차보장, 구속이유고지 및 통지제도, 형사피의자의 형사보상청구권 등이 새로 명문화되었다.

2. 신체의 자유에 관한 현행 헌법규정

(1) 제12조

신체의 자유에 관한 기본규정인 제12조는 i) 제한의 법률주의, 죄형법정주의(제1항), ii) 적법절차(제1항 2문, 제3항), iii) 고문을 받지 않을 권리와 진술거부권(제2항), iv) 영장주의(제3항), v) 변호인의 조력을 받을 권리(제4항), vi) 체포·구속의 이유 고지 및 통지제도(제5항), vii) 체포·구속적부심사청구권(제6항), viii) 자백의 증거능력 및 증명력의 제한(제7항) 등을 규정하고 있다.

(2) 제13조

제13조는 i) 형벌불소급의 원칙, 죄형법정주의, 일사부재리의 원칙(제1항), ii) 소급입법에 의한 참정권 및 재산권의 박탈 금지(제2항), iii) 연좌제의 폐지(제3항) 등을 규정하고 있다.

(3) 그 밖에 신체의 자유와 관련된 헌법규정

제27조에서 재판을 받을 권리를, 제28조에서 형사보상청구권을 규정하고 있다.

(4) 소 결

이상과 같이 신체의 자유와 관련된 규정이 있지만, 신체의 자유의 보장체계를 여기서는 법률주의 관점에서 규정한 신체의 자유의 내용(제12조 제1항), 신체의 자유의 실체법적 보장, 신체의 자유의 절차법적 보장, 형사피의자, 피고인의 형사절차상 권리로 나누어서 살펴보기로 한다.

3. 신체의 자유의 의의(범위확정)

신체의 자유의 보장범위와 관련해서는 신체의 자유는 i) **신체의 보전과 신체활동의 자유**를 의미한다고 보는 견해(광의설)와 ii) **신체활동의 자유**만을 의미한다고 보는 견해(협의설)의 대립이 있다. 광의설은 신체의 자유는 신체의 완전성, 신체활동의 임의성 보장을 내용으로 한다고 보며 제12조 제1항의 규정에 생명권과 신체의 불훼손권을 포함한다. 이에 반하여 협의설은 신체활동의 임의성 보장을 내용으로 한다.

지배적인 견해는 인신의 자유에서 생명권, 신체불훼손의 권리, 신체의 자유를 다루는 입장이나,[12] 생명권은 인신의 자유보다는 인간의 존엄과 가치와 관련해서 설명하는 것이 옳다고 보며, 신체불훼손의 권리도 행복추구권 및 보건권과 관련이 있는 권리이므로 신체의 자유는 신체활동의 자유만을 의미하는 협의설이 타당하다고 생각한다.[13] 본서에서는 이에 따라 신체의 자유는 신체활동의 자유를 중심으로 설명하고자 한다. 다만 편의상 신체불훼손의 권리는 신체의 자유 다음에서 다루기로 한다.

신체의 자유의 의의와 범위

헌법재판소는 "헌법 제12조 제1항 전문에서 '모든 국민은 신체의 자유를 가진다'라고 규정하여 신체의 자유를 보장하고 있는 것은, 신체의 안정성이 외부로부터의 물리적인 힘이나 정신적인 위험으로부터 침해당하지 아니할 자유와 신체활동을 임의적이고 자율적으로 할 수 있는 자유를 말하는 것이며"라고 하여 광의설에 따르는 입장을 보여주고 있다.

헌재 1992. 12. 24. 92헌가8

4. 신체의 자유의 법적 성질

신체의 자유는 전국가적 자연권으로 "모든" 자연인에게 인정되며, 법인은 성질상 신체의 자유를 누릴 수 없다. 또한 신체의 자유는 국가에 대한 개인의 소극적·방어적 권리이며, 불가피한 경우에는 제한이 가능한 상대적 권리이다.

---

12) 권영성, 앞의 책, 406면 이하; 허영, 전정13판 한국헌법론, 박영사, 2017, 345면 이하; 계희열, 앞의 책(중), 272면 이하.

13) 동지: 김철수, 앞의 책(상), 694면.

Ⅱ. 신체의 자유의 내용(제12조 제1항)

신체의 자유는 가장 중요한 것이 신체활동의 임의성과 자율성을 보장하는 것이다. 따라서 국가권력에 의하여 부당한 간섭을 막는 것이 중요하다. 헌법은 "모든 국민은 신체의 자유를 가진다. 누구든지 법률에 의하지 아니하고는 체포·구속·압수·수색 또는 심문을 받지 아니하며, 법률과 적법한 절차에 의하지 아니하고는 처벌·보안처분 또는 강제노역을 받지 아니한다"고 규정하여(제12조 제1항), 신체의 자유를 보장하면서 제한에 있어서 법률주의 원칙을 선언하고 있다. 여기서 '법률'은 국회에서 일정한 절차를 거쳐 제정된 법규범인 형식적 의미의 법률만을 의미한다. 다만 신체의 자유를 제한하는 법률은 실질적 법치주의의 입장에서 제37조 제2항의 요건을 갖추어야만 한다.

1. 법률에 의하지 않은 체포·구속·압수·수색을 받지 않을 권리

여기서 체포는 수사기관이 피의자를 인치(引致)하여 일정기간 유치하는 강제처분을 말하며, 구속은 수사기관이 피의자의 신체의 자유를 박탈하여 일정한 장소에 일시적 또는 계속적으로 유치하는 것(구인과 구금)을 말한다. 압수는 법원이 직권으로 또는 검찰이나 사법경찰관이 법원의 허가를 얻어 증거물 또는 몰수할 것으로 판단되는 물건의 점유를 취득하는 행위를 말하며, 수색은 물건이나 사람을 발견하기 위하여 사람의 신체나 물건 기타의 장소에 대하여 행해지는 검색을 말한다.

체포·구속·압수·수색의 경우도 영장주의를 채택하여 법률과 적법절차에 따라 검사의 신청에 의하여 법관이 발부한 영장제시를 요구하고 있다. 또한 부당한 체포·구속을 방지하기 위하여 체포·구속이유 등 고지제도와 체포·구속적부심사제도도 인정되고 있다.

2. 법률에 의하지 않은 심문을 받지 않을 권리

여기서 심문(審問)은 당사자 기타 이해관계인에게 개별적으로 서면 또는 구술로 진술할 기회를 주어 답변을 듣는 것을 말한다(Gehör). 변론의 방식과 서면심리의 방식 양자의 장점을 살리고 그 단점을 보충하기 위하여 생긴 것이 심문의 방식이다. 변론을 열지 않는 경우에는 법원의 재량으로 당사자·이해관계인 기타 참고인을 심문할 수 있다(민사소송법 제134조 제2항). 심문이 항상 필요한 경우도 있고(동법 제82조 제2항·제317조 제1항), 심문을 하여서는 아니 될 경우(동법 제467조, 민사집행법 제226조)도 있다. 신문(訊問)은 증거조사의 한 방법으로 수사기관 또는 소송당사자가 증인·반대당사자·피의자 등에 대하여 하는 질문을 말한다(Vernehmung). 예를 들어 증인신문(민사소송법 제303조－제332조, 형사소송법 제146조－제168조), 당사자신문(민사소송법 제367조－제373조), 피고인신문(형사소송법 제284조·제287조·제289조), 피의자신문(동법 제241－제245조) 등이 그것이다. 그 밖에 감정인·통역인 등에 대하여도 신문이 행하여진다. 신문을 함에는 원칙적으로 신문 전에 선서(宣誓)를 시키며, 그 선서와 진술을 신문조서에 기재하여야 한다(민사소송법 제319조·제367조·제154조·제370조, 형사소송법 제156조·제48조·제244조).

3. 법률·적법절차에 의하지 않은 처벌 기타의 불이익을 당하지 않을 권리

여기서 처벌은 형사상의 처벌만을 의미하는 것이 아니고 본인에게 불이익 또는 고통이 되는 일체의 제재를 말한다.

4. 법률·적법절차에 의하지 않은 보안처분을 받지 않을 권리

보안처분은 죄를 범한 자 또는 사회적으로 위험한 행위를 할 우려가 있는 자들을 사회로부터 격리하여 위험성을 교정하는 것을 목적으로 하는 범죄예방처분(형벌을 보충 또는 대치)이다. 종전에는 '사회보호법'상의 보호처분도 있었으나 2005년 폐지되었다.[14] 현행법상 인정되고 있는 보안처분으로는 '소년법'상의 보호처분,[15] '보안관찰법'상의 보안관찰처분,[16] '보호관찰 등에 관한 법률'(보호관찰법)상의 보호관찰처분,[17] '마약류관리에 관한 법률'상의 치료보호처분,[18] '치료감호 등에 관한

---

14) 사회보호법은 2005. 8. 4. 사회보호법상의 보호처분(1. 보호감호, 2. 치료감호, 3. 보호관찰) 등이 피감호자의 입장에서는 이중처벌적인 기능을 하고 있을 뿐만 아니라 그 집행실태도 구금 위주의 형벌과 다름없이 시행되고 있어 국민의 기본권을 침해하고 있고, 사회보호법 자체도 지난 권위주의시대에 사회방위라는 목적으로 제정한 것으로 위험한 전과자를 사회로부터 격리하는 것을 위주로 하는 보안처분에 치중하고 있어 위헌적인 소지가 있기 때문에 국민의 기본권을 보장하려는 목적하에 폐지되었다(법률 제7656호, 2005. 8. 4. 폐지).

15) 소년법은 반사회성(反社會性)이 있는 소년의 환경 조정과 품행 교정(矯正)을 위하여 소년부 판사가 보호처분을 할 수 있는데(제1조), 소년법상 보호처분으로는 1. 보호자 또는 보호자를 대신하여 소년을 보호할 수 있는 자에게 감호 위탁, 2. 수강명령, 3. 사회봉사명령, 4. 보호관찰관의 단기(短期) 보호관찰, 5. 보호관찰관의 장기(長期) 보호관찰, 6. 「아동복지법」에 따른 아동복지시설이나 그 밖의 소년보호시설에 감호 위탁, 7. 병원, 요양소 또는 「보호소년 등의 처우에 관한 법률」에 따른 소년의료보호시설에 위탁, 8. 1개월 이내의 소년원 송치, 9. 단기 소년원 송치, 10. 장기 소년원 송치 등이 있다(제32조).

16) 보안관찰법상의 보안관찰처분은 특정범죄를 범한 자(보안관찰 해당범죄는 형법, 군형법, 국가보안법에 청해진 일정범죄(제2조))에 대하여 재범의 위험성을 예방하고 건전한 사회복귀를 촉진하기 위하여 보안관찰처분을 할 수 있는데, 검사의 청구에 의하여 법무부장관이 보안관찰심의위원회의 심의를 거쳐 결정한다. 기간은 2년이다(제5조, 제7조, 제9조).

17) 보호관찰 등에 관한 법률은 죄를 지은 사람으로서 재범 방지를 위하여 보호관찰, 사회봉사,

법률’상 치료감호처분,[19] ‘성매매알선 등 행위의 처벌에 관한 법률’상의 보호처분,[20] ‘특정 범죄자에 대한 보호관찰 및 전자장치 부착 등에 관한 법률’상의 전자장치부착명령과 보호관찰처분[21] 등이 있다.

수강(受講) 및 갱생보호(更生保護) 등 체계적인 사회 내 처우가 필요하다고 인정되는 사람을 지도하고 보살피며 도움으로써 건전한 사회 복귀를 촉진하고, 효율적인 범죄예방 활동을 전개함으로써 개인 및 공공의 복지를 증진함과 아울러 사회를 보호함을 목적으로 하는데, “보호관찰 대상자”(1. 「형법」 제59조의2에 따라 보호관찰을 조건으로 형의 선고유예를 받은 사람, 2. 「형법」 제62조의2에 따라 보호관찰을 조건으로 형의 집행유예를 선고받은 사람, 3. 「형법」 제73조의2 또는 이 법 제25조에 따라 보호관찰을 조건으로 가석방되거나 임시퇴원된 사람, 4. 「소년법」 제32조제1항제4호 및 제5호의 보호처분을 받은 사람, 5. 다른 법률에서 이 법에 따른 보호관찰을 받도록 규정된 사람)는 보호관찰심사위원회의 심사로 결정한다(제1조, 제3조, 제5조).

18) 마약류 관리에 관한 법률상 치료보호처분은 보건복지부장관 또는 시・도지사가 치료보호심사위원회의 심의를 거쳐야 하며 기간은 12개월 이내로 한다(제40조).

19) 치료감호에 관한 법률은 치료감호대상자(1. 「형법」 제10조 제1항에 따라 벌하지 아니하거나 같은 조 제2항에 따라 형을 감경할 수 있는 심신장애인으로서 금고 이상의 형에 해당하는 죄를 지은 자, 2. 마약・향정신성의약품・대마, 그 밖에 남용되거나 해독(害毒)을 끼칠 우려가 있는 물질이나 알코올을 식음(食飮)・섭취・흡입・흡연 또는 주입받는 습벽이 있거나 그에 중독된 자로서 금고 이상의 형에 해당하는 죄를 지은 자, 3. 소아성기호증(小兒性嗜好症), 성적가학증(性的加虐症) 등 성적 성벽(性癖)이 있는 정신성적 장애인으로서 금고 이상의 형에 해당하는 성폭력범죄를 지은 자)에 대하여 검사의 청구로 관할법원이 판결로 선고한다(제2조, 제7조, 제12조). 한편 동법은 치료감호 대상 성폭력범죄의 범위를 규정하고 있다(제2조의2).

20) 성매매알선 등 행위의 처벌에 관한 법률상 보호처분은 1. 성매매가 이루어질 우려가 있다고 인정되는 장소나 지역에의 출입금지, 2. 「보호관찰 등에 관한 법률」에 따른 보호관찰, 3. 「보호관찰 등에 관한 법률」에 따른 사회봉사・수강명령, 4. 「성매매방지 및 피해자보호 등에 관한 법률」 제10조에 따른 성매매피해상담소에의 상담위탁, 5. 「성폭력방지 및 피해자보호 등에 관한 법률」 제27조 제1항에 따른 전담의료기관에의 치료위탁 등이 있다(제14조 제1항). 검사는 성매매를 한 사람에 대하여 사건의 성격・동기, 행위자의 성행(性行) 등을 고려하여 보호처분을 하는 것이 적절하다고 인정할 때에는 특별한 사정이 없으면 보호사건으로 관할법원에 송치하여야 하며(제12조 제1항) 보호사건의 심리와 결정은 단독판사가 한다(제13조 제2항).

21) 특정 범죄자에 대한 보호관찰 및 전자장치 부착 등에 관한 법률(약칭: 전자장치부착법)에서 “특정범죄”란 성폭력범죄, 미성년자 대상 유괴범죄, 살인범죄 및 강도범죄를 말하며(제2조 제2호), 전자장치 부착명령은 검사가 1. 성폭력범죄로 징역형의 실형을 선고받은 사람이 그 집행을 종료한 후 또는 집행이 면제된 후 10년 이내에 성폭력범죄를 저지른 때, 2. 성폭력범죄로 이 법에 따른 전자장치를 부착받은 전력이 있는 사람이 다시 성폭력범죄를 저지른 때, 3. 성폭력범죄를 2회 이상 범하여(유죄의 확정판결을 받은 경우를 포함한다) 그 습벽이 인정된 때, 4. 19세 미만의 사람에 대하여 성폭력범죄를 저지른 때, 5. 신체적 또는 정신적 장애가 있는 사람에 대하여 성폭력범죄를 저지른 때의 어느 하나에 해당하고, 성폭력범죄를 다시 범할 위험성이 있다고 인정되는 사람에 대하여 법원에 청구할 수 있다(제5조 제1항) 그리고 검사는 특정범죄의 형의 집행이 종료된 때부터 「보호관찰 등에 관한 법률」에 따른 보호관찰을 받도록 하는 명령을 법원에 청구할 수 있다(제21조의2).

5. 법률 · 적법절차에 의하지 않은 강제노역을 받지 않을 권리

강제노역은 공권력이 본인의 의사에 반하여 노역을 강요하는 것으로 법률과 적법절차에 의하지 아니하고는 강제노역을 받지 않는다. 구헌법에는 " …… 형의 선고에 의하지 아니하고는 강제노역을 당하지 아니한다"고 규정하고 있었다(구헌법 제11조 제1항). 선택적 노역으로서의 환형처분은 강제노역과 구별되며, 집행유예시 할 수 있는 사회봉사 또는 수강명령은 일종의 보안처분으로 강제노역과 구별된다.

Ⅲ. 신체의 자유의 실체법적 보장

신체의 자유의 실체법적 보장이라 함은 헌법이 신체의 자유를 보장하기 위하여 일련의 법원칙을 선언하고 법률유보를 규정하는 것을 말한다.[22]

1. 죄형법정주의

(1) 의 의

죄형법정주의란 어떠한 행위가 범죄가 되고 또 그 범죄에 대해 어떠한 형벌을 가하느냐를 미리 성문의 법률로서 규정해두어야 한다는 원칙으로, 흔히 "**법률이 없으면 범죄 없고, 법률 없으면 형벌 없다**"(nullum crimen, nulla poena sine lege)는 표어로 표시되고 있다. 죄형법정주의는 중세의 죄형전단주의에 대한 반대개념이다. 즉 봉건세력 또는 절대왕정의 가혹하고 자의적인 법의 해석과 적용에 대해 기본적 인권 보장을 위해 나타난 개념으로 죄형법정주의는 오늘날 법치국가적 형법의 기본원칙으로 인식되고 있다.

> **죄형법정주의의 헌법적 의의**
>
> "'법률이 없으면 범죄도 없고 형벌도 없다'라는 말로 표현되는 죄형법정주의는 이미 제정된 정의로운 법률에 의하지 아니하고는 처벌되지 아니한다는 원칙으로서 이는 무엇이 처벌될 행위인가를 국민이 예측가능한 형식으로 정하도록 하여 개인의 법적 안정성을 보호하고 성문의 형벌법규에 의한 실정법질서를 확립하여 국가형벌권의 자의적(恣意的)행사로부터 개인의 자유와 권리를 보장하려는 법치국가 형법의 기본원칙."
>
> 헌재 1991. 7. 8. 91헌가4

22) 권영성, 앞의 책, 416면.

(2) 헌법적 근거

우리 헌법은 제12조 제1항이 " …… 법률에 의하지 아니하고는 처벌 ……을 받지 아니한다"고 규정하고, 제13조 제1항은 "모든 국민은 행위시의 법률에 의하여 범죄를 구성하지 아니하는 행위로 소추되지 아니하며 …… "라고 형벌불소급의 원칙을 규정하여 죄형법정주의를 명시하고 있다.

(3) 죄형법정주의의 내용(파생원칙)

① 형벌법규의 법률주의(관습형법의 금지원칙)

죄형법정주의의 기본적 요청으로서 법률주의는 범죄와 형벌이 입법부가 제정한 **형식적 의미의 '법률'**로 정하여져야 함을 의미한다. 구성요건이나 가벌성은 관습법이나 원칙적으로 명령이나 규칙으로 정할 수 없다. 그러나 현대국가의 기능 증대와 사회현상의 복잡화로 인한 입법부의 전문적·기술적 한계 등의 이유로, 합리적인 이유가 있으면 예외적으로 구성요건의 내용 중 일부를 법규명령 등에 위임할 수 있다. 그러나 일반적·포괄적 위임은 허용될 수 없고 개별적·구체적이어야 한다. 처벌법규의 위임은 특히 긴급한 필요가 있거나 미리 법률로써 자세히 정할 수 없는 부득이한 사정이 있는 경우에 한정되어야 하고, 이러한 경우에 범죄의 구성요건은 처벌대상이 어떠한 것이라고 예측할 수 있을 정도로 법률에서 구체적으로 규정되어야 한다.[23] 또한 법률의 위임이 있는 경우 지방자치단체는 조례로써 벌칙을 정할 수 있는데(지방자치법 제22조 단서), 조례에 대한 위임은 법규명령에 대한 위임과 달리 포괄적 위임도 허용된다는 것이 헌법재판소 판례의 경향이다. 행정질서벌에 해당하는 과태료부과는 형벌이 아니기 때문에 죄형법정주의의 규율대상이 아니다.

죄형법정주의의 법률주의에 위반된다고 인정된 사례

1. 중소기업중앙회 임원 선거와 관련하여 '정관으로 정하는 기간에는' 선거운동을 위하여 정회원에 대한 호별방문 등의 행위를 한 경우 이를 처벌하도록 하고(호별방문금지조항), 중소기업중앙회 임원 선거와 관련하여 누구든지 '정관으로 정하는' 선전 벽보의 부착, 선거 공보와 인쇄물의 배부 및 합동 연설회 또는 공개 토론회 개최 외의 행위를 한 경우 이를 처벌하도록 한(선거운동제한조항) 구 중소기업협동

23) 헌재 1999. 2. 25. 97헌바3; 헌재 2007. 7. 26. 2005헌바100; 헌재 2007. 7. 26. 2006헌바12 등.

조합법 제137조 제2항

[1] "이 사건 호별방문금지조항은 '정관으로 정하는 기간'은 구성요건의 중요부분에 해당한다. 한편, 정관은 법인의 조직과 활동에 관하여 단체 내부에서 자율적으로 정한 자치규범으로서, 대내적으로만 효력을 가질 뿐 대외적으로 제3자를 구속하지는 않는 것이 원칙이고, 그 생성과정 및 효력발생요건에 있어 법규명령과 성질상 차이가 크다. 그럼에도 불구하고 위 조항은 형사처벌과 관련한 주요사항을 헌법이 위임입법의 형식으로 예정하고 있지도 않은 특수법인의 정관에 위임하고 있는데, 이는 사실상 그 정관 작성권자에게 처벌법규의 내용을 형성할 권한을 준 것이나 다름없으므로 죄형법정주의에 비추어 허용되기 어렵다."

[2] "이 사건 선거운동제한조항은 중앙회 회원에 한하지 않고 모든 국민을 수범자로 하며, 단순한 중앙회 내부 규율 위반에 대한 회원 간의 벌칙이나 제재를 넘는 형벌부과를 목적으로 하는 형벌조항이다. 그럼에도 불구하고 위 조항은 처벌되는 범죄 구성요건의 가장 중요한 부분인 금지되고 허용되는 선거운동이 무엇인지, 즉 금지의 실질을 법률에서 직접 규정하지 아니하고 중앙회의 정관으로 정하도록 위임하고 있다. 따라서 위 조항은 범죄와 형벌에 관하여는 입법부가 제정한 형식적 의미의 법률로써 정하여야 한다는 죄형법정주의에 위배된다."[24]

헌재 2016. 11. 24. 2015헌가29

2. 단체협약에 위반한 자를 1,000만원 이하의 벌금에 처하도록 규정한 구 노동조합법 제46조의3

"구 노동조합법(노동조합 및 노동관계조정법 시행으로 폐지) 제46조의3은 그 구성요건을 '단체협약에 …… 위반한 자'라고만 규정함으로써 범죄구성요건의 외피(外皮)만 설정하였을 뿐 구성요건의 실질적 내용을 직접 규정하지 아니하고 모두 단체협약에 위임하고 있어 죄형법정주의의 기본적 요청인 "법률"주의에 위배되고, 그 구성요건도 지나치게 애매하고 광범위하여 죄형법정주의의 명확성의 원칙에 위배된다."

헌재 1998. 3. 26. 96헌가20

죄형법정주의의 법률주의에 위반되지 않는다고 인정된 사례

1. 청소년유해물건 취급업소를 청소년보호위원회가 결정하여 장관이 고시하도록 정한 경우

유치원 주변 학교환경위생 정화구역에서 성관련 청소년유해물건을 제작·생산·

24) 헌법재판소는 이 사건 선거운동제한조항만으로는 수범자인 일반 국민이 허용되거나 금지되는 선거운동이 구체적으로 무엇인지를 예측하기 어렵다며, 죄형법정주의의 명확성원칙에 위배된다고 판시하고 있다.

유통하는 청소년유해업소를 예외 없이 금지하는 구 학교보건법 제6조 제1항 제19호 등 위헌소원사건에서 헌법재판소는 이 사건 법률조항들의 구체적 내용은 구 청소년보호법 조항에 따라 정해지는데 위 조항은 "청소년유해물건으로 분류되는 성기구 등은 매우 다양하고 계속해서 새로운 상품이 제조・유통되고 있어 구체적으로 어떠한 종류의 물건 및 이를 제작・생산・유통하는 영업이 청소년의 출입 내지 고용과 관련하여 청소년에게 유해할 것인지 법에서 일률적으로 정하기 곤란하므로 청소년보호위원회와 같은 관련 기관의 전문지식을 활용하는 것이 더 효과적이며, 새로운 물건 내지 영업 행태에 신속・탄력적으로 대응하려면 국가의 청소년 보호 정책 등을 고려한 전문기관의 재량적 판단이 필요하다. 따라서 이 사건 구 청소년보호법 조항이 구체적인 규율 대상을 청소년보호위원회의 결정 및 여성가족부장관의 고시로 수권하고 있다는 사실만으로 죄형법정주의의 법률주의에 위배된다고 보기 어렵다"고 판시하고 있다.

헌재 2013. 6. 27. 2011헌바8등

2. 사실상 노무에 종사하는 공무원을 제외한 나머지 공무원의 노동운동과 공무 이외의 일을 위한 집단행위를 금지하고 처벌하는 지방공무원법(제58조, 제82조) 규정에서 사실상 노무에 종사하는 공무원의 범위는 조례로 정하도록 한 것(제58조 제2항)

" …… 사실상 노무에 종사하는 공무원의 범위를 각각의 지방자치단체의 특수한 사정을 감안하지 아니하고 법률에서 일일이 정하는 것은 곤란한 일이므로 미리 법률로써 자세히 정할 수 없는 부득이한 사정이 있는 경우에 해당하고, '사실상 노무에 종사하는 공무원'은 그 의미가 명확하여 달리 해석될 여지가 없어 하위법령에서 원래의 취지와 다른 규정을 둘 수는 없음이 명백하며, 법 제58조 제2항에서 위임하는 사항은 사실상 노무에 종사하는 공무원의 '범위'임이 분명하므로, 위 법률조항이 위임입법의 한계를 일탈하였다고 할 수 없다."

헌재 2005. 10. 27. 2003헌바50 등

3. 미신고 시위에 대한 해산명령에 불응하는 자를 처벌하도록 규정한 것

미신고 시위에 대한 해산명령에 불응하는 자를 처벌하도록 규정한 '집회 및 시위에 관한 법률' 제24조 제5호 중 '제20조 제2항' 가운데 '제6조 제1항에 따른 신고를 하지 아니한 시위'에 관한 부분이 죄형법정주의에 위배되는지 여부와 관련하여 헌법재판소는 "위 조항은 '신고하지 아니한 시위에 대하여 관할경찰관서장이 해산명령을 발한 경우에, 시위 참가자가 해산명령을 받고도 지체 없이 해산하지 아니한 행위'를 구성요건으로 하고 있고, '6개월 이하의 징역 또는 50만원 이하의 벌금・구류 또는 과료'를 처벌 내용으로 하고 있으므로, 범죄 구성요건과 처벌의 내용을 성문의 법률로 규정하고 있다. 그리고 위 조항이 해산명령의 발령 여부를 관할 경찰관서장의

> 재량에 맡기고 있는 것은 미신고 시위 현장의 다양한 상황에 따라 탄력적·유동적으로 대응할 필요성이 있다는 점을 고려한 것일 뿐, 구성요건의 실질적 내용을 전적으로 관할 경찰관서장에게 위임한 것으로 볼 수 없다. 그러므로 위 조항은 죄형법정주의의 법률주의에 위반되지 아니한다"고 판시하고 있다.
>
> 헌재 2016. 9. 29. 2014헌바492

② 형법(형벌)법규 불소급의 원칙

행위 후에 시행된 형벌법규의 효력을 소급시켜서 시행 전의 행위를 처벌할 수 없다는 원칙으로, 소급입법(사후입법)에 의한 처벌을 금지함으로써 **법적 안정성과 예측가능성**을 부여하는 기능을 한다. 헌법은 별도로 제12조 제1항과 제13조 제1항에 근거를 두고 있다.

형법법규 불소급의 원칙은 실체법에 적용되는 원리이다.[25] 헌법의 규정은 '행위의 가벌성'에 관한 것이기 때문에 소추가능성에만 연관될 뿐, 가벌성에는 영향을 미치지 않는 공소시효에 관한 규정은 원칙적으로 그 효력범위에 포함되지 않는다. 행위의 가벌성은 행위에 대한 소추가능성의 전제조건이지만 소추가능성은 가벌성의 조건이 아니므로 공소시효의 정지규정을 과거에 이미 행한 범죄에 대하여 적용하도록 하는 법률이라 하더라도 그 사유만으로 제12조 제1항 및 제13조 제1항에 규정한 죄형법정주의의 파생원칙인 형벌불소급의 원칙에 언제나 위배되는 것으로 단정할 수는 없다.[26]

신법이 피적용자에게 유리한 경우에 이른바 '시혜적인 소급입법'은 예외적으로 허용될 수 있으며, 행위 당시의 판례에 의하면 처벌대상이 되지 아니하는 것으로 해석되었던 행위를 판례의 변경에 따라 확인된 내용의 형법 조항에 근거하여 처벌한다고 하여 그것이 형벌불소급원칙에 위반된다고 할 수 없다. 그리고 형벌이 아닌 보안처분이라 하더라도 형벌적 성격이 강하여 신체의 자유를 박탈하거나 박탈에 준하는 정도로 신체의 자유를 제한하는 경우에는 소급입법금지원칙을 적용하는 것이 법치주의 및 죄형법정주의에 부합한다.

---

25) 헌법의 형벌불소급의 원칙(제13조 제1항 전단)은 실체적 형사법 영역에서의 어떠한 소급효력도 금지하고 있고, '범죄를 구성하지 않는 행위'라고 표현함으로써 절대적 소급효금지의 대상은 '범죄구성요건'과 관련되는 것임을 밝히고 있다(헌재 1996. 2. 16. 96헌가2등).

26) 헌재 1996. 2. 16. 96헌가2등.

공소시효와 형벌불소급의 원칙

헌법재판소는 '5.18민주화운동 등에 관한 특별법 제2조 위헌제청' 사건에서 "형벌불소급의 원칙은 '행위의 가벌성' 즉 형사소추가 '언제부터 어떠한 조건하에서' 가능한가의 문제에 관한 것이고, '얼마동안' 가능한가의 문제에 관한 것은 아니므로, 과거에 이미 행한 범죄에 대하여 공소시효를 정지시키는 법률이라 하더라도 그 사유만으로 헌법 제12조 제1항 및 제13조 제1항에 규정한 죄형법정주의의 파생원칙인 형벌불소급의 원칙에 언제나 위배되는 것으로 단정할 수는 없다"고 하면서, 공소시효가 완성되지 않았다고 보는 경우와 공소시효가 완성되었다고 보는 경우로 나누어 소급입법 여부를 판단하고 있다. 즉, (1) 공소시효가 완성되지 않았다고 보는 경우는 " …… 특별법은 단지 진행 중인 공소시효를 연장하는 법률로서 이른바 부진정소급효를 갖게 된다. 헌법 제13조 제1항에서의 가벌성을 결정하는 범죄구성요건과 형벌의 영역(이에 관한 한 절대적 소급효의 금지)을 제외한다면 소급효력을 갖는 법률이 헌법상 절대적으로 허용되지 않는 것은 아니다. 다만 소급입법은 법치주의원칙의 중요한 요소인 법적안정성의 요청에 따른 제한을 받을 뿐이다. 헌법재판소의 판례도 형벌규정에 관한 법률 이외의 법률은 부진정소급효를 갖는 경우에는 원칙적으로 허용되고, 단지 소급효를 요구하는 공익상의 사유와 신뢰보호의 요청 사이의 교량과정에서 신뢰보호의 관점이 입법자의 형성권에 제한을 가할 뿐이라는 것이다. 즉 공소시효제도에 근거한 개인의 신뢰와 공소시효의 연장을 통하여 달성하려는 공익을 비교 형량하여 개인의 신뢰보호이익이 공익에 우선하는 경우에는 소급효를 갖는 법률은 헌법상 정당화될 수 없다. 그러나 특별법의 경우에는 왜곡된 한국 반세기 헌정사의 흐름을 바로 잡아야 하는 시대적 당위성과 아울러 집권과정에서의 헌정질서파괴범죄를 범한 자들을 응징하여 정의를 회복하여야 한다는 중대한 공익이 있다. 또한 특별법은 모든 범죄의 공소시효를 일정시간 동안 포괄적으로 정지시키는 일반적인 법률이 아니고, 그 대상범위를 헌정질서파괴범죄에만 한정함으로써 예외적인 성격을 강조하고 있다. 이에 비하면 공소시효는 일정 기간이 경과되면 어떠한 경우이거나 시효가 완성되는 것은 아니며, 행위자의 의사와 관계없이 정지될 수도 있는 것이므로 아직 공소시효가 완성되지 않은 이상 예상된 시기에 이르러 반드시 시효가 완성되리라는 것에 대한 보장이 없는 불확실한 기대일 뿐이므로 공소시효에 의하여 보호될 수 있는 신뢰보호이익은 상대적으로 미약하다 할 것이다. 따라서 공소시효가 완성되지 아니하고 아직 진행중이라고 보는 경우에는 헌법적으로 허용될 수 있다 할 것이므로 위에서 본 여러 사정에 미루어 이 법률조항은 헌법에 위반되지 아니한다"고 판시하였다. 한편, (2) 공소시효가 완성되었다고 보는 경우는 특별법은 이미 과거에 완성된 사실 또는 법률관계를 규율대상으로 사후에 이전과 다른 법적 효과를 생기게 하는 이른바 진정소급효를 갖게 된다고 보면서, 합헌의견(4인)

은 진정소급효금지의 예외와 법치국가원리란 관점에서 " …… 기존의 법에 의하여 형성되어 이미 굳어진 개인의 법적 지위를 사후입법을 통하여 박탈하는 것 등을 내용으로 하는 진정소급입법은 개인의 신뢰보호와 법적 안정성을 내용으로 하는 법치국가원리에 의하여 헌법적으로 허용되지 않는 것이 원칙이지만, 특단의 사정이 있는 경우, 즉 기존의 법을 변경하여야 할 공익적 필요는 심히 중대한 반면에 그 법적 지위에 대한 개인의 신뢰를 보호하여야 할 필요가 상대적으로 정당화될 수 없는 경우에는 예외적으로 허용될 수 있다"고 보면서 "그러한 진정소급입법이 허용되는 예외적인 경우로는 일반적으로, 국민이 소급입법을 예상할 수 있었거나, 법적 상태가 불확실하고 혼란스러웠거나 하여 보호할 만한 신뢰의 이익이 적은 경우와 소급입법에 의한 당사자의 손실이 없거나 아주 경미한 경우, 그리고 신뢰보호의 요청에 우선하는 심히 중대한 공익상의 사유가 소급입법을 정당화하는 경우를 들 수 있다"고 판시하였다. 다만 "공익"적 필요가 존재하는지 여부의 문제를 심사함에 있어서는, 부진정소급입법의 경우에 있어서의 신뢰보호의 요청과 서로 비교형량되는 단순한 공익상의 사유보다도 훨씬 엄격한 조건이 적용되어야 함을 강조하고, 이 사건 헌정질서파괴범의 공소시효의 완성으로 인한 법적 지위에 대한 신뢰를 보호하여야 할 필요는 매우 미약한 반면, 이 사건 법률조항을 정당화하는 공익적 필요는 매우 중대하다고 보아 이 사건 법률조항을 합헌으로 보고 있다.

헌재 1996. 2. 16. 96헌가2 등

시혜적 소급입법의 허용 여부

소급입법에 의한 처벌은 원칙적으로 금지 내지 제한되지만, 신법이 피적용자에게 유리한 경우에 이른바 '시혜적인 소급입법'을 할 것인지의 여부는 입법재량의 문제로서 그 판단은 일차적으로 입법기관에 맡겨져 있는 것이므로 이와 같은 시혜적 조치를 할 것인가를 결정함에 있어서는 국민의 권리를 제한하거나 새로운 의무를 부과하는 경우와는 달리 입법자에게 보다 광범위한 입법형성의 자유가 인정된다. 입법자는 입법목적, 사회실정이나 국민의 법감정, 법률의 개정이유나 경위 등을 참작하여 시혜적 소급입법을 할 것인가 여부를 결정할 수 있고, 그 판단은 존중되어야 하며, 그 결정이 합리적 재량의 범위를 벗어나 현저하게 불합리하고 불공정한 것이 아닌 한 헌법에 위반된다고 할 수 없다.

헌재 1995. 12. 28. 95헌마196; 헌재 1998. 11. 26. 97헌바65; 헌재 1998. 11. 26. 97헌바67

판례의 변경과 형벌불소급원칙

형사처벌의 근거가 되는 것은 법률이지 판례가 아니고, 형법 조항에 관한 판례의 변경은 그 법률조항의 내용을 확인하는 것에 지나지 아니하여 이로써 그 법률조항 자체가 변경된 것으로 볼 수 없으므로, 행위 당시의 판례에 의하면 처벌대상이 되지 아니하는 것으로 해석되었던 행위를 판례의 변경에 따라 확인된 내용의 형법조항에 근거하여 처벌한다고 하여 그것이 형벌불소급원칙에 위반된다고 할 수 없다.

헌재 2014. 5. 29. 2012헌바390등

보안처분과 소급입법금지원칙

보안처분은 형벌과는 달리 행위자의 장래 재범위험성에 근거하는 것으로서, 행위시가 아닌 재판시의 재범위험성 여부에 대한 판단에 따라 보안처분 선고를 결정하므로 원칙적으로 재판 당시 현행법을 소급적용할 수 있다고 보는 것이 타당하고 합리적이다. 그러나 보안처분의 범주가 넓고 그 모습이 다양한 이상, 보안처분에 속한다는 이유만으로 일률적으로 소급입법금지원칙이 적용된다거나 그렇지 않다고 단정해서는 안 되고, 보안처분이라는 우회적인 방법으로 형벌불소급의 원칙을 유명무실하게 하는 것을 허용해서도 안 된다. 따라서 보안처분이라 하더라도 형벌적 성격이 강하여 신체의 자유를 박탈하거나 박탈에 준하는 정도로 신체의 자유를 제한하는 경우에는 소급입법금지원칙을 적용하는 것이 법치주의 및 죄형법정주의에 부합한다.[27)]

27) 전자장치부착명령은 제도의 목적, 요건, 보호관찰 부가 등 관련규정의 내용에 비추어 형벌과 구별되고, 형벌과는 목적이나 심사대상 등을 달리하는 보안처분에 해당한다고 보고 있지만(헌재 2013. 7. 25. 2011헌마781), 헌법재판소는 "전자장치 부착을 통한 위치추적 감시제도가 처음 시행될 때 부착명령 대상에서 제외되었던 2008. 9. 1. 이전에 제1심판결을 선고받은 사람들 중 구 '특정 범죄자에 대한 위치추적 전자장치 부착 등에 관한 법률' 시행 당시 징역형 등의 집행 중이거나 집행이 종료, 가종료·가출소·가석방 또는 면제된 후 3년이 경과하지 아니한 자에 대하여도 위치추적 전자장치를 부착할 수 있도록 규정하고 있는 '특정 범죄자에 대한 위치추적 전자장치 부착 등에 관한 법률'이 형벌불소급의 원칙에 위배되는지 여부와 관련하여 헌법재판소는 전자장치 부착명령은 형벌과 구별되는 비형벌적 보안처분으로서 소급효금지원칙이 적용되지 아니한다"고 판시하였다(헌재 2012. 12. 27. 2010헌가82등). 한편 디엔에이감식시료 채취 및 디엔에이확인정보의 수집·이용은 수형인 등에게 심리적 압박에서 나오는 위하효과로 인한 범죄의 예방효과를 가진다는 점에서 행위자의 장래 위험성에 근거하여 범죄자의 개선을 통해 범죄를 예방하고 장래의 위험을 방지하여 사회를 보호하기 위해서 부과되는 보안처분으로서의 성격을 지니는데(헌재 2014. 8. 28. 2011헌마28등), 디엔에이감식시료 채취 대상범죄로 이미 징역이나 금고 이상의 실형을 선고받아 그 형이 확정되어 수용 중인 사람에게 디엔에이감식시료 채취 및 디엔에이확인정보의 수집·이용에 관한 신법 규정을 적용할 수 있도록 규정한 '디엔에이신원확인정보의 이용 및 보호에 관한 법률' 부칙조항에 대하여 헌법재판소는 "디엔에이감식시료의 채취 및 디엔에이신원확인정보의 수집, 수록, 검색, 회보를 포함하는 디엔에이신원확인정보의 수집·이용은 전통적 의미의 형벌이 아닐 뿐 아니라, 범죄수사 및 범죄예방에 이바지하여 국민을 보호하고자 하는 공익을 목적으로 하며, 디엔에이신원확인정보를 통해서 대상자의 행동 자체를 통제하는 것도 아니라는 점에서 위 부칙조항이 처벌적인 효과를 가져 오는 것은 아니다. 따라서 디엔에이신원확인정보의 수집·이용이 범죄의 예방효과를 가지는 보안처분으로서의 성격을 일부 지닌다고 하더라도 이는 형벌과는 구별되는 비형벌적 보안처분으로서 소급입법금지원칙이 적용되지 아니하고, 소급적용으로 발생하는 당사자의 손실에 비하여 소급적용으로 인한 공익적 목적이 더 크다고 할 것이므로, 신

헌재 2014. 8. 28. 2011헌마28등

③ 법규내용 명확성의 원칙

i) 명확성원칙의 의의

무엇이 범죄행위인지를 국민이 뚜렷이 파악하여 자신의 행위를 결정할 수 있을 정도로 구성요건에 대한 법률의 문언이 구체적이고도 명백하여야 한다는 원칙이다. 또한 형사제재에 있어서 그 형벌의 종류, 범위가 확정되고 명확하여야 함을 요구하는 원칙이다. 즉 명확성의 원칙은 구성요건에서뿐만 아니라 처벌에서도 요구된다.

ii) 명확성의 판단기준과 정도

명확성원칙은 모든 법률에 있어서 동일한 정도로 요구되는 것은 아니다. 처벌법규의 구성요건이 어느 정도 명확하여야 하는가는 일률적으로 정할 수 없고, 각 구성요건의 특수성과 그러한 법적 규제의 원인이 된 여건이나 처벌의 정도 등을 고려하여 종합적으로 판단하여야 한다.[28] 처벌법규의 구성요건이 다소 광범위하여 어떤 범위에서는 법관의 보충적인 해석을 필요로 하는 개념을 사용하였다고 하더라도 그 점만으로 헌법이 요구하는 처벌법규의 명확성의 원칙에 반드시 배치되는 것이라고 볼 수 없다. 즉 건전한 상식과 통상적인 법감정을 가진 사람으로 하여금 그 적용대상자가 누구이며 구체적으로 어떠한 행위가 금지되고 있는지 충분히 알 수 있도록 규정되어 있다면 죄형법정주의의 명확성의 원칙에 위배되지 않는다고 보아야 한다. 그렇게 보지 않으면 처벌법규의 구성요건이 지나치게 구체적이고 정형적이 되어 부단히 변화하는 다양한 생활관계를 제대로 규율할 수 없게 될 것이기 때문이라는 것이 우리 재판소의 확립된 판례이다.[29]

법 시행 당시 디엔에이감식시료 채취 대상범죄로 이미 징역이나 금고 이상의 실형을 선고받아 그 형이 확정되어 수용 중인 사람들까지 신법을 적용한다고 하여 소급입법금지원칙에 위배되는 것은 아니다. 따라서 위 부칙조항은 소급입법금지원칙에 위배된다고 볼 수 없다"고 판시하고 있다(헌재 2014. 8. 28. 2011헌마28등). 그 밖에 헌법재판소는 신상정보 공개·고지명령은 형벌과는 구분되는 비형벌적 보안처분으로서 어떠한 형벌적 효과나 신체의 자유를 박탈하는 효과를 가져오지 아니하므로 소급처벌금지원칙에 위배되지 않는다고 보고 있으며(헌재 2016. 12. 29. 2015헌바196등), 성인대상 성범죄로 형을 선고받아 확정된 자로 하여금 그 형의 집행을 종료한 날부터 10년 동안 의료기관을 개설하거나 의료기관에 취업할 수 없도록 하는 취업제한제도는 형법이 규정하고 있는 형벌에 해당하지 않으므로, 헌법 제13조 제1항 전단의 형벌불소급원칙이 적용되지 않는다고 판시하고 있다(헌재 2016. 3. 31. 2013헌마585등).

28) 헌재 1990. 4. 2. 89헌가113; 헌재 1990. 1. 15. 89헌가103.

29) 헌재 1996. 12. 26. 93헌바65; 헌재 1998. 5. 28. 97헌바68; 헌재 1998. 3. 26. 97헌마194; 헌재 1998. 7. 16. 96헌바35; 헌재 1998. 7. 16. 97헌바23 등.

일반론으로는 어떠한 규정이 부담적 성격을 가지는 경우에는 수익적 성격을 가지는 경우에 비하여 명확성의 원칙이 더욱 엄격하게 요구된다고 할 것이다.[30]

헌법재판소는 **과도한 광범성은 잠재적인 명확성 결여**의 경우로 볼 수 있기 때문에 형벌법규에 관한 명확성의 원칙에 위배되는 한 가지 예로 보고 있다.[31] 한편 형의 장기와 단기가 모두 전혀 특정되지 않은 절대적 부정기형은 형사제재상(형벌)의 명확성원칙에 반하는 것으로 금지된다.

iii) 위법성조각사유와 명확성원칙

정당방위와 같은 형법상 위법성조각사유 규정은 형법 각칙 전체의 구성요건 조항에 대한 소극적 한계를 정하고 있는 규정이다. 한편 위법성조각사유로서 정당방위가 인정되지 않는 경우 위법한 행위로서 범죄의 성립을 인정하게 하는 기능을 하므로, 범죄의 성립과 처벌은 법률에 의하여야 한다는 죄형법정주의 본래의 취지에 비추어 볼 때 정당방위와 같은 위법성 조각사유 규정에도 죄형법정주의의 명확성 원칙은 적용된다.[32]

iv) 명확성원칙과 포괄위임입법금지

범죄와 형벌에 관한 사항에 대한 위임입법의 한계와 관련된 요구는 죄형법정주의의 명확성원칙의 요구와 경합된다.[33] 따라서 죄형에 관한 법률조항이 그 내용을 해당 시행령에 포괄적으로 위임하고 있는지 여부는 죄형법정주의의 명확성원칙의 위반 여부의 문제인 동시에 **포괄위임입법금지** 여부의 문제가 된다.[34] 형벌법규가 구성요건의 일부를 하위법령에 위임하고 있고 이러한 위임형식의 위헌성이 문제되는 경우에 죄형법정주의의 명확성원칙은 위임이 헌법적 한계를 준수하였는지 여부에 대한 심사와 함께 판단될 수 있으나, 다만 헌법이 죄형법정주의를 정하고 있는

---

30) 헌재 1992. 2. 25. 89헌가104. 형사법이나 국민의 이해관계가 첨예하게 대립되는 법률에 있어서는 불명확한 내용의 법률용어가 허용될 수 없으며, 만일 불명확한 용어의 사용이 불가피한 경우라면 용어의 개념정의, 한정적 수식어의 사용, 적용한계조항의 설정 등 제반방법을 강구하여 동 법규가 자의적으로 해석될 수 있는 소지를 봉쇄해야 하는 것이다.

31) 위헌법률심판의 대상에 있어서 법문의 내용이 다의적이고 그 적용범위에 있어서 과도한 광범성이 인정된다면 법치주의와 죄형법정주의에 위배되어 위헌의 소지가 있다(헌재 1990. 4. 2. 89헌가113). 범죄의 구성요건이 추상적 또는 모호한 개념으로 이루어지거나, 그 적용범위가 너무 광범위하고 포괄적이어서 불명확하게 되어 통상의 판단능력을 가진 국민이 법률에 의하여 금지된 행위가 무엇인가를 알 수 없는 경우에는 죄형법정주의의 원칙에 위배된다(헌재 1997. 9. 25. 96헌가16).

32) 헌재 2001. 6. 28. 99헌바31.

33) 헌재 1997. 9. 25. 96헌가16.

34) 헌재 2008. 7. 31. 2005헌마667; 헌재 2009. 9. 24. 2007헌마949; 헌재 2010. 2. 25. 2009헌바38.

취지를 고려하여 위임입법이 허용되는 요건과 범위를 보다 엄격하고 제한적으로 적용하여야 할 것이다.[35)]

v) 명확성원칙 위반 여부와 관련한 사례(판례)

위헌사례

국가보안법 제7조 제1항의 찬양·고무죄

국가보안법 제7조 제1항의 찬양·고무죄는 '구성원', '활동', '동조', '기타의 방법', '이롭게 한' 등 무려 다섯 군데의 용어가 지나치게 다의적이고 그 적용범위가 광범위하다. …… 과도한 광범성은 잠재적인 명확성 결여의 경우로 볼 수 있기 때문에 형벌법규에 관한 명확성의 원칙에 위배되는 한 가지 예에 해당될 수 있다.[36)]

헌재 1990. 4. 2. 89헌가113

'가정의례의 참뜻에 비추어 합리적인 범위' 외의 음식접대금지

가정의례준칙에관한법률 제4조 제1항 제7호가 금지하는 하객들에 대한 음식접대에 있어서 '가정의례의 참뜻'이란 개념은, 결혼식 혹은 회갑연의 하객들에게 어떻게 음식이 접대되는 것이 그 참뜻에 맞는 것인지는 종래 우리 관습상 혼례식의 성격 등을 볼 때 쉽게 예상되기 어렵고, 그간 가정의례에관한법률이 오랫동안 시행되어 가정의례의 참뜻에 대한 인식은 확립되었다고 볼 수도 없어, 결국 그 대강의 범위를 예측하여 이를 행동의 준칙으로 삼기에 부적절하다. 또한 같은 항의 '합리적인 범위 안'이란 개념도 가정의례 자체가 우리나라의 관습 내지 풍속에 속하고, 성격상 서구적 의미의 "합리성"과 친숙할 수 있는 것도 아니며, 또한 양과 질과 가격에 있어 편차가 많고 접대 받을 사람의 범위가 다양하므로 주류 및 음식물을 어떻게 어느 만큼 접대하는 것이 합리적인 범위인지를 일반국민이 판단하기란 어려울 뿐 아니라 그 대강을 예측하기도 어렵다.

헌재 1998. 10. 15. 98헌마168

35) 헌재 2010. 5. 27. 2009헌바183; 헌재 2014. 3. 27. 2011헌바42; 헌재 2015. 7. 30. 2013헌바416.

36) 헌법재판소는 이렇게 보면서도 동조항의 합헌적 법률해석을 통하여 합헌결정을 내리고 있다. 즉 "제7조 제1항의 그 다의성 때문에 위헌문제가 생길 수 있다고 해서 전면위헌으로 완전 파기되어야 할 규정으로는 보지 않으며 …… 국가의 존립·안전이나 자유민주적 기본질서에 무해한 행위는 처벌에서 배제하고, 이에 실질적 해악을 줄 명백한 위험성이 있는 경우로 축소제한하는 것이 헌법 전문·제4조·제8조 제4항·제37조 제2항에 합치되는 해석일 것이다. …… 제7조 제5항도 제1항의 경우와 마찬가지로 국가보안법의 입법목적 등에 맞추어 그 소정행위에 의하여 국가의 존립·안전이나 자유 민주적 기본질서에 실질적 해악을 줄 명백한 위험성이 있는 경우에 적용되는 것으로 해석할 것이다"고 판시하였다.

'보건복지부령으로 정하는 약국관리에 필요한 사항' 위반을 처벌하는 경우

'약국을 관리하는 약사 또는 한약사는 보건복지부령으로 정하는 약국관리에 필요한 사항을 준수하여야 한다'는 약사법 제19조 제4항을 위반한 자를 처벌하는 약사법 제77조 제1호 중 '제19조 제4항 부분'은 '약국관리에 필요한 사항'이라는 처벌법규의 구성요건 부분에 관한 기본사항에 관하여 보다 구체적인 기준이나 범위를 정함이 없이 그 내용을 모두 하위법령인 보건복지부령에 포괄적으로 위임함으로써, 약사로 하여금 광범위한 개념인 '약국관리'와 관련하여 준수하여야 할 사항의 내용이나 범위를 구체적으로 예측할 수 없게 하고, 나아가 헌법이 예방하고자 하는 행정부의 자의적인 행정입법을 초래할 여지가 있으므로, 헌법상 포괄위임입법금지 원칙 및 죄형법정주의의 명확성 원칙에 위반된다.

헌재 2000. 7. 20. 99헌가15

'여러 사람의 눈에 뜨이는 곳에서 공공연하게 알몸을 지나치게 내놓거나 가려야 할 곳을 내놓아 다른 사람에게 부끄러운 느낌이나 불쾌감을 준 사람'을 처벌하는 경범죄처벌법 조항

위 조항은 알몸을 '지나치게 내놓는' 것이 무엇인지 그 판단 기준을 제시하지 않아 무엇이 지나친 알몸노출행위인지 판단하기 쉽지 않고, '가려야 할 곳'의 의미도 알기 어렵다. 위 조항 중 '부끄러운 느낌이나 불쾌감'은 사람마다 달리 평가될 수밖에 없고, 노출되었을 때 부끄러운 느낌이나 불쾌감을 주는 신체부위도 사람마다 달라 '부끄러운 느낌이나 불쾌감'을 통하여 '지나치게'와 '가려야 할 곳' 의미를 확정하기도 곤란하다. 위 조항은 '선량한 성도덕과 성풍속'을 보호하기 위한 규정인데, 이러한 성도덕과 성풍속이 무엇인지 대단히 불분명하므로, 위 조항의 의미를 그 입법목적을 고려하여 밝히는 것에도 한계가 있다. 대법원은 '신체노출행위가 단순히 다른 사람에게 부끄러운 느낌이나 불쾌감을 주는 정도에 불과한 경우 위 조항에 해당한다'라고 판시하나, 이를 통해서도 '가려야 할 곳', '지나치게'의 의미를 구체화 할 수 없다. 위 조항의 불명확성을 해소하기 위해 노출이 허용되지 않는 신체부위를 예시적으로 열거하거나 구체적으로 특정하여 분명하게 규정하는 것이 입법기술상 불가능하거나 현저히 곤란하지도 않다. 예컨대 이른바 '바바리맨'의 성기노출행위를 규제할 필요가 있다면 노출이 금지되는 신체부위를 '성기'로 명확히 특정하면 될 것이다. 따라서 위 조항은 죄형법정주의의 명확성원칙에 위배된다.

헌재 2016. 11. 24. 2016헌가3

공공수역에 다량의 토사를 유출하거나 버려 상수원 또는 하천·호소를 현저히 오염되게 한 자를 처벌하는 수질 및 수생태계 보전에 관한 법률 제78조 제4호

위 조항이나 관련 법령 어디에도 '토사'의 의미나 '다량'의 정도, '현저히 오염'되었다고 판단할 만한 기준에 대하여 아무런 규정도 하지 않고 있으므로, 일반 국민으로서는 자신의 행위가 처벌대상인지 여부를 예측하기 어렵고, 감독 행정관청이나 법관의 자의적인 법해석과 집행을 초래할 우려가 매우 크므로 위 조항은 죄형법정주의의 명확성원칙에 위배된다.

헌재 2013. 7. 25. 2011헌가26등

합헌사례

군사기밀보호법상의 '부당한 방법으로 탐지하거나 수집한 자'

군사기밀보호법 제6조는 '부당한 방법으로' 탐지하거나 수집한 자를 처벌하도록 하고 있는데, 이는 관계법령이 정하고 있는 적법한 절차에 의하지 아니하고 군사기밀을 탐지·수집한 자를 의미하는 것임이 분명하며, 이러한 내용은 통상의 판단능력을 가진 사람이라면 누구나 충분히 그 의미를 이해할 수 있다고 사료되므로 '부당한 방법으로'라는 용어를 썼다는 이유만으로 구성요건의 구체성 내지 명확성을 결여하였다고 속단할 수는 없는 것이다.

헌재 1992. 2. 25. 89헌가104

영화법상 '영화를 업으로 하는 자' 중 '업'의 의미

"업"의 사전적인 의미는 반드시 영리를 목적으로 하는 업무만을 의미한 것으로 해석되지 아니하고, 오히려 "직업"의 준말로서 "날마다 종사하는 일"을 의미한다. 비영리업무도 직업에 포함될 수 있는 이상 일반인으로서도 "업"이란 영리업무만을 의미하며 비영리업무는 포함되지 않는다고 보는 것이 통상이라고 말할 수는 없다. 따라서 영화법에서 "영화의 제작을 업으로 하는 자"라 함은 영리를 목적으로 하는지 여부에 관계없이 영화를 계속·반복하여 제작하고자 하는 자를 의미하는 것으로 해석하여야 하고, 이러한 해석은 일반인으로서도 통상적으로 인식할 수 있는 것이라고 보아야 할 것이므로 영화법 제4조 제1항은 죄형법정주의의 한 가지인 형벌법규의 명확성의 원칙에 위반한다고 볼 수 없다.

헌재 1996. 8. 29. 94헌바15

앞지르기 금지장소로서 "도로의 구부러진 곳"

운전자의 앞지르기가 금지되는 "도로의 구부러진 곳"(도로교통법 제20조의2 제2호)은 입법목적과 다른 조항과의 관련하에서의 합리적인 해석의 가능성, 입법기술상의 한계 등을 고려할 때, 어떠한 행위가 이에 해당하는지 의심을 가질 정도로 불명확한 개념이라고 볼 수 없으므로 죄형법정주의의 한 내용인 형벌법규의 명확성의 원칙에 반한다고 할 수 없다.

헌재 2000. 2. 24. 99헌가4

'문화재'를 정의한 문화재보호법 제2조 제1항 제2호 중 "유형의 문화적 소산으로서 역사상 또는 예술상 가치가 큰 것"과 이에 준하는 고고자료

"유형의 문화적 소산으로서 역사상 또는 예술상 가치가 큰 것"이라 함은 이 법률조항의 입법목적에 비추어 볼 때, '보존하고 활용할 가치가 있는 것'을 가리키고, 그와 같은 가치가 있는지 여부는 그 물건이 지닌 시대성, 희귀성, 예술성 및 화폐단위로 환산된 가치 등을 종합적으로 고려하여 건전한 상식과 통상적인 법감정을 통하여 판단할 수 있으며, 구체적인 사건에서는 법관의 합리적인 해석에 의하여 판단할 수 있다. 또한 문화재보호법 제76조 제1항, 제2항 등과의 연관성, 합리적인 해석가능성, 입법기술상의 한계 등을 고려할 때, 어떤 행위가 이에 해당하는지 의심을 가질 정도로 불명확한 개념이라고 볼 수 없다.

헌재 2000. 6. 29. 98헌바67

의료인이 아닌 자의 의료행위를 금지·처벌하는 의료법 조항 중 '의료행위' 부분

법의 관련규정, 의료행위의 개념에 관한 대법원판례 및 한방의료행위의 개념에 관한 헌법재판소의 결정 등을 종합하여 보면, 침구시술행위는 의료행위 특히 한방의료행위에 포함되고, 의료행위 또는 한방의료행위의 개념은 건전한 일반상식을 가진 자에 의하여 일의적으로 파악되기 어렵다거나 법관에 의한 적용단계에서 다의적으로 해석될 우려가 있다고 보기도 어려우므로, 결국 이 사건 법률조항 중 "의료행위" 부분이 죄형법정주의의 명확성원칙에 위반된다고 볼 수 없다.

헌재 2005. 5. 26. 2003헌바86

의료인 등이 '치료효과를 보장하는 등 소비자를 현혹할 우려가 있는 내용의 광고'를 한 경우 형사처벌하도록 규정한 의료법 조항

'현혹(眩惑)' 및 '우려(憂慮)'의 사전적 의미, 의료법상 관련조항, 대법원 판결 등을 종합하여 보면, 위 조항이 금지하는 광고는 '광고 내용의 진실성·객관성을 불문하고, 오로지 의료서비스의 긍정적인 측면만을 강조하는 표현을 사용함으로써 의료소비자를 혼란스럽게 하고 합리적인 선택을 방해할 것으로 걱정되는 광고'를 의미한다고 충분히 해석할 수 있다. 따라서 위 조항은 죄형법정주의의 명확성원칙에 위배되지 아니한다.

헌재 2014. 9. 25. 2013헌바28

④ 유추해석금지의 원칙

유추해석은 법률의 규정이 없는 경우에 그와 유사한 성질을 가지는 법률 또는 법률조항을 적용하는 것으로, 죄형법정주의 원칙상 금지된다. 유추해석을 통하여 전혀 새로운 법률상의 근거를 만들어 내거나, 기존에는 존재하였으나 실효되어 더 이상 존재한다고 볼 수 없는 법률조항을 여전히 '유효한' 것으로 해석한다면, 이는 법률해석의 한계를 벗어나 '법률의 부존재'로 말미암아 형벌의 부과가 될 수 없는 것을 법률해석을 통하여 창설해 내는 **일종의 '입법행위'**로서 헌법상의 권력분립원칙, 죄형법정주의의 원칙에 반한다.[37)]

헌법재판소는 헌법소원심판에 형사소송법상의 공소시효 정지에 관한 규정이 유추적용될 수 있는가와 관련하여 "공소시효제도의 실질은 국가형벌권의 소멸이라는 점에서 형의 시효와 마찬가지로 실체법적 성격을 갖고 있는 것이어서, 그 예외로서 시효가 정지되는 경우는 특별히 법률로서 명문의 규정을 둔 경우에 한하여야 하고 법률에 명문으로 규정되어 있지 아니한 경우 다른 제도인 형사소송법상의 재정신청에 관한 규정을 유추적용하여 공소시효의 정지를 인정하는 것은 피의자의 법적 지위의 안정을 법률상 근거 없이 침해하는 것이 되며, 나아가서는 헌법상의 적법절차주의, 죄형법정주의에 반하여 기소되고 처벌받는 결과도 생길 수 있을뿐더러, 이는 당 재판소가 사실상 입법행위를 하는 결과가 되므로 헌법소원사건이 심판에 회부된 경우라고 하더라도 심판대상인 피의사실에 대한 공소시효는 정지되지 아니한다"고 판시한 바 있다.[38)]

또한 헌법재판소는 형법 제129조 제1항 중(수뢰, 사전수뢰죄) "공무원"에 구 '제주특별자치도 설치 및 국제자유도시 조성을 위한 특별법'의 제주특별자치도통합영향평가심의위원회 심의위원 중 위촉위원이 포함되는 것으로 해석하는 것은 법률해석의 한계를 넘은 것으로서 죄형법정주의에 위배된다고 판시하고 있다.[39)]

⑤ 기 타

이상의 파생원칙과 달리 비교적 최근에 죄형법정주의 원칙의 내용으로 파악하

37) 헌재 2012. 5. 31. 2009헌바123 등.
38) 헌재 1993. 9. 27. 92헌마284.
39) 형벌법규는 헌법상 규정된 죄형법정주의원칙상 입법목적이나 입법자의 의도를 감안한 유추해석이 일체 금지되고, 법률조항의 문언의 의미를 엄격하게 해석하여야 하는바, 유추해석을 통하여 형벌법규의 적용범위를 확대하는 것은 '법관에 의한 범죄구성요건의 창설'에 해당하여 죄형법정주의원칙에 위배된다고 판시하였다(헌재 2012. 12. 27. 2011헌바117).

고 있는 **형벌법규 적정성의 원칙**은 i) 형벌법규의 내용이 헌법상 보장된 인권보장규정에 위반해서 행위를 처벌해서는 안 되고(규정내용의 적정), ii) 법익을 보호하기 위해 처벌이 필요불가결해야 하며(처벌의 필요불가결성), iii) 형벌법규에 규정된 범죄와 형벌이 서로 균형을 잃어서는 안 된다(죄형의 균형)는 원칙이다. 헌법재판소는 평시에 군대 내 상관살해를 그 동기와 행위태양을 묻지 아니하고 무조건 사형으로 처벌하는 것은 형벌체계상의 정당성을 잃은 것으로서 범죄의 중대성 정도에 비하여 심각하게 불균형적인 과중한 형벌이고, 적정한 형벌의 제정이 될 수 없다고 판시한 바 있다.[40] 적정성의 원칙은 독재국가나 권위주의 국가에서 법률을 이용한 공포정치 등이 발생하는 것을 방지하여 실질적인 인권보호에 활용될 수 있는 원칙이기 때문에 실질적 의미의 죄형법정주의 또는 현대적 의미의 죄형법정주의라고도 불린다.

한편 범죄행위에 대하여 형사상의 책임을 지는 자는 범죄행위를 한 자에 한정된다는 **형벌책임주의(자기책임주의)**도 죄형법정주의의 내용으로 보기도 한다.[41] 헌법재판소도 개인의 대리인, 사용인, 그 밖의 종업원이 무면허의료행위를 하면 그 개인도 행위자와 같이 처벌하는 의료법 제91조 제2항 부분에 대한 위헌제청사건에서 "이 사건 법률조항은 다른 사람의 범죄에 대해 그 책임 유무를 묻지 않고 형벌을 부과함으로써 법치국가의 원리 및 죄형법정주의로부터 도출되는 책임주의 원칙에 반한다"고 판시한 바 있다.[42] 의료법 제91조 제1항 등 법인에 대한 양벌규정에 대하여도 다른 사람의 범죄에 대해 그 책임 유무를 묻지 않고 형벌을 부과함으로써 법치국가의 원리 및 죄형법정주의로부터 도출되는 책임주의 원칙에 반한다는 이유로 위헌이라는 결정을 한 바 있다.[43] 한편 헌법재판소는 구 조세범처벌법 제3조 본문 중 "법인의 대리인, 사용인, 기타의 종업인이 그 법인의 업무 또는 재산에 관하여 법에 규정하는 범칙행위를 한 때에는 그 법인에 대하여서도 본조의 벌금형에 처한다는 부분은 책임주의원칙에 반한다고 결정하면서, 같은 조 본문 중 "법인의 대표자가 그 법인의 업무 또는 재산에 관하여 법에 규정하는 범칙행위를 한 때에는 그 법인에 대하여서도 본조의 벌금형에 처한다"는 부분은 **책임주의원칙**에 반

40) 헌재 2007. 11. 29. 2006헌가13.
41) 정종섭, 제11판 헌법학원론, 박영사, 2016, 519면.
42) 헌재 2009. 10. 29. 2009헌가6. 이 결정은 양벌규정이 개인과 법인에 대한 것인지 여부를 불문하고 책임주의에 반하여 위헌이라는 것은 헌법재판소의 확립된 판례(헌재 2009. 7. 30. 2008헌가14, 16, 17, 18, 24; 헌재 2009. 7. 30. 2008헌가10; 헌재 2007. 11. 29. 2005헌가10 등)를 따른 것이다.
43) 헌재 2009. 7. 30. 2008헌가14, 16, 17, 18, 24.

하지 않는다고 결정한 바 있다.[44)]

(4) 죄형법정주의의 적용범위

① 형 벌

죄형법정주의는 형벌법규를 제정할 때뿐만 아니라 기존의 형벌법규를 강화할 때 적용된다. 따라서 단순한 행정제재로서 과징금, 인허가의 취소, 과태료 등 행정질서벌은 죄형법정주의의 적용대상에서 제외된다.

② 위법성 조각사유 규정에의 적용

헌법재판소는 "정당방위 규정은 법 각칙 전체의 구성요건 조항에 대한 소극적 한계를 정하고 있는 규정으로서, 한편으로는 위법성을 조각시켜 범죄의 성립을 부정하는 기능을 하지만, 다른 한편으로는 정당방위가 인정되지 않는 경우 위법한 행위로서 범죄의 성립을 인정하게 하는 기능을 하므로 적극적으로 범죄 성립을 정하는 구성요건 규정은 아니라 하더라도 죄형법정주의가 요구하는 명확성 원칙의 적용이 완전히 배제된다고는 할 수 없다"고 판시하고 있다.[45)]

2. 일사부재리(이중처벌금지)의 원칙

(1) 일사부재리원칙의 의의

헌법은 "모든 국민은 행위시의 법률에 의하여 범죄를 구성하지 아니하는 행위로 소추되지 아니하며, 동일한 범죄에 대하여 거듭 처벌받지 아니한다"고 규정하여(제13조 제1항 후단), 일사부재리원칙을 선언하고 있다. 일사부재리원칙은 국가형벌권의 기속원리로 헌법상 선언된 것으로서, 동일한 범죄행위에 대하여 국가가 형벌권을 거듭

---

44) 헌재 2013. 10. 24. 2013헌가18. "법인은 기관을 통하여 행위하므로 법인이 대표자를 선임한 이상 그의 행위로 인한 법률효과는 법인에게 귀속되어야 하고, 법인 대표자의 범죄행위에 대하여는 법인이 자신의 행위에 대한 책임을 부담하는 것이다. 법인 대표자의 법규위반행위에 대한 법인의 책임은, 법인 자신의 법규위반행위로 평가될 수 있는 행위에 대한 법인의 직접책임으로서, 대표자의 고의에 의한 위반행위에 대하여는 법인 자신의 고의에 의한 책임을, 대표자의 과실에 의한 위반행위에 대하여는 법인 자신의 과실에 의한 책임을 부담하는 것이다. 따라서 '심판대상조항 중 법인의 대표자 관련 부분'은 대표자의 책임을 요건으로 하여 법인을 처벌하는 것이므로 책임주의원칙에 반하지 아니한다"고 판시하고 있다.

45) 헌재 2001. 6. 28. 99헌바31. 이 사건에서 헌법재판소는 정당방위 규정 중 "상당한 이유" 부분은 대법원도 일찍부터 합리적인 해석기준을 제시하고 있어 건전한 상식과 통상적인 법 감정을 가진 일반인이라면 그 의미를 어느 정도 쉽게 파악할 수 있다고 할 것이므로 이 죄형법정주의 명확성 원칙에 위반되지 않는다고 판시하고 있다.

행사할 수 없도록 함으로써 국민의 기본권 특히 신체의 자유를 보장하기 위한 것이라고 할 수 있다.[46)]

일사부재리의 원칙은 형사판결의 기판력을 통하여 법적 안정성에 기여하는 제도로서의 성격도 가지고 있다. 형사소송법에서도 일사부재리의 원칙을 구체화하고 있다. 즉 공소제기된 범죄에 대하여 이미 확정판결이 있은 때에는 면소의 판결을 선고해야 하며(형사소송법 제326조 제1호), 유죄의 확정판결에 대한 재심은 그 선고받은 자의 이익을 위해서만 가능하도록 하고 있다(동법 제430조). 한편 이미 공소가 제기된 사건에 대하여 다시 공소가 제기되었을 때에는 공소기각의 판결을 선고해야 한다(동법 제327조)고 규정하고 있다.

(2) 이중(거듭)처벌의 의미

일사부재리원칙에서 '이중'(거듭)의 의미는 처벌 또는 제재가 '동일한 행위'를 대상으로 중복적으로 행해지는 것을 의미한다. 그 대상이 동일한 행위인지 여부는 기본적 사실관계가 동일한지 여부에 따라 결정된다.[47)]

'**처벌**'의 의미에 대해 헌법재판소는 "범죄에 대한 **국가형벌권의 실행으로서의 과벌**을 의미하는 것이고, 국가가 행하는 일체의 제재나 불이익처분을 모두 그 '처벌'에 포함시킬 수 없다"고 판시하여,[48)] 법률 · 적법절차에 의하지 않은 처벌 기타의 불이익을 당하지 않는다는 제12조 제1항에서의 '처벌'이 형사상의 처벌만을 의미하는 것이 아니고 본인에게 불이익 또는 고통이 되는 일체의 제재를 의미하는 것과는 다른 의미로 파악하고 있다.

(3) 영미법상의 이중위험(double jeopardy)금지원칙과의 비교

일사부재리원칙은 영미법상의 이중위험금지원칙과 유사하지만, 그 내용에 있어서는 차이가 있는 것으로 파악된다. 이중위험금지원칙은 하나의 형사절차에서 피고인을 두 번 위험에 빠뜨려서는 안 된다는 원칙으로 **절차법상의 원칙**인 반면, 일사부재리원칙은 실체판결이 확정되어야만 효력이 발생한다. 미국판례는 제1심에서 무죄판결을 받은 피고인을 검사가 상소하는 것, 2급 살인죄에 대하여 항소법원이 원심을 파기한 경우 원심법원이 1급 살인으로 판결하는 것, 살인으로 기소되어 무죄가 되자 강도로 다시 기소하는 것은 이중위험에 해당되는 것으로 보고 있다.[49)]

---

46) 헌재 1994. 6. 30. 92헌바38.
47) 헌재 1994. 6. 30. 92헌바38.
48) 헌재 1994. 6. 30. 92헌바38.

일사부재리원칙과 이중위험금지원칙의 차이점은 아래와 같이 정리할 수 있다.

	이중위험금지원칙	일사부재리원칙
법적 효력근거	절차법적 원칙	실체판결의 기판력
효력발생시기	일정 절차에 이르면 발생	확정판결에 대해서만 발생
적용대상	검사의 기소를 비롯한 모든 형사절차	확정판결

(4) 일사부재리원칙의 적용

일사부재리원칙은 국가형벌권 행사에 따르는 형사처벌의 영역에 적용되고, 그 외 국가가 행하는 각종의 제재나 불이익처분에는 적용되지 아니한다. 헌법재판소와 대법원의 판례도 같은 입장이다.

판례 및 학설에 따르면 ⅰ) 공소기각의 판결이나 관할위반 등과 같이 법원의 실질적 판단이 없는 형식판결의 경우,[50] ⅱ) 동일한 범죄에 대한 외국의 확정판결과 형사처벌,[51] ⅲ) 누범가중의 경우,[52] ⅳ) 상습범의 가중처벌,[53] ⅴ) 형사벌과

49) 김학성・최희수, 전정 4판[2020년판], 피앤씨미디어, 2020, 461면 참조.

50) 대판 2008. 6. 12. 2008도2621.

51) 대판 1983. 10. 25. 83도2366. 2015년 헌법재판소는 "형사판결은 국가주권의 일부분인 형벌권 행사에 기초한 것으로서, 외국의 형사판결은 원칙적으로 우리 법원을 기속하지 않으므로 동일한 범죄행위에 관하여 다수의 국가에서 재판 또는 처벌을 받는 것이 배제되지 않는다. 따라서 이중처벌금지원칙은 동일한 범죄에 대하여 대한민국 내에서 거듭 형벌권이 행사되어서는 안 된다는 뜻으로 새겨야 할 것이므로 이 사건 법률조항은 헌법 제13조 제1항의 이중처벌금지원칙에 위배되지 아니한다"는 입장을 확인하면서도 형법 제7조에 대해서 헌법불합치결정을 내렸다. 즉 "입법자는 외국에서 형의 집행을 받은 자에게 어떠한 요건 아래, 어느 정도의 혜택을 줄 것인지에 대하여 일정 부분 재량권을 가지고 있으나, 신체의 자유는 정신적 자유와 더불어 헌법이념의 핵심인 인간의 존엄과 가치를 구현하기 위한 가장 기본적인 자유로서 모든 기본권 보장의 전제조건이므로 최대한 보장되어야 하는바, 외국에서 실제로 형의 집행을 받았음에도 불구하고 우리 형법에 의한 처벌 시 이를 전혀 고려하지 않는다면 신체의 자유에 대한 과도한 제한이 될 수 있으므로 그와 같은 사정은 어느 범위에서든 반드시 반영되어야 하고, 이러한 점에서 입법형성권의 범위는 다소 축소될 수 있다. 입법자는 국가형벌권의 실현과 국민의 기본권 보장의 요구를 조화시키기 위하여 형을 필요적으로 감면하거나 외국에서 집행된 형의 전부 또는 일부를 필요적으로 산입하는 등의 방법을 선택하여 청구인의 신체의 자유를 덜 침해할 수 있음에도, 이 사건 법률조항과 같이 우리 형법에 의한 처벌 시 외국에서 받은 형의 집행을 전혀 반영하지 아니할 수도 있도록 한 것은 과잉금지원칙에 위배되어 신체의 자유를 침해한다"고 판시하면서 "만약 이 사건 법률조항이 위헌결정으로 즉시 효력을 상실할 경우, 임의적으로나마 형을 감면할 근거규정이 없어지게 되어 감면 적용을 받아야 할 사람에 대하여도 감면을 할 수 없게 되므로, 법적 안정성의 관점에서 용인하기 어려운 법적 공백이 생기게 된다. 따라서 이 사건 법률조항에 대하여 헌법불합치결정을 선고하되, 2016. 12. 31.을 시한으로 입법자의 개선입법이 있을 때까지 계속적용을 명하기로 한다"고 판시하고 있

징계처분의 병과,[54] vi) 검사가 무혐의처분 후 재기소처분하는 경우,[55] vii) 형벌과 과태료 등의 행징질서벌의 경우,[56] viii) 형벌과 보안처분의 경우,[57] ix) 청소년 성매수자의 신상공개,[58] x) 형법상 구성요건을 달리하는 경우,[59] xi) 징계와 직

다(헌재 2015. 5. 28. 2013헌바129). 그 후 헌법불합치결정을 반영하여 형법 제7조를 "죄를 지어 외국에서 형의 전부 또는 일부가 집행된 사람에 대해서는 그 집행된 형의 전부 또는 일부를 선고하는 형에 산입한다"고 개정하였다(2016. 12. 20).

52) "형법 제35조 제1항이 누범을 가중처벌하는 것은 전범에 대하여 형벌을 받았음에도 다시 범행을 하였다는 데 있는 것이지, 전범에 대하여 처벌을 받았음에도 다시 범행을 하는 경우에는 전범도 후범과 일괄하여 다시 처벌한다는 것은 아님이 명백하므로, 누범에 대하여 형을 가중하는 것이 헌법상의 일사부재리의 원칙에 위배하여 피고인의 기본권을 침해하는 것이라고는 볼 수 없다"(헌재 1995. 2. 23. 93헌바43; 헌재 2011. 5. 26. 2009헌바63등; 헌재 2013. 9. 26. 2012헌바262등).

53) " …… 처벌대상으로 삼고 있는 것은 이미 처벌받은 전범이 아니며 후범이며 상습성의 위험성 때문에 일반범죄와 달리 가중처벌함에 목적을 두고 있으므로 헌법 제13조 제1항 소정의 일사부재리의 원칙에 위배되지 아니한다"(헌재 1995. 3. 23. 93헌바59).

54) 헌재 2010. 3. 25. 2009헌바83. 운전면허 취소처분은 형법상에 규정된 형(刑)이 아니고, 그 절차도 일반 형사소송절차와는 다를 뿐만 아니라, 주취 중 운전금지라는 행정상 의무의 존재를 전제하면서 그 이행을 확보하기 위해 마련된 수단이라는 점에서 형벌과는 다른 목적과 기능을 가지고 있다고 할 것이므로, 운전면허 취소처분을 이중처벌금지원칙에서 말하는 "처벌"로 보기 어렵다는 것을 이유로 한다.

55) 대판 1988. 3. 22. 87도2678. 검사의 무혐의처분은 확정판결의 효력이 없다는 점을 이유로 한다.

56) 헌재 1994. 6. 30. 92헌바38. 무허가 건축행위로 인하여 형사처벌을 받은 자에 대하여 위법건축물에 대한 시정명령을 하고 그 시정명령 위반에 대하여 이 사건 규정에 의한 과태료를 부과(무허가 건축행위에 대한 처벌과 시정명령불이행에 따른 이행강제금 부과)할 수 있도록 하였다 하더라도 그것이 헌법 제13조 제1항에서 금지하는 이중처벌에 해당한다거나 또는 기본권의 본질적 내용을 침해한 것이라고 할 수 없다는 것을 이유로 한다.

57) 헌재 1997. 11. 27. 92헌바28; 헌재 1989. 7. 14. 88헌가5·8, 89헌가44(병합); 헌재 1991. 4. 1. 89헌마17·85·100·109·129·167(병합); 헌재 1996. 11. 28. 95헌바20. 보안처분은 그 본질, 추구하는 목적 및 기능에 있어 형벌과는 다른 독자적 의의를 가진 사회보호적인 처분이므로 형벌과 보안처분은 서로 병과하여 선고한다고 해서 그것이 헌법 제13조 제1항 후단 소정의 거듭처벌금지의 원칙에 해당되지 아니한다고 한다. 성폭력범죄자에 대해 위치추적 전자장치 부착명령을 청구할 수 있도록 하는데, "전자장치 부착은 과거의 불법에 대한 응보가 아닌 장래의 재범 위험성을 방지하기 위한 보안처분에 해당되므로, 부착명령청구조항은 헌법 제13조 제1항 후단의 이중처벌금지원칙에 위배되지 아니한다"(헌재 2015. 9. 24. 2015헌바35). 이 사건에서 헌법재판소는 또한 "전자장치 부착은 전통적 의미의 형벌이 아니며, 이를 통하여 피부착자의 위치만 국가에 노출될 뿐 그 행동 자체를 통제하지 않는다는 점에서 비형벌적 보안처분에 해당되므로, 이를 소급적용하도록 한 부칙경과조항은 헌법 제13조 제1항 전단의 소급처벌금지원칙에 위배되지 아니한다"고 판시하였다.

58) " …… 이중처벌은 처벌 또는 제재가 동일한 행위를 대상으로 거듭 행해질 때 발생하는 문제이다. 그러므로 이 사건과 같이 특정한 범죄행위에 대하여 동일한 재판절차를 거쳐 형벌과 신상정보 공개명령을 함께 선고하는 것은, 징역형과 벌금형을 병과하는 것이 이중처벌금지원칙과 관련이 없는 것과 마찬가지로, 이중처벌금지원칙에 위반된다고 볼 수 없다(헌재 2013. 10. 24. 2011헌바106등). 헌법재판소는 종전 헌법 제13조 제1항에서 말하는 '처벌'은 원칙적으로

위해제,[60] xii) 공무원범죄의 경우 벌금과 연금급여를 제한하는 것,[61] xiii) 추징금 미납자에 대한 출국금지[62] 등은 일사부재리원칙에 위배되는 것이 아니라고 보고 있다.

한편, 양심적 예비군훈련 거부자에 대하여 유죄의 판결이 확정되었더라도 새로

범죄에 대한 국가의 형벌권 실행으로서의 과벌을 의미하는 것이고, 국가가 행하는 일체의 제재나 불이익처분을 모두 그 '처벌'에 포함시킬 수는 없다는 점을 분명히 하면서, "청소년의성보호에관한법률 제20조 제1항은 '청소년의 성을 사는 행위 등의 범죄방지를 위한 계도'가 신상공개제도의 주된 목적임을 명시하고 있는바, 이 제도가 당사자에게 일종의 수치심과 불명예를 줄 수 있다고 하여도, 이는 어디까지나 신상공개제도가 추구하는 입법목적에 부수적인 것이지 주된 것은 아니다. 또한, 공개되는 신상과 범죄사실은 헌법 제109조 본문에 의해 이미 공개된 재판에서 확정된 유죄판결의 일부로서, 개인의 신상 내지 사생활에 관한 새로운 내용이 아니고, 공익목적을 위하여 이를 공개하는 과정에서 부수적으로 수치심 등이 발생된다고 하여 이것을 기존의 형벌 외에 또 다른 형벌로서 수치형이나 명예형에 해당한다고 볼 수는 없다. 그렇다면, 신상공개제도는 헌법 제13조의 이중처벌금지 원칙에 위배되지 않는다"고 판시한 바 있다(헌재 2003. 6. 26. 2002헌가14).

59) 헌재 1995. 5. 25. 91헌바20. 군무이탈자의 공소시효가 완성된 자에게 군무이탈자복귀명령을 위반하였다는 이유로 군무이탈죄와 별개로 복귀명령위반죄로 처벌하는 것과 관련하여 양자는 보호법익과 구성요건을 달리하는 별개의 범죄이므로 군무이탈죄의 공소시효가 완성된 자가 군무이탈자복귀명령을 준수하지 않았다는 이유로 명령위반죄로 처벌한다고 하여 군무이탈죄에 대한 공소시효 자체가 배제되는 것이라고 할 수는 없고, 복귀명령을 준수하지 아니한 행위를 형사처벌함으로써 군무이탈죄를 범한 자에게 자수의무를 부과하는 결과가 될 수 있다고 하더라도 이는 군병력 유지를 주된 목적으로 하는 복귀명령의 부수적인 효과에 불과하다고 한다.

60) 직위해제는 징벌적 제재인 징계와는 그 성질을 달리하는 것이어서 어느 사유로 인하여 징계를 받았다 하더라도 그것이 직위해제사유로 평가될 수 있다면 이를 이유로 새로이 직위해제를 할 수도 있는 것이고, 이는 일사부재리나 이중처벌금지의 원칙에 저촉되는 것이 아니다(대판 1992. 7. 28. 91다30729). 또한 직위해제를 하고 면직처분하는 것도 직위해제는 직권면직과 목적을 달리 하는 별개의 독립처분이라는 점에서 일사부재리원칙에 위배되지 않는다(대판 1983. 10. 25. 83누340).

61) 헌법 제13조 제1항 후단에 규정된 일사부재리 또는 이중처벌금지의 원칙에 있어서 처벌이라고 함은 원칙적으로 범죄에 대한 국가의 형벌권 실행으로서의 과벌을 의미하는 것이고 국가가 행하는 일체의 제재나 불이익처분이 모두 그에 포함된다고는 할 수 없으므로 이 사건 법률조항에 의하여 급여를 제한한다고 하더라도 그것이 헌법이 금하고 있는 이중적인 처벌에 해당하는 것은 아니라고 할 것이다(헌재 2002. 7. 18. 2000헌바57).

62) 법무부령이 정하는 금액 이상의 추징금을 납부하지 아니한 자에게 출국을 금지할 수 있도록 한 출입국관리법 제4조 제1항 제4호가 과잉금지원칙, 포괄위임입법금지원칙, 이중처벌금지원칙 등에 위배되는지 여부와 관련하여 헌법재판소는 "추징은 몰수에 갈음하여 그 가액의 납부를 명령하는 사법처분이나 부가형의 성질을 가지므로, 주형은 아니지만 부가형으로서의 추징도 일종의 형벌임을 부인할 수는 없다. 그러나 일정액수의 추징금을 납부하지 않은 자에게 내리는 출국금지의 행정처분은 형법 제41조상의 형벌이 아니라 형벌의 이행확보를 위하여 출국의 자유를 제한하는 행정조치의 성격을 지니고 있다. 그렇다면 심판대상 법조항에 의한 출국금지처분은 헌법 제13조 제1항 상의 이중처벌금지원칙에 위배된다고 할 수 없다"고 판시하였다(헌재 2004. 10. 28. 2003헌가18).

이 부과된 예비군훈련을 또 다시 거부하는 경우 그에 대하여 형사처벌하는 것이 일사부재리원칙에 위배되는가가 논란되나 헌법재판소는 "이 사건 법률조항에 따라 처벌되는 범죄행위는 '예비군 복무 전체 기간 동안의 훈련 불응행위'가 아니라 '정당한 사유 없이 소집통지서를 받은 당해 예비군 훈련에 불응한 행위'라 할 것이므로, 양심적 예비군 훈련거부자에 대하여 유죄의 판결이 확정되었더라도 이는 소집통지서를 교부받은 예비군 훈련을 불응한 행위에 대한 것으로 새로이 부과된 예비군 훈련을 또 다시 거부하는 경우 그에 대한 형사처벌은 가능하다고 보아야 한다. 따라서 이 사건 법률조항이 이중처벌금지원칙에 위반된다고 할 수는 없다"고 결정한 바 있다.[63] 참고로 독일 연방헌법재판소는 양심상 집총거부자에게 부과된 대체역무소집을 양심을 이유로 거부할 경우 이를 처벌하는 것은 양심의 자유에 대한 침해가 아니지만, 반복해서 대체역무소집에 따르지 않는다고 하여 처벌하는 것은 일사부재리원칙에 반한다고 판시한 바 있다.[64]

그리고 무죄의 확정판결이 있은 후 새로운 범죄사실이나 증거에 의하여 범죄의 확증이 생긴 경우 재심절차가 가능한가와 관련해서도 논란이 있다. 유죄의 확정판결에 대한 재심은 그 선고받은 자의 이익을 위해서만 가능하도록 규정되어 있기 때문에(형사소송법 제420조), 무죄의 확정판결이 있은 후 재심절차는 허용할 수 없다고 보는 것이 타당하다고 생각한다.[65]

3. 연좌제의 금지

(1) 연좌제 금지의 의의

헌법은 "모든 국민은 자기의 행위가 아닌 **친족의 행위로 인하여 불이익한 처우**를 받지 아니한다"라고 규정하여(제13조 제3항), 연좌제를 폐지하고 있다. 연좌제폐지는 제8차 개헌에서 명문화되었다. 연좌제는 근대 형법의 기본원칙인 자기책임의 원칙에 위배된다. 이는 형사책임의 개별화 원칙을 선언한 것으로도 의미가 있지만, 형사책

63) 헌재 2011. 8. 30. 2007헌가12 등.

64) BVerfGE 23, 191(202).

65) 허영, 앞의 책, 382-383면. 허영 교수는 법적 안정성과 신뢰보호에 바탕을 두는 이중처벌금지의 관점에서는 당연한 일이지만, 법치국가의 또 다른 중요한 내용인 '정의' 실현의 관점에서는 문제점이 없지도 않다며, 예외적으로 재심이 인정되는 독일의 예(확정판결의 기초가 된 증서가 위조된 것이 판명되거나, 증인이나 감정인 등이 고의로 위증한 것이 밝혀지거나, 법관이 뇌물을 받고 판결한 것이 밝혀지거나, 무죄선고 받은 자가 진실된 범행을 하느님께 선서하고 고백한 때)를 소개하고 있다. 김학성·최희수, 앞의 책, 463면. 실체적 진실보다 법적 안정성을 우위에 두는 일사부재리의 원칙에 위배되기 때문이라고 한다.

임영역뿐만 아니라 모든 영역에서의 불이익이 금지되며, 친족만이 아니라 모든 타인의 행위로 인한 불이익한 처우를 금지한다는 뜻이다.

(2) 연좌제와 관련한 대표적인 판례

① 위헌으로 본 판례

'반국가행위자의 처벌에 관한 특별조치법' 제8조에서의 전재산 몰수형과 관련하여 헌법재판소는 "제8조는 피고인의 소환불응에 대하여 전재산 몰수를 규정한 바, 설사 반국가행위자의 고의적인 소환불응을 범죄행위라고 규정하는 취지라 해도 이러한 행위에 대해 전재산의 몰수라는 형벌은 행위의 가벌성에 비해 지나치게 무거워 적정하지 못하고 일반형사법체계와 조화를 이루지 못하고 있다. 결국 이는 행위책임의 법리를 넘어서 자의적이고 심정적인 처벌에의 길을 열어 둠으로써 형벌체계상 정당성과 균형을 벗어나 적법절차 및 과잉금지의 원칙에 어긋난다. 뿐만 아니라 특조법 제8조는 동법 제10조의 규정과 관련하여 친족의 재산까지도 검사가 적시하기만 하면 증거조사 없이 몰수형이 선고되게 되어 있으므로, 헌법 제13조 제3항에서 금지한 연좌형이 될 소지도 크다"며 위헌결정을 내렸다.[66]

특수 용도에 제공되어 담배소비세가 면제된 담배를 공급받은 자가 그 담배를 당해 용도에 사용하지 않은 경우 담배를 공급한 제조자에게 담배소비세 및 그 가산세를 납부하도록 부담시키는 것[67]과 관련하여 헌법재판소는 "담배 제조자는 도매업자 또는 소매인에게 담배를 판매하고, 소매인이 아니고는 담배를 소비자에게 판매할 수 없도록 되어 있어 제조자는 면세담배를 공급받은 자가 이를 용도 외로 사용하는지 여부에 관하여 이를 관리하거나 감독할 수 있는 법적 권리나 의무가 없음에도 불구하고, 제조업자로부터 공급받은 면세담배를 용도 외로 처분한 데에 대한 책임이 누구에게 있는지에 대한 고려 없이 징세절차의 편의만을 위해 무조건 원래의 납세의무자였던 제조자에게 담배소비세와 가산세를 부과하는 것은 자신의 통제권 내지 결정권이 미치지 않는 데 대하여까지 책임을 지게 하는 것으로 자기책임의 원리에 반한다"고 판시하였다.[68]

② 합헌으로 본 판례

배우자의 선거범죄로 인한 당선무효를 규정하고 있는 공직선거법 제265조의 위

---

66) 헌재 1996. 1. 25. 95헌가5.
67) 구 지방세법 제233조의7 제2항 제1호 중 제232조 제1항.
68) 헌재 2004. 6. 24. 2002헌가27.

헌 여부가 다투어진 사건에서 헌법재판소는 "'모든 국민은 자기의 행위가 아닌 친족의 행위로 인하여 불이익한 처우를 받지 아니한다'고 규정하고 있는 헌법 제13조 제3항은 '친족의 행위와 본인 간에 실질적으로 의미 있는 아무런 관련성을 인정할 수 없음에도 불구하고 오로지 친족이라는 사유 그 자체만으로' 불이익한 처우를 가하는 경우에만 적용된다. 배우자는 후보자와 일상을 공유하는 자로서 선거에서는 후보자의 분신과도 같은 역할을 하게 되는바, 이 사건 법률조항은 배우자가 죄를 저질렀다는 이유만으로 후보자에게 불이익을 주는 것이 아니라, 후보자와 불가분의 선거운명공동체를 형성하여 활동하게 마련인 배우자의 실질적 지위와 역할을 근거로 후보자에게 연대책임을 부여한 것이므로 헌법 제13조 제3항에서 금지하고 있는 연좌제에 해당하지 아니한다"고 합헌결정을 내렸다.[69)]

그 밖에 헌법재판소는 회계책임자가 300만원 이상의 벌금을 선고받은 경우 후보자의 당선을 무효로 하는 것,[70)] 승객이 사망하거나 부상한 경우 운행자에게 무과실책임을 지우는 경우,[71)] 2인 이상이 공동으로 문서를 작성한 경우, 그 작성자는 당해 문서에 대한 인지세를 연대하여 납부하도록 규정한 것,[72)] 친일재산을 그 취득·증여 등 원인행위시에 국가의 소유로 하도록 규정한 것,[73)] 국회의원과 그

---

69) 헌재 2005. 12. 22. 2005헌마19.

70) 1. 헌법 제13조 제3항은 '친족의 행위와 본인간에 실질적으로 의미있는 아무런 관련성을 인정할 수 없음에도 불구하고 오로지 친족이라는 사유 그 자체만으로' 불이익한 처우를 가하는 경우에만 적용되기 때문에 원칙적으로 회계책임자가 친족이 아닌 이상, 구 공직선거법 제265조 본문 중 "회계책임자" 부분은 적어도 헌법 제13조 제3항의 규범적 실질내용에 위배될 수는 없으며, 2. 이 사건 법률조항은 후보자에게 회계책임자의 형사책임을 연대하여 지게 하는 것이 아니라, 선거의 공정성을 해치는 객관적 사실(회계책임자의 불법행위)에 따른 선거결과를 교정하는 것에 불과하고, 또한 후보자는 공직선거법을 준수하면서 공정한 경쟁이 되도록 할 의무가 있는 자로서 후보자 자신뿐만 아니라 최소한 회계책임자 등에 대하여는 선거범죄를 범하지 않도록 지휘·감독할 책임을 지는 것이므로, 이 사건 법률조항은 후보자 '자신의 행위'에 대하여 책임을 지우고 있는 것에 불과하기 때문에, 헌법상 자기책임의 원칙에 위반되지 아니한다(헌재 2010. 3. 25. 2009헌마170).

71) "자유시장 경제질서를 기본으로 하면서도 사회국가원리를 수용하고 있는 우리 헌법의 이념에 비추어 일반불법행위책임에 관하여는 과실책임의 원리를 기본원칙으로 하면서 자동차손해배상보장법 제3조 단서 제2호와 같은 특수한 불법행위책임에 관하여 위험책임의 원리를 수용하는 것은 입법정책에 관한 사항으로서 입법자의 재량에 속한다고 할 것이다. 따라서 이 조항이 운행자의 재산권을 본질적으로 제한하거나 평등의 원칙에 위반되지 아니하는 이상 위험책임의 원리에 기하여 무과실책임을 지운 것만으로 헌법 제119조 제1항의 자유시장 경제질서나 헌법 전문 및 헌법 제13조 제3항의 연좌제금지의 원칙에 위반된다고 할 수 없다"(헌재 1998. 5. 28. 96헌가4등).

72) 인지세법 제1조 제2항은 과세문서의 공동작성자에게 인지세 연대납세의무를 지우는 것이고 자기의 행위가 아닌 행위에 대하여 납세의무를 부과하는 것이 아니므로, 헌법 제13조 제3항에 위반된다고 볼 수 없다(헌재 2007. 5. 31. 2006헌마1169).

이해관계인이 보유한 직무관련성 있는 주식의 매각 또는 백지신탁을 명하고 있는 것,[74] 배우자가 수수 금지 금품 등을 받은 행위에 대하여 사립학교 관계자나 언론인 본인에게 신고의무를 부과하고 그에 대한 제재를 규정하고 있는 것,[75] 법무법인에 관하여 합명회사 사원 및 신입사원의 무한연대책임을 부과하고, 퇴사한 사원에게 퇴사등기 후 2년 내에 동일한 책임을 부과하는 것,[76] 형벌이 부과된 이후 다시 신상정보 공개·고지명령을 선고하고 소급적용할 수 있도록 하는 것[77] 등은 연좌제금지 위반이 아니라고 판시하였다.

---

73) '친일반민족행위자 재산의 국가귀속에 관한 특별법' 제3조 제1항 본문조항이 친일반민족행위자 후손의 재산 중 그 후손 자신의 경제적 활동으로 취득하게 된 재산이라든가 친일재산 이외의 상속재산 등을 단지 그 선조가 친일행위를 했다는 이유만으로 국가로 귀속시키는 것은 아니므로, 연좌제금지원칙에 반한다고 할 수 없다(헌재 2011. 3. 31. 2008헌바141등).

74) 구 공직자 윤리법 제14조의4 제1항 본문 제1호 및 제2호 가목 본문 중 제10조 제1항 제1호의 '국회의원' 부분이 연좌제 금지원칙에 위반되는지 여부와 관련하여 헌법재판소는 "위 조항들의 이해관계인이라 함은 배우자 또는 직계존비속을 의미한다. 다만 직계존비속의 경우에는 본인의 피부양자가 아닌 한, 재산등록사항의 고지를 거부하여 결과적으로 이 사건 법률조항의 적용을 받지 않을 수 있도록 하였으므로 위 조항들이 헌법 제13조 제3항에 위반되는지 여부는 결국 ① 국회의원 본인의 배우자, ② 본인의 피부양자인 직계존비속에 국한하여 문제될 뿐이다. 국회의원의 배우자나 피부양자인 직계존비속의 경우 국회의원 본인과 일상을 공유하면서 사실상 하나의 경제단위를 이루게 되고 누구의 명의로 재산을 보유하는지는 특별한 의미가 없게 되는바, 위 조항들은 본인과 친족 사이의 실질적·경제적 관련성에 근거한 것이어서 헌법 제13조 제3항에 위배되지 아니한다"고 판시하였다(헌재 2012. 8. 23. 2010헌가65).

75) '부정청탁 및 금품 등 수수의 금지에 관한 법률'('청탁금지법') 제9조 제1항 제2호 중 사립학교 관계자와 언론인에 관한 부분(신고조항)과 제22조 제1항 제2호 본문, 제23조 제5항 제2호 본문 중 사립학교 관계자와 언론인에 관한 부분('제재조항')과 관련하여 헌법재판소는 "사립학교 관계자나 언론인 본인과 경제적 이익 및 일상을 공유하는 긴밀한 관계에 있는 배우자가 사립학교 관계자나 언론인의 직무와 관련하여 수수 금지 금품등을 받은 행위는 사실상 사립학교 관계자나 언론인 본인이 수수한 것과 마찬가지라고 볼 수 있다. 청탁금지법은 금품등을 받은 배우자를 처벌하는 규정을 두고 있지 않으며 신고조항과 제재조항은 배우자가 위법한 행위를 한 사실을 알고도 공직자등이 신고의무를 이행하지 아니할 때 비로소 그 의무위반 행위를 처벌하는 것이므로, 헌법 제13조 제3항에서 금지하는 연좌제에 해당하지 아니하며 자기책임 원리에도 위배되지 않는다(헌재 2016. 7. 28. 2015헌마236등).

76) 상법 조항을 준용하도록 한 변호사법 제58조 제1항은 "친족관계의 존부를 필요조건으로 하지 아니하는 법무법인 구성원변호사 사이의 관계에 연좌제 금지 원칙이 적용될 여지가 없다"(헌재 2016. 11. 24. 2014헌바203등).

77) '성폭력범죄의 처벌 등에 관한 특례법' 부칙조항은 신상정보 공개·고지명령은 성범죄자의 신상정보를 대상으로 하는 것으로, 신상정보 공개·고지명령을 받은 성범죄자의 친족에 대하여 직접적으로 어떠한 처벌을 가하거나 불이익을 주는 제도라고 보기 어려우므로 연좌제금지원칙에 위배되는 것으로 볼 수 없다(헌재 2016. 12. 29. 2015헌바196등).

Ⅳ. 신체의 자유의 절차적 보장

절차적 보장이란 신체의 자유를 보장하기 위하여 헌법이 일정한 형사절차나 형사제도를 규정하는 것을 말한다.[78]

1. 적법절차의 원칙

(1) 적법절차의 개념

적법절차의 원칙은 일반적으로 말하면 모든 국가 작용(입법 · 행정 · 사법)은 정당한 법률을 근거로 적법한 절차에 의해 행해져야 한다는 헌법상의 원칙이다. 적법절차원칙의 목적은 공권력 남용을 막고 개인의 기본권을 보장하는 데 있다. 헌법재판소는 적법절차원칙을 '국가공권력이 국민에 대하여 불이익한 결정을 하기에 앞서 국민은 자신의 견해를 진술할 기회를 가짐으로써 절차의 진행과 그 결과에 영향을 미칠 수 있어야 한다는 법원리'로 이해하기도 한다.[79] 적법절차원칙은 오늘날은 모든 국가작용은 그 절차가 법률로써 규정되어야 한다는 절차적 공정성과 함께 국가작용의 발동근거가 되는 법률의 실질적 내용도 공정성, 합리성, 정당성을 갖추어야 함을 요구하고 있다.

(2) 적법절차의 연혁

적법절차원칙은 영미법에서 발전된 법원칙으로 실정법적 근거로는 "자유민은 …… 국법(the law of the land)에 의하지 아니하고는 체포, 구금되거나, 재산이 박탈되거나, 법적 보호가 박탈되거나, 추방되거나 다른 방법으로 침해당하지 않으며 …… "라고 규정한 1215년의 대헌장(제39장)에까지 기원할 수 있으나, 명시적으로 적법절차(due process of law)가 표현된 것은 1355년 에드워드3세 치하의 제정법이라고 한다.[80] 13세기 말 사법제도의 정비와 더불어 '보통법'(common law)이 국왕

---

78) 권영성, 앞의 책, 421면.

79) 헌재 2004. 5. 14. 2004헌나1.

80) Edward 3세 재위 28년 제정법 제3장에서는 "어떤 지위나 환경에 처해 있는 사람이든지 누구나가 적법절차(due process of law)에 의하여 심문을 받지 아니하고서 자기의 토지 또는 주택으로부터 축출당하거나 수용당하지 아니하며, 상속권의 침해나 사형에 처해지지 아니한다"고 규정하여 적법절차라는 어구를 최초로 명문으로 규정하였다. Edmund Coke는 이 법에서 적법절차라는 표현은 대헌장의 '국법'이라는 표현과 일치된다고 보면서, 대헌장 제39조는 모든 제정법의 해석의 지침이 되는 것이며 자유권의 핵심적 원칙을 포함하고 있다고 하였으며, 두 표현은 보통법의 적법절차(due process of the common law) 즉 '선량하고 법적 자격을 갖

까지 지배한다는 보통법 사상에 의하여 '보통법의 지배'라는 '법의 지배'원리가 싹트게 되었다. 이러한 보통법 사상은 '자연적 정의'(natural justice)[81]를 그 내용으로 한다. 적법절차원리는 권리청원에 규정되었고 1791년 미국연방헌법 수정 제5조와 제14조 제1항에서 헌법의 지도원리로 규정되어 전 세계에 영향을 주게 되었다.[82] 오늘날에는 독일 등 대륙법계의 국가에서도 이에 상응하여 일반적인 법치국가원리 또는 기본권제한의 법률유보원리로 정립되게 되었다.[83]

우리나라는 **현행헌법**에서 처음으로 신체의 자유와 관련하여 적법절차원칙을 명문화하였다. 즉 " …… 누구든지 법률에 의하지 아니하고는 체포·구속·압수·수색 또는 심문을 받지 아니하며, 법률과 적법한 절차에 의하지 아니하고는 처벌·보안처분 또는 강제노역을 받지 아니한다"는 규정(제12조 제1항)과 "체포·구속·압수 또는 수색을 할 때에는 적법한 절차에 따라 검사의 신청에 의하여 법관이 발부한 영장을 제시하여야 한다. …… "(제12조 제3항)는 규정이 그것이다. 제12조 제1항은 적법절차원칙의 일반조항이고, 제12조 제3항의 적법절차원칙은 기본권 제한 정도가 가장 심한 형사상 강제처분의 영역에서 기본권을 더욱 강하게 보장하려는 의지를 담아 중복 규정된 것이라고 해석함이 상당하다.[84]

(3) 현행 헌법상 '적법절차'조항의 해석론

현행 헌법은 '죄형법정주의'에 관한 규정과 '적법절차'에 관한 규정을 모두 두고 있으므로, 제12조 제1항과 제12조 제3항의 '적법한 절차'의 의미에 관해서는 **절차**·

춘 사람의 기소나 고발 또는 보통법의 소송 개시영장'을 의미한다고 한다(김종철, 미국의 헌법해석논쟁 – 적법절차 조항을 그 예로 –, 서울대학교 석사논문, 1990, 82면 참고).

81) 적법절차원칙은 법리상으로는 영국의 오랜 사법제도의 역사를 통해 확립된 '자연적 정의'(natural justice)에서 기원하는 것으로 알려져 있다. 자연적 정의의 구체적 내용은 명확하지는 않지만 대개 2가지의 원칙을 내용으로 한다고 한다. 즉 "아무도 자신의 사건에서는 심판자가 될 수 없다"(Nemo judex in causa sua)는 것과 "무엇이 정의인가는 당사자가 각자의 입장을 충분히 진술한 이후에 결정되어야 한다"(Audi alteram partem)는 것이다(Philip S. James, Introduction to English Law, London: Butterworth, p. 149).

82) 미국 연방헌법 수정 제5조는 " …… 누구라도 정당한 법의 절차(due process of law)에 의하지 아니하고는 생명, 자유 또는 재산을 박탈당하지 아니한다. …… ")고 규정하고 있으며, 수정 제14조 제1항은 " …… 어떠한 주(state)도 정당한 법의 절차(due process of law)에 의하지 아니하고는 어떠한 사람으로부터도 생명, 자유 또는 재산을 박탈할 수 없으며, 그 관할권 내에 있는 어떠한 사람에 대하여도 법률에 의한 동등한 보호를 거부하지 못한다"고 규정하고 있다. 일본국 헌법 제31조는 "누구든지 법률이 정하는 절차에 따르지 아니하고 생명이나 자유를 박탈당하거나 형벌을 받지 아니한다"고 규정하고 있다.

83) 헌재 1992. 12. 24. 92헌가8.

84) 헌재 2012. 6. 27. 2011헌가36.

실체 법정(**법률**)**주의설**, **절차·실체 적정 법정**(**법률**)**주의설**의 대립이 있다. 적법절차는 그 명칭 때문에 절차적 원칙인 것으로 이해될 수도 있으나, 오늘날의 일반적인 이론은 적법절차 원칙은 형식적 절차뿐 아니라 실체법적인 측면에서도 요구되는 원칙으로 보고 있다. 즉 절차의 준수 외에도 국가권력행사나 기본권에 관한 법률의 내용이 적정하고 합리적이며 정당하여야 할 것을 요구하는 원칙이다. 적법절차의 개념에 대하여 절차적 적법절차와 동시에 실체적 적법절차의 개념으로 확장하여 해석하고 있는 것이 우리 헌법재판소의 일관적인 입장이다.[85)]

(4) 적법절차의 개념요소

① '적법(適法)'

여기서 **적법**의 의미는 실질적 법치주의의 의미에서 파악하여야 한다. 즉 '적(適)'이란 적정한 또는 정당한 절차를 말한다. 형식적 의미의 적법성만이 아니라 실체적 내용이 합리성과 정당성을 갖춘 것이어야 한다.[86)] '법'에는 실정법뿐 아니라, 법의 실질 내지 이념인 정의, 윤리, 사회상규, 헌법의 근본원리·자연법 등도 포함된다. '법률과 적법한 절차'에서 말하는 법률은 형식적 의미의 법률을 의미하는 것과 차이가 있다.

② '절 차'

본래 **절차**란 실질적 내용을 실현하기 위해 채택되어야 할 수단적·기술적 순서나 방법을 말하지만, 여기서 말하는 절차는 고지·청문·변명 등 방어기회를 보장하는 절차를 의미한다.[87)]

---

85) " …… 현행 헌법상 규정된 적법절차의 원칙을 어떻게 해석할 것인가에 대하여 표현의 차이는 있지만 대체적으로 적법절차의 원칙이 독자적인 헌법원리의 하나로 수용되고 있으며 이는 형식적인 절차뿐만 아니라 실체적 법률내용이 합리성과 정당성을 갖춘 것이어야 한다는 실질적 의미로 확대 해석하고 있으며, 우리 헌법재판소의 판례에서도 이 적법절차의 원칙은 법률의 위헌 여부에 관한 심사기준으로서 그 적용대상을 형사소송절차에 국한하지 않고 모든 국가작용 특히 입법작용 전반에 대하여 문제된 법률의 실체적 내용이 합리성과 정당성을 갖추고 있는지 여부를 판단하는 기준으로 적용되고 있음을 보여주고 있다"(헌재 1992. 12. 24. 92헌가8; 헌재 1989. 9. 8. 88헌가6; 헌재 1990. 11. 19. 90헌가48 등 참조).

86) 헌재 1997. 3. 27. 96헌가11.

87) 헌재 2006. 5. 25. 2004헌바12.

(5) 적법절차조항의 적용대상과 적용범위

① 적용대상

i) 모든 국가작용에 대해 적용된다.

> **적법절차의 적용대상**
> " …… 즉, 의사에 반하는 불이익을 부과하는 모든 국가작용은 '적법절차'에 따라야만 합헌성을 인정받을 수 있다."
>
> 헌재 1992. 12. 24. 92헌가8

ii) 헌법은 법률과 적법절차에 의하지 아니하고는 '처벌·보안처분 또는 강제노역'을 받지 아니한다고 규정하고 있으나, 이는 적용대상을 한정한 것이 아니라 적법한 절차에 의하지 아니하고는 본인에게 신체적·정신적 그리고 재산상의 불이익이 되는 **일체의 제재**(질서벌, 징계벌 포함)를 당하지 않는 의미로 해석해야 한다(예시설).[88]

② 적용되는 범위

i) 형사절차

형사절차에서 적법절차의 의미가 크며, 당연히 적용된다. 우리 헌법도 제12조 제1항 2문 후단에서 형사절차상의 적정을 보호하기 위한 일반적 규정을 두고, 제12조 제2항 이하에서 개별적 적법절차조항들까지 두고 있다.

ii) 행정절차

법률을 집행하는 행정에 의해 기본권침해가 주로 이루어지는 현실에서 행정절차에 적법절차가 적용되지 않는다면 헌법상 기본권보장은 그 의미가 반감될 수밖에 없다. 우리나라는 행정작용에 있어서 절차의 적법성을 보장하기 위한 목적으로 행정절차법이 제정되어 있다. 헌법재판소도 변호사가 형사사건으로 기소된 경우 법무부장관의 변호사업무정지명령제도를 규정한 '변호사법 제15조에 대한 위헌심판사건'에서 "법무부장관의 일방적 명령에 의하여 변호사 업무를 정지시키는 것은 당해 변호사가 자기에게 유리한 사실을 진술하거나 필요한 증거를 제출할 수 있는 청문의 기회가 보장되지 아니하여 적법절차를 존중하지 아니한 것이 된다"고 위헌

---

88) 헌재 1992. 12. 24. 92헌가8.

결정을 내렸다.[89)]

iii) 입법절차

적법절차는 국회의 입법절차에서도 준수되어야 한다.

입법절차에 있어서 적법절차

"입헌민주국가에 있어서는 입법부도 헌법에 의해서 창설되고 입법형성권도 가능한 것이므로 선거법을 비롯한 모든 법률은 참정권을 보장하고 정당하게 수행할 수 있도록 제정하는 것을 원칙으로 하여야 한다. 그 법률이 정치적 타협에 의하여 국민의 정치적 참여를 부당하게 제한하거나 불합리한 선거법을 제정하는 것은 적법절차의 원칙에 반하고, 헌법이 위임한 권한에 벗어나는 것으로 입법형성권의 한계를 이탈하는 위헌적인 법률이라 하지 않을 수 없다. …… 이러한 자유 민주주의 구조적 원리로 볼 때 각종 선거과정에 있어서 정치적 표현의 자유나 입후보자의 선택의 자유 그리고 입후보자의 자유와 기회균등을 제한하거나 박탈하는 선거법상의 규정까지 당연한 것이라고 하여 임의로 제정하는 것은 헌법에 위배되는 것으로 적법절차의 원칙에 반하는 입법형성이라 아니할 수 없다."

헌재 1989. 9. 8. 88헌가6

iv) 탄핵소추절차와 적법절차

'노무현대통령 탄핵심판사건'에서 국회의 탄핵소추절차에 적법절차원리를 직접 적용할 수 있는가와 관련하여 헌법재판소는 "적법절차원칙이란, 국가공권력이 국민에 대하여 불이익한 결정을 하기에 앞서 국민은 자신의 견해를 진술할 기회를 가짐으로써 절차의 진행과 그 결과에 영향을 미칠 수 있어야 한다는 법원리를 말한다. 그런데 이 사건의 경우, 국회의 탄핵소추절차는 국회와 대통령이라는 헌법기관 사이의 문제이고, 국회의 탄핵소추의결에 의하여 사인으로서의 대통령의 기본권이 침해되는 것이 아니라, 국가기관으로서의 대통령의 권한행사가 정지되는 것이다. 따라서 국가기관이 국민과의 관계에서 공권력을 행사함에 있어서 준수해야 할 법원칙으로서 형성된 적법절차의 원칙을 국가기관에 대하여 헌법을 수호하고자 하는 탄핵소추절차에는 직접적용할 수 없다고 할 것이고, 그 외 달리 탄핵소추절차와 관련하여 피소추인에게 의견진술의 기회를 부여할 것을 요청하는 명문의 규정도 없으므로, 국회의 탄핵소추절차가 적법절차원칙에 위배되었다는 주장은 이유 없다"고 판시한 바 있다.[90)] 탄핵이 인정되면 공직으로부터 파면되는 효과가 있기

89) 헌재 1990. 11. 19. 90헌가48.
90) 헌재 2004. 5. 14. 2004헌나1.

때문에 대통령의 공무담임권의 행사가 제한된다. 이 점에서 사인으로서의 대통령의 기본권에도 관련되므로 역시 적법절차는 요구되어야 한다고 생각한다.

(6) 적법절차의 침해와 구제

적법절차는 입법·행정·사법 등 모든 국가권력을 구속하므로 국가기관이 적법절차에 위반하여 기본권을 침해할 경우 개인은 구제를 청구할 수 있다.

국회가 적법절차에 반하는 법률을 제정하여 국민의 기본권을 침해한 경우 위헌법률심판(구체적 규범통제)이나 헌법소원심판을 통하여 그 위헌을 주장할 수 있다.

행정기관이 적법절차에 반하는 행정처분을 한 경우에는 법원에 행정소송을 제기하여 그 위헌·위법성을 주장할 수 있으며, 특히 수사기관이 적법절차에 위반하여 체포·구속·압수·수색 등 강제처분을 한 경우에는 개인은 법원에 준항고를 제기하거나 헌법소원을 청구할 수 있다. 그리고 불법수사에 의하여 수집된 증거는 위법수집증거로서 증거능력이 부정된다.

또한 적법절차에 위반한 국가나 지방자치단체의 행위로 손해를 입은 개인은 국가배상을 청구할 수 있으며, 당해 공무원을 직권남용체포·감금(형법 제124조), 가혹행위(형법 제125조) 등으로 고소·고발할 수 있다.

(7) 적법절차 원칙 위반사례

헌법재판소는 '재범의 위험성을 불문한 보안처분 사유',[91] '무죄판결에도 불구한 구속계속 규정',[92] '보석허가결정에 대한 검사의 즉시항고 허용제도',[93] '공소제기된

91) "보안처분의 본질인 재범의 위험성은 보안처분으로 인한 신체의 자유박탈이라는 인권제한과의 비례(균형)원칙상 단순한 재범의 가능성만으로는 부족하고 상당한 개연성을 요구하며, 그 판단은 전과 이외에도 범행의 의의와 행위자의 연령·성격·가족관계 등을 총체적으로 평가하여 인정되어야 하는 것이다. 구 사회보호법 제5조 제1항은 각 호에 정한 요건에 해당되면 재범의 위험성 유무에도 불구하고 보호감호를 선고하도록 하고 있으므로 헌법 제12조 제1항 후문에 정한 적법절차에 위반됨은 물론 헌법 제37조 제2항에 정한 과잉금지원칙에 위반된다고 할 것이며, 나아가 법원의 판단재량의 기능을 형해화(形骸化)시켜 헌법 제27조 제1항에 정한 국민의 법관에 의한 정당한 재판을 받을 권리를 침해하였다"(헌재 1989. 7. 14. 88헌가5 등).

92) "헌법 제12조 제3항에 규정된 영장주의는 구속의 개시시점에 한하지 않고 구속영장의 효력을 계속 유지할 것인지 아니면 취소 또는 실효시킬 것인지의 여부도 사법권독립의 원칙에 의하여 신분이 보장되고 있는 법관의 판단에 의하여 결정되어야 한다는 것을 의미하고, 따라서 형사소송법 제331조 단서가 10년 이상의 징역이나 금고에 해당하는 검사의 의견진술시 구속영장의 효력을 지속하도록 하여 구속영장의 실효 여부를 검사의 의견에 좌우되도록 하는 것은 헌법상의 적법절차의 원칙에 위배된다"(헌재 1992. 12. 24. 92헌가8).

93) "보석허가결정에 대하여 검사의 즉시항고를 허용하여 그 즉시항고에 대한 항고심의 재판이

사립학교교원에 대한 직위해제',[94] '중형사건에 대한 궐석재판 허용제도',[95] '공판기일 전 증인신문절차에의 피고인 참여',[96] '형사재판의 증인으로 채택된 자를 검사가 소환하여 검사실에 유치한 행위'[97] 등을 적법절차 원칙에 위반된다고 판시한 바 있다.

2. 영장주의

(1) 의 의

영장주의란 형사절차상 강제처분을 행하는 경우에는 원칙적으로 중립적 지위에 있는 법관의 영장을 필요로 하는 제도를 말한다. 우리 헌법은 제12조 제3항에서 "체포·구속·압수 또는 수색을 할 때에는 적법한 절차에 따라 검사의 신청에 의하여 법관이 발부한 영장을 제시하여야 한다. …… "고 규정하고 제16조에서 " …… 주거에 대한 압수나 수색을 할 때에는 검사의 신청에 의하여 법관이 발부한 영장을

확정될 때까지 그 집행이 정지되도록 한 형사소송법 제97조 제3항의 규정은 당해 피고인에 대한 보석허가결정이 부당하다는 검사의 불복을 그 피고인에 대한 구속집행을 계속할 필요가 없다는 법원의 판단보다 우선시킨 것이어서 구속의 여부와 구속을 계속시키는 여부에 대한 판단을 사법권의 독립이 보장된 법관의 결정에만 맡기려는 영장주의에 위반되고, 그 내용에 있어 합리성과 정당성이 없으면서 피고인의 신체의 자유를 제한하는 것이므로 적법절차의 원칙에 반하며, 기본권제한입법의 기본원칙인 방법의 적정성, 피해의 최소성, 법익의 균형성을 갖추지 못하여 과잉금지의 원칙에도 위반된다(헌재 1993. 12. 23. 93헌가2).

94) 공소제기된 사립학교교원을 반드시 직위해제 하는 것으로 규정한 사립학교법 제58조의2 제1항 단서는 "징계절차와 같은 청문의 기회가 보장되지 아니하여 당해 교원은 자기에게 유리한 사실을 진술하거나 필요한 증거를 제출할 방법조차 없는 것이니 그러한 의미에서 적법절차가 존중되고 있지 않다고 할 것이다"(헌재 1994. 7. 29. 93헌가3등).

95) "중형에 해당되는 사건에 대하여 피고인에게 출석 기회조차 주지 아니하여 답변과 입증 및 반증 등 공격·방어의 기회를 부여하지 않고, 피고인에게 불출석에 대한 개인적 책임을 전혀 물을 수 없는 경우까지 궐석재판을 행할 수 있게 한 반국가행위자의처벌에관한특별조치법 제7조 제5항은 절차의 내용이 심히 적정하지 못하여 헌법 제12조 제1항 후문의 적법절차의 원칙에 반한다"(헌재 1996. 1. 25. 95헌가5).

96) "피고인 등의 참여권을 판사의 재량사항으로 규정한 공판기일 전 증인신문절차는 피고인들의 공격·방어권을 과다히 제한하는 것으로써 그 자체의 내용이나 대법원의 제한적 해석에 의하더라도 그 입법목적을 달성하기에 필요한 입법수단으로서의 합리성 내지 정당성이 인정될 수는 없다할 것이다. 결국 이 사건 제5항은 형사절차에서 피고인 등에게 당사자로서의 지위를 보장하고 있는 헌법상의 적법절차의 원칙 및 청구인의 공정한 재판을 받을 권리를 침해하고 있다"(헌재 1996. 12. 26. 94헌바1).

97) "형사재판의 증인으로 채택된 자를 검사가 소환하여 검사실에 유치하여, 증인의 증언 전에 일방 당사자만이 증인과의 접촉을 독점하게 되면, 상대방은 증인이 어떠한 내용을 증언할 것인지를 알 수 없어 그에 대한 방어를 준비할 수 없게 되며 상대방이 가하는 예기치 못한 공격에 그대로 노출될 수밖에 없으므로, 헌법이 규정한 '적법절차의 원칙'에 반한다"(헌재 2001. 8. 30. 99헌마496).

제시하여야 한다"고 규정하여 영장주의를 명문화하고 있다. 영장제도는 영미법상에서 발달한 제도로 우리나라에서는 1948년 미군정법령에서 처음으로 도입되었고(제176호), 건국헌법이래 헌법에서 규정하고 있다.

영장주의는 수사기관에 의한 체포·구속 등의 남용을 방지하여 피의자·피고인의 방어권을 제도화했다는 점에서 의의가 크다.

(2) 영장의 법적 성격

영장의 성격에 대해서는 **허가장설**과 **명령장설**이 대립한다. 허가장설은 수사기관에 대해 일정한 강제처분을 할 수 있도록 법관이 허가하는 처분을 말한다는 설이고, 명령장설은 법관이 자신의 권한으로서 하는 강제처분을 수사기관으로 하여금 하도록 명령하는 것이라는 설이다. 수사기관에 의한 남용을 방지하기 위한 사전적 통제가 중요하다는 점에서는 허가장으로 보는 것이 타당하다.98) 그러나 공판단계에서 검사의 신청 없이 법관에 의해 피고인에 대해 직권으로 발부되는 경우(형사소송법 제70조 제1항)에는 명령장으로서의 성격을 가진다고 하겠다.

공소제기 후 공판단계에서 검사신청 없이 법원이 직권으로 영장을 발부할 수 있게 한 형사소송법 제70조 제1항의 위헌 여부

"헌법 제12조 제3항이 영장의 발부에 관하여 '검사의 신청'에 의할 것을 규정한 취지는 모든 영장의 발부에 검사의 신청이 필요하다는 데에 있는 것이 아니라 수사단계에서 영장의 발부를 신청할 수 있는 자를 검사로 한정함으로써 검사 아닌 다른 수사기관의 영장신청에서 오는 인권유린의 폐해를 방지하고자 함에 있으므로, 공판단계에서 법원이 직권에 의하여 구속영장을 발부할 수 있음을 규정한 형사소송법 제70조 제1항 및 제73조 중 '피고인을 …… 구인 또는 구금함에는 구속영장을 발부하여야 한다' 부분은 헌법 제12조 제3항에 위반되지 아니한다."

헌재 1997. 3. 27. 96헌바28

(3) 영장주의의 내용(형사소송법 참조)

① 영장주의의 대상으로서 강제처분

행하려는 처분이 강제성을 띠는 경우에 영장의 발부가 필요하다. 판례는 직접 물리적 강제력을 행사하는 처분이 영장주의의 대상이 된다고 보고 심리적·간접적 강제, 당사자의 협력이 필요한 처분은 영장주의 적용대상으로 보지 않는다.

---

98) 헌재 1997. 3. 27. 96헌바28.

영장주의의 대상

1. 음주측정과 영장주의

"도로교통법 제41조 제2항에 규정된 음주측정은 성질상 강제될 수 있는 것이 아니며 궁극적으로 당사자의 자발적 협조가 필수적인 것이므로 이를 두고 법관의 영장을 필요로 하는 강제처분이라 할 수 없다. 따라서 이 사건 법률조항이 주취운전의 혐의자에게 영장 없는 음주측정에 응할 의무를 지우고 이에 불응한 사람을 처벌한다고 하더라도 헌법 제12조 제3항에 규정된 영장주의에 위배되지 아니한다."

헌재 1997. 3. 27. 96헌가11

2. 지문채취와 영장주의

"이 사건 법률조항(구 경범죄처벌법 제1조 제42호)은 수사기관이 직접 물리적 강제력을 행사하여 피의자에게 강제로 지문을 찍도록 하는 것을 허용하는 규정이 아니며 형벌에 의한 불이익을 부과함으로써 심리적·간접적으로 지문채취를 강요하고 있으므로 피의자가 본인의 판단에 따라 수용 여부를 결정한다는 점에서 궁극적으로 당사자의 자발적 협조가 필수적임을 전제로 하므로 물리력을 동원하여 강제로 이루어지는 경우와는 질적으로 차이가 있다. 따라서 이 사건 법률조항에 의한 지문채취의 강요는 영장주의에 의하여야 할 강제처분이라 할 수 없다. 또한 수사상 필요에 의하여 수사기관이 직접강제에 의하여 지문을 채취하려 하는 경우에는 반드시 법관이 발부한 영장에 의하여야 하므로 영장주의원칙은 여전히 유지되고 있다고 할 수 있다."

헌재 2004. 9. 23. 2002헌가17

3. 특별검사법의 강제동행과 영장주의

가. 5인의 위헌의견

(1) 참고인에 대한 동행명령제도는 참고인의 신체의 자유를 사실상 억압하여 일정 장소로 인치하는 것과 실질적으로 같으므로 헌법 제12조 제3항이 정한 영장주의 원칙이 적용되어야 한다. 그럼에도 불구하고 법관이 아닌 특별검사가 동행명령장을 발부하도록 하고 정당한 사유 없이 이를 거부한 경우 벌금형에 처하도록 함으로써, 실질적으로는 참고인의 신체의 자유를 침해하여 지정된 장소에 인치하는 것과 마찬가지의 결과가 나타나도록 규정한 이 사건 동행명령조항은 영장주의원칙을 규정한 헌법 제12조 제3항에 위반되거나 적어도 위 헌법상 원칙을 잠탈하는 것이다.

(2) 참고인은 수사의 협조자에 불과하므로 원칙적으로 출석의무가 없는 점, 입법론적으로 특별검사가 참고인을 강제로 소환할 절실한 필요가 있는 경우 법관에게 그 소환을 요청하여 법관의 명령으로 참고인을 소환하도록 하더라도 수사의 목적 달성에 큰 지장이 없는 점, 특별검사는 형사소송법상 출석요구에 응하지 않는 참고

인에 대하여 증거보전절차(제184조) 또는 제1회 공판기일 전 증인신문의 청구(제221조의2) 절차에 의하여 '진상을 규명하기 위해 필수불가결한 참고인의 진술을 확보'할 수 있는 점 등에 비추어 보면, 이 사건 동행명령조항에 의한 신체의 자유의 제한이 입법목적 달성을 위한 필요한 최소한에 그쳤다고는 볼 수 없다. 또한 참고인 진술의 수사상 효용가치에 한계가 있기 때문에 이 사건 동행명령조항으로 달성하고자 하는 '진상을 규명하기 위해 필수불가결한 참고인의 진술 확보'라는 공익은 그 실현 여부가 분명하지 않은데 반하여, 위 조항으로 인하여 청구인들이 감수해야 할 신체의 자유에 대한 침해는 지나치게 크다. 결국 이 사건 동행명령조항은 과잉금지원칙에 위배하여 청구인들의 신체의 자유와 평등권을 침해한다.

나. 2인의 위헌의견

(1) 신체의 자유와 관련한 헌법상 영장주의는 '신체에 대해 직접적이고 현실적인 강제력이 행사되는 경우'에 적용되는 것으로 보아야 하는바, 이 사건 동행명령조항은 동행명령을 거부하는 참고인에 대해 직접적이고 현실적인 강제력을 행사할 수 있음을 규정한 것이 아니라 동행명령을 거부할 정당한 사유가 없는 참고인에 대하여 지정된 장소에 출석할 의무를 부과하고 벌금형이라는 제재를 수단으로 하여 그 출석의무의 이행을 심리적·간접적으로 강제하는 것이어서, 영장주의의 적용대상이 될 수 없다. 따라서 이 사건 동행명령조항은 영장주의에 위반된다고 볼 수 없다.

(2) 그러나 이 사건 동행명령조항은 정당한 사유 없이 동행명령을 거부한 자를 형사처벌하도록 규정함으로써 침해의 최소성에 반하여 청구인들의 신체의 자유를 침해하였다. 그 자세한 이유는 재판관 이강국, 재판관 김희옥, 재판관 민형기, 재판관 이동흡, 재판관 목영준의 위헌의견 중 이 사건 동행명령조항에 대한 과잉금지원칙 위반에 대한 판단 부분 및 재판관 조대현의 이 사건 법률 제18조 제2항 부분에 대한 위헌의견을 원용한다.

헌재 2008. 1. 10. 2007헌마1468

* 5인의 위헌의견은 영장주의와 과잉금지원칙에 위반된다는 의견이고, 2인의 위헌의견은 영장주의에는 위배되지 않지만 과잉금지원칙에 위배되어 위헌이라는 의견이다. 결국 위헌으로 결정되었다.

② 사전영장주의

영장주의는 신체의 자유를 제한하는 수사과정에서부터, 신청자를 검사에 한정하고 발부 여부를 법관의 권한으로 하고 있으며, 특히 체포·구속·압수·수색을 하기 이전에 영장을 발부받도록 함으로써 부당한 인권침해를 방지하여 인신보호에 만전을 기하기 위한 제도이다.

③ 일반영장의 금지

영장에는 체포 · 구속의 대상, 압수의 목적물 또는 수색의 장소 등이 구체적으로 명시되어야 하며, 이러한 대상이 한정되지 아니한 일반영장은 금지된다.

④ 영장실질심사제(구속전 피의자심문제도)

영장실질심사제도란 형사소송법상 제도로 판사가 구속영장을 발부하기 앞서 구속사유 유무를 판단하기 위해 피의자를 면전에서 심문하는 제도를 말한다. 영장실질심사제도는 종래 형식적 서류심사만으로 구속영장을 발부함으로써 구속이 남발되었던 것을 막으려는 취지에서 1995년 제8차 '형사소송법' 개정을 통해 우리나라에도 도입되었다. 그동안 몇 차례 개정절차를 거치면서 현재에는 피의자의 법관대면권 보장이라는 국제인권규약을 실천하기 위하여 피의자의 의사 또는 법원의 재량과 무관하게 필요적으로 구속전 피의자심문을 실시하도록 하는 제도로서 정착되었다.

체포나 긴급체포 또는 현행범인임을 이유로 체포된 피의자에 대하여 구속영장을 청구 받은 판사는 지체 없이 피의자를 심문하여야 한다. 이 경우 특별한 사정이 없는 한 구속영장이 청구된 날의 다음날까지 심문하여야 한다(형사소송법 제201조의2 제1항). 체포절차를 거치지 않은 피의자에 대하여 구속영장을 청구 받은 판사는 피의자가 죄를 범하였다고 의심할 만한 이유가 있는 경우에 구인을 위한 구속영장을 발부하여 피의자를 구인한 후 심문하여야 한다. 다만 피의자가 도망하는 등의 사유로 심문할 수 없는 경우에는 그러하지 아니하다(동법 제201조의2 제2항). 심문할 피의자에게 변호인이 없는 때에는 지방법원판사는 직권으로 변호인을 신청하여야 한다(동법 제201조의2 제8항).

⑤ 영장의 종류(체포영장, 구속영장, 압수 · 수색영장)

체포영장은 피의자가 죄를 범하였다고 의심할 만한 상당한 이유가 있고, 정당한 이유없이 수사기관의 출석요구에 불응하거나 불응할 우려가 있을 때 원칙적으로 판사가 발부하는 영장을 말한다. 사법경찰관이 피의자를 체포하기 위해서는 먼저 검사에게 체포영장을 신청해야 한다. 검사는 판사에게 청구하여 체포영장을 발부받게 되는데, 명백히 체포의 필요가 인정되지 아니하는 경우에는 검사나 판사는 체포영장을 기각할 수 있다. 한편 체포한 피의자를 구속하고자 할 때에는 체포한 때부터 48시간 이내에 판사에게 구속영장을 청구하여야 한다.

구속영장은 피의자가 죄를 범하였다고 의심할 만한 상당한 이유가 있고, 일정한 주거가 없거나 증거를 인멸할 우려가 있는 때, 도망하거나 도망할 염려가 있는 때 피의자를 구속하기 위한 영장이다. 구속영장은 사법경찰관 또는 검사의 청구에 의하여 관할 지방법원의 판사가 발부한다. 이때 신병이 확보된 피의자는 통상 사후 구속영장으로, 확보되지 않은 피의자는 사전 구속영장으로 나누어 부른다.[99]

'압수'란 법원 또는 수사기관이 증거물 또는 몰수해야 할 것으로 생각되는 물건을 수집하고 확보하기 위한 강제처분을 말하며, '수색'이란 압수할 물건 또는 체포·구금·구인할 사람을 발견하기 위하여 사람의 신체·물건 또는 주거 그 밖의 장소에 대하여 행하는 강제처분을 말한다. 압수·수색은 원칙적으로 영장(압수·수색영장)을 필요로 한다.

⑥ 행정상 즉시강제의 경우에도 영장주의가 적용될 것인가?

이와 관련하여는 영장필요설, 영장불요설, 절충설이 대립하고 있다. 헌법재판소는 "영장주의가 행정상 즉시강제에도 적용되는지에 관하여는 논란이 있으나, 행정상 즉시강제는 상대방의 임의이행을 기다릴 시간적 여유가 없을 때 하명 없이 바로 실력을 행사하는 것으로서, 그 본질상 급박성을 요건으로 하고 있어 법관의 영장을 기다려서는 그 목적을 달성할 수 없다고 할 것이므로, 원칙적으로 영장주의가 적용되지 않는다고 보아야 할 것이다"고 판시하여 영장불요설의 입장을 취하고 있다.[100] 그러나 행정상 즉시강제가 행정목적을 달성하기 위하여 불가피한 경우에는 영장이 불필요하나, 형사사법의 목적과 경합할 때에는 영장주의가 적용되어야 한다(절충설).

(4) 사전영장주의의 예외

① 긴급체포

검사 또는 사법경찰관은 피의자가 사형·무기 또는 장기 3년 이상의 징역이나 금고에 해당하는 죄를 범하였다고 의심할 만한 상당한 이유가 있고, ⅰ) 피의자가 증거를 인멸할 염려가 있는 때, ⅱ) 피의자가 도망하거나 도망할 우려가 있는 때의 어느 하나에 해당하는 사유가 있는 경우에 긴급을 요하여 지방법원판사의 체포

99) 구인장은 재판과정 또는 수사과정에서 피고인 또는 증인을 강제로 소환하기 위해 발부되는 영장이다. 피고인에 대한 구인장은 통상 구속영장 개념에 포함되는데 구속 개념은 구금과 구인으로 나눠진다. 구금은 구치소 등에 인치(引致)시켜 수사하는 것이고, 구인은 구치소가 아닌 지정된 장소에서만 수사하게 되어 있다. 증인이 정당한 이유 없이 출석하지 아니한 경우에는 법원은 구인장을 발부하여 법정 또는 그 밖의 신문장소로 구인할 것을 명할 수 있다.

100) 헌재 2002. 10. 31. 2000헌가12.

영장을 받을 수 없는 때에는 그 사유를 알리고 영장 없이 피의자를 체포할 수 있다(형사소송법 제200조의3 제1항). 이 경우 긴급을 요한다 함은 피의자를 우연히 발견한 경우 등과 같이 체포영장을 받을 시간적 여유가 없는 때를 말한다(동법 제200조의3 제2항).[101] 긴급체포한 경우 검사는 긴급체포서를 작성하고, 구속영장을 청구할 때 긴급체포서를 첨부하여야 한다(동법 제200조의3 제3항). 검사는 체포한 때로부터 늦어도 48시간 이내에 구속영장을 청구하여야 한다(동법 제200조의4 제1항).

② 현행범인

현행범인이란 범죄를 실행하고 있거나 실행하고 난 직후의 사람을 말한다(형사소송법 제211조 제1항). 그리고 현행범인으로 간주되는 준현행범인은 i) 범인으로 불리며 추적되고 있을 때, ii) 장물이나 범죄에 사용되었다고 인정하기에 충분한 흉기나 그 밖의 물건을 소지하고 있을 때, iii) 신체나 의복류에 증거가 될 만한 뚜렷한 흔적이 있을 때, iv) 누구냐고 묻자 도망하려고 할 때의 하나에 해당하는 자를 말한다(동법 제211조 제2항).

현행범의 체포는 긴급성이 인정되기 때문에, 헌법은 체포・압수・수색・구속시에는 법관이 발부한 영장을 제시해야 하지만 현행범인 경우에는 사후에 영장을 청구할 수 있다고 규정하고 있다(제12조 제3항 단서). 이에 따라서 형사소송법은 "현행범인은 누구든지 영장 없이 체포할 수 있다"(동법 제212조)라고 명시하고 있다.

현행범인이라도 경미사건(다액 50만원 이하의 벌금, 구류 또는 과료에 해당하는 죄)의 경우에는 범인의 주거가 분명하지 아니한 때에 한하여 영장없이 체포가 가능하다(동법 제214조). 현행범으로 체포할 수 있는 요건으로서는 체포당시에 특정한 범죄의 범인임이 명백해야 하고, 영장주의의 예외로 인해 침해되는 법익과 체포의 필요성 사이에 비례성이 존재해야 한다.

검사 또는 사법경찰관이 아닌 자가 현행범을 체포한 때에는 즉시 검사 또는 사법경찰관에게 인도해야 하며(동법 제213조 제1항), 사법경찰관이 현행범의 인도를 받은 때에는 체포자의 성명, 주거, 체포의 사유를 물어야 하고 필요한 때에는 체포자에 대하여 경찰관서에 동행할 것을 요구할 수 있다(동법 제213조 제2항).

현행범인을 체포한 때 구속할 필요성이 인정되면 48시간 이내에 구속영장을 청구하여야 하고 그 기간 내에 구속영장을 청구하지 아니한 때에는 피의자를 즉시 석방하여야 한다(동법 제200조의2 제5항, 제213조의2).

---

101) 2007. 6. 1. 개정된 형사소송법은 '일정한 주거가 없는 때'를 삭제하였다.

③ 비상계엄하의 영장주의 제한

헌법은 비상계엄이 선포된 때에는 법률이 정하는 바에 의하여 영장제도, 언론·출판·집회·결사의 자유, 정부나 법원의 권한에 관하여 특별한 조치를 할 수 있도록 하여(제77조 제3항) 영장주의의 예외를 인정하고 있다. 다만 비상계엄 하에서 영장제도를 제한하는 경우에도 영장주의 자체를 전면적으로 배제할 수는 없다.[102)]

(5) 별건체포·구속과 영장주의

① 별건체포·구속의 개념

중대한 사건(**본건**)에 관하여 체포 또는 구속영장을 청구할 정도의 증거를 수집할 수 없거나 법정기간 내에 증거를 완비할 수 없는 경우, 이미 증거가 수집된 별도의 경미한 사건(**별건**)으로 체포 또는 구속영장을 발부받아 체포나 구속을 하는 수사방법이다.

② 별건체포·구속의 문제점

증거확보가 곤란한 범죄사건 수사에서 흔히 이용되는 수단이지만, 헌법이 보장하는 피의자의 신체의 자유를 침해할 우려가 클 뿐만 아니라, 이후의 형사재판절차에서도 공정한 재판의 진행을 곤란하게 만들 소지가 있으므로, 그 합헌성 여부가 논란이 되고 있다.

③ 별건체포·구속의 합헌성판단기준

신체의 자유와 관련한 제반 헌법원칙들의 준수 여부를 별건을 기준으로 판단할 것인가 본건을 기준으로 판단할 것인가의 문제와 체포·구속된 자에 대한 수사의 합헌적 범위를 범죄사건을 기준으로 할 것인가, 피의자·피고인을 기준으로 할 것인가가 문제된다.

i) 별건기준설·인단위설

헌법이나 형사소송법상의 제 원칙들을 별건에 관하여 형식적으로 만족시키고 있으면 위헌·위법은 아니며, 체포·구속 시에 인정되는 조사·심문의 범위는 동일 피의자인 이상 구속영장에 기재된 사건에 한정되지 아니한다고 한다. 또한 수사의 반복을 회피함으로써 소송경제를 꾀할 수 있으며 또 이로써 오히려 구속기간

102) 1953. 10. 8. 헌법위원회 결정(4286헌위2).

의 장기화를 방지할 수 있다고 한다.

ii) 본건기준설 · 사건단위설

별건에 관하여 제 원칙을 구비하였다 하더라도 본건에 관하여 이를 위반하였다면 위헌 · 위법이라 보며, 동일피의자라 하더라도 구속영장에 기재된 범죄사건에 관해서만 조사 · 심문 등 수사가 허용된다고 한다. 이 견해는 형사절차에서 준수되어야 할 헌법원칙 내지 피의자 · 피고인의 기본권들을 중시하는 입장이다. 헌법적 관점에서는 본건을 기준으로 하고 구속영장에 기재된 사건을 기준으로 하는 것이 타당하다고 생각한다.

④ 별건체포 · 구속의 위헌성

i) 적법절차 원칙의 위반

적법절차는 형사소송절차의 전반을 규율하는 기본원리일 뿐만 아니라, 나아가 입법 · 행정 기타 국가의 모든 공권력작용에 광범하게 적용된다(통설 · 판례). 경미한 별건에 대하여 발부된 영장으로 체포 · 구속된 것이므로 중대한 본건에 대해서는 사전에 전혀 고지받지 못하였으므로, 본건수사에 대비하여 유리한 진술이나 증거를 준비할 수 있는 기회를 사실상 박탈당한 결과가 되어 위헌이라고 본다.

ii) 영장주의 원칙의 위반

우리 형사소송법은 일정한 사항을 영장에 기재하도록 되어 있는데(형사소송법 제75조 제1항), 본건에 대해서는 법관의 판단이 완전히 배제된 경우이어서 위헌이라고 본다.

iii) 구속과 구속이유 등 고지제도의 위반

별건체포 · 구속의 경우는 구속당사자는 물론 그 가족 등에게도 전혀 고지 · 통지되지 않고 있으므로, 제12조 제5항 및 형사소송법의 관련 규정을 위반한 것으로 본다.

iv) 재판을 받을 권리의 침해

별건체포 · 구속은 피의자 · 피고인이 본건에 관한 진술이나 증거를 준비할 기회를 사실상 박탈하는 것이며, 따라서 피의자 · 피고인은 이후의 공판절차에서 정당한 자기주장이나 방어의 기회를 제한당할 수밖에 없다.

⑤ 별건체포 · 구속에 대한 구제수단

i) 형사책임

별건체포 · 구속에 관련된 자들에게 직권남용에 의한 불법체포 · 감금죄(형법 제124조)의 형사책임을 추궁할 수 있다.

ii) 국가배상책임

공무원의 직무상 불법행위로 피해를 본 경우에 해당하면 국가배상을 청구할 수 있다. 그러나 수사기관의 판단이 합리성을 결여하였다는 등의 귀책사유가 없는 한 직무상의 불법행위로 국가배상을 청구할 수는 없다는 것이 대법원 판례의 입장이다.[103)]

iii) 구금처분의 취소 · 변경

우리 형사소송법은 "검사 또는 사법경찰관의 구금, 압수 또는 압수물의 환부에 관한 처분과 제243조의2에 따른 변호인의 참여 등에 관한 처분에 대하여 불복이 있으면 그 직무집행지의 관할법원 또는 검사의 소속검찰청에 대응한 법원에 그 처분의 취소 또는 변경을 청구할 수 있다"고 규정하여 준항고를 인정하고 있다(형사소송법 제417조). 다만 법원에 의한 취소 · 변경절차(준항고절차)를 거치지 않는 한 구속영장의 효력이 당연히 실효되는 것은 아니며, 원심판결에 영향을 미친 사정이 없는 한 그것이 독립하여 상고이유가 될 수는 없다.[104)]

iv) 위법수집증거의 배제법칙

별건체포 · 구속으로 인하여 얻은 본건에 대한 증거는 위법수집증거의 증거능력 배제의 문제가 제기된다.

v) 헌법소원심판청구

수사기관의 수사활동, 특히 구속 등 강제처분이 헌법재판소법 제68조 제1항 소정의 '공권력'의 행사에 해당함은 의문이 없지만, 헌법소원의 경우 보충성의 원칙이 요구되므로 i) 법원에 대하여 당해 구금처분의 취소 · 변경을 청구하는 준항고절차(형사소송법 제417조)를 거치고, ii) 문제의 수사기관을 직권남용에 의한 불법체포 · 감금죄

103) 대판 1993. 8. 13. 93다20924. 대법원은 " …… 객관적으로 보아 사법경찰관이나 검사가 당해 피의자에 대하여 유죄의 판결을 받을 가능성이 있다는 혐의를 가지게 된 데에 상당한 이유가 있는 때에는 후일 재판과정을 통하여 그 범죄사실의 존재를 증명함에 족한 증거가 없다는 이유로 그에 관하여 무죄의 판결이 확정되더라도"라고 판시하고 있다.

104) 대판 1996. 5. 14. 96도561.

로 고소한 후(형법 제124조), iii) 그 고소사건의 처리결과에 따라 검찰청법에 정한 항고·재항고절차(검찰청법 제10조)를 거친 후에야 청구가 가능하다.

별건체포·구속에 기하여 공소제기가 이루어지고 이에 따라 유죄판결이 확정된 경우에는 헌법소원의 제기가 가능한가에 대해서는 검사의 기소처분이 당해 형사재판절차에서 종국적인 효력을 지니는 것은 아니며, 종국적 효력을 가지는 법원의 재판에 대해서는 헌법소원심판의 제기가 금지되어 있으므로(헌법재판소법 제68조 제1항), 공소제기나 유죄판결을 대상으로 한 헌법소원심판의 제기는 불가능하다.[105]

3. 체포·구속적부심사제도

(1) 체포·구속적부심사제도의 의의와 연혁

우리 헌법은 "누구든지 체포 또는 구속을 당한 때에는 적부의 심사를 법원에 청구할 권리를 가진다"고 규정하여(제12조 제6항), 체포·구속적부심사제도를 도입하고 있다. 체포·구속영장제도가 불법체포·구속을 방지하기 위한 사전예방책이라면 체포·구속적부심사제는 **사후구제책**으로 중요한 의미를 가진다.

체포·구속적부심사제도는 영국의 '인신보호영장제'에서 출발한 것으로 그 기원은 1679년의 영국의 인신보호법(Habeas Corpus Act)에서 찾을 수 있다. 우리나라에서는 1948년 미 군정법령 제176호(특별형사소송법)로 처음 도입하였다. 1948년 건국헌법에서 채택된 이래 1972년 유신헌법에서 폐지되었다가 1980년 헌법에서 부활하였고 현행헌법은 법률유보마저 삭제하여 모든 범죄에 대하여 체포·구속적부심사청구가 가능하다. 2007년 인신보호법 제정으로 형사절차에 의한 체포·구속뿐만 아니라, 모든 형태의 인신의 자유를 구금하는 사안(예: 부랑인 보호, 정신의료기관에의 수용, 가정폭력피해자의 보호 등)에도 적용된다.

(2) 체포·구속적부심사제도의 내용

① 청구권자와 청구대상

체포·구속적부심사청구권자는 체포되거나 구속된 피의자 또는 그 변호인, 법정대리인, 배우자, 직계친족, 형제자매나 가족, 동거인 또는 고용주 등이다(형사소송법 제214조의2 제1항).[106] 모든 범죄에 대해서 체포·구속적부심사청구가 가능하다.

105) 권영성, 신고 헌법학사례연습, 법문사, 1998, 159면.

106) 피의자를 체포하거나 구속한 검사 또는 사법경찰관은 체포되거나 구속된 피의자와 제1항에 규정된 사람 중에서 피의자가 지정하는 사람에게 제1항에 따른 적부심사를 청구할 수 있음

② 심사기관과 심사절차

i) 체포영장 또는 구속영장을 발부한 법관은 심문・조사・결정에 관여하지 못한다. 다만 체포영장 또는 구속영장을 발부한 법관 외에는 심문・조사・결정을 할 판사가 없는 경우에는 그러하지 아니하다(형사소송법 제214조의2 제12항).

ii) 체포・구속적부심사 청구를 받은 법원은 청구서가 접수된 때부터 48시간 이내에 체포 또는 구속된 피의자를 심문하고 수사관계서류와 증거물을 조사하여 그 청구가 이유 없다고 인정한 때에는 결정으로 이를 기각하고, 이유 있다고 인정한 때에는 결정으로 체포 또는 구속된 피의자의 석방을 명하여야 한다. 심사청구 후 피의자에 대하여 공소제기가 있는 경우에도 또한 같다(동법 제214조의2 제4항).

iii) 법원은 구속된 피의자(심사청구 후 공소제기된 자를 포함)에 대하여 피의자의 출석을 보증할 만한 보증금의 납입을 조건으로 하여 결정으로 석방을 명할 수 있다(동법 제214조의2 제5항).

iv) 법원이 석방결정을 하는 경우에 주거의 제한, 법원 또는 검사가 지정하는 일시・장소에 출석할 의무 기타 적당한 조건을 부가할 수 있다(형사소송법 제214조의2 제6항).

③ 심사내용

체포・구속적부심사는 영장발부의 요식과 절차에 관한 형식적 사항뿐만 아니라 체포・구속사유의 타당성과 적법성에 관한 실질적 사항까지도 심사대상으로 한다.

④ 구속적부 여부의 판단시기

체포・구속적부 여부의 판단시기는 적부심사시설과 영장발부시설이 있으나, 구속 후의 사정변경을 고려할 수 있다는 점에서 **적부심사시설**이 타당하다.[107]

⑤ 불 복

법원의 체포・구속적부심사결정에 대해서는 검사도 피의자도 항고할 수 없다(동법 제214조의2 제8항). 이는 구속적부심사심사 자체가 법관의 영장발부에 대한 항고적 성격을 갖고 있기 때문이라고 볼 수 있다.

을 알려야 한다(형사소송법 제214조의2 제2항).

107) 계희열, 앞의 책(중), 312면.

체포 · 구속적부심사청구권의 절차적 기본권성

헌법재판소는 "헌법 제12조 제6항의 규정은 위와 같이 '누구든지…권리를 가진다'라는 형식을 취하고 있는데, 이는 우리 헌법이 헌법적 차원에서 일정한 권리를 인정하는 것으로서 입법자가 법률로써 이러한 권리행사의 주체를 임의로 제한할 수는 없을 것이다. 한편, 헌법 제12조 소정의 '신체의 자유'는 대표적인 자유권적 기본권이지만, 위와 같은 신체의 자유를 보장하기 위한 방법의 하나로 같은 조 제6항에 규정된 '체포 · 구속적부심사청구권'의 경우 원칙적으로 국가기관 등에 대하여 특정한 행위를 요구하거나 국가의 보호를 요구하는 절차적 기본권(청구권적 기본권)이기 때문에, 본질적으로 제도적 보장의 성격을 강하게 띠고 있다"고 판시하면서, 구체적인 절차적 기본권에 관한 헌법적 보장과 이에 관한 위헌성 심사기준도 제시하고 있다. 즉, "한편, 헌법 제12조 제6항은 '체포 · 구속을 당한 때'라고 하는 매우 구체적인 상황에 관련하여 헌법적 차원에서 '적부의 심사를 법원에 청구할 권리'라는 절차적 권리를 보장하고 있기 때문에, 위와 같이 구체적 적용영역에 대한 입법권의 행사는 직접적으로 헌법적 제약을 받게 된다고 봄이 상당하다.

그런데 헌법 제12조 제6항의 경우 비록 구체적 영역에 한정적으로 적용되는 것이기는 하지만, 입법자의 형성적 법률이 존재하지 아니하는 경우 현실적으로 법원에서 당사자의 '체포 · 구속적부심사청구권'에 대하여 심리할 방법이 없기 때문에, 입법자가 법률로써 구체적인 내용을 형성하여야만 권리주체가 실질적으로 이를 행사할 수 있는 경우에 해당하는 것으로서, 이른바 헌법의 개별규정에 의한 헌법위임(Verfassungsauftrag)이 존재한다고 볼 수 있다. 나아가 이러한 체포 · 구속적부심사청구권의 경우 헌법적 차원에서 독자적인 지위를 가지고 있기 때문에 입법자가 전반적인 법체계를 통하여 관련자에게 그 구체적인 절차적 권리를 제대로 행사할 수 있는 기회를 최소한 1회 이상 제공하여야 할 의무가 있다고 보아야 한다. 다만, 본질적으로 제도적 보장의 성격이 강한 절차적 기본권에 관하여는 상대적으로 광범위한 입법형성권이 인정되기 때문에, 관련 법률에 대한 위헌성심사를 함에 있어서는 자의금지원칙(恣意禁止原則)이 적용되고, 따라서 현저하게 불합리한 절차법규정이 아닌 이상 이를 헌법에 위반된다고 할 수 없다. 아울러 입법자는 그 입법과정에서 법률의 구체적 내용, 명칭 등에 관련하여 다양한 선택을 할 수 있고, 나아가 헌법규정의 적용영역에 관련하여 헌법적 요구사항을 상회하는 법률을 제정할 수도 있는 것이다"라고 판시하고 있다.

헌재 2004. 3. 25. 2002헌바104

4. 체포 · 구속이유 등 고지제도

(1) 의의와 연혁

헌법은 "누구든지 체포 또는 구속의 이유와 변호인의 조력을 받을 권리가 있음을 고지 받지 아니하고는 체포 또는 구속을 당하지 아니한다. 체포 또는 구속을 당한 자의 가족 등 법률이 정하는 자에게는 그 이유와 일시 · 장소가 지체 없이 통지되어야 한다"고 하여(제12조 제5항), 구속이유 등 고지제도를 규정하고 있다. 이는 **미란다**(Miranda) **원칙**[108]이라는 이름으로 선진국에서는 당연한 국민의 권리로 관행화된 것이지만, 우리 헌법은 제9차 개헌(현행헌법)에서 이를 명문화하였다.

일종의 형사사법적 제도라는 객관적 제도로서의 성격과 피의자와 가족 등이 수사기관으로부터 체포 · 구속의 이유 등에 관하여 통지받을 권리(알 권리)의 주관적 공권의 성격을 아울러 가진다.

(2) 구체적 내용

① 고지 및 통지의 대상자

체포 · 구속의 이유 등을 '고지 받을 자'는 체포 · 구속을 당하는 형사피의자이고, '통지받을 자'는 가족 등 법률이 정하는 자이다. 형사소송법은 구속의 통지와 관련하여 피고인을 구속한 때에는 변호인이 있는 경우에는 변호인에게, 변호인이 없는 경우에는 제30조 제2항에 규정한 자(피의자의 법정대리인, 배우자, 직계친족과 형제자매) 중 피고인이 지정한 자에게 통지하도록 구체화하고 있다(형사소송법 제87조 제1항).

② 고지 및 통지의 시기

고지시기는 명문의 규정이 없으나 체포 또는 구속 당시로 보아야 하며, 통지할 시기에 대해서는 '지체 없이' '서면의 형식'으로 하도록 규정되어 있다(동법 제87조 제2항).

③ 고지 또는 통지받을 사항

형사피의자는 체포 · 구속시에 ⅰ) 체포 또는 구속의 이유, ⅱ) 변호인의 조력

108) 미란다(Miranda)원칙이란 미국 연방대법원의 판결로 확립된 원칙으로서, 피의자를 신문하기 전에 피의자가 진술거부권을 가지고 있다는 사실, 피의자의 진술이 그에게 불리한 증거로 사용될 수 있다는 사실, 피의자가 변호인의 조력을 받을 수 있다는 사실 등을 고지하여야 한다는 것이며, 이를 고지하지 않은 채 피의자를 구금한 상태에서 얻은 피의자의 진술은 증거로 채택될 수 없다는 원칙이다(Miranda v. Arizona, 384 U.S. 436(1966).

을 받을 권리가 있다는 사실을 고지 받을 권리가 있다(제12조 제5항). 한편 형사피의자의 가족 등은 피고사건명, 구속일시 · 장소, 범죄사실의 요지, 구속의 이유와 변호인을 선임할 수 있는 취지를 통지 받을 권리가 있다(형사소송법 제87조).

④ 불고지의 효과

i) 수사기관이 고지 또는 통지의무를 이행하지 아니할 경우에는 직권남용에 의한 불법행위로 간주되어 형사처벌을 면하지 못한다.

ii) 사전에 고지하여야 하고 고지하지 않고 체포, 구속한 경우에는 위법한 행위가 되고 불고지한 채 수집된 증거는 증거능력을 가지지 못한다.

iii) 고지를 하지 않은 불법적 체포에 대하여 거부하더라도 정당방위로서 공무집행방해죄가 성립되지 않는다.[109]

V. 형사피의자 · 피고인을 위한 형사절차상 법원칙과 권리

1. 무죄추정원칙

(1) 무죄추정의 원칙의 의의

제27조 제4항은 "형사피고인은 유죄의 판결이 확정될 때까지는 무죄로 추정된다"고 하여 무죄추정의 원칙을 천명하고 있다. 무죄추정의 원칙이라 함은, 아직 공소제기가 없는 피의자는 물론 공소가 제기된 피고인이라도 유죄의 확정판결이 있기까지는 원칙적으로 죄가 없는 자에 준하여 취급하여야 하고 불이익을 입혀서는 안 되며 가사 그 불이익을 입힌다 하여도 필요한 최소한도에 그쳐야 한다는 원칙을 말한다.[110] 여기서 무죄추정의 원칙상 금지되는 '불이익'이란 '범죄사실의 인정 또는 유죄를 전제로 그에 대하여 법률적 · 사실적 측면에서 유형 · 무형의 차별취급을 가하는 유죄인정의 효과로서의 불이익'을 뜻하고, 이는 비단 형사절차 내에서의 불이익뿐만 아니라 기타 일반 법생활 영역에서의 기본권 제한과 같은 경우에도 적용된다.[111]

이 원칙은 언제나 불리한 처지에 놓여 인권이 유린되기 쉬운 피의자나 피고인의 지위를 옹호하여 형사절차에서 그들의 불이익을 필요한 최소한에 그치게 하자

109) 대판 2000. 7. 4. 99도4341; 대판 2006. 11. 23. 2006도273.
110) 헌재 1990. 11. 19. 90헌가48; 헌재 1997. 5. 29. 96헌가17; 헌재 2009. 6. 25. 2007헌바25.
111) 헌재 2005. 5. 26. 2002헌마699 등; 헌재 2006. 5. 25. 2004헌바12 등 참조.

는 것으로서 인간의 존엄성 존중을 궁극의 목표로 하고 있는 헌법이념에서 나온 것이다.[112)]

(2) 무죄추정의 원칙의 적용범위

무죄추정의 원칙은 판결이전의 수사단계는 물론이고 판결절차, 즉 판결자체와 판결형성의 과정에서도 준수되어야 할 원칙이다. 무죄추정의 원칙은 증거법에 국한된 원칙이 아니라 수사절차에서 공판절차에 이르기까지 **형사절차의 전 과정을 지배하는 지도원리**로서 인신의 구속 자체를 제한하는 원리로 작용한다. 신체의 자유를 최대한으로 보장하려는 헌법정신 특히 무죄추정의 원칙으로 인하여 수사와 재판은 불구속을 원칙으로 한다.[113)]

(3) 무죄추정의 원칙의 내용

i) 형사피고인에게 인정되는 것으로 규정되어 있으나, 피의자에게는 더욱 더 무죄추정의 원칙이 적용되어야 한다. 무죄추정으로 불구속수사·불구속재판을 원칙으로 하게 된다.

ii) 범죄사실의 입증책임은 기소자 측(검사)에 있고 피고인 자신이 무죄임을 적극적으로 증명할 필요는 없다.

iii) 범죄혐의에 관하여 입증이 없으면, '**의심스러울 때에는 피고인의 이익으로**'라는 원칙에 따라 무죄를 선고해야 한다.

iv) 유죄판결은 실형을 선고하는 형 선고의 판결 이외에 형의 면제, 집행유예, 선고유예의 판결도 포함된다. 그러나 면소판결, 공소기각, 관할위반판결은 실체적 재판이 아니고 형식적 재판이므로 무죄추정은 그대로 유지된다. 다만 재심청구는 유죄판결이 확정된 이후에 제기하는 절차이므로 재심청구절차에서는 무죄추정 원칙이 적용되지 않는다.

v) 형법 제126조는 피의사실공표죄를 두어 무죄추정원칙을 위반하는 것을 규

---

112) 헌재 1997. 5. 29. 96헌가17. 헌법재판소는 구 관세법 제215조 중 제181조 부분의 위헌 여부가 다투어진 사건에서 위와 같이 무죄추정의 원칙의 의의를 밝히면서 "관세법상 몰수할 것으로 인정되는 물품을 압수한 경우에 있어서 범인이 당해관서에 출두하지 아니하거나 또는 범인이 도주하여 그 물품을 압수한 날로부터 4월을 경과한 때에는 당해 물품은 별도의 재판이나 처분 없이 국고에 귀속한다고 규정하고 있는 이 사건 법률조항은 재판이나 청문의 절차도 밟지 아니하고 압수한 물건에 대한 피의자의 재산권을 박탈하여 국고귀속시킴으로써 그 실질은 몰수형을 집행한 것과 같은 효과를 발생하게 하는 것이므로 헌법상의 적법절차의 원칙과 무죄추정의 원칙에 위배된다"고 판시하고 있다.

113) 헌재 2003. 11. 27. 2002헌마193.

제하고 있다.

(4) 헌법재판소 판례

① 무죄추정원칙에 위배된다고 본 판례

i) 형사사건으로 공소제기된 변호사에 대하여 업무정지를 명할 수 있도록 하는 것

> " …… 변호사법 제15조에서 변호사에 대해 형사사건으로 공소가 제기되었다는 사실만으로 업무정지명령을 발하게 한 것은 아직 유무죄가 가려지지 아니한 범죄의 혐의사실뿐 확증 없는 상태에서 유죄로 추정하는 것이 되며 이를 전제로 한 불이익한 처분이라 할 것이다. 공소의 제기가 있는 피고인이라도 유죄의 확정판결이 있기까지는 원칙적으로 죄가 없는 자에 준하여 취급하여야 하고, 불이익을 입혀서는 안된다고 할 것으로 가사 그 불이익을 입힌다 하여도 필요한 최소한도에 그치도록 비례의 원칙이 존중되어야 하는 것이 헌법 제27조 제4항의 무죄추정의 원칙이며, 여기의 불이익에는 형사절차상의 처분뿐만 아니라 그 밖의 기본권제한과 같은 처분도 포함된다고 할 것이다. 변호사법 제15조의 규정에 의하여 입는 불이익은 죄가 없는 자에 준하는 취급이 아님은 말할 것도 없고, 불이익을 입히는데 …… 필요한 요건, 불이익처분의 기관구성, 절차 및 불이익의 정도 등에 있어서 비례의 원칙이 준수되었다고 보기 어려울 것으로 헌법의 위 규정을 어긴 것이라 할 것이다. 의사, 약사, 변리사, 공인회계사 등의 자격정지를 시킬 때는 변호사법 제15조와 같은 규정은 없다. 그렇다고 변호사에 대하여 공소제기를 할 경우에 통상인과 달리 공소제기의 요건을 법률상 특별하게 엄격히 하고 있는 것도 아니라면 이들과 다른 법적 처우를 하여야 할 합리적 근거를 쉽사리 찾기 어렵다."
>
> 헌재 1990. 11. 19. 90헌가48

ii) 미결수용자에게 수사 또는 재판을 받을 때에도 재소자용 의류를 착용하게 하는 것[114)]

> "미결수용자가 일반인과 같은 사복을 입고 시설 밖으로 나오게 되면 중형에 해당

---

114) 이 사건에서는 수사 또는 재판을 받을 때에도 재소자용 의류를 착용하게 하는 것은 위헌으로 보면서도, "구치소 등 수용시설 안에서는 재소자용 의류를 입더라도 일반인의 눈에 띄지 않고, 수사 또는 재판에서 변해(辯解)·방어권을 행사하는 데 지장을 주는 것도 아닌 반면에, 미결수용자에게 사복을 입도록 하면 의복의 수선이나 세탁 및 계절에 따라 의복을 바꾸는 과정에서 증거인멸 또는 도주를 기도하거나 흉기, 담배, 약품 등 소지금지품이 반입될 염려 등이 있으므로 미결수용자에게 시설 안에서 재소자용 의류를 입게 하는 것은 구금 목적의 달성, 시설의 규율과 안전유지를 위한 필요최소한의 제한으로서 정당성·합리성을 갖춘 재량의 범위 내의 조치이다"고 하여 합헌결정을 내리고 있다(헌재 1999. 5. 27. 97헌마137, 98헌마5(병합)).

하는 죄의 수사 또는 재판을 받는 자는 도주할 생각을 갖는 경우가 있고, 또 도주를 하면 일반인과 구별이 어려워 이를 제지하거나 체포하는 데도 어려움이 있다. 수사 또는 재판을 받을 때에 재소자용 의류를 입게 하는 것은 이와 같은 사고 방지에 필요하고도 유용한 수단이다. 그러나 미결수용자가 수사 또는 재판을 받기 위하여 시설 밖으로 나오면 일반인의 눈에 띄게 되어 재소자용 의류 때문에 모욕감이나 수치심을 느끼게 된다. 미결수용자는 수사단계부터 고지·변해·방어의 권리가 보장되어야 하고 재판단계에서는 당사자로서의 지위를 가지므로, 유죄가 확정되지 아니한 미결수용자에게 재소자용 의류를 입게 하는 것은 심리적인 위축으로 위와 같은 권리를 제대로 행사할 수 없게 하여 실체적 진실의 발견을 저해(沮害)할 우려가 있다.

우리의 교정 현실이 인적·물적 설비에서 상대적으로 부족하다고 할지라도, 미결수용자의 도주 방지는 계구(戒具)의 사용이나 계호 인력을 늘리는 등의 수단에 의할 것이지 기본권 보호의 필요성이 현저한 수사 또는 재판에서 사복을 입지 못하게 하는 것은 어떠한 이유를 내세우더라도 그 제한은 정당화될 수 없으므로 헌법 제37조 제2항의 기본권 제한에서의 비례원칙에 위반된다고 할 것이다. 그러므로 미결수용자에게 재소자용 의류를 입게 하는 것은 무죄추정의 원칙에 반하고 인간으로서의 존엄과 가치에서 유래하는 인격권과 행복추구권, 공정한 재판을 받을 권리를 침해하는 것이다."

헌재 1999. 5. 27. 97헌마137

iii) 공정거래법 위반사실에 대하여 법원에서 유죄로 확정하기도 전에 공정거래위원회로 하여금 법위반사실의 공표를 명할 수 있도록 한 것

"이 사건 법률조항의 법위반사실 공표명령은 행정처분의 하나로서 형사절차 내에서 행하여진 처분은 아니다. 그러나 공정거래위원회의 고발조치 등으로 장차 형사절차 내에서 진술을 해야 할 행위자에게 사전에 이와 같은 법위반사실의 공표를 하게 하는 것은 형사절차 내에서 법위반사실을 부인하고자 하는 행위자의 입장을 모순에 빠뜨려 소송수행을 심리적으로 위축시키거나, 법원으로 하여금 공정거래위원회 조사결과의 신뢰성 여부에 대한 불합리한 예단을 촉발할 소지가 있고 이는 장차 진행될 형사절차에도 영향을 미칠 수 있다. 결국 법위반사실의 공표명령은 공소제기조차 되지 아니하고 단지 고발만 이루어진 수사의 초기단계에서 아직 법원의 유무죄에 대한 판단이 가려지지 아니하였는데도 관련 행위자를 유죄로 추정하는 불이익한 처분이라고 아니할 수 없다."

헌재 2002. 1. 31. 2001헌바43

iv) 이유 없이 군사법경찰관의 구속기간을 연장하게 한 것

"군사법원법 제239조가 규정하고 있는 군사법경찰관의 10일간의 구속기간은 형사소송법 제202조에 상응하는 같은 내용의 규정으로서 이러한 구속기간의 허용 자체가 헌법상 무죄추정의 원칙에서 파생되는 불구속수사원칙에 대한 예외라고 보아야 한다. 그런데 이 사건 법률규정은 경찰단계에서는 구속기간의 연장을 허용하지 아니하는 형사소송법의 규정과는 달리 군사법경찰관의 구속기간의 연장을 허용함으로써 예외에 대하여 다시 특례를 설정하였고 이로써 기본권 중에서도 가장 기본적인 것이라고 할 수 있는 신체의 자유에 대한 제한을 가중하고 있다. 그렇다면 이 사건 법률규정이 과잉금지의 원칙(비례의 원칙)에 위배되는지 여부를 심사함에 있어서는 그 제한되는 기본권의 중요성이나 기본권제한 방식의 중첩적·가중적 성격에 비추어 엄격한 기준에 의할 것이 요구된다.

…… 수사의 필요성을 이유로 군사법경찰관의 구속기간을 일반 사건에 비하여 특히 장기간으로 하여야 할 사정은 인정하기 어렵고 장기간의 구속이 허용될 경우의 폐단은 일반 사건에 비하여 오히려 크다는 것을 알 수 있다. …… 결국 군사법경찰관의 구속기간의 연장을 허용하는 이 사건 법률규정은 무죄추정의 원칙에 위반되고 ……."

헌재 1999. 3. 5. 99헌마82; 헌재 2003. 11. 27. 2002헌마193

v) 판결선고 전 구금일수(미결구금일수) 중 일부를 형기에 산입하지 않을 수 있게 한 것[115]

"형법 제57조 제1항은 해당 법관으로 하여금 미결구금일수를 형기에 산입하되, 그 산입범위는 재량에 의하여 결정하도록 하고 있는바, 이처럼 미결구금일수 산입범위의 결정을 법관의 자유재량에 맡기는 이유는 피고인이 고의로 부당하게 재판을 지연시키는 것을 막아 형사재판의 효율성을 높이고, 피고인의 남상소를 방지하여 상소심 법원의 업무부담을 줄이는 데 있다. 그러나 미결구금을 허용하는 것 자체가 헌법상 무죄추정의 원칙에서 파생되는 불구속수사의 원칙에 대한 예외인데, 형법 제57조 제1항 중 "또는 일부 부분"은 그 미결구금일수 중 일부만을 본형에 산입할 수 있도록 규정하여 그 예외에 대하여 사실상 다시 특례를 설정함으로써, 기본권 중에서도 가장 본질적인 신체의 자유에 대한 침해를 가중하고 있다. 또한, 형법 제57조 제1항 중 "또는 일부" 부분이 상소제기 후 미결구금일수의 일부가 산입되지 않을 수 있도록 하여 피고인의 상소의사를 위축시킴으로써 남상소를 방지하려 하는 것은 입법목적 달성을 위한 적절한 수단이라고 할 수 없고, 남상소를 방지한다는 명목으

115) 상소제기 후 상소취하시까지의 미결구금일수를 본형에 산입하도록 규정하지 않은 것도 역시 무죄추정원칙에 위배된다(헌재 2009. 12. 29. 2008헌가13 등).

로 오히려 구속 피고인의 재판청구권이나 상소권의 적정한 행사를 저해한다. 더욱이 구속 피고인이 고의로 재판을 지연하거나 부당한 소송행위를 하였다고 하더라도 이를 이유로 미결구금기간 중 일부를 형기에 산입하지 않는 것은 처벌되지 않는 소송상의 태도에 대하여 형벌적 요소를 도입하여 제재를 가하는 것으로서 적법절차의 원칙 및 무죄추정의 원칙에 반한다."

헌재 2009. 6. 25. 2007헌바25

vi) 지방자치단체장이 금고 이상의 형의 선고를 받고 그 형이 확정되지 않은 경우에 권한을 대행하도록 한 것(헌법불합치)[116]

"이 사건 법률조항은 '금고 이상의 형이 선고되었다'는 사실 자체에 주민의 신뢰와 직무전념성을 해칠 우려가 있다는 이유로 부정적 의미를 부여한 후 그 유죄판결의 존재를 유일한 전제로 하여 형이 확정되지도 않은 상태에서 해당 자치단체장에 대하여 직무정지라는 불이익한 처분을 부과하고 있다. 즉, 유죄의 확정판결이 있기 전이라도 '금고 이상의 형을 선고'를 받았다면 유죄의 확정판결이 내려질 개연성이 높다는 전제에서 당해 피고인을 죄가 있는 자에 준하여 불이익을 입히고 있는 것이다. 특히 이 사건 법률조항은 오직 '금고 이상의 형을 선고받은 때로부터 금고 이상의 형이 확정될 때까지'에만 적용되는 규정이므로, 형사피고인이라 하여도 유죄의 확정판결이 있기까지는 원칙적으로 죄가 없는 자에 준하여 취급하여야 한다는 무죄추정의 원칙에 반하는 규정이라고 아니할 수 없다. …… 자치단체장에 대한 '직무정지'는 확정적인 결과를 가져오는 처분이 아니라 잠정적이고 가처분적인 성격을 가진 것이기는 하나, 임기가 정하여져 있는 선거직 공무원에 대한 것이고, 그 종기가 불확실하므로 그 침해의 정도가 가볍다고 단정할 수 없다. 즉, 금고 이상의 형을 선고받은 자치단체장은 그 판결이 확정될 때까지 직무가 정지되는바(물론 상급심에서 그 미만의 형을 선고받거나 무죄판결을 받으면 직무정지상태가 해소된다), 피고인의 뜻대로 형사재판절차의 종기를 조절할 수 없을 뿐 아니라 확정시기를 쉽게 예측할 수도 없으므로 (선거범죄에 관한 재판에 대하여는 3심 재판까지 최대한 1년을 넘지

116) 헌법재판소는 이 결정이전에는 동 법률조항에 대하여 "신뢰를 상실한 단체장의 직무수행으로 인한 부작용을 방지하기 위한 권한대행제도의 부수적 산물이란 점에서 그와 같은 불이익은 무죄추정원칙에서 금지하는 유죄인정의 효과로서의 불이익에 해당한다고 볼 수 없다"고 하여 합헌결정을 내린 바 있다(헌재 2005. 5. 26. 2002헌마699). 그러나 2010년 9월 2일 이광재 강원도지사가 직무정지 중 제기한 지방자치법 제111조에 대하여 헌법재판소가 헌법불합치결정을 내려 본 판례를 변경한 것이다. 이 사건 법률조항이 헌법에 위반된다는 의견이 5인이고, 헌법에 합치되지 아니한다는 의견이 1인이므로 헌법재판소법 제23조 제2항 제1호에 따라 이 사건 법률조항은 헌법에 합치되지 아니한다고 선언한 것이다. 헌법재판소는 이 결정에서 "공직의 윤리성·신뢰성에서 동일한 지위에 있는 국회의원은 형 확정 전 직무정지 제도가 없는데 자치단체장에게만 이런 제재를 가하는 것은 평등원칙에도 어긋난다"고도 하였다.

> 않도록 법정하고 있으나(공직선거법 제270조 참조)), 일반 형사범죄의 경우는 그러한 재판기간의 제한이 없다), 경우에 따라서는 임기 중 상당기간 동안 직무가 정지될 수도 있다. 따라서 선거에 의하여 선출된 자치단체장의 직무를 '금고 이상의 형을 선고받은 사실'만으로 정지시키는 것은 '유죄인정의 효과로서의 불이익'에 해당되어 무죄추정의 원칙에 반한다고 할 것이다."
>
> 헌재 2010. 9. 2. 2010헌마418

② 무죄추정의 원칙에 위배되지 않는다고 본 판례

헌법재판소는 i) 공정거래법상 불공정거래행위에 해당하는 부당내부거래를 했다는 이유로 아직 법원에 유·무죄에 대한 판단이 가려지지 않은 상태에서 과징금을 부과·집행하는 것,[117] ii) 증인신문사항의 서면제출을 명하고 이를 이행하지 않을 경우에 법원이 증거결정을 취소할 수 있도록 하는 것,[118] iii) 미결수용자에 대해 국민건강보험급여를 정지하는 것,[119] 진술을 요할 자가 외국거주로 인하여

117) 헌재 2003. 7. 24. 2001헌가25. 행정권에는 행정목적 실현을 위하여 행정법규 위반자에 대한 제재의 권한도 포함되어 있으므로, '제재를 통한 억지'는 행정규제의 본원적 기능이라 볼 수 있는 것이고, 따라서 어떤 행정제재의 기능이 오로지 제재(및 이에 결부된 억지)에 있다고 하여 이를 헌법 제13조 제1항에서 말하는 국가형벌권의 행사로서의 '처벌'에 해당한다고 할 수 없는바, 구 독점규제및공정거래에관한법률 제24조의2에 의한 부당내부거래에 대한 과징금은 그 취지와 기능, 부과의 주체와 절차 등을 종합할 때 부당내부거래 억지라는 행정목적을 실현하기 위하여 그 위반행위에 대하여 제재를 가하는 행정상의 제재금으로서의 기본적 성격에 부당이득환수적 요소도 부가되어 있는 것이라 할 것이고, 이를 두고 헌법 제13조 제1항에서 금지하는 국가형벌권 행사로서의 '처벌'에 해당한다고는 할 수 없으므로, 공정거래법에서 형사처벌과 아울러 과징금의 병과를 예정하고 있더라도 이중처벌금지원칙에 위반된다고 볼 수 없으며, 이 과징금 부과처분에 대하여 공정력과 집행력을 인정한다고 하여 이를 확정판결 전의 형벌집행과 같은 것으로 보아 무죄추정의 원칙에 위반된다고도 할 수 없다고 한다.

118) 헌재 1998. 12. 24. 94헌바46. 형사소송법 제279조 및 제299조에 따라 재판장이 필요하다고 인정할 때에는 증인의 신문을 청구한 자에 대하여 신문사항을 기재한 서면의 제출을 명할 수 있고, 법원은 위 명을 받은 자가 신속히 그 서면을 제출하지 아니한 경우에는 증거결정을 취소할 수 있는 소송지휘권은 소송절차에 질서를 부여하고 심리의 신속·원활을 도모함으로써 당사자의 소송활동을 합리화하는 목적을 가지고 있는바, 그 입법목적은 헌법 제27조 제3항에 비추어 정당하고, 위와 같은 소송지휘권은 단순히 증인을 신청한 변호인 또는 피고인의 기본권만을 제한하는 효과를 갖는 것이 아니라, 다른 검사·변호인 또는 피고인의 교호신문권을 보장함으로써 공정한 재판을 받을 권리를 구현하는 효과도 가지는 것이고, 비록 미리 제출되지 아니한 신문사항이라 할지라도 당사자가 증인의 답변을 반박하여 그 상호모순성이나 불합리성을 지적하기 위한 새로운 사항을 신문할 수 있으므로, 위 소송지휘권 행사는 법익의 균형성 및 피해의 최소성을 갖춘 것으로 인정된다. 형사소송법 제279조 및 제299조가 공정한 공개재판을 받을 권리와 무죄추정을 받을 권리를 본질적으로 침해하거나 형해화하였다고 할 수 없다고 한다.

119) 헌재 2005. 2. 24. 2003헌마31. 수용자의 의료보장체계를 일원화하기 위한 입법 정책적 판단에 기인한 것이며 유죄의 확정 판결이 있기 전인 미결수용자에게 어떤 불이익을 주기 위

진술할 수 없는 경우에 예외적으로 전문증거의 증거능력을 인정하는 것,[120] 형사사건으로 기소된 국가공무원을 직위해제할 수 있도록 한 것[121] 등은 무죄추정의 원칙에 반하지 아니한다고 판시하였다.

2. 자백의 증거능력과 증명력제한의 원칙 (자백법칙)

(1) 헌법규정

제12조 제7항은 "피고인의 자백이 고문·폭행·협박·구속의 부당한 장기화 또는 기망 기타의 방법에 의하여 자의로 진술된 것이 아니라고 인정될 때 또는 정식재판에 있어서 피고인의 자백이 그에게 불리한 유일한 증거일 때에는 이를 유죄의 증거로 삼거나 이를 이유로 처벌할 수 없다"고 규정하여 자백의 증거능력과 증명력을 제한하고 있다. 자백법칙에 관한 헌법규정은 1962년 헌법개정에서 처음 채택되었고 1972년 헌법(유신헌법)에서 삭제되었다가 1980년 헌법(제5공화국헌법)에서 다시 부활하여 현재에 이르고 있다.

(2) 자백법칙 규정의 의의

'자백은 증거의 왕'이라는 말이 있듯이 과거에는 자백을 받아내기 위하여 온갖 불법이 자행되었다. 이러한 상황 하에서는 신체의 자유는 제대로 보장되기 어려웠다. 따라서 자백의 증거능력과 증명력을 제한하는 **자백법칙은 자백강요를 위한 인신의 침해를 방지하고 허위사실을 배제**하려는 데 그 의의가 있다. 진술거부권이나 고문을 받지 않을 권리의 실효성도 자백법칙의 인정에 의해 실효성이 담보될 수 있다.

한 것은 아니므로 무죄추정의 원칙에 위반된다고 할 수 없다고 한다.

120) 이 사건 법률조항(형사소송법 제314조 중 외국거주에 관한 부분)은 피고인을 유죄라는 전제에서 예외적으로 전문증거의 증거능력을 인정하는 것이 아니라 외국거주의 사유로 원진술자가 법정에서 진술할 수 없어 부득이 피고인이 반대신문을 할 수 없는 경우에 관한 규정이므로 무죄추정의 원칙에 반하는 것이라고 할 수 없다(헌재 2005. 12. 22. 2004헌바45).

121) 형사사건으로 기소된 국가공무원을 직위해제할 수 있도록 한 규정은 직위해제처분을 받은 공무원에 대한 범죄사실 인정이나 유죄판결을 전제로 하여 불이익을 과하는 것이 아니므로 무죄추정의 원칙에 위배된다고 볼 수 없다(헌재 2006. 5. 25. 2004헌바12).

(3) 자백법칙의 내용

① 자백의 개념

자백이란 피고인 또는 피의자가 범죄사실의 전부 또는 일부를 진술하는 것을 말한다. 영미법에서는 범죄사실의 전부 또는 일부에 대하여 자기의 형사책임을 인정하는 진술을 자백(confession)이라 하여, 단지 자기에게 불이익한 사실을 인정하는 승인(admission)과 구별하는데 우리 형사소송법상 자백배제법칙은 이를 구별하지 아니하여 구별의 실익은 없다.[122)]

② 자백의 증거능력의 제한(자백의 임의성)

자백이 자의로 진술된 것이 아니고 고문·폭행·협박·구속의 부당한 장기화 또는 기망 등의 방법에 의한 경우, 즉 임의성 없는 자백의 경우 증거능력을 갖지 못한다(형사소송법 제309조). '고문·폭행·협박·구속의 부당한 장기화'는 주로 인권침해에 의한 자백의 예시적 유형이며, '기망'은 부당한 유도에 의한 허위의 자백의 예시이다. 이러한 불법자백은 피고인이 증거사용에 동의하여도 증거능력이 인정되지 않는다. 여기서 증거능력은 **증명의 자료로서 사용할 수 있는 자격**을 말한다.

자백의 임의성 유무는 구체적 사건에 따라 자백이 기재된 조서의 형식과 내용, 진술자의 학력·경력·지능정도 등 제반사정을 종합하여 이를 판정해야 한다.[123)]

③ 자백의 증명력 제한

한편 피고인의 자백이 그에게 불리한 유일한 증거일 때에는 이를 이유로 처벌할 수 없다. 증명력은 **증거에 대한 법관의 가치판단**(증거가 범죄를 입증할 수 있는 힘)을 말하며, 원칙적으로 이의 인정은 법관의 자유심증주의에 따른다. 그러나 자백이 피고인에게 불리한 유일한 증거일 때에는 보강증거가 없는 한 처벌할 수 없도록 함으로써 법관의 자유심증주의의 예외를 인정하고 있다. 보강증거는 **증거능력이 있는 독립된 증거**이어야 하며 전문증거는 증거로 될 수 없다. 공동피고인 1인의 자백은 다른 피고인에 대한 관계에서 보강증거가 된다.[124)]

자백이 임의성 있는 경우에도 자백이 피고인에게 불리한 유일한 증거일 경우 증명력이 제한된다. 자백의 증명력 제한은 정식재판에서만 적용되고 즉결심판 등

---

122) 이재상, 형사소송법, 박영사, 1994, 506-507면.
123) 대판 1986. 9. 9. 86도1187.
124) 대판 1960. 4. 22. 1960형상34.

약식재판에서는 적용되지 않는다(즉결심판법 제10조). 즉 약식재판에서는 자백만으로도 유죄선고를 할 수 있다.

3. 고문을 당하지 않을 권리

헌법은 "모든 국민은 고문을 받지 아니하며 …… "라고 하여(제12조 제2항), 고문을 당하지 않을 권리를 모든 국민의 권리로 인정하고 있지만, 특히 형사피고인과 형사피의자의 권리로서 의의가 크다. 고문은 자백을 강제하기 위하여 가해지는 폭력으로 형법은 고문을 범죄로 하고 있으며(형법 제125조), 고문에 의한 자백은 증거능력이 배제된다(제12조 제7항, 형사소송법 제309조).

고문금지를 확보하기 위하여 고문을 가한 공무원은 직권남용죄로 엄중 처벌하고 있으며(형법 제125조, 특정범죄 가중처벌법 제4조의2), **독수독과(毒樹毒果) 원칙**도 고문을 방지하기 위한 효과를 지니고 있다.

4. 체포 또는 구속이유 등을 고지 받을 권리

앞에서 살펴본 바와 같이 헌법은 "누구든지 체포 또는 구속의 이유와 변호인의 조력을 받을 권리가 있음을 고지 받지 아니하고는 체포 또는 구속을 당하지 아니한다"고 하여(제12조 제5항), 구속이유 등 고지제도를 규정하고 있다. 이는 체포·구속된 자의 방어권 행사를 보장하기 위하여 인정된 것으로 **미란다원칙**(Miranda Rule)을 명문화한 것이다.

불고지한 채 수집된 증거는 증거능력을 가지지 못하며, 고지를 하지 않은 불법적 체포에 대해 거부하더라도 공무집행방해죄가 성립되지 않는다.

5. 진술거부권(묵비권)

(1) 진술거부권의 의의

진술거부권이란 피고인 또는 피의자가 공판절차 또는 수사절차에서 법원 또는 수사기관의 신문에 대해 형사상 자기에게 불리한 진술을 거부할 수 있는 권리로 묵비권이라고도 한다. 이는 이미 16세기 후반 영국에서 보통법상의 권리로 인정되었고, 미국수정헌법 제5조에 **자기부죄거부(自己負罪拒否)의 특권**(privilege against self-incrimination)으로 확립된 원칙이다.

진술거부권은 헌법상 규정된 기본권이며,[125] 형사피고인(형사소송법 제289조)과 피의자(동법 제200조 제2항)

에게도 인정되어 있다.

헌법이 신술거부권을 기본적 권리로 보장하는 것은 형사피의자나 피고인의 인권을 형사소송의 목적인 실체적 진실발견이나 구체적 사회정의의 실현이라는 국가적 이익보다 우선적으로 보호함으로써 인간의 존엄성과 생존가치를 보장하고 나아가 비인간적인 자백의 강요와 고문을 근절하려는 데 있다.[126] 또한 피고인에게 진술거부권이 인정되는 근거는 피고인은 소송주체로서 검사와 대등한 지위에서 공격과 방어를 해야 하는 입장에 있기 때문이다. 즉 피고인에게 진술거부권이 인정되지 않아서 진실한 사실을 진술할 의무가 있다고 한다면, 이는 반대당사자인 검사에게 공격의 무기를 제공하는 결과가 되어 무기대등의 원칙에 어긋나기 때문이며, 피의자에게 진술거부권이 인정되는 근거 역시 아직 소송주체는 아니지만 장래 소송주체로서 검사와 대등한 지위에서 자기의 이익을 위해 공격과 방어를 해야 하기 때문이다.

(2) 진술거부권의 주체와 내용

① 진술거부권을 행사할 수 있는 자

진술거부권을 행사할 수 있는 자는 피고인과 피의자, 그리고 피고인과 피의자가 의사무능력자인 경우 그의 대리인이다. 법인이 피고인 경우 그의 대표자도 진술거부권을 갖는다. 외국인에게도 진술거부권이 인정된다. 또한 장차 피의자나 피고인이 될 자에게도 보장된다.[127] 증인이나 참고인도 자기에게 형사상 불리한 경우에는 행사할 수 있다고 본다.

② 내 용

i) **진술강요의 금지**는 진술거부권의 본질적 내용이며, 진술의무의 부정을 그 이론적 근거로 하고 있다. 여기서 '진술'이라 함은 "언어적 표출 즉, 생각이나 지식, 경험사실을 정신작용의 일환인 언어를 통하여 표출하는 것"을 의미한다.[128] 진술에는 구두의 진술과 이를 대신하는 진술증거가 있다.

ii) 형사상 불리한 진술의 거부권이므로 민사상 책임이나 행정상 불이익을 가져오는 것일 때에는 적용되지 아니한다. 행정상 제재 중에 형벌의 부과를 가져오

125) "모든 국민은 …… 형사상 자기에게 불리한 진술을 강요당하지 아니한다"(제12조 제2항).
126) 헌재 1990. 8. 27. 89헌가118; 헌재 2002. 1. 31. 2001헌바43; 헌재 2015. 9. 24. 2012헌바410.
127) 헌재 1997. 3. 27. 96헌가11.
128) 헌재 1997. 3. 27. 96헌가11.

는 행정형벌일 때는 적용된다. 즉 이러한 진술거부권은 형사절차에서만 보장되는 것은 아니고 행정절차이거나 국회에서의 질문 등 어디에서나 그 진술이 자기에게 형사상 불리한 경우에는 묵비권을 가지고 이를 강요받지 아니할 국민의 기본권으로 보장된다. 따라서 현재 형사피의자나 피고인으로서 수사 및 공판절차에 계속중인 자뿐만 아니라 교통사고를 일으킨 차량의 운전자 등과 같이 장차 형사피의자나 피고인이 될 가능성이 있는 자에게도 그 진술내용이 자기의 형사책임에 관련되는 것일 때에는 그 진술을 강요받지 않을 자기부죄(自己負罪) 거절의 권리가 보장되는 것이다.[129]

iii) 피고인·피의자는 진술의 이익·불이익을 불문하고 진술을 거부할 수 있다. 헌법은 형사상 불리한 진술의 강요만을 규정하고 있으나, 형사소송법은 그 범위를 확장하여 진술의 내용을 불이익한 것에 한정하고 있지 아니하다.

iv) 거부할 수 있는 것은 진술에 한하므로 지문채취·사진촬영·신체검사 등에 대해서는 거부할 수 없다.

v) 인정신문(人定訊問)에 대하여 진술거부권이 인정될 수 있는가에 관해서는 견해가 대립되고 있으나, 현행 형사소송법은 불이익한 진술로 한정하고 있지 않으므로 진술거부권을 인정함이 타당하다.

vi) 진술거부권은 헌법상 보장되는 주관적 공권이기에 포기할 수 없다.

vii) 진술거부권을 행사한 것을 이유로 형벌 기타의 제재를 과할 수 없으며, 진술거부권을 침해하여 강요로 얻은 자백은 임의성이 없으므로 증거능력이 인정되지 않는다.

③ 진술거부권의 고지 및 불고지의 효과

i) 형사소송법상 검사 또는 사법경찰관은 피의자에 대해 진술을 듣기 전에 미리 진술거부권이 있음을 고지해야 하며(형사소송법 제200조 제2항), 피고인에 대해서는 형사소송규칙(동규칙 제127조)에서 진술거부권의 고지를 규정하고 있다. 진술거부권의 고지는 피의자나 피고인에게 진술거부권이 있음을 알 수 있도록 명시적으로 해야 한다.

ii) 진술거부권을 고지하지 않은 경우에 진술의 임의성을 인정할 것인가에 대해서는 견해가 나뉜다. 진술거부권의 고지 여부에 따라서 진술의 임의성이 결정된다고 보기는 어려우나 진술거부권은 피고인 또는 피의자가 갖고 있는 중요한 권리라는 점에서 이를 고지하지 않고 획득한 진술은 그 증거능력을 부인하는 것이 적

---

129) 헌재 1990. 8. 27. 89헌가118.

법절차의 원리에 비추어 볼 때 타당하다. 진술거부권을 고지하지 않고 획득한 자백이나 기타의 진술증거는 적법절차를 위배하여 얻은 증거로서 증거능력이 배제된다. 그리고 진술거부권을 행사하는 피고인에 대해 불이익한 심증을 형성하는 것도 허용되지 않는데, 이를 인정할 경우 진술거부권의 인정은 무의미하기 때문이다. 이러한 의미에서 진술거부권의 행사는 자유심증주의에 대한 예외가 된다.

④ 헌법재판소 판례

i) 진술거부권의 침해를 인정한 판례

교통사고를 일으킨 운전자가 사고를 경찰에 신고하지 않은 경우 처벌하도록 규정한 도로교통법 제50조 제2항 및 동법 제111조 제3호에 대하여 진술거부권을 침해할 수 있음을 인정하여 한정합헌결정을 내린 바 있다.

교통사고운전자의 신고의무와 진술거부권[130)]

"교통사고를 일으킨 운전자에게 신고의무를 부담시키고 있는 도로교통법 제50조 제2항, 제111조 제3호는, 피해자의 구호 및 교통질서의 회복을 위한 조치가 필요한 범위 내에서 교통사고의 객관적 내용만을 신고하도록 한 것으로 해석하고, 형사책임과 관련되는 사항에는 적용되지 아니하는 것으로 해석하는 한 헌법에 위반되지 아니한다."

헌재 1990. 8. 27. 89헌가118

ii) 진술거부권의 침해를 인정하지 않는 판례

헌법재판소는 i) 사고운전자가 피해자의 구호조치 등을 취하지 아니하고 도주한 때에 가중처벌하도록 규정한 특정범죄 가중처벌 등에 관한 법률 제5조의3 제1항에 대해서는 사고운전자에게 사고신고나 불리한 진술 등을 강요한 규정이 아니므로 진술거부권을 침해한다고 할 수 없다고 판시하였으며,[131)] ii) 국가보안법 제10

---

130) 이 사건에서 다수의견인 한정합헌과 달리 위헌의견을 제시한 재판관도 있다. 즉 변정수 재판관은 i) 진술거부권은 비록 양심 및 신앙의 자유 등과는 그 성격이 다르지만 그 성질상 국가안전보장이나 질서유지 및 공공복리 등을 이유로 법률에 의한 외부적인 제약을 가하기에는 적당치 못한 기본권의 범주에 속한다. ii) 도로교통법 제50조 제2항, 제111조 제3호의 규정은 결국 형벌을 수단으로 하여 형사상 자기에게 불리한 진술을 강요함으로써 인간의 존엄과 가치를 훼손하는 것이므로 진술거부권의 본질적 내용을 침해하는 법률이다. iii) 도로교통법 제50조 제2항, 제111조 제3호가 교통행정상 필요한 법률이라 하더라도 교통사고 피해자의 구호나 교통질서의 회복은 위 규정을 두지 않고도 도로교통법 제50조 제1항을 위시한 그 밖의 규정 등에 의하여 충분히 달성될 수 있으므로 진술거부권을 희생하면서까지 문제의 법률조항을 존치시킬 필요가 없다는 것을 이유로 제시하고 있다.

131) 헌재 1997. 7. 16. 95헌바2. 특정범죄 가중처벌 등에 관한 법률 제5조의3 제1항 제2호는 교

조의 불고지죄에 대하여, 불고지죄가 성립하기 이전단계에서는 자신의 범죄사실이 아니고 타인의 범죄사실에 대한 것이므로 진술거부권 문제가 발생할 여지가 없고, 불고지죄가 성립한 이후에는 더 이상 처벌의 전제가 되는 고지의무가 존재하지 않는다고 하여 진술거부권침해를 부인하였다.[132)]

6. 변호인의 조력을 받을 권리

(1) 변호인의 조력을 받을 권리의 의의

헌법은 "누구든지 체포 또는 구속을 당한 때에는 즉시 변호인의 조력을 받을 권리를 가진다"고 규정하고 있다(제12조 제4항). 변호인의 조력을 받을 권리란 국가권력의 일방적인 형벌권 행사에 대항하여 자신에게 부여된 헌법상·소송법상 권리를 효율적이고 독립적으로 행사하기 위하여 변호인의 도움을 얻을 피의자 및 피고인의 권리를 말한다.[133)] 이는 피의자 등의 인권을 최대한 보장하고 수사기관과의 대등한 지위를 보장하기 위한 것이다. 변호사의 조력은 형사절차 외에서도 요구될 수 있는 것이나, 형사절차에서 변호인의 조력을 받을 권리를 헌법이 명시한 것은 형사절차에서 기초적인 자유인 신체의 자유가 제한될 수 있는 영역이어서 변호인의 조력이 더욱 중요하기 때문이다.[134)] 변호인의 조력을 받을 권리는 형식적 보장에 그쳐서는 안 되고 실질적 보장이 필요하다. 그리고 '변호인의 조력'은 '변호인의 충분한 조력'을 의미한다.[135)]

(2) 변호인의 조력을 받을 권리의 행사주체

체포·구속을 당한 피고인과 피의자뿐만 아니라 임의동행된 피의자 또는 피내사자, 불구속피의자·피고인에게도 인정된다.[136)] 제12조 제4항의 변호인의 조력을

통사고로 인한 피해자의 생명, 신체의 안전 등을 보호하기 위하여 사고피해자에 대한 구호의무위반을 그 필수적 구성요건으로 하고 있으므로 구호조치를 취하기만 하면 되고 도로교통법 제50조 제1항에 규정된 사고신고의무위반은 범죄의 구성요건이 아니다. 따라서 동 조항은 사고운전자에게 사고신고나 불리한 진술 등을 강요하는 규정이 아니므로 헌법 제12조 제2항의 진술거부권을 침해한다고 할 수 없다.

132) 헌재 1998. 7. 16. 96헌바35.

133) 헌재 2011. 5. 26. 2009헌마341.

134) 정재황, 제6판 신헌법입문, 박영사, 2016, 373면.

135) 헌재 1992. 1. 28. 91헌마111.

136) 한편 "변호인참여요구권은 절차적 권리로서 청구권적 기본권의 성격을 가지고 있기 때문에, 그것이 헌법상의 권리로 인정되려면 자유권적 기본권과는 달리 그에 관한 명문의 규정이 있다든가 관련조항들의 유추에 의하여 그러한 권리가 인정된다는 해석이 가능한 경우라야만

받을 권리는 '형사사건에서 변호인의 조력을 받을 권리'를 의미한다고 보아야 할 것이므로 형사절차가 종료되어 교정시설에 수용 중인 수형자나 미결수용자가 형사사건의 변호인이 아닌 민사재판, 행정재판, 헌법재판 등에서 변호사와 접견할 경우에는 원칙적으로 헌법상 변호인의 조력을 받을 권리의 주체가 될 수 없다.[137)]

(3) 변호인의 조력을 받을 권리의 내용

변호인의 조력을 받을 권리에는 변호인을 선임하고, 변호인과 접견하며, 변호인의 조언과 상담을 받고, 변호인을 통해 방어권 행사에 필요한 사항들을 준비하고 행사하는 것 등이 모두 포함된다.[138)]

① 변호인 선임권

변호인의 조력은 변호인을 선임할 권리가 전제되어야 함은 물론이다. 변호인선임권은 변호인의 조력을 받을 권리의 가장 기초적인 구성부분으로 법률로써도 제한할 수 없다.[139)]

② 변호인 접견 · 교통권

ⅰ) 의의와 내용

충분한 방어를 위해서는 변호인과의 접견 · 교통이 이루어져야 한다. 변호인 접견 · 교통권은 변호인과의 '자유로운 접견 · 교통의 보장'과 교통내용의 '비밀보장'을

한다. 우리 헌법 제12조 제4항의 명문규정은 체포 · 구속을 당한 경우와 형사피고인의 경우만을 언급하고 있는데, 이러한 법문의 취지는 우리 헌법이 그 입헌 당시에 불구속피의자와 체포 · 구속된 피의자 및 형사피고인을 개념상 구분하고 그 중 체포 · 구속된 피의자와 형사피고인에 대하여만 변호인의 조력을 받을 권리를 보장하고 불구속피의자에 대하여는 변호인의 조력을 받을 권리를 헌법적 차원에서는 보장하지 않는다는 취지를 천명한 것으로 보아야 한다"고 하여 불구속피의자 · 피고인의 변호인의 조력을 받을 권리를 법률상 권리로 파악하는 견해도 있다(헌재 1998. 8. 27. 96헌마398 사건에서 김영일 재판관의 반대의견).

137) 헌재 2013. 8. 29. 2011헌마122. 그러나 헌법재판소는 "헌법 제27조는 재판청구권을 보장하고 있고 이 때 재판을 받을 권리에는 민사재판, 형사재판, 행정재판뿐 아니라 헌법재판도 포함되며, 현대 사회의 복잡다단한 소송에서의 법률전문가의 증대되는 역할, 민사법상 무기대등의 원칙 실현, 헌법소송의 변호사강제주의 적용 등을 감안할 때 교정시설 내 수용자와 변호사 사이의 접견교통권의 보장은 헌법상 보장되는 재판청구권의 한 내용 또는 그로부터 파생되는 권리로 볼 수 있다"고 하여 헌법상 변호사의 조력을 받을 권리가 아니라 재판청구권의 한 내용으로 파악하고 있다.

138) 헌재 2011. 5. 26. 2009헌마341; 헌재 2016. 4. 28. 2015헌마243; 헌재 2016. 12. 29. 2015헌바221.

139) 헌재 2004. 9. 23. 2000헌마138.

의미하며 **변호인의 조력을 받을 권리 중 가장 핵심적인 요소**이다.

변호인의 조력을 받을 권리의 한 내용인 변호인 접견·교통권에는 접견 자체뿐만 아니라 미결수용자와 변호인 간의 서류 또는 물건의 수수도 포함되고, 이에 따라 형사소송법 제34조는 변호인 또는 변호인이 되려는 자는 신체구속을 당한 피고인 또는 피의자와 접견하고 서류 또는 물건을 수수할 수 있으며 의사로 하여금 진료하게 할 수 있도록 규정하였다.

ii) 제한 여부

종전 헌법재판소는 변호인과의 접견·교통권에 대하여 국가안전보장, 질서유지, 공공복리 등 어떠한 명분으로도 제한될 수 없다고 판시한 바 있다.[140] 그러나 2011년에 나온 헌법재판소 판례에서는 "헌법재판소가 91헌마111 결정에서 미결수용자와 변호인과의 접견에 대해 어떠한 명분으로도 제한할 수 없다고 한 것은 구속된 자와 변호인 간의 접견이 실제로 이루어지는 경우에 있어서의 '자유로운 접견', 즉 '대화내용에 대하여 비밀이 완전히 보장되고 어떠한 제한, 영향, 압력 또는 부당한 간섭 없이 자유롭게 대화할 수 있는 접견'을 제한할 수 없다는 것이지, 변호인과의 접견 자체에 대해 아무런 제한도 가할 수 없다는 것을 의미하는 것이 아니므로 미결수용자의 변호인 접견권 역시 국가안전보장·질서유지 또는 공공복리를 위해 필요한 경우에는 법률로써 제한될 수 있음은 당연하다"고 판시하고 있다.[141] 이는 기존의 1992년의 판례 내용을 변경한 것이라기보다는 그 의미를 명확히 한 것이라 생각된다.

변호인 접근이 위법하게 제한된 상태에서 작성된 검사 작성의 피의자신문조서의 증거능력은 부정된다.[142]

iii) 변호인 자신의 구속된 피의자·피고인과의 접견·교통권(피구속자를 '조력할' 변호인의 권리)

종전 판례는 변호인 자신의 구속된 피의자·피고인과의 접견·교통권은 헌법상 권리라고는 할 수 없으며 다만 형사소송법 제34조에 의하여 비로소 보장되는 법률상의 권리로 보았다.[143] 그러나 그 후 헌법재판소는 "변호인의 '조력을 받을' 피구속자의 권리는 피구속자를 '조력할' 변호인의 권리가 보장되지 않으면 유명무실하

140) 헌재 1992. 1. 28. 91헌마111. 수사관이 참여하여 대화내용을 듣거나 기록한 것은 이 권리를 침해하는 것이다.
141) 헌재 2011. 5. 26. 2009헌마341(공휴일을 이유로 변호인접견을 불허한 사건).
142) 대판 1990. 9. 25. 90도1586.
143) 헌재 1991. 7. 8. 89헌마181; 헌재 1992. 1. 28. 91헌마111 참조.

게 된다. 그러므로 피구속자를 조력할 변호인의 권리 중 그것이 보장되지 않으면 피구속자가 변호인으로부터 조력을 받는다는 것이 유명무실하게 되는 핵심적인 부분은, '조력을 받을 피구속자의 기본권'과 표리의 관계에 있기 때문에 이러한 핵심부분에 관한 변호인의 조력할 권리 역시 헌법상의 기본권으로서 보호되어야 한다"고 판시하여 제한적으로 인정되는 헌법상 기본권임을 인정한 바 있다.[144] 최근에는 '변호사가 되려는 자의 접견·교통권'도 헌법상의 기본권이라는 점을 인정한 바 있다.[145]

iv) 미결수용자와 변호인 아닌 자와의 접견·교통권

미결수용자와 변호인과의 접견·교통권은 가장 핵심적인 헌법상 변호인의 조력을 받을 권리의 내용이나, 미결수용자의 변호인이 아닌 타인과의 접견·교통권 및 미결수용자의 가족이 미결수용자를 접견하는 것은 헌법상 기본권이나 변호인의 접견·교통권이 아닌 **일반적 행동의 자유권의 내용**으로 보아야 한다.[146]

---

144) 헌재 2003. 3. 27. 2000헌마474.

145) 헌법재판소는 "변호인 선임을 위하여 피의자·피고인이 가지는 '변호인이 되려는 자'와의 접견교통권은 헌법상 기본권으로 보호되어야 하고, '변호인이 되려는 자'의 접견교통권은 피의자 등이 변호인을 선임하여 그로부터 조력을 받을 권리를 공고히 하기 위한 것으로서, 그것이 보장되지 않으면 피의자 등이 변호인 선임을 통하여 변호인으로부터 충분한 조력을 받는다는 것이 유명무실하게 될 수밖에 없다. 이와 같이 '변호인이 되려는 자'의 접견교통권은 피의자 등을 조력하기 위한 핵심적인 부분으로서, 피의자 등이 가지는 헌법상의 기본권인 '변호인이 되려는 자'와의 접견교통권과 표리의 관계에 있다. 따라서 피의자 등이 가지는 '변호인이 되려는 자'의 조력을 받을 권리가 실질적으로 확보되기 위해서는 '변호인이 되려는 자'의 접견교통권 역시 헌법상 기본권으로서 보장되어야 한다"(헌재 2019. 2. 28. 2015헌마1204). 이 사안에서 헌법재판소는 '변호인이 되려는 자'의 피의자 접견신청을 허용하기 위한 조치를 취하지 않은 검사의 행위에 대하여 형사소송법 제417조에 따른 준항고 절차를 거치지 아니하고 헌법소원심판을 청구한 경우 보충성원칙의 예외를 인정하였으며, 청구인이 '변호인이 되려는 자'의 자격으로 피의자 접견신청을 하였음에도 이를 허용하기 위한 조치를 취하지 않은 검사의 행위가 헌법상 기본권인 청구인의 접견·교통권을 침해하였다고 보아 청구인의 헌법소원심판청구를 인용하였다.

146) 헌법재판소는 "구속된 피의자 또는 피고인이 갖는 변호인 아닌 자와의 접견교통권은 가족 등 타인과 교류하는 인간으로서의 기본적인 생활관계가 인신의 구속으로 인하여 완전히 단절되어 파멸에 이르는 것을 방지하고, 또한 피의자 또는 피고인의 방어를 준비하기 위해서도 반드시 보장되지 않으면 안되는 인간으로서의 기본적인 권리에 해당하므로 이는 성질상 헌법상의 기본권에 속한다고 보아야 할 것이다. 미결수용자의 접견교통권은 헌법재판소가 헌법 제10조의 행복추구권에 포함되는 기본권의 하나로 인정하고 있는 일반적 행동자유권으로부터 나온다고 보아야 할 것이고, 무죄추정의 원칙을 규정한 헌법 제27조 제4항도 그 보장의 한 근거가 될 것이다"라고 판시하였다(헌재 2003. 11. 27. 2002헌마193).

변호인접견 · 교통권 침해 여부

1. 관계 공무원이 가까이서 지켜보면서 대화내용을 듣거나 기록하게 한 경우

"…… 구속된 자와 변호인의 대화내용에 대하여 비밀이 완전히 보장되고 어떠한 제한, 영향, 압력 또는 부당한 간섭없이 자유롭게 대화할 수 있는 접견을 통하여서만 가능하고 이러한 자유로운 접견은 구속된 자와 변호인의 접견에 교도관이나 수사관 등 관계공무원의 참여가 없어야 가능할 것이다. 만약 관계공무원이 가까이서 감시하면서 대화내용을 듣거나 녹취하거나 또는 사진을 찍는 등 불안한 분위기를 조성한다면 변호인의 이러한 활동은 방해될 수밖에 없고 이는 변호인의 조력을 받을 권리나 진술거부권을 기본권으로 보장한 헌법정신에 크게 반하는 일이다. …… 국가보안법 위반으로 신체구속을 당한 청구인이 1991. 6. 14. 17시부터 그날 18시경까지 국가안전기획부 면회실에서 그의 변호인과 접견을 하는 데 있어 소속직원(수사관)으로 하여금 접견에 참여하게 하고, 가까이서 지켜보면서 대화내용을 듣거나 기록하게 하였으니 이는 변호인의 조력을 받을 권리를 침해한 것으로서 헌법에 위반되는 일이다."

헌재 1992. 1. 28. 91헌마111

2. 법정 옆 구속피고인 대기실에서 피고인의 변호인접견신청을 교도관이 불허한 행위

"구속피고인으로서는 재판을 앞두고 심리적으로 가장 불안할 것이어서, 변호인의 법률적 · 심리적 조력을 가장 필요로 하는 시점이므로 면접 · 교섭권의 보장이 더욱 절실히 요청된다. 그러나 청구인은 사전에 구두로도 신청한 바 없이, 재판 시작 약 20분 전에 교도관에게 변호인과의 면담을 요구하였는데, 당시 위 대기실에 14명 중 11인이 강력범들이었는데 대기실에서 근무하는 교도관은 총 2명뿐이었고 교도관들은 청구인이 만나고자 하는 변호인이 법정에 있는지조차 알 수 없는 상황이었다. 이 때 교도관이 계호근무준칙상의 변호인 접견절차를 무시하고라도 청구인의 변호인과의 면접을 허용하려면, 법정으로 들어가 변호인을 찾은 후 비밀성이 보장되고 계호에도 문제가 없는 공간을 찾아서 면담을 하게 하여줄 수밖에 없는데 그 경우 다른 피고인들의 계호 등 교도행정업무에 치명적 위험이 될 가능성도 배제할 수 없다. 위와 같은 시간적 · 장소적 상황을 고려할 때, 청구인의 면담 요구는 구속피고인의 변호인과의 면접 · 교섭권으로서 현실적으로 보장할 수 있는 한계 범위 밖이어서 이 사건 교도관의 접견불허행위는 청구인의 기본권을 침해하는 위헌적인 공권력의 행사라고 보기 어렵다."

헌재 2009. 10. 29. 2007헌마992

3. 미결수용자 또는 변호인이 원하는 특정한 시점에 접견이 이루어지지 못한 경우

"미결수용자 또는 변호인이 원하는 특정한 시점에 접견이 이루어지지 못하였다

하더라도 그것만으로 곧바로 변호인의 조력을 받을 권리가 침해되었다고 단정할 수는 없고, 접견이 불허된 특정한 시점을 전후한 수사 또는 재판의 진행 경과에 비추어 보아, 그 시점에 접견이 불허됨으로써 피의자 또는 피고인의 방어권 행사에 어느 정도는 불이익이 초래되었다고 인정할 수 있어야 하며, 그 시점을 전후한 변호인 접견의 상황이나 수사 또는 재판의 진행 과정에 비추어 미결수용자가 방어권을 행사하기 위해 변호인의 조력을 받을 기회를 충분히 보장받았다고 볼 수 있는 경우에는, 비록 미결수용자 또는 변호인이 원하는 특정 시점에 접견이 이루어지지 못하였다 하더라도 변호인의 조력을 받을 권리가 침해되었다고 할 수 없다.

헌재 2011. 5. 26. 2009헌마341

* 이 사안은 공휴일이라는 이유로 미결수용자의 변호인 접견을 불허한 구치소장의 처분과 관련된 것이다.

4. 구치소장이 변호인접견실에 CCTV를 설치하여 미결수용자와 변호인 간의 접견을 관찰한 행위

헌법재판소는 "CCTV가 설치된 변호인접견실에서의 미결수용자와 변호인 간의 접견은 접견 방식에 의하여 변호인의 조력을 받을 권리를 제한하는 측면이 있으므로 헌법 제37조 제2항에 따라 필요한 경우에 한하여 최소한도로 실시되어야 한다"하면서 이러한 제한은 그 목적의 정당성, 수단의 적합성, 침해의 최소성, 법익의 균형성을 갖추어 청구인의 변호인의 조력을 받을 권리를 침해한다고 할 수 없다고 하였다.

헌재 2016. 4. 28. 2015헌마243

③ 변호인의 상담, 조언을 받을 권리

변호인과 상담하고 조언을 받을 권리도 중요한 요소인데, 변호인과 상담하고 조언을 구할 권리는 변호인접견·교통권에 포함된다고 보아도 무방할 것 같다.

④ 변호인과의 서신교환 등 통신의 자유 보장

변호인과 서신 등을 교환할 권리도 보장되어야 한다. 변호인과의 서신에 검열이 가능한가가 문제되는데, 종전에 헌법재판소는 미결수용자의 경우와 형이 확정되어 수용중인 수형자(기결 수형자)를 구별하여 판시하고 있다. 즉 변호인의 조력을 받을 권리는 "신체구속을 당한 사람에게 변호인과 사이의 충분한 접견교통을 허용함은 물론 교통내용에 대하여 비밀이 보장되고 부당한 간섭이 없어야 하는 것이며, 이러한 취지는 접견의 경우뿐만 아니라 변호인과 미결수용자 사이의 서신에도 적용되어 그 비밀이 보장되어야 할 것이다. 다만 미결수용자와 변호인 사이의 서신으로서 그 비밀을 보장받기 위해서는, 첫째, 교도소 측에서 상대방이 변호인이라

는 사실을 확인할 수 있어야 하고, 둘째, 서신을 통하여 마약 등 소지금지품의 반입을 도모한다든가 그 내용에 도주·증거인멸·수용시설의 규율과 질서의 파괴·기타 형벌법령에 저촉되는 내용이 기재되어 있다고 의심할 만한 합리적인 이유가 있는 경우가 아니어야 한다"고 판시하고 있다.[147] 반면 형이 확정된 수형자와 관련해서는 "수형자에게 통신의 자유를 구체적으로 어느 정도 인정할 것인가의 기준은 기본적으로 입법권자의 입법정책에 맡겨져 있다. 수형자의 교화·갱생을 위하여 서신수발의 자유를 허용하는 것이 필요하다고 하더라도, 구금시설은 다수의 수형자를 집단으로 관리하는 시설로서 규율과 질서유지가 필요하므로 수형자의 서신수발의 자유에는 내재적 한계가 있고, 구금의 목적을 달성하기 위하여 수형자의 서신에 대한 검열은 불가피하다. 현행법령과 제도 하에서 수형자가 수발하는 서신에 대한 검열로 인하여 수형자의 통신의 비밀이 일부 제한되는 것은 국가안전보장·질서유지 또는 공공복리라는 정당한 목적을 위하여 부득이할 뿐만 아니라 유효적절한 방법에 의한 최소한의 제한이며 통신의 자유의 본질적 내용을 침해하는 것이 아니다. 형사절차가 종료되어 교정시설에 수용중인 수형자는 원칙적으로 변호인의 조력을 받을 권리의 주체가 될 수 없다"고 판시하고 있다.[148]

그러나 행형법을 대체하여 전부 개정된 '형의 집행 및 수용자의 처우에 관한 법률'은 **미결수용자이든 기결수형자이든 편지(서신)검열 금지를 원칙**으로 하는 것으로 바꾸었다(동법 제43조 제4항).[149]

---

147) 헌재 1995. 7. 21. 92헌마144. 그러나 미결수용자와 변호인이 아닌 자와의 사이에 서신 검열에 대해서는 "질서유지 또는 공공복리를 위하여 구속제도가 헌법 및 법률상 이미 용인되어 있는 이상, 미결수용자는 구속제도 자체가 가지고 있는 일면의 작용인 사회적 격리의 점에 있어 외부와의 자유로운 교통과는 상반되는 성질을 가지고 있으므로, 증거인멸이나 도망을 예방하고 교도소 내의 질서를 유지하여 미결구금제도를 실효성 있게 운영하고 일반사회의 불안을 방지하기 위하여 미결수용자의 서신에 대한 검열은 그 필요성이 인정된다고 할 것이고, 이로 인하여 미결수용자(未決收容者)의 통신(通信)의 비밀(秘密)이 일부제한(一部制限)되는 것은 질서유지 또는 공공복리라는 정당한 목적을 위하여 불가피할 뿐만 아니라 유효적절한 방법에 의한 최소한의 제한으로서 헌법에 위반된다고 할 수 없다"고 판시한 바 있다.

148) 헌재 1998. 8. 27. 96헌마398. 다만, 수형자의 경우에도 재심절차 등에는 변호인 선임을 위한 일반적인 교통·통신이 보장될 수도 있겠으나, 기록에 의하면 청구인은 교도소 내에서의 처우를 왜곡하여 외부인과 연계, 교도소내의 질서를 해칠 목적으로 변호사에게 이 사건 서신을 발송하려는 것이므로 이와 같은 경우에는 변호인의 조력을 받을 권리가 보장되는 경우에 해당한다고 할 수 없다고 판시하였다.

149) 종전의 행형법은 "소장은 수용자의 서신을 검열할 수 있다. 다만, …… 변호인과의 서신은 예외로 한다"(행형법 제18조의2 제3항)고 규정하였던 것을, 형의 집행 및 수용자의 처우에 관한 법률은 "수용자가 주고받는 서신(현: 편지)의 내용은 검열받지 아니한다. 다만, 다음 각 호의 어느 하나에 해당하는 사유가 있으면 그러하지 아니하다"고 규정하였다(제43조 제4항).

⑤ 소송관계 서류의 열람 · 등사권

변호인의 조력을 받을 권리는 변호인과의 자유로운 접견 · 교통권에 그치지 아니하고 더 나아가 변호인을 통하여 수사서류를 포함한 소송관계 서류를 열람 · 등사하고 이에 대한 검토결과를 토대로 공격과 방어의 준비를 할 수 있는 권리도 포함된다. 피고인의 신속 · 공정한 재판을 받을 권리 및 변호인의 조력을 받을 권리는 헌법이 보장하고 있는 기본권이고, 변호인의 수사서류 열람 · 등사권은 피고인의 신속 · 공정한 재판을 받을 권리 및 변호인의 조력을 받을 권리라는 헌법상 기본권의 중요한 내용이자 구성요소이며 이를 실현하는 구체적인 수단이 된다. 따라서 변호인의 수사서류 열람 · 등사를 제한함으로 인하여 결과적으로 피고인의 신속 · 공정한 재판을 받을 권리 또는 변호인의 충분한 조력을 받을 권리가 침해된다면 이는 헌법에 위반되는 것이다.[150] 기록 등사신청에 대한 거부처분은 취소소송의 대상이 된다.[151]

열람 · 등사신청과 변호인의 조력을 받을 권리

1. 열람등사신청 전면거부와 변호인의 조력을 받을 권리(위헌)

"청구인의 변호인이 1994. 3. 22. 국가보안법 위반죄로 구속 기소된 청구인의 변론준비를 위하여 피청구인인 검사에게 그가 보관중인 수사기록일체에 대한 열람 · 등사신청을 하였으나 같은 달 26. 피청구인은 국가기밀의 누설이나 증거인멸, 증인협박, 사생활침해의 우려 등 정당한 사유를 밝히지 아니한 채 이를 전부 거부한 것은 청구인의 신속 · 공정한 재판을 받을 권리와 변호인의 조력을 받을 권리를 침해하는 것으로 헌법에 위반된다."

헌재 1997. 11. 27. 94헌마60

2. 법원의 수사서류 열람 · 등사 허용 결정의 효력과 이에 따르지 아니한 검사의 거부행위가 청구인들의 기본권을 침해하는지 여부(위헌)

"형사소송법 제266조의4 제5항은 검사가 수사서류의 열람 · 등사에 관한 법원의 허용 결정을 지체 없이 이행하지 아니하는 때에는 해당 증인 및 서류 등에 대한 증거신청을 할 수 없도록 규정하고 있다. 그런데 이는 검사가 그와 같은 불이익을 감수하기만 하면 법원의 열람 · 등사 결정을 따르지 않을 수도 있다는 의미가 아니라, 피고인의 열람 · 등사권을 보장하기 위하여 검사로 하여금 법원의 열람 · 등사에 관한 결정을 신속히 이행하도록 강제하는 한편, 이를 이행하지 아니하는 경우에는 증

150) 헌재 2010. 6. 24. 2009헌마257; 헌재 1997. 11. 27. 94헌마60.
151) 헌재 2000. 2. 24. 99헌마96.

거신청상의 불이익도 감수하여야 한다는 의미로 해석하여야 할 것이므로, 법원이 검사의 열람·등사 거부처분에 정당한 사유가 없다고 판단하고 그러한 거부처분이 피고인의 헌법상 기본권을 침해한다는 취지에서 수사서류의 열람·등사를 허용하도록 명한 이상, 법치국가와 권력분립의 원칙상 검사로서는 당연히 법원의 그러한 결정에 지체 없이 따라야 할 것이다. 그러므로 법원의 열람·등사 허용 결정에도 불구하고 검사가 이를 신속하게 이행하지 아니하는 경우에는 해당 증인 및 서류 등을 증거로 신청할 수 없는 불이익을 받는 것에 그치는 것이 아니라, 그러한 검사의 거부행위는 피고인의 열람·등사권을 침해하고, 나아가 피고인의 신속·공정한 재판을 받을 권리 및 변호인의 조력을 받을 권리까지 침해하게 되는 것이다.

헌재 2010. 6. 24. 2009헌마257

3. 법원의 수사서류 열람·등사 허용에 따르지 아니한 검사의 거부행위와 국가배상책임(대법원 판례: 인정)

[1] 검사는 공익의 대표자로서 실체적 진실에 입각한 국가 형벌권의 실현을 위하여 공소제기와 유지를 할 의무뿐만 아니라 그 과정에서 피고인의 정당한 이익을 옹호하여야 할 의무가 있다. 그리고 법원이 형사소송절차에서 피고인의 권리를 실질적으로 보장하기 위하여 마련되어 있는 형사소송법 등 관련 법령에 근거하여 검사에게 어떠한 조치를 이행할 것을 명하였고, 관련 법령의 해석상 그러한 법원의 결정에 따르는 것이 당연하고 그와 달리 해석될 여지가 없는 경우라면, 법에 기속되는 검사로서는 법원의 결정에 따라야 할 직무상 의무도 있다. 그런데도 그와 같은 상황에서 검사가 관련 법령의 해석에 관하여 대법원판례 등의 선례가 없다는 이유 등으로 법원의 결정에 어긋나는 행위를 하였다면 특별한 사정이 없는 한 당해 검사에게 직무상 의무를 위반한 과실이 있다고 보아야 한다.

[2] 갑 등이 을 지방검찰청 검사에게 수사서류의 열람·등사를 신청하였으나 거부당하자 법원에 형사소송법 제266조의4 제1항에 따라 수사서류의 열람·등사를 허용하도록 해줄 것을 신청하였고, 이에 대하여 법원은 신청이 이유있다고 인정하여 서류에 대한 열람·등사를 허용할 것을 명하는 결정을 하였는데도 검사가 일부 서류의 열람·등사를 거부한 사안에서, 법원이 검사의 열람·등사 거부처분에 정당한 사유가 없다고 판단하여 수사서류의 열람·등사를 허용하도록 명한 이상, 법에 기속되는 검사로서는 당연히 법원의 그러한 결정에 지체없이 따라야 하는데도 법원의 결정에 반하여 수사서류의 열람·등사를 거부하였다는 이유로, 열람·등사 거부 행위 당시 검사에게 국가배상법 제2조 제1항에서 정한 과실이 인정된다고 한 사례.

대판 2012. 11. 15. 2011다48452

⑥ 변호인의 참여를 요구할 권리

헌법은 "누구든지 체포 또는 구속을 당한 때에는 즉시 변호인의 조력을 받을 권리를 가진다"(제12조 제4항 전단)고 규정하여, 구속된 피고인과 피의자는 당연히 변호인의 참여를 요구할 권리가 있다. 그러니 헌법 및 형사소송법에 명문규정이 없었던 불구속 피의자나 피고인의 경우 **변호인의 참여를 요구할 권리**가 인정될 수 있는가 문제되었다. 이와 관련하여 헌법재판소는 " …… 스스로 선임한 변호인의 조력을 받기 위하여 변호인을 옆에 두고 조언과 상담을 구하는 것은 수사절차의 개시에서부터 재판절차의 종료에 이르기까지 언제나 가능하다. 따라서 불구속 피의자가 피의자신문시 변호인을 대동하여 신문과정에서 조언과 상담을 구하는 것은 신문과정에서 필요할 때마다 퇴거하여 변호인으로부터 조언과 상담을 구하는 번거로움을 피하기 위한 것으로서 불구속 피의자가 피의자신문장소를 이탈하여 변호인의 조언과 상담을 구하는 것과 본질적으로 아무런 차이가 없다. 형사소송법 제243조는 피의자신문시 의무적으로 참여하여야 하는 자를 규정하고 있을 뿐 적극적으로 위 조항에서 규정한 자 이외의 자의 참여나 입회를 배제하고 있는 것은 아니다. 따라서 불구속 피의자가 피의자신문시 변호인의 조언과 상담을 원한다면, 위법한 조력의 우려가 있어 이를 제한하는 다른 규정이 있고 그가 이에 해당한다고 하지 않는 한 수사기관은 피의자의 위 요구를 거절할 수 없다"고 판시하여[152] 변호인의 참여를 요구할 권리를 인정하고 있다. 변호인의 참여요구권은 명문의 규정이 없더라도 변호인의 조력을 받을 권리 자체에서 도출될 수 있는 권리로 보는 것이 옳다고 본다.[153] 헌법재판소 결정 이후 개정된 형사소송법은 피의자 신문에 변호인의 참여를 명문화하였다.[154] 검사 또는 사법경찰관이 변호인의 신문절차에의 참여를 제한하거나 퇴거시킨 처분에 대하여는 준항고절차로 이를 다툴 수 있다(형사소송법 제417조).

⑦ 국선변호인의 조력을 받을 권리

헌법은 "형사피고인은 스스로 변호인을 구할 수 없을 때에는 법률이 정하는 바에 의하여 국가가 변호인을 붙인다"고 규정하여 국선변호인제도를 규정하고 있다(제12조 제4항 후단). 국선변호인이란 법원이 선정하는 변호인을 말한다. 형사소송법은 형사피고인뿐만 아니라 형사피의자에 대해서도 체포·구속적부심사절차와 구속전피의자심문절차에서 국선변호를 인정하고 있는데, 양자의 차이점은 형사피고인에 대한 국선변호는 헌법상 기본권이나 형사피의자에 대한 국선변호는 법률상 권리이다.

152) 헌재 2004. 9. 23. 2000헌마138.
153) 김학성·최희수, 앞의 책, 500면.
154) 형사소송법 제243조의2 (변호인의 참여 등) ① 검사 또는 사법경찰관은 피의자 또는 그 변호인·법정대리인·배우자·직계친족·형제자매의 신청에 따라 변호인을 피의자와 접견하게 하거나 정당한 사유가 없는 한 피의자에 대한 신문에 참여하게 하여야 한다.

대법원은 피고인으로부터 국선변호인을 선정해 달라는 신청을 받은 재판부가 변호인 선정을 지연하다 피고인이 항소이유서 제출기간 내에 이유서를 제출하지 않았다는 이유로 항소를 기각한 것은 변호인의 조력을 받을 권리에 대한 침해라고 판시하였다.[155]

▣ 국선변호인제도에 대한 형사소송법 규정

1. 형사피고인의 경우

제33조 (국선변호인) ① 다음 각 호의 어느 하나에 해당하는 경우에 변호인이 없는 때에는 법원은 직권으로 변호인을 선정하여야 한다.

1. 피고인이 구속된 때
2. 피고인이 미성년자인 때
3. 피고인이 70세 이상인 때
4. 피고인이 농아자인 때
5. 피고인이 심신장애의 의심이 있는 때
6. 피고인이 사형, 무기 또는 단기 3년 이상의 징역이나 금고에 해당하는 사건으로 기소된 때

② 법원은 피고인이 빈곤 그 밖의 사유로 변호인을 선임할 수 없는 경우에 피고인의 청구가 있는 때에는 변호인을 선정하여야 한다.

③ 법원은 피고인의 연령·지능 및 교육 정도 등을 참작하여 권리보호를 위하여 필요하다고 인정하는 때에는 피고인의 명시적 의사에 반하지 아니하는 범위 안에서 변호인을 선정하여야 한다.

제282조 (필요적 변호) 제33조제1항 각 호의 어느 하나에 해당하는 사건 및 같은 조 제2항·제3항의 규정에 따라 변호인이 선정된 사건에 관하여는 변호인 없이 개정하지 못한다. 단, 판결만을 선고할 경우에는 예외로 한다.

제283조 (국선변호인) 제282조 본문의 경우 변호인이 출석하지 아니한 때에는 법원은 직권으로 변호인을 선정하여야 한다.

2. 형사피의자의 경우

제214조의2 (체포와 구속의 적부심사)

⑩ 체포 또는 구속된 피의자에게 변호인이 없는 때에는 제33조의 규정을 준용한다.

제201조의2 (구속영장 청구와 피의자 심문)

⑧ 심문할 피의자에게 변호인이 없는 때에는 지방법원판사는 직권으로 변호인을 선정하여야 한다. 이 경우 변호인의 선정은 피의자에 대한 구속영장 청구가 기각되어 효력이 소멸한 경우를 제외하고는 제1심까지 효력이 있다.

---

155) 대결 2003. 10. 27. 2003모306.

⑧ 변호인의 조력을 받을 권리의 제한

변호인의 조력을 받을 권리가 제37조의 법률유보에 의해서 제한될 수 있는가와 관련하여 전술한 바와 같이 변호인 접견·교통권의 제한에 대해서는 논의가 있으나, 헌법재판소 판례의 취지는 변호인 접견·교통권은 '자유로운 접견', 즉 '대화내용에 대하여 비밀이 완전히 보장되고 어떠한 제한, 영향, 압력 또는 부당한 간섭 없이 자유롭게 대화할 수 있는 접견'을 제한할 수 없다는 것이지, 절대무제한의 권리를 인정한 것은 아니다. 따라서 변호인의 조력을 받을 권리는 법률에 의한 제한이 가능하다. 다만 제한을 하더라도 본질적 내용을 침해할 수 없다. '자유로운 접견'은 변호인의 조력을 받을 권리의 본질적 내용으로 볼 수 있다.

7. 체포·구속적부심사청구권

앞에서 살펴 본 바와 같이 우리 헌법은 "누구든지 체포 또는 구속을 당한 때에는 적부의 심사를 법원에 청구할 권리를 가진다"고 규정하고 있는데(제12조 제6항), 이는 객관적으로는 체포·구속적부심사제라는 형사사법제도를 규정한 조항이지만, 형사피의자에게는 체포·구속적부심사청구권을 보장한 권리조항이기도 하다.[156]

8. 형사기록의 열람복사청구권

형사피의자와 형사피고인은 자신의 피의사실과 관련하여 그 수사절차나 공판절차 등 형사절차에 관하여 자세한 사항을 알 권리를 가지므로 적어도 자신에 관한 수사기록과 형사소송기록 그리고 소송계속 중인 증거서류를 열람하고 복사하여 주도록 요구할 권리를 가진다.

형사소송법은 형사피고인의 공판조서의 열람 또는 등사청구권(형사소송법 제5조), 형사피고인의 증거된 서류의 열람 또는 등사청구권(동법 제292조 제2항) 등을 규정하고 있다. 한편, 피고인 또는 변호인이 공소제기된 사건에 대한 서류 또는 물건의 열람·등사를 신청할 수 있도록 하는 증거개시제도도 규정하고 있다(동법 제266조의3, 제226조의4). 검사도 피고인 또는 변호인에게 증거개시를 요구할 수 있다.

---

156) 권영성, 앞의 책, 441면.

9. 신속한 공개재판을 받을 권리

헌법은 "모든 국민은 신속한 재판을 받을 권리를 가진다. 형사피고인은 상당한 이유가 없는 한 지체 없이 공개재판을 받을 권리를 가진다"고 규정하고 있다(제27조 제3항). 신속한 재판은 상당한 이유가 없는 재판의 장기화나 심리의 지연을 배제하여 피고인의 육체적·정신적 부담을 완화해주자는 것이고 재판의 공개는 피고인과 관계없는 제3자에게 공판과정의 방청을 허용하여 공정한 재판을 보장하기 위한 것이다.

10. 국민참여재판을 받을 권리

국민참여재판을 받을 권리는 헌법상의 권리가 아니라, '국민의 형사재판 참여에 관한 법률'에 의해서 형사피고인에게 인정되는 법률상의 권리이다.

피고인이 공소장 부본을 송달받은 날로부터 7일 이내에 국민참여재판을 원하는 여부에 관한 의사가 기재된 서면을 법원에 제출하여야 한다.

11. 형사보상청구권

헌법은 "형사피의자 또는 형사피고인으로서 구금되었던 자가 법률이 정하는 불기소처분을 받거나 무죄판결을 받은 때에는 법률이 정하는 바에 의하여 국가에 정당한 보상을 청구할 수 있다"고 하여(제28조) 청구권적 기본권으로 형사보상청구권을 규정하고 있다.

현행 헌법은 형사피의자가 법률이 정하는 불기소처분을 받은 경우에도 형사보상청구권을 인정하고 있다.

Ⅵ. 수형자의 인권

1. 수형자의 법적 지위

징역·금고 등 자유형을 선고받아 그 형이 확정된 자는 그 집행을 위하여 교정시설에 구금되며, 교정시설은 "수형자의 교정교화와 건전한 사회복귀를 도모"하기 위한 국가기관이다. 따라서 교정시설에서 **수형자의 복역관계**(**재소관계**)는 위와 같은 행형목적을 달성하기 위하여, 자유형의 선고를 받은 자를 '형의 집행 및 수용자의 처우에 관한 법률'[157] 등의 규정에 따라 수용함으로써, 국가와 수형자 간에 성립하는 **특수한 법률관계**라고 할 수 있다.

이에 따라 수형자는 격리된 시설에서 강제적인 공동생활을 하게 되므로, 헌법이 보장하는 신체의 자유 등 기본권에 대한 제한은 불가피하다.

2. 수형자의 기본권제한의 원리와 범위

그러나 이러한 수형자의 경우에도 모든 기본권의 제한은 정당화될 수 없다. 수형자의 지위에서 제한이 예정되어 있는 자유와 권리는 형의 집행과 도망의 방지라는 구금의 목적과 관련된 신체의 자유 및 거주이전의 자유 등 몇몇 기본권에 한정되어야 하며 그 역시 필요한 범위를 벗어날 수 없다. 특히 수용시설 내의 질서 및 안전유지를 위하여 행해지는 규율과 징계를 통한 기본권의 제한은 수형자에게 구금과는 별도로 부가적으로 가해지는 고통으로서 다른 방법으로는 그 목적을 달성할 수 없는 경우에 예외적으로 허용되어야 할 것이다. 그리고 **수용자의 기본권을 제한하는 경우에도 원칙적으로 법률의 규정에 의하여야 한다.**

'형의 집행 및 수용자의 처우에 관한 법률'의 주요 내용

(1) 목적(법 제1조)

수형자의 교정교화와 건전한 사회복귀를 도모하고, 수용자의 처우와 권리 및 교정시설의 운영에 관하여 필요한 사항을 규정함

(2) 정의(법 제2조)

1. "수용자"란 수형자 · 미결수용자 · 사형확정자 등 법률과 적법한 절차에 따라 교도소 · 구치소 및 그 지소("교정시설")에 수용된 사람을 말한다.
2. "수형자"란 징역형 · 금고형 또는 구류형의 선고를 받아 그 형이 확정되어 교정시설에 수용된 사람과 벌금 또는 과료를 완납하지 아니하여 노역장 유치명령을 받아 교

---

157) 종전의 '행형법'을 전부개정하면서 법명을 '형의 집행 및 수용자의 처우에 관한 법률'(약칭: 형집행법)로 개정하였다(2008. 12. 22. 시행 법률 제8728호, 2007. 12. 21. 전부개정). 전부개정은 교정관계 법령이 인권존중의 시대적 요구에 미흡하다는 비판이 각계에서 제기됨에 따라 이루어졌다. 수용자의 기본적인 인권 및 외부교통권이 보호될 수 있도록 하기 위하여 수형자 · 미결수용자 등 교정시설 수용자에 대한 차별금지 사유의 확대, 여성 · 노인 · 장애인 수용자에 대한 배려, 미결수용자에 대한 처우 개선, 서신검열의 원칙적인 폐지 등을 규정하였다. 그리고 수용관리의 효율과 수용자의 사회적응력을 높일 수 있도록 하기 위하여 수용자별 처우계획의 수립, 수용장비의 과학화, 보호장비의 개선, 징벌종류의 다양화 등을 규정하였다. 그 밖에 청원제도 등 현행 제도의 미비점을 개선하여 수용자의 인권 신장과 수용관리의 과학화 · 효율화 및 교정행정의 선진화를 이루려고 하였다.

정시설에 수용된 사람을 말한다.

3. “미결수용자”란 형사피의자 또는 형사피고인으로서 체포되거나 구속영장의 집행을 받아 교정시설에 수용된 사람을 말한다.
4. “사형확정자”란 사형의 선고를 받아 그 형이 확정되어 교정시설에 수용된 사람을 말한다.

(3) **차별금지사유의 확대**(법 제5조)

종전에는 수용자 처우에 있어서 국적 · 성별 · 종교 및 사회적 신분에 따른 차별금지만을 규정하였으나, 교정시설 내에서의 수용자간 실질적인 평등 실현과 사회 전반의 인권의식 고양을 위하여 성별, 종교, 장애, 나이, 사회적 신분, 출신지역, 출신국가, 출신민족, 용모 등 신체조건, 병력(病歷), 혼인 여부, 정치적 의견 및 성적(性的) 지향 등을 차별금지사유로 확대함.

(4) **편지검열제도 개선 및 집필 사전허가제 폐지**(법 제43조 제3항 및 제49조 제1항)

종전에는 수용자의 서신은 원칙적으로 검열할 수 있었고 교정시설의 장의 허가를 받아야만 문학 · 학술 등에 관한 집필을 할 수 있었으나, 수용자의 통신의 자유와 문예 및 창작활동의 자유를 보다 적극적으로 보장하기 위하여 **서신[158]내용의 검열 원칙을 무검열 원칙으로 전환**하고 집필에 대한 사전허가제를 폐지함.

(5) **여성 · 노인 · 장애인 및 외국인 수용자의 처우**(법 제50조부터 제54조까지)

사회적 약자인 여성 · 노인 · 장애인 수용자를 특별히 보호하기 위하여 신체적 · 심리적 특성, 나이 · 건강상태 및 장애의 정도 등을 고려하여 그 처우에 있어 적정한 배려를 할 것을 명시하고, 외국인 수용자의 경우에는 언어 · 생활문화 등을 고려하여 적정한 처우를 하도록 함.

(6) **수형자 개별처우계획 수립 등**(법 제56조 및 제57조)

i) 수형자의 교정교화와 사회적응능력 함양을 위하여 교정시설의 장은 수형자의 개별적인 특성에 알맞은 처우계획을 수립 · 시행하고, 분류심사 결과에 따라 그에 적합한 시설에 수용하도록 하며, 교정성적에 따라 그 처우가 상향 조정될 수 있도록 함.

ii) 수형자의 도주방지 등을 위한 수용설비와 계호의 정도에 따라 교정시설을 개방시설 · 완화경비시설 · 일반경비시설 및 중(重)경비시설로 차등 · 구분함으로써 수형자의 교정성적에 따라 다양한 처우를 실시할 수 있는 시설기반을 마련함.

(7) **분류심사 전담시설의 지정 · 운영**(법 제61조)

수형자에 대한 과학적인 분류와 체계적인 처우계획의 수립 · 시행을 위하여 법무부장관으로 하여금 수형자의 인성 · 자질 · 특성 등을 조사 · 측정 · 평가하는 분류심사를 전담하는 교정시설을 지정 · 운영할 수 있도록 함.

---

158) 2020. 2. 4. 개정을 통하여 서신을 편지로 바꾸었다.

(8) 미결수용자의 무죄추정에 합당한 지위 보장(법 제79조 및 제85조)

i) 무죄추정을 받는 미결수용자가 수형자와 동일한 처우를 받는 것은 타당하지 않으므로 그에 적합한 처우규정이 필요함.

ii) 미결수용자는 무죄추정에 합당한 처우를 받는다는 것을 명시하고, 미결수용자가 교정시설 수용 중에 규율위반으로 조사를 받거나 징벌집행 중인 경우라도 소송서류의 작성, 변호인과의 접견, 서신 수수 등 수사 및 재판과정에서의 권리행사를 보장하도록 함.

iii) 미결수용자의 수사 및 재판과정에서의 방어권이 확고히 보장될 것으로 기대됨.

(9) 전자장비의 사용 및 한계규정 마련(법 제94조)

i) 육안에 의한 수용자 감시의 한계로 자살 등 각종 사고가 빈발함에 따라 선진 외국에서 성공적으로 행하여지고 있는 발전된 계호(戒護)시스템의 도입이 필요함.

ii) 자살 · 자해 · 도주 · 폭행 · 손괴 그 밖에 수용자의 생명 · 신체를 해하거나 시설의 안전 또는 질서를 해치는 행위의 방지를 위하여 필요한 범위 안에서 전자장비를 이용하여 수용자 또는 시설을 계호할 수 있도록 하되, 전자영상장비로 거실에 있는 수용자를 관찰하는 것은 자살 등의 우려가 클 때에만 할 수 있도록 하고, 전자장비로 계호하는 경우에도 피계호자의 인권이 침해되지 않도록 함.

iii) 교정시설 내에서 발생되는 각종 사고에 효과적으로 대응하고, 최소한의 인력으로 시설의 안전과 질서를 확보할 수 있을 것으로 기대됨.

(10) 보호장비의 종류 변경(법 제98조)

종전의 보호장비 중 **사슬**은 비인도적이므로 이를 보호장비에서 제외하는 대신, 수용자의 신체압박을 최소화하면서 필요한 신체부위에만 사용할 수 있는 현대적 보호장비인 보호복 · 보호침대 · 보호대 등을 보호장비에 추가함.

(11) 마약류사범 · 조직폭력사범 등에 대한 특별 관리(법 제104조)

마약류사범에 의한 교정시설 내 마약류 반입을 효과적으로 차단하고 조직폭력사범으로부터 일반수용자를 보호하기 위하여 마약류사범 및 조직폭력사범 등에 대하여는 수용자로서의 기본적인 처우가 보장되는 범위 안에서 다른 수용자와는 달리 법무부령이 정하는 바에 따라 별도의 관리를 할 수 있도록 함.

(12) 징벌종류의 확대(법 제108조)

i) 교정시설의 장이 수용자의 규율위반 등을 이유로 부과하는 징벌이 금치 위주로 집행되어 왔고, 그 종류도 5종에 불과하여 다양하지 못하다는 문제점이 있음.

ii) 징벌의 종류에 근로봉사, 공동행사 참가 정지, 전화통화 제한, 텔레비전 시청 제한, 자비구매물품 사용 제한 등 9종을 추가함으로써 규율위반 등의 태양에 따라 다양한 징벌을 부과할 수 있도록 함.

(13) **청원제도의 다양화**(법 제117조)

ⅰ) 수용자가 그 처우에 불복이 있는 경우에 제출하는 청원은 법무부장관 또는 순회점검공무원에게만 하도록 되어 있어 회신이 지연되는 등 문제점이 있음.

ⅱ) 처우에 관한 불복이 있는 수용자는 법무부장관 또는 순회점검공무원뿐만 아니라 관할 지방교정청장에게도 청원을 할 수 있도록 함.

(14) **교정자문위원회 제도 도입**(법 제129조)

ⅰ) 교정시설이 인권의 사각지대라는 대외적 비판을 극복하기 위하여는 교정행정에 대한 국민 참여를 보다 확대할 필요가 있음.

ⅱ) 5명 이상 7명 이하의 순수 외부인사로 구성되는 교정자문위원회를 교정시설별로 설치하여 수용자 처우 및 교정시설 운영 등에 관하여 교정시설의 장에게 자문할 수 있도록 함.

(15) **부정물품의 반입·수수 등에 대한 벌칙**(법 제132조)

수용자가 주류·담배·현금·수표를 교정시설에 반입하거나 이를 소지·사용·수수·교환 또는 은닉하는 경우와 수용자 외의 사람이 위 물품을 반입·수수·교환하는 경우 6개월 이하의 징역 또는 200만원 이하의 벌금에 처하여 시설의 안전과 질서를 유지하고 각종 사고를 예방할 수 있도록 함.

제3절 사생활의 자유권

Ⅰ. 사생활의 자유권(사생활영역의 기본권)의 체계

1. 학 설

사생활의 자유의 체계와 관련하여 학설은 다양한 입장을 보여주고 있다. 김철수 교수는 **사회적·경제적 자유권** 속에서 거주·이전의 자유, 직업선택의 자유, 주거의 자유, 사생활의 자유와 비밀, 통신의 자유, 재산권을 설명하고 있고,[159] 권영성 교수는 사생활자유권이란 분류 하에서 사생활의 비밀과 자유(자기정보관리통제권 포함), 주거의 자유, 거주이전의 자유, 통신의 자유를 설명하고 있다.[160] 허영 교수

159) 김철수, 학설·판례 헌법학(상), 박영사, 2008, 787면 이하.

160) 권영성 교수는 "헌법에서 명문으로 규정하고 있는 일련의 사생활에 관한 자유와 권리는 그 체계가 헌법 제17조의 사생활의 비밀과 자유의 불가침조항을 기본조항 내지 목적조항으로 하고, 제16조의 주거의 불가침, 제14조의 거주·이전의 자유, 제18조의 통신의 불가침 등을 그 실현수단조항으로 하고 있다"고 파악하고 있다(권영성, 헌법학원론(2010년판), 법문사, 2010, 450면).

는 사생활영역의 보호 하에서 주거의 자유, 통신의 자유, 사생활의 비밀과 자유를 설명하고 거주 · 이전의 자유는 경제생활영역의 보호에서 설명하고 있다.[161] 한편 계희열 교수는 사생활영역의 자유 하에서 사생활의 비밀과 자유, 주거의 자유, 통신의 자유를 설명하고 거주 · 이전의 자유는 사회 · 경제생활영역의 자유에서 설명하고 있다.[162]

2. 결 어

사적 생활의 평온을 교란 받지 아니하며, 자신에 관한 사적 사항을 함부로 공표당하지 아니하고 사적 사항에 관한 정보를 악용당하지 아니할 권리인 사생활의 비밀과 자유가 사생활영역의 기본적인 기본권이며, 이와 함께 사적 생활공간에 대한 부당한 간섭을 거부하는 주거의 불가침과 자유로이 타인과 접촉하고 대화하는 통신의 자유가 사생활영역의 기본권의 한 축을 이루고 있다.

거주 · 이전의 자유는 연혁적인 이유를 고려할 때 사회 · 경제적 자유권에서 설명하는 것이 무난하지 않나 생각한다.

Ⅱ. 사생활의 비밀과 자유

1. 사생활의 비밀과 자유(프라이버시권)의 연혁과 입법례

(1) 연 혁

프라이버시보호, 사생활보호는 종래 형법상의 명예훼손이나 민법상 불법행위책임의 문제로 이해되었으나, 헌법상 프라이버시권은 1890년 미국의 **워렌**(Warren)과 **브랜다이스**(Brandeis)의 논문 **'프라이버시권리'**(the right to privacy)에서 독립된 권리로서 주장되었다. 여기에서 프라이버시권리는 **'홀로 두어질 수 있는 권리'**(the right to be let alone)라는 개념으로 정의되어 주로 소극적인 권리로 이해되었다. 이러한 견해는 최근에 들어와서 적극적인 개념으로 확대되어 프라이버시권은 '자기에 관한 정보를 통제하는 개인의 권리'로 해석되었고 '개인, 집단 또는 기관이 자기에 관한 정보를 언제, 어떻게, 어느 정도 타인에게 유통시키느냐를 스스로 결정하는 권리'라고까지 파악되고 있다.

---

161) 허영, 전정13판 한국헌법론, 박영사, 2017, 408면 이하, 488면 이하 참조.
162) 계희열, 신정2판 헌법(중), 박영사, 2007, 391면 이하.

(2) 입법례

오늘날은 대다수의 국가가 사생활을 법률 혹은 헌법의 차원에서 보호하고 있다.

① 독 일

독일에서는 헌법상 일반적 인격권의 일환으로 학설상 널리 인정되고 있고,[163] 1979년 정보보호법(Datenschutzgesetz) 등의 개별입법에 의한 보호도 이루어지고 있다.

② 미 국

미국 연방대법원은 1965년 프라이버시권을 수정헌법 제1조(언론·출판의 자유 등)·제3조(병사사영금지)·제4조(체포·수색·압수금지)·제9조(열거되지 아니한 기본권)·제14조(적법절차) 등에서 추론되는 미연방헌법상의 독립된 권리라는 것을 처음으로 인정하였다.[164]

③ 일 본

일본의 경우도 학설과 판례가 일본국헌법 제13조의 생명·자유 및 행복추구권 속에 프라이버시권이 포함되어 있는 것으로 보고 있다.

④ 우리나라

우리나라는 제5공화국 헌법에서 사생활의 비밀과 자유가 처음으로 명문화되었다. 그 이전에는 인간의 존엄과 가치규정을 근거로 인정되고 있었다. 현행 헌법 제17조는 "모든 국민은 사생활의 비밀과 자유를 침해받지 아니한다"라고 규정하고 있다. 한편 국가주요업무에 대한 전산화의 확대추진과 전국적 행정전산망의 구축 등으로 개인정보의 부당사용 또는 무단유출로 인한 개인사생활의 침해 등 각종 부작용이 우려됨에 따라, 공공기관이 컴퓨터에 의하여 개인정보를 취급함에 있어서 필요한 사항을 정함으로써 공공업무의 적정한 수행을 도모함과 아울러 개인의 권리와 이익을 보호하기 위하여 1994. 1. 7. **'공공기관의 개인정보보호에 관한 법률'**

---

163) "헌법이 보호하고자 하는 개인의 사생활이란 개인의 가장 깊은 곳에 자리한 자아의 외부로부터의 불가침을 전제로 한 것으로, 인격의 자유로운 발현과 인간으로서의 존엄성을 유지하게 하는 핵심영역이다"(BVerfGE 34, 238).

164) Griswold v. Conneticut 381 U.S. 479. 이 사건에서 피임도구의 사용은 부부 사이의 프라이버시권으로서 수정 제14조(적법절차)의 보호를 받는다고 판시하였다. 그리고 1974년 Privacy Act가 제정되어 법률적으로도 보호되고 있다.

이 제정된 바 있다(1995. 1. 1. 시행). 그러나 정보사회의 고도화와 개인정보의 경제적 가치 증대로 사회 모든 영역에 걸쳐 개인정보의 수집과 이용이 보편화되고 있음에도 불구하고, 국가사회 전반을 규율하는 개인정보 보호원칙과 개인정보 처리기준이 마련되지 못해 개인정보 보호의 사각지대가 발생하는 현실에서 공공부문과 민간부문을 망라하여 국제 수준에 부합하는 개인정보 처리원칙 등을 규정하고, 개인정보 침해로 인한 국민의 피해 구제를 강화하여 국민의 사생활의 비밀을 보호하며, 개인정보에 대한 권리와 이익을 보장하려는 목적하에 종전의 '공공기관의 개인정보보호에 관한 법률'을 폐지하고 2011. 3. 29. **'개인정보 보호법'**을 제정하였다(2011. 9. 30. 시행).

⑤ 결 어

프라이버시권 내지 사생활의 자유와 비밀보장은 처음에는 학설에서 주장되었고, 이것이 판례에 반영되고 법률 차원에서 보장규정이 두어지고 나아가 헌법상 기본권으로 명시적으로 규정되는 경우도 있게 되었다. 특히 오늘날 정보화사회에서 매우 중요한 기본권으로 인식되고 있다.

2. 사생활의 비밀과 자유의 개념

(1) 사생활의 개념

사생활이란 공적 생활·사회생활과 구별되는 개인생활을 의미한다. 이는 원래 타인과의 교제 또는 공적 관심에서 물러난 상태, 곧 **'은거'**(seclusion)를 의미하며, 이는 또한 한사람의 인격의 성역에 해당한다.

(2) 사생활의 비밀의 개념

'사생활의 비밀'은 사생활과 관련된 전혀 사사로운 '나만의 영역'이 본인의사에 반해서 타인에게 알려지지 않도록 나만이 간직할 수 있는 권리이다.

(3) 사생활의 자유의 개념

'사생활의 자유'는 사생활의 설계 및 그 내용에 대해서 외부로부터의 간섭을 받지 아니할 권리이다.[165]

165) 헌법재판소는 "사생활의 자유는 사회공동체의 일반적인 생활규범의 범위 내에서 사생활을 자유롭게 형성해 나가고 그 설계 및 내용에 대해서 외부로부터 간섭을 받지 아니할 권리라

(4) 사생활의 비밀과 자유와 다른 기본권과의 관계

① Privacy권과의 관계

프라이버시권을 사생활의 평온을 침해받지 아니하고 사생활의 비밀을 함부로 공개당하지 아니할 권리로 이해하는 견해(협의설), 소극적으로는 협의설과 같은 입장을 취하면서도 적극적으로는 "자신에 관한 정보를 관리·통제할 수 있는 법적 능력"으로 파악하는 견해(광의설), 사생활의 비밀과 자유 및 통신불가침과 주거의 불가침까지를 포함하는 견해(최광의설)가 있지만, 대체로 프라이버시권을 광의설의 입장에서 파악한다면 프라이버시권을 우리 헌법의 생활의 비밀과 자유와 동일하게 보아도 큰 문제는 없을 것이다.

② 인격권 및 일반적 행동의 자유와의 관계

사생활의 비밀과 자유는 일반적 인격권의 내용과 중복될 수 있다. 앞에서 살펴본 바와 같이 제10조에서 도출되는 인격권에는 인격의 형성·유지·표현권 등이 포함되어 있고, 인격권으로 거론되는 것으로는 명예권, 초상권, 성명권, 음성권 등이 들어지고 있다. 사생활의 비밀과 자유를 개별적 기본권으로 명시하고 있는 우리 헌법의 규정에 비추어 볼 때 사생활의 비밀과 자유는 일반적 인격권이외의 사생활의 비밀과 자유와 관련되는 내용을 주된 대상으로 한다고 보아야 한다. 또한 사생활의 자유는 앞에서 살펴본 일반적 행동의 자유와 중복될 수 있다. 행복추구권의 내용으로 파악되는 일반적 행동의 자유권은 '포괄적' 자유권으로서 일반조항적 성격을 가진다. 따라서 개별적 자유권이 있으면 그것을 적용하고 일반적 행동자유권은 보충적으로 적용된다. 따라서 포괄적 행동의 자유 중에서 사생활의 자유를 제외한 일반적 행동이 일반적 행동의 자유의 주된 보호대상이 된다.

3. 사생활의 비밀과 자유의 주체

Privacy권은 인간의 존엄과 가치(인격권)에서 비롯되는 기본권으로, 모든 자연인의 권리이다. 따라서 모든 국민, 외국인이 주체가 될 수 있다. 또한 감정을 소유하고 정신적 고통을 느낄 수 있는 인간의 권리를 의미하므로 법인은 성질상 Privacy권의 주체가 될 수 없다. 그러나 예외적으로 법인도 명예의 주체가 될 수 있으므로 명예가 훼손되거나 명칭·상호 등이 타인에 의해 영리목적으로 사용되는 경우

고 할 수 있다"고 정의하고 있다(헌재 2002. 3. 28. 2000헌바53).

에는 제한적 주체가 될 수 있다는 견해[166]와 명예와 사생활의 비밀은 구별되어야 하며 법인의 경우 명예가 침해될 수 있어서도 사생활의 침해는 있을 수 없나고 하면서 법인의 명예, 명칭, 상호, 상표 등이 침해된 경우 이는 재산권의 침해로 보아야 한다는 견해도 있다.[167]

4. 사생활의 비밀과 자유의 내용

(1) 광의와 협의의 관점에서 내용

제17조의 사생활의 비밀과 자유는 문면 그대로 협의로 파악하면 명문의 근거규정이 있는 사생활의 비밀과 자유에 관한 권리를 지칭하나, 이에 적극적 권리의 성격을 아울러 갖는 개인정보자기결정권(자기정보결정권, 자기정보관리통제권)도 포함되는가와 관련해서는 학설이 대립한다.

(2) 사생활의 비밀의 불가침(사생활의 비밀유지권)

① 의 의

자신의 의사에 반하여 사생활의 내용을 공개당하지 않을 권리를 말한다. 사생활 비밀에 대한 불가침은 사적 사항, 명예나 신용, 인격적 징표가 도청, 비밀녹음, 초상도용 등으로 사생활이 본인의 의사에 반하여 파악되는 것과 파악된 사생활의 내용이 공개되는 것을 금지하는 것을 포함한다.

간통죄위헌 여부에 관한 헌법소원에서 헌법재판소의 소수의견(김양균)은 사생활은폐권 개념을 인정하고 있다. 즉 "간통죄는 사생활은폐권이라는 국민의 기본권을 침해하고 있거나 과잉금지의 원칙에 위배되어 원칙적으로 위헌이며 일보를 후퇴하여 동죄의 존치의 합헌성 즉 범죄화는 일응 이를 인정한다고 하더라도 그에 대한 형벌로 징역 2년 이하의 자유형만을 규정하고 있는 벌칙의 규정은 과잉금지의 원칙(침해의 최소성 및 법익의 균형성)에 위배되어 위헌이다"라고 주장한 바 있다.[168]

② 사적 사항(공개하고 싶지 않은 것)의 불가침

사생활의 공개는 본인의 자율적인 결정에 맡겨야 한다. 본인의 의사에 반하여 공개하는 것은 사생활의 비밀에 대한 침해가 된다. 본인의 의사에 반한다는 것은

---

166) 권영성, 앞의 책, 454면; 홍성방, 헌법학(중), 박영사, 2010, 126면.
167) 김학성 · 최희수, 전정 4판[2020년판], 피앤씨미디어, 2020, 558－559면.
168) 헌재 1990. 9. 10. 89헌마82 소수의견.

명시적 의사에 반하는 것은 물론 본인이 싫어할 것으로 판단되는 것을 강행하는 경우도 포함한다.[169] 국가의 사적인 영역에서의 자료수집으로부터의 보호를 주된 내용으로 한다. 개인만이 간직하고 싶고 공개하고 싶지 않은 사적 사항(私事)의 예로는 신체의 특징, 성, 질병기록, 전과사실 등을 들 수 있다.

③ 명예나 신용의 불가침

허구의 사실을 공표하거나 사실을 과장 · 왜곡하여 공표함으로써 세인으로 하여금 특정인을 오해하도록 하여서는 안 된다. 그 오해의 정도는 사회통념상 수인할 수 없는 정도의 것이어야 한다.

④ 인격적 징표의 불가침

성명 · 초상 · 경력 · 이미지 등 본인에게 고유한 속성인 인격적 징표는 도용되어서는 안 된다. 본인의 동의 없이 초상을 촬영하거나 명의를 사용하는 행위와 개인의 고유한 이미지를 사용하는 행위는 불법행위가 된다.

한편 **퍼블리시티권**(right of publicity)은 사회적으로 저명한 사람이 자신의 이름이나 사진 혹은 모습 등이 상업적으로 부당하게 이용되는 것을 방지하기 위하여 보호되는 유명도에 관한 개인적 권리이며 새로운 지식재산권이라 할 수 있다.

(3) 사생활의 자유의 불가침

사생활의 자유에 대한 불가침은 평온한 사생활의 유지,[170] 자신이 원하는 방식의 사생활을 적극적으로 형성하고 전개하는 것,[171] 사생활의 자율성을 방해 또는 간섭받지 않을 것 등을 포함한다. 개인의 사생활(출산, 혼인, 이혼, 피임 등)의 자유

---

169) 사생활의 공개가 불법행위가 되기 위한 요건으로 ⅰ) 사실을 공공연하게 폭로하는 것(공표)이어야 하고, ⅱ) 폭로된 사실이 사적 사항이어야 하며, ⅲ) 공개된 사실이 평균적 감수성을 가진 합리적 인간의 감정을 침해하는 것이어야 하며, ⅳ) 공개된 사적 사항이 자신에 관한 것이라는 증명, 즉 일체성이 입증되어야 한다는 점을 들기도 한다(권영성, 앞의 책, 454면).

170) 사생활을 적극적으로 방해하거나 소극적으로 감시 · 도청 · 도촬 등으로 교란함으로써 불안 · 불쾌감을 유발해서는 안 된다. 통상의 수인한도를 넘을 정도로 감정을 해하는 것은 불법행위가 된다. 사생활의 자유가 침해되는 예로는 호텔에 투숙한 여인이 혹시 성매매행위를 하고 있지 않은지를 확인하기 위하여 관리인이 무단침입하는 행위, 상점에서 절도 혐의를 받는 여인의 쇼핑백을 상점주인이 불법으로 수색하는 행위, 방에다 마이크 장치를 하고 옆방에서 전화를 도청하는 행위, 은행예금을 부당하게 조사하는 행위 등이 있다(권영성, 앞의 책, 456면).

171) 의복이나 모발의 형태를 일정한 것으로 강요하는 행위, 취미생활을 부당하게 강요하는 행위, 주거지역에서 가옥형태를 일정한 형태로 강요하는 행위 등은 금지된다. 이는 행복추구권에서 나오는 자기결정권의 내용도 된다.

로운 결정이 국가에 의해 침해되지 않는 점도 사생활의 자유의 불가침의 내용이 되나 이는 행복추구권에서 파생되는 자기결정권과 중복될 수 있다.

(4) 개인정보자기결정권

① 의 의

개인정보자기결정권이란 자기에 관한 정보를 누가 어떤 목적으로 보유하고 있으며, 누구에게 정보를 제공했으며, 그 정보가 정확·적절한 것인가 등에 대하여 통제하는 것, 자신에 관한 정보를 보호받기 위하여 자신에 관한 정보를 자율적으로 결정하고 관리할 수 있는 권리이다.[172] 자기정보관리·통제권, 정보의 자결권 등으로도 불린다. 인적 자료의 수집·처리·활용이 고도로 발달되어 개인의 사생활이 소멸 직전에 놓여 있는 현대의 정보사회, 이른바 **'벌거벗은 사회'**(Naked Society: V. Packard의 표현)에서 문제가 된 프라이버시권의 적극적인 내용이다. 개인정보자기결정권의 보호대상이 되는 개인정보는 개인의 신체, 신념, 사회적 지위, 신분 등과 같이 개인의 인격주체성을 특징짓는 사항으로서 그 개인의 동일성을 식별할 수 있게 하는 일체의 정보라고 할 수 있고, 반드시 개인의 내밀한 영역이나 사사(私事)의 영역에 속하는 정보에 국한되지 않고 공적 생활에서 형성되었거나 이미 공개된 개인정보까지 포함한다.[173]

② 헌법상 근거

개인정보자기결정권은 개인정보가 침해당하지 않을 소극적 성격뿐만 아니라 적극적으로 개인정보를 통제하고 그 보호를 청구할 수 있는 적극적 성격도 가진다. 이러한 개인정보자기결정권을 헌법상 보장되는 권리로 보는 데는 대부분 일치하지만, 그 헌법적 근거를 어디에서 찾을 것인가에 대해서는 견해의 대립이 있다. 즉 제17조의 문면만으로는 사생활의 비밀과 자유라는 자유권적 측면의 소극적·방어적 권리가 핵심적인 성격을 띤다고 볼 수 있지만, 정보화된 현대사회에서 자신에 대한 정보를 적극적으로 통제할 수 있는 권리가 제17조의 사생활의 비밀과 자유에 포함될 수 있는가에 대해서는 학설이 대립한다. 제17조의 사생활의 비밀과 자유는 자기결정권의 헌법적 근거가 될 수 없고 자기결정권은 인간의 존엄과 가치를 규정

---

172) 헌법재판소는 "개인정보자기결정권은 자신에 관한 정보가 언제 누구에게 어느 범위까지 알려지고 또 이용되도록 할 것인지를 그 정보주체가 스스로 결정할 수 있는 권리이다. 즉 정보주체가 개인정보의 공개와 이용에 관하여 스스로 결정할 권리를 말한다"고 정의하고 있다(헌재 2005. 5. 26. 99헌마513, 2004헌마190(병합)).

173) 위의 판례.

한 제10조에서 찾는 견해,[174] 제17조의 사생활의 비밀과 자유에는 개인정보자기결정권도 포함한다고 보는 견해,[175] 제17조와 제10조를 종합적으로 이해하는 견해 등이 그것이다.

헌법재판소는 소극적 권리성과 적극적 권리성을 가지는 개인정보자기결정권을 제10조와 제17조를 근거로 하여 도출하고 있다.[176] 대법원판례도 제10조와 제17조의 헌법규정은 "개인의 사생활활동이 타인으로부터 침해되거나 사생활이 함부로 공개되지 아니할 소극적인 권리는 물론, 오늘날 고도로 정보화된 현대사회에서 자신에 대한 정보를 자율적으로 통제할 수 있는 적극적인 권리까지도 보장하려는 취지가 있는 것으로 해석되는바 …… "라고 판시하고 있어[177] 적극적인 권리성을 도출하기 위해서는 제10조도 함께 제시하고 있다.

최근에는 헌법재판소는 개인정보자기결정권을 사생활의 비밀과 보호와 구별되는 독자적인 기본권으로 파악하고 있으며,[178] 독자적 기본권으로 파악하는 견해도 늘고 있다.[179] 생각건대 사생활의 비밀과 자유에 적극적인 측면을 인정한다면 사생활의 자유와 비밀에서 개인정보자기결정권을 다룰 수 있다고 생각한다. 다만 부가적으로 제10조도 간접적 근거조항으로 볼 수 있다.

③ 개인정보자기결정권의 법적 성격

개인정보자기결정권은 주관적 공권으로 일신전속적 권리, 능동적·적극적 권리의 성격도 가진다. 개인정보자기결정권 중에서 자기정보열람청구권(접근권)은 알

---

174) 김철수, 앞의 책(상), 838면. 헌법 제17조의 사생활의 비밀과 자유를 좁은 의미로 이해한다.

175) 권영성, 앞의 책, 456면. 헌법 제17조의 사생활의 비밀과 자유에 자기정보결정권을 포함하는 광의로 이해한다.

176) 헌재 2005. 7. 21. 2003헌마282.

177) 대판 1998. 7. 24. 96다42789.

178) "개인정보자기결정권의 헌법상 근거로는 헌법 제17조의 사생활의 비밀과 자유, 헌법 제10조 제1문의 인간의 존엄과 가치 및 행복추구권에 근거를 둔 일반적 인격권 또는 위 조문들과 동시에 우리 헌법의 자유민주적 기본질서 규정 또는 국민주권원리와 민주주의원리 등을 고려할 수 있으나, 개인정보자기결정권으로 보호하려는 내용을 위 각 기본권들 및 헌법원리들 중 일부에 완전히 포섭시키는 것은 불가능하다고 할 것이므로, 그 헌법적 근거를 굳이 어느 한두 개에 국한시키는 것은 바람직하지 않은 것으로 보이고, 오히려 개인정보자기결정권은 이들을 이념적 기초로 하는 독자적 기본권으로서 헌법에 명시되지 아니한 기본권이라고 보아야 할 것이다"라고 판시하고 있다(헌재 2005. 5. 26. 99헌마513, 2004헌마190(병합)).

179) 김학성·최희수, 앞의 책, 567면. 사생활의 비밀은 당사자의 의사에 반해 정보를 수집하는 것에 대한 방어이지만, 수집된 정보의 처리방법과 처리과정에서 발생한 인격 및 사생활 침해에 대해서는 방어가 미흡하기 때문이며, 사생활의 비밀은 개인의 '인격적 정체성보호'에 그치며 개인의 '사회적 정체성보호'에 미치지 못하기 때문에 개인정보자기결정권을 독자적 기본권으로 파악한다고 한다.

권리로서의 성격도 가지고 있으므로 정보공개청구권과 중복되는 측면도 있다.

④ 개인정보자기결정권의 주체

개인정보자기결정권도 인격적 이익의 보호를 보호법익으로 할 때, 원칙적으로 내외국인을 불문하고 자연인이 주체가 된다. 법인은 예외적으로 명예의 주체가 될 수 있으므로 제한적으로 인정될 수 있다는 견해도 있지만,[180] 명예와 사생활의 비밀과 자유를 구별하면 명예권의 주체가 되는 것은 별론으로 하더라도 개인정보자기결정권의 주체가 된다고 보기는 어렵다. 사자의 경우에도 가족과의 관계에서 예외적으로 인격권 등의 주체가 되는 것으로 보는 견해도 있지만, 같은 이유로 개인정보자기결정권의 주체로 보기는 어렵다. 개인정보 보호법도 법의 보호대상으로 개인정보의 개념을 '**살아있는 개인의 정보**'에 한정하고 있다.[181]

⑤ 내 용

i) 자기정보 수집 · 처리 배제권(개인정보수집 · 이용자기결정권)

기본권을 현저하게 침해할 우려가 있는 개인정보의 수집을 금지한다. 개인정보주체의 동의 없이 수집 · 이용되어서는 아니 되고 주체가 처리정지를 요구할 수 있다. 개인정보처리자는 법이 정한 사유에 해당하는 경우에는 개인정보를 수집할 수 있으며 그 수집 목적의 범위에서 이용할 수 있다(개인정보 보호법 제15조). 개인정보처리자는 법이 정한 어느 하나에 해당하여 개인정보를 수집하는 경우에는 그 목적에 필요한 최소한의 개인정보를 수집하여야 한다. 이 경우 최소한의 개인정보 수집이라는 입증책임은 개인정보처리자가 부담한다(동법 제16조 제1항).

개인정보를 대상으로 한 조사 · 수집 · 보관 · 처리 · 이용 등의 행위는 모두 원칙적으로 개인정보자기결정권에 대한 제한에 해당한다.[182]

법원의 녹취불허결정에 대한 헌법소원

형사소송규칙 제49조는 "검사, 피고인 또는 변호인이 법 제56조의2 제2항의 규정에 의하여 속기 또는 녹취를 하고자 할 때에는 미리 법원의 허가를 받아야 한다"고 규정하고 있으며, 형사소송법 제56조의2 제2항은 "피고인, 변호인 또는 검사는 각자의 비용부담으로 전항의 필기 또는 녹취를 할 수 있다"라고 규정하고 있다. 법원의

180) "종중발행의 대동보에서 원고종중의 시조의 계보를 누락한 것은 원고종중의 명예를 훼손한 것이다"(대판 1990. 2. 27. 89가카12775).

181) 개인정보 보호법 제2조 제1호.

182) 헌재 2005. 5. 26. 99헌마513, 2004헌마190(병합).

> 녹취불허결정에 대한 헌법소원[183)]에서 헌법재판소는 "공판정에서 진술을 하는 피고인·증인 등도 인간으로서의 존엄과 가치를 가지며(헌법 제10조), 사생활의 비밀과 자유를 침해받지 아니할 권리를 가지고 있으므로(헌법 제17조), 본인이 비밀로 하고자 하는 사적인 사항이 일반에 공개되지 아니하고 자신의 인격적 징표가 타인에 의하여 일방적으로 이용당하지 아니할 권리가 있다. 따라서 모든 진술인은 원칙적으로 자기의 말을 누가 녹음할 것인지와 녹음된 자기의 음성이 재생될 것인지 여부 및 누가 재생할 것인지 여부에 관하여 스스로 결정한 권리가 있다. 왜냐하면 사람의 말과 음성이 녹음되어 진술인의 동의없이 임의로 처리된다면 사람들은 자연스럽게 의사를 표현할 수 없게 될 것이며 언제나 자신의 무의식적인 발언이나 잠정적인 의견, 순간적인 감정상태에서의 언급 등이 언제나 재생가능한 상태로 보관되고 다른 기회에 자기 자신의 의사와는 무관하게 재생될 수도 있다는 점에서 진술인의 인격이 현저히 침해될 수 있는 위험이 따르기 때문이다"라고 하면서 "형사소송규칙 제40조는 합리적인 이익형량에 따라 녹취를 제한할 수 있는 기속적 재량을 의미하는 것으로서, "녹취를 하지 아니할 특별한 사유"가 없는 한 이를 원칙적으로 허용하여야 하는 것으로 풀이함이 상당하고, 녹취허부에 관한 구체적인 기준을 설정하지 않았다는 이유만으로 법률이나 헌법에 위반된다고 단정할 수 없다"고 판시하였다.
>
> 헌재 1995. 12. 28. 91헌마114

ii) 자기정보에 대한 접근권(개인정보열람청구권)

정보주체는 개인정보처리자가 처리하는 자신의 개인정보에 대한 열람을 개인정보처리자에게 요구할 수 있다(개인정보 보호법 제35조 제1항). 개인정보처리자가 열람을 요구 받았을 때에는 10일 이내에 정보주체가 해당 개인정보를 열람할 수 있도록 하여야 한다. 이 경우 해당 기간 내에 열람할 수 없는 정당한 사유가 있을 때에는 정보주체에게 그 사유를 알리고 열람을 연기할 수 있으며, 그 사유가 소멸하면 지체 없이 열람하게 하여야 한다(동법 제35조 제3항, 동법 시행령 제41조 제4항). 다만 일정한 사유[184)]가 있는 경우에는 정보주체에게

183) 이 사건에서는 법령에 대한 헌법소원의 적법요건과 관련하여 헌법재판소는 "피고인이나 변호인의 공판정에서의 녹취허가신청에 대한 법원의 녹취불허결정은 판결전의 소송절차에 관한 법원의 결정으로서 즉시항고를 인정하는 명문의 규정이 없고, 항소나 상고는 판결 자체에 대한 불복방법일 뿐 판결전 소송절차상의 결정에 대한 직접적인 불복방법이 아니어서 결국 법원의 녹취불허결정에 대하여는 직접적인 구제절차가 없다 할 것이므로, 그 녹취허부결정의 근거규정인 형사소송규칙 제40조에 대하여 직접 헌법에 위반되는지 여부의 심판을 청구할 수 있다"고 판시하여 보충성원칙의 예외로서 형사소송규칙 제40조의 구체적 집행행위성을 인정하였다.

184) 1. 법률에 따라 열람이 금지되거나 제한되는 경우, 2. 다른 사람의 생명·신체를 해할 우려가 있거나 다른 사람의 재산과 그 밖의 이익을 부당하게 침해할 우려가 있는 경우, 3. 공공기관이 다음 각 목(가. 조세의 부과·징수 또는 환급에 관한 업무, 나. 「초·중등교육법」 및 「고등교육법」에 따른 각급 학교, 「평생교육법」에 따른 평생교육시설, 그 밖의 다른 법률에

그 사유를 알리고 열람을 제한하거나 거절할 수 있다(동법 제35조 제4항).

알 권리의 일환으로서의 정보공개청구권과 개인정보열람청구권과의 관계가 문제된다. 그러나 알 권리는 제10조 또는 제21조에서 근거한 권리이며 일반국민이 청구권자이지만 자기정보에 대한 열람청구권은 개인정보의 주체가 청구권자라는 점에서 구별되며 개인정보열람청구권은 개인정보자기통제권을 행사하기 위한 전제로서 인정의 필요성이 존재한다. 그러한 점에서 개인정보열람청구권은 개인정보자기결정권의 한 내용으로 볼 수 있다. 다만 상당부분 알 권리의 내용과 중복될 것이다. 개인정보가 문서이외의 필름·자기테이프·자기디스크 등에 수록되어 있는 경우에는 정보주체가 이해할 수 있는 형태로 사본을 작성하여 교부해야 한다.[185]

> **알 권리로서의 형사확정소송기록을 열람·복사할 수 있는 권리**
>
> ""현행 실정법상 청구인에게 형사확정소송기록을 열람·복사할 수 있는 권리를 인정한 명문규정이 없다는 것만을 이유로 하여 …… 요구되는 검토를 구체적으로 행함이 없이 무조건 청구인의 복사신청을 접수조차 거부하면서 복사를 해줄 수 없다"라고 한 행위는 헌법 제21조에 의하여 보장되고 있는 청구인의 "알 권리"를 침해한 것이므로 위헌이라 할 것이고, 따라서 피청구인의 거부행위는 취소되어야 할 것이다."[186]

iii) 개인정보정정·삭제요구권(개인정보자기통제권)

정보보유기관이 법에 규정된 의무를 위반하거나 법의 취지에 반하여 개인정보를 부당하게 이용하고 있으면, 정보주체는 자기정보의 무단공표·이용의 금지 내지 사용중지 또는 삭제를 요구할 수 있는 권리가 있다. 개인정보를 열람한 정보주체는 개인정보처리자에게 그 개인정보의 정정 또는 삭제를 요구할 수 있다. 다만 다른 법령에서 그 개인정보가 수집 대상으로 명시되어 있는 경우에는 그 삭제를 요구할 수 없다(개인정보 보호법 제36조 제1항). 개인정보처리자는 정보주체의 요구를 받았을 때에는 개인정보의 정정 또는 삭제에 관하여 다른 법령에 특별한 절차가 규정되어 있는 경우를 제외하고는 지체 없이 그 개인정보를 조사하여 정보주체의 요구에 따라 정정·

따라 설치된 고등교육기관에서의 성적 평가 또는 입학자 선발에 관한 업무, 다. 학력·기능 및 채용에 관한 시험, 자격 심사에 관한 업무, 라. 보상금·급부금 산정 등에 대하여 진행 중인 평가 또는 판단에 관한 업무, 마. 다른 법률에 따라 진행 중인 감사 및 조사에 관한 업무)의 어느 하나에 해당하는 업무를 수행할 때 중대한 지장을 초래하는 경우 등이다(개인정보 보호법 제35조 제4항 제1호－제3호).

185) 권영성, 앞의 책, 459면.

186) 헌재 1991. 5. 13. 90헌마133.

삭제 등 필요한 조치를 한 후 그 결과를 정보주체에게 알려야 하며, 개인정보처리자가 개인정보를 삭제할 때에는 복구 또는 재생되지 아니하도록 조치하여야 한다(동법 제36조 제2항, 제3항). 개인정보처리자는 정보주체의 요구가 다른 법령에서 그 개인정보가 수집 대상으로 명시되어 있는 경우에는 지체 없이 그 내용을 정보주체에게 알려야 한다(동법 제36조 제4항).

▣ 개인정보 보호법상 정보주체의 권리

제4조 (정보주체의 권리) 정보주체는 자신의 개인정보 처리와 관련하여 다음 각 호의 권리를 가진다.

1. 개인정보의 처리에 관한 정보를 제공받을 권리
2. 개인정보의 처리에 관한 동의 여부, 동의 범위 등을 선택하고 결정할 권리
3. 개인정보의 처리 여부를 확인하고 개인정보에 대하여 열람(사본의 발급을 포함)을 요구할 권리
4. 개인정보의 처리 정지, 정정·삭제 및 파기를 요구할 권리
5. 개인정보의 처리로 인하여 발생한 피해를 신속하고 공정한 절차에 따라 구제받을 권리

⑥ 개인정보자기결정권의 한계와 제한

개인정보자기결정권도 제37조 제2항에 따라 법률에 의해 제한될 수 있다. 개인정보 보호법은 개인정보열람청구권도 일정한 경우에는 제한할 수 있으며, 사용중지·삭제권도 다른 법령에서 그 개인정보가 수집 대상으로 명시되어 있는 경우에는 그 삭제를 요구할 수 없도록 하고 있다(동법 제35조 제4항, 제36조 제1항).

제한하는 경우에도 **개인정보보호원칙**에 위배되지 않아야 하며 본질적 내용을 침해할 수 없다.

▣ 개인정보 보호법상 개인정보보호원칙

제3조 (개인정보 보호 원칙) ① 개인정보처리자는 개인정보의 처리 목적을 명확하게 하여야 하고 그 목적에 필요한 범위에서 최소한의 개인정보만을 적법하고 정당하게 수집하여야 한다.

② 개인정보처리자는 개인정보의 처리 목적에 필요한 범위에서 적합하게 개인정보를 처리하여야 하며, 그 목적 외의 용도로 활용하여서는 아니 된다.

③ 개인정보처리자는 개인정보의 처리 목적에 필요한 범위에서 개인정보의 정확성, 완

전성 및 최신성이 보장되도록 하여야 한다.
④ 개인정보처리자는 개인정보의 처리 방법 및 종류 등에 따라 정보주체의 권리가 침해받을 가능성과 그 위험 정도를 고려하여 개인정보를 안전하게 관리하여야 한다.
⑤ 개인정보처리자는 개인정보 처리방침 등 개인정보의 처리에 관한 사항을 공개하여야 하며, 열람청구권 등 정보주체의 권리를 보장하여야 한다.
⑥ 개인정보처리자는 정보주체의 사생활 침해를 최소화하는 방법으로 개인정보를 처리하여야 한다.
⑦ 개인정보처리자는 개인정보를 익명 또는 가명으로 처리하여도 개인정보 수집목적을 달성할 수 있는 경우 익명처리가 가능한 경우에는 익명에 의하여, 익명처리로 목적을 달성할 수 없는 경우에는 가명에 의하여 처리될 수 있도록 하여야 한다(2020. 2. 4. 개정).
⑧ 개인정보처리자는 이 법 및 관계 법령에서 규정하고 있는 책임과 의무를 준수하고 실천함으로써 정보주체의 신뢰를 얻기 위하여 노력하여야 한다.

5. 사생활의 비밀과 자유의 효력

사생활의 비밀과 자유는 주관적 공권으로서 입법, 사법, 집행 등 국가권력을 구속한다(대국가적 효력). 국가권력에 의해 사생활의 비밀과 자유가 침해된 경우에는 위헌심사(구체적 규범통제), 헌법소원, 청원, 손해배상청구, 관계공무원징계 등을 통한 구제 방법이 있다.

사생활의 비밀과 자유는 사인 간에도 간접적용된다. 가족·친지 간에는 합리적 한도에서 예외가 인정된다는 견해도 있다.[187)]

6. 사생활의 비밀과 자유의 한계와 제한

(1) 사생활의 비밀과 자유의 한계 및 제한이 문제되는 경우

① 사생활의 비밀과 자유와 언론의 자유(기본권의 상충)

i) 법익충돌을 해결하기 위한 규범조화적 해석이론

㉠ 공적 인물(公的 人物)의 이론

공적 인물의 이론이란 사생활의 비밀과 자유가 침해되었다고 주장하는 자의 사회적 지위에 따라 사생활의 비밀과 자유의 한계가 결정되어야 한다는 이론으로, 공적 인물은 그 사생활이 공개되더라도 일반인에 비하여 수인해야 할 경우가 많다

187) 권영성, 앞의 책, 460면.

는 이론이다. **공적 인물**은 그 재능·명성·생활양식·직업 때문에 일반인이 그 행위·인격에 관하여 관심을 가지는 공적 인사가 된 자를 말한다. 자의로 유명인이 된 자(정치인·운동선수·연예인) 외에 타의로 유명인이 된 자(범인과 그 가족·피의자 등)도 여기에 포함된다.[188]

그러나 공적 인물에게도 순수한 사생활은 침해되어서는 안 되며, 공적 인물의 사생활이 어느 정도까지 공개될 수 있는가는 획일적으로 정할 수 없고 구체적 상황에 따라 판단할 수밖에 없다.[189]

㉡ 공익의 이론

보도적 가치, 교육적 가치, 계몽적 가치 등 공익적 가치가 있는 사실을 알리는 것은 사생활침해가 아니라고 한다. 공정한 해설, 범인의 체포·구금, 공중의 보건과 안전, 사이비종교, 범죄피해자의 공개 등이 그 예로 들어진다. 이러한 경우 명예훼손의 위법성조각사유가 된다. 형법은 타인의 명예를 훼손하는 경우에도 그 행위가 진실한 사실로서 오로지 공공의 이익에 관한 때에는 처벌하지 아니한다고 규정하고 있다(형법 제310조). 여기서 **진실성과 공익성의 입증책임**은 전환되어 피고가 부담한다. 대법원판례는 진실하지 않은 경우에도 진실로 믿는 데 상당한 이유가 있는 경우에는 진실성을 갖춘 것으로 보는 이른바 '**진실성오인의 상당성이론**'을 채택한 바 있다.[190]

㉢ 공적 기록(公的 記錄)의 이론

각종 공적 기록에서 얻은 자료의 공표는 원칙적으로 사생활의 비밀을 침해하는 것이 아니라는 이론이다. 예를 들어 출생, 결혼, 주민등록, 군복무기록, 변호사나 의사의 자격취득 등이 이에 해당한다. 그러나 공적 기록이라도 범죄기록, 의료기록 등의 공표는 경우에 따라 사생활의 비밀을 침해할 수 있기 때문에 공표시 구체적 상황에 따라 사생활의 침해 여부가 결정될 수밖에 없다.[191]

---

188) 미국에서 정립된 **현실적 악의**(actual malice)이론이란 공직자가 자기 직무행위와 관련된 명예훼손적 허위보도에 대해 손해배상을 받기 위해서는 그 보도가 현실적 악의에 의한 것임을 입증해야 한다는 말이다. 즉 공직자가 자기 직무에 관한 보도 때문에 피해를 입었다고 판단하고 손해배상을 받기 위해서는 해당 보도를 한 표현행위자에게 악의가 있었음을 증명해야 하는 것이다.

189) 계희열, 앞의 책(중), 403면.

190) 대판 1993. 6. 22. 92도3160.

191) 계희열, 앞의 책(중), 403면.

㉣ 권리포기 이론

자살자의 경우와 같이 일정한 조건 하에서 사생활의 비밀과 자유를 포기한 것으로 간주한다는 이론이다. 자살로써 자신과 친족의 사생활에 관한 비밀유지권을 포기한 것으로 간주된다.

㉤ 인격영역이론

ㄱ) 개 념 　개인의 생활영역을 개방적 영역에서 폐쇄적 영역에 이르기까지 단계적으로 분류하여, 사생활의 비밀이 어떤 영역에 속하는지에 따라 공개 여부와 정도가 달라진다는 이론으로 독일의 판례와 학설에 의해 발전된 이론이다.

ㄴ) 구체적 영역 분류

ㄱ. **내밀영역** 　내밀영역은 양심이나 성생활과 같은 핵심적 자아영역으로 자연인에게만 인정되는 영역이며, 포기할 수 없는 사적 영역이다. 이 영역의 보호는 절대적인 것으로 그에 관한 무단공개와 폭로는 위법을 구성한다고 한다.

ㄴ. **비밀영역** 　비밀영역은 개인적인 서신이나 일기장과 같이 사회통념상 이성적인 평가를 할 경우 공공에 노출되어서는 안 될 인간의 생활영역을 말하며, 공공으로부터는 물론 제3자의 인지 및 침입으로부터 보호되어야 하는 영역이다. 이 영역에서는 본인의 동의 없이는 공개불가하며 동의한 경우라 하더라도 본인이 동의한 방식에 따라야만 공개가 가능하다고 한다.

ㄷ. **사적 영역** 　사적 영역은 가족과 친구와 같이 친밀한 범위 내에서 이루어지는 일상생활의 영역을 말한다. 이 영역에서는 언론에 보도된 경우에는 언론의 자유와 이익형량이 필요하게 된다. 정보의 이익이 당사자의 개인적 이익보다 우월한 경우에는 언론이 당사자의 동의를 받지 않고 공표하더라도 적법하다고 한다.

ㄹ. **사회적 영역** 　사회적 영역이란 직업 활동처럼 개인이 대외적으로 등장하기 때문에 모든 사람에 의해 인지될 수 있으나, 공공에의 의식적인 지향성을 결여하는 영역이다. 원칙적으로 당사자에게 보도 여부에 대한 결정권이 유보되어 있지만, 언론은 사적 영역보다는 훨씬 자유롭게 보도할 수 있다고 한다.

ㅁ. **공개적 영역** 　공개적 영역은 모든 사람에 의해 인식될 수 있고 경우에 따라서는 인식되어야 할 영역으로 공중에 향해진 영역이다. 데모나 선거운동과 같은 사회·정치적 영역이나 국가영역과 같이 공중에 향해진 영역으로 폭로로부터 인격권적 보호가 존재하지 않는다고 한다. 다만 영리적 목적으로 이용하는 것까지 허용되는 것은 아니다.

ii) 사생활침해를 이유로 언론사의 손해배상책임을 인정한 대법원 판례

【판시사항】

[1] 불법행위를 구성하는 사생활의 비밀과 자유 또는 초상권에 대한 부당한 침해가 공개된 장소에서 이루어졌다거나 민사소송의 증거를 수집할 목적으로 이루어졌다고 하여 정당화되는지 여부(소극)

[2] 사생활과 관련된 사항의 공개에 관하여 위법성이 조각되기 위한 요건 및 초상권 또는 사생활의 비밀과 자유를 침해하는 행위의 위법성을 판단할 때 고려하여야 할 요소와 위법성조각에 관한 증명책임의 소재

[3] 갑 주식회사 등이 을, 병의 동의 없이 을 등의 양가 상견례, 데이트 장면 등을 상세히 묘사하고, 을 등을 무단으로 촬영한 사진을 싣는 보도를 한 사안에서, 갑 회사 등은 공동불법행위자로서 을 등이 입은 정신적 손해를 배상할 의무가 있다고 한 사례

【판결요지】

[1] 헌법 제10조 제1문, 제17조, 제21조 제4항, 형법 제316조, 제317조 등 여러 규정을 종합하여 보면, 사람은 자신의 사생활의 비밀에 관한 사항을 함부로 타인에게 공개당하지 아니할 법적 이익을 가진다고 할 것이므로, 개인의 사생활의 비밀에 관한 사항은 그것이 공공의 이해와 관련되어 공중의 정당한 관심의 대상이 되는 사항이 아닌 한, 비밀로서 보호되어야 한다. 또한 사람은 누구나 자신의 얼굴 기타 사회통념상 특정인임을 식별할 수 있는 신체적 특징에 관하여 함부로 촬영 또는 그림묘사되거나 공표되지 아니하며 영리적으로 이용당하지 아니할 권리를 가지는데, 이러한 초상권도 헌법 제10조 제1문에 의하여 헌법적으로 보장되는 권리이다. 그러므로 사생활의 비밀과 자유 또는 초상권에 대한 부당한 침해는 불법행위를 구성하고, 그 침해는 그것이 공개된 장소에서 이루어졌다거나 민사소송의 증거를 수집할 목적으로 이루어졌다는 사유만으로는 정당화되지 아니한다(대판 1998. 9. 4. 96다11327; 대판 2006. 10. 13. 2004다16280; 대판 2012. 1. 27. 2010다39277 등 참조).

[2] 개인의 사생활과 관련된 사항의 공개가 사생활의 비밀을 침해하는 것이더라도, 사생활과 관련된 사항이 공공의 이해와 관련되어 공중의 정당한 관심의 대상이 되는 사항에 해당하고, 공개가 공공의 이익을 위한 것이며, 표현내용·방법 등이 부당한 것이 아닌 경우에는 위법성이 조각될 수 있다. 초상권이나 사생활의 비밀과 자유를 침해하는 행위를 둘러싸고 서로 다른 두 방향의 이익이 충돌하는 경우에는 구체적 사안에서의 사정을 종합적으로 고려한 이익형량을 통하여 침해행위의 최종적인 위법성이 가려진다. 이러한 이익형량과정에서, 첫째 침해행위의 영역에 속하는 고려요소로는 침해행위로 달성하려는 이익의 내용 및 중대성, 침해행위의 필요성과

효과성, 침해행위의 보충성과 긴급성, 침해방법의 상당성 등이 있고, 둘째 피해이익의 영역에 속하는 고려요소로는 피해법익의 내용과 중대성 및 침해행위로 인하여 피해자가 입는 피해의 정도, 피해이익의 보호가치 등이 있다. 그리고 일단 권리의 보호영역을 침범함으로써 불법행위를 구성한다고 평가된 행위가 위법하지 아니하다는 점은 이를 주장하는 사람이 증명하여야 한다(대판 2006. 10. 13. 2004다16280; 대판 2009. 9. 10. 2007다71 등 참조).

[3] 원심은, 그 채택 증거에 의하여 판시와 같은 사실을 인정한 다음, 피고들은 원고들의 동의 없이 원고들의 사생활 영역에 속하는 양가 상견례, 데이트 장면 등을 상세히 묘사하고, 원고들을 무단으로 촬영한 사진을 함께 싣는 이 사건 보도를 함으로써 원고들의 사생활의 비밀과 자유를 침해하였고, 또 원고 2의 동의 없이 그녀의 얼굴을 무단으로 촬영하고 그 사진을 게재하여 이 사건 보도를 함으로써 그 초상권을 침해하였으므로, 특별한 사정이 없는 한 피고들은 공동불법행위자로서 원고들이 입은 정신적 손해를 배상할 의무가 있다고 판단하였다. 나아가 원심은 그 판시와 같은 사정들을 근거로, 이 사건 제2, 5기사 중 원고 2의 초상과 원고 1의 세부적인 사생활 장면이 나타나는 사진을 제외한 부분의 보도는 공중의 정당한 관심의 대상이 된 원고들의 사생활 영역에 관한 사항을 상당한 방법으로 공표한 것이라고 볼 수 있으므로 비록 이로 인하여 원고들의 사생활의 비밀과 자유가 침해되더라도 그 위법성이 조각되고, 피고들이 이 사건 제1, 3, 4, 6기사를 공표하고 이 사건 제2, 5기사 중 위에서 본 사진 부분을 공표한 행위는 원고들의 사생활의 비밀과 자유, 원고 2의 초상권을 침해하는 행위로서 그 위법성이 조각되지 아니한다고 판단하였다.

앞서 본 관련 법리들에 비추어 기록을 살펴보면 원심의 위와 같은 판단은 정당한 것으로 수긍할 수 있고, 거기에 상고이유의 주장과 같이 사생활의 비밀과 자유, 언론의 취재 및 보도의 자유, 초상권, 취재방법의 위법성 등에 관한 법리를 오해하여 판결에 영향을 미친 위법이 없다.[192]

대판 2013. 6. 27. 2012다31628

② 사생활의 비밀과 자유와 국정감사 · 조사권

'국정감사 및 조사에 관한 법률' 제8조는 국정감사 · 조사의 한계로서 국정감사 또는 조사는 개인의 사생활을 침해할 목적으로 행사되어서는 아니 된다고 규정하

192) 이 사건에서 손해배상의 범위에 관한 상고이유에 대하여도 대법원은 "사생활의 비밀과 자유 또는 초상권의 침해를 당한 사람에게는 특별한 사정이 없는 한 정신적 고통이 수반된다고 봄이 상당하고, 한편 불법행위로 입은 정신적 고통에 대한 위자료 액수에 관하여는 사실심 법원이 여러 사정을 참작하여 그 직권에 속하는 재량에 의하여 이를 확정할 수 있다"고 판시하였다.

고 있다.

③ 사생활의 비밀과 자유와 행정조사

행정적 필요에 따른 조사의 과정에서 개인의 사생활에 대한 조사가 행해질 수 있다. '**행정조사기본법**'은 행정조사는 조사목적을 달성하는 데 필요한 최소한의 범위 안에서 실시하여야 하며, 다른 목적 등을 위하여 조사권을 남용하여서는 아니 된다고 한계를 설정하고 있다(동법 제4조 제1항). 즉 비례의 원칙이 적용되어야 하고 보충성원칙이 지켜져야 한다.

또한 행정조사의 경우, 추상화하여 통계목적으로 사용하는 경우에만 허용된다(행정절차법).

▌독일판례 ▌호구조사판결

"통계조사목적을 위하여 조사되고 익명화되지 아니한 개인정보는 법률의 수권이 있고, 인격권보호를 위하여 요청되는 예방조치가 확실하게 취하여진 경우에만 제공될 수 있다."

BVerfGE 65, 1ff.

▣ 우리나라의 주민등록제도

주민등록제도는 주민의 거주관계를 파악하고 상시로 인구의 동태를 명확히 하여 행정사무의 적정하고 간이한 처리를 도모하려는 목적으로 1962. 5. 10. 제정되었으며, 1968. 5. 29. 동법 개정으로 주민등록증 제도가 도입되면서 지문날인제도가 도입되었다. 1997. 12. 17. 현재 사용중인 주민등록증은 발급된 지가 너무 오래되어 신분확인이라는 본래의 기능을 수행함에 지장이 있고, 위·변조가 용이하여 각종 범죄에 악용되는 문제점이 있어, 종전의 주민등록증에 갈음하여 21세기 정보화시대에 대비할 수 있는 주민카드로 갱신 발급하도록 하는 내용의 동법개정이 있었으나, 1999. 5. 24. 개정시 국민의 프라이버시권을 침해할 우려가 있고 막대한 비용을 필요로 한다는 이유로 보류되었다.

주민등록번호 변경절차를 규정하지 않은 입법부작위

개인별로 주민등록번호를 부여하면서 주민등록번호 변경에 관한 규정을 두고 있지 않은 주민등록법 제7조가 개인정보자기결정권을 침해하는지 여부가 다투어진 사건에서 헌법재판소는 "주민등록번호는 표준식별번호로 기능함으로써 개인정보를 통합하는 연결자로 사용되고 있어, 불법 유출 또는 오·남용될 경우 개인의 사생활뿐만 아니라 생명·신체·재산까지 침해될 소지가 크므로 이를 관리하는 국가는 이러한 사례가 발생하지 않도록 철저히 관리하여야 하고, 이러한 문제가 발생한 경우 그로 인한 피해가 최소화되도록 제도를 정비하고 보완하여야 할 의무가 있다. 그럼에도 불구하고 주민등록번호 유출 또는 오·남용으로 인하여 발생할 수 있는 피해 등에 대한 아무런 고려 없이 주민등록번호 변경을 일체 허용하지 않는 것은 그 자체로 개인정보자기결정권에 대한 과도한 침해가 될 수 있다. 비록 국가가 개인정보보호법 등으로 정보보호를 위한 조치를 취하고 있더라도, 여전히 주민등록번호를 처리하거나 수집·이용할 수 있는 경우가 적지 아니하며, 이미 유출되어 발생된 피해에 대해서는 뚜렷한 해결책을 제시해 주지 못하므로, 국민의 개인정보를 충분히 보호하고 있다고 보기 어렵다. 한편, 개별적인 주민등록번호 변경을 허용하더라도 변경 전 주민등록번호와의 연계 시스템을 구축하여 활용한다면 개인식별기능 및 본인 동일성 증명기능에 혼란이 발생할 가능성이 없고, 일정한 요건 하에 객관성과 공정성을 갖춘 기관의 심사를 거쳐 변경할 수 있도록 한다면 주민등록번호 변경절차를 악용하려는 시도를 차단할 수 있으며, 사회적으로 큰 혼란을 불러일으키지도 않을 것이다. 따라서 주민등록번호 변경에 관한 규정을 두고 있지 않은 심판대상조항은 과잉금지원칙에 위배되어 개인정보자기결정권을 침해한다"고 판시하였다.

헌재 2015. 12. 23. 2013헌바68 등

④ 사생활의 비밀과 자유와 수사권

범죄수사를 위한 사진촬영이나 도청에 의하여 사생활의 비밀과 자유에 대한 중대한 위협이 될 수 있다. 수사권발동으로 사생활의 비밀과 자유가 제한될 수밖에 없는 경우에도 헌법상의 요건에 따라야 하고 필요최소한의 제한이어야 한다.

⑤ 사생활의 비밀과 자유와 명단공개·신상공개

i) 고액·상습체납자 명단공표

명단공표는 행정법상 의무위반에 대하여 그 성명·위반사실 등을 일반에게 공개하는 것으로 간접적으로 의무이행을 확보하는 수단이다. 공표로 인하여 개인의 프라이버시가 제한되는 경우가 있기 때문에 공표의 필요성과 개인의 프라이버시권 사이에 법익의 균형이 이루어져야 한다. 종전에는 법률의 규정이 아니라, 국세징수사무처리규정(국세청훈령)에 의하고 있어 문제가 많았다. 현재는 국세기본법 제85조의5에 근거가 있다. 동법에 의하면 체납발생일부터 1년이 지난 국세가 2억원 이상인 체납자의 인적사항, 체납액 등을 공개할 수 있다.

ii) 공직자윤리법에 따라 재산공개 및 등록의무자의 허위등록 사실의 공표

'공직자윤리법'은 공직자윤리위원회로 하여금 등록의무자가 1. 등록대상재산을 거짓으로 기재한 경우, 2. 등록대상재산을 중대한 과실로 빠트리거나 잘못 기재하는 경우, 3. 허위의 자료를 제출하거나 거짓으로 소명하는 등 불성실하게 재산등록을 하거나 심사에 응한 경우, 4. 직무상 알게 된 비밀을 이용하여 재물 또는 재산상 이익을 취득한 사실이 인정된 경우 등에는 1. 경고 및 시정조치, 2. 과태료 부과, 3. 일간신문 광고란을 통한 허위등록사실의 공표, 4. 해임 또는 징계의결 요구 등을 할 수 있도록 규정하고 있다(동법 제8조의2).

iii) 청소년성매수자 등의 신상공개

종전 '청소년의 성보호에 관한 법률'(청소년성보호법)에서는 청소년을 보호하고자 하는 취지에서 청소년을 대상으로 한 성범죄자의 성명, 연령, 생년월일, 직업, 주소 등과 범죄사실을 공개하도록 하고 있는데(동법 제20조 제2항 제1호), 이러한 청소년성매수자의 신상공개제도가 사생활의 비밀과 자유를 침해하여 위헌이라는 주장에 대하여 헌재는 과잉금지원칙에 위반되지 않는다는 이유로 합헌결정한 바 있다(5인 위헌, 4인 합헌).[193]

2009. 6. 9. '청소년의 성보호에 관한 법률'을 '아동·청소년의 성보호에 관한 법률'로 법명을 개정하여(2010. 1. 1. 시행), 아동도 이 법에 따른 보호대상임을 명확히 하고, 법원은 범죄가 중하거나 재범가능성이 있는 아동·청소년대상 성범죄자의 신상정보를 정보통신망을 이용하여 공개하도록 하는 명령을 성범죄 사건의 판결과 동시에 선고하도록 하고(동법 제38조 제1항), 등록정보를 지역주민 등에게 알리는 고지제도(동법 제38조의2)를 규정하였다.[194]

그 밖에 헌법재판소는 '성폭력범죄의 처벌 등에 관한 특례법' 상 형법상 강제추행죄로 유죄판결이 확정된 자는 신상정보 등록대상자가 되도록 한 규정,[195] 카메

193) 헌재 2003. 6. 26. 2002헌가14.

194) 아동·청소년 대상 성폭력 범죄를 저지른 사람에 대하여 신상정보를 공개하도록 한 조항이 인격권 및 개인정보 자기결정권의 침해 여부에 대하여 헌법재판소는 "이 조항은 아동·청소년의 성을 보호하고 사회방위를 도모하기 위한 것으로서 목적의 정당성 및 수단의 적합성이 인정된다. 신상정보 공개제도는, 그 공개대상이나 공개기간이 제한적이고, 법관이 '특별한 사정' 등을 고려하여 공개 여부를 판단하도록 되어 있으며, 공개로 인한 피해를 최소화하는 장치도 마련되어 있으므로 침해의 최소성이 인정되고, 이를 통하여 달성하고자 하는 '아동·청소년의 성보호'라는 목적이 침해되는 사익에 비하여 매우 중요한 공익에 해당하므로 법익의 균형성도 인정된다. 따라서 이 조항은 과잉금지원칙을 위반하여 청구인들의 인격권, 개인정보 자기결정권을 침해한다고 볼 수 없다"고 합헌결정을 내렸다(헌재 2013. 10. 24. 2011헌바106등).

라 등 이용촬영, 카메라 등 이용촬영 미수죄로 유죄판결이 확정된 자는 신상정보 등록대상자가 되도록 한 규정,[196] 가상의 아동·청소년이용음란물배포죄로 유죄판결이 확정된 자는 신상정보 등록대상자가 된다는 규정,[197] 통신매체이용음란죄로 유죄판결이 확정된 자는 신상정보 등록대상자가 된다는 규정,[198] 성적목적 공공장소침입죄로 유죄판결이 확정된 자는 신상정보 등록대상자가 된다는 규정[199] 등에 대해서는 과잉금지원칙에 위배되지 않는다는 취지의 합헌결정을 내린 바 있다. 그러나 성범죄자의 신상정보를 최초 등록일부터 20년간 보존·관리하도록 한 '성폭력범죄의 처벌 등에 관한 특례법' 조항에 대해서는 위헌결정을 내린 바 있다.[200]

⑥ 사생활의 비밀과 자유와 위치추적 및 전자장치부착

'위치정보의 보호 및 이용 등에 관한 법률'이 **동의 없는 위치정보수집을 금지**하면서 예외를 인정하고 있다.[201] 그리고 '전자장치 부착 등에 관한 법률'이 사생활의 비밀과 자유를 제한하고 있다.[202] 헌법재판소는 19세 미만자에 대하여 성폭력

---

195) 헌법재판소는 위 법률조항이 과잉금지원칙에 위반되어 개인정보자기결정권을 침해한다고 할 수 없다고 결정하였다(헌재 2014. 7. 24. 2013헌마423등).

196) 헌재 2015. 7. 30. 2014헌마340등.

197) 헌재 2016. 3. 31. 2014헌마785.

198) 헌재 2016. 3. 31. 2015헌마688.

199) 헌재 2016. 10. 27. 2014헌마709.

200) "성범죄의 재범을 억제하고 수사의 효율성을 제고하기 위하여, 법무부장관이 등록대상자의 재범 위험성이 상존하는 20년 동안 그의 신상정보를 보존·관리하는 것은 정당한 목적을 위한 적합한 수단이다. 그런데 재범의 위험성은 등록대상 성범죄의 종류, 등록대상자의 특성에 따라 다르게 나타날 수 있으므로 등록기간을 차등화하는 것이 바람직함에도, 위 조항은 모든 등록대상 성범죄자에 대하여 일률적으로 20년의 등록기간을 적용하고 있다. 등록기간이 정해지고 나면 등록의무를 면하거나 등록기간을 단축하기 위해 심사를 받을 수 있는 여지도 없으므로 지나치게 가혹하다. 모든 등록대상자에게 20년 동안 신상정보를 등록하게 하는 것은 비교적 경미한 등록대상 성범죄를 저지르고 재범의 위험성도 많지 않은 자들에 대해서는 달성되는 공익과 침해되는 사익 사이의 불균형이 발생할 수 있으므로, 위 조항은 개인정보자기결정권을 침해한다"고 결정하였다(헌재 2015. 7. 30. 2014헌마340등).

201) **위치정보의 보호 및 이용 등에 관한 법률(위치정보법) 제15조 제1항** (위치정보의 수집 등의 금지) ① 누구든지 개인위치정보주체의 동의를 받지 아니하고 해당 개인위치정보를 수집·이용 또는 제공하여서는 아니 된다. 다만, 긴급구조기관의 긴급구조요청 또는 경보발송요청이 있는 경우, 경찰관서의 요청이 있는 경우, 다른 법률에 특별한 규정이 있는 경우 등의 어느 하나에 해당하는 경우에는 그러하지 아니하다.

202) 2007. 4. 27. 성폭력범죄는 재범의 개연성이 높은 범죄이므로 징역형을 선고받는 성폭력범죄자 등 중에서 다시 성폭력범죄를 범할 위험성이 있다고 인정되는 자에 대하여 위치를 확인할 수 있는 전자장치를 부착하게 하여 그 행적을 추적할 수 있도록 함으로써 성폭력범죄의 재발을 예방할 수 있도록 하기 위하여 '특정 성폭력범죄자에 대한 위치추적 전자장치 부착에 관한 법률'을 제정하였다(2008. 10. 28. 시행). 이 법률은 2012. 12. 18. 보호관찰제도를 신설하여 법률의 제명을 '특정 범죄자에 대한 보호관찰 및 전자장치 부착 등에 관한 법

범죄를 저지른 때 전자장치 부착기간의 하한을 2배 가중하는 것[203]과 성폭력범죄를 2회 이상 범하여 습벽이 인정되고 재범의 위험성이 있는 자에게 검사의 청구에 따라 법원이 3년 이상 20년 이하의 범위 내에서 전자장치를 부착할 수 있도록 것[204]에 대하여 합헌결정을 내린 바 있다.

⑦ 사생활의 비밀과 자유와 CCTV

각종 범죄예방을 위하여 설치된 **폐쇄회로 텔레비전**의 사생활침해 문제가 논란되고 있다. 종전의 '공공기관의 개인정보보호에 관한 법률'은 설치목적과 장소, 촬

률'(2012. 12. 18. 시행)로 변경하고, 위치추적 전자장치 부착대상 특정범죄에 강도범죄를 추가하였다. 그 후 2020. 2. 4. 최근 가석방의 확대로 범죄에 대한 국민의 불안이 가중되고 있는바, 현행법상 특정 범죄자로 한정하고 있는 전자장치의 부착 제도를 특정범죄 이외의 범죄로 가석방되는 사람에 대해서도 적용되도록 함으로써 출소자 관리·감독의 사각지대를 해소하고, 보석 허가자의 도주 방지와 출석 담보를 위하여 주거제한 등의 조치와 함께 전자장치 부착을 보석조건으로 부과할 수 있도록 하는 한편, "가해제"를 보다 이해하기 쉬운 "임시해제"로 개정하는 등 현행 제도의 운영상 나타난 일부 미비점을 개선·보완하기 위하여 "특정 범죄자에 대한 보호관찰 및 전자장치 부착 등에 관한 법률"을 "전자장치 부착 등에 관한 법률"로 법명을 개정하였다(2020. 8. 5. 시행).

203) "위 조항('특정 범죄자에 대한 보호관찰 및 전자장치 부착 등에 관한 법률' 제9조 제1항 단서 제1호 중 관련 부분)은 미성년자를 대상으로 한 성폭력범죄자의 재범을 방지하려는 것으로서 그 입법목적이 정당하다. 전자장치 부착으로 인하여 신체활동 자체가 금지되거나 제한되는 것은 아니고, 위 법률은 전자장치 부착에 따른 인권 침해를 최소화하기 위한 조치들을 마련하고 있으며, 전자장치 부착 후에는 매 3개월마다 전자장치 부착을 가해제할 수 있는 제도를 두고 있으므로, 위 조항이 침해의 최소성 원칙에 위배되지 아니한다. 또한, 전자장치의 부착기간을 가중하여 받는 불이익이 달성하려는 공익에 비하여 결코 중하다고 볼 수 없으므로 법익 균형성도 인정된다. 결국 위 조항이 피부착자의 사생활의 비밀과 자유, 개인정보자기결정권, 신체의 자유, 인격권을 침해한다고 볼 수 없다"(헌재 2016. 5. 26. 2014헌바68등).

204) "위 조항(구 '특정 범죄자에 대한 위치추적 전자장치 부착 등에 관한 법률' 제9조 제1항 중 제5조 제1항 제3호에 관한 부분)은 성폭력범죄로부터 국민을 보호하고 성폭력범죄자의 재범을 방지하고자 하는 입법목적의 정당성 및 수단의 적절성이 인정되며, 전자장치부착으로 인해 제한되는 피부착자의 자유는 자신의 위치가 24시간 국가에 노출됨으로 인하여 행동의 자유가 심리적으로 위축된다는 것일 뿐 행동 자체가 금지되거나 물리적으로 제한되는 것은 아닌 점, 피부착자의 개선 및 교화의 정도에 따라 불필요한 전자장치의 부착이 없도록 하는 등 전자장치부착에 따른 인권 침해를 최소화하기 위한 조치들을 마련하고 있는 점, 성폭력범죄는 대부분 습벽에 의한 것이고 그 습벽은 단기간에 교정되지 않고 장기간 계속될 가능성이 크다는 점에서 일반적으로는 부착기간의 상한을 높게 확보해 둘 필요가 있는 점, 날로 증가하는 성폭력범죄와 그 피해의 심각성을 고려할 때 범죄예방 효과의 측면에서 위치추적을 통한 전자감시제도보다 덜 기본권 제한적인 수단을 쉽게 마련하기 어려운 점 등을 종합적으로 고려하면, 위 조항의 전자감시제도가 침해의 최소성 원칙에 반한다고 할 수 없다. 또한 위 조항이 보호하고자 하는 이익에 비해 재범의 위험성이 있는 성폭력범죄자가 입는 불이익이 결코 크다고 할 수 없어 법익의 균형성원칙에 반하지 아니하므로, 위 조항은 과잉금지원칙에 위배하여 피부착자의 사생활의 비밀과 자유, 개인정보자기결정권, 인격권을 침해한다고 볼 수 없다"(헌재 2012. 12. 27. 2011헌바89).

영범위 등이 명확할 것을 요구하고 있었고(동법 제4조의2), 현행 개인정보 보호법도 CCTV 등 영상정보처리기기 설치 등에 대한 제한을 규정하고 있다(개인정보 보호법 제25조).

▣ 개인정보 보호법

제25조(영상정보처리기기의 설치 · 운영 제한)[205] ① 누구든지 다음 각 호의 경우를 제외하고는 공개된 장소에 영상정보처리기기를 설치 · 운영하여서는 아니 된다.

1. 법령에서 구체적으로 허용하고 있는 경우
2. 범죄의 예방 및 수사를 위하여 필요한 경우
3. 시설안전 및 화재 예방을 위하여 필요한 경우
4. 교통단속을 위하여 필요한 경우
5. 교통정보의 수집 · 분석 및 제공을 위하여 필요한 경우

② 누구든지 불특정 다수가 이용하는 목욕실, 화장실, 발한실(發汗室), 탈의실 등 개인의 사생활을 현저히 침해할 우려가 있는 장소의 내부를 볼 수 있도록 영상정보처리기기를 설치 · 운영하여서는 아니 된다. 다만, 교도소, 정신보건 시설 등 법령에 근거하여 사람을 구금하거나 보호하는 시설로서 대통령령으로 정하는 시설에 대하여는 그러하지 아니하다.

교도소에서 엄중격리대상자의 수용거실에 CCTV를 설치하여 24시간 감시하는 행위에 대해 법률유보의 원칙에 위배되어 사생활의 자유 · 비밀을 침해하는 것인지의 여부가 다투어진 사건에서 4인의 합헌의견은 "이 사건 CCTV 설치행위는 행형법 및 교도관직무규칙 등에 규정된 교도관의 계호활동 중 **육안에 의한 시선계호**를 CCTV 장비에 의한 시선계호로 대체한 것에 불과하므로, 이 사건 CCTV 설치행위에 대한 특별한 법적 근거가 없더라도 일반적인 계호활동을 허용하는 법률규정에 의하여 허용된다고 보아야 한다. 한편 CCTV에 의하여 감시되는 엄중격리대상자에 대하여 지속적이고 부단한 감시가 필요하고 자살 · 자해나 흉기 제작 등의 위험성 등을 고려하면, 제반사정을 종합하여 볼 때 기본권 제한의 최소성 요건이나 법익균형성의 요건도 충족하고 있다"고 판시하였다. 다만 5인의 위헌의견은 "구금시설 내 CCTV 설치 · 운용에 관하여 직접적으로 규정한 법률규정은 없으며, CCTV에 의하여 녹화된 내용은 얼마든지 재생이 가능하고 복사 또는 편집되어 유포될 가능

205) 동법은 그 밖에 영상정보처리기기를 설치 · 운영하려는 공공기관의 장과 영상정보처리기기를 설치 · 운영하려는 자에게 관계 전문가 및 이해관계인의 의견수렴, 안내판 설치 등 필요한 조치, 녹음기능 사용금지, 설치 목적과 다른 목적으로 영상정보처리기기의 임의조작금지, 안전성 확보에 필요한 조치, 영상정보처리기기 운영 · 관리 방침마련 등의 조치를 할 의무를 지우고 있다(동법 제25조 제3항－제7항).

성이 있는 것이어서 교도관의 시선계호를 전제로 한 행형법 규정을 이 사건 CCTV 설치행위에 대한 근거법률로 보기는 어려우므로, 결국 CCTV 설치행위는 헌법 제17조 및 제37조 제2항에 위반된다"는 의견을 제시하였지만 정족수미달로 합헌이 결정되었다.[206]

그 후 '형의 집행 및 수용자처우에 관한 법률'에 법적 근거를 두었고, 이후 CCTV **계호행위**에 대해 제기된 헌법소원에서 비례원칙에 위배되지 않는다고 판시하였다.[207]

⑧ 사생활의 비밀과 자유와 질병명 및 범죄경력 공개

ⅰ) 4급 이상 공무원의 병역면제사유인 질병명 공개

병역이 면제된 4급 이상 공무원에 대해 병역면제사유인 질병명을 관보와 인터넷에 공개하도록 한 '공직자 등의 병역사항신고 및 공개에 관한 법률'규정은 내밀한 사적 영역에 근접하는 민감한 개인정보에 대한 공개를 하도록 하는 것으로서 사생활의 자유와 비밀에 대한 심각한 침해이고 공개대상공무원의 범위가 **4급 이상 공직자로 너무 광범위하다**는 이유로 위헌성이 인정되어 헌법불합치결정이 내려졌다.[208]

ⅱ) 공직선거후보자의 범죄경력 공개

공직선거에 후보자로 등록하고자 하는 자가 제출하여야 하는 금고 이상의 형의

---

206) 헌재 2008. 5. 29. 2005헌마137(5인 위헌, 4인 합헌).

207) 헌재 2011. 9. 29. 2010헌마413. 이 사건 CCTV 계호행위는 청구인의 생명·신체의 안전을 보호하기 위한 것으로서 그 목적이 정당하고, 교도관의 시선에 의한 감시만으로는 자살·자해 등의 교정사고 발생을 막는 데 시간적·공간적 공백이 있으므로 이를 메우기 위하여 CCTV를 설치하여 수형자를 상시적으로 관찰하는 것은 위 목적 달성에 적합한 수단이라 할 것이며, '형의 집행 및 수용자의 처우에 관한 법률' 및 동법 시행규칙은 CCTV 계호행위로 인하여 수용자가 입게 되는 피해를 최소화하기 위하여 CCTV의 설치·운용에 관한 여러 가지 규정을 하고 있고, 이에 따라 피청구인은 청구인의 사생활의 비밀 및 자유에 대한 제한을 최소화하기 위한 조치를 취하고 있는 점, 상시적으로 청구인을 시선계호할 인력을 확보하는 것이 불가능한 현실에서 자살이 시도되는 경우 신속하게 이를 파악하여 응급조치를 실행하기 위하여는 CCTV를 설치하여 청구인의 행동을 지속적으로 관찰하는 방법 외에 더 효과적인 다른 방법을 찾기 어려운 점 등에 비추어 보면, 이 사건 CCTV 계호행위는 피해의 최소성 요건을 갖추었다 할 것이고, 이로 인하여 청구인의 사생활에 상당한 제약이 가하여진다고 하더라도, 청구인의 행동을 상시적으로 관찰함으로써 그의 생명·신체를 보호하고 교정시설 내의 안전과 질서를 보호하려는 공익 또한 그보다 결코 작다고 할 수 없으므로, 법익의 균형성도 갖추었다. 따라서 이 사건 CCTV 계호행위가 과잉금지원칙을 위배하여 청구인의 사생활의 비밀 및 자유를 침해하였다고는 볼 수 없다는 것이다.

208) 헌재 2007. 5. 31. 2005헌마1139.

범죄경력에 실효된 형을 포함시키고 있는 공직선거법 제49조 제4항 제5호가 공무담임권, 사생활의 비밀과 자유, 평등권 등을 침해하는지 여부가 다투어진 사건에서 헌법재판소는 "이 사건 법률조항은 후보자선택을 제한하거나 실효된 금고 이상의 형의 범죄경력을 가진 후보자의 당선기회를 봉쇄하는 것이 아니므로 공무담임권과는 직접 관련이 없다"고 판시하고(**공무담임권, 소극**), "후보자의 실효된 형까지 포함한 금고 이상의 형의 범죄경력을 공개함으로써 국민의 알 권리를 충족하고 공정하고 정당한 선거권 행사를 보장하고자 하는 이 사건 법률조항의 입법목적은 정당하며, 이러한 입법목적을 달성하기 위하여는 선거권자가 후보자의 모든 범죄경력을 인지한 후 그 공직적합성을 판단하는 것이 효과적이다. 또한 금고 이상의 범죄경력에 실효된 형을 포함시키는 이유는 선거권자가 공직후보자의 자질과 적격성을 판단할 수 있도록 하기 위한 점, 전과기록은 통상 공개재판에서 이루어진 국가의 사법작용의 결과라는 점, 전과기록의 범위와 공개시기 등이 한정되어 있는 점 등을 종합하면, 이 사건 법률조항은 피해최소성의 원칙에 반한다고 볼 수 없고, 공익적 목적을 위하여 공직선거 후보자의 사생활의 비밀과 자유를 한정적으로 제한하는 것이어서 법익균형성의 원칙도 충족한다. 따라서 이 사건 법률조항은 청구인들의 사생활의 비밀과 자유를 침해한다고 볼 수 없다"고 판시하였다(**사생활의 비밀과 자유, 소극**). 나아가 "이 사건 법률조항은 후보자에게 자격제한 등 법적 불이익을 가하고 있는 것이 아니며, '형의 실효 등에 관한 법률' 제7조 제1항에 의하여 형이 실효되었다고 하더라도 그 형의 선고가 있었다는 기왕의 사실 자체까지 소멸하는 것은 아닌 이상, 실효된 금고 이상의 범죄경력이 있는 공직선거 후보자가 그 출마시까지의 전경력을 공개하는 데 있어서 금고 이상의 형의 범죄경력이 전혀 없는 후보자와 반드시 동일한 취급을 받아야 된다고 볼 수 없어 불합리한 차별이라고 볼 수 없다. 한편 선거권자의 신임에 의하여 정당성을 부여받는 지방의회의원의 경우 선거권자는 후보자의 도덕성·준법성 등을 판단하기 위한 충분한 정보를 제공받아야 할 필요성이 큰 반면, 직업공무원인 지방공무원은 그 선발에 있어서 공직이 요구하는 전문성·능력·적성 등을 기준으로 하는 능력주의 내지 성적주의가 바탕이 되어야 하므로, 실효된 형을 포함하는 전과기록을 제출·공개하는 데 있어서 양자를 달리 취급한다 하더라도 이를 불합리한 차별이라고 보기 어렵다"고 판시하였다(**평등권, 소극**).[209]

209) 헌재 2008. 4. 24. 2006헌마402.

⑨ 사생활의 비밀과 자유와 간통죄 · 혼인빙자간음죄

종래 헌법재판소는 간통죄 규정에 대해서는 합헌으로 결정하여 왔으나(다만 일부 소수의견은 간통죄가 사생활은폐권을 침해한다고 본 경우도 있다), 2015년 헌법재판소는 **간통죄 규정은 과잉금지원칙에 위배하여 국민의 성적 자기결정권 및 사생활의 비밀과 자유를 침해**하는 것으로서 헌법에 위반된다고 결정하였다.[210] 한편 혼인빙자간음죄 규정은 내밀한 사적 생활영역에서의 행위를 **비례원칙에 위반**하여 제한한다고 하여 위헌으로 결정하였다.[211]

(2) 제한의 한계

사생활의 비밀과 자유에 대하여 법률로써 제한하더라도 비례의 원칙을 지켜야 하고 본질적 내용을 침해해서는 아니 된다.

7. 사생활의 비밀과 자유의 침해와 구제

(1) 국가기관에 의한 침해와 구제

국가기관에 의한 사생활의 비밀과 자유를 침해하는 경우, 위헌법률심판, 헌법소원심판, 행정소송, 국가배상 등에 의하여 구제될 수 있다.

(2) 사인에 의한 침해와 구제

사생활의 비밀과 자유는 사인에 의해서도 침해될 수 있다. 일반인에 의한 침해와 언론기관에 의한 침해의 경우로 나누어 볼 수 있다. 일반적인 구제수단으로는 불법행위로 인한 손해배상을 청구할 수 있다. 단 손해회복에 적당한 처분으로 법원이 명하는 사죄광고는 위헌이어서 인정될 수 없다. 언론기관에 의한 침해에 대해서는 사전구제제도로서의 가처분제도(방영금지가처분, 출판금지가처분, 판매금지가처분 등)를 이용하거나 사후구제제도로 '언론중재 및 피해구제 등에 관한 법률'이 규정하고 있는 반론보도청구권, 정정보도청구권, 추후보도청구권 등으로 구제될 수 있다.

---

210) 헌재 2015. 2. 26. 2009헌바17 · 205, 2010헌바194, 2011헌바4, 2012헌바57 · 255 · 411, 2013헌바139 · 161 · 267 · 276 · 342 · 365, 2014헌바53 · 464, 2011헌가31,2014헌가4(병합).

211) 헌재 2009. 11. 26. 2008헌바58 등.

Ⅲ. 주거의 자유

1. 주거의 자유의 의의와 연혁

제17조의 사생활의 비밀과 자유가 국민의 사생활영역을 **'내용적'**으로 보호해 주기 위한 것이라면 제16조의 주거의 자유는 국민의 사생활영역을 주로 '공간적'으로 보호하기 위한 것이라 할 수 있다. 즉 주거의 자유는 사적인 생활공간을 공권력이나 다른 사인에 의한 권원 없는 침해로부터 보호받을 권리를 말한다.

사인이 타인의 주거의 자유를 침해한 경우에는 형법상 주거침입죄로 처벌받으며, 민법상 자력구제에 의해 퇴거당할 수 있다. 헌법에서 주거의 수색이나 압수에 영장을 요하게 한 것은 국가권력에 의한 주거의 침해를 최대한으로 억제하기 위한 것이다. 주거는 인간이 활동하는 기초공간이라는 점에서 인간의 존엄과도 결부된 기초적 자유의 하나라고 할 수 있다.

주거의 불가침은 고대 로마에 있어서 주거의 신성사상까지 거슬러 올라가며, 1215년 대헌장에도 방해받지 않을 주거의 권리가 규정되어 있다.[212] 1776년 버지니아 권리장전 이래 근대입헌주의 헌법에도 주거의 불가침이 기본권으로 규정되었고 오늘날 대부분의 헌법과 국제적 인권문서에도 이를 규정하고 있다.

우리나라 1948년 건국헌법은 거주·이전의 자유와 함께 주거의 자유를 규정하였으나,[213] 1962년 헌법에서 거주·이전의 자유와 분리되어 별개의 조항에서 규정되어 오늘에 이르고 있다. 현행헌법은 제16조에서 "모든 국민은 주거의 자유를 침해받지 아니한다. 주거에 대한 압수나 수색을 할 때에는 검사의 신청에 의하여 법관이 발부한 영장을 제시하여야 한다"고 규정하고 있다.

2. 주거의 자유의 주체

(1) 자연인

주거의 자유는 주거의 평온을 보호한다는 점에서 자연인의 권리이다. 따라서 국민뿐만 아니라 외국인도 주체가 될 수 있다. 주거를 소유하고 있는 사람인지 여

---

212) "자신과 대등한 자의 적법한 판정에 의하지 않은 채, 우리에 의하여 토지, 성채, 특권 또는 권리를 박탈당하거나 잃게 된 자가 있으면, 우리는 즉시로 그것을 그자에게 반환한다. …… " (대헌장 제52장).

213) "모든 국민은 법률에 의하지 아니하고는 거주와 이전의 자유를 제한받지 아니하며 주거의 침입 또는 수색을 받지 아니한다"(건국헌법 제10조).

부보다도 현실적인 거주자를 주체로 본다. 즉 주체의 판단에는 점유의 사실이 중심이 된다. 호텔투숙객도 자신이 머무는 호텔객실에 있어서는 주거의 자유의 주체가 된다. 다수의 구성원이 거주하는 경우 가족 구성원 모두가 주택에서의 주거의 자유의 주체가 된다. 그러나 난민수용소에 수용된 난민에게는 인정될 수 있지만, 군막사의 군인이나 교도소의 수형자에게는 특수신분관계상 인정되지 않는다.[214)]

(2) 법 인

논란이 있으나 법인은 주체가 될 수 없으며, **법인의 대표기관이 주체**가 된다고 본다. 공장이나 학교에서의 주거의 자유의 주체는 원칙적으로 생활공간의 관리자인 공장장과 교장이다.

3. 주거의 자유의 내용

(1) 주거의 불가침

① 주 거

여기서 **주거**(住居)라 함은 사람이 거주하는 설비로서 널리 사생활의 중심이 되는 것이나 민법상의 주소(민법 제18조)와는 다른 개념이다. 주거의 목적으로 사용하는 일체의 설비(동산도 가능: 기거용 이동차량)로서 현재 사람이 존재하고 있을 필요는 없다. 그러나 열차, 극장의 좌석, 영업시간 내의 영업점과 역대합실 등 공개된 장소는 주거에 포함되지 않는다. 대학강의실은 공개되어 자유롭게 출입할 수 있는 곳은 아니다.[215)] 주거의 자유에서 주거는 사실적 요소와 규범적 요소를 갖추어야 한다. 현재 거주하고 있느냐 여부를 불문하고, 사람이 거주하기 위하여 점유하는 일체의 시설물이라는 **사실적 요소**와 보호가치 있는 일체의 사적 공간이라는 **규범적 요소**를 갖추어야 한다. 규범적 요소는 실정법상의 합법성까지 필요로 하는 것은 아니다. 울타리가 있기는 하나 주거관계를 분명히 확인할 수 없는 밭, 정원, 목장 등과 같은 토지도 주거의 개념에 포함될 수 있는가 논란이 있다. 사적 영역과의 관련이 적기 때문에 재산권적 차원에서의 법적 보호 이상으로 주거의 자유를 인정하는 데는 난점이 있다.[216)]

---

214) 계희열, 앞의 책(중), 407면.

215) 주거침입죄가 인정된다(대판 1992. 9. 25. 92도1520).

216) 계희열, 앞의 책(중), 402면; 김학성・최희수, 앞의 책, 553-554면. 다만, 김・최 교수는 울타리나 담장 안의 정원은 주거의 자유의 대상이 된다고 본다.

② 침 해

i) 주거의 침해란 그 **주체의 승낙 없이(의사에 반하여)** 주거에 들어가는 것을 말한다. 거주자의 의사는 명시적인 것은 물론이고 묵시적인 것도 포함된다. 거주자나 관리인의 승낙이 있더라도 불법행위를 하러 들어간 경우 진정한 승낙이 있다고 볼 수 없다.[217] 일반인의 출입이 허용된 건조물에 그 시설을 손괴하는 등 범죄의 목적으로 들어간 경우에도 건조물침입죄가 성립한다.[218]

ii) 주거 내에 설치된 장치로써 도청, 촬영 등을 행하는 경우도 주거의 자유의 침해가 된다. 이것은 기술적 보조수단을 통해 간접적으로 주거에 들어가 머무는 것에 해당된다.[219] 이 경우 사생활의 비밀·자유와 통신의 자유의 침해 여부도 문제될 수 있다. 그러나 주거 밖에서 창문을 통해 주거 내의 대화를 도청하는 행위는 주거의 자유의 침해가 아니라 사생활의 비밀과 자유의 침해가 문제된다.

iii) 점유할 권리가 없는 자가 점유한 경우, 권리자가 자력구제의 수단으로 건조물에 침입한 경우에는 주거침입죄가 성립한다.[220]

iv) **공동의 거주자**는 각각 주거권을 주장할 수 있다. 남편부재 중에 간통을 위해 처의 동의를 받고 들어간 경우에 주거침입죄를 인정하는 것이 대법원판례이다.[221]

---

217) "대리응시자들의 시험장의 입장은 시험관리자의 승낙 또는 그 추정된 의사에 반한 불법침입이라 아니할 수 없고 이와 같은 침입을 교사한 이상 주거침입교사죄가 성립된다"(대판 1967. 12. 19. 67도1281)(주거침입교사, 위계에 의한 공무집행방해교사).

"[1] 일반인의 출입이 허용된 음식점이라 하더라도, 영업주의 명시적 또는 추정적 의사에 반하여 들어간 것이라면 주거침입죄가 성립되는바, 기관장들의 조찬모임에서의 대화내용을 도청하기 위한 도청장치를 설치할 목적으로 손님을 가장하여 그 조찬모임 장소인 음식점에 들어간 경우에는 영업주가 그 출입을 허용하지 않았을 것으로 보는 것이 경험칙에 부합하므로, 그와 같은 행위는 주거침입죄가 성립한다.

[2] 타인의 주거에 침입한 행위가 비록 불법선거운동을 적발하려는 목적으로 이루어진 것이라고 하더라도, 타인의 주거에 도청장치를 설치하는 행위는 그 수단과 방법의 상당성을 결하는 것으로서 정당행위에 해당하지 않는다"(대판 1997. 3. 28. 95도2674, 1992년 제14대 대통령선거를 앞두고 일어난 이른바 '초원복국사건').

218) "축석루 내 의기사에 보관 중이던 공용물건인 논개영정을 적법한 권한 없이 강제로 철거할 목적으로 위 의기사에 들어간 행위가 건조물침입죄에 해당한다"(대판 2007. 3. 15. 2006도7079).

219) 계희열, 앞의 책(중), 404-405면 참조.

220) "주거침입죄는 사실상의 주거의 평온을 보호법익으로 하는 것이므로 그 주거자 또는 간수자가 건조물 등에 거주 또는 간수할 권리를 가지고 있는가의 여부는 범죄의 성립을 좌우하는 것이 아니며, 점유할 권리없는 자의 점유라고 하더라도 그 주거의 평온은 보호되어야 할 것이므로, 권리자가 그 권리를 실행함에 있어 법에 정하여진 절차에 의하지 아니하고 그 건조물 등에 침입한 경우에는 주거침입죄가 성립한다"(대판 1987. 11. 10. 87도1760); 대판 1962. 6. 21. 62아3.

v) 특정범죄의 재발을 막고자 '특정범죄자에 대한 위치추적 전자장치 부착 등에 관한 법률'에 의한 전자감시제도는 과잉금지원칙에 해당한다고 볼 수 없으며, 위 법률은 재범의 발생을 방지하려는 데 있으므로, 헌법이 보장한 거주·이전의 자유를 본질적으로 침해하는 측면도 없다.[222)]

(2) 주거에 대한 영장제도

① 원 칙

주거에 대한 압수·수색이 부득이 필요한 경우에도 주거의 평온을 보호하기 위하여 주거에 대한 압수·수색에는 영장을 필요로 한다(제16조 후문). 대상이 정해지지 않은 일반영장은 금지된다.

② 예 외

현행범체포, 긴급체포, 구속영장집행 등의 경우, 비상계엄이 선포된 경우(제77조 제3항), 피의자가 현존하는 장소와 점유하고 있는 물건(형사소송법 제216조)에 대해서는 영장 없이 가능하다.

③ 행정절차에의 준용 여부

영장불요설, 영장필요설, 절충설 등이 주장된다. 원칙적으로 영장주의가 적용되나, 순수한 행정목적을 위한 경우(감염병예방이나 소방을 위한 경우)는 예외로 한다(절충설).

4. 주거의 자유의 효력

주거의 자유는 우선 주관적 공권이므로 대국가적 효력을 가진다. 주거의 자유는 민법이나 형법 등 법률로써 이미 충분히 보호되고 있기 때문에 대사인적 효력을 인정할 필요성이 없다는 견해도 있으나, 주거의 자유도 객관적 가치질서로서의 성격을 가지며 사인에 의한 침해가능성도 높은 만큼 대사인적 효력을 인정해야 할 것이다.[223)] 사인 간에는 원칙적으로 간접적으로 적용된다고 할 것이다.

---

221) 본부(本夫)의 주거에 대한 침입의 죄책을 면할 수 없다고 한다(대판 1958. 5. 23. 4291형상117). 이 판결에 대해서는 남녀평등원칙에 위배된다는 비판이 있다(김철수, 앞의 책(상), 834면).

222) 대판 2009. 9. 10. 2009도6061.

223) 계희열, 앞의 책(중), 407면. 주46 참조.

5. 주거의 자유의 제한과 제한의 한계

주거의 자유도 제37조 제2항에 따라 국가안전보장, 질서유지, 공공복리를 위하여 필요한 경우에는 법률로써 제한할 수 있다. 주거의 자유를 제한하는 법률로는 여러 법률이 존재하고 있다. 예를 들어 i) 형사소송법상 대물적 강제처분이나 대인적 강제처분을 위한 경우 및 현장검증의 경우(형사소송법 제106조 이하, 제119조)를 비롯하여, ii) 재난 및 안전관리기본법 제37조, iii) 감염병의 예방 및 관리에 관한 법률,[224] iv) 우편법, v) 국세징수법, vi) 근로기준법, vii) 경찰관직무집행법, viii) 소방기본법, ix) 마약류 관리에 관한 법률, x) 조세범처벌절차법, xi) 관세법 등에 의하여 주거의 자유가 제한될 수 있다.

이처럼 주거의 자유를 제한할 필요가 있다고 하더라도 비례원칙 등에 따른 한계가 있다. 또한 주거의 자유의 본질적 내용을 침해할 수 없다.

주거의 자유의 침해 여부

1. 출입국관리법에 의한 보호에 있어서 긴급보호하는 과정에서 불법체류 외국인의 주거에 들어간 것

"출입국관리법에 의한 보호에 있어서 용의자에 대한 긴급보호를 위해 그의 주거에 들어간 것이라면 그 긴급보호가 적법한 이상 주거의 자유를 침해한 것으로 볼 수 없으므로 청구인에 대한 긴급보호가 적법한 이상 그 긴급보호 과정에서 청구인의 주거에 들어갔다고 하더라도 주거의 자유를 침해하였다고 볼 수 없다."

헌재 2012. 8. 23. 2008헌마430

2. 주택재개발사업에서의 주거세입자에 대해 일정 기간 동안 임차권의 대상인 건축물의 사용·수익을 제한하는 것

"헌법 제16조가 보장하는 주거의 자유는 개방되지 않은 사적 공간인 주거를 공권력이나 제3자에 의해 침해당하지 않도록 함으로써 국민의 사생활영역을 보호하기 위한 권리이므로, 주거용 건축물의 사용·수익관계를 정하고 있는 위 법률조항('도시 및 주거환경정비법' 제49조 제6항)이 주거의 자유를 제한한다고 볼 수 없다."

헌재 2014. 7. 24. 2012헌마662

---

224) 감염병의 예방 및 관리를 효율적으로 수행하기 위하여 「기생충질환 예방법」과 「전염병예방법」을 통합하여 법제명을 「감염병의 예방 및 관리에 관한 법률」로 바꾸고, 전염병이라는 용어를 사람들 사이에 전파되지 않는 질환을 포괄할 수 있는 감염병이라는 용어로 정비하였다(2012. 11. 24. 시행).

Ⅳ. 통신의 자유

1. 통신의 자유의 의의와 연혁

(1) 의 의

헌법은 "모든 국민은 통신의 비밀을 침해받지 아니 한다"고 하여(제18조), 통신비밀의 불가침을 의미하는 통신의 자유를 보장하고 있다. **통신의 비밀의 불가침**이란 통신의 내용이 통신인의 의사에 반하여 다른 사람들에게 알려지거나 공개되지 않을 권리를 말한다.

(2) 연 혁

통신의 비밀은 기본권으로 헌법에 규정되기 전부터 이미 법적으로 보호되었다. 그 당시에는 우체국에 종사하는 자에 의한 비밀누설로부터 통신의 비밀을 보호하는 것이 목적이었고, 국가기관에 의한 감시로부터 법적 보호가 실현된 것은 프랑스 대혁명 이후부터라고 한다.[225] 현대 헌법에서는 바이마르헌법에서 규정한 이래, 많은 국가들의 헌법과 국제적 차원에서 통신의 비밀이 보장되고 있다. 일본헌법처럼 '표현의 자유'와 함께 규정하는 예도 있으나, 현행헌법은 독자적인 기본권으로 규정하고 있다.

2. 통신의 자유의 법적 성질과 기능

(1) 법적 성질

① 통신이라는 영역에서 구체화된 Privacy권으로, Privacy권(사생활의 비밀과 자유)에 대한 특별규정의 성격을 가진다. 통신의 자유와 사생활의 비밀과 자유는 상호 중복되나, 사생활의 비밀과 자유의 불가침은 통신의 불가침이나 주거의 불가침 조항에 의해서는 보장되지 아니하는 영역까지도 보호대상이 된다.

② 통신에 의한 '표현'의 자유도 본조에 포함된다고 본다. 통신행위는 표현행위의 기초가 되지만, 표현의 자유가 **대외적 대화과정**을 보호하려고 하는 것이라면, 통신의 자유는 **대내적 대화과정**을 보호하려는 것이다.[226]

---

225) 계희열, 앞의 책(중), 411면.
226) 권영성, 앞의 책, 468면.

(2) 기 능

통신의 자유는 본인의 의사에 반하는 통신내용의 공개를 방지하고 개인 간의 의사·정보의 자유로운 전달·교환을 보장하는 기능을 수행한다. 통신의 자유는 오늘날 ⅰ) 알 권리의 실현수단, ⅱ) 인격의 형성·유지수단, ⅲ) 양심의 자유·표현의 자유의 실질화 수단, ⅳ) 정치적 자유의 실질화 등의 기능을 수행한다.

3. 통신의 자유의 내용

(1) 주 체

모든 자연인이 주체가 된다. 즉 내국인만이 아니라 외국인이나 무국적자에게도 인정되는 인간의 권리이다. 미성년자도 그 주체가 될 수 있다. 우편물의 경우 발송인과 수취인이 모두 주체가 되며 전기통신의 경우에도 역시 송신인과 수신인 모두가 주체가 된다. 수형자도 통신의 자유의 주체가 된다.

통신의 자유는 단체 즉, 법인이나 권리능력 없는 단체도 그 주체가 된다.

(2) 보호의 대상으로서의 통신

① 통 신

통신의 자유의 보호대상은 통신을 말하는데, 이는 격지자간의 의사전달 또는 물품수수를 말한다. 통신비밀보호법은 통신 등을 정의하고 있다.

▣ 통신비밀보호법 상 통신의 정의

제2조 (정의) 이 법에서 사용하는 용어의 정의는 다음과 같다.

1. "**통신**"이라 함은 우편물 및 전기통신을 말한다.
2. "**우편물**"이라 함은 우편법에 의한 통상우편물과 소포우편물을 말한다.
3. "**전기통신**"이라 함은 전화·전자우편·회원제정보서비스·모사전송·무선호출 등과 같이 유선·무선·광선 및 기타의 전자적 방식에 의하여 모든 종류의 음향·문언·부호 또는 영상을 송신하거나 수신하는 것을 말한다.

② 보호범위

통신의 자유는 통신 그 자체의 보호에 그치는 것이 아니라, 통신의 내용, 형태, 당사자, 방법을 불문하고 통신을 매개로 한 사생활의 내용과 비밀도 보호한다. 반드시 비밀일 것을 요하는 것은 아니지만, **합법적인 통신**만을 의미한다고 본다. 따라서 통신을 통해 이루어지는 범죄행위나 타인의 권리행사를 방해하는 통신은 보호될 수 없다. 통신의 자유는 그 내용이 사적인 것 외에 공적인 것도 포함된다.

③ 개인 간의 대화를 침해하는 유형

전화의 도청의 경우에는 통신의 비밀과 직접 관련되나, 전화와 관계없이 도청기구를 사용하여 대화를 듣거나 녹음하는 경우는 사생활의 비밀과 관계된다.[227] 앞에서 본 바와 같이 주거에 도청장치를 하고 엿듣는 행위는 주거의 자유를 침해하는 것이다.

(3) 통신의 비밀의 '불가침'

통신의 비밀이란 서신・우편・전신의 통신수단을 통하여 개인 간에 의사나 정보의 전달과 교환(의사소통)이 이루어지는 경우, 통신의 내용과 통신이용의 상황이 개인의 의사에 반하여 공개되지 아니할 자유를 의미한다.[228] 통신의 비밀의 불가침은 ⅰ) 수신자에게 도달하기까지 비밀을 인지하는 것의 금지(열람금지), ⅱ) 통신의 주체의 의사에 의하지 않은 공개・정보화의 금지, ⅲ) 통신의 개봉 및 그 내용의 인지금지, ⅳ) 통신사무 종사자의 직무상 지득내용의 타인에의 누설금지, ⅴ) 통신업무 내용을 정보활동 목적에 제공하거나 제공받으려는 행위의 금지, ⅵ) 전기통신의 경우 불법적으로 다른 사람의 전기통신을 청취하는 도청의 금지 등을 통해 확보될 수 있다.

4. 통신의 자유의 효력

(1) 대국가적 효력

통신의 자유도 주관적 공권으로서 입법, 행정, 사법을 구속한다(직접효력).

① 수사기관이나 정보기관 등으로부터 통신의 비밀 보장

누구든지 이 법과 형사소송법 또는 군사법원법의 규정에 의하지 아니하고는 우편물의 검열・전기통신의 감청 또는 통신사실확인자료의 제공을 하거나 공개되지 아니한 타인간의 대화를 녹음 또는 청취하지 못한다(통신비밀보호법 제3조 제1항).

---

227) 홍성방, 앞의 책(중), 461면.
228) 헌재 2016. 11. 24. 2014헌바401.

② 불법검열에 의한 우편물의 내용과 불법감청에 의한 전기통신내용의 증거사용 금지

통신비밀보호법 제3조의 규정에 위반하여, 불법검열에 의하여 취득한 우편물이나 그 내용 및 불법감청에 의하여 지득 또는 채록된 전기통신의 내용은 재판 또는 징계절차에서 증거로 사용할 수 없다(동법 제4조).

(2) 대사인적 효력

통신의 자유는 공동체 전체 법질서를 형성하는 객관적 요소로서의 성격도 가지므로 사인 간에도 효력이 미친다. 즉 사인 간에 직접 또는 간접으로 효력이 미친다. 사인 간의 침해에 대해서 통신비밀보호법상 벌칙규정이 적용되며(동법 제16조), 형법 제316조에 의해 비밀침해죄로 처벌될 수 있다. 그리고 민법상 불법행위책임을 추궁할 수 있다(민법 제750조). 한편 전기통신사업법은 발신자 전화번호 개시(開示)제도도 인정하고 있는데(전기통신사업법 제84조 제2항), 기본권의 상충문제가 발생하나 피해자의 Privacy권이 가해자의 통신의 자유보다 중요시되는 제도라 할 수 있다.

5. 통신의 자유의 한계와 제한

(1) 한 계

① 전화의 역탐지

통신의 발신장소, 발신인 등을 탐지하는 전화의 역탐지는 협박행위 등의 현행범에 대하여 수사기관이 직권으로 하거나 피해자의 요청이 있는 경우에는 영장 없이도 가능하다(현행범).

② 감화과정에서 범죄에 관한 통화를 청취한 경우

전화교환수가 업무상 청취한 경우 수사기관 등에 통보하는 것도 현행범에 관한 이론구성으로 설명이 가능하며, 전화에 의한 협박이 있는 경우 피해자가 통보하는 것은 정당방위에 의해 정당화된다.

(2) 제 한

통신의 자유도 제37조 제2항에 의한 법률유보에 의하여 제한될 수 있다. 통신의 자유는 국가의 안전보장・질서유지・공공복리를 위하여 제한될 수 있는 상대

적 기본권이다. 통신의 자유를 제한하는 많은 개별법률이 존재한다.

① 국가보안법

국가보안법은 "국가의 존립·안전이나 자유민주적 기본질서를 위태롭게 한다는 정을 알면서 반국가단체의 구성원 또는 그 지령을 받은 자와 회합·통신 기타의 방법으로 연락을 한 자는 10년 이하의 징역에 처한다"고 규정하고 있다(동법 제8조 제1항). 헌법재판소는 국가보안법상의 반국가단체의 구성원과의 회합·통신금지와 관련하여 "국가보안법 제8조 제1항은 반국가단체 구성원과 회합·통신 기타의 방법으로 연락한 자를 처벌하는 규정이다. 우리 재판소는 이 조항에 대하여 합헌 결정을 한 바 있는데, 그 이유의 요지는 '국가의 존립·안전이나 자유민주적 기본질서를 위태롭게 한다는 정을 알면서'라는 주관적 구성요건을 요구하도록 개정되었으므로, 구 국가보안법 조항의 위헌적 요소를 제거하였다는 것이다. 이를 변경해야 할 사정변경이 있다고 볼 수 없으므로 기존의 견해를 그대로 유지하기로 한다"고 합헌 결정을 내렸다.[229] 다만 단순한 안부에 관한 서신교환은 허용된다.

② 전파법[230]

전파법은 "무선설비나 전선로에 주파수가 9킬로헤르츠 이상인 전류가 흐르는 통신설비(케이블전송설비 및 평형2선식 나선전송설비를 제외한 통신설비)를 이용하여 「대한민국헌법」 또는 「대한민국헌법」에 따라 설치된 국가기관을 폭력으로 파괴할 것을 주장하는 통신을 한 자는 1년 이상 15년 이하의 징역에 처한다"고 규정하고 있다(전파법 제80조 제1항).

③ 전기통신기본법

전기통신기본법은 "자기 또는 타인에게 이익을 주거나 타인에게 손해를 가할 목적으로 전기통신설비에 의하여 공연히 허위의 통신을 한 자는 3년 이하의 징역 또는 3천만원 이하의 벌금에 처한다"고 규정하고 있다(동법 제47조 제1항).

종전의 전기통신기본법은 제47조 제1항에서 "공익을 해할 목적으로 전기통신설비에 의하여 공연히 허위의 통신을 한 자는 5년 이하의 징역 또는 5천만원 이하의 벌금에 처한다"고 규정하고 있었다. 이 규정의 위헌 여부가 다투어졌는데, 헌법

229) 헌재 2014. 9. 25. 2011헌바358.
230) 종전의 '전파관리법'은 1961. 12. 30. 제정(1962. 1. 1. 시행)되었는데 국가·정부를 폭력으로 파괴할 것을 주장하는 통신을 금지하고 있었다. 1991. 12. 14. 법의 제명을 '전파관리법'에서 '전파법'으로 변경하였다(1992. 7. 1. 시행).

재판소는 명확성의 요청 및 죄형법정주의의 명확성원칙에 위배하여 헌법에 위반된다고 위헌결정을 내렸다.231) 그 후 이 조항은 삭제되었다.

④ '채무자 회생 및 파산에 관한 법률'

'채무자 회생 및 파산에 관한 법률'에서도 우편물에 대한 개피가 인정되고 있다.232)

▣ 채무자 회생 및 파산에 관한 법률의 제정이유

채무자의 회생 및 파산에 관한 사항이 회사정리법·화의법 및 파산법에 분산되어 있어서 각 법률마다 적용대상이 다를 뿐만 아니라, 특히 회생절차의 경우 회사정리절차와 화의절차로 이원화되어 있어서 그 효율성이 떨어지므로 상시적인 기업의 회생·퇴출체계로는 미흡하다는 지적이 있었는바, 회사정리법·화의법 및 파산법을 하나의 법률로 통합하여 채무자의 회생 및 파산에 관한 법률의 체계를 일원화하는 한편, 기존의 회생절차 중 화의절차를 폐지함과 아울러 회사정리절차를 개선·보완하고, 정기적 수입이 있는 개인채무자에 대하여는 파산절차에 의하지 아니하고도 채무를 조정할 수

---

231) "이 사건 법률조항은 표현의 자유에 대한 제한입법이며, 동시에 형벌조항에 해당하므로, 엄격한 의미의 명확성원칙이 적용된다. 그런데 이 사건 법률조항은 "공익을 해할 목적"의 허위의 통신을 금지하는바, 여기서의 "공익"은 형벌조항의 구성요건으로서 구체적인 표지를 정하고 있는 것이 아니라, 헌법상 기본권 제한에 필요한 최소한의 요건 또는 헌법상 언론·출판의 자유의 한계를 그대로 법률에 옮겨 놓은 것에 불과할 정도로 그 의미가 불명확하고 추상적이다. 따라서 어떠한 표현행위가 "공익"을 해하는 것인지, 아닌지에 관한 판단은 사람마다의 가치관, 윤리관에 따라 크게 달라질 수밖에 없으며, 이는 판단주체가 법전문가라 하여도 마찬가지이고, 법집행자의 통상적 해석을 통하여 그 의미내용이 객관적으로 확정될 수 있다고 보기 어렵다. 나아가 현재의 다원적이고 가치상대적인 사회구조 하에서 구체적으로 어떤 행위상황이 문제되었을 때에 문제되는 공익은 하나로 수렴되지 않는 경우가 대부분인바, 공익을 해할 목적이 있는지 여부를 판단하기 위한 공익간 형량의 결과가 언제나 객관적으로 명백한 것도 아니다. 결국, 이 사건 법률조항은 수범자인 국민에 대하여 일반적으로 허용되는 '허위의 통신' 가운데 어떤 목적의 통신이 금지되는 것인지 고지하여 주지 못하고 있으므로 표현의 자유에서 요구하는 명확성의 요청 및 죄형법정주의의 명확성원칙에 위배하여 헌법에 위반된다"고 판시하였다(헌재 2010. 12. 28. 2008헌바157, 2009헌바88(병합)).

232) **'채무자 회생 및 파산에 관한 법률' 제80조** (우편물의 관리 및 그 해제) ① 법원은 체신관서·운송인 그 밖의 자에 대하여 채무자에게 보내오는 우편물·전보 그 밖의 운송물을 관리인에게 배달할 것을 촉탁할 수 있다.
② 관리인은 그가 받은 제1항의 규정에 의한 우편물·전보 그 밖의 운송물을 열어볼 수 있다.
③ 채무자는 제2항의 규정에 의한 우편물·전보 그 밖의 운송물의 열람을 요구할 수 있으며, 채무자의 재산과 관련이 없는 것의 교부를 요구할 수 있다.
④ 법원은 채무자의 청구에 의하거나 직권으로 관리인의 의견을 들어 제1항의 규정에 의한 촉탁을 취소 또는 변경할 수 있다.
⑤ 회생절차가 종료한 때에는 법원은 제1항의 규정에 의한 촉탁을 취소하여야 한다.

있는 개인회생제도를 도입하여 파산선고로 인한 사회적·경제적 불이익을 받게 되는 사례를 줄이며, 국제화시대에 부응하여 국제도산절차에 관한 규정을 신설하려는 것이다(종전 회사정리법·화의법·파산법 및 개인채무자회생법을 1개의 법률로 통합. 도산법제의 정비).

⑤ 형의 집행 및 수용자의 처우에 관한 법률

종전에는 수용자의 서신은 원칙적으로 검열할 수 있었고 교정시설의 장의 허가를 받아야만 문학·학술 등에 관한 집필을 할 수 있었으나, 수용자의 통신의 자유와 문예 및 창작활동의 자유를 보다 적극적으로 보장하기 위하여 서신내용의 검열 원칙을 무검열 원칙으로 전환하고 집필에 대한 사전허가제를 폐지하였다(동법 제43조 제3항, 제49조 제1항).

헌법재판소는 수용자가 외부로 발송하는 서신을 봉함하지 않은 상태로 제출하도록 강제하는 것이 통신비밀의 자유를 침해한다고 결정한 바 있다.[233]

⑥ 형사소송법

형사소송법은 피고인이 발송한 것이나 피고인에게 발송된 우편물의 제출을 명하거나 압수할 수 있다(동법 제107조).

⑦ 통신비밀보호법

통신비밀보호법은 통신의 자유를 제한하는 일반법적인 기능을 수행한다. 동법은 국민의 통신 및 대화의 비밀과 자유 보장을 목적으로 하며, 우편물의 검열, 대화·통신의 녹음·도청을 원칙적으로 금지한다. 불법감청, 불법녹음, 불법검열의 증거능력을 부인한다(동법 제4조). 다만 동법은 예외적으로 **통신제한조치**[234]를 인정하

233) "'형의 집행 및 수용자의 처우에 관한 법률 시행령'이 수용자가 보내려는 모든 서신에 대해 무봉함 상태의 제출을 강제함으로써 수용자의 발송 서신 모두를 사실상 검열 가능한 상태에 놓이도록 하는 것은 기본권 제한의 최소 침해성 요건을 위반하여 수용자인 청구인의 통신비밀의 자유를 침해하는 것이다"(헌재 2012. 2. 23. 2009헌마333). 한편 이동흡 재판관은 한정위헌결정의 의견을 제시하였다. 즉 "'미결수용자가 변호인에게 보내는 서신'을 무봉함 제출하도록 하는 것은 헌법상 변호인의 조력을 받을 권리를 침해하고, 무죄추정의 원칙에도 위배되므로 위 시행령조항의 무봉함 제출 서신에 미결수용자가 변호인에게 보내는 서신도 포함되는 것으로 해석되는 한도에서 헌법에 위반된다"고 하였다.

234) 헌법재판소는 통신제한조치기간의 연장을 허가함에 있어 총연장기간 또는 총연장횟수의 제한을 두지 아니한 통신비밀보호법 제6조 제7항 단서 중 전기통신에 관한 '**통신제한조치기간의 연장**'에 관한 부분에 대하여 과잉금지원칙에 위배된다고 하면서 헌법불합치결정을 내렸다(헌재 2010. 12. 28. 2009헌가30). 개정 통신비밀보호법은 2월의 범위 안에서 통신제한조치

고 있다.

통신제한조치의 내용은 우편물 검열, 전기통신의 감청,[235] 통신사실확인사료의 제공을 하거나 공개되지 않은 타인 간 대화의 녹음・청취 등이다(동법 제3조).

통신제한조치는 국가안보를 위한 통신제한조치와 범죄수사를 위한 통신제한조치의 이원적 절차를 취하고 있다. **국가안보를 위한 통신제한조치**는 국가안전보장에 상당한 위험이 예상되는 경우 또는 「국민보호와 공공안전을 위한 테러방지법」상의 대테러활동에 필요한 경우에 한하여 그 위해를 방지하기 위하여 이에 관한 정보수집이 특히 필요한 때에는 통신제한조치를 할 수 있는데 **고등법원 수석판사의 허가** 또는 **대통령의 승인**을 얻어 할 수 있도록 하고 있다(동법 제7조). **범죄수사를 위한 통신제한조치**는 통신비밀보호법상 정한 범죄를 계획 또는 실행하고 있거나 실행했다고 의심할 만한 충분한 이유가 있고, 모든 범죄가 아니고 내란죄, 외환죄 등 법이 정한 일정한 범죄의 경우에 다른 방법으로는 그 범죄의 실행을 저지하거나 범인의 체포 또는 증거의 수집이 어려운 경우에 한하여 제한한다(동법 제5조). 제한절차는 일반범죄 수사목적의 경우는 검사(군검찰관)의 청구로 **지방법원(보통군사법원)의 허가**를 얻도록 하고 있다(동법 제6조).

사전 허가신청이 불가능한 경우는 예외적으로 사후허가가 가능하다. 즉 제한조치 후 36시간 이내에 검사, 사법경찰관, 정보수사기관의 장의 신청에 의한다(동법 제8조). 사후허가를 얻지 못하는 즉시 제한조치가 정지된다. 또한 예외적으로 i) 대한민국의 적대국가와의 통화, ii) 반국가적 외국기관・단체, 외국인과의 통화, iii) 미수복지역 및 산하 외국주재 단체와의 통화는 대통령의 허가를 요한다. 다만 대통령의 사전승인을 받을 시간적 여유가 없을 때에는 소속장관(국정원장 포함)의 사전승인으로 제한조치를 하고 36시간 이내에 대통령의 사후허가를 요한다. 대통령의 승인을 얻지 못한 때에는 즉시 그 긴급통신제한조치를 중지하여야 한다(동법 제8조 제7항, 제8항).

통신비밀보호법은 또한 제13조에서 "검사 또는 사법경찰관은 수사 또는 형의

기간의 연장을 청구할 수 있도록 하였다(동법 제6조 제7항). 국가안보를 위한 통신제한조치 기간은 4개월을 초과하지 못한다(동법 제7조 제2항).

235) 헌법재판소는 감청설비의 제조 등의 주체가 국가기관인 경우 정보통신부 장관의 인가가 필요없도록 한 것에 대하여 "국가기관의 경우에는 감청설비의 보유와 사용이 제도적으로 관리・감독될 수 있고, 특히 수사기관의 경우 통신비밀침해행위를 억제하기 위한 통제수단이 법적으로 마련되어 있으므로, 정보통신부장관의 '인가' 없이 국가기관이 감청설비를 보유・사용할 수 있다 하더라도 그 사실만 가지고 바로 국가기관에 의한 통신비밀 침해행위를 용이하게 하는 결과를 초래함으로써 통신의 자유를 침해한다고 볼 수는 없다"고 판시하였다(헌재 2001. 3. 21. 2000헌바25).

집행을 위하여 필요한 경우 전기통신사업법에 의한 전기통신사업자에게 통신사실 확인자료의 열람이나 제출(통신사실 확인자료제공)을 요청할 수 있다"고 규정하고 있다.

⑧ 전기통신사업법

전기통신사업법은 송신인의 전화번호의 고지제도(**발신자전화번호통보(안내)제도**)를 규정하고 있다. 즉 전기통신사업자는 수신인의 요구가 있으면 송신인이 전화번호의 송출을 거부하는 의사표시를 하는 경우를 제외하고 송신인의 전화번호를 알려줄 수 있도록 하고 있다(동법 제84조 제1항). 그러나 송신인이 전화번호의 송출을 거부하는 의사표시를 하는 경우라도 1. 전기통신에 의한 폭언·협박·희롱 등으로부터 수신인을 보호하기 위하여 대통령령으로 정하는 요건과 절차에 따라 수신인이 요구를 하는 경우, 2. 특수번호 전화서비스 중 국가안보·범죄방지·재난구조 등을 위하여 대통령령으로 정하는 경우에 해당하면 송신인의 전화번호 등을 수신인에게 알려줄 수 있도록 하고 있다(동법 제84조 제2항).

⑨ 통신의 자유와 영장주의

규정은 없으나 원칙적으로 영장주의가 적용된다고 본다. 앞에서 본 바와 같이 일정한 경우에 검사의 청구로 법원이 허가한 경우 통신제한조치(검열, 감청)가 가능하며(통신비밀보호법 제5조, 제6조), 긴급의 경우 사후 허가가 가능하다.

(3) 제한의 한계

통신의 불가침을 제한하더라도 본질적 내용은 제한할 수 없다. 우편물의 검열 또는 전기통신의 감청("통신제한조치")은 범죄수사 또는 국가안전보장을 위하여 보충적인 수단으로 이용되어야 하며, 국민의 통신비밀에 대한 침해가 최소한에 그치도록 노력하여야 한다(통신비밀보호법 제3조 제2항).

미결수용자의 서신검열

1. 문제의 소재

미결수용자의 서신에 대한 검열에 있어서는 그것이 국가안전보장·질서유지 또는 공공복리를 위하여 "필요한 경우"에 해당하는지, 그리고 그 검열이 기본권의 본질적인 내용을 침해하는 것인지의 여부가 문제로 된다.

2. 일반적인 서신의 경우: 합헌

본래 신체의 자유를 최대한으로 보장하려는 헌법정신, 특히 무죄추정의 원칙으로 인하여 현행의 형사사법제도는 불구속수사 · 불구속재판을 원칙으로 하고 예외적으로 피의자 또는 피고인이 일정한 주거가 없거나 도망 또는 증거를 인멸할 우려가 있는 때에 한하여 구속수사 또는 구속재판을 인정하고 있다. 이와 같이 질서유지 또는 공공복리를 위하여 구속제도가 헌법 및 법률상 이미 용인되어 있는 이상 구속의 요건에 해당하여 구금된 미결수용자는 구속제도 자체가 가지고 있는 일면의 작용인 사회적 격리의 점에 있어 외부와의 자유로운 교통과는 상반되는 성질을 가지고 있고, 뿐만 아니라 수사 및 재판과정에는 고소 · 고발인, 수사경찰관, 피해자, 증인, 감정인 등 많은 사람들이 관련되는데 미결수용자의 처지에서는 이러한 사람들에게 원망과 분노를 가지고 있을 수도 있으므로, 만약 미결수용자가 이들에게 서신을 제한 없이 발송할 수 있게 한다면 증거인멸의 부탁, 출소 후의 보복 협박, 교도소 등에 있는 동안의 뒷바라지 강요 등 각양각색의 협박편지가 그대로 발송될 수 있고, 이와 같은 사례들이 사회에 전파될 때 많은 사람이 수사 및 재판과정에서의 증언 또는 진술을 기피할 것이고 보복이 두려워서라도 각종 불법행위를 외면하게 되어 공정한 사법제도가 운영될 수 없게 될 위험이 있다. 따라서 증거의 인멸이나 도망을 예방하고 교도소 내의 질서를 유지하여 미결구금제도를 실효성 있게 운영하고 일반사회의 불안을 방지하기 위한 미결수용자의 서신에 대한 검열은 그 필요성이 인정된다고 할 것이다.

다만 미결수용자에 대한 서신검열이 허용된다고 하더라도 통신의 비밀을 보호하려는 헌법정신에 따라 그 검열은 합리적인 방법으로 운용되어야 하고 검열에 의한 서신 수발의 불허는 엄격한 기준에 의하여야 하며 또 서신내용의 비밀은 엄수되어야 할 것인바, 교도관집무규칙 제78조와 재소자계호근무준칙 제284조 등은 서신검열의 기준 및 검열자의 비밀준수의무 등을 규정하고 있으므로, 그와 같은 제도하에서 운용되는 서신검열로 인하여 미결수용자의 통신의 비밀이 일부 제한되는 것은 질서유지 또는 공공복리라는 정당한 목적을 위하여 불가피할 뿐만 아니라 유효적절한 방법에 의한 최소한의 제한으로서 헌법에 위반된다고 할 수는 없다 할 것이다.

3. 변호인의 서신의 경우

그러나 헌법 제12조 제4항 본문은 "누구든지 체포 또는 구속을 당한 때에는 즉시 변호인의 조력을 받을 권리를 가진다"라고 규정하여 변호인의 조력을 받을 권리를 보장하고 있으므로, 미결수용자의 서신 중 변호인과의 서신은 다른 서신에 비하여 특별한 보호를 받아야 할 것이다.

헌법 제27조 제4항은 "형사피고인은 유죄의 판결이 확정될 때까지는 무죄로 추정된다"라고 규정하여 무죄추정의 원칙을 선언하고 있는데, 이 무죄추정의 원칙은 불리한 처지에 놓인 피의자 · 피고인의 지위를 보호하여 형사절차에서 그들의 불이익을 필요한 최소한에 그치게 하자는 것으로서 인간의 존엄성 존중을 궁극의 목표로 하고 있는 헌법이념에서 나온 것이다. 구속은 피의자나 피고인에 대하여 특히 부득이한 사유가 있을 때에만 인정되는 제도이나, 단순히 수사나 재판의 편의만을 위하여 수사기관이나 재판기관에 의하여 구속제도가 남용되기 쉬우며 특히 구속된 피의자에 대하여는 고문이나 폭행 등이 자행되기 쉽고 구속된 상태에서는 헌법 제12조 제2항에 규정하고 있는 진술거부권도 효과적으로 보장되지 않을 수 있다. 따라서 무죄추정을 받고 있는 피의자 · 피고인에 대하여 신체구속의 상황에서 생기는 여러 가지 폐해를 제거하고 구속이 그 본래의 목적에 벗어나 부당하게 이용되지 않도록 보장하기 위하여 헌법 제12조 제4항 본문은 위와 같이 신체구속을 당한 사람에 대하여 변호인의 조력을 받을 권리를 기본권으로 보장하고 있는 것이다.

그리고 신체구속을 당한 사람에 대하여 변호인의 충분한 조력을 받게 하기 위하여서는 무엇보다도 먼저 신체구속을 당한 사람에게 변호인 또는 변호인이 되려는 자와의 사이에 충분한 접견교통을 허용하여야 할 것이다. 변호인 등은 구속된 자와의 접견교통에 의하여 그에게 피의사실이나 공소사실의 의미와 진술거부권 등의 중요성 및 행사방법을 인식시키며 자백강요나 고문 등에 대한 적절한 대응방법을 가르쳐 허위자백을 하지 않도록 권고하고 피의자로부터 수사기관의 부당한 조사 유무를 수시로 확인할 수도 있는 것인데, 이러한 일은 구속된 자와 변호인의 교통 내용에 대하여 비밀이 보장되고 부당한 간섭이 없어야 가능한 것이다. 그리하여 헌법재판소는 "(피고인의) 변호인과의 자유로운 접견은 신체구속을 당한 사람에게 보장된 변호인의 조력을 받을 권리의 가장 중요한 내용이어서 국가안전보장 · 질서유지 · 공공복리 등 어떠한 명분으로도 제한될 수 있는 성질의 것이 아니다"라고 판시한 바 있고(헌재 1992. 1. 28. 91헌마111), 그 결과 1995. 1. 5. 행형법 제18조 제3항, 제62조 및 제66조 등이 개정되어 미결수용자와 변호인과의 접견에는 교도관의 참여가 허용되지 않도록 되었던 것이다. 위와 같은 변호인의 조력을 받을 권리의 기본적인 취지는 접견의 경우뿐만 아니라 변호인 또는 변호인이 되려는 자와 피의자 또는 피고인 사이의 서신의 경우에도 적용되어 그 비밀이 보장되어야 할 것이다.

다만 피의자나 피고인과 변호인 사이의 서신의 비밀을 보장받기 위하여는 다음과 같은 조건을 갖추어야 할 것이다.

첫째, 교도소 측에서 상대방이 변호인 또는 변호인이 되려는 자라는 사실을 확인할 수 있어야 한다. 왜냐하면 변호인이 피의자나 피고인을 면회하는 경우에는 교도관이 그 신분을 직접 확인할 수 있지만, 서신의 경우에는 이를 확인할 수 없어서 제3자가 변호인이라고 사칭하거나 수감자가 제3자를 변호인으로 칭하여 서신을 교환하면서, 도주 · 증거인멸 · 수용시설의 규율과 질서의 파괴 · 기타 위법행위를 도모할 수도 있기 때문이다.

> 둘째, 미결수용자의 변호인과의 사이의 서신임이 확인되었다고 하더라도, 이를 통하여 마약 등 소지금지품의 반입을 도모한다든가, 그 내용에 도주·증거인멸·수용시설의 규율과 질서의 파괴·기타 형벌법령에 저촉되는 내용이 기재되어 있다고 의심할 만한 합리적인 이유가 있는 경우가 아니어야 할 것이다. 왜냐하면 이러한 불법을 도모한다고 의심할 만한 사정이 있는 경우에도 단지 변호인과의 서신이라는 이유만으로 검열을 하지 못한다고 한다면 이는 변호인의 조력을 받을 권리를 빙자하여 행하여지는 불법을 방치하는 결과가 될 수 있기 때문이다. 물론 이 경우 그 의심은 교도소 측의 자의적인 것이어서는 아니 되고 합리적인 기준에서 판단되어야 하며, 그 판단기준으로는 피고인의 범죄혐의 내용, 신분, 평소의 생활이력 및 구금시설 안에서의 생활태도 등이 고려될 수 있을 것이다.
>
> 4. 서신의 지연교부 및 지연발송행위
>
> ……
>
> 위에서 인정된 사실에 비추어 볼 때, 위 각 서신의 발송 및 교부가 어느 정도 지연되었다고 하더라도 이는 교도소 내의 서신발송과 교부 등 업무처리과정에서 불가피하게 소요되는 정도에 불과할 뿐 피청구인이 고의로 발송이나 교부를 지연시킨 것이라거나 또는 업무를 태만히 한 것이라고 볼 수 없으므로, 그로 인하여 청구인들의 통신의 자유, 청구인 이수호의 변호인의 조력을 받을 권리가 침해되었다고 할 수는 없다 할 것이다.
>
> 헌재 1995. 7. 21. 92헌마144

제4절 정신적 자유권

Ⅰ. 정신적 자유권 서설

1. 정신적 자유권의 형성과 기능

인간은 '**육체·심령·정신의 통합체**'[236]이기 때문에 내면의 자유 없이 진정한 자유를 누릴 수 없다. 그리하여 우리 헌법은 정신적 자유로서 양심의 자유, 종교의 자유, 학문·예술의 자유, 표현의 자유 등을 규정하고 있다. 정신의 자유의 근간을 이루는 기본권으로 양심의 자유를 들 수 있지만, 종교의 자유는 정신적 자유의 발전에 선구자적 역할을 수행하였다. 근대 정신적 자유의 발전에는 **국가중립론**과 자

236) 계희열, 신정2판 헌법(중), 박영사, 2007, 330면.

유주의 사상관이 크게 영향을 주었는데, 무엇이 진리인가는 국가의 관여 없이 공개된 장소에서 자유로운 논쟁을 통하여 판명된다는 **사상·표현의 자유시장론**, 자유로운 논쟁의 결과 진리는 살아남고 허위는 자연도태된다는 가설인 **진리생존설** 등이 바로 그것이다. 현대에서는 이데올로기와 체제대립의 상황에서 국가의 자기방어를 위하여 국가중립성 대신에 방어적 민주주의 원리가 도입되고, 언론의 대기업화 및 독과점화 현상으로 말미암아 사상의 자유시장론이 동요되는 등 변화가 있지만, 정신적 자유권은 i) 인간존엄의 유지를 위한 기본 조건이며, ii) 민주주의 체제가 존립하기 위한 전제로서 중요한 기능을 담당하고 있다.

2. 정신적 자유권의 우월론

정신적 자유는 도덕적, 정신적, 지적 창조물인 인간에게 고유한 자연적 권리이므로 그 밖의 기본권(특히, 경제적 기본권)에 비하여 고도로 보장되어야 한다는 것이다. 정신적 자유의 우월성을 보장하기 위한 헌법원칙, 특히 표현의 자유의 합헌성판단기준으로 들어지는 헌법원칙들로는 i) 합헌성 판단에 관한 이중기준의 이론, ii) 합헌성 추정 배제의 원칙, iii) 막연하므로 무효의 이론(표현의 자유 규제입법), iv) 명백하고 현존하는 위험의 원칙(언론 제한에 관한 입법), v) 필요최소한의 규제수단의 선택의 원칙, vi) 입증책임의 전환원칙 등이 논의되고 있다. 자세한 것은 언론·출판의 자유에서 살펴보기로 한다.

3. 정신적 자유권의 체계

통상 정신적 자유권은 내면적 정신의 자유로 양심의 자유, 종교의 자유, 학문·예술의 자유와 외면적 정신의 자유로 표현의 자유인 언론·출판·집회·결사의 자유 등으로 나누어 고찰하기도 한다. 그러나 오늘날 표현의 자유는 정신적 자유의 성격 외에 민주주의의 생명선에 비유되듯이 정치적 자유의 성격도 무엇보다도 강하게 가지고 있어 정신적 자유에서 분리하여 별도로 표현의 자유로 다룰 필요가 있다. 본서에서는 정신적 자유권 속에서는 내면적 정신의 자유라고 할 수 있는 양심, 종교, 학문·예술의 자유만을 다루고, 표현의 자유는 별도로 독립시켜 다루고자 한다. 물론 양심의 자유, 종교의 자유, 학문·예술의 자유도 순수히 내면적인 자유라 보기도 어렵지만, 표현의 자유와 구별하고자 하는 취지에서는 이해될 수 있다. 내면적 정신의 자유라기보다는 기초적 정신적 자유라는 것이 더 나을지 모르겠다.

Ⅱ. 양심의 자유

1. 양심의 자유의 연혁과 헌법규정

양심의 자유는 서양에서는 종교의 자유와 불가분의 관련 속에서 보장되었다. 양심의 자유는 국가에 의한 신앙강제로 작용한 국교제도로부터 자기의 신앙을 정당화 하기 위해 양심의 자유를 주장한 것이다. 양심의 자유가 종교의 자유의 일부로 규정된 경우 양심은 종교적인 신앙적 양심을 보장하는 것이었다. 버지니아 권리장전[237]을 예로 들 수 있다. 이 양심의 자유가 종교의 자유와 개념상 독립적으로 규정된 것은 1919년 바이마르헌법[238]부터이다. 오늘날 양심의 자유는 신앙적 동기와 무관한 양심상의 결정을 보호하는 독자적 기본권으로 발전하게 되었다.

우리나라 헌법에서는 건국헌법이래 신앙과 양심을 동일조문에서 규정하다가 5차 개정헌법 이후 분리하여 규정하고 있다. 현행헌법은 "모든 국민은 양심의 자유를 가진다"고 규정하고 있다(제19조).

2. 양심의 자유의 헌법상 의의

사람은 자기 양심에 따라 행동함으로써 인격적인 자기표현을 할 수 있기 때문에 양심의 자유는 인간존엄의 기초요 뿌리라고 평가되며 '**정신적 강제로부터의 해방**'을 의미하기 때문에 정신적 자유의 주기본권·총칙적 기본권으로서, 우월한 기본권에 속한다. 한편 '사상의 다원성'을 기초로 하는 자유민주적 기본질서를 형성하는 데도 불가결한 기본권이다.[239]

---

237) "종교, 즉 우리가 우리의 창조주에 대한 의무와 그 의무를 이행하는 방식은 오직 이성과 신념에 의해서만 지시될 수 있는 것이며 힘이나 폭력으로 지시될 수는 없다"(버지니아 권리장전 제16조). 한편 1663년 아메리카의 로드아일랜드(Rhode Island)에 대한 식민지허가장에서 종교의 자유와 함께 양심의 자유를 규정하였다. 이처럼 초기의 양심의 자유는 종교와 관련되어 보장되었다. 이와 관련하여 한수웅 교수는 초기의 양심의 자유의 범위도 특정한 종교를 받아들이거나 유지해야 하는 국가적 강제로부터의 자유 또는 신앙을 자유롭게 행사하기 위하여 '이민을 갈 자유'에 제한되었다고 설명한다(한수웅, "헌법 제19조의 양심의 자유", 헌법논총 제11집, 헌법재판소, 2020, 4-5면).

238) "국내의 모든 주민은 완전한 신교 및 양심의 자유를 향유한다"(바이마르헌법 제135조 제1항).

239) 헌법재판소는 "이른바 개인적 자유의 시초라고 일컬어지는 이러한 양심의 자유는 인간으로서의 존엄성 유지와 개인의 자유로운 인격발현을 위해 개인의 윤리적 정체성을 보장하는 기능을 담당한다"고 규정하고 있다(헌재 2002. 4. 25. 98헌마425등).

3. 양심의 자유의 대상으로서의 양심

(1) 양심의 개념

양심을 정확하게 개념정의하기는 어렵지만, 양심의 개념에 대해서는 크게 협의설과 광의설로 대별된다. 협의설은 윤리적 가치판단만을 양심으로 보는 견해이고(윤리설, **윤리적 양심설**),[240] 광의설은 윤리적 가치판단뿐 아니라 사회적 사상도 양심에 포함하여 이해하는 입장이다(**광의의 사회적 양심설**).[241]

헌법재판소의 입장은 분명하지 않다. 사죄광고결정에서 "양심이란 세계관·인생관·주의·신조 등은 물론, 이에 이르지 아니하여도 보다 널리 개인의 인격형성에 관계되는 내심에 있어서의 가치적·윤리적 판단도 포함된다고 볼 것이다"고 하여[242] 광의설을 취한 것이 있는가 하면, 준법서약서 결정에서는 "양심의 자유는 인간으로서의 존엄성 유지와 개인의 자유로운 인격발현을 위해 개인의 윤리적 정체성을 보장하는 기능을 담당한다"고 판시하여[243] 협의설에 가까운 입장을 보여주고 있다.

양심은 인간의 도덕적, 윤리적 영역의 문제로 윤리적 판단이 양심의 개념에 주된 개념요소이지만, 우리나라에서는 사상의 자유에 대한 명문규정이 없어 양심의 자유에 사상도 포함하는 것으로 보는 광의설이 타당하다고 생각한다. 다만 헌법재판소는 양심의 개념을 "어떤 일의 옳고 그름을 판단함에 있어서 그렇게 행동하지 않고서는 자신의 인격적인 존재가치가 파멸되고 말 것이라는 **절박하고 진지한 마음의 소리**이지, 막연하고 추상적인 개념으로서의 양심이 아니다"[244] 또는 "**내심에서 우러나오는 윤리적 확신**"[245]으로 판시하여 양심을 진지한 내면의 결정(진지성)이라는 점을 강조하고 있다.[246]

---

240) 윤리적 양심설은 양심은 옳고 바른 것을 추구하는 윤리적·도덕적 마음가짐으로서 인간의 윤리적·도덕적 내심영역의 문제이므로 단순한 사상과는 다르다고 하며(허영, 전정13판 한국헌법론, 박영사, 2017, 426-427면), 사상의 자유는 제37조 제1항에 의해 열거되지 아니한 기본권으로 보는 것이 타당하다고 한다(장영수, 제7판 헌법학, 홍문사, 2012, 649-650면).

241) 사회적 양심설(통설)은 양심의 자유는 내심의 자유를 말하나 윤리적인 면에 한할 필요가 없고 사상도 포함된다고 본다(권영성, 헌법학원론(2010년판), 법문사, 2010, 480-481면; 김철수, 학설·판례 헌법학(상), 박영사, 2008, 917-918면; 계희열, 앞의 책(중), 333면; 성낙인, 제19판 헌법학, 법문사, 2019, 1111면; 홍성방, 헌법학(중), 박영사, 2010, 140면).

242) 헌재 1991. 4. 1. 89헌마160.

243) 헌재 2002. 4. 25. 98헌마425.

244) 헌재 1997. 3. 27. 96헌가11.

245) 헌재 2002. 4. 25. 98헌마425.

(2) 구별되는 개념

① **양심**은 인간의 윤리적 · 도덕적 영역에 관한 문제이나, **신앙**은 인간과 사물의 본성에 관한 형이상학적인 인식과 이해를 바탕으로 한다는 점에서 구별된다.

② **사상**은 논리적 측면의 사고라는 점에서, 윤리적인 영역의 사고인 양심과 구별된다. 우리 헌법에서는 사상의 자유를 규정하지 않아 양심의 자유에 사상의 자유가 포함되는가가 다투어지고 있다.

③ 직업적 양심(법관, 국회의원)과의 구별

제19조 양심의 자유에서의 양심은 특히 소수자의 윤리적 결정을 보호하는 것이고 주관적인 결정이므로, 직업적이고 객관적인 양심인 제103조의 법관의 양심[247]과 제46조 제2항의 국회의원의 양심[248]과는 구별된다.

4. 양심의 자유의 주체

(1) 자연인

양심의 자유는 모든 자연인이 누릴 수 있는 인간의 권리로서 내 · 외국인을 불문한다. 미성년자도 양심의 자유의 주체가 될 수 있다는 점은 일반적으로 인정되지만, 성인과 똑같이 자유로운 양심상의 결정을 할 수 있다고 보기는 어렵다는 점에서 개별적인 경우에 따라 어떤 문제에 대해서 어느 정도의 양심적 결정을 인정

246) 헌법재판소는 **선거운동 과정에서의 대외적 해명행위**와 양심의 자유와 관련하여 "자신의 태도나 입장을 외부에 설명하거나 해명하는 행위는, 진지한 윤리적 결정에 관계된 행위라기보다는 단순한 생각이나 의견, 사상이나 확신 등의 표현행위라고 볼 수 있어, 그 행위가 선거에 영향을 미치게 하기 위한 것이라는 이유로 이를 하지 못하게 된다 하더라도 내면적으로 구축된 인간의 양심이 왜곡 굴절된다고는 할 수 없다는 점에서 양심의 자유의 보호영역에 포괄되지 아니한다"고 판시하고 있고(헌재 2001. 8. 30. 99헌바92등), 인터넷언론사의 공개된 게시판 · 대화방에서 스스로의 의사에 의하여 정당 · 후보자에 대한 지지 · 반대의 글을 게시하는 행위는 단순한 의견 등의 표현행위에 불과하여 양심의 자유나 사생활 비밀의 자유에 의하여 보호되는 영역이라고 할 수 없다고 판시하고 있으며(헌재 2010. 2. 25. 2008헌마324), 재산명시의무를 위반한 채무자에 대하여 법원이 결정으로 20일 이내의 감치에 처하도록 한 것(민사집행법 제68조 제1항)은 "재산목록을 제출하고 그 진실함을 법관 앞에서 선서하는 것은 개인의 인격형성에 관계되는 내심의 가치적 · 윤리적 판단이 개입될 여지가 없는 단순한 사실관계의 확인에 불과한 것이므로, 헌법 제19조에 의하여 보장되는 양심의 영역에 포함되지 않는다"고 판시하고 있다(헌재 2014. 9. 25. 2013헌마1).

247) "법관은 헌법과 법률에 의하여 그 양심에 따라 독립하여 심판한다"(제103조).

248) "국회의원은 국가이익을 우선하여 양심에 따라 직무를 행한다"(제46조 제2항).

하고 존중하여야 할 것인가는 문제가 된다는 지적이 있다.[249]

(2) 법 인

양심의 자유는 인간의 정신현상과 직결되어 있는 것이기 때문에 법인에게는 원칙적으로 인정되지 않는다. 헌법재판소는 사죄광고의 위헌성을 인정하면서 그 근거로 양심의 자유를 들고 있는데, 이것이 위헌소원의 청구주체인 동아일보사의 법인으로서의 양심의 자유의 주체로 된다는 것인지는 분명하지 않다. 법인의 경우라면 그 **대표자에게 양심표명의 강제**를 요구하는 결과를 초래한다는 것은 법인의 구성원인 자연인의 양심의 자유를 간접적으로 인정하는 것이고 법인에게는 양심의 자유의 주체성을 인정하지 않은 것으로 해석하는 것이 타당하다.[250]

5. 양심의 자유의 내용(보호영역)

(1) 양심의 자유의 내용을 둘러싼 논의

① 학 설

우리나라에서는 현재 양심의 자유의 보호영역을 둘러싸고 견해의 대립이 있다. 양심형성의 자유 내지 양심상 결정의 자유가 양심의 자유에 포함된다는 점에 대해서는 이론이 없다. 그리고 양심상 결정을 외부에 언어 등으로 표명하도록 강제 받지 아니하는 자유와 양심에 반하는 행위를 강제당하지 않을 자유를 침묵의 자유[251]로 이해하거나 양심유지의 자유[252] 내지 양심을 지키는 자유,[253] 양심활동의 소극적 자유,[254] 양심표명을 강제당하지 않을 자유와 부작위에 의한 양심실현의

---

249) 장영수, 앞의 책, 653면. 장영수 교수는 양심형성과 관련하여 성인에게 특정한 입장의 정당성을 설명하는 것과 미성년자에게 도덕교육을 시키는 경우에 있어서는 상당한 정도의 차이가 인정될 수 있다고 한다.

250) 이 사건에서 법인의 양심의 자유의 주체성 인정 여부에 대해서는 분명한 입장이 나타나 있지 않으나, 법인도 인격권의 주체가 된다는 점은 분명히 하고 있다. 즉 "사죄광고 과정에서는 자연인이든 법인이든 인격의 자유로운 발현을 위해 보호받아야 할 인격권이 무시되고 국가에 의한 인격의 외형적 변형이 초래되어 인격형성에 분열이 필연적으로 수반되게 된다. 이러한 의미에서 사죄광고제도는 헌법에서 보장된 인격의 존엄과 가치 및 그를 바탕으로 하는 인격권에 큰 위해도 된다고 볼 것이다"고 판시하였다(헌재 1991. 4. 1. 89헌마160).

251) 권영성, 앞의 책, 484면. 권영성 교수는 침묵의 자유의 내용으로 양심추지의 금지, 충성선서, 반양심적 행위의 강제금지 등을 들고 있다.

252) 김철수, 앞의 책(상), 920면 이하; 성낙인, 앞의 책, 1113면 이하.

253) 허영, 앞의 책, 429면 이하.

254) 계희열, 앞의 책(중), 336면 이하; 정종섭, 제11판 헌법학원론, 박영사, 2016, 558면 이하.

자유[255] 등으로 이해하면서 약간의 견해 차이가 존재하지만, 양심의 자유의 보호영역으로 설명하는 데는 이론이 없다. 그러나 양심에 따라 적극적으로 행동하고 실천하는 자유(적극적 양심실현의 자유 내지 적극적 양심활동의 자유)가 양심의 자유에 포함되는가에 대해서는 견해의 대립이 있다.[256]

② 판 례

판례는 입장의 변화가 있었으나 최근에는 양심형성의 자유와 양심실현의 자유로 양심의 자유의 내용을 설명하고 있다. 즉 과거 사죄광고 사건(민법 제764조)에서 헌법재판소는 " …… 양심의 자유에는 널리 사물의 시시비비나 선악과 같은 윤리적 판단에 국가가 개입해서는 안 되는 내심적 자유는 물론, 이와 같은 윤리적 판단을 국가권력에 의하여 외부에 표명하도록 강제 받지 않는 자유 즉 윤리적 판단사항에 관한 침묵의 자유까지 포괄한다고 할 것이다"고 하여 내심의 자유로서 양심형성의 자유와 침묵의 자유를 양심의 자유의 내용으로 보고 있는 듯한 결정을 한 바 있다.[257] 한편 구 국가보안법상의 불고지죄와 관련하여 "1. 양심의 자유에는 널리 사물의 시시비비나 선악과 같은 윤리적 판단에 국가가 개입해서는 아니 되는 내심적 자유는 물론, 이와 같은 윤리적 판단을 국가권력에 의하여 외부에 표명하도록 강

---

255) 김학성 · 최희수, 전정 4판[2020년판], 피앤씨미디어, 2020, 589－590면.

256) 권영성 교수는 양심의 자유를 양심결정(양심형성)의 자유와 침묵의 자유를 주된 내용으로 하고, 양심상의 결정을 외부에 표명하거나 그것을 실현할 자유까지 내포하는가에 대해서는 부정적으로 이해하고 있다(권영성, 앞의 책, 487면 이하). 김철수 교수는 양심의 자유를 양심형성의 자유, 양심유지와 실현의 자유(대표적으로 침묵의 자유), 양심형성 · 표현의 준비단계, 양심표현의 자유로 나누고 양심표현의 자유는 표현의 자유에 속하는 것으로 보아 양심실현의 자유를 양심의 자유에 포함시키지 않고 있다(김철수, 앞의 책(상), 683면 이하). 허영 교수는 양심형성 및 결정의 자유, 양심을 지키는 자유, 양심실현의 자유를 양심의 자유의 내용으로 설명하면서, 내재적 한계의 제약을 받는 양심실현의 자유도 양심의 자유의 내용으로 보고 있다. 또한 침묵의 자유는 양심을 언어에 의해서 표명하도록 강요당하지 않는 자유를 말하고 양심의 추지는 양심을 행동에 의해 간접적으로 표명하도록 강요되지 않는 자유라고 하면서 구별한다(허영, 앞의 책, 429－432면 이하). 계희열 교수는 양심의 자유를 크게 양심형성의 자유와 양심의 활동의 자유로 나누고 양심활동의 자유를 양심활동의 소극적 자유(양심을 표명하도록 강제당하지 않을 자유, 양심에 반하는 행동을 강제당하지 않을 자유)와 양심활동의 적극적 자유(양심상의 결정을 표명하고 실현할 자유)로 나누고 있다(계희열, 앞의 책(중), 334면 이하).

257) 헌법재판소는 "이와 같이 해석하는 것이 다른 나라의 헌법과 달리 양심의 자유를 신앙의 자유와도 구별하고 사상의 자유에 포함시키지 않은 채 별개의 조항으로 독립시킨 우리헌법의 취지에 부합할 것이며, 이는 개인의 내심의 자유, 가치판단에는 간섭하지 않겠다는 원리의 명확한 확인인 동시에 민주주의의 정신적 기초가 되고 인간의 내심의 영역에 국가권력의 불가침으로 인류의 진보와 발전에 불가결한 것이 되어 왔던 정신활동의 자유를 보다 완전히 보장하려는 취의라고 할 것이다"고 판시하고 있다(헌재 1991. 4. 1. 89헌마160).

제받지 아니할 자유까지 포괄한다. 2. 헌법 제19조가 보호하고 있는 양심의 자유는 양심형성의 자유와 양심적 결정의 자유를 포함하는 내심적 자유(forum internum)뿐만 아니라, 양심적 결정을 외부로 표현하고 실현할 수 있는 양심실현의 자유(forum externum)를 포함한다고 할 수 있다. 내심적 자유, 즉 양심형성의 자유와 양심적 결정의 자유는 내심에 머무르는 한 절대적 자유라고 할 수 있지만, 양심실현의 자유는 타인의 기본권이나 다른 헌법적 질서와 저촉되는 경우 헌법 제37조 제2항에 따라 국가안전보장·질서유지 또는 공공복리를 위하여 법률에 의하여 제한될 수 있는 상대적 자유라고 할 수 있다"고 하여 양심실현의 자유까지 양심의 자유에 포함시키고 있다.[258] 최근의 헌법재판소의 판례에 따르면 헌법 제19조의 양심의 자유를 내심의 자유인 '양심형성의 자유'와 양심적 결정을 외부로 표현하고 실현하는 '양심실현의 자유'로 구분한다. 구체적으로 "양심형성의 자유란 외부로부터의 부당한 간섭이나 강제를 받지 않고 개인의 내심영역에서 양심을 형성하고 양심상의 결정을 내리는 자유를 말하고, 양심실현의 자유란 형성된 양심을 외부로 표명하고 양심에 따라 삶을 형성할 자유, 구체적으로는 양심을 표명하거나 또는 양심을 표명하도록 강요받지 아니할 자유(양심표명의 자유), 양심에 반하는 행동을 강요받지 아니할 자유(부작위에 의한 양심실현의 자유), 양심에 따른 행동을 할 자유(작위에 의한 양심실현의 자유)를 모두 포함한다"고 설명하고 있다.[259]

③ 사 견

필자는 양심의 자유의 내용을 첫째, 외부로부터 부당한 간섭이나 강제를 받지 아니하고 양심을 형성하고 결정하는 양심형성(결정)의 자유, 둘째, 결정·형성된 양심을 언어 등에 의하여 표명하도록 강제당하지 않을 자유(협의의 침묵의 자유)뿐만 아니라 행동으로 표현하도록 강제당하지 않을 자유(양심의 추지) 및 반양심적 행위를 강제당하지 않을 자유(부작위에 의한 양심유지의 자유, 소극적 양심실현의 자유)를 모두 포함하는 침묵의 자유, 셋째, 형성된 양심을 방해받지 않고 표명할 수 있는 자유(양심표명의 자유)와 양심에 따라 행동하고 실천할 자유(적극적 양심실현의 자유)를 포함하는 양심실현(실행)의 자유 등 셋으로 나누어 고찰하고자 한다.

---

258) 헌재 1998. 7. 16. 96헌바35.

259) 헌재 2004. 8. 26. 2002헌가1; 헌재 2011. 8. 30. 2007헌가12등; 헌재 2011. 8. 30. 2008헌가22등.

(2) 양심형성(결정)의 자유

① 의 의

자신의 논리적 관점(사상), 윤리적 관점(협의의 양심)에 따른 판단에 따라 시시비비의 확신에 도달하는 것을 외부로부터 방해받지 않을 자유를 말한다. 올바른 양심형성 내지 양심상 결정이 이루어지기 위해서는 자율적인 양심형성을 위협하는 각종의 영향력행사로부터 벗어나 있어야 한다. 그러나 양심의 형성은 외부와 사상적 교류 없이는 불가능하기 때문에 국가의 교육 등을 통해 개인의 사고형성에 영향을 주는 것은 불가피한 면이 있다. 양심형성 내지 결정의 자유에서 중요한 것은 국가의 간여나 영향은 독자적 결정을 위협할 정도가 되어서는 안 된다는 것이다.

양심형성의 자유 내지 양심상 결정의 자유는 내심의 자유이며 어떠한 경우에도 제한할 수 없는 **절대적 자유**이다(통설).

② 관련문제

양심형성은 내심영역의 주관적 현상으로 이를 객관적으로 확인하기 어렵다. 양심형성의 자유에 대한 침해유무와 관련해서는 다음과 같은 사례가 문제된다.

i) 국가기관에 의한 특정사상의 일방적인 선전 · 홍보

이는 양심형성의 자유를 침해한다. 즉 양심결정과정에 국가권력이나 타인이 관여 및 방해하거나 또는 일정한 방향으로 양심결정을 강제해서는 안 된다. 나아가 다수의 양심이 소수의 양심을 무시해서도 안 된다. 자유로운 양심형성을 제약하는 국가에 의한 세뇌, 정신강제, 최면술, 약물사용 등도 금지된다.

ii) 민주적 기본질서를 부정하는 양심의 규제

민주적 기본질서를 부정하는 양심이 규제대상이 될 수 있는가에 대해서 논란이 있지만, 민주적 기본질서의 부정이 내심의 작용, 양심결정의 단계에 머물러 있는 한 규제대상이 되어서는 안 된다.[260]

국가보안법상의 찬양 · 고무 등 죄에 대한 한정합헌결정

" …… 그러나 이와 같은 문언해석 그대로의 내용이 국가보안법 제7조 제1항의

---

260) 권영성, 앞의 책, 483면. 권영성 교수는 이러한 실체의 문제뿐만 아니라, 양심결정 자체는 외부에 노출되는 것이 아니므로 민주적 기본질서를 부정하는 것인지 입증할 수 없기 때문이라는 점도 들고 있다.

> 제도 본지일 것으로는 결코 보여 지지 않으며, 문언을 그대로 해석·운영한다면 다음과 같은 문제가 생긴다. 첫째로 만일 문리 그대로 해석·운영한다면 헌법상의 언론·출판, 학문·예술의 자유를 위축시킬 염려가 있다. 북한을 반국가단체로 보는 한 북한집단 자체 뿐 아니라 그 구성원인 주민의 모든 분야의 활동도 찬양·고무해서는 아니 되며, 북한집단이나 그 주민의 주장과 일치되는 언동을 하여서는 아니되고 그 밖의 북한집단에 이롭게 된다는 인식하에 북한집단에 대해 일체 긍정적인 평가활동을 하여서는 안 된다. 그 언동의 동기나 의도 혹은 그 내용은 묻지 않으며, 그 내용이 국가의 존립·안전이나 자유민주적 기본질서에 명백한 위해를 줄 정도의 것이든 아니든 막론하고 금지되고 이를 어기면 형사처벌 받게 되는 형벌과잉을 초래할 염려가 있다. 개인적으로는 자기가 행한 행위가 헌법상 보장된다고 생각되어도 그것이 법률의 문언상 규제 대상에 포함될 수 있기 때문에 북한문제에 관한 한 비난 빼고는 하고 싶은 말, 쓰고 싶은 글, 그리고 학술적 활동이나 예술활동이 일체 금기가 될 소지가 생길 것이며 북한의 남침정책이나 대한민국의 체제전복과 관계가 없는 무해한 표현행위라 하더라도 안심하고 자기 의사의 창달이 힘들게 된다. …… 따라서 국가보안법 제7조 제1항이 국가안전보장이나 자유민주적 기본질서의 수호에 관계없는 경우까지 확대적용될 만큼 불투명하고 구체성이 결여되어 있다는 것은 분명히 헌법 제37조 제2항을 어겨 헌법 제21조 제1항의 언론·출판의 자유와 헌법 제22조 제1항의 학문·예술의 자유를 침해할 개연성 나아가 그와 같은 자유의 전제가 되는 헌법 제19조의 양심의 자유의 침해가능성을 남기는 것이다."
>
> 헌재 1990. 4. 2. 89헌가113

iii) 보안처분과 양심의 자유

헌법이 보장한 양심의 자유는 정신적인 자유로서 어떠한 사상·감정을 가지고 있다고 하더라도 그것이 내심에 머무르는 한 절대적인 자유이므로 제한할 수 없는 것이나, 보안관찰법상의 보안관찰처분은 보안관찰처분대상자의 내심의 작용을 문제삼는 것이 아니라, 보안관찰처분대상자가 보안관찰해당범죄를 다시 저지를 위험성이 내심의 영역을 벗어나 외부에 표출되는 경우에 재범의 방지를 위하여 내려지는 특별 예방적 목적의 처분이므로, 이 법상의 보안관찰처분이 양심의 자유를 보장한 헌법규정에 위반된다고 할 수 없다.[261]

261) 헌재 1997. 11. 27. 92헌바28; 헌재 2015. 11. 26. 2014헌바475.

(3) 침묵의 자유

① 의 의

침묵의 자유는 인간의 내면세계에서 결정·형성된 양심을 언어·행동 등으로 표명하도록 강제되지 않을 자유와 반양심적 행위를 강제당하지 않을 자유를 말한다. 종래 형성된 양심을 언어(말·글)로 표명하도록 강제되지 않을 자유인 (협의의) 침묵의 자유가 양심에 대한 직접강제에 대한 방어라면 행동으로 표명하도록 강제되지 않을 양심추지의 금지는 간접강제에 대한 방어라는 점에서 구별하기도 한다.[262] 그러나 본서에서는 결정·형성된 양심을 언어에 의하여 표명하도록 강제당하지 않을 자유(협의의 침묵의 자유)뿐만 아니라 행동으로 표현하도록 강제당하지 않을 자유(양심의 추지) 및 반양심적 행위를 강제당하지 않을 자유(부작위에 의한 양심유지의 자유, 소극적 양심실현의 자유)를 모두 침묵의 자유로 파악하여 설명하기로 한다.[263] 헌법재판소도 양심에 반하는 행위의 강제금지를 침묵의 자유의 파생으로 보고 있다.[264] 여기서는 침묵의 자유와 관련해서 논의되는 쟁점들을 살펴보기로 한다.

② 양심추지의 금지

양심의 추지(推知)란 일정한 행동을 하도록 하여 양심이 간접적으로 표명되게 하고, 이를 통하여 그 사람의 내면의 양심을 추정할 수 있게 하는 것을 말한다(예: 기독교인을 가려내기 위한 십자가 밟기). 양심상 추지는 양심의 내용을 표명하도록 강제하는 것으로 침묵의 자유 내지 양심유지의 자유를 침해한다.

③ 충성선서

충성선서(loyalty oath)는 공직자의 임용요건으로 헌법이나 국가에 대한 충성을 선서하게 하는 것이다. 공직자의 헌법에 대한 충성선서와 국가에 대한 충성선서는 공직자가 국민 전체에 대한 봉사자란 점에서 헌법상 허용될 수 있지만, 재직요건

262) 김학성·최희수, 앞의 책, 590면.

263) '양심의 표명을 강제당하지 않을 자유'(충성선서, 십자가 밟기)와 '반양심적 행위를 강제당하지 않을 자유'는 사실 명확히 구별될 수 있는가는 의문이지만, 양심의 표명을 강제당하지 않을 자유는 '양심의 표명'에 중점이 있지만, '반양심적 행위를 강제당하지 않을 자유'의 제한에 속하는 양심적 병역거부자에 대한 형사처벌은 병역의무를 이행시키는 데 목적이 있는 것이지 양심의 표명에 그 목적이 있는 것이 아니라는 점에서 구별될 수 있다는 견해는 참고할 가치가 있다(정회철, 기본강의 헌법, 도서출판 여산, 2013, 475면).

264) 헌재 1991. 4. 1. 89헌마160(사죄광고사건).

또는 임용요건으로 현 정부나 여당에 대한 충성선서는 위헌이다.[265] 국가에 충성을 서약하는 것이 아니라 특정한 양심이나 신념(무정부의주의, 공산주의)을 강제로 표명하게 하는 것은 양심추지금지원칙에 위반된다.

④ 증언의 거부

종래 양심의 자유는 선악에 대한 판단의 문제로서 사실에 대한 문제는 아니라고 보았다. 따라서 내면적인 양심상의 판단이 아닌 객관적인 사실에 대한 증거의 확인(증언)을 요청하는 것은 양심의 자유에 반하지 않는다고 보는 것이 일반적이었다. 그러나 누구나 양심을 이유로 증언을 거부할 수 있다면 사실상 아무도 증인이 되지 않으려고 할 수 있으며, 사법절차의 운영 자체에 큰 문제가 발생한다. 따라서 증언거부권이 인정되는 등의 예외적인 상황, 예를 들어 진술거부권(제12조 제2항 후단), 증언거부권(국회에서의 증언·감정 등에 관한 법률, 형사소송법, 민사소송법)을 제외하고는 증언의 의무를 인정하고 있다. 이러한 경우 증언의 요구는 양심의 자유를 침해하는 것이 아니다.

⑤ 취재원묵비권

언론사의 기자가 취재원에 대하여 묵비할 권리(증언거부)는 양심의 자유에 포함되지 않는 것으로 보는 것이 일반적이다. "신문기자의 취재원에 관한 묵비는 당연히 언론의 자유에 포함되는 것은 아니다"고 본 미국 판례가 있다.[266]

기자 자신이 형사사건의 당사자가 되어 묵비권을 행사하는 경우와 언론의 자유에서 취재원묵비권의 인정 여부와는 별개로 기자의 취재원에 대한 증언거부는 양심의 자유에 포함되지 아니한다.

⑥ 사죄광고를 명하는 판결

민법 제764조 소정의 "명예회복에 적당한 처분"으로 법원이 판결로서 사죄광고를 명하고 이를 강제집행하도록 하는 것의 위헌 여부가 다투어진 사건에서 헌법재판소는 " …… 사죄광고제도란 타인의 명예를 훼손하여 비행을 저질렀다고 믿지 않는 자에게 본심에 반하여 깊이 '사과한다' 하면서 죄악을 자인하는 의미의 사죄의 의사표시를 강요하는 것이므로, 국가가 재판이라는 권력작용을 통해 자기의 신념에 반하여 자기의 행위가 비행이며 죄가 된다는 윤리적 판단을 형성강요하여 외

265) 권영성, 앞의 책, 484-485면. 양심의 자유와 공무원의 정치적 중립성 위반이라고 한다.
266) Branzburg v. Hayes, 408 U.S. 665(1972).

부에 표시하기를 명하는 한편 의사·감성과 맞지 않는 사과라는 도의적 의사까지 광포시키는 것이다. 따라서 사죄광고의 강제는 양심도 아닌 것이 양심인 것처럼 표현할 것의 강제로 인간양심의 왜곡·굴절이고 겉과 속이 다른 이중인격형성의 강요인 것으로서 침묵의 자유의 파생인 양심에 반하는 행위의 강제금지에 저촉되는 것이며 따라서 우리 헌법이 보호하고자 하는 정신적 기본권의 하나인 양심의 자유의 제약(법인의 경우라면 그 대표자에게 양심표명의 강제를 요구하는 결과가 된다)이라고 보지 않을 수 없다"고 판시하여[267] '명예회복에 적당한 처분'에 사죄광고를 포함시키는 것을 침묵의 자유의 파생인 양심에 반하는 행위의 강제금지에 저촉되는 것으로 보고 있다.

⑦ 양심상 병역거부

양심상 병역(집총)거부란 종교적 신앙이나 윤리적·철학적 신념을 이유로 전쟁참가를 거부하는 것뿐만 아니라, 평화시에 전쟁에 대비하여 무기를 들고 병역의무를 이행하는 것을 거부하는 것도 포함된다.[268] 종래 우리나라 대법원은 양심상 병역거부와 관련하여 종교의 교리를 내세워 법률이 규정한 병역의무를 거부하는 것과 같은 이른바 '양심상의 결정'은 헌법에서 보장한 종교와 양심의 자유에 속하는 것이 아니라고 보았지만, 최근 양심적 병역거부를 병역법 제88조 제1항의 '정당한 사유'에 해당한다고 하여 긍정설의 입장을 취하는 전향적인 판시를 하였다.[269] 헌

267) 헌재 1991. 4. 1. 89헌마160.

268) 성낙인, 앞의 책, 1114면. 양심상 집총거부와 양심상 병역거부가 같이 혼용해서 쓰이고 있으나, 입대하여 집총을 거부하여 군형법으로 처벌되는 경우를 양심상 집총거부로, 입영통지를 받고 아예 입대를 거부하여 병역법으로 처벌받는 경우를 양심상 병역거부로 부르는 것이 적당하다고 생각되나, 널리 양심상 병역거부라는 말이 무난하다고 생각한다.

269) 대판 1965. 12. 21. 65도894 이후 일관된 입장이었다. 대표적으로 "헌법상 모든 국민은 법률의 정하는 바에 의하여 국방의 의무를 지고 있으므로 병역법에 정하는 바에 의하여 병역에 복무할 의무를 지고 있는바 한편 헌법상 모든 국민은 종교의 자유를 가진다고 하여서 그 자유 속에는 같은 헌법에 의한 의무인 병역의 의무를 거부할 수 있는 자유를 포함한 것은 아니라고 할 것이다. 그리고 병역의 의무 중에는 징집으로 군에 입대하여 복무하며 집총 훈련을 받을 의무가 있다 할 것이므로 피고인이 「제7일 안식일 예수재림교」를 신봉한다고 하여서 징집으로 군에 입대한 피고인이 소속 중대장의 집총 훈련을 받으라는 정당한 명령을 거부할 수는 없다고 할 것이다"라고 판시한 예가 있다(대판 1965. 12. 21. 65도894; 그 밖에 대판 1969. 7. 22. 69도934; 대판 1976. 4. 27. 75누249; 대판 1985. 7. 23. 85도1094; 대판 1992. 9. 14. 92도1534 참조). 그러나 최근 전향적인 입장을 보인 대법원 판례도 있다. 즉 여호와의 증인 신도인 피고인이 지방병무청장 명의의 현역병입영통지서를 받고도 입영일부터 3일이 지나도록 종교적 양심을 이유로 입영하지 않고 병역을 거부하여 병역법 위반으로 기소된 사안에서, "피고인은 여호와의 증인 신도인 아버지의 영향으로 만 13세 때 침례를 받고 그 신앙에 따라 생활하면서 약 10년 전에 최초 입영통지를 받은 이래 현재까지 신앙을

법재판소도 종래 양심적 병역거부의 처벌과 관련하여 i) 양심의 자유로부터 대체복무를 요구할 권리는 도출되지 않는다고 보면서, ii) 양심의 자유의 경우 비례의 원칙을 통하여 양심의 자유를 공익과 교량하고 공익을 실현하기 위하여 양심을 상대화하는 것은 양심의 자유의 본질과 부합될 수 없으며, 양심상의 결정이 법익교량과정에서 공익에 부합하는 상태로 축소되거나 그 내용에 있어서 왜곡·굴절된다면, 이는 이미 '양심'이 아니라고 하고, iii) 현 단계에서 대체복무제를 도입하기는 어렵다고 본 입법자의 판단이 현저히 불합리하다거나 명백히 잘못되었다고 볼 수 없다고 하여 합헌결정을 내린 바 있다. 그러면서도 헌법재판소는 양심보호를 위한 입법보완의 숙고를 입법자에게 권고한 바 있다.[270)]

그러나 양심상 병역거부는 양심의 굴절을 피할 수 없는 면이 존재하기 때문에 **대체복무제도**를 조건으로 전향적으로 검토할 필요가 있다는 헌법재판소의 결정에 영향을 받아 판례의 변경이 이루어졌다. 즉 **병역의 종류**를 현역, 예비역, 보충역, 병역준비역, 전시근로역의 다섯 가지로 한정하여 규정하고 양심적 병역거부자에 대한 대체복무제를 규정하지 아니한 병역종류조항이 과잉금지원칙을 위반하여 양심적 병역거부자의 양심의 자유를 침해한다고 결정하면서 헌법불합치결정을 내렸다.[271)] 그 후 병역법상 병역의 종류로 '**대체역**'이 신설되었고,[272)] 대체역의 편입 및

이유로 입영을 거부하고 있고, 과거 피고인의 아버지는 물론 최근 피고인의 동생도 같은 이유로 병역을 거부하여 병역법 위반으로 수감되었으며, 피고인이 부양해야 할 배우자, 어린 딸과 갓 태어난 아들이 있는 상태에서 형사처벌의 위험을 감수하면서도 종교적 신념을 이유로 병역거부 의사를 유지하고 있는 사정에 비추어 보면, 피고인의 입영거부 행위는 진정한 양심에 따른 것으로서 구 병역법(2013. 6. 4. 법률 제11849호로 개정되기 전의 것) 제88조 제1항에서 정한 '정당한 사유'에 해당할 여지가 있는데도, 피고인이 주장하는 양심이 위 조항의 정당한 사유에 해당하는지 심리하지 아니한 채 양심적 병역거부가 정당한 사유에 해당하지 않는다고 보아 유죄를 인정한 원심판결에 양심적 병역거부와 위 조항에서 정한 정당한 사유의 해석에 관한 법리를 오해한 잘못이 있다"고 판시하고 있다(대판 2018. 11. 1. 2016도10912).

270) 헌재 2004. 8. 26. 2002헌가1. 우리 헌법은 병역의무와 관련하여 양심의 자유의 일방적인 우위를 인정하는 어떠한 규범적 표현도 하고 있지 않기 때문에 양심상의 이유로 병역의무의 이행을 거부할 권리는 단지 헌법 스스로 이에 관하여 명문으로 규정하는 경우에 한하여 인정될 수 있다고 한다.

271) 병역종류조항은, 병역부담의 형평을 기하고 병역자원을 효과적으로 확보하여 효율적으로 배분함으로써 국가안보를 실현하고자 하는 것이므로 정당한 입법목적을 달성하기 위한 적합한 수단이지만, 대체복무제를 도입하면서도 병역의무의 형평을 유지하는 것은 충분히 가능하기 때문에 대체복무제라는 대안이 있음에도 불구하고 군사훈련을 수반하는 병역의무만을 규정한 병역종류조항은, 침해의 최소성 원칙에 어긋나며, 양심적 병역거부자들에게 공익 관련 업무에 종사하도록 한다면, 이들을 처벌하여 교도소에 수용하고 있는 것보다는 넓은 의미의 안보와 공익실현에 더 유익한 효과를 거둘 수 있을 것이기 때문에 병역종류조항은 법익의 균형성 요건을 충족하지 못하였다고 판시하고 있다(헌재 2018. 6. 28. 2011헌바379 등).

복무 등에 관한 사항을 규정하기 위하여 '대체역의 편입 및 복무 등에 관한 법률'(약칭: 대체역법)이 제정되었다.

독일판례는 민간대체업무에 종사하게 하나, **상황조건부 병역거부**는 허용하지 않으며, 대체복무를 인정하더라도 대체복무 부과에 대한 거부는 인정하지 않는다.[273] 미국판례도 특정한 전쟁에 대한 반대는 양심적 집총거부에 해당하지 않는다고 보고 있다.[274]

⑧ 국기경례거부

우리나라에서는 국기에 대한 경례거부(종교상의 우상숭배라는 이유로)를 이유로 학칙에 의거 제적처분한 조치를 정당하다고 한 법원의 판례도 있지만,[275] 과잉금지원칙과 관련하여 문제가 있다고 본다. 미국판례는 타인의 이익·공공질서에 방해가 없으면 허용된다고 본다.

⑨ 준법서약제

국가보안법과 '집회 및 시위에 관한 법률' 위반 등에 의한 수형자의 가석방 결정 전에 출소 후의 준법의지를 확인하기 위하여 '가석방심사 등에 관한 규칙' 제14조 제2항에 근거하여 제출하도록 하던 준법서약제가 서약자의 양심의 영역을 침범하는지 여부와 관련하여 헌법재판소는 양심의 자유를 침해하지 않는다고 결정한 바 있다. 즉 헌법재판소는 "내용상 단순히 국법질서나 헌법체제를 준수하겠다는 취지의 서약을 할 것을 요구하는 이 사건 준법서약은 국민이 부담하는 일반적 의무를 장래를 향하여 확인하는 것에 불과하며, 어떠한 가정적 혹은 실제적 상황하에서 특정의 사유(思惟)를 하거나 특별한 행동을 할 것을 새로이 요구하는 것이 아니다. 따라서 이 사건 준법서약은 어떤 구체적이거나 적극적인 내용을 담지 않은 채 단순한 헌법적 의무의 확인·서약에 불과하다 할 것이어서 양심의 영역을 건드리는 것이 아니다"고 판시하고 있다. 또한 이 사건 규칙조항이 준법서약의 강제방

---

272) '대체역'은 "병역의무자 중 「대한민국헌법」이 보장하는 양심의 자유를 이유로 현역, 보충역 또는 예비역의 복무를 대신하여 병역을 이행하고 있거나 이행할 의무가 있는 사람으로서 「대체역의 편입 및 복무 등에 관한 법률」에 따라 대체역에 편입된 사람"이라고 정의하고 있다(병역법 제5조 제1항 제6호)). '대체역의 편입 및 복무 등에 관한 법률'(2019. 12. 31. 제정, 2020. 1. 1. 시행)에 따라 양심의 자유를 이유로 대체역을 이행하려는 사람은 대체역심사위원회에 대체역편입을 신청하여야 한다(제3조, 제4조).

273) BverfGE 12, 45(52, 57).

274) Gillette v U.S., 401 U.S. 437(1971).

275) 대판 1976. 4. 27. 75누249.

법상 서약자의 양심의 자유를 침해하는 것인지 여부와 관련해서는 "양심의 자유는 내심에서 우러나오는 윤리적 확신과 이에 반하는 외부적 법질서의 요구가 서로 회피할 수 없는 상태로 충돌할 때에만 침해될 수 있다. 그러므로 당해 실정법이 특정의 행위를 금지하거나 명령하는 것이 아니라 단지 특별한 혜택을 부여하거나 권고 내지 허용하고 있는 데에 불과하다면, 수범자는 수혜를 스스로 포기하거나 권고를 거부함으로써 법질서와 충돌하지 아니한 채 자신의 양심을 유지, 보존할 수 있으므로 양심의 자유에 대한 침해가 된다 할 수 없다"고 판시하였다.[276] 준법서약제는 그 뒤 실효성이 없다는 지적에 따라 폐지되었다.

⑩ 시위진압명령

현역병으로 입대한 자를 전투경찰순경으로 전임시켜 공격적인 양상의 시위진압에 나서게 하는 것이 양심의 자유를 침해하는지 여부 등이 다투어진 사건에서 헌법재판소는 "전투경찰의 임무인 대간첩작전은 범죄의 예방, 진압 등 공공의 안녕과 질서유지라는 경찰의 본래의 임무와도 관련되고 특히 전투경찰대의 임무에는 대간첩작전의 수행뿐 아니라 치안업무의 보조도 포함되고 있다(구 전투경찰대 설치법 제1조).[277] 그리고 일반적으로 불법한 집회 및 시위의 진압은 공공의 안녕과 질서유지라는 경찰의 기본 임무로서 집회 및 시위에 관한 법률 및 경찰관직무집행법 등에 근거한 적법한 행위이고, 경찰관은 누구나 돌발사태의 진압 또는 공공질서가 교란되었거나 교란될 우려가 현저한 지역의 경비를 위하여 파견되거나 경찰기동대로 편성될 수 있는 것이므로(경찰직무응원법 제1조) 불법한 집회 및 시위로 말미암아 공공질서가 교란되었거나 교란될 우려가 있는 경우 대간첩작전의 수행을 임무로 하는 전투경찰순경에 대하여 경찰의 본래의 임무인 공공의 안녕과 질서유지를 위하여 시위진압명령을 한 것이 행복추구권 및 양심의 자유를 침해한 것이라고 볼 수 없다"고 판시하였다.[278]

---

276) 헌재 2002. 4. 25. 98헌마425.

277) 2015. 7. 24. 작전전경제도를 폐지하고 의무경찰로 일원화함에 따라 법률 제명 및 관련 규정·용어를 변경하고, 법률 제명을 「의무경찰대 설치 및 운영에 관한 법률」로 개정하였다(법률 제13425호, 2016. 1. 25. 시행).

278) 헌재 1995. 12. 28. 91헌마80. 이 사건 법률조항들의 입법목적과 필요성, 전투경찰순경으로서 대간첩작전을 수행하는 것도 넓은 의미에서 헌법 제39조 소정의 국방의 의무를 수행하는 것으로 볼 수 있는 점, 현역병으로 입영한 사람의 배치 및 임무부여의 문제나 대간첩작전을 수행하는 자의 소속 및 신분의 문제는 입법자가 합목적적으로 정할 사항인 점, 청구인이 성별, 종교 또는 사회적 신분 등에 의하여 자의적으로 차별대우를 받은 것이라 할 수 없는 점도 논거로 제시하고 있다.

⑪ 공표명령

'독점규제 및 공정거래에 관한 법률'상 공정거래위원회가 내리는 **'법위반사실의 공포명령'**(동법 제27조)과 관련하여 헌법재판소는 "법규정의 문언상으로 보아도 단순히 법위반사실 자체를 공표하라는 것일 뿐, 사죄 내지 사과하라는 의미요소를 가지고 있지는 아니하다. 공정거래위원회의 실제 운용에 있어서도 '특정한 내용의 행위를 함으로써 공정거래법을 위반하였다는 사실'을 일간지 등에 공표하라는 것이어서 단지 사실관계와 법을 위반하였다는 점을 공표하라는 것이지 행위자에게 사죄 내지 사과를 요구하고 있는 것으로는 보이지 않는다. 따라서 이 사건 법률조항의 경우 사죄 내지 사과를 강요함으로 인하여 발생하는 양심의 자유의 침해문제는 발생하지 않는다"고 판시하였다.[279]

(4) 양심실현(실행)의 자유

① 의 의

양심실현(실행)의 자유는 형성된 양심을 방해받지 않고 표명하고(**양심표명의 자유**), 양심에 따라 적극적으로 행동하고 실천할 자유(**적극적 양심실현의 자유**)를 말한다. 양심표명의 자유는 형성된 양심을 방해받지 않고 표명할 수 있는 자유이다. 이는 침묵의 자유의 내용으로 설명할 수 있는 양심표명을 강제당하지 않을 자유(**소극적 양심표명의 자유**)의 적극적인 측면이다. 헌법재판소 판례는 양심표명의 자유에 적극적 양심표명과 소극적 양심표명을 포함하며 모두 양심실현의 자유의 하나로 인정하고 있다.[280] 이러한 양심표명의 자유는 양심의 자유의 보호영역으로 파악할 수 있다. 문제는 양심표명에 그치지 않고 적극적으로 양심에 따른 행동 내지 실천, 즉 적극적(작위에 의한) 양심실현(활동)까지 양심의 자유에 포함되는지의 여부에 대해 견해가 대립한다.[281]

---

279) 헌재 2002. 1. 31. 2001헌바43.

280) 앞에서 본 바와 같이 헌법재판소는 양심실현의 자유를 양심표명의 자유(적극적으로 자신의 양심을 표명할 자유와 소극적으로 형성된 양심을 그 의사에 반하여 표명당하지 않을 자유)와 양심실현의 자유로 나눈다. 그리고 양심실현의 자유는 양심에 따른 행동을 할 자유(작위에 의한 양심실현의 자유)와 양심에 반하는 행동을 강요당하지 않을 자유(부작위에 의한 양심실현의 자유)로 나눈다(헌재 2011. 8. 30. 2008헌가22 등).

281) 양심에 반하는 행위의 강제금지인 소극적 양심실현의 자유 내지 부작위에 의한 양심실현의 자유는 침묵의 자유의 일환으로 설명하였다.

② 적극적 양심실현의 자유의 인정 여부

긍정설은 적극적 양심실현의 자유가 없는 한 양심의 자유는 실질적으로 의미가 없다는 점을 논거로 한다.[282] 반면 부정설은 양심의 표명이나 실현의 자유를 근거로 모든 법률적 의무를 거부하는 것은 인정하기 곤란하다고 보며,[283] 양심의 외부적 표현은 '표현의 자유'에 속한다고 보는 견해[284]이다.

종전의 다수의 견해는 양심의 자유를 인간의 내면적 자유에 한정함으로써 양심상의 결정을 실현시키거나 구체적인 행동을 할 자유를 양심의 자유에서 제외시킨다. 대법원은 보안사의 민간인정치사찰을 폭로하기 위한 양심선언을 위하여 부대를 빠져나간 경우를 군무이탈죄로 벌하고 있다. 즉 군무이탈을 하게 된 여러 동기 중 하나로 인정되지만 정당방위 및 정당행위를 인정하지 않고 있다.[285] 한편 군부재자투표의 비리에 대한 폭로와 관련하여(이지문 중위사건) 근무시간을 엄수하고 비번시간 등을 이용하였으며 발표 후에도 군인으로서의 본분을 잃지 않으려고 노력한 점 등을 종합하여 볼 때 징계처분(파면)한 것은 지나치게 중하여 재량권을 일탈한 것으로 보고 있다.

생각건대 양심의 자유를 보장한 헌법적 취지가 내심의 영역의 양심만을 보호한다고 보이지는 않으며, 양심의 자유의 흠결 없는 보장을 위해서도 양심실현의 자

---

282) 계희열, 앞의 책(중), 341면. 양심의 자유가 내심의 영역만을 보호하려고 한다면 양심의 자유를 꼭 헌법이 규정해야 할 필요가 있겠는가가 의심스럽다고 한다. 양심실현의 자유를 양심의 자유에 포함된다고 보면서도 양심을 이유로 국법질서를 무시하거나 타인의 권리를 침해할 수는 없기 때문에 양심실현의 자유는 그 한계가 중요하다고 한다. 허영, 앞의 책, 431면. 허영 교수는 작위·부작위에 의한 양심실현을 모두 양심의 자유에서 제외하는 설을 부정설이라고 하고 부작위에 의한 양심실현은 당연히 양심의 자유에 포함된다고 주장하는 설을 절충설이라고 한다. 허 교수는 위 두 설을 모두 비판하며 작위·부작위에 의한 양심실현을 모두 양심의 자유의 보호영역으로 인정한다. 그러면서 내재적 한계의 제약을 받는 양심실현의 자유를 인정해야 한다고 한다. 이준일, 제7판 헌법학강의, 홍문사, 2019, 508면. 기본권의 충돌은 다른 기본권에서도 문제되기 때문에 양심실천의 자유는 양심의 자유에 포함된다고 한다. 김학성·최희수, 앞의 책, 593.

283) 권영성, 앞의 책, 487면. 양심상의 결정을 바탕으로 하는 집총거부라든가 납세거부 등이 실정법에 명문규정이 없으면 보장되지 않는 것도 그 때문이라고 한다. 홍성방, 앞의 책(중), 147면. 양심의 실현을 보장하는 별도의 기본권을 규정하고 있으므로 이러한 기본권에 의하여 보호되지 않는 양심표현은 거의 없으리라는 점, 양심실현을 인정하면 다른 법익과 극도로 충돌하는 경우가 있어 오히려 양심결정의 자유와 양심유지의 자유마저도 위태롭게 한다는 점 등을 든다. 장영수, 앞의 책, 652면. 양심실현은 다른 기본권에 의하여 보호되는 영역과 중첩되고 있기 때문에 양심실현의 자유를 별도로 인정하는 것은 실익이 없다고 한다.

284) 김철수, 앞의 책(상), 924면. 그러면서 양심의 불표현의 자유는 양심의 자유에서 취급하는 것이 옳다고 한다.

285) 대판 1993. 6. 8. 93도766.

유를 양심의 자유에 포함시키는 것이 옳다고 본다. 다만 이를 인정할 경우 타인의 기본권 내지 다른 법익과의 충돌 내지 양심의 자유의 남용이 우려되나, 이는 기본권충돌이론 내지 비례원칙 등으로 해결할 문제라 생각된다.

6. 양심의 자유의 효력

양심의 자유는 모든 국가권력을 구속하는 대국가적 효력을 가진다. 양심의 자유는 일차적으로 입법자에 대한 요청으로서 가능하면 양심의 자유가 보장될 수 있도록 법질서를 형성해야 할 의무를 부과하는 기본권이다.[286] 양심을 이유로 한 계약불이행의 문제처럼[287] 사인 상호간에도 적용된다. 대사인 간에는 간접적용된다고 본다.

7. 양심의 자유의 제한과 한계

(1) 제한의 가능성

① 학 설

내재적 한계설은 양심이 외부에 표출되지 않더라도 그 자체가 도덕, 사회질서 등에 위반해서는 아니 된다는 설이다. **내면적 무한계설**은 양심이 내심에 머무는 한 절대적 기본권으로서 제한되지 않고 그 양심이 외부에 표현되는 제한이 가능하다고 보는 설이다. **절대적 무제약설**은 외부에 표현되든 아니든 양심의 자유는 어떠한 경우에도 제한될 수 없다는 설이다. 대체로 내면적 무한계설이 다수설[288]·판례[289]인 것 같으나, 양심의 자유에 적극적 양심실현의 자유를 포함할 것인가에

286) 헌법재판소는 "법적 의무와 개인의 양심이 충돌하는 경우 법적 의무의 부과를 통하여 달성하고자 하는 공익의 실현과 법질서를 위태롭게 함이 없이 법적 의무를 대체하는 다른 가능성이나 법적 의무의 개별적 면제와 같은 대안을 제시함으로써 양심상의 갈등이 제거될 수 있다면, 입법자는 이와 같은 방법을 통하여 개인의 양심과 국가 법질서의 충돌가능성을 최소화해야 할 의무가 있으나, 입법자가 양심보호의무를 이행할 것인지의 여부 및 그 방법에 있어서는 광범위한 형성권을 가진다"고 판시하였다(헌재 2004. 8. 26. 2002헌가1).

287) 계희열, 앞의 책(중), 344면.

288) 권영성, 앞의 책, 488면; 김철수, 앞의 책(상), 927면; 성낙인, 앞의 책, 1120면.

289) "헌법 제19조가 보호하고 있는 양심의 자유는 양심형성의 자유와 양심적 결정의 자유를 포함하는 내심적 자유(forum internum)뿐만 아니라, 양심적 결정을 외부로 표현하고 실현할 수 있는 양심실현의 자유(forum externum)를 포함한다고 할 수 있다. 내심적 자유, 즉 양심형성의 자유와 양심적 결정의 자유는 내심에 머무르는 한 절대적 자유라고 할 수 있지만, 양심실현의 자유는 타인의 기본권이나 다른 헌법적 질서와 저촉되는 경우 헌법 제37조 제2항에 따라 국가안전보장·질서유지 또는 공공복리를 위하여 법률에 의하여 제한될 수 있는

따라서 달라질 것인데, 양심의 자유에 실현의 자유를 포함하지 않으면서 내면적 무한계설을 주장하는 것은 어색하다. 생각건대 내면의 자유인 양심형성의 자유는 이른바 절대적 자유로 본다면 내재적 한계가 인정될 수 있으며, 적극적 양심실현(행동)의 자유는 표현의 자유처럼, 헌법유보나 법률유보에 의해서도 제한될 수 있다고 본다. 침묵의 자유, 특히 소극적 양심실천의 자유는 국가법질서와 관련하여 최소한의 제한이 가능하나, 일반표현의 자유보다는 더 강한 보장을 받아야 한다.

② 양심실현의 자유에 있어 법익교량의 특수성(판례)

양심실현의 자유의 경우 법익교량과정은 특수한 형태를 띠게 된다. 수단의 적합성, 최소침해성의 여부 등의 심사를 통하여 어느 정도까지 기본권이 공익상의 이유로 양보해야 하는가를 밝히는 비례원칙의 일반적 심사과정은 양심의 자유에 있어서는 그대로 적용되지 않는다. 양심의 자유의 경우 비례의 원칙을 통하여 양심의 자유를 공익과 교량하고 공익을 실현하기 위하여 양심을 상대화하는 것은 양심의 자유의 본질과 부합될 수 없다. 양심상의 결정이 법익교량과정에서 공익에 부합하는 상태로 축소되거나 그 내용에 있어서 왜곡・굴절된다면, 이는 이미 '양심'이 아니다. 따라서 양심의 자유의 경우에는 법익교량을 통하여 양심의 자유와 공익을 조화와 균형의 상태로 이루어 양 법익을 함께 실현하는 것이 아니라, 단지 '양심의 자유'와 '공익' 중 양자택일 즉, 양심에 반하는 작위나 부작위를 법질서에 의하여 '강요받는가 아니면 강요받지 않는가'의 문제가 있을 뿐이다.[290)]

③ 제한을 인정한 예

종교, 양심, 학문, 예술의 자유 등 인간의 정신생활에 관한 기본권이라도 그것이 정신적・내적 영역을 떠나 외부적으로 나타나는 종교, 학문 혹은 예술적 집회, 결사 등에 이른 때에는 이미 인간의 내적・정신적 문제가 아니라 대외적인 것이므로 그것이 국가의 안전과 공공질서를 위태롭게 하는 것이라면 정당화될 수 없다.[291)] 다만 정신적 자유의 우월성이 보장되는 제한원칙이 적용되어야 한다. 양심의 자유의 내용에서도 일부 언급이 있었지만, 제한의 정당성이 다투어진 대표적 사례들을 들면 다음과 같다.

i) 종래 종교의 교리를 내세워 법률이 규정한 병역의무를 거부하는 것과 같은

상대적 자유라고 할 수 있다"(헌재 1998. 7. 16. 96헌바35).
290) 헌재 2004. 8. 26. 2002헌가1.
291) 대판 1982. 7. 13. 82도1219.

이른바 '양심상의 결정'은 헌법에서 보장한 종교와 양심의 자유에 속하는 것이 아니라고 보아 왔지만,[292] 앞에서 살펴본 바와 같이 헌법재판소는 병역의 종류를 현역, 예비역, 보충역, 병역준비역, 전시근로역의 다섯 가지로 한정하여 규정하고 양심적 병역거부자에 대한 대체복무제를 규정하지 아니한 병역종류조항이 과잉금지원칙을 위반하여 양심적 병역거부자의 양심의 자유를 침해한다고 결정한 바 있다(헌법불합치결정).[293]

ii) 국가보안법상의 불고지죄와 관련하여 헌법재판소는 "여러 가지 국내외 정세의 변화에도 불구하고 남·북한의 정치·군사적 대결이나 긴장관계가 여전히 존재하고 있는 우리의 현실, 구 국가보안법 제10조가 규정한 불고지죄가 보호하고자 하는 국가의 존립·안전이라는 법익의 중요성, 범인의 친족에 대한 형사처벌에 있어서의 특례설정 등 제반 사정에 비추어 볼 때 구 국가보안법 제10조가 양심의 자유를 제한하고 있다 하더라도 그것이 헌법 제37조 제2항이 정한 과잉금지의 원칙이나 기본권의 본질적 내용에 대한 침해금지의 원칙에 위반된 것이라고 볼 수 없다"고 판시하였다.[294]

iii) 자동차 운전자에게 좌석안전띠를 매도록 하고 이를 위반했을 때 범칙금을 납부하도록 통고하는 처분은 제재를 받지 않기 위하여 어쩔 수 없이 좌석안전띠를 매었다 하여 청구인이 내면적으로 구축한 인간양심이 왜곡·굴절되고 청구인의 인격적인 존재가치가 허물어진다고 할 수는 없어 양심의 자유의 보호영역에 속하지 아니하므로, 운전 중 운전자가 좌석안전띠를 착용할 의무는 청구인의 양심의 자유를 침해하는 것이라 할 수 없다.[295]

iv) 국가보안법에서 이적표현물 소지행위를 처벌하는 것은 양심 또는 사상의 자유를 침해하는 것은 아니다.[296]

---

292) 대판 1992. 9. 14. 92도1534.

293) 헌재 2018. 6. 28. 2011헌바379 등.

294) 헌재 1998. 7. 16. 96헌바35.

295) 헌재 2003. 10. 30. 2002헌마518.

296) "국가의 존립·안전이나 자유민주적 기본질서를 위태롭게 하는 행위를 할 목적으로 소지행위에 이른 경우로 제한하고 있으며 일정한 목적을 가진 소지행위는 그 표현물의 이적내용에 대한 전파가능성을 배제하기 어렵고 소지행위 자체도 역시 제작·수입행위 등과 같이 국가의 존립·안전에 대한 위험성이 있다고 할 것이다. 한편, 이러한 위험성을 갖지 아니한 행위 즉, 단순한 학문연구나 순수 예술활동의 목적으로 이적표현물을 소지·보관하는 경우에는 국가보안법 제7조 제5항이 적용되지 않으므로(대판 1993. 2. 9. 92도1711; 대판 1994. 9. 9. 94도135 등 참조) 국가보안법 제7조 제5항에서 이적표현물의 소지행위를 처벌하는 것이 양심 또는 사상의 자유를 침해하는 것은 아니라고 할 것이다"(헌재 2004. 8. 26. 2003헌바85·102(병합)).

v) 연말정산 간소화를 위하여 의료기관에게 환자들의 의료비 내역에 관한 정보를 국세청에 제출하는 의무를 부과하는 것은 의사가 환자의 신병(身病)에 관한 사실을 자신의 의사에 반하여 외부에 알려야 한다면, 이는 의사로서의 윤리적·도덕적 가치에 반하는 것으로서 심한 양심적 갈등을 겪을 수밖에 없을 것이고 의무 불이행에 대하여 간접적이고 사실적인 강제수단이 존재하므로 법적 강제수단의 존부와 관계없이 의사인 청구인들의 양심의 자유를 제한하지만, 과잉금지원칙에 위배되지 않는다.[297]

vi) 유언자에게 그 의사표시를 함에 있어서 엄격하게 '날인' 및 '주소'의 자서를 형식적 요건으로 요구한다고 하더라도 이로써 유언자의 양심의 자유를 침해한다고 볼 수는 없다.[298]

vii) 양심적 예비군 훈련 거부자까지 형사처벌하는 향토예비군설치법조항은 양심의 자유를 침해하지 아니한다.[299]

viii) 이적표현물의 제작·소지·반포·취득행위를 처벌하는 국가보안법 조항은

297) "소득자들의 연말정산 간소화라는 공익을 달성하기 위하여 그에 필요한 의료비내역을 국세청장에게 제출하도록 하는 것으로서, 그 목적의 정당성과 수단의 적절성이 인정된다. …… 과세관청이 소득세 공제액을 산정하기 위한 필요최소한의 내용이며, 이 사건 법령조항으로 얻게 되는 납세자의 편의와 사회적 제비용의 절감을 위한 연말정산 간소화라는 공익이 이로 인하여 제한되는 의사들의 양심실현의 자유에 비하여 결코 적다고 할 수 없으므로, 이 사건 법령조항은 피해의 최소성 원칙과 법익의 균형성도 충족하고 있다"(헌재 2004. 8. 26. 2003헌바85·102(병합)).

298) "유언자가 자신의 재산권을 처분하는 단독행위로서 유증을 하는 경우에 있어서 유언자의 의사표시는 재산적 처분행위로서 재산권과 밀접한 관련을 갖는 것일 뿐이고, 인간의 윤리적 내심영역에서의 가치적·윤리적 판단과는 직접적인 관계가 없다 할 것이므로 헌법 제19조에서 규정하는 양심의 자유의 보호대상은 아니라고 할 것이다"(헌재 2008. 12. 26. 2007헌바128).

299) "위 조항은, 국방의 의무 중 하나인 예비군 훈련의무를 강제하고 이에 불응한 자들에 대하여 형벌을 부과함으로써 예비군 전력을 유지하고, 병역의무 부담의 형평성을 기하며 궁극적으로 국가의 안전보장이라는 헌법적 법익을 실현하고자 하는 것으로 그 입법목적이 정당하고, 이 같은 입법목적을 달성하기 위한 적절한 수단이다. …… 양심적 예비군 훈련거부자에 대하여 대체복무제를 도입하지 않은 채 형사처벌하도록 규정한 위 조항이 최소침해의 원칙에 반한다고 할 수 없다. 그리고 위 조항이 추구하는 공익은 국가의 존립과 모든 자유의 전제조건인 '국가안보' 및 '병역의무의 공평한 부담'이라는 대단히 중요한 공익이므로 위 조항이 법익균형성을 상실하였다고 볼 수도 없다"(헌재 2011. 8. 30. 2007헌가12등). 이 사건에서 헌법재판소는 예비군 훈련 거부자를 형사처벌하는 향토예비군설치법조항에 의하여 이들의 종교의 자유도 함께 제한되지만, 양심의 자유를 중심으로 기본권 침해 여부를 고찰함이 바람직하다고 한다. 즉, "종교적 신앙에 의한 행위라도 개인의 주관적·윤리적 판단을 동반하는 것인 한 양심의 자유에 포함시켜 고찰할 수 있는 점 및 양심에 의한 병역거부는 종교적인 이유에서부터 철학·사상에 바탕을 둔 세계관·인생관에 의한 것까지 다양하게 전개되고 있는데 종교의 자유의 문제로만 보게 되면 비종교적 이유에 의한 병역거부자를 포괄하지 못하는 문제가 발생하는 점 등을 고려할 때, 양심의 자유를 중심으로 기본권 침해 여부를 고찰함이 바람직하다"고 판시하고 있다(헌재 2011. 8. 30. 2007헌가12등).

표현의 자유 및 양심의 자유를 침해하지 아니한다.[300)]

(2) 제한의 한계

양심의 자유, 특히 양심실현의 자유는 제한될 수 있는데, 제한하는 경우에도 본질적 내용은 침해할 수 없다.

음주측정의 합헌성(도로교통법 제41조 제2항 등 위헌제청사건)

1. 진술거부권과의 관계

위 조항이 진술거부권을 침해하는지의 여부는 결국 주취운전의 혐의자에게 호흡측정기에 의한 측정에 응할 것을 요구하는 것이 "형사상 불리한 진술을 강요"하는 것에 해당하는지의 여부에 달려 있다. 먼저, 호흡측정기에 의한 측정에 응하는 것이 "형사상 불리한" 것이 되는 것은 의문의 여지가 없다. 호흡측정의 결과는 곧바로 주취운전죄라는 범죄의 직접적 증거로 활용되기 때문이다. 다음, 호흡측정에 응하도록, 구체적으로는 호흡측정기에 입을 대고 호흡을 불어 넣도록 요구하고 이를 거부할 때 처벌하는 것이 "진술강요"에 해당하는 것인가가 문제이다. "진술"이라 함은 언어적 표출, 즉 생각이나 지식, 경험사실을 정신작용의 일환인 언어를 통하여 표출하는 것을 의미하는 데 반하여, 호흡측정은 신체의 물리적, 사실적 상태를 그대로 드러내는 행위에 불과하다. 또한 호흡측정은 진술서와 같은 진술의 등가물(等價物)로도 평가될 수 없는 것이고 신체의 상태를 객관적을 밝히는데 그 초점이 있을 뿐, 신체의 상태에 관한 당사자의 의식, 사고, 지식 등과는 아무런 관련이 없는 것이다. 호흡측정에 있어 결정적인 것은 측정결과 밝혀질 객관적인 혈중알콜농도로서 이는 당사자의 의식으로부터 독립되어 있고 당사자는 이에 대하여 아무런 지배력도 갖고 있지 아니한다. 따라서 호흡측정행위는 진술이 아니므로 호흡측정에 응하도록 요구하고 이를 거부할 경우 처벌한다고 하여도 "진술강요"에 해당한다고 할 수는 없다.

2. 영장주의와의 관계

음주측정은 호흡측정기에 의한 측정의 성질상 강제될 수 있는 것이 아니며 또 실무상 숨을 호흡측정기에 한두 번 불어 넣는 방식으로 행하여지는 것이므로 당사자의 자발적 협조가 필수적인 것이다. 따라서 당사자의 협력이 궁극적으로 불가피한 측정방법을 두고 강제처분이라고 할 수 없을 것이다. 이와 같은 음주측정을 두고 영장을 필요로 하는 강제처분이라 할 수 없는 이상 이 사건 법률조항은 헌법 제12조 제3항의 영장주의에 위배되지 아니한다.

300) 헌재 2015. 4. 30. 2012헌바95.

3. 적법절차원칙과의 관계

위 조항은 우리나라의 음주문화, 측정방법의 편이성 및 정확성, 측정방법에 관한 국민의 정서 등 여러 가지 요소들을 고려한 것으로서, 추구하는 목적의 중대성(음주운전 규제의 절실성), 음주측정의 불가피성(주취운전에 대한 증거확보의 유일한 방법), 국민에게 부과되는 부담의 정도(경미한 부담, 간편한 실시), 처벌의 요건과 처벌의 정도에 비추어 헌법 제12조 제1항 후문의 적법절차가 요청하는 합리성과 정당성을 갖추고 있다고 판단된다.

4. 양심의 자유와의 관계

양심이란 인간의 윤리적·도덕적 내심영역의 문제이고, 헌법이 보호하려는 양심은 어떤 일의 옳고 그름을 판단함에 있어서 그렇게 행동하지 아니하고는 자신의 인격적인 존재가치가 허물어지고 말 것이라는 강력하고 진지한 마음의 소리이지, 막연하고 추상적인 개념으로서의 양심이 아니다. 음주측정에 응해야 할 것인지, 거부해야 할 것인지 그 상황에서 고민에 빠질 수는 있겠으나 그러한 고민은 선과 악의 범주에 관한 진지한 윤리적 결정을 위한 고민이라 할 수 없으므로 그 고민 끝에 어쩔 수 없이 음주측정에 응하였다 하여 내면적으로 구축된 인간양심이 왜곡·굴절된다고 할 수도 없다. 따라서 음주측정요구와 그 거부는 양심의 자유의 보호영역에 포괄되지 아니하므로 이 사건 법률조항을 두고 헌법 제19조에서 보장하는 양심의 자유를 침해하는 것이라고 할 수 없다.

5. 인간의 존엄과 가치와의 관계

음주측정이 음주운전으로 야기될 생명·신체·재산에 대한 위험과 손해의 방지라는 절실한 공익목적을 위하여 더욱이 주취운전의 상당한 개연성이 있는 사람에게 부과되는 제약이라는 점을 생각하면 그 정도의 부담을 두고 인간으로서의 인격적 주체성을 박탈한다거나 인간의 존귀성을 짓밟는 것이라고는 할 수 없으므로 위 조항은 헌법 제10조에 규정된 인간의 존엄과 가치를 침해하는 것도 아니다.

6. 일반적 행동자유권과의 관계

위 조항에 의하여 음주측정에 응할 의무가 부과되고 이를 거부할 경우 형사처벌되므로 일반적 행동의 자유에 대한 제한이 될 수도 있으나, 일반적 행동의 자유는 헌법 제37조 제2항에 따라 국가안전보장·질서유지 또는 공공복리를 위하여는 제한될 수 있다. 이 사건 법률조항은 추구하는 목적의 중대성, 음주측정의 불가피성, 국민에게 부과되는 부담의 정도, 처벌의 요건과 정도에 비추어 헌법 제37조 제2항의 과잉금지원칙에 어긋나는 것이라 할 수 없으므로, 헌법 제10조에 규정된 행복추구권에서 도출되는 일반적 행동의 자유를 침해하는 것이라고도 할 수 없다.

헌재 1997. 3. 27. 96헌가11

선거운동 과정에서의 대외적 해명행위와 양심의 자유

"자신의 태도나 입장을 외부에 설명하거나 해명하는 행위는, 진지한 윤리적 결정에 관계된 행위라기보다는 단순한 생각이나 의견, 사상이나 확신 등의 표현행위라고 볼 수 있어, 그 행위가 선거에 영향을 미치게 하기 위한 것이라는 이유로 이를 하지 못하게 된다 하더라도 내면적으로 구축된 인간의 양심이 왜곡 굴절된다고는 할 수 없다는 점에서 양심의 자유의 보호영역에 포괄되지 아니한다."

헌재 2001. 8. 30. 99헌바92등

Ⅲ. 종교의 자유

1. 연혁과 헌법규정

(1) 연 혁

"사람은 삶이 두려워서 사회를 만들었고, 죽음이 두려워서 종교를 만들었다"는 스펜서(Spencer, Herbert)의 말처럼, 생로병사의 유한한 인생을 가진 인간이 전지전능한 신의 존재를 믿고 신에 귀의하려는 것은 인간의 역사와 더불어 시작되어 왔다. 그러나 신에 대한 신봉은 항상 자유롭지만은 않았고 여러 가지 형태의 탄압이 존재했고, 특히 종교 간의 갈등과 여기에 정치권력의 개입과 밀착은 많은 문제를 일으켜왔다.

중세 유럽에서는 기독교가 국교로 공인되고 다른 종교가 허용되지 못하고 이단자로서 가혹한 처벌을 받기도 하였다. 특히 종교를 국가권력으로부터 분리시키고 국가가 특정종교에 대한 특혜나 차별대우를 하지 못하도록 하는 것은 훗날을 기다려야 했다.

1517년 루터에 의해서 시작된 종교개혁은 하나의 기점이 되었으며, 1555년 아우구스부르크 종교평화협정과 1648년의 베스트팔렌 평화협정을 거치면서 신·구교간의 관용의 싹이 트기는 했으나, 개인의 권리로서 종교의 자유는 보장되지 못하였다.[301)]

일반적으로 종교의 자유는 1647년 영국의 인민협약(Agreement of the People)에서 최초로 규정된 것으로 알려지고 있다.[302)] 18세기 말에 와서야 종교의 자유가

301) 계희열, 앞의 책(중), 349면.

302) 그러나 이 협약은 발효되지는 못하였고 종교의 자유가 법적으로 최초로 인정된 것은 1647년 식민지국(Rhode Island)의 법에서였고, 명시적으로 처음 규정한 것은 1663년 영국의 왕이 식민지 미국에 부여한 식민지헌장에서였다고 한다(계희열, 앞의 책(중), 349면).

헌법과 인권선언에 본격적으로 채택되었고, 오늘날에는 거의 모든 나라가 종교의 자유를 규정하고 있고 국제적 차원에서 종교의 자유를 규정하고 있다(세계인권선언, 국제연합인권규약, 유럽인권규약).

(2) 헌법규정

우리 헌법은 1948년 건국헌법이래 종교의 자유를 양심의 자유와 함께 규정해왔다. 즉 건국헌법 제12조는 "모든 국민은 신앙과 양심의 자유를 가진다. 국교는 존재하지 아니하며 종교는 정치로부터 분리된다"고 규정하고 있었다. 그러나 1962년의 제3공화국헌법에서부터 종교의 자유(제16조)와 양심의 자유(제17조)를 분리하여 규정하고 있다. 현행 헌법은 "모든 국민은 종교의 자유를 가진다. 국교는 인정되지 아니하며, 종교와 정치는 분리된다"(제20조)고 규정하고 있다.

2. 종교의 자유의 의의

종교의 자유는 자신이 선호한 종교를 자신이 원하는 방법으로 신봉하는 자유로 정신적 기본권의 선구적인 권리이며 모든 자유의 근원으로서, 모든 헌법에 규정되어 온 고전적 자유권이다. 종교의 자유는 인간의 신앙생활을 보호함으로써 정신생활영역에서의 개성신장을 촉진시키는 기능을 보유하고 있다.[303]

3. 종교의 자유에서 종교의 개념

(1) 개　념

종교의 개념은 다의적으로 파악될 수 있지만, "신(절대자)과 피안의 세계에 대한 내적·초자연적 확신"(Maunz), "초월적 존재를 전제하고 종교란 인간과 창조주와의 관계, 그 존재에 대한 외경과 순종",[304] "신과 피안에 대한 우주관적(형이상학적) 확신"[305] 등과 같이 '신성하거나 거룩하거나 영적(靈的)이며 신적(神的)인 것과 인간의 관계'[306]에서 그 의미가 찾아진다. 아무튼 종교는 "초자연적인 절대자의 힘에 의존하여 인간 생활의 고뇌를 해결하고 삶의 궁극적 의미를 추구하는 문화 체계"로 이해할 수 있다.[307]

---

303) 허영, 앞의 책, 437면.
304) Davis v. Beason, 133 U.S. 333(1890).
305) BVerfGE 12, 54.
306) 브리태니커 사전.

(2) 구별되는 개념

미신은 현세에 바탕한 비과학성 확신이라는 점에서 초과학적인 종교와 구별된다고 보고 있으며,[308] 종교는 **신과 피안에 대한 우주관적 확신**이 있어야 하므로 이러한 확신이 없는 경우는 사상일 수는 있어도 종교일 수는 없다고 한다.[309]

4. 종교의 자유의 법적 성질

종교의 자유는 기본적으로 주관적 공권이며, 정교분리의 원칙은 하나의 제도보장으로 보는 것이 다수설이다. 종교의 자유는 인간내면의 신앙이 본질적 내용이므로 신앙의 자유는 자연권인 동시에 절대적 기본권이다. 또한 종교의 자유는 객관적 가치질서로서의 성격을 가지고 있으며 국가는 이로 인해 종교적 및 세계관적 중립성을 보장해야 한다.[310]

5. 종교의 자유의 주체

(1) 자연인

종교의 자유는 기본적으로 인간의 권리이므로 자연인으로서의 국민뿐만 아니라 외국인도 주체가 된다. 미성년자의 경우도 종교의 자유의 주체가 될 수 있으나, 언제부터 부모 등으로부터 독립하여 종교의 자유를 행사할 수 있는가가 문제된다. 미성년자의 종교행위 자유의 주체성 여부는 해당 미성년자의 정신적 성숙도와 부모의 친권(교육권)을 함께 고려하여 결정되어야 한다.[311]

---

307) 다음 백과사전.

308) 종교에도 초과학적이고 비과학적인 측면이 있으나, 미신과는 구별된다고 한다(권영성, 앞의 책, 490면). 김학성·최희수, 앞의 책, 596면. 미신이란 건전한 상식으로 판단하여 합리적인 인과관계를 인정할 수 없는 지식 중에서 사회생활에 유해하다고 생각되는 것을 믿거나 행동하는 것을 말하나, 기존 종교도 타종교를 미신으로 배타시하기도 하는 등 종교와 미신을 구별하는 것은 어렵다고 하면서, 종교에도 비과학적 요소가 얼마든지 있기 때문에 신앙의 내용을 심사하여 비과학적이거나 비합리적이라 하여 종교의 범주에서 배제시키는 것은 종교의 자유를 보장하는 헌법정신에 반한다고 한다.

309) 권영성, 앞의 책, 490면; 허영, 앞의 책, 437면.

310) 계희열, 앞의 책(중), 356면.

311) 홍성방, 앞의 책(중), 151면. 독일에서는 만 14세가 지나면 자녀에게 신앙선택의 자유가 완전히 보장된다(아동의 종교교육에 관한 법률 제5조).

(2) 법 인

신앙의 자유는 성질상 자연인에게만 인정될 수 있지만, 법인도 선교・포교・종교교육 등 종교행위의 자유는 인정될 수 있다. 권리능력 없는 단체나 조직도 종교행위의 자유의 주체가 될 수 있다.

6. 종교의 자유의 내용

종교의 자유의 내용을 분류하는 방법은 학자에 따라 차이가 있다. 즉 종교의 자유의 발현형태에 따라 신앙의 자유, 종교적 행사의 자유, 종교적 집회・결사의 자유, 종교교육의 자유 등으로 나누는 견해,[312] 신앙의 자유, 종교적 행위의 자유, 종교적 집회・결사의 자유로 나누는 견해,[313] 신앙의 자유, 신앙실행의 자유로 나누는 견해,[314] 신앙의 자유와 종교적 행위의 자유로 나누는 견해,[315] 양심의 자유처럼 신앙형성의 자유와 신앙실현의 자유로 나누는 견해,[316] 신앙(형성)의 자유, 신앙고백의 자유, 신앙실행의 자유로 나누는 견해[317] 등 다양하다. 헌법재판소는 "종교의 자유의 구체적 내용에 관하여는 일반적으로 신앙의 자유, 종교적 행위의 자유 및 종교적 집회・결사의 자유의 3요소를 내용으로 한다고 설명되고 있다"고 판시하였다.[318]

본서에서는 종교의 자유를 가장 기본적인 신앙의 자유, 자기의 신앙을 강제로 고백당하지 않고(소극적인 신앙고백의 자유) 자신의 신앙에 반하는 행동을 강제당하지 않을 자유인 종교적 침묵의 자유, 내심의 신앙을 여러 가지 형태로 외부에 표명하고 신앙에 따라 행동하며 신앙을 실천하는 신앙실현(실행)의 자유로 구분하여 설명하기로 한다.

---

312) 권영성, 앞의 책, 490면 이하; 홍성방, 앞의 책(중), 152면.
313) 김철수, 앞의 책, 929면 이하.
314) 허영, 앞의 책, 438면 이하.
315) 계희열, 앞의 책(중), 351면 이하; 정종섭, 앞의 책, 572면 이하.
316) 김학성・최희수, 앞의 책, 597면.
317) 한수웅, 제9판 헌법학, 법문사, 2019, 739면 이하. 종교의 자유는 내면의 세계에서 종교적 확신을 형성하고 이를 외부세계에 대하여 표명하며 그에 따라 행동할 자유를 포함한다고 한다.
318) 헌재 2001. 9. 27. 2000헌마159; 헌재 2011. 12. 29. 2009헌마527; 헌재 2016. 6. 30. 2015헌바46.

(1) 신앙의 자유

신앙이란 어떠한 종교를 신봉하고 귀의하는 내심의 활동을 말하며, 신앙의 자유에는 어느 종교를 선택하고[319] 그 종교를 믿을 자유, 종교를 가지지 않을 자유가 있다. **신앙고백의 자유**가 신앙의 자유에 포함되는가에 대해서는 견해의 대립이 있지만,[320] 적극적 신앙고백의 자유는 신앙실현의 자유에서 소극적 신앙고백의 자유는 종교적 침묵의 자유에서 다루는 것이 타당하다고 생각한다.

신앙의 자유는 종교에 관한 일체의 내심작용으로 절대적 자유이며, 신앙을 형성하는 데 있어서 어떤 형태의 국가적 영향력 행사도 금지하며 모든 형태의 국가에 의한 신앙의 강제를 금지한다. 신앙의 자유는 '종교적 확신으로서 사회적으로 공유하는 의미체계'를 그 보호법익으로 한다는 입장에 따르면 개인적인 종교의 신념이 각 종교의 의미체계에 비추어 예외적으로 납득할 수 없을 때에는 양심의 자유 및 표현의 자유에 의한 보호를 받을 수 있다고 한다.[321]

공립학교에서 일과개시 전 기도문·성서낭독을 하게 하는 것은 학생들의 신앙형성을 침해하는 것이며 소극적 신앙고백의 자유를 침해하는 것이 된다. 신앙의 자유는 특정 신앙의 영향력으로부터 벗어날 자유를 보장하는 것이다. 독일 판례에도 나타나듯이 공립학교에 십자상과 같은 종교적 상징물을 설치하는 것은 학생들의 소극적 신앙형성의 자유를 침해하며, 특정 종교를 선전하는 것이 되어 국가의 중립성원칙에도 반한다.[322] 국가가 여러 개의 종교를 선정하여 그중 하나를 믿도록 강제하는 것도 신앙형성의 자유에 대한 침해이다.[323] **무종교의 자유**를 침해하는 것이기도 하다.

319) 신앙선택의 자유에는 **신앙개종 및 신앙포기의 자유**가 포함된다고 본다.

320) 신앙고백의 자유를 신앙의 자유에 포함시키고 있는 견해(허영, 앞의 책, 438면; 성낙인, 앞의 책, 1123면), 신앙고백의 자유를 종교적 행위의 자유에 분류시키는 견해(계희열, 앞의 책(중), 352면; 정종섭, 앞의 책, 573면; 정재황, 앞의 책, 403면), 종교표현의 자유에서 신앙고백의 자유와 신앙침묵의 자유를 설명하는 견해(이준일, 앞의 책, 519면), 신앙고백의 자유를 신앙실행의 자유에서 설명하는 견해(김학성·최희수, 앞의 책, 598면) 등이 있다.

321) 한수웅, 앞의 책, 739면.

322) BVerfGE 93, 1.

323) 김학성·최희수, 앞의 책, 597면.

(2) 종교적 침묵의 자유

① 의 의

종교적 침묵의 자유는 자기의 신앙을 강제로 표명 내지 고백당하지 않고(소극적인 신앙고백의 자유) 자신의 신앙에 반하는 행동을 강제당하지 않을 자유(소극적 신앙실천의 자유)를 말한다. 양심의 자유에서의 침묵의 자유처럼 종교적 침묵의 자유는 소극적인 종교적 행위(신앙실현)의 자유를 말한다. 종교적 침묵의 자유에서 특히 문제되는 점은 다음과 같다.

② 신앙추지(信仰推知)

언어로 자기의 신앙을 표명하도록 강제하는 것도 금지되지만, 언어이외의 행동으로 신앙을 드러내도록 강제할 수 없다는 것을 양심의 자유에서의 양심의 추지금지와 마찬가지로 신앙추지의 금지라고 할 수 있다. 기독교인을 가려내기 위하여 십자가 밟기를 강요하는 것이 그 예이며, 이것은 소극적 신앙고백의 자유를 침해하는 것이다.

③ 종교적 거부권

종교적 신념에 반하는 행동을 강요당할 수 없는 것을 소극적 신앙실천의 자유 내지 종교적 거부권이라고 할 수 있다.

i) 국기에 대한 경례 거부

양심의 자유에서도 살펴본 바와 같이 우리나라에서는 종교상의 우상숭배라는 이유로 국기에 대한 경례거부를 이유로 학칙에 의거 제적처분한 조치를 정당하다고 한 법원의 판례도 있다.[324] 이 판례는 과잉금지원칙과 관련하여 문제가 있다고 본다. 독일에서 '여호와의 증인'이 '나치식 경례'(Heil Hitler)를 국가라는 보이지 않는 신에게 경례를 강요하는 우상숭배로 거부한 것에서 문제가 되었으며 히틀러는 1만명의 신도를 집단수용소에 감금했다고 한다.[325] 미국에서는 국기에 대한 충성의 맹세 의식이 종교적 행사인가 여부, 그 의식에 대한 참여 강제가 헌법에 보장된 개인의 권리를 박탈하는가 여부가 다투어진 사건에서 연방대법원은 국기에 대한 충성의 맹세가 합헌이라고 판시한 사례(Gobitis 사건)도 있지만,[326] 국기에 대한

---

324) 대판 1976. 4. 27. 75누249.

325) 김학성 · 최희수, 앞의 책, 600면.

326) Minersville School District v. Gobitis, 310 U.S. 586(1940).

경례를 강제하는 것은 표현의 자유를 침해하는 것으로 보고 있다(Barnette 사건).[327] 국기에 대한 경례는 국가의 통일성을 상징하는 국가에 대한 존경의 표현으로 우상숭배로 보기는 어렵지만, 제재가 강하면 소극적 신앙실천의 자유를 침해할 우려가 있다.

ii) 종교를 이유로 한 수혈거부

특정종교인 중에는 종교적인 이유로 수혈을 거부하는 사례가 있다. 이 경우 종교적 확신을 존중하여 최선의 치료방법으로 추천되는 수혈이외의 무수혈방법으로만 치료해야 하는가? 나아가 수혈을 받지 않으면 사망에 이를 수 있는 경우에도 이들의 종교적 확신을 존중해야만 하는가? 그들의 종교적 확신에 반하더라도 수혈을 통하여 생명을 구해야 하는가? 더욱이 부모의 종교적 확신에 의해 자녀에 대한 수혈을 거부하는 경우 부모의 의사에 반하여 수혈을 통하여 자녀의 생명을 구해야 하는가? 자녀가 사망한 경우 부모에게 유기치사죄로 처벌할 수 있는가? 국가는 국민의 생명보호를 위하여 특별한 조치를 할 수 있는가? 등의 굉장히 어려운 문제가 제기된다. 종교의 자유, 생명권, 국가의 생명권보호의무, 의사의 의무, 부모의 자녀교육·양육권, 자기결정권 등의 복합적인 법적 문제가 이와 관련된다.

우리 대법원은 생모가 사망의 위험이 예견되는 그 딸에 대하여는 수혈이 최선의 치료방법이라는 의사의 권유를 자신의 종교적 신념이나 후유증 발생의 염려만을 이유로 완강하게 거부하여 딸이 사망한 사건에서 생모를 유기치사죄로 처벌한 사건을 정당화하고 있다.[328]

327) West Virginia State Board of Education v. Barnette, 319 U.S. 624(1943). 미국 연방대법원은 이 문제를 직접 종교의 문제로 다루지 않고 표현을 강제당하지 않을 자유의 문제로 보아 '중대하고 급박한 위험'이 없다고 하여 위헌으로 판시한 것이다. 국기에 대한 경례는 우상숭배라는 유인물을 배포했다는 이유로 처벌하는 것도 표현의 자유에 대한 침해로 본 판례도 있다(Taylor 사건).

328) 대법원은 "…… 피고인이 질병으로 인하여 이와 같이 보호를 요하는 딸을 병원에 입원시켜 놓고 의사가 그 당시 국내의 의료기술상 최선의 치료방법이라는 수혈을 하려 하여도 이를 완강하게 거부하고 방해하였다면 이는 결과적으로 요부조자를 위험한 장소에 두고 떠난 것이나 다름이 없다고 할 것이어서 …… 의사가 권하는 최선의 치료방법인 수혈이라도 하지 않으면 그 환자가 사망할 것이라는 위험이 예견가능한 경우에 아무리 생모라고 할지라도 자신의 종교적 신념이나 후유증 발생의 염려만을 이유로 환자에 대하여 의사가 하고자 하는 위의 수혈을 거부하여 결과적으로 그 환자로 하여금 의학상 필요한 치료도 제대로 받지 못한 채 사망에 이르게 할 수 있는 정당한 권리가 있다고는 할 수 없는 것이며 그때에 사리를 변식할 지능이 없다고 보아야 마땅할 11세 남짓의 환자 본인이 가사 그 생모와 마찬가지로 위의 수혈을 거부한 일이 있다고 하여도 이것이 피고인의 위와 같은 수혈거부 행위가 위법한 것이라고 판단하는 데 어떠한 영향을 미칠 만한 사유가 된다고 볼 수는 없으므로 같은 취지에서 피고인의 판시 소위가 유기치사죄에 해당한다고 판단한 원심의 조치에 논지가 지

환자의 생명 보호와 종교적 확신에 기한 환자의 자기결정권을 단순하게 비교형량해서 해결할 수는 없다고 생각한다. 환자의 나이, 지적 능력, 가족관계 등도 고려해야 하고 수혈 거부라는 자기결정권을 행사하게 된 배경과 경위 및 목적, 수혈 거부 의사가 일시적인 것인지 아니면 상당한 기간 동안 지속되어 온 확고한 종교적 또는 양심적 신념에 기초한 것인지 등을 고려해야 한다.

iii) 성직자의 범인은닉

범인을 은닉·도피케 한 사제의 행위가 정당한 직무상의 행위인지 여부가 문제된다. 이른바 '**미국문화원 방화사건**'에서 대법원은 "성직자라 하여 초법규적인 존재일 수 없다. 성직자의 직무상 행위가 사회상규에 반하지 아니한다하여 그에 적법성이 부여되는 것은 그것이 성직자의 행위이기 때문이 아니라 그 직무로 인한 행위에 정당, 적법성을 인정하기 때문이다. 죄지은 자를 맞아 회개하도록 인도하고 그 갈 길을 이르는 것은 사제로서의 소임이라 할 것이나 적극적으로 은신처를 마련하여 주고 도피자금을 제공하는 따위의 일은 이미 그 정당한 직무의 범위를 넘는 것이며 이를 가리켜 사회상규에 반하지 아니하여 위법성이 조각되는 정당행위라고 할 수 없다. 사제가 죄지은 자를 능동적으로 고발하지 않는 것은 종교적 계율에 따라 그 정당성이 용인되어야 한다고 할 수 있을 것이나 그에 그치지 아니하고 적극적으로 은닉 도피케 하는 행위는 어느 모로 보나 이를 사제의 정당한 직무에 속하는 것이라고 할 수 없다"고 판시하고 있다. 대법원 판례의 입장은 사제가 죄지은 자를 능동적으로 고발하지 않는 것은 종교적 계율에 따라 그 정당성이 용인된다고 하여 사제의 소극적 신앙실천의 자유를 인정하나, 이를 넘어 적극적으로 은닉 도피케 하는 행위는 사제의 정당한 직무로 볼 수 없다는 것이다.[329]

iv) 종립학교에서의 특정종교교육

종립학교에서 특정종교교육은 가능하지만, 참가거부가 사실상 불가능한 분위기를 조성하고 대체과목을 개설하지 않는 등 신앙을 갖지 않거나 학교와 다른 신앙

적한 바와 같은 심리 미진, 판단유탈 및 유기치사죄에 대한 법리오해, 치료방법을 선택할 수 있는 자유권의 행사인 정당행위에 관한 법리오해와 종교의 자유를 보장한 헌법위반 등의 위법사유가 있다고 할 수 없으므로 논지는 모두 이유없음에 돌아간다고 할 것이다"라고 판시하고 있다(대판 1980. 9. 24. 79도1387).

329) 대판 1983. 3. 8. 82도3248. 비록 죄인을 숨겨주는 똑같은 행위일지라도 그것이 성직자가 아닌 일반의 평범한 시민의 행위라면 바로 공공질서에 반하고 선량한 풍속에도 반하여 사회상규에도 벗어나는 행동으로 인정될 수밖에 없겠지만 그것이 피고인과 같은 성직자의 입장에서일 때에는 그 반대로 사회상규에 위배되지 아니하는 행위로서 위법성을 조작한다는 논지는 그 독단적 견해에 지나지 아니하여 채용할 수가 없다고 한다.

을 가진 학생의 기본권을 고려하지 않으면 **소극적 신앙고백 내지 신앙실천의 자유**를 침해하는 것이다(종교교육의 자유 참조).

ⅴ) 양심적 병역거부(종교상 이유로 한 병역 거부)

양심의 자유에서 살펴본 바와 같이 양심상 병역(집총)거부에 대해서는 종래 대법원은 양심상 병역거부를 양심의 자유의 한계 밖이라고 판단해 왔다. 헌법재판소도 종래 양심적 병역거부의 처벌과 관련하여 양심의 자유로부터 대체복무를 요구할 권리는 도출되지 않는다고 보면서 합헌으로 보았다. 그러나 양심보호를 위한 입법보완의 숙고를 입법자에게 권고한 바 있었고, 그 후 헌법재판소는 병역의 종류를 현역, 예비역, 보충역, 병역준비역, 전시근로역의 다섯 가지로 한정하여 규정하고 양심적 병역거부자에 대한 대체복무제를 규정하지 아니한 병역종류조항이 과잉금지원칙을 위반하여 양심적 병역거부자의 양심의 자유를 침해한다고 결정하였다. 이로써 특히 종교상 이유로 한 병역거부는 일정한 조건하에서 소극적 신앙실천의 자유의 하나로 인정될 수 있게 되었다. 병역법은 병역의 종류로 '대체역'을 신설하였고, '대체역의 편입 및 복무 등에 관한 법률'이 제정되어 **대체역**의 편입 및 복무 등에 대하여 규정하고 있다(양심상 병역거부 참조).

ⅵ) 공직취임시 신의 존재를 믿는다는 선서를 강요하는 것

공직 취임에 있어 헌법에 대한 선서는 위헌이 아니지만, '신의 존재를 믿는다'는 선서를 강요하는 것은 소극적 신앙고백의 자유를 침해할 우려가 있고 무신앙의 자유를 침해하여 위헌이라고 생각한다. 미국 판례는 주(州)의 공직취임에 헌법에 대한 충성이 아닌 '신의 존재를 믿는다'는 선서를 강요한 것을 위헌이라고 하였다.[330)]

(3) 신앙실현(실행)의 자유

신앙실현의 자유는 내심의 신앙을 여러 가지 형태로 외부에 표명하고 신앙에 따라 행동하며 신앙을 실천하는 자유이다. 외부적 행위의 자유까지 보장할 때 비로소 종교의 자유는 완전한 것이 될 수 있다.[331)]

---

330) Tocaso v. Watkins, Clerk, 367 U.S. 488(1961).

331) 종교적 행위(행사)의 자유에서 종교적 집회·결사의 자유, 종교교육의 자유를 설명하는 견해(계희열, 앞의 책(중), 352면 이하; 성낙인, 앞의 책, 1124면 이하; 정종섭, 앞의 책, 573면 이하), 신앙실행의 자유에서 설명하는 견해(허영, 앞의 책, 439면 이하), 종교적 활동의 자유에서 설명하는 견해(장영수, 앞의 책, 640면 이하), 종교교육의 자유를 별도로 분리시키지 않고 종교적 행위의 자유에서 다루는 견해(김철수, 앞의 책(상), 930면) 등이 있다.

① 신앙고백의 자유

신앙고백의 자유는 자기의 종교적 확신을 언어 등으로 표현하는 자유이다. 말이나 글로 자기의 종교적 확신을 표현할 수도 있고 그림이나 조각 등 예술활동을 통해서도 표현할 수 있다. 다수의 견해는 자기의 신앙을 강제로 고백당하지 않을 소극적인 신앙고백의 자유도 신앙고백의 자유에서 설명하고 있다. 사실 신앙고백의 자유에서는 주로 소극적 신앙고백의 자유가 법적 논의의 대상이 되지만, 필자는 소극적 신앙고백의 자유는 종교적 침묵의 자유에서 다루기 때문에 여기서 신앙고백의 자유는 적극적 신앙고백의 자유를 지칭한다. 신앙고백의 자유와 그 밖의 신앙실행의 자유는 외부적 표현이라는 점에서 명확히 구분되지 않고 서로 중복될 수도 있지만, 그 밖의 신앙실행의 자유는 신앙고백을 제외한 그 외의 종교적 행위 가능성을 포괄적으로 보호한다고 보아야 한다.[332]

신앙고백의 자유는 자기의 종교적 신념을 외부에 공개하고 표명하는 자유이다. 자신이 특정 신앙을 믿는다고 알리거나 자신이 믿는 종교적 상징물을 착용하는 것[333]은 신앙고백의 자유로 보호된다. 외부세계로 표현하는 것이라는 점에서 표현의 자유에 대한 특별규정이라 할 수 있다. 따라서 신앙고백의 자유는 일반적 표현과 달리 특별법적 보호대상이 되어야 한다.[334] 신앙표명을 이유로 처벌이나 불이익이 부과될 수 없으며, 부득이 제한하는 경우에도 최소한에 그쳐야 한다.

② 종교의식의 자유

종교의 자유는 신앙에 따라 행동하며 신앙을 실천하는 자유가 보장될 때 실질적인 의의를 가지게 된다. 종교의식의 자유는 어떤 종교의식을 통해서 개인의 신앙을 실현하는 자유이다. 종교의식은 신앙을 외부에 표명하는 예배, 미사, 예불, 독경이나 기도, 행진이나 삼보일배, 타종행사 등 모든 의식 및 축전을 포함한다. 종교단체의 구제활동이나 자선활동도 종교의식의 자유에 포함되는가가 문제될 수

332) 한수웅 교수는 신앙고백은 주로 '다른 사람과의 관계'에서 행해지는 반면, 신앙실행은 일반적으로 '신과의 관계'에서 행해지는 것으로 초월적인 것을 숭배하는 것이 주된 목적인 행위라는 점에서 구별된다고 한다(한수웅, 앞의 책, 740면).

333) 무슬림(Muslim, 이슬람 신자) 여성의 히잡(Hijab, 머리를 가리는 스카프) 및 부르카(Burka, 얼굴까지 가리는 데다 겨우 '밖'을 볼 수 있는 눈 부분마저 망사로 만든 의상) 등의 착용행위 등을 예로 들 수 있다.

334) 대법원은 종교의 자유에 관한 제20조 제1항은 표현의 자유에 관한 제21조 제1항에 대하여 특별규정의 성격을 갖는다 할 것이므로 종교적 목적을 위한 언론·출판의 경우에는 그 밖의 일반적인 언론·출판에 비하여 고도의 보장을 받게 된다고 판시하고 있다(대판 2007. 4. 26. 2006다87903).

있지만, 종교의식의 자유라기보다는 선교 및 포교의 자유의 하나로 보는 것이 적절하다고 본다.[335] 종교행사에 사용되는 건물이나 장소는 종교의식의 자유에 의해 보호될 수 있을 것이다. 이러한 점에서 종교시설이 운영하는 납골시설은 종교의식의 자유의 보호대상이 된다.[336]

사인이 다른 사람의 종교적 의식을 방해한 경우에는 예배 또는 설교방해죄에 의해 처벌된다(형법 제158조).

③ 종교적 집회·결사의 자유

종교적 집회·결사의 자유는 동신자가 회합하는 것과 동신자가 결합하여 단체를 조직하는 자유를 말한다. 종교적 집회·결사의 자유는 일반집회·결사의 자유(제21조)보다 두터운 보호를 받는다. '집회 및 시위에 관한 법률'은 종교집회에 대해서는 옥외집회 및 시위의 신고제 등의 규정을 적용받지 않는다고 명시하고 있다(집시법 제15조). 종교적 의식·집회가 타인의 평온한 삶을 침해하거나 사회질서를 침해하는 경우에는 제한될 수 있다.

종교단체가 그에 소속한 구성원에 대하여 종교적 목적으로 일정한 내부규율을 하는 것도 원칙적으로 종교적 결사의 자유로 인정된다. 그러나 내부규율이 반인륜적이고 반사회적인 경우에는 종교의 자유로 보호받지 못한다.

종교법인이 반사회적이거나 반인륜적인 행위를 하는 경우에는 국가는 해산을 명할 수 있는가가 문제되는데, 일본의 경우 옴진리교 해산을 합헌으로 보고 있다.

④ 선교와 종교교육의 자유

i) 선교(포교)의 자유

선교(포교)의 자유는 자신의 종교적 확신을 다른 사람에게 선전하고 전파하는 자유를 말한다. 종교의 선교, 전파나 다른 종교의 비판, 종교 자체의 부정이나 비

---

335) 종교공동체의 자기이해에 따라 종교적 확산에 기인하는 활동으로 구제활동과 자선활동도 종교의식의 자유의 보호대상이라고 보는 견해가 있다(한수웅, 앞의 책, 740면).

336) 헌법재판소는 학교정화구역 내의 납골시설의 설치·운영을 절대적으로 금지하고 있는 구 학교보건법 규정과 관련하여 "종교단체의 납골시설은 사자의 죽음을 추모하고 사후의 평안을 기원하는 종교적 행사를 하기 위한 시설이라고 할 수 있다. 종교단체가 설치·운영하고자 하는 납골시설이 금지되는 경우에는 종교의 자유에 대한 제한 문제가 발생한다"고 판시하고 있다(헌재 2009. 7. 30. 2008헌가2). 다만 개인이 조상이나 가족을 위하여 설치하는 납골시설 또는 문중·종중이 구성원을 위하여 설치하는 납골시설이 금지되는 경우에는 행복추구권 제한의 문제가 발생하며, 납골시설의 설치·운영을 직업으로서 수행하고자 하는 자에게는 이 사건 법률조항이 직업의 자유를 제한하게 된다고 판시하고 있다.

판 등을 나타내기 위한 표현이 일반적인 경우보다 다소 지나치더라도 용인된다.[337] 대법원은 종교적 목적의 언론출판의 경우는 일반적인 언론출판에 비하여 고도의 보장을 받는다고 판시하고 있다.[338] 그러나 강제력을 갖는 공권력과 결부된 포교의 자유는 허용되지 않는다. 따라서 국·공립학교 교사나 군대의 상관이 그들의 지위를 근거로 학생이나 부하장병들에게 포교할 수 없으며, 모두가 사용할 수 있는 공공시설을 포교행사에 제공하는 것 역시 허용되지 않는다.

ii) 종교교육의 자유

㉠ 개 념

종교교육의 자유는 종교적 교리에 기초하여 가정이나 학교에서 교육할 수 있는 자유를 말한다. 사립학교에서 특정 종교교육을 실시하는 것은 허용된다. 국민의 수학권과의 관계에서 문제가 제기되기도 한다. 종교교육 및 종교지도자의 양성은 제20조에 규정된 종교의 자유의 한 내용으로서 보장되지만, 그것이 학교라는 교육기관의 형태를 취할 때에는 제31조 제1항, 제6항의 규정 및 이에 기한 교육법상의 각 규정들에 의한 규제를 받게 된다.[339]

㉡ 국·공립학교에서의 특정종교교육

국가나 지방자치단체에서 설립한 국·공립학교에서 특정종교교육을 실시하는 것은 정교분리의 원칙에 따라 금지된다. 그러나 국·공립대학에서 종교학과를 두어 종교학을 강의하고 연구하는 것은 특정종교교육과 다르기 때문에 종교의 자유에 반하지 않는다.

---

337) 신앙고백의 자유에서 포교나 선교의 자유 및 다른 종교를 비판하고 다른 신앙을 가진 사람에게 개종을 권고하는 자유를 포함시키는 경우도 있다(한수웅, 앞의 책, 740면).

338) 대판 2007. 2. 8. 2006도4486.

339) 대판 1992. 12. 22. 92도1742. 헌법재판소도 "종교단체가 운영하는 학교 혹은 학원 형태의 교육기관도 예외 없이 학교 설립인가 혹은 학원설립등록을 받도록 규정한 경우 교육법 제85조 제1항 및 '학원의 설립·운영에 관한 법률' 제6조가 종교교육을 담당하는 기관들에 대하여 예외적으로 인가 혹은 등록의무를 면제하여 주지 않았다고 하더라도, 헌법 제31조 제6항이 교육제도에 관한 기본사항을 법률로 입법자가 정하도록 한 취지, 종교교육기관이 자체 내부의 순수한 성직자 양성기관이 아니라 학교 혹은 학원의 형태로 운영될 경우 일반국민들이 받을 수 있는 부실한 교육의 피해의 방지, 현행 법률상 학교 내지 학원의 설립절차가 지나치게 엄격하다고 볼 수 없는 점 등을 고려할 때, 위 조항들이 청구인의 종교의 자유 등을 침해하였다고 볼 수 없고, 또한 위 조항들로 인하여 종교교단의 재정적 능력에 따라 학교 내지 학원의 설립상 차별을 초래한다고 해도 거기에는 위와 같은 합리적 이유가 있으므로 평등원칙에 위배된다고 할 수 없다"고 한다(헌재 2000. 3. 30. 99헌바14).

㉢ 사립학교에서의 특정종교교육

ㄱ) 사립학교의 경우에도 자유선택에 의해서가 아니라 강제로 배정된 사립학교에서의 특정종교교육을 실시하는 것은 다른 종교를 가진 학생의 종교의 자유를 침해할 수 있어 위헌의 여지가 있다. 소극적 신앙실천의 자유에 대한 침해가 되기 때문이다.

고등학교 평준화정책에 따라 강제배정된 사립학교에서의 특정종교교육[340)]

"종립학교가 고등학교 평준화정책에 따라 강제배정된 학생들을 상대로 특정종교의 교리를 전파하는 종파적인 종교행사와 종교과목 수업을 실시하면서 참가거부가 사실상 불가능한 분위기를 조성하고 대체과목을 개설하지 않는 등 신앙을 갖지 않거나 학교와 다른 신앙을 가진 학생의 기본권을 고려하지 않은 것은, 우리사회의 건전한 상식과 법감정에 비추어 용인될 수 있는 한계를 벗어나 학생의 종교에 관한 인격적 법익을 침해하는 위법한 행위이다."

대판 2010. 4. 22. 2008다38288

ㄴ) 사립대학은 종교교육 내지 종교선전을 위하여 학생들의 신앙을 가지지 않을 자유를 침해하지 않는 범위 내에서 학생들로 하여금 일정한 내용의 종교교육을 받을 것을 졸업요건으로 하는 학칙을 제정할 수 있다.[341)]

대학예배 6학기 참석을 졸업요건으로 정한 숭실대 학칙 사건

【판시사항】

[1] 사립대학이 학생들로 하여금 일정한 내용의 종교교육을 받을 것을 졸업요건으로 하는 학칙을 제정할 수 있는지 여부(한정 적극)

[2] 기독교 재단이 설립한 사립대학에서 일정 학기 동안 대학예배에 참석할 것을 졸업요건으로 하는 학칙을 정한 경우, 헌법상 종교의 자유에 반하는 위헌무효의 학

340) 고등학교 평준화정책에 따른 학교 강제배정제도에 의하여 학생이나 학교법인의 기본권에 일부 제한이 가하여진다고 하더라도 그것만으로는 위 제도가 학생이나 학교법인의 기본권을 본질적으로 침해하는 위헌적인 것이라고까지 할 수는 없지만, 종교교육에 관해서는 판례와 같이 일정한 한계를 인정하였다. 한편 대부분의 시·도에서 선복수지원·후추첨방식에 의한 학교배정이 학부모의 종교교육을 위한 학교선택권을 과도하게 제한한다고 보기 어렵다는 판례가 있다(헌재 2009. 4. 30. 2005헌마514).

341) 이 사건에서 대법원은 대학교의 예배는 복음전도나 종교인양성에 직접적인 목적이 있는 것이 아니고, 신앙을 가지지 않을 자유를 침해하지 않는 범위 내에서 학생들에게 종교교육을 함으로써 진리·사랑에 기초한 보편적 교양인을 양성하는 데 목표를 두고 있다고 판단하면서 위 대학학칙을 위헌무효로 보지 않았다.

칙이 아니라고 본 사례

[3] 구 교육법시행령에 의하여 교육과정이나 졸업·학위수여에 관하여 규정한 사립대학 학칙의 학생에 대한 구속력 여부(한정 적극)

【재판요지】

[1] 사립학교는 국·공립학교와는 달리 종교의 자유의 내용으로서 종교교육 내지는 종교선전을 할 수 있고, 학교는 인적·물적 시설을 포함한 교육시설로써 학생들에게 교육을 실시하는 것을 본질로 하며, 특히 대학은 헌법상 자치권이 부여되어 있으므로 사립대학은 교육시설의 질서를 유지하고 재학관계를 명확히 하기 위하여 법률상 금지된 것이 아니면 학사관리, 입학 및 졸업에 관한 사항이나 학교시설의 이용에 관한 사항 등을 학칙 등으로 제정할 수 있으며, 또한 구 교육법시행령 제55조는 학칙을 학교의 설립인가신청에 필요한 서류의 하나로 규정하고, 제56조 제1항은 학칙에서 기재하여야 할 사항으로 '교과와 수업일수에 관한 사항,' '고사(또는 시험)와 과정수료에 관한 사항,' '입학·편입학·퇴학·전학·휴학·수료·졸업과 상벌에 관한 사항' 등을 규정하고 있으므로, 사립대학은 종교교육 내지 종교선전을 위하여 학생들의 신앙을 가지지 않을 자유를 침해하지 않는 범위 내에서 학생들로 하여금 일정한 내용의 종교교육을 받을 것을 졸업요건으로 하는 학칙을 제정할 수 있다.

[2] 기독교 재단이 설립한 사립대학이 학칙으로 대학예배의 6학기 참석을 졸업요건으로 정한 경우, 위 대학교의 대학예배는 목사에 의한 예배뿐만 아니라 강연이나 드라마 등 다양한 형식을 취하고 있고 학생들에 대하여도 예배시간의 참석만을 졸업의 요건으로 할 뿐 그 태도나 성과 등을 평가하지는 않는 사실 등에 비추어 볼 때, 위 대학교의 예배는 복음 전도나 종교인 양성에 직접적인 목표가 있는 것이 아니고 신앙을 가지지 않을 자유를 침해하지 않는 범위 내에서 학생들에게 종교교육을 함으로써 진리·사랑에 기초한 보편적 교양인을 양성하는 데 목표를 두고 있다고 할 것이므로, 대학예배에의 6학기 참석을 졸업요건으로 정한 위 대학교의 학칙은 헌법상 종교의 자유에 반하는 위헌무효의 학칙이 아니다.

[3] 대학의 자율성 및 학교교육의 성질에 관하여 규정한 헌법조항과 교육에 대하여 규정하고 있는 관계 법령의 내용 등을 종합하여 볼 때, 원고가 사립대학에서 교육과정을 이수하고 있을 당시 구 교육법시행령 제56조에서 학칙의 기재사항으로 규정한 교육과정이나 졸업·학위수여에 관한 사립대학의 학칙은 그 내용이 법령에 위배되거나 학교교육의 본질에 반하는 등의 특별한 사정이 없는 한 당연히 원고에 대하여 구속력을 가진다.

대판 1998. 11. 10. 96다37268

㉣ 가정에서의 종교교육

가정에서의 부모의 종교교육권은 자신의 종교관에 따라 자녀를 교육시킬 권리 및 종립학교에 취학시킬 수 있는 권리를 포함한다. 가정에서의 종교교육은 자녀의 종교적 자기결정권과 부모의 교육권 및 양육권이 서로 조화를 이룰 수 있도록 실시되어야 한다. 만 14세가 지나면 자녀에게 신앙선택의 자유가 완전히 보장되는 독일의 예를 참고할 수 있다. 강제배정된 학교에서의 특정종교교육은 **학생의 종교적 침묵의 자유** 및 **부모의 종교교육권**과 충돌하기 하기 때문에, 종립학교는 다른 종교나 종교를 믿지 않는 학생들의 소극적인 종교의 자유를 침해하지 않는 범위에서 특정종교교육을 할 수 있다. 종교상의 이유로 보호하는 자녀에 대한 수혈거부도 부모의 종교교육권의 남용이 문제될 수 있다.

7. 종교의 자유의 효력

(1) 대국가적 효력

종교의 자유는 모든 국가권력을 구속한다. 국가에 대한 소극적·방어적 권리로서 종교와 관련된 공권력의 강제와 개입 등으로부터 보호받는다. 그러나 종교의 자유조항을 근거로 국민이 국가에 대하여 적극적 우대조치를 요구할 권리가 부여되는 것은 아니다.[342)]

(2) 대사인적 효력

헌법상의 기본권은 제1차적으로 개인의 자유로운 영역을 공권력의 침해로부터 보호하기 위한 방어적 권리이지만 다른 한편으로 헌법의 기본적인 결단인 객관적인 가치질서를 구체화한 것으로서, 사법을 포함한 모든 법 영역에 그 영향을 미치는 것이므로 사인 간의 사적인 법률관계도 헌법상의 기본권 규정에 적합하게 규율되어야 한다. 다만 기본권 규정은 그 성질상 사법관계에 직접적용될 수 있는 예외적인 것을 제외하고는 사법상의 일반원칙을 규정한 민법[343)] 등의 내용을 형성하고 그 해석 기준이 되어 간접적으로 사법관계에 효력을 미치게 된다. 종교의 자유라는 기본권의 침해와 관련한 불법행위의 성립 여부도 위와 같은 일반규정을 통하여 사법상으로 보호되는 종교에 관한 인격적 법익침해 등의 형태로 구체화되어 논하

342) 헌재 2010. 2. 25. 2007헌바131 등.

343) 제2조(신의성실의 원칙, 권리남용금지원칙), 제103조(반사회질서의 법률행위), 제750조(불법행위의 내용), 제751조(재산이외의 손해의 배상).

여져야 한다.[344]

원칙적으로 특정신앙을 이유로 해고 등을 할 수 없다. 특정종교에서 운영하는 경향기업에서는 특수성을 인정할 수 있지만, 일정한 한계가 있다고 하겠다(민법 제103조 위반의 문제). **종교단체의 내부분쟁**(교리분쟁, 권징결의)에 대해서는 종교단체의 자율을 존중하는 것이 원칙이다. 즉 교리분쟁 등 다른 기본권이 침해되지 않는 사안의 경우에는 사법심사에 의한 구제를 자제하며, 종교단체의 권징결의는 교인으로서의 비위가 있는 자에게 종교적인 방법으로 징계·제재하는 종교단체 내부의 규제에 지나지 아니하므로 이는 사법심사의 대상이 되지 아니한다.[345]

8. 종교의 자유의 한계와 제한

(1) 신앙의 자유

본질적 내용으로만 구성되어 있으므로, 제37조 제2항에 의한 법률유보로써 제한할 수 없다(다수설). 신앙의 자유에 대해서도 **내재적 한계**에 의한 제한은 받는다고 보는 견해도 있다.[346] 국가가 종교적 상징물을 화폐의 도안이나 공공건축물에 사용하는 경우 신앙형성의 자유에 대한 제한이 인정된다.[347]

(2) 신앙실현의 자유, 즉 신앙고백의 자유, 종교의식의 자유, 종교적 집회·결사의 자유, 선교와 종교교육의 자유 등은 **사회적 전파성**으로 인하여 제37조 제2항에 의해 제한될 수 있는 상대적 자유권이다. 앞에서 살펴본 바와 같이 ⅰ) 신앙을 이유로 하는 병역거부(헌법재판소 결정으로 대체복무신청이 허용되었음), ⅱ) 종교적인 이유로 보호자가 자녀에 대한 수혈거부(유기치사죄), ⅲ) 모든 종교에 대한 국고지원, ⅳ) 의무교육기관에서의 특정한 종교에 대한 교육, ⅴ) 미결수용자에 대한 종

344) 대판 2010. 4. 22. 2008다38288.

345) 대판 1981. 9. 22. 81다276; 대판 1984. 7. 24. 83다카2065; 대판 1978. 12. 26. 78다1118 등.

346) 허영, 앞의 책, 441면.

347) 기독교 교회의 목사인 청구인이 10원 동전에 특정 종교(불교)에서 의미를 갖는 다보여래의 사리를 모셔 세운 탑인 다보탑 문양이 도안되어 있어 이것이 청구인의 행복추구권과 종교의 자유를 침해한다는 이유로 청구한 헌법소원심판사건에서 헌법재판소는 "국보 제20호인 다보탑은 통일신라시대 조형미술의 백미라고 할 수 있는 우리나라의 대표적인 문화유산으로서 여기에 어떤 특별한 종교적 인식이 결부되어 있지 않고, 이 사건에서 문제된 10원 동전의 다보탑 도안이 종교적 숭배의 대상 또는 종교적 상징으로 된다고 볼 수는 없다. 또한 이러한 도안의 사용이 우리 헌법이 보장하는 행복추구권이나 종교의 자유의 보호영역과 관계되는 것이라고 판단되지는 않으며, 그 밖에 이러한 도안 사용으로 인하여 헌법상 보장된 청구인의 기본권을 침해받을 여지가 없다"고 하여 각하결정을 내린 바 있다(헌재 2007. 2. 13. 2007헌마68).

교행사 참석 일률적 금지[348] 등은 위헌・위법의 사례들로 규제를 받는다. 반면 i) 종교적 공휴일, ii) 국립대 교수에게 특정종교에 대한 연구비를 지급하는 것, iii) 해외 위난지역에 대한 여권사용제한으로 인한 선교의 제한[349] 등은 합헌이다.

그리고 앞에서도 살펴보았지만, 중・고등학교의 특정종교과목의 필수화는 지원제 사립학교에서는 합헌으로, 공립학교에서는 위헌으로 보아야 하며, 학군제 사립학교에서는 학생들에게 신앙의 자유를 보장한 경우에만 허용될 수 있다고 하겠다.

> **사법시험의 일요일 시행[350]**
>
> "…… 종교적 행위의 자유는 신앙의 자유와는 달리 절대적 자유가 아니라 질서유지, 공공복리 등을 위하여 제한할 수 있는 것으로서 사법시험 제1차시험과 같은 대규모 응시생들이 응시하는 시험의 경우 그 시험장소는 중・고등학교 건물을 임차하는 것 이외에 특별한 방법이 없고 만일 일요일이 아닌 평일에 사법시험을 실시한다면 해당 학교의 학생들이 수업을 받지 못하게 되고 또한 시험관리를 위한 2,000여 명의 공무원이 동원되어야 하며 일요일 아닌 평일에 시험이 있을 경우 직장인 또는 학생 신분인 사람들은 결근, 결석을 하여야 하고 그 밖에 시험당일의 문제지 수송과 수험생 입실시간이 교통혼잡시간대와 겹치게 되어 원활한 시험관리에도 상당한 지장이 있는 사정이 있는바, 이러한 사정을 참작한다면 피청구인이 사법시험 제1차 시험 시행일을 일요일로 정하여 공고한 것은 국가공무원법 제35조에 의하여 다수 국민의 편의를 위한 것이므로 이로 인하여 청구인의 종교의 자유가 어느 정도 제한된다 하더라도 이는 공공복리를 위한 부득이한 제한으로 보아야 할 것이고 그 정도를 보더라도 비례의 원칙에 벗어난 것으로 볼 수 없고 청구인의 종교의 자유의 본질적 내용을 침해한 것으로 볼 수도 없다.

---

348) 과잉금지원칙에 반한다(헌재 2011. 12. 29. 2009헌마527).

349) 아프가니스탄 등 전쟁 또는 테러위험이 있는 해외 위난지역에서 여권사용을 제한하거나 방문 또는 체류를 금지한 외교통상부 고시가 청구인들의 종교의 자유를 제한하는 것인지의 여부와 관련하여 헌법재판소는 "종교(선교활동)의 자유는 국민에게 그가 선택한 임의의 장소에서 자유롭게 행사할 수 있는 권리까지 보장한다고 할 수 없으며, 그 임의의 장소가 대한민국의 주권이 미치지 아니하는 지역 나아가 국가에 의한 국민의 생명・신체 및 재산의 보호가 강력히 요구되는 해외 위난지역인 경우에는 더욱 그러하다"고 판시하였다(헌재 2008. 6. 26. 2007헌마1366).

350) 행정자치부장관이 제42회 사법시험 제1차 시험의 시행일자를 일요일로 정하여 공고한 2000년도 공무원임용시험시행계획 공고가 기독교를 신봉하는 청구인의 종교의 자유를 침해하고 평등의 원칙에 위배되는지 여부가 다투어진 사건이다. 이 사건에서는 공무원임용시험시행계획 공고가 헌법소원의 대상이 되는 공권력의 행사에 해당한다고 보고 또한 위 시험일정이 모두 종료하여 이 사건에서 인용결정을 받더라도 시험에 응시하는 것이 불가능하지만 기본권침해가 반복될 위험이 있어 예외적으로 권리보호의 이익이 있는 것으로 적법요건은 인정하였다.

> 또한 기독교 문화를 사회적 배경으로 하고 있는 구미 제국과 달리 우리나라에서는 일요일은 특별한 종교의 종교의식일이 아니라 일반적인 공휴일로 보아야 할 것이고 앞서 본 여러 사정을 참작한다면 사법시험 제1차 시험 시행일을 일요일로 정한 피청구인의 이 사건 공고가 청구인이 신봉하는 종교를 다른 종교에 비하여 불합리하게 차별대우하는 것으로 볼 수도 없다.
>
> 헌재 2001. 9. 27. 2000헌마159

9. 국교부인, 정교분리의 원칙 (제20조 제2항)

(1) 의 의

국교부인과 정교분리의 원칙은 종교와 국가의 결합이 종교의 타락과 국가의 파멸을 초래하였다는 역사적 교훈과 체험에서 비롯된다. 진정으로 종교의 자유가 확립되기 위해서는 국교의 부인과 정교분리는 필수적이다.

제20조 제1항 종교의 자유규정은 제2항의 국교의 부인과 정교분리의 원칙을 당연히 포함하는가 아니면 제2항은 독자적 원칙인가가 문제되는데, i) 종교의 자유는 연혁상 국교제도를 중심으로 한 대립과 투쟁에서 성립하였기 때문에 종교의 자유에는 당연히 정교분리의 원칙이 포함된다는 견해와[351] ii) 정교분리의 원칙은 제도보장으로서 국교제도에 대한 역사적 폐해를 고려하여 완전한 종교의 자유를 보장하기 위해 정교의 분리가 필수적이기 때문에 이를 규정하여 종교의 자유를 간접적으로 보장한 것이라는 견해[352]가 대립한다. 종교의 자유가 자발성을 존중하는데 목적이 있다면 정교분리의 원칙은 국가의 종교단체에 대한 중립성의 존중에 있다. 이런 시각에서는 종교의 자유는 주관적 공권인 데 반하여 정교분리의 원칙은 제도보장이라는 주장이 가능하다. 영국, 스페인, 그리스 등은 국교는 있으나, 종교의 자유는 인정된다.[353]

---

351) 계희열, 앞의 책(중), 359-360면; 허영, 앞의 책, 443면; 정종섭, 앞의 책, 582면; 김학성·최희수, 앞의 책, 602면.

352) 김철수, 앞의 책(상), 935면; 권영성, 앞의 책, 493면; 홍성방, 앞의 책(중), 153면; 성낙인, 앞의 책, 1127면.

353) 이에 대해 오늘날 자유와 제도를 구별하는 낡은 이론에 따라 양자를 설명하는 것은 바람직하지 못하다고 하면서, 정교의 분리 없이 종교의 자유가 보장될 수 없다는 것은 분명하기 때문에 종교의 자유만을 규정하는 경우에도 정교의 분리는 당연히 포함되는 것으로 보는 것이 옳다는 주장이 있다(계희열, 앞의 책(중), 360면).

(2) 내 용

정교분리원칙은 i) 국교의 부인, ii) 국가에 의한 종교교육·종교활동의 금지, iii) 종교의 정치관여 금지,[354] iv) 정치의 종교간섭금지, v) 특정종교우대와 차별금지, vi) 무종교의 자유 보장(모든 종교에 대한 우대·재정지원도 위헌) 등을 그 내용으로 한다.

공군참모총장이 군종장교로 하여금 교계에 널리 알려진 특정 종교에 대한 비판적 정보를 담은 책자를 발행·배포하게 한 행위와 정교분리의 원칙

"우리 헌법 제20조 제2항이 '국교는 인정되지 아니하며, 종교와 정치는 분리된다'고 규정하고 있으므로, 국가가 특정 종교를 특별히 보호하기 위하여 특혜를 가하거나 억압하기 위하여 부당한 대우를 하는 것은 원칙적으로 금지된다고 할 것이다. 그러나 원심이 인정한 그 판시와 같은 사정을 위와 같은 법리와 기록에 비추어 살펴보면, 피고 대한민국 산하 공군참모총장이 전 공군을 지휘·감독할 지위에서 수하의 장병들을 상대로 단결심의 함양과 조직의 유지·관리를 위하여 계몽적인 차원에서 군종장교로 하여금 교계에 널리 알려진 특정 종교에 대한 비판적 정보를 담은 책자를 발행·배포하게 하였더라도, 특별한 사정이 없는 한 이러한 행위가 정교분리의 원칙에 반하는 위법한 직무집행에 해당된다고 보기 어렵다고 할 것이다."

대판 2007. 4. 26. 2006다87903

유서 깊은 천주교 성당 일대를 문화관광지로 조성하기 위한 수용재결과 정교분리원칙

【판시사항】

[1] 이미 문화적 가치로 성숙한 종교적인 의식, 행사, 유형물에 대한 국가 등의 지원이 헌법상의 정교분리원칙에 위배되는지 여부(한정 소극)

[2] 지방자치단체가 유서 깊은 천주교 성당 일대를 문화관광지로 조성하기 위하여 상급 단체로부터 문화관광지 조성계획을 승인받은 후 사업부지 내 토지 등을 수용재결한 사안에서, 문화관광지 조성계획 승인과 그에 따른 토지 등 수용재결이 헌법의 정교분리원칙이나 평등권에 위배되지 않는다고 한 사례

【판결요지】

[1] 오늘날 종교적인 의식 또는 행사가 하나의 사회공동체의 문화적인 현상으로 자리잡고 있으므로, 어떤 의식, 행사, 유형물 등이 비록 종교적인 의식, 행사 또는 상징에서 유래되었다고 하더라도 그것이 이미 우리 사회공동체 구성원들 사이에서

354) 정당결성을 통한 정치참여는 가능하다고 본다.

관습화된 문화요소로 인식되고 받아들여질 정도에 이르렀다면, 이는 정교분리원칙이 적용되는 종교의 영역이 아니라 헌법적 보호가치를 지닌 문화의 의미를 갖게 된다. 그러므로 이와 같이 이미 문화적 가치로 성숙한 종교적인 의식, 행사, 유형물에 대한 국가 등의 지원은 일정 범위 내에서 전통문화의 계승·발전이라는 문화국가원리에 부합하며 정교분리원칙에 위배되지 않는다.

[2] 지방자치단체가 유서 깊은 천주교 성당 일대를 문화관광지로 조성하기 위하여 상급 단체로부터 문화관광지 조성계획을 승인받은 후 사업부지 내 토지 등을 수용재결한 사안에서, 위 성당을 문화재로 보호할 가치가 충분하고 위 문화관광지 조성계획은 지방자치단체가 지역경제의 활성화를 도모하기 위하여 추진한 것으로 보이며 특정 종교를 우대·조장하거나 배타적 특권을 부여하는 것으로 볼 수 없어, 그 계획의 승인과 그에 따른 토지 등 수용재결이 헌법의 정교분리원칙이나 평등권에 위배되지 않는다.

대판 2009. 5. 28. 2008두16933

Ⅳ. 학문·예술의 자유

1. 서 언

제22조 제1항은 "모든 국민은 학문과 예술의 자유를 가진다"고 규정하여 학문의 자유와 예술의 자유를 한 조항에서 규정하고 있다. 학문은 진리의 탐구를, 예술은 미를 탐구하는 행위로서 상호 밀접한 관련이 있고 소위 **문화적 기본권**의 핵심이라는 점에서 동의할 수 있으나, 학문과 예술의 자유의 내용 등에서는 설명의 차이가 있으므로 편의상 구분해서 살펴보는 것이 의미가 있다.

2. 학문의 자유

(1) 연 혁

진리탐구행위는 역사적으로 많은 박해를 받아왔고(예: Galilei의 종교재판), 오늘날에도 국가적·사회적 세력들과 적잖은 갈등과 마찰을 일으키는 경우도 있다. 학문의 자유가 헌법적으로 규정되는 데는 독일의 관념론적 사상을 기초로 성립한 대학의 자유가 중요한 역할을 하였다.[355]

영국에서는 베이컨(F. Bacon), 밀턴(J. Milton) 등에 의해 학문의 자유가 주장되

355) 계희열, 앞의 책(중), 363면.

고, 독일에서는 피히테(J. F. Fichte)와 쉘링(F. W. Schelling)에 의해 주장되었다. 이들의 영향 속에 독일에서는 1810년 훔볼트(W. v. Humboldt)에 의해서 베를린대학이 창설되었다.

학문의 자유는 1849년 프랑크푸르트헌법초안에서 최초로 명문화되었고,[356] 이어 1850년 프로이센헌법 제20조에서 규정되었다. 1919년 바이마르헌법에서 학문의 자유와 예술의 자유가 독립적인 기본권으로 규정되었다.

(2) 학문의 자유의 의의

① 학문의 개념

학문이란 "계획과 방법론에 따라 자기책임 하에 진리와 진실을 탐구하는 활동"이라고 할 수 있다. 독일 연방헌법재판소는 "학문이란 그 내용과 형식으로 보아 진리의 탐구를 위한 진지하고 계획적인 모든 활동"이라고 정의하고 있으며, 독일 연방행정재판소는 "학문이란 알고 있는 것(das Gewuβte)을 알 수 있는 것(das Wiβbare)과 일치시키려는 진지한 노력"[357]이라고 정의하기도 한다. **교육과 학문의 차이**에 관해서는 교육은 지식(학문의 결과물)의 전달과 인격형성을 주된 목적으로 한다는 점에서 학문과 구별된다.

헌법적 학문의 개념은 학문에 대한 특정의 견해나 특정의 학문이론을 보호하지 않는다. 헌법적 학문의 개념은 중립적, 다원적, 오류에 개방적이고 근본에 있어서 자율적이어야 한다.[358]

② 학문의 자유의 의의와 기능

학문의 자유란 무엇보다도 이러한 학문적 활동에 관하여 외부의 간섭이나 방해를 받지 아니할 자유를 말한다. 학문의 자유는 개인이 정신적·문화적 생활영역에서 자신의 인격을 자유롭게 발현시킬 수 있는 권리이며, 나아가 사회 전체의 발전, 즉 **문화국가를 창조하는 기초**가 되고, 문화적 생활을 가능하게 하는 권리이다.[359] 따라서 학문연구 활동을 국가권력이나 사회세력에 의한 간섭과 탄압으로부터 보호

356) "학문과 그 가르침은 자유이다"(동헌법초안 제152조).
357) BVerwGE 23, 112(120).
358) 계희열, 앞의 책(중), 365면.
359) 계희열, 앞의 책(중), 363면. 허영 교수는 학문과 예술의 자유는 i) 정신·문화생활영역에서 개성신장, ii) 문화적인 공동생활의 실현(문화국가 실현), iii) 학문과 예술의 다양성 보장, iv) 문화풍토조성을 통한 국가 간의 문화교류와 국제사회에서의 문화적인 지위향상 등을 위한 수단으로서의 기능을 한다고 한다(허영, 앞의 책, 445면).

할 필요성이 강한 권리가 바로 학문의 자유이다.

(3) 학문의 자유의 법적 성격

① 제1설

학문의 자유를 주관적으로 개인의 소극적 방어권이고, 객관적으로는 학문활동을 자율적 생활영역으로서 보호하고 헌법이 지향하는 문화국가로서 학문을 보호하고 장려해야 한다는 제도적 보장을 의미한다고 보는 견해이다.360)

② 제2설

학문의 자유는 개인적 자유권일 뿐이고, 교육제도와 대학의 자치가 제도보장이라는 견해이다.361)

③ 제3설

학문의 자유는 주관적 공권성을 가지는 동시에 그 자체가 객관적 가치질서의 성격도 아울러 가진다고 보는 견해이다.362)

④ 결 어

학문의 자유는 개인의 주관적 공권이며 객관적 가치질서로서의 성격을 가지며, 나아가 대학의 자치를 제도적으로 보장한 것이다.363)

(4) 학문의 자유의 주체

① 모든 자연인

학문의 자유는 모든 자연인의 권리로서 국민과 외국인 모두 향유주체가 된다.

② 법 인

대학, 연구단체 등도 학문의 자유의 주체가 된다. 특히, 공법인도 학문의 자유

---

360) 권영성, 앞의 책, 545면; 성낙인, 앞의 책, 1131면.

361) 김철수, 앞의 책(상), 940면. 그러나 기본권인 학문의 자유와 제도보장은 상호 배타적인 것이 아니고 공존하는 것이라고 한다.

362) 허영, 앞의 책, 445면; 계희열, 앞의 책(중), 373면.

363) Thomas Oppermann은 학문의 자유의 성격을 주관적 방어권, 제도적 보장, 헌법의 객관적 가치결단으로서 파악하고 있다(Thomas Oppermann, "Freiheit von Forschung und Lehre", in: J. Isensee/P. Kirchhof(hrsg.), Handbuch des Staatsrechts der Bundesrepublik deutschland, Bd. Ⅵ, C.H. Müller, Heidelberg, 1989, S. 818－820).

의 주체가 될 수 있다. 국립대학도 학문의 주체성을 가진다. 이러한 점에서 학문의 자유는 집단적 권리성도 가진다고 하겠다.

(5) 학문의 자유의 내용

① 학문연구의 자유

연구의 자유는 학문의 자유의 핵심이다. 연구란 계획적으로 그리고 방법론에 따라 새로운 지식을 찾기 위한 노력이라고 할 수 있다. 진리추구의 자유로서 연구대상, 연구방법, 시기, 장소 등의 선택의 자유가 보장된다. 학문의 자유의 '본질적 내용'이므로 제한이 불가능한 절대적 자유라고 본다.[364)]

그러나 연구방법이나 연구장소는 공공의 안녕질서 내지는 타인의 기본권과 갈등을 일으킬 수 있지만, 그에 대한 제약은 학문내적인 자율통제 내지는 자기기속의 관점에서 이해해야 한다면서, 공공의 안녕질서에 위해를 가져다 줄 개연성이 있는 판단은 우선은 학문의 자기통제에 맡겨야 하지만, 자기통제를 소홀히 한 학문연구는 이미 그 내재적 한계를 일탈한 것으로 보아 연구의 자유에도 내재적 한계를 인정하는 견해도 있다[365)]

② 교수의 자유(강학의 자유)

i) 의 의

교수의 자유란 학문적 인식을 어떠한 방해나 영향도 받지 않고 전달할 수 있는 자유를 말한다. 다시 말하면 교수의 내용이나 방법 또는 학술적 견해의 표명을 자유롭게 할 수 있는 자유를 말한다.[366)]

교수는 연구에 의해서 얻어진 결과를 정확하게 전달하는 행위인 동시에 그 자체가 하나의 연구과정을 뜻한다. 학문 활동의 하나인 교수는 자신의 학문 활동을 통해 획득한 인식을 전수한다는 점에서 단순한 지식의 전달을 내용으로 하는 교육(수업)과 구별된다. 이러한 관점에서 **교수의 자유와 수업(교육)의 자유**가 완전히 동일할 수는 없다.[367)] 또한 진리탐구(학문)의 과정이므로 '교육의 자유'보다 두터운 보장을 받는다. 그러나 교수의 자유도 헌법질서의 범위 내에서 행해져야 한다. 물론 헌법내용에 대한 학문적 비판이나 법질서에 대한 헌법이론적 조명과 비판은 가

---

364) BVerfGE 35, 79(112); 헌재 1992. 11. 12. 89헌마88.
365) 허영, 앞의 책, 448-449면; 계희열, 앞의 책(중), 367면.
366) 홍성방, 앞의 책(중), 195면.
367) 헌재 1992. 11. 12. 89헌마88.

능하다. 독일기본법은 "교수의 자유는 헌법에 대한 충성으로부터 벗어나지 못한다"고 하여(독기본법 제5조 제3항 2문) 헌법에의 충성조항을 두고 있다.[368)]

ii) 주 체

교수(강학)의 자유의 주체는 고등교육기관에 종사하는 교육자만이 해당된다고 보는 것이 지배적 견해이다. 대학생은 독자적 사고능력을 갖고 협력하여 학문적 토론에 참가하는 대학의 구성원이기 때문에 대학생이 학문적 교수에 참여할 의사가 있는 한 교수의 자유의 보호를 받게 된다.[369)] 대학생은 단지 학습의 자유의 보호를 받을 뿐이라는 견해도 있다.

교과서 검인정제도를 규정한 교육법 제157조에 관한 헌법소원사건

이 사건에서 헌법재판소는 "가. 국민의 수학권(헌법 제31조 제1항의 교육을 받을 권리)과 교사의 수업의 자유는 다 같이 보호되어야 하겠지만 그 중에서도 국민의 수학권이 더 우선적으로 보호되어야 한다. 나. 국정교과서제도는 교과서라는 형태의 도서에 대하여 국가가 이를 독점하는 것이지만, 국민의 수학권의 보호라는 차원에서 학년과 학과에 따라 어떤 교과용 도서에 대하여 이를 자유발행제로 하는 것이 온당하지 못한 경우가 있을 수 있고 그러한 경우 국가가 관여할 수밖에 없다는 것과 관여할 수 있는 헌법적 근거가 있다는 것을 인정한다면 그 인정의 범위 내에서 국가가 이를 검·인정제로 할 것인가 또는 국정제로 할 것인가에 대하여 재량권을 갖는다고 할 것이므로 중학교의 국어교과서에 관한 한, 교과용 도서의 국정제는 학문의 자유나 언론·출판의 자유를 침해하는 제도가 아님은 물론 교육의 자주성·전문성·정치적 중립성과도 무조건 양립되지 않는 것이라 하기 어렵다"고 하면서 아울러 아래와 같이 판시하고 있다. "학문의 자유라 함은 진리를 탐구하는 자유를 의미하는데, 그것은 단순히 진리탐구의 자유에 그치지 않고 탐구한 결과에 대한 발표의 자유 내지 가르치는 자유(편의상 대학의 교수의 자유와 구분하여 수업(授業)의 자유로 한다) 등을 포함하는 것이라 할 수 있다. 다만, 진리탐구의 자유와 결과발표 내지 수업의 자유는 같은 차원에서 거론하기가 어려우며, 전자는 신앙의 자유·양심의 자유처럼 절대적인 자유라고 할 수 있으나, 후자는 표현의 자유와도 밀접한 관련이 있는 것으로서 경우에 따라 헌법 제21조 제4항은 물론 제37조 제2항에 따른 제약이 있을 수 있는 것이다. 물론 수업의 자유는 두텁게 보호되어야 합당하겠지만

368) 독일에서 이 조항을 자유민주적 기본질서를 부정하거나 파괴하는 것을 금지하는 뜻으로 이해하는 견해, 방어적 민주주의와 관련하여 이해하는 견해가 있다(홍성방, 앞의 책(중), 195면). 우리 헌법에는 이러한 규정이 없지만, 헌법의 통일성의 관점에서 볼 때 교수의 자유가 헌법을 파괴하는 수단이 될 수는 없다는 해석은 가능하다(계희열, 앞의 책(중), 369면).

369) 계희열, 앞의 책(중), 368면.

> 그것은 대학에서의 교수의 자유와 완전히 동일할 수는 없을 것이며 대학에서는 교수의 자유가 더욱 보장되어야 하는 반면, 초·중·고교에서의 수업의 자유는 후술하는 바와 같이 제약이 있을 수 있다고 봐야 할 것이다."
>
> 헌재 1992. 11. 12. 89헌마88

③ 연구발표의 자유

i) 개 념

'교수의 자유'에 해당하는 경우 이외의 형식에 의한 연구결과를 표현하는 자유이다. 학회, 학술지 등 불특정 다수에 대한 발표를 말한다. 표현의 자유와의 관계에서는 언론·출판의 자유보다 고도의 보장을 받는다.

ii) 제 한

연구발표의 자유의 보장범위와 관련하여 발표내용이 학문연구의 결과인 이상 대상·장소 등에 의하여 그 보호의 진지성이 달라질 수 없다는 발표내용설[370]과 연구결과발표의 자유는 그 발표장소와 상황에 따라 강한 정도의 보호를 받느냐 아니면 일반적인 표현의 자유의 보호를 받느냐가 결정된다는 발표대상·장소설[371]이 갈린다. 발표내용을 근거로 하는 제한만이 허용된다고 보는 것이 타당하다고 본다. 왜냐하면 학문외적 기준(발표장소, 대상 등)에 의한 제한은 학문의 자유의 본질적 내용을 침해할 우려가 있기 때문이다.[372]

④ 학문을 위한 집회·결사의 자유

학문을 위한 집회·결사의 자유는 일반적 집회·결사의 자유에 대한 특별관계에 있기 때문에 보다 두터운 보장을 받는다.

> **동경대학 연극반 popolo 극단 사건**
>
> 동경대학의 연극반 popolo 극단이 대학의 허가를 받고 연극을 공연하였는데, 4인의 경찰관이 사복차림으로 참석한 것을 학생들이 발견하고 그중 3인의 경찰관을 구속하여 사과문을 쓰게 하였다 하여 기소된 사건에서 일본최고재판소는 학내 학생집회라 하더라도 학문연구와 무관한 집회일 경우 학문의 자유나 대학의 자치에 의하여 보호되지 아니한다고 판시한 바 있다(最大判 1963[昭和 38]. 5. 22, 刑集 17卷 4号 370頁). 최고재판소는 본건의 집회는 '실사회의 정치적·사회적 활동'이며 또한

---

370) 허영, 앞의 책, 450면.
371) 김철수, 앞의 책(상), 702면.
372) 홍성방, 앞의 책(중), 196면.

'공개의 집회 또는 이것에 준하는 것'이기 때문에 그 집회에 경찰관이 입장하였을지라도 학문의 자유나 대학의 자유가 침해되었다고 볼 수는 없다고 판시하였다. 이에 반해 이 사건 제1심판결과 공소심(控訴審)판결은 "학문의 자유와 대학자치의 본질상 학내에 있어서 경비정보활동을 엄격히 제한하여, 학내의 질서유지는 제일차적으로는 대학에 의하여 자주적으로 행해지지 않으면 안 된다"고 하면서 본건에 있어서 경찰관이 학내에 출입한 것과 학생서클인 극단 popolo 극단 공연장에 입장한 것은 위법이라고 하였다.

東京地裁 1954[昭和 29]. 5. 8, 刑集 17巻 4号 428頁; 東京高裁 1956[昭和 31]. 5. 8, 判例時報 77号 5頁

⑤ 대학의 자치(자유)

i) 대학자치의 의의

대학의 자치란 대학의 본연의 임무인 연구와 교육활동을 수행함에 있어서 필요한 사항, 즉 교수의 인사나 시설, 운영 등에 관한 사항은 대학의 자율에 맡긴다는 것을 말한다. 대학이 자금을 제공하는 국가권력이나 설립자 등을 비롯한 외부의 세력에 압력을 받게 되면, 학문활동이 외부적 가치판단의 영향하에 놓이게 되어 대학이 제 기능을 수행하지 못하게 된다. 그러므로 대학의 자치는 학문의 자유를 실효적으로 보장하기 위한 수단으로서의 성격을 가진다.[373)]

ii) 대학자치의 헌법상 근거

우리의 현행 헌법은 교육을 받을 권리를 규정한 제31조 제4항에서 대학의 자치규정을 신설하고 있으나, 대학의 자치는 학문의 자유에 근거하여 당연히 인정되는 것으로 보아 학문의 자유를 규정한 제22조를 헌법적 근거조항으로 보아야 한다.[374)] 즉 대학의 자유는 "학문의 자유"(제22조)의 내용이고, "대학자치조항"(제31조 제4항)은 대학의 자유의 근거규정이 아니라, 주의규정에 불과하다. 한편 제31조 제4항에서 찾는 견해도 있으며,[375)] 헌법재판소도 명문으로 규정한 제31조 제4항을 근거로 하고 있다.[376)]

---

373) 헌법재판소는 "헌법 제31조 제4항이 규정하고 있는 교육의 자주성, 대학의 자율성 보장은 대학에 대한 공권력 등 외부세력의 간섭을 배제하고 대학인 자신이 대학을 자주적으로 운영할 수 있도록 함으로써 대학인으로 하여금 연구와 교육을 자유롭게 하여 진리탐구와 지도적 인격의 도야라는 대학의 기능을 충분히 발휘할 수 있도록 하기 위한 것으로서 이는 학문의 자유의 확실한 보장수단이자 대학에 부여된 헌법상의 기본권이다"라고 하여 대학의 자치보장의 헌법적 의의를 설명하고 있다(헌재 1992. 10. 1. 92헌마68 등).

374) 권영성, 앞의 책, 273-274면; 허영, 앞의 책, 452면; 계희열, 앞의 책(중), 371면.

375) 김철수, 앞의 책(상), 946면.

iii) 대학자치의 주체

종래의 지배적인 견해는 대학의 자치의 주체는 교수회이며 교수회가 학사, 인사, 재정, 시설운영 등을 자주적으로 결정한다고 하였다(교수회주체설). 한편 학생의 자치권과 관련하여 대학자치의 주체는 "학문연구자"인 교수이고, 학생은 대학이라는 영조물이 제공하는 역무의 소비자일 뿐이라고 하여 주체성을 부인하는 견해가 있는가 하면, 학생도 대학의 구성원인 학문연구자이므로 당연히 대학자치의 주체가 되나, 일정한 한계가 인정될 뿐이라는 설이 있다. 후자가 타당하다. 오늘날은 원칙적으로 교수회의 주체성을 인정하면서도 학생회도 학생회 운영 등에는 학생의 자치를 인정하고 있으며, 널리 대학구성원주체설도 주장되고 있다.

iv) 대학자치의 내용

㉠ 인사의 자치(인사의 자율권)

대학이 대학교수 및 교직원의 인사를 외부의 영향을 받지 않고 자주적으로 결정할 수 있는 것을 말하며, 대학의 자치의 핵심이다.

ㄱ) **교수재임용제도** 교수재임용제의 성격이 기속행위인가, 재량행위인가 여부가 문제된다. 교수재임용제도는 대학교수의 신분보장 및 대학의 자율성과 학문의 자유에 직결되는 문제이므로 임용기간이 만료된 대학교수에 대한 재임용의무는 해당교수가 연구능력 및 연구성과에 특별한 하자가 없는 한 재임용해야 할 의무가 있는 기속행위라고 보아야 할 것이다(기속행위설).[377] 따라서 현행 교육공무원법과 사립학교법은 임용기간, 재임용거부사유, 이의제기절차 등에 관하여 대통령령 또는 학교법인의 정관에 맡기거나 침묵하고 있는 바, 이는 제31조 제6항에서 정한

---

376) 헌재 1992. 10. 1. 92헌마68.

377) 기속행위설은 재임용행위는 특단의 사유가 없는 한 교원의 지위가 여전히 유지된다는 것을 의미하는 확인적 행위가 되고, 재임용탈락사실의 통보는 교수의 지위를 박탈하는 창조적 의미를 갖게 된다고 한다. 이에 반하여 임용기간이 만료된 자를 임용할 것인지는 임용권자의 판단에 따른 재량행위라고 보는 재량행위설은 재임용행위는 교원의 지위를 새롭게 부여하는 창설적 행위가 되고 재임용탈락사실의 통보는 단순한 사실의 확인·통지에 불과하여 이에 대한 무효확인소송은 제기할 수 없게 되며 교수재임용에 관하여 법률은 재임용의 실시 여부만을 규정하면 족하다고 한다. 대법원은 교수재임용행위를 재량행위로 보고 있는 것 같다(대판 1989. 6. 27. 88누9640). 헌법재판소도 재량행위로 보고 있는 결정을 낸 바 있으며(헌재 1993. 5. 13. 91헌마190), 또한 교수재임용제에 관한 현행법의 규정이 교원지위법정주의에 반하지 않는다고 판시한 바 있으나, 이 후 "교수재임용거부사유는 교원이 자신의 입장을 진술할 기회, 재임용을 거부했을 때 불복절차를 마련하지 않고 이를 전적으로 학교정관에 위임한 구 사립학교법 제53조의2 제3항은 교원지위법정주의에 위반한다"(헌재 2003. 2. 27. 2000헌바26)고 입장을 변경한 바 있다.

교원지위법정주의에 위반되는 것이다. 헌법재판소는 교수재임용제를 합헌이라고 본다.[378]

ㄴ) **사립학교의 총장선출권** 사립학교의 총장선출권과 관련하여 대법원은 "총장선임권은 사립학교법 제53조 제1항의 규정에 의하여 학교법인에게 부여되어 있는 것이고 달리 법률 또는 당해 법인 정관의 규정에 의하여 교수들에게 총장선임권 또는 그 참여권을 인정하지 않고 있는 이상, 헌법상의 학문의 자유나 대학의 자율성 내지 대학의 자치만을 근거로 교수들이 사립대학의 총장선임에 실질적으로 관여할 수 있는 지위에 있다거나 학교법인의 총장선임행위를 다툴 확인의 이익을 가진다고 볼 수 없다"고 보고 있다.[379]

ㄷ) **국립대학교 교수들의 총장선출권** 국립대학 총장의 후보자 선정방식으로 '대학의 장 임용추천위원회[380]에서의 선정'을 규정한 교육공무원법 제24조가 대학의 자율권을 침해하는가 여부가 다투어진 사건에서 헌법재판소는 국립대학 교수나 교수회가 대학의 자율과 관련한 기본권 주체성을 인정하고 교수나 교수회에게 헌법 제31조 제4항의 대학의 자율의 보장내용에 포함되는 헌법상의 기본권인 국립대학의 장 후보자 선정에 참여할 권리를 인정하였다. 그러면서 대학의 자율도 헌법상의 기본권이므로 기본권제한의 일반적 법률유보의 원칙을 규정한 헌법 제37조 제2항에 따라 제한될 수 있고, 대학의 자율의 구체적인 내용은 법률이 정하는 바에 의하여 보장되며, 또한 국가는 헌법 제31조 제6항에 따라 모든 학교제도의 조직, 계획, 운영, 감독에 관한 포괄적인 권한 즉, 학교제도에 관한 전반적인 형성권과 규율권을 부여받았다고 할 수 있고, 다만 그 규율의 정도는 그 시대의 사정과 각급학교에 따라 다를 수밖에 없는 것이므로 교육의 본질을 침해하지 않는 한 궁극적으로는 입법권자의 형성의 자유에 속하는 것이라고 보고 있다. 나아가 교육공무원법 규정들이 대학의 자유를 제한하고 있다고 하더라도 그 위헌 여부는 입법

---

378) "교수재임용제도는 청구인의 주장과 같이 연임이 보장되어 자동적으로 재임용되어 임기가 계속되도록 되어 있는 것이 아니며 나아가 대통령이 청구인을 당연히 재임용하지 아니하면 안 되는 연임보장규정이라고 해석할 수 없어 이 점에 대한 청구인의 주장은 이유가 될 수 없다"(헌재 1993. 5. 13. 91헌마190).

379) 대판 1996. 5. 31. 95다26971.

380) 교육공무원법 제24조 제4항은 "추천위원회의 구성·운영 등에 필요한 사항은 대통령령으로 정하되, 위원의 일정 비율 이상은 여성으로 한다"고 규정하고 있는데, 동법시행령은 임용추천위원회 위원은 해당 대학의 교직원, 학생 및 해당 대학 외의 인사 중 해당 대학이 정하는 바에 따라 10명 이상 50명 이하의 위원으로 구성하되, 외부 위원은 전체 위원의 4분의 1 이상이 되어야 하고, 여성위원의 비율은 100분의 20 이상으로 하도록 규정하고 있다(동법시행령 제12조의3 제1항, 제2항).

자가 기본권을 제한함에 있어 헌법 제37조 제2항에 의한 합리적인 입법한계를 벗어나 자의적으로 그 본질적 내용을 침해하였는지 여부에 따라 판단되어야 할 것이라고 하면서 대학의 장 임용추천위원회에서의 선정은 원칙적인 방식이 아닌 교원의 합의된 방식과 선택적이거나 혹은 실제로는 보충적인 방식으로 규정되어 있는 점, 대학의 장 후보자 선정과 관련하여 대학에게 반드시 직접선출 방식을 보장하여야 하는 것은 아니며, 다만 대학교원들의 합의된 방식으로 그 선출방식을 정할 수 있는 기회를 제공하면 족하다고 할 것인데, 교육공무원법 제24조 제4항은 대학의 장 후보자 선정을 위원회에서 할 것인지, 아니면 교원의 합의된 방식에 의할 것인지를 대학에서 우선적으로 결정하도록 하여 이를 충분히 보장하고 있는 점, 또한 이 규정은 개정 전 교육공무원임용령 제12조의3 제4항과 동일한 내용으로서 청구인들이 속한 각 대학은 개정 전 위 시행령에 근거하여 직선제의 방식으로 대학의 장 후보자를 선출해 온 점을 고려하면, 이전의 시행령의 내용을 그대로 담고 있는 교육공무원법 제24조 제4항이 대학에게 총장 후보자 선출에 있어서 새로운 제한을 추가하거나 가중한 것이라고 볼 수 없으므로 위 규정이 매우 자의적인 것으로서 합리적인 입법한계를 일탈하였거나 대학의 자율의 본질적인 부분을 침해하였다고 볼 수 없다고 판시하였다.[381)]

ㄹ) 사립학교 교원이 선거범죄로 100만원 이상의 벌금형을 선고받아 그 형이 확정되면 당연퇴직되도록 한 것은 청구인의 연구·활동내용이나 그러한 내용을 전달하는 방식을 규율하는 것은 아니므로 청구인의 교수의 자유를 침해하지 아니한다.[382)]

ⓛ 관리·운영의 자치(관리운영의 자율권)

연구와 교육의 내용 및 그 방법과 대상, 교과과정의 편성 등에 관한 자주적 결정권을 말하며, 시설의 관리에 관한 자주적 결정권을 의미한다. 대학의 가택권, 질서유지권, 징계권이 우선되어야 한다. 근거로 특수신분관계론이 들어질 수 있다. 앞에서 살펴본 바와 같이 대학의 자치와 경찰권과의 관계가 문제된다(일본 동경대 popolo 극단 사건).

---

381) 헌재 2006. 4. 27. 2005헌마1047 등. 이 사건에서는 또한 국립대학에서 총장이 임명되지 못하는 경우에 대통령이 교육인적자원부장관의 제청으로 총장을 임용하는 것과 국가의 예산과 공무원이라는 인적 조직에 의하여 운용되는 국립대학에서 선거관리를 공정하게 하기 위하여 중립적 기구인 선거관리위원회에 선거관리를 위탁하도록 하는 것은 입법한계를 일탈하였거나 대학의 자율의 본질적인 부분을 침해하였다고 볼 수 없다고 판시하였다.

382) 헌재 2008. 4. 24. 2005헌마857.

[관련 판례]

1. 교육인적자원부장관의 학칙시정요구 건

[1] 교육인적자원부장관의 대학총장들에 대한 이 사건 학칙시정요구는 고등교육법 제6조 제2항, 동법시행령 제4조 제3항에 따른 것으로서 그 법적 성격은 대학총장의 임의적인 협력을 통하여 사실상의 효과를 발생시키는 행정지도의 일종이지만, 그에 따르지 않을 경우 일정한 불이익조치를 예정하고 있어 사실상 상대방에게 그에 따를 의무를 부과하는 것과 다를 바 없으므로 단순한 행정지도로서의 한계를 넘어 규제적·구속적 성격을 상당히 강하게 갖는 것으로서 헌법소원의 대상이 되는 공권력의 행사라고 볼 수 있다.

[2] 이 사건 학칙시정요구는 각 해당대학의 총장들을 상대로 한 공권력의 행사이므로 원칙적으로 그 위헌확인을 구할 자기관련성을 가지는 자는 시정요구를 받은 대학의 총장들이라 할 것이고, 대학의 교수회나 그 소속 교수인 청구인들에게 자기관련성이 인정되려면 위 시정요구가 청구인들의 기본권을 직접적이고 법적으로 침해하고 있음이 인정되어야 한다. 그런데 청구인들이 이 사건 학칙시정요구와 관련을 갖는 것은 시정요구의 내용이 학칙 중 교수회의 지위를 의결기구로 정한 것을 심의기구나 자문기구로 개정하라는 것이어서, 이에 따라 학칙이 개정된다면 교수회와 그 구성원인 교수들의 학칙제정 등 학교운영에 대한 참여권이 제한되는 영향을 받는다는 점인바, 청구인들이 시정요구에 의하여 받는 영향이 적지 않다 하더라도 그 영향은 시정요구의 대상이 교수회의 지위 내지 성격에 관한 것이라는 점에 의하여 간접적·반사적 관계로 미치는 것일 뿐, 시정요구가 청구인들에 대하여 어떠한 권리·의무를 부담시키는 등으로 법적 지위의 변동을 직접 초래하는 것은 아니므로 청구인들에게는 위 학칙시정요구에 대하여 헌법소원을 청구할 자기관련성이 인정되지 않는다.

[3] 고등교육법 제6조 제1항은 학칙의 제정 및 개정권을 학교의 장에게 부여하고 있는 규정으로서, 청구인들을 규율대상으로 하는 것이 아니고 청구인들의 기본권을 직접적이고 법적으로 침해한다고 볼 수도 없으므로 청구인들에게는 그 위헌확인을 구할 자기관련성이 없다.

헌재 2003. 6. 26. 2002헌마337 등

2. 법학전문대학원 설치 인가주의 건(법학전문대학원 설치 예비인가 배제결정 취소 등)

법학전문대학원의 인가기준, 정원 등을 정한 이 사건 법률 제5조 제2항, 제6조 제1항, 제7조 제1항이 법학전문대학원을 설치하고자 하는 대학의 자율성과 일반 국민의 직업선택의 자유를 침해하는지 여부가 다투어진 사건에서 헌법재판소는 "이 사건 법률 제5조 제2항, 제6조 제1항, 제7조 제1항은 수급상황에 맞게 법조인력의 배출규모를 조절하고 이를 통해 국가인력을 효율적으로 운용하고자 함에 그 목적이 있는바, 위 조항에 의한 인가주의 및 총입학정원주의는 이러한 목적을 달성함에 있어 적절한 수단이며, 현재 법학전문대학원 설치인가를 받지 못한 대학이 법학전문대학원을 설치할 수 있는 기회를 영구히 박탈당하는 것은 아니며 학사과정운영을 통해 법학교육의 기회를 유지할 수 있으므로 위 조항들이 피해최소성의 원칙에 위배되지도 아니한다. 또한 위 조항들로 인해 각 대학 및 국민이 입는 불이익이 인력배분의 효율성, 질 높은 법학교육의 담보, 양질의 법률서비스 제공에 의한 사회적 비용절감, 법조직역에 대한 국민의 신뢰회복 등의 공익에 비해 결코 크다고 할 수 없으므로 법익의 균형성 요건도 충족한다. 따라서 이 사건 법률조항은 대학의 자율성과 국민의 직업선택의 자유를 침해하지 아니한다"고 판시하였다.

헌재 2009. 2. 26. 2008헌마370, 2008헌바147(병합)

ⓒ 학사관리의 자치(학사자율권)

대학은 학생의 선발, 학점의 인정, 학위수여 등 학사관리 전반에 관하여 자주적인 결정을 가지는 것을 말한다.

ㄱ) 학생의 선발의 자율권

학생선발권과 수학능력미달

"대학입학지원자가 모집정원에 미달한 경우라도 대학이 정한 수학능력이 없는 자에 대하여 불합격처분을 한 것은 교육법 제111조 제1항에 위반되지 않는다."

대판 1983. 6. 28. 83누193

학생선발권의 주체(총장)

"학생선발권은 대학총장에게 부여된 권한이지 청구인들과 같은 재학생에게 인정되는 기본권으로는 볼 수 없고, 직업선택의 자유는 특정인을 타인과의 경쟁으로부터 특별히 보호하기 위한 기본권일 수는 없으므로 설사 이 사건 공고들로 인해 장차 청구인들이 교사임용시험에서 상대적으로 치열한 경쟁을 예상해야 한다고 하더라도, 그것은 사실상의 불이익에 불과할 뿐, 거기서 직업선택의 자유에 대한 침해의 문제가 생길 여지는 없다.

또한, 이 사건 공고들에 따른 편입학은 비록 재학생들에게 다소 수강환경의 불편을 초래할 수는 있을지언정 진리의 탐구와 관련된 활동 그 자체를 방해하는 것은 아니라고 할 것이므로, 이 사건 공고들이 청구인들의 학문의 자유를 침해할 여지가 있다고 볼 것은 아니며, 행복추구권은 국민이 행복을 추구하기 위하여 필요한 급부를 국가에게 적극적으로 요구할 수 있는 것을 내용으로 하는 것이라기보다는 국민이 행복을 추구하기 위한 활동을 국가권력의 간섭 없이 자유롭게 할 수 있다는 포괄적인 의미의 자유권적 성격을 가지는바, 이 사건 공고들이 청구인들의 행동의 자유를 제한하지 않는 이상, 행복추구권의 침해 문제도 발생할 여지가 없다.

나아가 헌법 제31조 제1항에 의해서 보장되는 교육을 받을 권리는 교육영역에서의 기회균등을 내용으로 하는 것이지, 자신의 교육환경을 최상 혹은 최적으로 만들기 위해 타인의 교육시설 참여 기회를 제한할 것을 청구할 수 있는 기본권은 아니므로, 기존의 재학생들에 대한 교육환경이 상대적으로 열악해질 수 있음을 이유로 새로운 편입학 자체를 하지 말도록 요구하는 것은 교육을 받을 권리의 내용으로는 포섭할 수 없다.

마지막으로, 청구인들은 이 사건 공고들이 고등교육법시행령 제29조 제2항 제3호를 위반한 것이라고 주장하고 있으나, 위 조항에 의해 막바로 교육대학교 재학생들에게 가령 '학칙에서 정한 입학생 또는 편입생 정원 범위 내에서만 수업을 받을 권리' 등이 부여된다든가 기타 법률상 이익이 인정되는 것은 아니므로, 결국 청구인들은 위 조항의 위반 여부에 관하여 단지 사실적·반사적 이익을 가지는 데 그치는 것으로 볼 것이다."

헌재 2003. 9. 25. 2001헌마814 - 819(병합)

ㄴ) 학생의 전형에 있어서 자율권

외교관공무원 자녀에 대한 특별전형에서의 가산점

"해외근무자들의 자녀를 대상으로 한 교육법시행령 제71조의2 제4항 소정의 특별전형에서 외교관공무원의 자녀에 대해서만 획일적으로 과목별 실제 취득점수에 20%의 가산점을 부여하여 합격사정을 함으로써, 실제 취득점수에 의하면 충분히 합격할 수 있는 원고들에 대하여 불합격처분을 하였다면 위법하다."

대판 1990. 8. 28. 89누8255

ㄷ) 성적평가에 평가에 있어서 자율권

채점기준의 자유재량성

"채점기준은 답안채점위원의 전문적 지식과 학문적 양식에 따른 자유재량에 속하는 것이다."

대판 1979. 6. 12. 79누13

ㄹ) 그 밖에 학점의 인정과 학위의 수여에 대한 자율권, 학생의 징계와 포상 등을 자주적으로 결정하는 권리를 가진다.

v) 대학자치와 경찰권

대학의 문제에 경찰권이 어느 정도 개입할 수 있는가가 문제되나, 자유롭고 창조적인 연구와 교육활동을 위해서는 대학이 자주적인 가택권과 질서유지권 및 징계권을 가져야 한다.

학내문제에 대해서는 대학이 1차적으로 대처해야 한다(연구와 교육의 차원에서). 대학의 대처능력에 한계가 있을 때에 비로소 경찰개입이 이루어질 수 있지만, 한계판단권은 대학에 있다고 보아야 한다.

vi) 대학자치의 한계와 제한

대학자치도 제도보장의 성격을 가지므로 제도내적 법률유보의 적용을 받는다. 다만 본질적 내용침해금지는 적용된다. 학문연구기관인 대학의 자주적 운영의 보장이 핵심이다.

(6) 학문의 자유의 제한과 그 한계

① 제한과 한계

앞에서 본 바와 같이 연구의 자유는 학문의 자유의 본질적 내용으로서 제한이 불가능한 절대적 자유라고 본다. 공중에게 큰 영향을 줄 수 있는 연구 등에는 내재적 한계를 주장하는 견해도 있다. 우리나라의 '생명윤리 및 안전에 관한 법률'은 인간을 복제하기 위하여 체세포복제배아를 자궁에 착상·유지 또는 출산하는 행위를 금지하고 있다(동법 제11조). 인간의 존엄성에 반하는 연구를 제한하는 규정의 예라고 할 수 있다.

그러나 사회적 전파성을 가질 수 있는 교수의 자유, 연구발표의 자유, 학문적 표현의 자유 등은 제37조 제2항에 의해 제한할 수 있다. 그 제한은 불가피한 최소한에 그쳐야 한다.

실험결과의 발표와 학문의 자유

"대학실험실에서 그 결과를 발표하는 것이 학문의 자유의 속한다고 하더라도 그 실험결과가 잘못되었는데도 이를 사회에 알려서 선의의 제3자를 해친다면, 이는 학문의 자유권의 범위를 넘어선 것으로 허용될 수 없다."

대판 1967. 12. 29. 67다591

반국가단체를 이롭게 하는 서적의 소지 등

1. "순수한 학문연구의 목적으로 반국가단체를 이롭게 하는 내용의 문서·도서·기타 표현물을 제작·수입·복사·소지·운반·반포·판매 또는 취득하는 행위는 국가보안법 제7조 제5항에 위반되지 않는다."

대판 1983. 2. 8. 82도2894

2. “헌법상 학문의 자유는 진리의 탐구를 순수한 목적으로 하는 경우에 한하여 보호를 받는 것이므로, 반국가단체를 이롭게 할 목적으로 공산주의 혁명이론 및 전술에 관한 내용을 담은 서적을 소지하고 있었다면, 그것은 학문의 자유에 대한 한계를 넘은 것이라고 할 것이며, 또 소지한 서적이 국내에서 번역·소개되었다거나 대학에서 부교재로 사용되는 것이라 하여도 마찬가지이다.”

대판 1986. 9. 9. 86도1187(미문화원 점거농성사건)

사립학교 교원의 기간임용제

“기간임용제는 대학교육기관의 교원을 기간을 정하여 임면할 수 있도록 한 것일 뿐 교원의 학문에 대한 연구·활동 내용이나 방식을 규율한 것은 아니며, 재임용될 교원을 결정함에 있어서도 임면권자인 학교법인의 교원인사에 관한 자율성을 제한하는 것도 아니므로, 구 사립학교법 제53조의2 제3항은 헌법 제31조 제4항이 보장한 교육의 자주성·전문성·정치적 중립성 및 대학의 자율성과 헌법 제22조 제1항이 보장한 학문의 자유를 침해하지 아니한다.”

헌재 1998. 7. 16. 96헌바33등

치과전문의 자격시험 미실시

“치과전문의자격시험이 실시되지 아니하더라도 치과의사가 어느 전문분야에 관하여 전문적인 교육을 받고, 연구를 함에 있어 법률상 또는 현실적으로 특별한 제한이나 불이익을 받고 있다고는 할 수 없으며, 따라서 치과전문의제도의 불시행으로 인하여 청구인들의 학문의 자유가 침해되었다고 할 수는 없다.”

헌재 1998. 7. 16. 96헌마246

세무대학의 폐교와 기 재직교수의 학문의 자유

“국가가 세무대학과 같은 국립대학을 설치·조직·폐지하는 등의 조직권한은 원칙적으로 당해 대학에 재직 중인 자들의 기본권에 의해서 제한되지 아니한다. 게다가 세무대학설치법 폐지법 부칙 제4조 제3항은 세무대학을 폐지하더라도 교수들의 지속적인 학문활동을 보장하는 등 기존의 권리를 최대한 보장하고 있으므로 위 폐지법에 의한 세무대학의 폐교로 인하여 곧바로 청구인 자신의 진리탐구와 연구발표 및 교수의 자유가 침해되는 것은 아니다.”

헌재 2001. 2. 22. 99헌마613

사립학교 교원이 금고 이상의 형의 집행유예를 받은 경우 당연퇴직하는 사립학교법 조항과 교수의 자유

“위 법률조항은 금고 이상의 형의 집행유예를 받은 사립학교 교원에 대하여 일정한 신분상 불이익을 가하는 규정이고, 교수의 자유를 직접적으로 제한하는 것은 아

> 니므로, 교수의 자유와 직접적으로 관련이 없으며, 위 법률조항으로 인해 교수의 직을 박탈당함으로써 사실상 교수행위의 기회를 상실하게 되지만 이는 교수직위 박탈로 인한 사실상의 결과일 뿐이다."
>
> 헌재 2010. 10. 28. 2009헌마442

> **국립대학 교원들의 성과급적 연봉제와 학문의 자유**
>
> "성과급적 연봉제는 국립대학 교원의 연구의욕 고취 및 교육의 수월성 제고를 통한 대학경쟁력 강화를 위한 것으로서 목적의 정당성 및 수단의 적합성이 인정된다. 성과급적 연봉제가 교원의 학문연구나 교육 등의 활동을 제약하거나 이를 일정한 방향으로 강요하고, 낮은 등급을 받은 교원에 대하여 직접적으로 어떤 제재를 가하는 것이 아니라, 평가결과에 따라 연봉에 상대적인 차등을 둠으로써 교원들의 자발적인 분발을 촉구할 뿐이고, 구체적인 평가기준이나 평가방법 등은 각 대학에서 합리적으로 설정하여 운영할 수 있으므로 침해의 최소성도 인정되며, 달성되는 공익이 그로 인하여 받게 되는 불이익보다 크므로 법익의 균형성도 인정된다."
>
> 헌재 2013. 11. 28. 2011헌마282

② 제한의 한계

제한하더라도 학문의 자유의 본질적 내용을 침해할 수 없음은 물론이고, 대학의 자치는 가능한 한 보장되어야 한다.

3. 예술의 자유

(1) 연 혁

예술활동은 항상 자유롭지만은 않았다. 그 시대를 지배하는 정치적, 종교적 이념이나 도덕적 관념에서 벗어나는 예술 활동은 용납되지 않았고, 심한 경우 작품을 불태우고 활동을 금지시키는 등 가혹한 탄압을 받기도 하였다. 오늘날에도 여러 가지 형태의 간섭이나 탄압이 도처에서 행해지고 있음을 볼 수 있다.[383)]

1919년 바이마르헌법이 최초로 예술의 자유를 독자적인 기본권으로 규정하였다. 미국과 같이 예술의 자유를 일반적 표현의 자유를 통해 보장하고 있는 나라도 있지만, 우리 헌법은 1948년 건국헌법이래 예술의 자유를 (학문의 자유와 더불어) **독립된 기본권**으로 규정하고 있다.

383) 계희열, 앞의 책(중), 377면.

(2) 예술의 자유에 있어서 예술(藝術)의 개념

예술의 자유가 다른 기본권과 달리 그 내용을 파악하기 힘든 기본권으로 느껴지는 이유는 '무엇이 예술이냐?'에 대한 평가의 어려움 때문이다. 예술적인 관점에서 미(美)의 추구를 **예술의 본질**이라고 이해하는 경우 '미가 무엇이냐?'의 의문이 생기게 되고, 미를 어떻게 정의하더라도 그 개념 자체가 추상적이라 할 수밖에 없다. 뿐만 아니라 미를 미라고 평가할 수 있는 사람은 기본권 주체 자신이냐 아니면 기본권을 보장해 주는 국가냐의 의문이 또다시 일어나게 된다. 나아가 예술과 비예술, 모방과 창조는 한계상황에서는 구별이 거의 불가능하기 때문에 헌법상 예술을 개념규정한다는 것은 곤란한 문제이다. 그러나 헌법상 예술의 자유가 보장되고 있는 현실에서 보장대상으로서의 예술을 정의하지 않을 수도 없다. 예술을 정의함에 있어서도 예술개념 자체가 정의될 수 있는가? 예술을 누가 정의하는가? 어떻게 정의할 것인가?라는 근원적인 문제에 봉착하게 된다.

① 개념정의의 가부문제

이와 관련해서는 **예술의 개념**을 보편타당하게 정의내리는 것은 불가능에 가깝기 때문에 예술의 개념은 정의할 수 없다는 견해도 존재한다(**정의금지설**). 그러나 스스로 예술임을 주장하는 모든 행동을 예술로 인정한다는 것은 예술의 자유에 대한 특별한 헌법적 보장의 취지에서 볼 때 문제가 있다. 왜냐하면 이러한 경우에는 헌법의 보호대상인 예술개념의 범위 자체가 불명확해짐으로써 오히려 기본권보호의 취지가 상실될 우려가 있기 때문이다. 따라서 예술이 형태적으로 법률외적 현상임에 틀림이 없다고 하더라도 헌법의 통일성의 시각에서 합리화될 수 있는 일정한 예술활동을 그 보호대상으로 하기 위해서는 예술개념의 정의가 또한 불가피하다(**정의명령설**). 그러나 헌법상 보호객체로서의 예술의 개념정의를 인정한다고 하더라도 누가, 어떻게 정의를 내려야 하는가는 여전히 어려운 문제이다.

② 개념정의의 주체문제

다음으로 예술의 개념정의가 요구된다고 하더라도 누가 예술을 정의할 것인가란 문제가 있다. 이와 관련해서는 예술가 자신의 주관적, 개별적 인식을 기준으로 하여야 한다는 설(**주관설**)과 사회일반의 관점 또는 국가적 권위에 의한 객관적 결정을 기준으로 하여야 한다는 설(**객관설**)이 대립한다. 예술가의 주관에 따라 예술을 정의한다면, 예술이라는 이름으로 행해지는 모든 행태를 인정할 수밖에 없기 때문에 헌법에서 예술의 자유를 특별히 보장하는 의미는 사라지게 된다. 따라서 예술가의 주관적인 견해를 고려는 하되, 궁극적으로는 사회일반의 관점 또는 국가적 권위에 의한 결정이 불가피하다고 본다. 다만 국가가 일방적으로 예술을 정의하고 재단하는 것은 도구화될 수 없는 예술의 자기목적적 성격에 비추어 볼 때 법적용 내지 법집행자의 판단이 기속력을 갖기 위해서는 적어도 그 판단이 '받아들일 만하다'는 평가를 받아야 한다.[384] 이 점에서 예술분야의 전문가의 의견과 예술의 수용자인 일반인의 반응도 고려한 판단이 이루어져야 할 것이다.[385]

③ 예술의 개념정의를 무엇을 기준으로 할 것인가?

예술의 개념정의가 객관적 관점에서 이루어지더라도 무엇을 기준으로 정의할 것인가에 대해서도 견해가 대립된다.

i) 실질설

예술의 개념을 내용적 기준에 따라 실질적으로 파악하려는 견해이다. 미(美)의 추구를 그 본질로 하는 예술의 특성상 어느 정도 미학적 견지에서 실질적인 평가가 불가피하기 때문에 실질적인 개념규정이 요구된다고 보는 입장이다. 그러나 예술의 본질에 대한 결정에 있어서는 직·간접으로 국가의 영향력을 무시할 수 없기 때문에 법과 예술의 충돌이 불가피하다.[386] 독일 연방헌법재판소는 예술의 본질에 대한 접근을 포기하지 않고 헌법적 의미의 예술을 실질적으로 정의하고 있다. 즉 "예술적 활동의 본질적인 것은 예술가의 인상, 경험, 체험 등이 특정 언어형태의 수단으로 직접 보고 이해할 수 있도록 만드는 자유로운 창조적 형성이다. 모든 예술적 활동은 합리적으로 분석될 수 없는 과거에 있었던 의식적 및 무의식적 사건들의 혼합인 것이다. 예술적 창조에는 직관, 상상 및 예술적 이해가 공동으로 작용한다. 그것은 무엇보다도 예술가의 개인적 인격의 전달이 아니라 표현이며 더욱이 가장 직접적인 표현인 것이다"라고 정의한다.[387] 그리고 숄츠(R. Scholz)가 헌법상 예술을 "지각될 수 있고 표상으로 나타낼 수 있도록 형태를 부여하는 모든 창조적이고 개성적인 행위"이며, 그것은 "그 창조자의 개인적인 체험이 객관화되어 표현된 것이며, 커뮤니케이션을 통한 외부로의 의미전달을 지향하고 있는 것"으로

384) 허영, 앞의 책, 457면.
385) 계희열, 앞의 책(중), 382면.
386) Adolf Arnt, "Der Kunst im Recht", in: NJW 1966, S. 25.
387) BVerfGE 30, 173(188). 이 결정에 대한 자세한 것은 계희열, "메피스토－클우스만 결정", 판례연구 제2집, 고려대학교 법학연구소, 1983, 7면 이하 참조.

규정하는 것도[388] 이러한 입장이라고 할 것이다.

ii) 형식설

이 견해는 예술의 질적인 내용에 대한 국가의 판단을 반대하는 입장으로 외형적인 형태에 따라 형식적으로 예술을 파악한다. 크니스(W. Knies)는 예술의 자유의 목적에서 볼 때, 그리고 국가가 예술의 재판관 노릇을 하는 것은 금지되어야 한다는 관점에서 볼 때, 예술의 자유의 질적 내용에 대하여 법적으로 정의를 내리는 것은 불가능하며 용납될 수 없고 다만 기술적이고 형식적인 유형의 예술개념만이 허용된다고 한다.[389] 뮐러(F. Müller)도 같은 취지의 주장을 하고 있다. 그는 독일 기본법 제5조 제3항 1문의 '예술'이라는 단어를 유형별로 구분하는 정도까지만이 예술의 자유의 보호에 합치된다고 보고 있으며, 헌법적 개념구성에 있어서 실제적 유용성의 요청과 법치국가적으로 요청되는 규범의 명확성 및 방법의 명확성은 －예술에 대한 가치적 개념이 아니라－ 개별화된 구조개념만을 허용한다고 한다.[390]

iii) 결 어

예술의 개념은 학문의 개념 정의와는 또 다른 면을 가지고 있다. 학문은 분야에 따라 차이는 있지만 합리적인 사후실행과 그럼으로써 검증할 수 있는 주체상호간의 관계로 이루어져 있어 대상과 방법에 의거하여 어느 정도 충분한 합의를 발견할 수 있다. 예술도 주체상호간의 커뮤니케이션[391]을 목표로 하지만 학문에 비하여 보다 개인의 '경험'의 주관성에 의존하는 점이 크다는 것을 부인할 수 없다. 물론 전적으로 개인의 주관에 예술성의 판단을 맡길 때는 위에서 살펴본 바와 같이 스스로 예술이라고 주장하는 모든 주장을 헌법적 보장의 대상으로 인정하게 되어 문제가 있지만, 예술을 지나치게 객관화·전문화시키는 경우는 헌법이 보장하는 예술의 자유는 국민의 기본권이 아니라 소수의 '예술적 천재들만의 특권'으로 변질될 위험이 있다.

법적용 내지 법집행 단계에서는 예술과 비예술의 판단이 어느 정도 불가피하기 때문에 어떠한 형태로든 판단을 내려야 하지만, 실질적인 내용을 예술개념의 구속

388) Rupert Scholz, Rdnr. 29 zu Art. 5 Abs. Ⅲ GG, in: Maunz /Dürig/Herzog/Scholz, Kommentar zur Grundgesetz, München, C.H. Beck, 1989.

389) Wolfgang Knies, Schranken der Kunstfreiheit als verfassungsrechtliches Problem, 1967, S. 214ff.

390) Friedrich Müller, Freiheit der Kunst als Problem der Grundrechtsdogmatik, 1969, S. 41f.; Ders, "Strafrecht, Jugendschutz und Freiheit der Kunst", 1970, S. 87ff.

391) J. Hoffmann, "Kunstfreiheit und Sacheigentum", in: NJW, 1985, S. 241.

력 있는 기준으로 삼는 데도 문제가 있다. 예술개념은 분야에 따라 사람에 따라 또한 시간에 따라 변천할 수 있기 때문에, 모든 종류의 예술을 망라한 또는 모든 예술적 존재와 작용의 기능을 망라한 통일적 정의를 내릴 수 없다. 예술을 실질적인 내용에 입각하여 정의할 때 예술의 핵심적인 요소로서 들어지는 창조적 형성, 창조적이고 개성적인 행위라는 것도 역시 불확정개념이다. 또한 오늘날 문제가 되고 있는 혼성모방(Pastiche)의 경우를 생각할 때 그것이 모방인지 (모방을 통한) 창조인지가 논란되는 것처럼 창조와 모방의 한계를 이론 없이 결정하는 것은 어려운 일이다.

따라서 헌법적 예술개념은 예술에 관련한 여러 가지 문제들에 관하여 전개되고 있는 미학상의 예술의 질에 관한 논의보다는 우선 형식적으로 파악하는 가치중립적인 입장에 있어야 한다.[392)] 그렇게 할 때 오늘날 일반적으로 인정되는 모든 장르를 포괄할 뿐만 아니라 새롭게 형성되는 예술분야들까지도 수용할 수 있는 여지를 갖게 된다.[393)] 즉 국가가 예술에 대한 재판관 노릇을 하게 되는 위험을 방지하고, 예술의 자유의 사법적(司法的)인 집행에 최소한 필요한 구성요건의 확보에 도움을 줄 수 있는 형식적인 면에 의존해서 개념 정의하는 것에 일단의 장점이 있는 것으로 보인다. 이에 따른다면 예술적 이념과의 친근성이나 예술적 창조의 의도, 혹은 특정한 목적과의 관련성과 같은 요소들은 헌법적으로 보호되는 예술작품으로 인정되는지의 여부에 영향을 미치지 않는다.[394)] 따라서 정치적 참여예술도 예술임을 부인할 수 없다.[395)] 물론 이것은 정치성향의 작품 모두가 예술이라는 것을 인정하는 것은 아니며, 정치적 의도 같은 것이 예술과 비예술의 판단의 기준이 될 수 없다는 것을 의미한다.

그러나 형식적으로 개념 정의를 하는 입장에서도 예술이 내용적으로 완전히 자유롭다는 것은 아니다. 형식적인 고찰만으로는 단순한 기술적 사용 혹은 목적의 형식과 예술작품과의 구별이 어렵기 때문이다. 예술도 주체상호간의 커뮤니케이션을 목표로 하기 때문에, 스스로 예술임을 주장하는 주장 외에도 그러한 요청이 예

---

392) Erhard Denninger, “Freiheit der Kunst”, in: J. Isensee/P. Kirchhof (hrsg.), Handbuch des Staatarechts der Bundearepublik Deutschland, Ⅵ, C.H. Müller, Heidelberg, 1989, S. 857.

393) 장영수, “예술의 자유”, 고시연구, 1993. 5, 39면. 여기서는 예술의 기본적인 관점으로 자연과는 달리 인공이 가해진 문화현상이라는 것, 따라서 예술가의 내면이 외부로 표출된 것이라는 점, 그리고 그것이 외부세계와의 커뮤니케이션을 지향하고 있다는 점을 들고 있다.

394) 장영수, 앞의 논문, 39-40면.

395) BVerfGE 30, 173(191); BVerfGE 67, 213(227ff.).

술의 공중(비평가, 감상자) 가운데서 어떻게 받아들여지는가도 구속력 있는 절대적 기준은 아니더라도 중요한 판단기준으로 작용하는 것이 정당화될 수 있는 것이다.[396]

개방사회와 그에 기초한 헌법국가는 예술개념의 폭을 가능한 넓게 인정함으로써 인격의 자유로운 발현을 통한 인간존엄의 가치실현에 이바지할 것이 요구된다. 그러나 개념의 문제를 한계와 제한의 문제와 동일시 할 수 없기 때문에, 예술의 자유가 헌법적으로 보장되는 다른 법익과의 충돌시에는 제한될 수 있는 것은 물론이다. 다만 예술의 특성에 비추어 다른 제한원리보다 엄격한 요건을 필요로 한다. 현대 예술의 형식이나 분야가 광범위하게 발전하고 있는 현실을 볼 때 어떤 예술활동이 예술개념에 포함되는지 여부에 의문이 있는 경우에는 「**의심스러울 때에는 예술의 이익으로**(in dubio pro arte)」라는 원칙에 입각하여 가능한 광의의 예술개념에 따라 이를 판단하는 것이 옳다고 생각된다.[397]

예술은 자기목적적이고, 전달보다 표현에 중점을 둔다는 점에서 '의사표현'과 구별된다.

(3) 예술의 자유의 법적 성격

예술의 자유도 주관적 공권성과 객관적 가치질서로서의 양면성을 띠는 기본권이다. 예술의 자유는 인간의 창조적 발현을 위한 자유권으로서의 성격과 문화를 창조하고 국가의 문화적 수준을 향상시키는 요소로서 문화국가질서를 형성하는 중요요소가 된다.

(4) 예술의 자유의 주체

① 자연인

예술의 자유는 미적 추구와 관련되는 기본권이기에 원칙적으로 자연인의 권리이다. 국민은 물론이고 외국인도 향유 주체가 된다.

② 법 인

극장, 미술관 등 예술활동을 하는 단체로서의 인적 결사나 법인에 대해서도 예술의 주체성을 인정할 수 있는가에 대해서는 견해의 대립이 있다.

---

396) 이 점에 대해서는 Peter Häberle, "Freiheit der Kunst im Verfassungsstaat", in: AöR Bd. 110(1985), S. 577－619(597ff.) 참조.

397) 계희열, 앞의 책(중), 382면.

i) 부정설

예술의 개념에 내포된 강한 개성적 특성 때문에 예술단체의 기본권주체성에는 스스로 일정한 한계가 있다. 즉 극장, 미술관, 예술학교 등은 그 자체로서 예술의 자유의 주체가 될 수 없다고 한다. 또 교향악단도 그 자체로서 예술의 자유의 주체라고 볼 수 없고, 그 단체를 구성하는 개인이 예술의 자유의 주체이고, 이들이 다만 예술의 자유를 집단적으로 함께 행사하고 있다고 이해한다.

ii) 긍정설

예술활동을 하는 단체로서 인적 결사나 법인에 대해서도 예술의 자유의 주체성을 인정하는 입장이다.[398] 미술관, 박물관, 극장, 오페라하우스 및 미술대학, 음악대학도 예술의 자유의 주체가 된다고 한다.

iii) 결 어

창작영역은 인간의 권리이지만, 그 밖의 영역, 예술작품의 간행, 전파, 전시 등의 영역에서 불가결한 예술단체인 출판사, 미술관, 박물관, 극장 기타 공연장도 영리활동의 영역이 아니라 예술품의 간행, 전시, 전파, 공연 등에 관한 활동과 관련하여서는 예술의 자유를 주장할 수 있다고 보는 것이 타당하다.[399]

예술출판자와 예술품보급의 자유

"예술품보급의 자유와 관련해서 예술품보급을 목적으로 하는 예술출판자 등도 이러한 의미에서의 예술의 자유의 보호를 받는다고 하겠다. 따라서 비디오물을 포함하는 음반제작자도 이러한 의미에서의 예술표현의 자유를 향유한다고 할 것이다."

헌재 1993. 5. 13. 91헌바17

사립학교와 학문 · 예술의 자유

"학교법인은 사립학교만을 설치 · 경영함을 목적으로 하는 법인(법 제2조 제2항)인 만큼 사립학교의 교원이나 교수들과 달리 법인자체가 학문활동이나 예술활동을 하는 것으로 볼 수는 없고 이 사건 법률조항은 학교교육에 필요한 시설과 설비를 갖추고 그 운영에 필요한 재산을 실효적으로 확보하는 데 역점이 있어 오히려 국민의 교육을 받을 권리를 적극적으로 보장하는 규정으로 보아야 한다. 따라서 이 사

398) 권영성 교수는 법인인 예술단체는 예술의 자유의 주체가 되지만, 법인이 아닌 예술단체인 경우에는 단체를 구성하는 예술가 개개인이 그 주체가 되고, 단체는 예술의 자유를 집단적으로 공동 행사하는 것이 될 뿐이라고 한다(권영성, 앞의 책, 550면).

399) 계희열, 앞의 책(중), 386－387면.

건 법률조항이 학문·예술의 자유나 교육을 받을 권리를 제한하는 것으로 볼 수는 없다."

헌재 2001. 1. 18. 99헌바63

(5) 예술의 자유의 내용

① 예술창작의 자유

예술창작의 자유는 예술창작활동을 할 수 있는 자유로서 창작소재, 창작형태 및 창작과정 등에 대한 임의로운 결정권을 포함한 모든 예술창작활동의 자유를 그 내용으로 한다. 창작된 예술작품에까지 예술창작의 자유가 미친다. 예술창작의 자유는 전문예술인만이 행사하는 자유는 아니며 모든 국민의 자유이다.

그러나 자기목적성이 결여된 수단이나 도구로서 행해지는 상업광고물이나 단순한 기능적인 능력의 발휘에 의하여 이루어지는 작업활동(요리, 수공업) 등은 예술창작의 자유에 의하여 보호되지 않는다.[400] 다만 제22조 제2항에 의해 무체재산권이나 제23조의 재산권으로 보호받을 수는 있다.

② 예술표현의 자유

예술표현의 자유는 창작한 예술품을 일반대중에게 발표·전시·공연·보급할 수 있는 자유이다. 예술품보급의 자유와 관련해서 예술품보급을 목적으로 하는 예술출판자 등도 이러한 의미에서의 예술의 자유의 보호를 받는다고 하겠다. 따라서 비디오물을 포함하는 음반제작자도 이러한 의미에서의 예술표현의 자유를 향유한다고 할 것이다.[401] 예술표현의 자유는 예술품을 예술품으로 표현하는 것을 보장하는 것이며, 예술품의 경제적 활용은 재산권의 보호대상이 된다. 그리고 예술품을 직업적인 차원에서 취급하는 것은 직업의 자유의 규제대상이지 예술의 자유의 문제는 아니다.[402] '예술적 비평의 자유'는 일반적인 표현의 자유에 해당한다.[403]

③ 예술적 집회·결사의 자유

예술활동을 위한 집회·결사의 자유는 학문활동을 위한 집회·결사의 자유와 마찬가지로 일반적인 집회·결사의 자유에 비하여 고도로 보장된다. 집회 및 시위에 관한 법률은 학문, 예술, 체육, 종교, 의식, 친목, 오락, 관혼상제(冠婚喪祭) 및

400) 허영, 앞의 책, 458면.
401) 헌재 1993. 5. 13. 91헌바17.
402) 허영, 앞의 책, 459면.
403) 권영성, 앞의 책, 550면; 허영, 앞의 책, 459면; 김학성·최희수, 앞의 책, 673면.

국경행사(國慶行事)에 관한 집회에는 일반적인 집회·시위에 관한 제한을 배제하고 있다(집시법 제15조).

(6) 예술의 자유의 제한과 한계

① 제 한

예술의 자유, 특히 예술표현의 자유는 제37조 제2항에 의한 법률유보에 의해서 제한될 수 있다. 다만 예술창작의 자유는 법률에 의해서도 제한될 수 없는 절대적 자유라고 보는 견해[404)]와 예술창작의 자유도 절대적 자유는 아닌 상대적 자유로 보는 견해[405)]의 대립이 있다. 아무튼 예술창작의 자유는 내재적 한계에 의한 제약을 인정할 수 있는가와는 별도로 법률로 제한하기에 적당하지 않은 기본권임에는 분명하고, 예술표현의 자유보다 두터운 보호를 받는 점은 두말할 필요가 없다.

> **예술표현의 자유의 제한요건**
>
> "이러한 예술표현의 자유는 무제한한 기본권은 아니다. 예술표현의 자유는 타인의 권리와 명예 또는 공중도덕이나 사회윤리를 침해하여서는 아니 된다. 그리고 국가안전보장, 질서유지 또는 공공복리를 위하여 필요한 경우에는 헌법 제37조 제2항에 의하여 법률로써 제한할 수 있으나, 이러한 필요에서 하는 법률에 의한 제한도 그 목적이 헌법 및 법률의 체계상 그 정당성이 인정되어야 하고(목적의 정당성), 그 목적달성을 위하여 그 방법이 효과적이고 적절하여야 하며(방법의 적절성), 그로 인한 피해가 최소한도에 그쳐야 하며(피해의 최소성), 보호하려는 공익과 침해하는 사익을 비교형량할 때 보호되는 공익이 더 커야 한다는(법익의 균형성) 과잉금지의 원칙에 반하지 않는 한도 내에서 할 수 있는 것이다."
>
> 헌재 1993. 5. 13. 91헌바17

i) 국가안보(민주적 기본질서)를 위한 제한

예술활동이 국가존립 및 국가의 기본질서를 침해하는 경우에는 제한될 수 있다. 그러나 예술의 자유에는 정치적 의사를 표현하는 참여예술도 포함되기 때문에, 그 내용이 국가의 존립 및 민주적 기본질서에 대한 직접적이고 전면적인 부정을 의미하는 경우에 한해서만 그 제한이 정당화될 수 있다고 본다.

---

404) 예술창작의 자유가 법률에 의해서 제한될 수 없는 절대적 기본권성을 인정하더라도 예술창작의 자유도 내재적 한계에 의한 제한을 받는다고 보는 것이 일반적이다(허영, 앞의 책, 460면; 홍성방, 앞의 책(중), 206면).

405) 계희열, 앞의 책(중), 388면. 물론 작품이 공개되지 않으면 제한이 불가능하지만, 표현을 전제로 하지 않는 창작은 있을 수 없기 때문이라고 한다.

> "반국가단체인 북한공산집단의 활동에 동조하고 이를 이롭게 할 목적으로 계급투쟁론적 입장에서 폭력혁명을 강조하는 한편, 계급혁명의 합법칙성을 찬양하는 내용을 담은 작품인 '꽃파는 처녀' 상·하를 제작한 행위는 국가보안법 제7조 제5항에 정한 이적표현물제작죄에 해당한다."
>
> 대판 1990. 12. 11. 90도2328

ii) 사회질서를 위한 제한(예술의 자유와 음란성)

형법은 사회일반의 성(性)풍속에 관한 도덕적 감정의 순결성의 보호를 위하여 음란문서 등 반포·제조죄(형법 제243조, 제244조), 공연음란죄(동법 제245조) 등을 규정하고 있다.

㉠ 음란의 개념

형법규정의 해석여하로 예술작품의 말살도 가능할 것이고 음란성을 엄격히 해석한다면 '성서(聖書), 셰익스피어 등의 작품의 상당한 부분도 금서(禁書)에 들어갈 것'이라는 라스키의 지적을 고려할 때 음란성의 판단은 쉽지 않다. 특히 "작품의 예술적 가치가 높을수록 그 예술적 향기는 누누이 음란성을 커버할 것이다. 즉 음란한 본바탕을 갖춘 것일지라도 그것이 예술 속에 융합됨으로써 정화되어 음란성을 벗어남을 부정할 수 없다. 이렇게 예술성과 음란성과의 사이에는 예술성이 성적 자극을 감소·승화시키는 것이 아닌 한 성서(聖書), 작품도 충분히 음란성을 띨 수 있기" 때문에 이의 구별은 상대적이며 법학적 사고만으로는 해결하기 어려운 문제이다.

종래 법원에서 다투어졌던 음란(외설)에 대한 정의는 대체로 일본판례에서 내린 **음란개념의 3요소**가 널리 인용된 바 있다. 일본 최고재판소는 "이른바 음란이란 성욕을 흥분 또는 자극시키고 또 보통인의 정상적인 성적 수치심을 해하고, 선량한 성적 도의관념에 반하는 것을 말한다"고 판시한 바 있는데, 「성욕의 자극과 흥분을 불러일으키는 것」, 「성적 수치심을 해하는 것」, 「성적 도의관념에 반하는 것」 등을 음란성 판단의 3요소로 들고 있다. 우리나라의 판례도 대체로 이 입장을 따르고 있다.[406]

아무튼 음란과 같은 포괄적인 가치개념은 법적으로 명확히 객관화하기는 불가능에 가깝지만, 구체적인 사건과 소재에 따라 점차 개념의 핵심영역으로 접근해 갈 수밖에 없다.

---

406) 대판 1970. 10. 30. 70도1879; 서울형사지판 1973. 11. 6. 71노3610.

㉡ 판단기준 및 판단방법

따라서 음란의 개념보다 구체적인 사건에서 어떤 가치기준에 따라 판단하느냐가 더욱 중요한 문제라 하겠다. 음란성 판단기준에 대해서는 현대사회의 **평균인**(**平均人**, **보통인**)을 기준으로 사회통념에 따라 객관적으로 판단하되 그 판단은 전문가적 의견을 존중해야 하며, 판단방법은 보편적으로 **작품 전체의 예술적 관찰이 필요**하며 성적 자극 부분만을 문제로 삼는 것, 즉 작가의 의도, 전달하고자 하는 메시지를 고려하지 않고 구체적인 장면과 일정한 행위만을 규제의 대상으로 하는 것은 바람직하지 않다.

ⅲ) 예술의 자유와 명예훼손

예술의 표현이 타인의 명예를 훼손하는 경우 예술의 자유는 형법상의 명예훼손 규정에 의해 제한될 수 있다. 그러나 예술의 자유의 독자적인 기본권으로서의 가치를 고려할 때 일반적 표현의 자유에 의한 명예훼손과 똑같이 다룰 수 없다. 독일 연방헌법재판소는 예술의 자유가 일반적 인격권에 의해서 제한될 수 있음을 인정하고 있다. 그러나 인격권이 어느 정도 침해되면 예술의 자유가 제한될 수 있는지는 구체적 사건에 따라 판단할 수밖에 없다. 독일 연방헌법재판소는 인격권에 대한 사소한 침해의 경우 예술의 자유가 우위에 있다는 판결을 한 바 있다.[407] 그러나 저명한 정치인을 교미중인 돼지로 묘사한 풍자는 인간의 존엄에 의해 보장되는 명예의 핵심적 부분에 대한 침해이며, 일반적 인격권에 대한 중대한 침해라고 하여 예술의 자유에 의해 더 이상 보호될 수 없다고 판결하였다.[408]

② 한 계

예술의 자유를 제한하더라도 본질적인 내용은 침해할 수 없다. 예술창작의 자유는 예술의 자유의 본질적 내용으로서, 절대적 기본권의 수준으로 보장되어야 한다. 국가가 예술에 대한 재판관이 되는 것은 허용할 수 없기 때문에 예술형태나 내용, 경향에 대한 국가의 간섭과 모든 예술작품에 대한 수준 심사는 예술의 자유에 대한 본질적 침해가 된다. 예술적 표현인 영화, 연극, 음반 및 비디오물 등에 대한 사전검열로서의 사전심의는 위헌이다.[409] 다만 검열에 해당하지 않는 등급제[410]와 등록제[411] 같은 사전규제는 가능하다.

---

407) BVerfGE 67, 213(228).
408) BVerfGE 75, 369(380).
409) 헌재 1996. 10. 4. 93헌가13(영화); 헌재 1996. 10. 31. 94헌가6(음반); 헌재 1997. 3. 27. 97헌가1(음반 및 비디오물).

4. 지식재산권의 보호

제22조 제2항은 “저작자 · 발명자 · 과학기술자와 예술가의 권리는 법률로써 보호한다”라고 하여 지식재산권의 보호를 규정하고 있다. 헌법재판소는 과학기술자의 특별보호를 명시한 제22조 제2항을 과학 · 기술의 자유롭고 창조적인 연구개발을 촉진하여 이론과 실제 양면에 있어서 그 연구와 소산을 보호함으로써 문화창달을 제고하려는 데 그 목적이 있는 것으로 보고 있다.

의료법상 의료인의 의료권이 과학기술자의 권리에 의해서 보호되는지 여부

“헌법 제22조 제2항의 과학기술자의 권리와 제36조 제3항의 국민의 보건에 관한 권리는 청구인이 침해를 주장하고 있지만 이 사건에 있어서는 직접 관련이 있는 규정이라 보기가 어렵다. 먼저 헌법 제22조 제2항은 ‘저작자 · 발명가 · 과학기술자와 예술가의 권리는 법률로써 보호한다’고 규정함으로써 과학기술자의 특별보호를 명시하고 있으나 이는 과학 · 기술의 자유롭고 창조적인 연구개발을 촉진하여 이론과 실제 양면에 있어서 그 연구와 소산(所産)을 보호함으로써 문화창달을 제고하려는 데 그 목적이 있는 것이며 이에 의한 하위법률로써 저작권법, 발명보호법, 특허법, 과학기술진흥법, 국가기술자격법 등이 있는 것이다. 따라서 이는 국민의 건강을 보호증진함을 목적으로 국민의료에 관한 사항을 규정한 의료법에 의하여 보호되는 의료인과는 보호의 차원이 다르다고 할 것이다. 물론 의료인의 안과의사의 직역이 의료행위와 관련하여 의학과 그 실제운용 등 면에서 하는 그 연구개발에 대하여서는 과학기술자로서 보호받을 수 있을 것이나, 여기서 말하는 과학기술자의 보호규정과는 그 목적과 보호법익이 일치한다고 할 수 없는 것이다. 과학기술자의 범주에 포함될 수 있는 것이라면 안경사의 그것도 경우에 따라서는 과학기술자의 범주에 포함될 수 있을 것이어서 과학기술자의 권리보호규정을 들어 안과의사와 안경사를 구분짓는 것을 적당하지 않을 것이라 사료된다.”

헌재 1993. 11. 25. 92헌마87

---

410) 영화의 등급제는 위헌이 아니나, 상영등급분류보류제는 실질적으로 검열에 해당되어 위헌이다(헌재 2001. 8. 30. 2000헌가9). 한편 영상물등급위원에 의한 외국음반 국내제작추천제도(헌재 2005. 2. 3. 2004헌가8; 헌재 2006. 10. 26. 2005헌가14)와 비디오물 등급분류보류제도(헌재 2008. 10. 30. 2004헌가18)는 사전검열에 해당된다고 하여 위헌결정을 받았다.

411) 헌법재판소는 음반제작자의 등록제도에 대해서 “구 음반에 관한 법률 제3조 제1항이 비디오물을 포함하는 음반제작자에 대하여 일정한 시설을 갖추어 문화공보부에 등록할 것을 명하는 것은 음반제작에 필수적인 기본시설을 갖추지 못함으로써 발생하는 폐해방지 등의 공공복리 목적을 위한 것으로서 헌법상 금지된 허가제나 검열제와는 다른 차원의 규정이고, 예술의 자유나 언론 · 출판의 자유를 본질적으로 침해하였다거나 헌법 제37조 제2항의 과잉금지의 원칙에 반한다고 할 수 없다”고 판시하였다(헌재 1993. 5. 13. 91헌바17).

제5절 표현의 자유 (외면적인 정신의 자유)

Ⅰ. 표현의 자유의 의의와 중요성

표현의 자유는 사상이나 의견을 외부로 표현하는 자유로서 **개인적 표현의 자유**인 언론·출판의 자유와 **집단적 표현의 자유**인 집회·결사의 자유를 총칭하는 개념이다.

에머슨(Th. Emerson)은 표현의 자유의 기능을 개인의 자아실현(Individual Self-fulfillment) 수단, 진리발견(Attainment of the Truth)에 도달하는 수단, 의사결정에의 참여(Participation in Decision-Making)를 확보하는 수단, 사회의 안정과 변화의 균형(Balance between Stability and Changes)을 유지하는 수단이라는 점에서 설명하고 있다.

표현의 자유가 보장될 때에 비로소 개인의 자유로운 인격발전을 이룩하고 인간의 존엄과 가치를 유지시켜 주며, 국민주권의 실현이 가능하게 된다.[412] 현대 민주주의 사회에서 표현의 자유는 민주정치의 필수 불가결한 자유로서 인정된다. 국민의 정치의사형성과 선거·투표에 의한 국민주권의 실현은 표현의 자유 없이는 실현될 수 없기 때문이다. 그러므로 표현의 자유는 '민주체제에 있어서 불가결한 본질적 요소'[413]이며 모든 자유의 기초가 된다.

Ⅱ. 언론·출판의 자유

1. 서 론

(1) 연혁 및 헌법규정

언론·출판의 자유는 밀턴(J. Milton)이 **'아레오파지티카'**(Areopagitica) 등에서 주장한 사상에 힘입은 바 크지만, 연혁적으로 언론·출판의 자유는 영국에서 1649년의 '인민협약(Agreement of the people)'에서 선언되고, 1695년 '검열법(The Licensing Act)'의 폐지로 확보되었다. 그 후 1776년의 버지니아 권리장전 제12조, 1791년 미연방수정헌법 제1조, 1789년 프랑스 인권선언 제11조 등에서 표현의 자유가

412) 헌재 1992. 2. 25. 89헌가104.
413) 헌재 1998. 4. 30. 95헌가16.

규정된 이래 오늘날 각국 헌법이 이를 규정하고 있다. 우리 헌법은 1948년의 건국 헌법 이후 언론·출판의 자유를 규정하고 있다. 그러나 그 내용은 많은 변화를 겪었다.

제21조는 표현의 자유, 즉 언론·출판·집회·결사의 자유를 전부 규율하고 있고(제1항), 언론·출판에 대한 허가·검열제의 금지, 집회·결사의 허가제 금지(제2항), 통신·방송의 시설기준 등의 법정주의(제3항), 언론·출판의 자유의 한계(제4항)를 규정하고 있다. 독일기본법은 언론·출판(동기본법 제5조), 집회(동기본법 제8조), 결사(동기본법 제9조)의 자유를 별개 조문에서 각각 규정하고 있다.

(2) 법적 성격

언론·출판의 자유는 전통적으로 개인의 방어권[414]으로서의 성격과 자유민주주의 국가의 구성요소로서 객관적 가치질서의 성격도 이울러 가지고 있다. 나아가 오늘날의 신문과 방송 같은 대중매체의 기능과 중요성이 증대되고 국민여론형성을 위한 중개적 기능에 비추어 그 제도적 보장으로서의 성격을 부인할 수 없다. 그러므로 언론·출판의 자유는 언론·출판의 자유가 최대한 보장되어야 한다는 자유권의 성격과 언론·출판제도의 본질을 결코 침해해서는 안 된다는 언론제도의 제도보장적 성격이 결합된 것으로 보아야 한다(다수설).

(3) 다른 기본권과의 관계

i) 개인적 표현의 자유인 언론·출판의 자유와 집단적 표현의 자유인 집회·결사의 자유는 모두 표현의 자유에 해당한다. 단 집회에 참가하여 발언을 하는 경우 집회의 자유에 해당하는가에 관해서 학설이 대립한다. 집회의 자유는 다수인이 공동의 목적을 가지고 집단적 의사를 표현할 수 있는 자유를 의미하므로, 집회에 참가하여 발언을 할 자유는 집회의 자유에 포함된다고 보는 것이 타당하다고 생각한다. 그러나 우리 헌법은 표현의 자유를 전부 동일 조문에서 규정하고 있기 때문에 이를 구별할 실익은 없고, 엄격히 말하면 언론의 자유로 보아야 한다는 학설이 있다.[415]

ii) 양심의 외부적 표현에는 제19조의 양심의 자유, 종교상의 외부적 표현에는 제20조 종교의 자유, 학문·예술의 표현의 경우에는 제22조 학문·예술의 자유가

414) 대체로 언론의 자유가 근거로 주장되는 알 권리는 적극적 권리의 성격도 가지고 있다.
415) 김철수, 학설·판례 헌법학(상), 박영사, 2008, 977면.

우선적으로 적용된다.

iii) 프라이버시권, 명예권과 같은 인격권과는 기본권의 충돌(相衝)이 일어날 수 있으며, 조화로운 해결이 요망된다.

2. 언론 · 출판의 자유의 주체

언론 · 출판의 자유는 모든 자연인뿐만 아니라 법인에게도 그 적용이 가능한 경우에는 주체성이 인정된다. 신문사 · 방송사 · 통신사와 같은 법인은 보도의 자유권이 인정된다. 헌법재판소는 언론 · 출판의 자유는 그 성질상 법인이나 권리능력 없는 사단도 누릴 수 있는 권리임을 인정한다. 외국인의 언론 · 출판의 자유는 일반적으로 인정되지만, 정치적 표현의 자유는 제한될 수 있다.

> **법인의 주체성**
>
> "우리 헌법은 법인의 기본권향유능력을 인정하는 명문의 규정을 두고 있지 않지만, 본래 자연인에게 적용되는 기본권규정이라도 언론 · 출판의 자유, 재산권의 보장 등과 같이 성질상 법인이 누릴 수 있는 기본권은 당연히 법인에게도 적용하여야 할 것으로 본다. 따라서 법인도 사단법인 · 재단법인 또는 영리법인 · 비영리법인을 가리지 아니하고 헌법상 보장된 기본권이 침해되었음을 이유로 헌법소원심판을 청구할 수 있다."
>
> 헌재 1995. 7. 21. 92헌마177,199(병합); 헌재 1991. 6. 3. 90헌마56

3. 언론 · 출판의 자유의 내용

(1) 언론 · 출판의 개념

언론(Speech)이란 구두에 의한 표현을, **출판**(Press)이란 문자 및 상형에 의한 표현을 의미한다. 그러나 표현의 자유는 내심을 외부에 표현하는 자유이므로 언론 · 출판의 자유는 구두나 문자에 한하지 않고 사상과 양심 및 지식과 경험을 표현하는 모든 수단을 의미한다. 즉 담화 · 연설 · 토론 · 연극 · 방송 · 음반 · 비디오물 · 영화 · 가요 등과 문서 · 소설 · 시가 · 도화 · 사진 · 조각 · 서화 등 모든 형상의 의사표현 또는 의사전파의 매개체를 포함한다.[416] 미국에서는 **상징적 표현**(symbolic expression)[417]까지 표현의 자유의 내용으로 본다. 무언의 행위가 내심

---

416) 헌재 1993. 5. 13. 91헌바17.

417) 미연방대법원은 1968년부터 1971년 사이에 월남전쟁에 반대하는 표현으로 병역등록카드를 법원계단에서 소각한 O'Brien 사건, 흑색완장을 착용하고 단식함으로써 월남전쟁에 반대한

의 사상과 의견을 표현하고자 시도된 것이고 다른 사람들이 사상과 의견의 전달임을 인식했다면, 상징적 표현도 표현의 자유로 보호되어야 할 것이다. 그리고 자신의 신원을 밝히지 아니한 채 익명 또는 가명으로 자신의 사상이나 견해를 표명하고 전파할 **익명표현의 자유**도 보장된다.[418)]

(2) 의사표현의 자유(고전적인 언론 · 출판의 자유)

고전적 의미에서의 언론 · 출판의 자유는 자신의 의견이나 사상을 자유로이 표명하거나 전달할 수 있는 자유로 이해되고 있다.

① 의사표현의 자유에서 '의사'(意思)의 개념

이에 대해서는 학설이 나뉜다. 의사의 개념을 좁게 해석하여 합리적이고 평가적인 사고의 과정을 거친 '평가적 의사'만을 의사로 보려는 **평가적 의사설**(독일의 다수설)[419)]과 단순한 사실의 전달까지도 의사에 포함하려는 **사실전달 포함설**의 대립이 있다. 평가적인 의사와 단순한 사실의 구별이 불확실하고 평가를 수반하지 않는 사실전달이란 존재하지 않으며 사실의 전달까지도 포함하는 것으로 이해해야 의사표현의 자유를 흠결 없이 보호해 줄 수 있기 때문에 의사의 개념에 사실전달까지도 포함하는 것으로 이해해야 한다.[420)]

② '상업적인 광고물'이 의사표현에 해당되는가의 문제

영리적인 광고는 정신활동의 자유인 표현의 자유로 파악할 수 없고, 영업의 자유로 보아야 한다는 견해도 있었으나, 광고는 자유로운 정보교환에 기여하고 의사를 포함하고 있다. 단지 그 의사가 경제적 상품광고나 이익을 목적으로 한다고 해

Tinker 사건, 성조기를 노상에서 소각한 Street 사건, '징병을 철회하라'는 문구가 새겨진 상의를 입고 법원복도를 시위한 Cohen 사건을 다루면서 상징적 표현권의 이론구성을 시도하였다.

418) 인터넷언론사가 선거운동기간 중 당해 홈페이지의 게시판 등에 정당 · 후보자에 대한 지지 · 반대의 정보를 게시할 수 있도록 하는 경우 실명을 확인받도록 하는 기술적 조치를 하여야 하고 이를 위반한 때에는 과태료를 부과하는 구 공직선거법 규정에 대하여 헌법재판소는 위 법률조항이 과잉금지원칙에 위배되어 게시판 이용자의 정치적 익명표현의 자유, 개인정보자기결정권 및 인터넷언론사의 언론의 자유를 침해한다고 볼 수 없다고 판시한 바 있다(헌재 2015. 7. 30. 2012헌마734 등).

419) 허영, 전정13판 한국헌법론, 박영사, 2017, 594면. 허영 교수는 사실의 전달이라도 그것이 평가적인 사고과정을 거친 평가적 의사표시로서의 성격이 강하게 나타나는 경우에는 사실의 전달이 아닌 의사표시로 보호해야 한다고 한다.

420) 홍성방, 헌법학(중), 박영사, 2010, 159-166면.

서, 의사로서의 성격이 달라지는 것은 아니므로, 언론·출판의 자유의 보호영역에 속한다. 또한 의사표현과 전달의 형식이 넓게 인정되고 있으며 넓게 광고물을 제외할 이유도 없다고 할 것이다. 헌법재판소는 옥외광고물을 언론·출판의 자유에 의한 보호대상으로 보았다.

상업광고의 언론·출판의 해당성 및 규제기준

헌법재판소는 "광고물도 사상·지식·정보 등을 불특정다수인에게 전파하는 것으로서 언론·출판의 자유에 의한 보호대상"으로 보았다.421) 다만 상업광고규제의 심사기준과 관련해서는 "상업광고에 대한 규제에 의한 표현의 자유 내지 직업수행의 자유의 제한은 헌법 제37조 제2항에서 도출되는 비례의 원칙(과잉금지원칙)을 준수하여야 하지만, 상업광고는 사상이나 지식에 관한 정치적, 시민적 표현행위와는 차이가 있고, 인격발현과 개성신장에 미치는 효과가 중대한 것은 아니므로, 비례의 원칙 심사에 있어서 '피해의 최소성' 원칙은 '입법목적을 달성하기 위하여 필요한 범위 내의 것인지'를 심사하는 정도로 완화되는 것이 상당하다"고 판시하고 있다.422)

미연방대법원도 Bigelow 사건(1975) 및 Virginia Board 사건(1976)부터 상업활동을 촉진하기 위한 광고를 수정 제1조의 보호대상이라는 견해를 전개하고 있다고 한다.423)

③ 음란표현도 언론·출판의 자유의 보호영역에 포함되는가?

헌법재판소는 종전에 '출판사 및 인쇄소의 등록에 관한 법률' 제5조의2 제5호 등 위헌제청사건에서 "언론·출판의 영역에서 국가는 단순히 어떤 표현이 가치없거나 유해하다는 주장만으로 그 표현에 대한 규제를 정당화시킬 수는 없다. 그 표현의 해악을 시정하는 1차적 기능은 시민사회 내부에 존재하는 사상의 경쟁메커니즘에 맡겨져 있기 때문이다. 그러나 대립되는 다양한 의견과 사상의 경쟁메커니즘

---

421) 헌재 1998. 2. 27. 96헌바2.

422) 헌재 2005. 10. 27. 2003헌가3. 이 사건에서 "특정의료기관이나 특정의료인의 기능·진료방법"에 관한 광고를 금지하는 의료법 제46조 제3항 및 그 위반시 300만원 이하의 벌금에 처하도록 하는 동법 제69조가 표현의 자유 내지 직업수행의 자유를 침해하는지 여부와 관련하여 헌법재판소는 제46조 제3항 "특정의료기관이나 특정의료인의 기능·진료방법"에 관한 광고금지 및 제69조 중 동 광고금지 위반 부분이 아니더라도 의료법 제46조 제1항, 표시·광고의 공정화에 관한 법률, 소비자보호법, 독점규제 및 공정거래에 관한 법률, 옥외광고물등관리법 등에 의하여 "의료인의 기능이나 진료방법"에 관한 허위·기만·과장광고를 통제할 수 있다고 하면서 이는 입법목적을 달성하기 위하여 필요한 범위를 넘어선 것이므로, '피해의 최소성' 원칙에 위반된다고 판시한 바 있다. 법익의 균형성도 침해하는 것으로 보고 있다.

423) 강태수, "미국연방 대법원 판례와 우리 헌재결정의 교차점", 미국헌법연구 제10권, 미국헌법학회, 1999. 7, 300-301면.

에 의하더라도 그 표현의 해악이 처음부터 해소될 수 없는 성질의 것이거나 또는 다른 사상이나 표현을 기다려 해소되기에는 너무나 심대한 해악을 지닌 표현은 언론·출판의 자유에 의한 보장을 받을 수 없고 국가에 의한 내용규제가 광범위하게 허용된다"고 하면서, "'음란'이란 인간존엄 내지 인간성을 왜곡하는 노골적이고 적나라한 성표현으로서 오로지 성적 흥미에만 호소할 뿐 전체적으로 보아 하등의 문학적, 예술적, 과학적 또는 정치적 가치를 지니지 않은 것으로서, 사회의 건전한 성도덕을 크게 해칠 뿐만 아니라 사상의 경쟁메커니즘에 의해서도 그 해악이 해소되기 어려워 언론·출판의 자유에 의한 보장을 받지 않는 반면, '저속'은 이러한 정도에 이르지 않는 성표현 등을 의미하는 것으로서 헌법적인 보호영역 안에 있다"고 판시하여 음란표현은 언론·출판의 보호영역으로 보지 않는 태도를 보였다.[424)]

그러나 그 뒤 '청소년의 성보호에 관한 법률' 제2조 제3호 등 위헌제청사건에서 "'청소년이용음란물' 역시 의사형성적 작용을 하는 의사의 표현·전파의 형식 중 하나임이 분명하므로 언론·출판의 자유에 의하여 보호되는 의사표현의 매개체라는 점에는 의문의 여지가 없는 바, 이 사건 법률 제2조 제3호 및 제8조 제1항은 이의 제작·수입·수출 행위를 처벌함으로써 위와 같은 의사표현의 매개체에 의한 일정한 내용의 표현을 금지하고 있다는 점에서 헌법상 보장되고 있는 표현의 자유, 즉 언론·출판의 자유를 제한하는 것으로 볼 수 있다"고 판시하여 음란 표현도 언론·출판의 자유의 보호영역에 해당하나 제한될 수 있다는 입장으로 바뀌었다.[425)] 판례변경이 타당하다고 본다. 즉 보호영역에는 포함되나 제한가능하다는 입장이 언론·출판의 자유를 충실히 보장하는 것이 되기 때문이다.

(3) 알 권리(정보의 자유)

① 알 권리(right to know)의 의의

알 권리는 일반적으로 접근할 수 있는 정보원으로부터 의사형성에 필요한 정보를 자유롭게 수집하고 처리할 수 있는 권리를 의미한다. 알 권리는 의사표현을 위한 전제조건이 되고, 자신의 관심사에 대한 알고자 하는 욕구는 인간의 존엄과 행

---

424) 헌재 1998. 4. 30. 95헌가16.

425) 헌재 2002. 4. 25. 2001헌가27. 헌법재판소는 이 사건에서 '청소년이용음란물'이 헌법상 표현의 자유에 의한 보호대상이 되고 따라서 그 제작 등의 행위에 대하여 형사상 중한 처벌을 가하는 것이 이러한 기본권을 다소 제한하게 되는 결과가 된다 하더라도, 이는 공공복리를 위하여 필요한 제한으로서 헌법 제37조 제2항의 비례의 원칙에 반하지 아니한다고 판시하고 있다.

복추구의 관점에서도 보호되어야 한다. 또한 민주국가는 자유로운 정보수집을 통한 여론 없이는 제 기능을 다할 수 없기 때문에 알 권리는 자유민주적 국가질서를 형성하는 핵심적 요소가 된다. 독일기본법은 제5조 제1항 1문에서 "누구든지 말, 글 그리고 그림으로써 자유로이 의사를 표현하고 전파하며 일반적으로 접근할 수 있는 정보원으로부터 방해를 받지 않고 정보를 얻을 권리를 가진다"고 하여 알 권리를 명문으로 인정하고 있다. 우리나라는 1996년 '공공기관의 정보공개에 관한 법률(약칭: 정보공개법)'이 제정되어 국민의 알 권리를 법률차원에서 보호하고 있다. 그러나 알 권리는 헌법에서 도출될 수 있는 기본권이고, 현대형 언론·출판의 자유의 핵심이라고 하겠다.

② 알 권리의 헌법적 근거

우리 헌법은 독일기본법처럼 알 권리를 명문으로 규정하고 있지 않기 때문에, 알 권리의 헌법적 근거에 대해서는 견해의 대립이 있다. 알 권리의 헌법적 근거를 제21조(언론·출판의 자유)에서 찾는 견해,[426] 제10조(인간의 존엄과 행복추구권)와 제21조(언론·출판의 자유)에서 찾는 견해,[427] 제21조·제1조(국민주권의 원리)·제10조(인간의 존엄성존중과 행복추구권)·제34조 제1항(인간다운 생활을 할 권리)에서 찾는 견해[428]가 있다.

사상과 의견의 자유로운 표현은 정보에의 충분한 접근이 보장될 때 비로소 가능하므로, 알 권리는 표현의 자유에 당연히 포함되는 것으로 보아야 할 것이다. 또한 알 권리는 인간의 존엄을 실현하고 행복을 추구하는 전제조건이 되는 점에서, 제10조와 적극적 청구권의 근거로 제34조 제1항도 간접적 근거규정으로 볼 수 있을 것이다.

③ 알 권리의 법적 성격

알 권리는 일반적 정보원으로부터 정보를 수집·처리함에 있어서 국가권력의 방해를 받지 아니할 자유권적 성질과 의사형성이나 여론 형성에 필요한 정보를 적극적으로 수집할 수 있는 청구권적 성질을 동시에 갖는 구체적인 권리이다. 헌법

---

426) 홍성방, 앞의 책(중), 161면; 우리 헌법재판소도 정보에의 접근·수집·처리의 자유, 즉 알 권리는 표현의 자유에 당연히 포함되는 것으로 보았다(헌재 1989. 9. 4. 88헌마22). 독일의 다수설이기도 하다.

427) 김철수, 앞의 책(상), 962면. 알 권리는 행복추구권의 중요한 내용이기 때문에 제10조를 근거로 한다고 하면서, 언론매체로부터 정보수령의 방해금지라는 소극적 자유권적 성격은 제21조에서 인정된다고 보아야 할 것이라고 한다.

428) 권영성, 헌법학원론(2010년판), 법문사, 2010, 501면.

재판소도 알 권리의 실현은 법률의 제정이 뒤따라 이를 구체화하는 것이 충실하고도 바람직하지만, 그러한 법률이 제정되어 있지 않다고 하더라도 불가능한 것은 아니고 헌법 제21조에 의해 직접 보장될 수 있다고 하였다.429) 다만 이에 대해서는 헌법이론적 근거 없이 국민의 구체적인 정보청구권을 인정한 것은 이론적 불비이며, 헌법규정이나 헌법원리를 근거로 직접적이고 구체적인 정보청구권을 인정할 수는 없다는 비판이 있다.430)

알 권리의 법적 성격

"자유로운 의사의 형성은 정보에의 접근이 충분히 보장됨으로써 비로소 가능한 것이며, 그러한 의미에서 정보에의 접근・수집・처리의 자유, 즉 '알 권리'는 표현의 자유와 표리일체의 관계에 있으며 자유권적 성질과 청구권적 성질을 공유하는 것이다. 자유권적 성질은 일반적으로 정보에 접근하고 수집・처리함에 있어서 국가권력의 방해를 받지 아니한다는 것을 말하며, 청구권적 성질은 의사형성이나 여론 형성에 필요한 정보를 적극적으로 수집하고 수집을 방해하는 방해제거를 청구할 수 있다는 것을 의미하는 바 이는 정보수집권 또는 정보공개청구권으로 나타난다. 나아가 현대 사회가 고도의 정보화사회로 이행해감에 따라 '알 권리'는 한편으로 생활권적 성질까지도 획득해 나가고 있다."

헌재 1991. 5. 13. 90헌마133

④ 알 권리의 내용

정보에의 접근・수집・처리의 자유, 즉 '알 권리'는 표현의 자유와 표리일체의 관계에 있으며 자유권적 성질과 청구권적 성질을 공유하는 것이다. 자유권적 성질은 일반적으로 정보에 접근하고 수집・처리함에 있어서 국가권력의 방해를 받지 아니한다는 것을 말하며, 청구권적 성질은 의사형성이나 여론형성에 필요한 정보를 적극적으로 수집하고 수집을 방해하는 경우 방해제거를 청구할 수 있다는 것을 의미하는바 이는 정보수집권 또는 정보공개청구권으로 나타난다.431)

⑤ 알 권리의 제한

i) 헌법 및 법률상의 제한

알 권리는 최대한 보장되어야 하지만, 제21조 제4항의 규정과 제37조 제2항의

429) 헌재 1991. 5. 13. 90헌마133. 이 사건에서 헌법재판소는 알 권리가 생활권적 권리까지 획득해 나가고 있다는 점을 밝히고 있다.

430) 강경근, "정보화사회와 정보공개 청구권", 「고시연구」, 1989. 9, 80면.

431) 헌재 1991. 5. 13. 90헌마133; 헌재 1998. 10. 29. 98헌마4.

규정상 다른 기본권이나 국가·사회적 법익과 상충 또는 마찰을 일으키는 경우, 즉 타인의 명예나 권리(개인적 법익), 공중도덕이나 사회윤리(사회적 법익), 국가의 안전보장이나 치안질서(국가적 법익)를 침해하는 경우에는 보호될 수 없는 것이다.[432] 정보공개법 제7조의 비공개대상정보의 범위가 지나치게 넓다는 비판을 받는다.

ii) 알 권리와 국가기밀

알 권리의 제한과 관련하여 문제가 되는 것이 국가기밀이다. **국가기밀**을 어떻게 이해할 것인가와 관련해서는 **형식주의**(행정기관이 적법한 절차에 따라 비밀로 지정하였으면 국가기밀이라는 견해), **실질주의**(비공지의 사실이고 실질적으로 비밀로서 보호할 가치가 있는 것만이 국가기밀이라는 견해), **병합주의**(행정기관이 적법한 절차에 따라 비밀로 지정하였을 뿐 아니라 비밀로서의 실질적 가치를 가져야 한다는 견해)로 입장이 갈리고 있다. 비밀로서의 실질가치를 요구하면서도 비밀 여부를 판단함에 있어서 보다 객관적인 기준을 제시할 수 있는 병합주의가 타당하다. 대법원의 판례는 일관하여 국가기밀을 확대 해석해 왔는데, 헌법재판소는 국가기밀의 범위는 국민의 표현의 자유와 알 권리의 대상영역을 가능한 최대한 넓혀 줄 수 있도록 필요한 최소한도로 한정해서 해석하는 것이 온당하다고 판시하였다.

알 권리와 국가기밀

1. 대법원 판례

(1) '말지 보도지침공개사건'에서 대법원은 "말지에 공개된 보도지침은 이미 국내의 신문 등에 보도된 내용으로 외교상 기밀에 해당되지 않는다"고 하여 비밀로서의 실질적 가치를 요구하는 태도를 취하여 외교상 기밀누설혐의에 대하여 무죄를 확정지었다.

대판 1995. 12. 5. 94도2379

(2) '황석영 방북사건' 등에서는 "신문기사를 통하여 또는 국내에서 적법하게 간행된 책자 등을 통하여 국내에서 널리 알려진 공지의 사항이라도 반국가단체인 북한에게는 유리한 자료로 되고 대한민국에 불이익을 초래할 수 있는 것이면 국가기밀에 속한다"고 하여 비밀로서의 실질적 가치가 없어도 국가기밀이 될 수 있다고 한 바 있다.

대판 1993. 10. 8. 93도1951; 대판 1994. 4. 15. 94도126; 대판 1995. 7. 25. 95도1148

432) 헌재 1992. 2. 25. 89헌가104.

2. 헌법재판소 판례

(1) '군사기밀보호법 제6조 등에 대한 위헌심판사건'에서 헌법재판소는 "군사기밀이라 함은 비공지의 사실로서 관계기관에 의하여 적법절차에 따라 군사기밀로 분류표시 또는 고지된 군사관련 사항이어야 할 뿐만 아니라 아울러 그 내용이 누설될 경우 국가의 안전보장에 명백한 위험이 초래된다고 할 수 있을 정도로 그 내용자체가 실질적인 비밀가치를 지닌 비공지의 사실에 한하는 것이라고 한정해석 되어야 할 것이다"고 판시하여 병합주의를 취하고 있다.

헌재 1992. 2. 25. 89헌가104

(2) '국가보안법 위헌확인사건'에서 헌법재판소는 "국가기밀은, 일반인에게 알려지지 아니한 것 즉 비공지(非公知)의 사실(넓은 의미)로서, 국가의 안전에 대한 불이익의 발생을 방지하기 위하여 그것이 적국 또는 반국가단체에 알려지지 아니하도록 할 필요성 즉 '**요비닉성**'이 있는 동시에, 그것이 누설되는 경우 국가의 안전에 명백한 위험을 초래한다고 볼 만큼의 실질적 가치가 있는 것 즉 '**실질비성**'을 갖춘 것이어야 한다"고 판시하여 실질주의를 취하고 있다.

헌재 1997. 1. 16. 92헌바6 등

(4) 액세스(access)권(정보매체접근권)

① 액세스권의 개념

언론매체 등에의 액세스권은 언론매체에 접근하여 언론매체를 이용할 수 있는 권리, 즉 **언론매체접근이용권**을 말한다. 오늘날 언론매체는 독점화·집중화되어 있어 국민의 접근과 이용이 배제된 채, 국민은 일방적인 정보 수령자의 지위로 전락하고 있다. 그러므로 언론기관에의 접근과 그 이용을 헌법상 보장할 필요성은 더욱 증대되고 있다.

1967년 미국의 헌법학자이자 언론법학자인 제롬 배런(Jerome A. Barron)이 "언론자유가 제대로 실현되려면 매스미디어가 그 참된 소유자인 독자와 시청자에게로 되돌아가야 한다"고 주장하면서 이러한 액세스권을 처음 제기한 것으로 알려지고 있다. 즉 배런 교수는 정부에 의한 검열은 미국사회에서는 좀처럼 일어나지 않는데 반해, 정부가 아닌 비정부기관으로 인하여 정치적 진실의 전파가 방해받고 있음을 지적하고(사상의 자유시장이론에 대한 비판) 동시에 산업혁명으로 소수에게 부가 집중되었듯이, 생산수단을 지배하는 사람으로부터 매스미디어를 통제하는 사람에게로 권력이 이동하고 있다는(영리기업의 언론 지배) 지적을 통하여 말하는 권리(화자의 권리)보다 들려지는 권리(청자의 권리)를 중시하여, 언론의 민주적 의견형성

기능 회복을 위하여는 액세스권이 인정되어야 한다고 주장한 것이다.[433]

광의의 Access권은 일반국민이 자신의 사상이나 의견을 발표하기 위하여 언론매체에 자유로이 접근하여 그것을 이용할 수 있는 권리를 의미하고, 협의의 Access권은 자기와 관계있는 보도에 대한 반론 또는 해명의 기회를 요구할 수 있는 반론권 및 해명권을 의미한다. 여기서는 광의의 Access권을 액세스권으로 파악하고 협의의 Access권은 다음의 반론권으로 독립하여 파악하기로 한다. 알 권리와 액세스권은 현대정보사회에서 언론의 독과점화 등에 따라 새롭게 인식되는 기본권이라는 점에서 공통된다. 그러나 알 권리가 표현의 전제가 되는 정보의 인식과 관련된 권리라면, 액세스권은 의사의 표현 그 자체와 관련된다는 점에서 구별된다.

② Access권의 근거

액세스권은 국민과 국가와의 관계가 아닌 개인과 언론매체의 관계에서 발생하는 문제이다. 그러므로 사인 상호간의 관계에서 발생하는 문제이기 때문에, 언론·출판의 자유를 공동체 전체의 객관적 질서의 요소로 이해할 때 액세스권은 효력을 갖게 된다. 액세스권의 헌법이론적 근거는 모든 국민이 민주적인 여론형성과정에 참여할 수 있는 기회를 부여한다는 것이다. 표현의 자유를 실현하기 위하여 국가권력의 발동을 적극적으로 요구하는 청구권적 성격의 권리이다. 액세스권의 헌법적 근거는 알 권리와 마찬가지로 제21조 표현의 자유를 주된 근거로 하고, 제10조(인간의 존엄과 가치 행복추구권)와 적극적 청구권의 근거로 제34조 제1항(인간다운 생활을 할 권리)도 간접적 근거규정으로 볼 수 있을 것이다.

③ Access권의 법적 성격

액세스권은 개인이 누리는 주관적 공권이다. 하지만 액세스권은 언론사 등 사인을 대상을 하는 점에서 정보공개청구권과 구별된다.[434]

④ Access권의 내용

액세스권은 통상 광의와 협의로 나누어서 고찰된다. **광의의 액세스권**은 일반국민이 자신의 의사를 표현하기 위해 대중매체에 자유로이 접근하여 이를 이용할 수 있는 권리를 말한다. 그 구체적인 예로는 의견광고나 독자투고 같은 것들이 해당한다 할 것이다. **협의의 액세스권**은 자신의 명예나 사회적 평가에 관련된 보도에

---

433) 문재완, "일인 미디어시대의 액세스권", 언론과법 제9권 제2호, 2010, 167면.
434) 성낙인, 제19판 헌법학, 법문사, 2019, 1162면.

대해 이해관계자가 갖는 "반론권 및 해명권"을 의미한다.[435)]

⑤ Access권의 한계

액세스권의 과도한 제도화는 언론의 편집권에 대한 침해를 가져올 수 있고, 언론기관의 계약의 자유와 충돌을 야기하게 된다. 계약의 자유와 액세스권이 충돌할 경우 '이중기준의 원칙'이 적용될 수 있을 것이나, 이 경우에도 계약의 자유를 과도하게 침해하여서는 아니 된다. 액세스권이 언론의 자유와 충돌할 경우 규범조화적 해석이 요구된다고 하겠다.[436)]

(5) 반론권

반론권 내지 반론보도청구권은 정기간행물이나 방송 등에서 공표된 '사실적 주장'에 의하여 피해를 입은 자가 발행인이나 방송사업자에게 서면으로 반론보도문을 게재해주거나 반론보도를 방송해 줄 것을 청구하는 권리이다. 우리나라와 독일은 사실적 주장에 대해서만 반론권을 인정하는 반면, 프랑스는 사실적 주장은 물론 논평이나 비판과 같은 의견이나 가치판단에 대해서도 반론을 허용하고 있다.

반론권행사에 있어서 언론사의 위법성이나 귀책사유가 문제되지 않으며, 내용의 진실성 여부를 불문한다(언론중재 및 피해구제 등에 관한 법률(약칭: 언론중재법) 제16조 제1항, 제2항). 언론이 반론을 보도해야 할 의무는 언론기관의 잘못이 있기 때문이 아니라, 관련된 피보도자의 언론의 자유를 보장한다는 헌법적 요청 때문이다.[437)]

반론권은 인격권의 보호를 그 이론적 근거로 한다는 점에서 (광의의) Access권과 구별된다. 반론권의 헌법상 근거로는 제10조 등을 근거로 들 수 있지만, 직접적으로는 제21조 제4항 "언론·출판은 타인의 명예나 권리 또는 공중도덕이나 사회윤리를 침해하여서는 아니 된다. 언론출판이 타인의 명예나 권리를 침해한 때에는 피해자는 이에 대한 피해의 배상을 청구할 수 있다"라는 규정을 들 수 있다.[438)]

언론중재법은 반론보도청구권(동법 제16조)과 추후보도청구권(동법 제17조)을 인정하고 있다. 이는 협의의 액세스권에 해당하는 반론권 및 해명권이다. 자신과 관련된 보도에 대해서 반론의 기회를 보장받는 것은 공정한 여론형성을 위한 민주시민의 당연한 권

---

435) 김현귀, "액세스권과 정치적 표현의 자유", 한국헌법판례연구학회-원래발표 2013. 9, 3면.
436) 성낙인, 앞의 책, 1163면.
437) 김학성·최희수, 전정 4판[2020년판], 피앤씨미디어, 2020, 618면.
438) 권영성, 앞의 책, 504-505면.

리이기도 하다.

(6) 언론기관설립의 자유

언론기관을 자유로이 설립할 수 있는 자유를 말한다. 헌법이나 법률이 신문·방송 등의 시설기준을 지나칠 정도로 과중하게 규정할 경우에는 언론·출판의 자유를 부당하게 침해하는 것이 된다. 헌법은 통신·방송시설기준 법정주의와 신문기능법정주의를 정하고 있다(제21조 제3항). 이는 남설의 폐해방지와 언론기관의 공공성과 다양성을 보장하기 위한 것으로, '신문 등의 진흥에 관한 법률'(약칭: 신문법), 방송법 등에 기준이 정해져 있다. 신문은 등록주의, 방송은 허가주의를 취하고 있다.

(7) 언론기관의 자유(신문·방송의 자유)

① 개 관

언론·출판의 자유는 신문과 방송의 자유와 같은 언론기관의 자유를 보장한다. 신문의 자유에서 신문이란 "정치·경제·사회·문화·산업·과학·종교·교육·체육 등 전체 분야 또는 특정 분야에 관한 보도·논평·여론 및 정보 등을 전파하기 위하여 같은 명칭으로 월 2회 이상 발행하는 간행물로서" 일반일간신문, 특수일간신문, 일반주간신문, 특수주간신문 등을 포함한다(신문법 제2조 제1호).[439] 임시로 발행되는 여러 형태의 유인물은 신문이라기보다는 단순한 의사표현의 한 형식으로 보는 것이 타당하다.[440] 또한 방송은 "방송프로그램을 기획·편성 또는 제작하여 이를 공중(개별계약에 의한 수신자를 포함)에게 전기통신설비에 의하여 송신하는 것으로서" 텔레비전방송, 라디오방송, 데이터방송, 이동멀티미디어방송 등을 포함한다(방송법 제2조 제1호). 언론기관의 자유는 대외적 자유와 대내적 자유로 나누어서 고찰할 수 있다. 언론기관의 대외적 자유에는 보도 및 논평의 자유, 취재의 자유, 보급의 자유,

---

439) 잡지 등 정기간행물은 신문법에서 분법되어 '잡지 등 정기간행물의 진흥에 관한 법률(약칭: 정기간행물법)'에서 규율되고 있다. 이 법에서는 "정기간행물"을 동일한 제호로 연 2회 이상 계속적으로 발행하는 간행물로서 신문법에 따른 신문을 제외한 잡지(정치·경제·사회·문화·시사·산업·과학·종교·교육·체육 등 전체분야 또는 특정분야에 관한 보도·논평·여론 및 정보 등을 전파하기 위하여 동일한 제호로 월 1회 이하 정기적으로 발행하는 책자 형태의 간행물), 정보간행물(보도·논평 또는 여론 형성의 목적 없이 일상생활 또는 특정사항에 대한 안내·고지 등 정보전달의 목적으로 발행되는 간행물), 전자간행물(통신망을 이용하지 아니하고 컴퓨터 등의 정보처리장치를 이용하여 읽거나 보고듣을 수 있도록 전자적으로 발행한 간행물), 기타간행물(월 1회 이하 발행되는 간행물 중 책자 형태가 아닌 간행물)을 말한다고 정의하고 있다(동법 제2조 제1호).

440) 김학성·최희수, 앞의 책, 624면.

출간시기의 결정, 편집활동 등 보조활동의 자유 등이 논의된다. 한편 내부적 자유에는 편성・편집의 자유가 있다.

② 외부적 자유

i) 보도(방송)의 자유

언론・출판의 자유에는 보도의 자유 즉 언론매체의 자유가 포함된다. 보도의 자유는 출판물 또는 전파매체에 의해 의사를 표현하고 사실을 전달함으로써 여론 형성에 참여할 수 있는 자유를 의미한다. 출판물에 의한 보도의 자유는 신문・잡지 등의 출판물에 의한 언론의 자유를 말하는데, 신문의 자유가 대표적이다. 신문의 자유는 보도・논평・여론의 전파를 목적으로 신문을 발행해서 보급시킬 자유를 의미하고, 구체적으로 신문발행의 자유, 신문편집・보도의 자유, 신문보급의 자유가 인정된다. 전파매체에 의한 보도의 자유는 방송 등의 유선・무선의 전파매체에 의한 언론의 자유, 즉 방송・방영의 자유를 의미한다.

신문 등 보도기관은 비진실 내지 허위를 보도할 자유까지 인정되지 않는다. 고의나 과실로 인해 허위보도를 한 경우에는 보호받을 수 없다. 그러나 허위보도가 경미한 과실에 의한 경우에는 사후의 정정이나 손해배상을 통해 허위보도의 배제가 가능하다.

ii) 취재의 자유

취재의 자유란 보도를 위한 준비단계로서 언론이 보도를 위해 정보를 수집하는 자유를 말한다. 언론기관은 국민에게 필요 불가결한 정보, 알 필요가 있는 정보를 전달해야 할 의무와 책임이 있다. 그러기 위해서는 상당히 폭넓은 자유가 언론기관에 보장되지 않으면 안 된다. 따라서 그 자유는 보도의 수준뿐만 아니라 취재의 수준에서도 보장되지 않으면 안 된다는 것이다. 취재의 자유가 보장되지 않으면, 언론은 소극적인 정보의 전달자의 역할만을 하게 되어, 언론기관의 제 기능을 발휘하지 못하게 될 것이므로 취재의 자유는 인정되어야 할 것이다.

㉠ 취재의 자유와 보도의 자유

보도의 자유에 취재의 자유가 포함되는지의 여부가 문제된다. 취재의 자유가 보도의 자유와 불가결한 관계에 있다는 점은 부인할 수 없다. 문제는 취재의 자유가 보도의 자유에 당연히 포함되는가이다. 당연히 포함된다는 견해[441]와 당연히

441) 성낙인, 앞의 책, 1166면.

포함되는 것은 아니라는 견해[442]의 대립이 있다. 취재의 자유는 보도의 자유의 전제 내지 보도의 준비과정에서의 권리이므로 개념상으로 구분되고, 공정한 보도를 위하여 취재의 자유는 필수불가결하지만 보도의 자유와 동일하게 취급받기에는 대사인관계에서 한계가 있다는 점에서 구별하는 것이 옳다고 본다.

㉡ 취재원묵비권(비닉권)의 인정 여부

취재의 자유와 관련하여 취재원에 대한 진술거부권이 인정되는가 여부가 문제된다. 긍정설과 부정설이 대립되어 있다. 부정설은 언론기관의 공공성에도 불구하고 특권으로 인정할 수 없다는 견해로 공정한 재판작용의 이익을 더 중시하는 입장이다.[443] 이에 반해 긍정설은 취재의 자유에는 취재원묵비권이 당연히 포함된다고 보는 입장으로 이는 신문의 진실보도, 중점보도의 불가결한 전제조건이라고 주장한다.[444] 취재원묵비권을 전면적으로 부인하거나 전면적으로 인정하는 것은 문제가 있다고 보인다. 전면적으로 인정할 경우 언론기관에게 과도한 특권을 부여하는 것으로 국가의 사법작용에 타격을 주게 되고, 반대로 전면적으로 부정하는 경우에는 진실보도에 심각한 영향을 주게 된다. 따라서 양 법익을 형량하여 결정하는 것이 타당하다고 본다(제한적 인정설).

직무상의 증언거부권에 대해서는 형사소송법 제149조와 민사소송법 제315조 제1항 제2호에서 규정[445]하고 있다. 형사소송법 제149조는 증언거부권자를 제한적

---

442) 홍성방, 앞의 책(중), 164면. 지득한 사실을 전달하는 보도와 적극적으로 사실을 탐지하는 취재는 차원을 달리하므로 보도의 자유에는 취재의 자유가 당연히 포함되는 것은 아니라고 한다.

443) 미국 연방대법원은 Branzburg 사건에서 취재원을 보호하지 않으면 정보유입이 어렵다는 확실한 증거가 없고, 사적 약속에 불과한 것이며, 공정한 재판이라는 공익을 압도하는 것이 아니라고 하면서 거부권이 보장되지 않는다고 하였다. 즉 대법관 5 : 4로 취재원묵비권은 표현의 자유에 속하는 특권이 아니라고 보았다(Branzburg v. Hayes et al., judges, 408 U.S. 665(1972)).

444) 허영, 앞의 책, 600면. 독일 연방헌법재판소는 취재원묵비권을 취재의 자유의 본질적인 내용으로 보고 있다(BVerfGE 8, 5; BVerfGE 10, 118(121); BVerfGE 12, 205(260); BVerfGE 36, 193(204).

445) **형사소송법 제149조** (업무상비밀과 증언거부) 변호사, 변리사, 공증인, 공인회계사, 세무사, 대서업자, 의사, 한의사, 치과의사, 약사, 약종상, 조산사, 간호사, 종교의 직에 있는 자 또는 이러한 직에 있던 자가 그 업무상 위탁을 받은 관계로 알게 된 사실로서 타인의 비밀에 관한 것은 증언을 거부할 수 있다. 단, 본인의 승낙이 있거나 중대한 공익상 필요 있는 때에는 예외로 한다.

민사소송법 제315조 (증언거부권) ① 증인은 다음 각 호 가운데 어느 하나에 해당하면 증언을 거부할 수 있다.

1. 변호사·변리사·공증인·공인회계사·세무사·의료인·약사 그 밖에 법령에 따라 비밀을 지킬 의무가 있는 직책 또는 종교의 직책에 있거나 이러한 직책에 있었던 사람이 직

인 열거로 보기 때문에(이재상), 신문기자나 방송기자 등 언론인의 취재원의 증언거부권에 대해서는 소극적으로 해석된다. 이에 반해 민사소송법상의 증언거부권에 취재원의 묵비권이 포함되는가의 문제는 무조건 포함된다는 견해와 일정한 조건하에서 인정된다는 견해의 대립이 있다(이시윤). 그러므로 민사소송절차에서는 취재원 묵비권이 인정될 여지가 있다고 보이지만, 형사소송절차에서는 공정한 재판과 정의의 실현이라는 형사법적 목적 때문에 취재원묵비권이 제한을 받게 되는 것이다.

언론·출판의 자유의 현대 민주주의 사회에서의 역할을 고려할 때 취재원묵비권은 보장되어야 한다고 생각한다. 다만 취재원묵비권을 형사상 절차에서 무제한적으로 인정하게 되면 공정한 재판은 기대할 수 없을 것이므로, 미국 판례상 인정된 정의실현이라는 국가적 이익과 취재원의 보호 간에 이익형량을 통한 해결을 생각할 수 있을 것이다.

③ 내부적 자유

편성·편집의 자유가 인정되느냐가 문제된다. 오늘날 통상 편집권이라 함은 신문지면을 둘러싼 제반 권리의 문제, 즉 신문의 지면을 어떤 방법으로 결정할 것인가에 관한 권위와 능력이라고 정의된다.[446] 헌법에서 명문으로 편집의 자유에 관하여 보장하고 있는 것은 아니지만, 편집의 자유는 신문이나 방송의 자유로서 보장하는 것이 일반적인 학계의 경향이다.[447] 신문법 제4조 제1항에서는 "신문 및 인터넷신문의 편집의 자유와 독립은 보장된다"고 규정하고 있고, 제2항에서 "신문 및 인터넷신문사업자는 편집인의 자율적인 편집을 보장하여야 한다"고 규정하여 편집권을 보장하고 있다. 방송법 제4조 제1항에서는 "방송편성의 자유와 독립은 보장된다"고 규정하여 역시 방송편성의 자유도 보장하고 있다.

편집의 자유는 경영권과 충돌이 문제되나, 국민의 올바른 여론형성을 위해서는 언론기관의 진실보도가 중요하고 이를 위해서는 편집이 경영으로부터 독립해야 한다. 다만 설립목적에 맞는 편집방향을 제시하고 이에 맞는 인사권 행사는 보장되어야 한다.[448] 기본권의 제3자적 효력으로 다룰 것인가에 대해서도 견해의 대립이 있다.

무상 비밀에 속하는 사항에 대하여 신문을 받을 때
2. 기술 또는 직업의 비밀에 속하는 사항에 대하여 신문을 받을 때

446) 유일상, 언론법제론, 박영사, 2000, 93면.
447) 전정환, "방송자유의 주체", 공법연구 제30집 제3호, 2002, 240면.
448) 계희열, 앞의 책(중), 418면.

4. 언론 · 출판의 자유의 효력

언론 · 출판의 자유의 효력에 대해서는 대국가적 효력을 인정한다는 점에는 이설이 없다. 따라서 입법, 집행, 사법 등 모든 국가기관을 구속하는 것은 물론이며, 공법상의 법인 및 공권력의 행사를 위탁받은 사인까지 구속한다. 그러나 대사인적 효력에 대해서는 직접적으로 적용된다는 설[449)]과 간접적으로 적용된다는 설[450)]의 대립이 있다. 언론 · 출판의 자유는 객관적 가치질서로서의 성격이 인정되고 제21조 제4항은 "언론 · 출판은 타인의 명예나 권리"를 침해해서는 안 된다고 규정하고 있으므로 사인 간에도 효력을 인정하여야 한다. 다만 직접적용할 것인가 간접적용할 것인가가 문제되지만, 제21조 제4항은 직접적 효력을 인정하고 있는 것이라고 보는 것이 타당하다고 본다.[451)] 한편 "사업장내에서 기업질서를 유지하기 위하여 사용자의 허가 없이 사업장내에서 유인물을 배포한 근로자를 징계할 수 있도록 한 취업규칙의 규정이 언론의 자유를 보장한 헌법조항에 위반하여 무효라고 할 수 없다"고 한 대법원 판례[452)]를 대사인적 효력을 부인하는 예로 드는 견해[453)]도 있지만, 간접적 효력까지도 부인한 것은 아니라고 본다.

5. 언론 · 출판의 자유의 한계와 제한

(1) 언론 · 출판의 자유의 한계

언론 · 출판의 자유는 정신적 자유권이고 현대 민주국가의 기본적 전제가 되는 기본권이므로 최대한 보장되어야 할 것이나, 언론 · 출판의 자유도 일정한 헌법적

---

449) 허영, 앞의 책, 608면. 언론 · 출판의 자유의 헌법적 한계에 관한 규정(제21조 제4항)은 사인 간의 기본권효력에 관하여 명시하고 있다는 점에서 그 헌법상 의의를 찾을 수 있다고 한다. 즉 민법상의 불법행위에 관한 규정(제751조)만으로도 충분히 해결될 수 있는 사항을 헌법에 특별히 규정한 이유는 '언론 · 출판의 자유'가 현대에서 가지는 사회통합적 · 민주적 기능 때문에 이 기본권에 대해서 특별히 직접적 사인효력을 인정함으로써 언론의 사회적 책임을 강조하고 동화적 통합의 분위기 조성을 촉진시키고자 하는 데 그 헌법상 의의가 있다고 한다. 한편 직접 보도의 자유를 근거로 한 손해배상청구권을 인정한 독일 연방헌법재판소의 결정(BVerfGE 25, 256(263f.))을 직접적 효력을 인정한 예로 보기도 한다.

450) 권영성, 앞의 책, 509면. 사법의 일반조항을 통해서 간접적용된다고 한다.

451) 계희열 교수는 언론 · 출판의 자유가 사인 간에 직접 또는 간접적용되느냐의 문제는 구체적 상황에 따라 판단할 문제이지 획일적으로 정할 수 없다는 견해이다(계희열, 앞의 책(중), 421면).

452) 대판 1997. 7. 11. 95다55900.

453) 홍성방, 앞의 책(중), 169면.

한계가 있음을 부인할 수 없다. 제21조 제4항은 "언론·출판은 타인의 명예나 권리 또는 공중도덕이나 사회윤리를 침해하여서는 아니 된다"라고 규정함으로써 언론·출판의 자유의 헌법적 한계를 인정하고 있다. 제21조 제4항의 규정에 대해서 내재적 한계로 보는 견해,[454] 헌법적 한계로 보는 견해,[455] 개별적 헌법유보로 보는 견해,[456] 개별적(가중) 법률유보로 보는 견해, 주의규정으로 보는 견해 등의 대립이 있으나 개별적 헌법유보규정으로 보는 것이 타당하다고 본다. 또한 이 규정은 대사인적 효력을 명문으로 인정한 것으로 보아야 한다.

① 타인의 명예·권리에 대한 침해 금지

언론·출판의 자유의 한계로서의 명예와 권리는 인간의 존엄과 가치 및 인격권과 사생활의 비밀보호와의 상호 관련 하에서 이해해야 한다. 그러므로 헌법상 '명예'의 개념은 민법이나 형법의 명예개념보다 넓게 보아야 한다. 또한 타인의 권리에는 Privacy권, 초상권, 성명권, 저작권 등이 포함된다.

언론·출판이 타인의 명예나 권리를 침해한 때에는 피해자는 이에 대한 피해의 배상을 청구할 수 있다. 타인의 명예나 권리에 관한 헌법적 규정이 없다고 하더라도 타인의 명예를 침해한 경우에는 민법상의 불법행위를 구성하여 손해배상의 대상이 된다(민법 제751조). 또한 사실을 적시하여 공공연히 고의로 타인의 명예를 훼손하는 언론·출판은 형사책임을 진다(형법 제309조). 다만 명예훼손의 행위가 진실한 사실로서 오로지 공공의 이익에 관한 때에는 처벌하지 아니한다(동법 제312조).[457]

명예훼손과 입증책임

종래 대법원 판례는 언론기관에 의한 공인이나 공적 인물에 대한 명예훼손사건도 일반사인과 똑같은 차원에서 심리하고 '공공의 이익' 있는 경우에만 위법성이 조각되는 것으로 판시하고 있으며, 이 경우 입증책임의 부담에 대하여도 사인에 의한 명예훼손이든 언론보도로 인한 명예훼손이든 간에 모두 행위자인 피고에게 입증책

454) 권영성, 앞의 책, 509면.
455) 허영, 앞의 책, 607－608면.
456) 이 조항을 헌법에 의한 기본권 제한이며, 언론·출판의 책임을 강조한 것으로는 보는 견해(홍성방, 앞의 책(중), 169면).
457) 헌법재판소는 명예훼손죄의 해석법리를 다음과 같이 제시하고 있다. "① 그 표현이 진실한 사실이라는 입증이 없어도 행위자가 진실한 것으로 오인하고 행위를 한 경우, 그 오인에 정당한 이유가 있는 때에는 명예훼손죄가 성립되지 않는다. ② "오로지 공공의 이익에 관한 때에"의 요건은 언론의 자유를 보장한다는 관점에서 그 적용범위를 넓혀야 한다. ③ 명예훼손적 표현에서의 "비방할 목적"은 그 폭을 좁히는 제한된 해석이 필요하다"(헌재 1999. 6. 24. 97헌마265).

임이 있는 것으로 판시하였다.[458] 그러나 최근 헌법재판소는 언론의 자유와 명예의 보호라는 두 권리를 조정함에 있어서 피해자가 공적 인물인지의 여부, 표현내용이 공적 사안인지의 여부 내지는 알 권리의 객체로서 공공성과 사회성을 갖춘 것인지의 여부, 피해자가 명예훼손적 표현의 위험을 자초한 것인지의 여부 등을 고려하여서 결정하여야 한다고 판시하였다.[459] 이러한 점은 미국의 명예훼손법의 논리를 수용한 것으로 볼 수 있다. 그러나 "**현실적 악의**(actual malice)"[460]의 개념을 직접적으로 사용하고 있지는 않다. 공적 인물이나 공적 관심사에 대한 언론의 표현은 국민의 알 권리 차원에서 존중되어야 하므로 "현실적 악의"의 도입을 충분히 고려할 필요가 있다. 단 언론환경의 개선과 언론의 책임 있는 의식이 선행되어야 할 것이다.

② 공중도덕과 사회윤리에의 침해 금지

공중도덕이나 사회윤리를 침해하는 언론·출판행위의 대표적인 것은 음란문서의 제작·판매 등이다. **음란성의 기준**은 작품 전체와의 관련에서 동시대의 통상인에 대한 효과를 고려하여 판단하여야 할 것이다(**전체평가주의**).[461] 또한 폭력과 성범죄의 증대를 수반하는 표현이나 전통적인 문화국가원리나 혼인·가족제도에 반하는 언론·출판은 규제된다. 방송은 범죄 및 부도덕한 행위나 사행심을 조장하여서는 안 되고 건전한 가정생활과 아동 및 청소년의 선도에 나쁜 영향을 끼치는 음

---

458) 이러한 점에서 피해자의 신분이 공적 인물이냐 아니냐, 언론에 의한 명예훼손사건이냐 일반 사인에 의한 명예훼손이냐, 보도내용이 사실에 관한 것이냐 평가에 관한 것이냐에 따라서 판례이론을 발전시켜온 미국의 법리와 차이가 있다(김수갑, "언론·출판의 자유와 명예훼손의 법리", 법학연구, 충북대 법학연구소, 1999, 103면).

459) 헌재 1999. 6. 24. 97헌마265.

460) '현실적 악의' 법리는 New York Times Co. v. Sullivan 사건에서 정립된 개념으로서 공직자의 공적 활동에 대한 언론의 비판에 대하여 명예훼손으로 인한 책임을 지우기 위하여서는 비판받은 '공직자'가 비판자인 언론에게 '현실적 악의'(그것이 허위임을 알거나, 허위 여부를 분별없이 무시하는 것)가 있음을 증명하지 못하는 한, 명예훼손은 성립할 수 없다는 법리를 의미한다(김수갑, 앞의 논문, 97면).

461) 헌법재판소는 '음란'을 인간존엄 내지 인간성을 왜곡하는 노골적이고 적나라한 성표현으로서 오로지 성적 흥미에만 호소할 뿐 전체적으로 보아 하등의 문학적·예술적·과학적 또는 정치적 가치를 지니지 않은 것으로서, 사회의 건전한 성도덕을 크게 해칠 뿐만 아니라 사상의 경쟁 매커니즘에 의해서도 그 해악이 해소되기 어려운 것이라 하여, 음란표현은 언론·출판의 자유에 의해서 보호되지 않는다고 보았다. 반면 '저속'은 그 적용범위가 매우 광범위할 뿐만 아니라 법관의 보충적인 해석에 의한다 하더라도 그 의미내용을 확정하기 어려울 정도로 매우 추상적이다. 이 "저속"의 개념에는 출판사등록이 취소되는 성적 표현의 하한이 열려 있을 뿐만 아니라 폭력성이나 잔인성 및 천한 정도도 그 하한이 모두 열려 있기 때문에 출판을 하고자 하는 자는 어느 정도로 자신의 표현내용을 조절해야 되는지를 도저히 알 수 없도록 되어 있어 명확성의 원칙 및 과도한 광범성의 원칙에 반한다고 판시하였다(헌재 1998. 4. 30. 95헌가16).

란·퇴폐 또는 폭력을 조장해서는 안 된다.

③ 소 결

언론·출판의 자유가 헌법적 한계를 일탈했는지의 여부의 판단에는 언론·출판의 자유가 가지는 헌법상의 의의와 기능을 염두에 두고, 또 다른 헌법상의 보호가치도 충분히 존중될 수 있도록 이익형량 내지는 규범조화적 해석이 요구된다. 단 공적 인물이나 공적 사안에 대해서는 미국의 '현실적 악의'의 법리처럼 표현의 자유의 우월적 지위를 인정하고, 명예의 보호에 일정한 한계를 인정할 수 있을 것이다.

(2) 언론·출판의 자유의 제한

언론·출판의 자유는 제37조 제2항의 일반적 법률유보 제한조항에 따라 '신문 등의 진흥에 관한 법률'(신문법),[462] '잡지 등 정기간행물의 진흥에 관한 법률'(정기간행물법), 방송법, 군사기밀보호법, '군사기지 및 군사시설보호법', '출판문화산업 진흥법', '출판사 및 인쇄소의 등록 등에 관한 법률' 등에 따라 제한이 가능하다.

언론·출판의 자유에 대한 제한은 사전적 제한과 사후적 제한이 있다.

① 사전제한

언론·출판의 자유에 대한 사전제한은 표현을 억제하는 것과 동시에 국민의 알 권리까지도 침해하는 것이 되므로 인정될 수 없다. 미국에서는 **사전억제금지의 원칙**으로 발달하였다. 사전제한의 유형은 허가제와 검열제가 있다.

ⅰ) 허가제의 금지

제21조 제2항의 규정상 언론·출판에 대한 허가제는 일체 허용되지 않는다. 행정법적으로 허가란 원래 자연적 자유에 속하는 자유를 일반적으로 금지한 연후에

462) 종전의 '정기간행물의 등록 등에 관한 법률'은 전문개정(2005. 7. 28. 시행)되어 '신문 등의 자유와 기능보장에 관한 법률'로 제명이 변경되었다. 그러나 '신문 등의 자유와 기능보장에 관한 법률'은 2008. 6. 5. 일부개정(2008. 12. 6. 시행)되어 잡지 등 정기간행물에 관한 내용을 분법(分法)하여 정기간행물의 지원 및 육성을 위한 근거를 마련하고 관련 산업을 지원하는 내용으로 '잡지 등 정기간행물의 진흥에 관한 법률'이 제정(2008. 6. 5)됨에 따라, 잡지 등 정기간행물 관련 조항을 삭제하거나 정리하였다. 그 후 헌법재판소의 위헌 및 헌법불합치 결정을 받은 규정을 정비하고, 언론의 기능을 하고 있는 인터넷포털을 언론관계 법률의 규율 대상으로 포함하는 한편, 업무가 중복되어 비효율적으로 운영되던 신문지원기관을 효율적으로 통합하고, 매체 간 융합추세 등 언론환경의 변화에 맞추어 일간신문·뉴스통신·방송사업 간의 겸영금지 및 주식·지분 소유 제한을 폐지하는 등 신문의 자유와 산업발전을 위한 법적 기반을 획기적으로 확충하려는 이유로 2009. 7. 31. 전문개정(2010. 2. 1. 시행)되어 제명도 '신문 등의 진흥에 관한 법률'로 바뀌었으며, 현재 신문법은 이 법을 지칭한다.

특정한 경우에 한하여 그 금지를 해제하여 주는 행정처분이다. 언론·출판에 허가제를 인정할 경우 당국이 어용언론 등에게만 선별적으로 금지해 줄 가능성이 있기 때문에 인정되어서는 안 된다.

그러나 **등록제**와 **신고제**는 허가제에 해당되지 않아 위헌이 아니다. '신문 등의 진흥에 관한 법률'은 신문을 발행하거나 인터넷신문 또는 인터넷뉴스서비스를 전자적으로 발행하려는 자는 특별시장·광역시장·특별자치시장·도지사 또는 특별자치도지사에게 등록하도록 하는 등록의무를 지우고 있고(신문법 제9조), '잡지 등 정기간행물의 진흥에 관한 법률'은 잡지를 발행하고자 하는 자는 특별자치시장·특별자치도지사·시장·군수·구청장에게 등록하도록 등록의무를 부과하고 있고(정기간행물법 제15조), 정보간행물·전자간행물 또는 기타간행물(잡지외 간행물)을 발행하고자 하는 자에게는 시장·군수·구청장에게 신고하도록 하고 있다(동법 제16조).

등록제는 무책임한 신문이나 잡지의 난립을 방지하고 언론·출판의 공적 기능과 언론의 발전을 위한 것으로 허가제와 구별된다. 그러나 등록사항이 필요한 외형적·물리적 시설이 아니라 언론의 자유와 보도의 내용을 간섭하거나 허가하는 것이 되어서는 안 되며, 또한 등록요건이 너무 엄격하여 사실상 허가제를 인정한 것과 같이 언론·출판에 대한 실질적 제한이 되는 경우에는 위헌이다. 종전의 정기간행물의 등록 등에 관한 법률의 규정에 의한 해당시설을 자기소유인 것으로 해석하는 한 위헌이라고 한 헌법재판소의 결정[463]도 이러한 취지를 강조한 것으로 이해된다. 신고제는 등록제보다도 완화된 형태로 행정적 편의를 위한 제한에 해당한다.

한편 방송법은 "지상파방송사업을 하고자 하는 자는 방송통신위원회의 허가를 받아야 한다"고 규정하여(동법 제9조 제1항) 예외적으로 허가제를 인정하고 있다. 방송은 신문 등의 인쇄매체와 달리 주파수의 한정, 소수자의 독점 등 기술적·경제적 한계가 있고, 방송매체의 강한 영향력으로 인하여 방송의 기능을 보장하면서도 그 폐해를 방지하기 위하여 입법자에게 보다 광범위한 형성재량이 부여되어 있다는 점에서 허가제는 위헌으로 볼 수 없다.

ii) 검열제의 금지

사상이나 의견이 발표되기 전에 국가기관이 내용을 심사하여 일정한 사상이나 의견의 표현을 사전에 억제하는 검열제는 인정되지 않는다.[464] 헌법재판소는 제21

463) 헌재 1992. 6. 26. 90헌가23.
464) 밀턴(J. Milton)은 1644년 'Areopagitica'에서 다음의 이유에서 사전검열을 반대한 바 있다.

조 제2항의 검열은 행정권이 주체가 되어 사상이나 의견 등이 발표되기 이전에 예방적 조치로서 그 내용을 심사, 선별하여 발표를 사전에 억제하는, 즉 허가받지 아니한 것의 발표를 금지하는 제도를 의미한다고 하였다.[465] 영화법 위헌결정에서 헌법재판소는 검열에 해당하기 위한 세 가지 요건으로 ⅰ) 허가를 받기 위한 표현물의 제출의무, ⅱ) 행정권이 주체가 된 사전심사절차, ⅲ) 허가를 받지 않은 의사표현의 금지 및 심사절차를 관철할 수 있는 강제수단의 존재를 제시하고 있다. 헌법상 검열금지규정의 의미는 제37조 제2항에 따라서 국민의 자유와 권리를 법률로써 제한할 수 있다고 하여도 언론 · 출판의 검열을 수단으로 하는 제한만은 법률로써도 허용되지 아니 한다는 것을 밝힌 것이다.

위의 영화법에 따른 공연윤리위원회[466]에 의한 사전심의가 검열에 해당된다고 하여 위헌으로 결정한 이래 음반,[467] 비디오물[468]에 대한 사전심의제도도 모두 위

ⅰ) 출판물이 햇빛을 보기도 전에 재판을 받는다. ⅱ) 무과실의 검열관은 있을 수 없다. ⅲ) 국민이 알아도 무방한 것과 안 될 것을 당국이 선별한다는 것은 저자는 물론 국민에 대한 모욕이다.

465) 헌재 1997. 8. 21. 93헌바51. "헌법 제21조 제2항에서 정하는 허가나 검열은 행정권이 주체가 되어 사상이나 의견 등이 발표되기 이전에 예방적 조치로서 그 내용을 심사 · 선별하여 발표를 사전에 억제하는 제도를 뜻한다. 그런데, 정기간행물의 등록 등에 관한 법률 제7조 제1항이 정한 등록사항은 정기간행물의 외형적이고 객관적인 사항에 한정되어 있으므로 위 규정이 정기간행물의 내용을 심사 · 선별하여 정기간행물을 사전에 통제하기 위한 규정이 아님이 명백하다. 따라서 위 규정은 헌법 제21조 제2항이 정하는 허가나 검열에 해당되지 아니한다." 한편 영화에 대한 공연윤리위원회의 사전심의와 관련하여 헌법재판소는 "검열을 행정기관이 아닌 독립적인 위원회에서 행한다고 하더라도 행정권이 주체가 되어 검열절차를 형성하고 검열기관의 구성에 지속적인 영향을 미칠 수 있는 경우라면 실질적으로 검열기관은 행정기관이라고 보아야 한다. 그러므로 공연윤리위원회가 민간인으로 구성된 자율적인 기관이라고 할지라도 영화법에서 영화에 대한 사전허가제도를 채택하고, 공연법에 의하여 공연윤리위원회를 설치토록 하여 행정권이 공연윤리위원회의 구성에 지속적인 영향을 미칠 수 있게 하였으므로 공연윤리위원회는 검열기관으로 볼 수밖에 없다"고 하였다(헌재 1996. 10. 4. 93헌가13).

466) 종전의 공연윤리위원회는 영화법상 사전심의제도의 위헌결정 후 한국공연예술진흥협의회로 바뀌었다가 현재는 영상물등급위원회가 등급제를 운영하는 기관이다.

467) "이 사건 법률조항(음반 및 비디오물에 관한 법률 제16조 제1항)은 심의기관인 공연윤리위원회가 음반의 제작 · 판매에 앞서 그 내용을 심사하여 심의기준에 적합하지 아니한 음반에 대하여는 판매를 금지할 수 있고, 심의를 받지 아니한 음반을 판매할 경우에는 형사처벌까지 할 수 있도록 규정하고 있는바, 공연윤리위원회는 공연법에 의하여 설치되고 행정권이 그 구성에 지속적인 영향을 미칠 수 있게 되어 있으므로, 음반에 대한 위와 같은 사전심의제도는 명백히 사전검열제도에 해당한다"(헌재 1996. 10. 31. 94헌가6). 이 사건에서 헌법재판소는 청소년 등에게 부적절한 내용의 음반에 대하여는 청소년에게 판매할 수 없도록 미리 등급을 심사하는 이른바 등급심사제도는 사전검열에 해당하지 아니한다고 하였다.

468) "구 음반 및 비디오물에 관한 법률에서 비디오물의 제작시 공연윤리위원회의 사전심의를 받을 의무를 부과하고 사전심의를 받지 않은 비디오물에 관하여 판매 등을 금지하면서, 이에

헌결정을 받았다. 또한 헌법재판소는 구 방송위원회로부터 위탁을 받은 한국광고자율기구로 하여금 텔레비전 방송광고의 사전심의를 담당하도록 하는 것이 헌법상 금지되는 사전검열에 해당된다고 판시하였다.[469] 한편 교과서 검인정제도는 연구결과를 일반저작물로 출판하는 것 자체를 금지하는 것이 아니라, 출판물을 교과서로 사용할 수 없을 뿐이므로 검열이 아니라고 결정한 바 있다.[470]

헌법재판소의 입장은 일체의 사전억제가 금지되는 것이 아니라, 사전검열에 해당하는 사전금지만이 금지되며, 등급제와 같은 사전제한은 허용된다는 것이다. 그러나 영상물등급위원회의 등급분류보류제도는 등급분류를 받지 아니한 영화의 상영을 금지하고 있고, 이를 위반할 경우 형벌까지 부과할 수 있도록 하고 있으며, 등급분류보류의 횟수 제한도 없어 실질적으로 영상물등급위원회의 허가를 받지 않는 한 영화를 통한 의사표현이 무한정 금지될 수 있어 검열에 해당한다고 위헌결정을 내렸다.[471]

그동안 영화,[472] 음반,[473] 비디오물,[474] 게임물[475] 등을 규제하는 법률은 여러

위반한 경우에는 형사처벌을 하고 위반자가 소유 또는 점유하는 비디오물과 그 제작기자재 등을 몰수할 수 있도록 규정하고 있고, 공연법에 의하여 공연윤리위원회를 설치하도록 하여 행정권이 그 구성에 지속적인 영향을 미칠 수 있게 하였으므로, 공연윤리위원회는 헌법 제21조 제2항에서 금지한 검열기관으로 보아야 하고 공연윤리위원회의 비디오물에 대한 사전심의는 헌법 제21조 제2항이 금지한 사전검열에 해당한다"(헌재 2000. 2. 24. 99헌가17).

469) 헌재 2008. 6. 26. 2005헌마506.

470) 헌재 1992. 11. 12. 89헌마88. 이 사건에서 헌법재판소는 국민의 수학권(제31조 제1항의 교육을 받을 권리)과 교사의 수업의 자유는 다 같이 보호되어야 하겠지만 그중에서도 국민의 수학권이 더 우선적으로 보호되어야 한다고 전제하고 "국정교과서제도는 교과서라는 형태의 도서에 대하여 국가가 이를 독점하는 것이지만, 국민의 수학권의 보호라는 차원에서 학년과 학과에 따라 어떤 교과용 도서에 대하여 이를 자유발행제로 하는 것이 온당하지 못한 경우가 있을 수 있고 그러한 경우 국가가 관여할 수밖에 없다는 것과 관여할 수 있는 헌법적 근거가 있다는 것을 인정한다면 그 인정의 범위 내에서 국가가 이를 검·인정제로 할 것인가 또는 국정제로 할 것인가에 대하여 재량권을 갖는다고 할 것이므로 중학교의 국어교과서에 관한 한, 교과용 도서의 국정제는 학문의 자유나 언론·출판의 자유를 침해하는 제도가 아님은 물론 교육의 자주성·전문성·정치적 중립성과도 무조건 양립되지 않는 것이라 하기 어렵다"고 판시하였다.

471) 헌재 2001. 8. 30. 2000헌가9.

472) 영화법 → 영화진흥법 → 영화 및 비디오물의 진흥에 관한 법률(영화와 비디오물은 연속적인 영상물로서 그 규율 대상이 동일함에도 불구하고 종전에는 영화진흥법과 음반·비디오물 및 게임물에 관한 법률 등 각기 다른 법률로 규율하고 있어 그 효율성이 떨어지는바, 영화 및 비디오물에 관한 사항을 통합하여 규정함).

473) 음반법 → 음반 및 비디오물에 관한 법률 → 음반·비디오물 및 게임물에 관한 법률 → 음악산업진흥에 관한 법률(기존의 음반·비디오물 및 게임물에 관한 법률을 분법하여 음악에 관한 독자적인 법률을 2006. 4. 28. 제정, 2006. 10. 29. 시행).

474) 음반 및 비디오물에 관한 법률 → 음반·비디오물 및 게임물에 관한 법률 → 영화 및 비디오

차례 변천되어 왔으나, 현재 음반을 규제하는 법률은 '음악산업진흥에 관한 법률'이고, 영화와 비디오물을 규제하는 법률은 '영화 및 비디오물의 진흥에 관한 법률'이며, 게임물의 규제는 '게임산업진흥에 관한 법률'에 의해서 이루어진다. 음반의 경우 현재 사전심의제가 적용되지는 않지만, 음악영상물과 음악영상파일에 대해서는 '음악 및 비디오물의 진흥에 관한 법률'에 따른 영상물등급위원회에 의한 등급분류제가 적용된다(음악산업진흥법 제17조). 게임물은 별도의 게임물등급위원회의 등급분류제가 적용된다(게임산업법 제21조). 한편 헌법재판소는 건강기능식품의 기능성 표시·광고와 같이 규제의 필요성이 큰 경우에 언론·출판의 자유를 최대한도로 보장할 의무를 지는 외에 헌법 제36조 제3항에 따라 국민의 보건에 관한 보호의무도 지는 입법자가 국민의 표현의 자유와 보건·건강권 모두를 최대한 보장하고, 기본권들 간의 균형을 기하는 차원에서 건강기능식품의 표시·광고에 관한 사전심의절차를 법률로 규정하였다 하여 이를 우리 헌법이 절대적으로 금지하는 사전검열에 해당한다고 보기는 어렵다고 판시하고 있다.[476]

iii) 비상계엄 하에서의 제한

第77조 제3항에 따라 비상계엄이 선포된 경우 언론·출판의 자유에 대한 특별한 조치로서 검열 등의 사전통제가 가능하다고 본다.

② 사후제한

허가와 검열 같은 사전제한은 허용되지 않는 반면에, 사후적 통제는 제37조 제2항의 일반원칙에 따라 법률의 형식으로 제한이 가능하다. 단 제한의 정도는 필요최소한에 그쳐야 하고, 본질적 내용을 침해해서는 안 된다.

현재 '신문 등의 진흥에 관한 법률'(신문법), 방송법 등에서 제한규정을 두고 있다. 신문법에서는 발행정지 및 등록취소제도를 두고 있다. 즉 시·도지사는 등록을 한 자가 i) 등록된 사항을 변경등록하지 아니하고 임의로 변경하여 그 신문 등을 발행한 경우, ii) 발행인·편집인 또는 기사배열책임자가 법에 따른 결격사유에 해당된 경우 3개월 이내의 기간을 정하여 해당 신문 등의 발행정지를 명할

물의 진흥에 관한 법률.

475) 음반·비디오물 및 게임물에 관한 법률 → 게임산업진흥에 관한 법률(그동안 게임물이 음반·비디오물 및 게임물에 관한 법률에 규정되어 있어 게임물만의 고유한 특성이 반영되지 못하고 게임이용문화가 제대로 정착되지 못하고 있으므로 게임물에 관한 법체계를 대폭적으로 개편하여 게임이용자의 권익향상과 건전한 게임문화를 확립하려는 것임(2006. 4. 28. 제정, 2006. 10. 29. 시행)).

476) 헌재 2010. 7. 29. 2006헌바75.

수 있으며, i) 거짓이나 그 밖의 부정한 방법으로 등록한 사실이 있는 경우, ii) 신문 등의 내용이 등록된 발행목적이나 발행내용을 현저하게 반복하여 위반한 경우, iii) 음란한 내용의 신문 등을 발행하여 공중도덕이나 사회윤리를 현저하게 침해한 경우는 6개월 이내의 기간을 정하여 해당 신문 등의 발행정지를 명하거나 법원에 신문 등의 등록취소의 심판을 청구할 수 있다(신문법 제22조 제1항, 제2항). 등록취소심판사건에 대하여는 비송사건절차법을 준용한다(동법 제22조 제4항). 한편 시·도지사는 i) 정당한 사유 없이 등록 후 6개월 이내에 해당 신문 등을 발행하지 아니한 경우, ii) 정당한 사유 없이 1년 이상 해당 신문 등의 발행을 중단한 경우에는 직권으로 등록을 취소할 수 있도록 하고 있다(동법 제23조). 발행정지의 명령·등록취소심판의 청구 및 등록취소처분의 공정하고 객관적인 심의를 위하여 시·도지사 소속으로 등록취소심의위원회를 두며(동법 제24조 제1항), 신문 등의 등록을 취소하고자 하는 경우 청문을 실시하여야 한다(동법 제25조). 방송법도 허가·승인·등록의 취소제도를 규정하고 있다(방송법 제18조). 그 밖에 '잡지 등 정기간행물의 진흥에 관한 법률', '출판문화산업 진흥법', 형법, 국가보안법, 계엄법, 군사기밀보호법 등에서 제한규정을 두고 있다. 다만 이러한 제한의 경우에도 제한의 정도는 필요최소한에 그쳐야 하고, 본질적 내용을 침해해서는 안 된다.

③ 언론규제입법의 합헌성판단기준

언론·출판의 자유는 민주주의사회의 전제가 되는 기본권으로서 최대한 보장을 받아야 할 것이므로, 우월적 지위(preferred position)가 인정되어야 할 것이다.[477] 그러므로 그 제한과 규제에 대한 합헌성 판단의 기준이 엄격할 것이 요구된다. 다음은 미국에서 발달한 판례이론이다.

i) 명확성의 이론(막연하기 때문에 무효이론)

표현의 자유를 규제하는 법령의 규정은 명확해야 한다는 이론으로 불명확한 법률은 표현의 자유를 제한할 수 없고, '**막연하기 때문에 무효**(void for vagueness)'가 된다. 지나치게 막연하고 광범위한 내용을 담고 있는 법률은 법원의 판단을 기다릴 필요도 없이 '**문언상 무효**(void on its face)'가 된다고 한다.[478] 헌법재판소는

---

477) "언론의 자유는 바로 민주국가의 존립과 발전을 위한 기초가 되기 때문에 특히 우월적인 지위를 지니고 있는 것이 현대 헌법의 특징이다"(헌재 1991. 9. 16. 89헌마163).

478) 헌법재판소는 전기통신사업법 제53조 규정 중 "공공의 안녕질서 또는 미풍양속을 해하는"이라는 불온통신의 개념은 모호하고 추상적이며 포괄적이어서 필연적으로 규제되지 않아야 할 표현까지 규제하게 되어 표현의 자유의 본질적 기능이 훼손될 수 있다고 하여 위헌결정을

명확성의 원칙을 최대한이 아닌 최소한의 명확성을 요구하는 것이라고 한다. 곧 법관의 보충적인 가치판단을 통해서 그 의미내용을 확인할 수 있고, 보충적 해석이 해석자의 개인적인 취향에 따라 좌우될 가능성이 없다면 명확성의 원칙에 반한다고 할 수 없다고 한다.[479]

ii) 명백하고 현존하는 위험의 원칙[480]

'명백'(clear)이란 표현과 해악의 발생 사이에 인과관계가 존재하는 것을, '현존'(present)은 해악발생이 시간적으로 근접한 것을, '위험'(danger)은 해악발생의 개연성을 의미한다. 그러므로 이 원칙은 자유로운 언론으로 말미암아 중대한 해악이 발생할 개연성이 있고, 언론과 해악의 발생 사이에 밀접한 인과관계가 존재하며, 또 해악의 발생이 목전에 절박한 경우에 다른 수단으로는 이를 방지할 수 없으면 언론을 제한하는 것이 정당화된다는 이론이다. 그러나 '위험의 근접성과 정도'의 주관적 측면으로 인한 불확정성의 문제가 발생하며, 사후적으로 사법절차에 의하여 판단하는 기준으로서는 적합하나 행정청 등이 사전에 표현의 자유를 규제함에 있어 이 원칙을 판단의 기준으로 하기는 부적합하다는 문제점이 지적되고 있다. 헌법재판소는 반국가단체의 활동을 찬양·고무하는 자에 대해 처벌하는 규정인 국가보안법 제7조 제1항의 규정이 국가의 존립·안전을 위태롭게 하거나 자유민주적 기본질서에 실질적 해악을 미칠 명백한 위험성이 있는 행위에 대해서만 적용된다고 선언하면서 이 법리를 적용한 바 있다.[481]

iii) 이익형량이론

이 이론은 1950년 Douds 판결에서 처음 채용된 이후 미국에서 많이 인용되었다. 이익형량이론은 구체적인 사건에서 표현의 자유를 누리는 데서 얻는 개인의 이익과 표현을 제한하는 법률에서 추구하려는 공공의 이익을 형량하여 제한하려는 이익의 비중이 클 때, 그 제한을 인정한다는 이론이다. 그러나 이 이론은 사건마다 형량해야 하는 어려움이 있고 판단자의 주관이나 사회적 분위기 등에 따라 규제의 기준이 달라질 수 있다는 비판이 있다. 이에 대해서 정신적 자유와 경제적 자유를 구별하여 전자의 우월성을 인정해야 한다는 이중기준이론(double standard)

하였다(헌재 2002. 6. 27. 99헌마480).

479) 헌재 1998. 4. 30. 95헌가16.

480) 1919년 Schenck 판결에서 Holmes 판사가 주장하고, 1927년 휘트니 판결에서 Brandeis 판사에 의하여 지지된 이후 변용과 수정을 거친 후 1969년 Brandenburg 사건 이후 미국의 통설이 되고 있다.

481) 헌재 1990. 4. 2. 89헌가113.

이 전개되고 있다.

iv) 필요최소한도의 규제수단의 선택에 관한 원칙(과잉금지의 원칙)

위법한 표현행위를 규제하기에 충분한, 보다 완곡한 제재방법이 있음에도 불구하고 과중한 제재를 과하는 입법은 자유로운 표현을 억제하므로 위헌이다. 이러한 자유의 제한은 덜 제한적인 대체조치(Less Restrictive Alternative: LRA의 원칙)를 채택해야 한다는 것을 의미한다.

v) 그 외에도 합헌성추정의 배제원칙(일반적으로 법률은 입법자의 의사를 존중하여 합헌성이 추정되지만, 언론·출판의 자유를 규제하는 법률은 합헌성추정이 배제된다), 입증책임의 전환이론(언론·출판의 자유를 제한하는 법률은 국가기관이 합헌임을 입증하지 못하면 그 법률은 위헌이다) 등이 있다.

6. 언론·출판의 자유의 침해와 구제

언론·출판의 자유는 국가기관에 의하여 침해될 수 있고, 사인에 의해서도 침해될 수 있다. 국가기관에 의하여 개인이나 언론기관의 언론·출판의 자유가 침해된 경우에는 이미 기본권총론에서 다룬 기본권의 침해시 구제수단에 의한 구제청구가 가능하다. 즉 위헌법률심판이나 헌법소원의 청구, 행정쟁송, 국가배상청구, 청원 등의 수단을 통해 구제 받을 수 있다. 또한 사인이나 언론기관에 의하여 개인의 언론·출판의 자유가 침해된 경우에는 '언론중재 및 피해구제 등에 관한 법률'(이하 '언론중재법'이라 함)에 의한 언론고충처리인제도를 이용하거나(동법 제6조) 기본권의 제3자적 효력에 의한 구제방법이 생각될 수 있다. 이러한 구제수단은 다른 기본권의 침해시 구제수단과 특히 다른 점은 없다고 하겠다.

7. 언론·출판에 의한 기본권침해에 대한 구제제도(언론피해구제제도)

① 서 언

언론기관이 개인의 명예와 권리를 침해한 경우에는 민법상의 불법행위, 형법상의 권리구제 이외에 헌법이 제21조 제4항에서 특별히 헌법적 제한규정을 두고 있으며, 언론중재법상의 여러 가지 구제수단이 존재하고 있다. 언론중재법은 제5조에서 언론 등에 의한 피해구제의 원칙을 규정하고 있다. 즉 "언론, 인터넷뉴스서비스 및 인터넷 멀티미디어 방송은 타인의 생명, 자유, 신체, 건강, 명예, 사생활의 비밀과 자유, 초상(肖像), 성명, 음성, 대화, 저작물 및 사적(私的) 문서, 그 밖의 인격적 가치 등에 관한 권리를 침해하여서는 아니 되며, 언론 등이 타인의 인격권을 침해한 경우에는 이 법에서 정한 절차에 따라 그 피해를 신속하게 구제하여야 한다"고 규정하고 있다(동법 제5조 제1항).[482]

언론보도로 인한 기본권침해에 대해서는 구제방법으로 언론사에의 직접적인 시정요구, 피해구제기구의 이용, 소송제기 등의 방법이 생각될 수 있고, 효과는 미약하지만 언론기관의 자율적인 구제나 시민단체를 통한 구제방법도 있다. 그러나 종전의 사법적 구제제도는 고의·과실과 손해의 입증이 필요하다는 점, 소송제도의 성질상 신속한 구제가 어렵다는 점, 금전적 배상만으로는 개인의 법익보호에 미흡하다는 점 등이 문제점으로 지적되었다.[483] 이에 언론중재법[484]은 정정보도청구권, 반론보도청구권, 추후보도청구권 등을 인정하고 있다.

② 정정보도청구권 · 반론보도청구권 · 추후보도청구권

정정보도청구권은 사실적 주장에 관한 언론보도 등이 진실하지 아니함으로 인하여 피해를 입은 자가 해당 언론보도 등이 있음을 안 날부터 3개월 이내에 언론사, 인터넷뉴스서비스사업자 및 인터넷 멀티미디어 방송사업자에게 그 언론보도 등의 내용에 관한 정정보도를 청구할 수 있는 권리이다. 이 청구에는 언론사 등의 고의·과실이나 위법성을 필요로 하지 아니한다(언론중재법 제14조).

반론보도청구권은 사실적 주장에 관한 언론보도 등으로 인하여 피해를 입은 자는 그 보도 내용에 관한 반론보도를 언론사 등에 청구할 수 있다. 청구에는 언론사 등의 고의·과실이나 위법성을 필요로 하지 아니하며, 보도 내용의 진실 여부와 상관없이 그 청구를 할 수 있다(동법 제16조).

추후보도청구권은 언론 등에 의하여 범죄혐의가 있거나 형사상의 조치를 받았다고 보도 또는 공표된 자는 그에 대한 형사절차가 무죄판결 또는 이와 동등한 형

---

482) 다만 인격권 침해가 사회상규에 반하지 아니하는 한도에서 ⅰ) 피해자의 동의를 받아 이루어진 경우, ⅱ) 언론 등의 보도가 공공의 이익에 관한 것으로서, 진실한 것이거나 진실하다고 믿는 데에 정당한 사유가 있는 경우에 해당하는 경우에는 법률에 특별한 규정이 없으면 언론 등은 그 보도 내용과 관련하여 책임을 지지 아니한다(동법 제5조 제2항).

483) 성낙인, 앞의 책, 1187면.

484) '언론중재 및 피해구제 등에 관한 법률'은 종래 '정기간행물의 등록등에 관한 법률'·'방송법' 등 각 개별법에 분산 규정되어 있던 언론피해구제제도를 포괄하여 이 법에 단일화하고, 언론보도로 침해된 국민의 권리구제를 확대하기 위하여 청구기간을 확대하며, 종전의 중재제도를 조정과 중재로 구분하고 중재위원회의 조정이나 중재 절차에 의하여도 손해배상을 받을 수 있게 하는 한편, 언론의 자유와 독립에 상응한 언론의 사회적 책임을 분담하게 함으로써 공정한 여론형성과 언론의 공적 책임의 실현에 기여하도록 하기 위하여 2005. 1. 27. 제정되었다(2005. 7. 28. 시행).

태로 종결되었을 때에는 그 사실을 안 날부터 3개월 이내에 언론사 등에 이 사실에 관한 추후보도의 게재를 청구할 수 있다. 추후보도에는 청구인의 명예나 권리회복에 필요한 설명 또는 해명이 포함되어야 한다(동법 제17조). 일명 해명권이라고도 한다.

언론중재 및 피해구제법은 인터넷뉴스서비스에 대한 특칙규정을 두고 있다. 즉 인터넷뉴스서비스사업자는 정정보도 청구, 반론보도 청구 또는 추후보도 청구를 받은 경우 지체 없이 해당 기사에 관하여 정정보도청구 등이 있음을 알리는 표시를 하고 해당 기사를 제공한 언론사 등에 그 청구 내용을 통보하여야 한다. 그리고 정정보도청구 등이 있음을 통보받은 경우에는 기사제공언론사도 같은 내용의 청구를 받은 것으로 본다. 기사제공언론사가 청구에 대하여 그 청구의 수용 여부를 청구인에게 통지하는 경우에는 해당 기사를 매개한 인터넷뉴스서비스사업자에게도 통지하여야 한다(이상 동법 제17조의2).

③ 언론중재위원회의 조정, 중재

정정보도청구 등과 관련하여 분쟁이 있는 경우 피해자 또는 언론사 등은 중재위원회에 조정을 신청할 수 있다. 또한 당사자 양쪽은 정정보도청구 등 또는 손해배상의 분쟁에 관하여 중재부의 종국적 결정에 따르기로 합의하고 중재를 신청할 수 있다(동법 제18조 이하). 조정결과 당사자간에 합의가 성립하면 재판상 화해와 동일한 효력이 있고,[485] 중재결정은 확정판결과 동일한 효력이 있다(동법 제25조).

④ 정정보도청구소송 등

i) 정정보도청구소송 등의 제기와 절차

피해자는 법원에 정정보도청구 등의 소를 제기할 수 있다(동법 제26조 제1항). 여기서 정정보도청구소송 등에는 정정보도청구소송과 반론보도청구소송, 추후보도청구소송을 포함한다. 정정보도청구소송과 반론보도청구소송 및 추후보도청구소송 등은 가처분절차에 의해 재판할 수 있느냐에 따른 차이가 있고, 그 밖의 경우에는 동일규정이 적용된다.

피해자는 정정보도청구 등의 소를 병합하여 제기할 수 있고, 소송계속(訴訟繫屬) 중 정정보도청구 등의 소 상호간에 이를 변경할 수 있다. 정정보도청구소송 등은

485) 제19조 제3항의 규정에 따라 합의가 이루어진 것으로 간주되는 때(언론사인 피신청인이 2회에 걸쳐 출석하지 아니한 때에는 조정신청취지에 따라 정정보도 등을 이행하기로 합의한 것으로 본다) 및 제22조 제1항의 규정에 의한 직권조정결정에 이의신청이 없는 때에도 같다(언론중재 및 피해구제법 제23조).

3개월 이내에 제기하여야 하며, 피해자는 소와 동시에 그 인용(認容)을 조건으로 ‘민사집행법’ 제261조 제1항에 따른 간접강제의 신청을 병합하여 제기할 수 있다(동법 제26조 제2항, 제3항).

정정보도청구의 소에 대하여는 ‘민사소송법’의 소송절차에 관한 규정에 따라 재판하고, 반론보도청구 및 추후보도청구의 소에 대하여는 ‘민사집행법’의 가처분절차에 관한 규정에 따라 재판한다(동법 제26조 제6항).

종전에는 언론중재 및 피해구제법은 정정보도청구소송도 가처분절차에 의하도록 하였으나, 이것이 헌법재판소의 위헌결정[486]을 받아 언론중재 및 피해구제법은 헌법재판소의 위헌결정취지를 받아들여 정정보도청구의 소에 대하여는 ‘민사소송법’의 소송절차에 관한 규정에 따라 재판하고, 반론보도청구 및 추후보도청구의 소에 대하여는 ‘민사집행법’의 가처분절차에 관한 규정에 따라 재판한다고 분리하여 규정한 것이다.

---

486) 헌법재판소는 “ …… 정정보도청구의 소를 민사집행법상의 가처분절차에 의하여 재판하도록 규정하고 있다. 그 결과 정정보도청구의 소에서는 그 청구원인을 구성하는 사실의 인정을 ‘증명’ 대신 ‘소명’으로 할 수 있게 되었다. 그런데 언론중재법상의 정정보도청구소송은 통상의 가처분과는 달리 그 자체가 본안소송이다. 이러한 정정보도청구의 소에서, 승패의 관건인 ‘사실적 주장에 관한 언론보도가 진실하지 아니함’이라는 사실의 입증에 대하여, 통상의 본안절차에서 반드시 요구하고 있는 증명을 배제하고 그 대신 간이한 소명으로 이를 대체하는 것인데 이것은 소송을 당한 언론사의 방어권을 심각하게 제약하므로 공정한 재판을 받을 권리를 침해한다. 정정보도청구를 가처분절차에 따라 소명만으로 인용할 수 있게 하는 것은 나아가 언론의 자유를 매우 위축시킨다. 진실에 부합하지 않을 개연성이 있다는 소명만으로 정정보도 책임을 지게 되므로 언론사로서는 사후의 분쟁에 대비하여 진실임을 확신할 수 있는 증거를 수집·확보하지 못하는 한, 사실주장에 관한 보도를 주저하게 될 것이다. 이러한 언론의 위축효과는 중요한 사회적 관심사에 대한 신속한 보도를 자제하는 결과를 초래하고 그로 인한 피해는 민주주의의 기초인 자유언론의 공적 기능이 저하된다는 것이다. 이와 같이 피해자의 보호만을 우선하여 언론의 자유를 합리적인 이유 없이 지나치게 제한하는 것은 위헌이다”라고 결정하였다(헌재 2006. 6. 29. 2005헌마165 등).
이 건 위헌결정 전에는 헌법재판소는 정정보도청구권은 그 표현에도 불구하고 성질을 반론권으로 보고 “정정보도청구사건은 보도내용의 진위 자체를 심판의 대상으로 하지 아니하는 것이므로 비록 민사소송법의 가처분절차에 따라 심판한다 하여 그 절차가 부당하게 간이한 것으로 볼 수 없을 뿐만 아니라 …… ”라고 판시하여 합헌결정을 내린 바 있었다(헌재 1996. 4. 25. 95헌바25). 이 합헌결정 이후 정기간행물등록법이 1995. 12. 30. 개정되어 제19조 제목을 ‘정정보도청구사건의 심판’에서 ‘반론보도청구사건의 심판’으로 하고 본항 중 ‘정정’을 ‘반론’으로 개정하였다. 그 후 2005. 1. 27. 정기간행물등록법을 ‘신문 등의 자유와 기능보장에 관한 법률’로 법명을 바꾸고, 같은 날 ‘언론중재 및 피해구제 등에 관한 법률’을 제정하여 종전의 정기간행물등록법·방송법 등 각 개별법에 분산 규정되어 있던 언론피해구제제도를 포괄하여 이 법에 단일화하였다. 언론중재 및 피해구제법은 정정보도청구소송, 반론보도청구소송, 추후보도청구소송 등을 규정하였다. 이 모두를 ‘민사집행법’상 가처분 절차에 따르게 했는데, 이것이 다시 위헌결정을 받아 2원화하기에 이른 것이다.

ii) 재 판

정정보도청구 등의 소는 접수 후 3개월 이내에 판결을 선고하여야 한다. 법원은 정정보도청구 등이 이유 있다고 인정하여 정정보도·반론보도 또는 추후보도를 명할 때에는 방송·게재 또는 공표할 정정보도·반론보도 또는 추후보도의 내용, 크기, 시기, 횟수, 게재 위치 또는 방송 순서 등을 정하여 명하여야 한다. 법원이 정정보도·반론보도 또는 추후보도의 내용 등을 정할 때에는 청구취지에 적힌 정정보도문·반론보도문 또는 추후보도문을 고려하여 청구인의 명예나 권리를 최대한 회복할 수 있도록 정하여야 한다(이상 동법 제27조).

iii) 불복절차

정정보도청구 등을 인용한 재판에 대하여는 항소하는 것 외에는 불복을 신청할 수 없다. 항소의 불복절차에서 심리한 결과 정정보도청구 등의 전부 또는 일부가 기각되었어야 함이 판명되는 경우에는 이를 인용한 재판을 취소하여야 한다. 언론사 등이 이미 정정보도·반론보도 또는 추후보도의 의무를 이행하였을 때에는 언론사 등의 청구에 따라 취소재판의 내용을 보도할 수 있음을 선고하고, 언론사 등의 청구에 따라 상대방으로 하여금 언론사 등이 이미 이행한 정정보도·반론보도 또는 추후보도와 취소재판의 보도를 위하여 필요한 비용 및 통상의 지면게재 사용료 또는 방송 사용료로서 적정한 손해의 배상을 하도록 명하여야 한다. 이 경우 배상액은 해당된 지면 사용료 또는 방송의 통상적인 광고비를 초과할 수 없다(이상 동법 제28조).

iv) 언론보도 등 관련 소송의 우선 처리

법원은 언론보도 등에 의하여 피해를 받았음을 이유로 하는 재판은 다른 재판에 우선하여 신속히 하여야 한다(동법 제29조).

⑤ 손해배상청구와 형사처벌

언론기관에 의한 보도로 명예권을 침해당한 자는 민사상 손해배상청구를 할 수 있으며(민법 제751조), 관련자는 형법상 명예훼손죄의 규율대상이 된다. 타인의 명예를 훼손한 자에 대하여는 법원은 피해자의 청구에 의하여 손해배상을 갈음하여 또는 손해배상과 함께, 정정보도의 공표 등 명예회복에 적당한 처분을 명할 수 있다(언론중재법 제31조). 명예권 침해에 대한 손해배상에서 있어서 명예회복에 적당한 처분으로 법원이 명하던 사죄광고는 양심의 자유와 인격권의 침해로 위헌판결을 받아 할 수 없다. 그러나 당사자의 합의에 의한 사죄광고와 가해자의 비용으로 명예훼손기사의 취소광고 등은 가능하다.

⑥ 시정권고

언론중재위원회는 언론의 보도 내용에 의한 국가적 법익, 사회적 법익 또는 타인의 법익 침해사항을 심의하여 필요한 경우 해당 언론사에 서면으로 그 시정을 권고할 수 있다(언론중재법 제32조).

⑦ 가처분(방영금지가처분, 출판금지가처분)

영화의 상영 또는 출판물의 배포에 대해서는 사전에 가처분을 신청할 수 있다. 가처분은 행정기관의 판단이 아니라, 법원에 의한 판단이므로 검열금지원칙에 위배되지 않는다.[487)]

⑧ 인터넷상의 침해에 대한 구제

'정보통신망 이용촉진 및 정보보호 등에 관한 법률'상 침해를 가져오는 글의 삭제를 요청할 수 있다(동법 제44조의2).

Ⅲ. 집회 · 결사의 자유

1. 집회 · 결사의 자유의 의의와 기능

집단적 표현의 자유인 집회 · 결사의 자유는 전근대국가에서는 탄압의 대상이었다. 사회적 소수자의 정치적 의사표현이 가능해지고 소수와 다수의 평화로운 교체가 가능하게 된 현대 입헌주의헌법에서의 필수불가결한 자유가 되고 있다. 그러나 집회와 결사는 사회의 질서유지에 미치는 영향이 언론이나 출판에 비하여 훨씬 직접적이기 때문에 언론 · 출판의 자유보다 더 강력한 국가의 통제를 받는다. 집회와 결사는 다 같이 집단적 표현이란 점에서 같이 규정하고 있는 것이 보통지만, 독일 기본법은 집회의 자유와 결사의 자유를 별개의 조항에서 규정하고 있다(동기본법 제8조, 제9조).

집회 · 결사의 자유는 개인의 인격발현의 요소이자 민주주의를 구성하는 요소라는 이중적 헌법적 기능을 가지고 있다. 인간의 존엄성과 자유로운 인격발현을 최고의 가치로 삼는 우리 헌법질서 내에서 집회 · 결사의 자유도 다른 모든 기본권과

487) 헌재 2001. 8. 30. 2000헌바36.

마찬가지로 일차적으로는 개인의 자기결정과 인격발현에 기여하는 기본권이다. 뿐만 아니라, 집회를 통하여 국민들이 자신의 의견과 주장을 집단적으로 표명함으로써 여론의 형성에 영향을 미친다는 점에서, 집회 · 결사의 자유는 표현의 자유와 더불어 민주적 공동체가 기능하기 위하여 불가결한 근본요소에 속한다.[488)]

2. 집회의 자유

(1) 집회의 자유의 의의와 기능

집회의 자유라 함은 공동의 목적을 가진 다수인이 자발적으로 일시적 모임을 가질 수 있는 자유를 말한다. 따라서 공동의 목적이 없는 학문 · 예술 · 체육 · 의식 · 친목 · 오락 · 관혼상제를 위한 집회 등은 제21조의 집회가 아니다.

대의민주주의 체제에 있어서 집회의 자유는 불만과 비판 등을 공개적으로 표출케 함으로써 오히려 정치적 안정에 기여하는 긍정적 기능을 수행하며, 이와 같은 자유의 향유는 민주정치의 바탕이 되는 건전한 여론 표현과 여론 형성의 수단인 동시에 대의기능이 약화되었을 때에 소수의견의 국정반영의 창구로서의 의미를 지닌다.[489)]

집회의 자유의 헌법적 기능

헌법재판소는 집회의 자유의 기능을 잘 적시해 주고 있다. 즉, "집회의 자유는 공동으로 인격을 발현하기 위하여 타인과 함께 하고자 하는 자유, 즉 타인과의 의견교환을 통하여 공동으로 인격을 발현하는 자유를 보장하는 기본권이자 동시에 국가권력에 의하여 개인이 타인과 사회공동체로부터 고립되는 것으로부터 보호하는 기본권이다"[490)]고 하고 있으며, 또한 "인간으로서의 존엄과 가치를 보장하기 위하여 자유로운 인격발현을 최고 가치 중의 하나로 삼는 우리 헌법질서 내에서 집회의 자유는 국민들이 타인과 접촉하고 정보와 의견을 교환하며 공동의 목적을 위하여 집단적으로 의사표현을 할 수 있게 함으로써 개성신장과 아울러 여론형성에 영향을 미칠 수 있게 하여 동화적 통합을 촉진하는 기능을 가지며, 나아가 정치 · 사회현상에 대한 불만과 비판을 공개적으로 표출케 함으로써 정치적 불만세력을 사회적으로 통합하여 정치적 안정에 기여하는 역할을 한다. 또한 선거와 선거 사이의 기간에

---

488) 헌재 2003. 10. 30. 2000헌바67 등. 집회의 자유에 대한 설명이지만, 결사의 자유에도 타당하다고 생각된다. 집회 · 결사의 자유는 '표현의 자유의 실질화의 조건 또는 보완적 기능'과 '현대대의제를 보완하는 기능'을 가진다고 설명하기도 한다(성낙인, 앞의 책, 1205면).

489) 헌재 1992. 1. 28. 89헌가8.

490) 헌재 2003. 10. 30. 2000헌바67등.

> 유권자와 그 대표 사이의 의사를 연결하고, 대의기능이 약화된 경우에 그에 갈음하는 직접민주주의의 수단으로서 기능하며, 현대사회에서 의사표현의 통로가 봉쇄되거나 제한된 소수집단에게 의사표현의 수단을 제공한다는 점에서, 언론·출판의 자유와 더불어 대의제 자유민주국가에서는 필수적 구성요소가 되는 것이다. 이러한 의미에서 헌법이 집회의 자유를 보장한 것은 관용과 다양한 견해가 공존하는 다원적인 '열린사회'에 대한 헌법적 결단인 것이다"라고 판시하고 있다.
>
> 헌재 2009. 9. 24. 2008헌가25

(2) 집회의 자유의 대상으로서의 집회의 개념요소

① 집회의 인적 요건

이와 관련하여 2인 이상이 특정한 장소에 모여 공동의 의사를 표현하는 행위(일시적인 회합)라고 보는 견해[491]와 집회구성원이 3인 이상이어야 한다는 견해[492]가 대립한다. 2인이 모인 경우를 굳이 집회에서 배제할 필요가 없다고 보는 견해도 일리는 있지만, 집회를 통하여 무엇을 결정할 필요성이 있는 점을 감안하면 **3인설**이 타당하다고 생각한다. 2인의 집회는 표현의 자유로 보호될 수 있을 것이다.

1인 시위는 표현의 자유로 보호되고, 집회의 자유의 영역에 해당되지 않는다.

② 집회의 목적적 요건

집회는 일정한 목적을 요하는가가 문제된다. 이와 관련하여는 i) 공익을 위한 의사에 한정된다는 견해, ii) 의사표현으로 족하다는 견해, iii) 의사표현의 목적조차 불요하다는 견해가 대립한다. 공익목적을 요할 경우 공익이라는 모호한 개념의 해석에 의해 지나치게 좁게 설정할 가능성이 있고, 의사표현의 목적조차 없으면 표현의 자유의 확장으로서의 집회의 자유의 의미가 없기 때문에 의사표현의 내용은 묻지 않고 **의사표현의 목적은 있어야 한다**는 견해가 타당하다고 생각한다.[493] 따라서 이러한 의사표현의 목적조차 없는 군집은 집회의 자유의 보호대상이 아니며, 경찰법상의 규제대상이 된다.[494] 침묵시위는 무엇을 전달하려는 의사표현의 목적은 있는 경우로 보아 집회의 자유의 보호대상이 된다. 또한 공동의 목적을 가진 경우라도 정당활동(제8조), 학문·예술활동(제22조 제1항), 종교활동(제21조 제1항), 근로활동(제33조 제1항) 등과

---

491) 정종섭, 앞의 책, 632면.
492) 권영성, 앞의 책, 536면; 허영, 앞의 책, 617면; 성낙인, 앞의 책, 1207면; 김학성·최희수, 앞의 책, 639면.
493) 허영, 앞의 책, 618면; 정종섭, 앞의 책, 632면.
494) 허영, 앞의 책, 618면.

관련된 집회는 각각 그들 기본권에 의한 보호를 받는다.

③ 집회의 장소적 요건

집회의 자유는 특정한 장소에 회합할 것이 요구된다. 모임을 통해 다수인의 위력을 보이지 않는 경우 개인적 표현의 자유 이상의 보호가 필요하지 않기 때문이다.

④ 집회의 형식(태양)적 요건

헌법은 집회를 통하여 평화적인 집단행동을 보호하려는 것이기 때문에 폭력적이고 폭동적인 집회는 보호대상에서 제외된다. 폭력집회 여부를 결정하는 기준과 관련해서는 **심리적 폭력설**과 **물리적 폭력설**이 대립하나 물리적 폭력설이 다수설이다. 따라서 사람이나 물건에 대한 물리적 폭력이 없는 경우에는 평화적인 성격을 인정하여야 한다.[495)]

헌법재판소도 헌법에 명시적인 규정은 없지만, 집회의 자유에 의하여 보호되는 집회는 단지 평화적·비폭력적 집회라고 하고 있다.[496)]

⑤ 주최자 요건

우발적 집회도 집회의 자유의 보호대상으로서의 집회에 해당되기 때문에 주최자나 주관자의 존재는 집회의 필수요건은 아니다.

⑥ 시위와의 관계

집회 및 시위에 관한 법률은 시위를 "다수인이 공동의 목적을 가지고 도로·광장·공원 등 공중이 자유로이 통행할 수 있는 장소를 행진하거나 위력 또는 기세를 보여 불특정 다수인의 의견에 영향을 주거나 제압을 가하는 행위"로 정의하고 있다(집시법 제2조 제2호).

집회와 시위를 법제는 구별하고 있다. 양자의 차이는 한 장소에 머무르느냐 행진 등 장소의 이동이 있느냐의 차이가 있다. 시위가 이동하는 집회로 집단적 의사표현이라는 점에서는 집회의 자유에 의해서 보호되는 행위태양이 됨은 물론이다. 다만 일반 공중에게 불편을 끼칠 개연성이 높으므로 일반집회보다 더 높은 정도의 제한이 있을 수 있다.

495) 허영, 앞의 책, 619면.
496) 헌재 2003. 10. 30. 2000헌바67 등.

(3) 집회의 자유의 법적 성격

집회의 자유는 인간의 절대적 고립화를 방지하기 위한 대국가적 방어권(자유권)이다. 또한 민주적 의사결정에 참여하는 기능에 의해 객관적 가치질서로서의 성격도 가진다. 다만 집회의 자유가 제도보장의 성격을 가지는가에 대해서는 견해의 대립이 있다. 집회의 자유도 집회의 자유와 집회제도의 제도보장이 결합된 것으로 보는 견해[497]가 있는가 하면, 다수인의 일시적인 모임은 결사와는 달리 법리상 제도적으로 보장될 수 있는 성격이 아니기 때문에 결사의 자유와는 달리 제도보장의 성격을 가지는 것은 아니라는 견해[498]의 대립이 있다. 국가는 집회의 자유의 실질적 보장을 위하여 집회자와 일반 공중 간의 이해관계의 충돌을 조정해주어야 한다는 한정적 청구권을 주장하는 견해도 있다.[499]

(4) 집회의 자유의 주체

원칙적으로 자연인의 권리이기 때문에 국민뿐만 아니라 외국인에게도 인정될 수 있는 권리이다. 다만 외국인은 국민보다 더 제한을 받을 수 있다. 법인도 제한된 범위 내에서 주체가 될 수 있다(집단적 의사표현).

(5) 집회의 자유의 내용

① 헌법재판소 판례(내용)

집회의 자유는 집회의 시간, 장소, 방법과 목적을 스스로 결정할 권리를 보장한다. 집회의 자유에 의하여 구체적으로 보호되는 주요행위는 집회의 준비 및 조직, 지휘, 참가, 집회장소・시간의 선택이다. 따라서 집회의 자유는 개인이 집회에 참가하는 것을 방해하거나 또는 집회에 참가할 것을 강요하는 국가행위를 금지할 뿐만 아니라, 예컨대 집회장소로의 여행을 방해하거나, 집회장소로부터 귀가하는 것을 방해하거나, 집회참가자에 대한 검문의 방법으로 시간을 지연시킴으로써 집회장소에 접근하는 것을 방해하는 등 집회의 자유행사에 영향을 미치는 모든 조치를 금지한다.[500]

---

497) 김철수, 앞의 책(상), 1013면. 김철수 교수는 집회의 자유의 참정권적 성격도 제도보장과 관련하여 설명하고 있다.

498) 권영성, 앞의 책, 537면; 허영, 앞의 책, 617면; 성낙인, 앞의 책, 1206면.

499) 정종섭, 앞의 책, 633면.

500) 헌재 2003. 10. 30. 2000헌바67 등.

② 집회의 개최 및 참가, 탈퇴의 자유

집회의 개최 및 참가, 탈퇴는 개인의 자유로운 의사에 의하여 인정되어야 하며 국가의 개입·강제는 금지된다. 특히 집회의 허가제는 금지된다.

③ 집회의 사전적·사후적 단계까지 집회의 자유의 보호영역에 포함되는가?

사전적 단계인 현수막 제작, 성명서 복사 등도 집회의 자유의 보호영역에 포함되어야 하며, **종료된 집회**라 하여 곧 경찰권의 규제대상이 되는 것이 아니라, 적절한 시점까지 집회참가자의 자유로운 해산이 집회의 사후적 효과에 의하여 보장되어야 한다.

④ 폭력을 사용하는 집회는 집회의 자유의 보호영역에 포함되지 않는다

앞에서 본 바와 같이 폭력집회의 개념은 물리적 폭력설, 심리적 폭력설이 대립하나, 집회의 자유의 두터운 보장을 위하여 **물리적 폭력설**이 타당하다.

⑤ 집회시의 의사표현(연설이나 토론 등)이 집회의 자유로 보호되는가?

집회의 자유와 표현의 자유가 경합하는 면이 있어 견해의 대립이 있다. 표현의 자유(언론·출판의 자유)로 보는 견해[501]와 집회의 자유로 보는 견해[502]가 대립한다. 헌법재판소는 "집회·시위의 규제에는 집회에 있어서의 의사표현 자체의 제한의 경우와 그러한 의사표현에 수반하는 행동자체의 제한 두 가지가 있을 수 있다. 전자의 경우에는 제한되는 기본권의 핵심은 집회에 있어서의 표현의 자유라고 볼 것이다. 그런데 구 집시법에서는 사회적 불안의 요인이 전자에 기인한 것이든 후자에 기인한 것이든 가리지 않기 때문에 이 규정에 의하여 비단 집단적 행동인 집회의 자유만이 아니라 집단적 의사표시인 표현의 자유마저 위축시키는 결과를 가져올 것이다"라고 판시하여[503] 둘로 나누어 파악하는 입장을 보이고 있다. 집회의 자유에서의 의사표현 자체는 표현의 자유로 보는 입장이라고 하겠다.

집회를 금지하는 이유가 표현내용이라면 표현의 자유가, 다수인의 집합의 위험

501) 김철수, 앞의 책(상), 1017면. 그러나 언론·출판의 자유와 집회의 자유가 동일조항에 규정되어 있는 현실에서 구별의 실익이 크지 않다고 한다.

502) 권영성, 앞의 책, 537-538면. 집회의 자유가 언론·출판의 자유의 특별법적 성격을 가지기 때문이라고 한다. 허영, 앞의 책, 619면. 집회에서의 의사표현은 집회의 자유의 본질적인 내용이라고 한다.

503) 헌재 1992. 1. 28. 89헌가8.

성 때문이라면 집회의 자유가 기준이 되어야 한다고 하면서 양자를 분리해서 이해해야 한다는 견해[504]가 설득력이 있다고 생각한다.

(6) 집회의 자유의 효력

집회의 자유는 대국가적 방어권의 성격을 가지므로 대국가적 효력을 가진다. 국가에 의한 집회의 방해는 금지된다(집시법 제3조 제1항, 제2항). 집회의 신고제를 사실상 허가제로 운영하는 경우에도 국가의 집회허가 유무를 불문하고 집회를 할 수 있다.[505] 법률이 정하는 한도 내에서는 집회를 위해 보호를 요청할 수 있다(동법 제3조 제3항).

사인에 의하여 집회의 자유가 침해된 경우에도 기본권의 대사인적 효력에 의해 보호받을 수 있다. 다만 직접적용되는가, 간접적용되는가의 차이가 있을 뿐이다. 대체로 간접적 적용설이 다수의 견해라고 할 수 있다.[506]

(7) 집회의 자유의 제한과 그 한계

① 제 한

i) 집회 및 시위에 관한 법률상 제한사유

집회의 자유는 다중의 위력, 집단행동과 관련되기 때문에 제한가능성이 높은 기본권이다. 집시법에서는 일정한 제한을 규정하고 있다.

㉠ 특정인 참가의 배제(제4조)

집회 또는 시위의 주최자 및 질서유지인은 특정한 사람이나 단체가 집회나 시위에 참가하는 것을 막을 수 있다. 다만 언론사의 기자는 출입이 보장되어야 하며, 이 경우 기자는 신분증을 제시하고 기자임을 표시한 완장(腕章)을 착용하여야 한다.

㉡ 집회 및 시위의 금지(제5조)

누구든지 i) 헌법재판소의 결정에 따라 해산된 정당의 목적을 달성하기 위한 집회 또는 시위, ii) 집단적인 폭행, 협박, 손괴(損壞), 방화 등으로 공공의 안녕 질서에 직접적인 위협을 끼칠 것이 명백한 집회 또는 시위를 주최하여서는 아니 되

---

504) 김학성·최희수, 앞의 책, 646면. 양자를 분리하지 않게 되면, 옥외집회의 경우, 집회 자체에 대한 금지사유와 해산사유가 존재하지 않음에도 집회에서 나타날 표현을 이유로 집회를 금지할 수 있게 되고, 집회 속에 나타난 표현을 이유로 해산할 수 있기 때문이라고 한다.

505) 정종섭, 앞의 책, 635면.

506) 권영성, 앞의 책, 543면; 홍성방, 앞의 책(중), 184면; 성낙인, 앞의 책, 1206면; 김학성·최희수, 앞의 책, 650면.

며, 이러한 금지된 집회 또는 시위를 할 것을 선전하거나 선동하여서는 아니 된다.

㉢ 옥외집회 및 시위의 신고(제6조 제1항)

옥외집회나 시위를 주최하려는 자는 신고서를 옥외집회나 시위를 시작하기 720시간 전부터 48시간 전에 관할 경찰서장에게 제출하여야 한다. 다만 옥외집회 또는 시위 장소가 두 곳 이상의 경찰서의 관할에 속하는 경우에는 관할 시·도경찰청장에게 제출하여야 하고, 두 곳 이상의 시·도경찰청 관할에 속하는 경우에는 주최지를 관할하는 시·도경찰청장에게 제출해야 한다.

㉣ 신고서의 보완 등(제7조 제1항)

관할 경찰관서장은 신고서의 기재 사항에 미비한 점을 발견하면 접수증을 교부한 때부터 12시간 이내에 주최자에게 24시간을 기한으로 그 기재 사항을 보완할 것을 통고할 수 있다.

㉤ 집회 및 시위의 금지 또는 제한 통고

신고서를 접수한 관할 경찰관서장은 신고된 옥외집회 또는 시위가 집회가 금지되는 목적의 집회인 경우(집시법 제5조), 대통령령이 정하는 주요도시의 주요도로에서의 집회 및 시위여서 도로소통을 방해할 우려가 있는 경우(동법 제12조), 일출 전 내지 일몰 후의 집회인 경우(동법 제10조), 집회가 금지되는 장소에서의 집회인 경우(동법 제11조), 주거지역, 초·중등학교 내지 군사지역 근처로 집회로 피해우려가 있으며 거주자 내지 관리자의 금지요청이 있는 경우(동법 제8조 제3항), 수개의 집회가 중복되어 충돌우려가 있는 경우(동법 제8조 제2항)에는 신고서를 접수한 때부터 48시간 이내에 집회 또는 시위를 금지할 것을 주최자에게 통고할 수 있다. 다만 집회 또는 시위가 집단적인 폭행, 협박, 손괴, 방화 등으로 공공의 안녕 질서에 직접적인 위험을 초래한 경우에는 남은 기간의 해당 집회 또는 시위에 대하여 신고서를 접수한 때부터 48시간이 지난 경우에도 금지 통고를 할 수 있다(동법 제8조 제1항). 집회금지통고에 대해서는 통고를 받은 날부터 10일 이내에 해당 경찰관서의 바로 위의 상급경찰관서의 장에게 이의를 신청할 수 있다. 이의신청을 받은 경찰관서의 장은 접수 일시를 적은 접수증을 이의신청인에게 즉시 내주고 접수한 때부터 24시간 이내에 재결(裁決)을 하여야 한다. 이 경우 접수한 때부터 24시간 이내에 재결서를 발송하지 아니하면 관할 경찰관서장의 금지 통고는 소급하여 그 효력을 잃는다(동법 제9조). 집회주최자는 확성기 등으로 기준을 초과하는 소음을 발생시켜서는 안 된다(동법 제12조의3).

ⓑ 옥외집회와 시위의 금지 시간

누구든지 해가 뜨기 전이나 해가 진 후에는 옥외집회 또는 시위를 하여서는 아니 된다. 다만 집회의 성격상 부득이하여 주최자가 질서유지인을 두고 미리 신고한 경우에는 관할경찰관서장은 질서유지를 위한 조건을 붙여 해가 뜨기 전이나 해가 진 후에도 옥외집회를 허용할 수 있다(집시법 제10조). 야간옥외집회 금지조항은 헌법재판소로부터 헌법불합치결정을 받은 바 있다.[507] 그 이후 야간시위를 절대적으로 금지한 같은 법률조항에 대해서 헌법재판소는 "해가 뜨기 전이나 해가 진 후"에 "해가 진 후부터 같은 날 12시까지"를 포함시키는 한 헌법에 위반된다는 한정위헌결정을 내렸으며,[508] 대법원은 헌법재판소의 한정위헌결정을 받아들이는 판결을 내린 바 있다.[509] 이어서 헌법불합치결정을 받은 야간 옥외집회 금지조항과 같은 내용의 구법조항에 대해서도 야간옥외집회에 "일몰시간 후부터 같은 날 24시까지의 옥외집회"가 포함되는 것으로 해석하는 한 헌법에 위반된다는 한정위헌결정을 내렸다.[510] 헌법재판소의 결정에 따라 야간옥외집회나 시위는 해가 진 후부터 같은 날 12시까지는 허용될 수 있다.

1. 야간 옥외집회 금지규정의 위헌성 여부(집회 및 시위에 관한 법률 제10조 등 위헌제청)

【판시사항】

1. 해가 뜨기 전이나 해가 진 후의 옥외집회(이하 '야간옥외집회'라 한다)를 금지하고, 일정한 경우 관할 경찰관서장이 허용할 수 있도록 한 '집회 및 시위에 관한 법률'(2007. 5. 11. 법률 제8424호로 전부 개정된 것) 제10조 중 "옥외집회" 부분과 이에 위반한 경우의 처벌규정인 집시법 제23조 제1호 중 "제10조 본문의 옥외집회" 부분(이하 두 조항을 합하여 '이 사건 법률조항들'이라 한다)이 헌법에 위반하여 집회의 자유를 침해하는지 여부(적극)

2. 단순위헌의견이 5인, 헌법불합치의견이 2인인 경우 주문의 표시 및 종전결정의 변경

507) "집회 및 시위에 관한 법률(2007. 5. 11. 법률 제8424호로 전부개정된 것) 제10조 중 '옥외집회' 부분 및 제23조 제1호 중 '제10조 본문의 옥외집회' 부분은 헌법에 합치되지 아니한다. 위 조항들은 2010. 6. 30.을 시한으로 입법자가 개정할 때까지 계속 적용된다"(헌재 2009. 9. 24. 2008헌가25).

508) 헌재 2014. 3. 27. 2010헌가2.

509) 대판 2014. 7. 10. 2011도1602.

510) 헌재 2014. 4. 24. 2011헌가29.

【결정요지】

1. 가. 재판관 이강국, 재판관 이공현, 재판관 조대현, 재판관 김종대, 재판관 송두환의 위헌의견

헌법 제21조 제2항은, 집회에 대한 허가제는 집회에 대한 검열제와 마찬가지이므로 이를 절대적으로 금지하겠다는 헌법개정권력자인 국민들의 헌법가치적 합의이며 헌법적 결단이다. 또한 위 조항은 헌법 자체에서 직접 집회의 자유에 대한 제한의 한계를 명시한 것이므로 기본권 제한에 관한 일반적 법률유보조항인 헌법 제37조 제2항에 앞서서, 우선적이고 제1차적인 위헌심사기준이 되어야 한다. 헌법 제21조 제2항에서 금지하고 있는 '허가'는 행정권이 주체가 되어 집회 이전에 예방적 조치로서 집회의 내용·시간·장소 등을 사전심사하여 일반적인 집회금지를 특정한 경우에 해제함으로써 집회를 할 수 있게 하는 제도, 즉 허가를 받지 아니한 집회를 금지하는 제도를 의미한다.

집시법 제10조 본문은 야간옥외집회를 일반적으로 금지하고, 그 단서는 행정권인 관할경찰서장이 집회의 성격 등을 포함하여 야간옥외집회의 허용 여부를 사전에 심사하여 결정한다는 것이므로, 결국 야간옥외집회에 관한 일반적 금지를 규정한 집시법 제10조 본문과 관할 경찰서장에 의한 예외적 허용을 규정한 단서는 그 전체로서 야간옥외집회에 대한 허가를 규정한 것이라고 보지 않을 수 없고, 이는 헌법 제21조 제2항에 정면으로 위반된다. 따라서 집시법 제10조 중 "옥외집회" 부분은 헌법 제21조 제2항에 의하여 금지되는 허가제를 규정한 것으로서 헌법에 위반되고, 이에 위반한 경우에 적용되는 처벌조항인 집시법 제23조 제1호 중 "제10조 본문의 옥외집회" 부분도 헌법에 위반된다.

나. 재판관 조대현, 재판관 송두환의 위헌보충의견

이 사건 법률조항들이 헌법 제21조 제2항에 위반된다고만 선언할 경우에, 국회가 집시법 제10조 단서를 삭제하면 행정청이 집회의 허부를 결정하는 허가제에 해당되지 않게 되어 헌법 제21조 제2항에 위반되는 점은 해소되지만, 집시법 제10조 본문이 야간옥외집회를 일반적·전면적으로 금지하고 있는 점의 위헌성은 해소되지 않게 된다. 집시법 제10조 본문은 야간옥외집회를 일반적·전면적으로 금지하여 합리적 사유도 없이 집회의 자유를 상당 부분 박탈하는 것이므로 헌법 제37조 제2항에 위반된다고 선언할 필요가 있다.

다. 재판관 민형기, 재판관 목영준의 헌법불합치의견

(1) '행정청이 주체가 되어 집회의 허용 여부를 사전에 결정하는 것'으로서 행정청에 의한 사전허가는 헌법상 금지되지만, 입법자가 법률로써 일반적으로 집회를 제한하는 것은 헌법상 '사전허가금지'에 해당하지 않는다. 집시법 제10조 본문은 "해가 뜨기 전이나 해가 진 후에는" 옥외집회를 못하도록 시간적 제한을 규정한 것이

고, 단서는 오히려 본문에 의한 제한을 완화시키려는 규정이다. 따라서 본문에 의한 시간적 제한이 집회의 자유를 과도하게 제한하는지 여부는 별론으로 하고, 단서의 "관할경찰관서장의 허용"이 '옥외집회에 대한 일반적인 사전허가'라고는 볼 수 없는 것이다. 집시법 제10조는 법률에 의하여 옥외집회의 시간적 제한을 규정한 것으로서 그 단서 조항의 존재에 관계없이 헌법 제21조 제2항의 '사전허가금지'에 위반되지 않는다.

(2) 옥외집회는 그 속성상 공공의 안녕질서, 법적 평화 및 타인의 평온과 마찰을 빚을 가능성이 크다. 야간이라는 특수한 시간적 상황은 시민들의 평온이 더욱더 요청되는 시간대이고, 집회참가자 입장에서도 주간보다 감성적으로 민감해져 자제력이 낮아질 가능성이 높다. 또한 행정관서 입장에서도 야간옥외집회는 질서를 유지시키기가 어렵다. 집시법 제10조는 야간옥외집회의 위와 같은 특징과 차별성을 고려하여, 원칙적으로 야간옥외집회를 제한하는 것이므로, 그 입법목적의 정당성과 수단의 적합성이 인정된다.

한편 집시법 제10조에 의하면 낮 시간이 짧은 동절기의 평일의 경우에는 직장인이나 학생은 사실상 집회를 주최하거나 참가할 수 없게 되어, 집회의 자유를 실질적으로 박탈하거나 명목상의 것으로 만드는 결과를 초래하게 된다. 또한 도시화·산업화가 진행된 현대 사회에서, '야간'이라는 시간으로 인한 특징이나 차별성은 보다 구체적으로 표현하면 '심야'의 특수성으로 인한 위험성이라고도 할 수 있다. 집시법 제10조는 목적달성을 위해 필요한 정도를 넘는 지나친 제한이다. 나아가 우리 집시법은 제8조, 제12조, 제14조 등에서 국민의 평온과 사회의 공공질서가 보호될 수 있는 보완장치를 마련하고 있으므로, 옥외집회가 금지되는 야간시간대를 집시법 제10조와 같이 광범위하게 정하지 않더라도 입법목적을 달성하는 데 큰 어려움이 없다. 집시법 제10조 단서는, 관할경찰관서장이 일정한 조건하에 집회를 허용할 수 있도록 규정하고 있으나, 그 허용 여부를 행정청의 판단에 맡기고 있는 이상, 과도한 제한을 완화하는 적절한 방법이라고 할 수 없다. 따라서 집시법 제10조는 침해최소성의 원칙에 반하고, 법익균형성도 갖추지 못하였다.

따라서 집시법 제10조 중 '옥외집회'에 관한 부분은 과잉금지 원칙에 위배하여 집회의 자유를 침해하는 것으로 헌법에 위반되고, 이를 구성요건으로 하는 집시법 제23조 제1호의 해당 부분 역시 헌법에 위반된다.

라. 재판관 김희옥, 재판관 이동흡의 반대의견

(1) 집회의 자유에 대한 내용중립적인 시간, 장소 및 방법에 관한 규제는 구체적이고 명확한 기준에 의하여 이루어지는 한, 헌법 제21조 제2항의 금지된 허가에 해당하지 않는다. 이러한 입장은, 언론·출판에 대한 허가 및 검열금지에 관한 우리 재판소의 기존 해석과도 상통하는 것이고, 입법자도 같은 전제에 서서 집회의 자유를 제한하는 각종 규제조항을 마련해 놓고 있다.

따라서, 집시법 제10조가 헌법 제21조 제2항에서 금지하는 집회에 대한 허가에 해당하는지 여부는, 결국 그 사전적 제한의 기준이 내용중립적인 것으로서 구체적이고 명확한 것인지에 따라 결정되어질 문제라고 할 것인데, 집시법 제10조는 옥외집회의 자유를 제한함에 있어서 야간이라는 내용중립적이고 구체적이며 명확한 시간적 기준을 정하고 있으므로, 집시법 제10조가 헌법 제21조 제2항에서 금지하고 있는 허가에 해당한다고 볼 수는 없다.

(2) 집시법 제10조는 집회 및 시위의 보장과 공공의 안녕질서 유지의 조화라는 정당한 입법목적하에 규정된 것으로서, 야간의 옥외집회는 '야간'이라는 특수성과 '옥외집회'라는 속성상 공공의 안녕질서를 침해할 수 있는 높은 개연성을 지니고 있다는 점에서, 야간옥외집회의 원칙적 금지를 규정한 집시법 제10조는 입법목적 달성에 기여할 수 있는 적합한 수단이라고 할 것이다.

또한 야간옥외집회를 시간적으로 또는 공간적·장소적으로 더 세분화하여 규제하는 것이 사실상 어렵고, 특히 필요한 야간옥외집회의 경우에는 일정한 조건하에서 허용되며, 대안적 의사형성 및 소통수단도 마련되어 있는 점 등을 종합해보면, 집시법 제10조가 침해의 최소성 및 법익 균형성 원칙에 위배된다고 볼 수도 없다.

한편 입법목적 달성을 위하여 옥외집회에 대하여 어느 정도의 시간적 규제가 필요한 것인가 하는 문제는 당시의 집회 및 시위 문화의 성숙도, 법과 질서에 대한 존중의 정도 등을 종합적으로 고려하여 궁극적으로 의회가 입법재량으로 결정할 문제라 할 것인데, 집시법 제10조가 입법재량의 범위를 현저히 벗어난 것으로 보기는 어려우며, 타인의 기본권 보호와 존중이라는 관점에서도 야간옥외집회를 규제할 정당한 국가적 이익이 인정된다.

2. 이 사건 법률조항들이 헌법에 위반된다는 의견이 5인이고, 헌법에 합치되지 아니한다는 의견이 2인이므로, 단순위헌 의견에 헌법불합치 의견을 합산하면 헌법재판소법 제23조 제2항 제1호에 규정된 법률의 위헌결정을 함에 필요한 심판정족수에 이르게 된다. 따라서 이 사건 법률조항들에 대하여 헌법에 합치되지 아니한다고 선언하되, 이 사건 법률조항들에는 위헌적인 부분과 합헌적인 부분이 공존하고 있으므로 입법자가 2010. 6. 30. 이전에 개선입법을 할 때까지 계속 적용되어 그 효력을 유지하도록 하고, 만일 위 일자까지 개선입법이 이루어지지 않는 경우 이 사건 법률조항들은 2010. 7. 1.부터 그 효력을 상실하도록 한다. 아울러 종전에 헌법재판소가 이 결정과 견해를 달리해, 구 '집회 및 시위에 관한 법률'(1989. 3. 29. 법률 제4095호로 전부 개정된 것) 제10조는 헌법에 위반되지 않는다고 판시한 1994. 4. 28. 91헌바14 결정은 이 결정과 저촉되는 범위 내에서 이를 변경하기로 한다.

[재판관 조대현의 적용중지의견]

이 사건 법률조항들은 형벌에 관한 법률조항이다. 위헌 부분이 포함된 이 사건 법률조항들을 헌법불합치결정 선고 후 개선입법 이전에 계속 적용하게 허용하는 것은 위헌법률의 규범력을 제거하려는 위헌법률심판제도의 본지에 어긋나고 헌법재판소법 제47조 제2항에 위반된다. 이 사건 법률조항들은 개선입법이 이루어질 때까지 적용 중지되어야 하고 계속 적용하게 해서는 아니된다.

2. 야간 시위금지규정의 위헌성 여부(집회 및 시위에 관한 법률 제10조 등 위헌제청)

【판시사항】

1. 해가 뜨기 전이나 해가 진 후의 시위를 금지하는 '집회 및 시위에 관한 법률'(2007. 5. 11. 법률 제8424호로 개정된 것, 이하 '집시법'이라 한다) 제10조 본문 중 '시위'에 관한 부분 및 이에 위반한 시위에 참가한 자를 형사처벌하는 집시법 제23조 제3호 부분(이하 '심판대상조항들'이라 한다)이 집회의 자유를 침해하는지 여부(적극)

2. 규제가 불가피하다고 보기 어려움에도 시위를 절대적으로 금지한 부분에 한하여 한정위헌결정을 한 사례

【결정요지】

1. 시위는 공공의 안녕질서, 법적 평화 및 타인의 평온에 미치는 영향이 크고, 야간이라는 특수한 시간적 상황은 시민들의 평온이 강하게 요청되는 시간대로, 야간의 시위는 주간의 시위보다 질서를 유지시키기가 어렵다. 야간의 시위 금지는 이러한 특징과 차별성을 고려하여 사회의 안녕질서를 유지하고 시민들의 주거 및 사생활의 평온을 보호하기 위한 것으로서 정당한 목적 달성을 위한 적합한 수단이 된다. 그런데 집시법 제10조 본문에 의하면, 낮 시간이 짧은 동절기의 평일의 경우, 직장인이나 학생은 사실상 시위를 주최하거나 참가할 수 없게 되는 등 집회의 자유가 실질적으로 박탈되는 결과가 초래될 수 있다. 나아가 도시화·산업화가 진행된 현대사회에서 전통적 의미의 야간, 즉 '해가 뜨기 전이나 해가 진 후'라는 광범위하고 가변적인 시간대는 위와 같은 '야간'이 특징이나 차별성이 명백하다고 보기 어려움에도 일률적으로 야간 시위를 금지하는 것은 목적달성을 위해 필요한 정도를 넘는 지나친 제한으로서 침해의 최소성 원칙 및 법익균형성 원칙에 반한다. 따라서 심판대상조항들은 과잉금지원칙에 위배하여 집회의 자유를 침해한다.

2. 야간시위를 금지하는 집시법 제10조 본문에는 위헌적인 부분과 합헌적인 부분이 공존하고 있으며, 위 조항 전부의 적용이 중지될 경우 공공의 질서 내지 법적 평화에 대한 침해의 위험이 높아, 일반적인 옥외집회나 시위에 비하여 높은 수준의 규제가 불가피한 경우에도 대응하기 어려운 문제가 발생할 수 있으므로, 현행 집시법의 체계 내에서 시간을 기준으로 한 규율의 측면에서 볼 때 규제가 불가피하다고 보기 어려움에도 시위를 절대적으로 금지하여 위헌성이 명백한 부분에 한하여 위헌결정을 한다. 심판대상조항들은, 이미 보편화된 야간의 일상적인 생활의 범주에 속

하는 '해가 진 후부터 같은 날 24시까지의 시위'에 적용하는 한 헌법에 위반된다.

[재판관 김창종, 재판관 강일원, 재판관 서기석의 전부위헌의견]

심판대상조항들이 과잉금지원칙에 위배하여 집회의 자유를 침해하는 것으로서 헌법에 위반된다는 점은 다수의견과 견해를 같이 한다. 그런데 법률조항의 내용 중 일부만이 위헌이라고 하더라도, 위헌적인 부분을 명확하게 구분해 낼 수 없는 경우에는 원칙적으로 그 법률조항 자체가 헌법에 위반된다고 보아야 한다. 헌법재판소가 스스로 일정한 시간대를 기준으로 하여 심판대상조항들의 위헌적인 부분과 합헌적인 부분의 경계를 명확하게 정하는 것은 입법자의 일차적인 입법 권한과 책임에 대한 제약으로 작용하여 권력분립의 원칙을 침해할 가능성을 배제할 수 없으며, 심판대상조항들의 위헌적인 부분을 일정한 시간대를 기준으로 명확하게 구분하여 특정할 수는 없다고 할 것이므로, 심판대상조항들에 대하여 전부위헌결정을 하여야 할 것이다.

3. 야간 옥외집회 금지규정의 위헌성 여부(구 집회 및 시위에 관한 법률 제10조 등 위헌제청)

【판시사항】

1. 일출시간 전, 일몰시간 후에는 옥외집회 또는 시위를 금지하고, 다만 옥외집회의 경우 예외적으로 관할 경찰관서장이 허용할 수 있도록 한 구 '집회 및 시위에 관한 법률'(1989. 3. 29. 법률 제4095호로 개정되고, 2007. 5. 11. 법률 제8424호로 개정되기 전의 것) 제10조(이하 '이 사건 법률조항'이라 한다)가 헌법 제21조 제2항이 규정하는 허가제 금지에 위반되는지 여부(소극)

2. 이 사건 법률조항 및 이에 위반하여 옥외집회 또는 시위에 참가한 자를 형사처벌하는 구 '집회 및 시위에 관한 법률'(2004. 1. 29. 법률 제7123호로 개정되고, 2007. 5. 11. 법률 제8424호로 개정되기 전의 것) 제20조 제3호 중 '제10조 본문'에 관한 부분(이 사건 법률조항과 통틀어 '심판대상조항들'이라 한다)이 집회의 자유를 침해하는지 여부(적극)

3. 규제가 불가피하다고 보기 어려움에도 옥외집회 또는 시위를 절대적으로 금지한 부분에 한하여 한정위헌결정을 한 사례

【결정요지】

1. 헌법 제21조 제2항에 의하여 금지되는 '허가'는 '행정청이 주체가 되어 집회의 허용 여부를 사전에 결정하는 것'으로, 법률적 제한이 실질적으로 행정청의 허가 없는 옥외집회를 불가능하게 하는 것이라면 헌법상 금지되는 사전허가제에 해당하지만, 그에 이르지 아니하는 한 헌법 제21조 제2항에 반하는 것은 아니다. 이 사건

법률조항의 단서 부분은 본문에 의한 제한을 완화시키려는 것이므로 헌법이 금지하고 있는 '옥외집회에 대한 일반적인 사전허가'라고 볼 수 없다. 한편, 이 사건 법률조항 중 단서 부분은 시위에 대하여 적용되지 않으므로 야간 시위의 금지와 관련하여 헌법상 '허가제 금지' 규정의 위반 여부는 문제되지 아니한다.

2. 이 사건 법률조항은 사회의 안녕질서를 유지하고 시민들의 주거 및 사생활의 평온을 보호하기 위한 것으로서 정당한 목적 달성을 위한 적합한 수단이 된다. 그러나 '일출시간 전, 일몰시간 후'라는 광범위하고 가변적인 시간대의 옥외집회 또는 시위를 금지하는 것은 오늘날 직장인이나 학생들의 근무·학업 시간, 도시화·산업화가 진행된 현대사회의 생활형태 등을 고려하지 아니하고 목적 달성을 위해 필요한 정도를 넘는 지나친 제한을 가하는 것이어서 최소침해성 및 법익균형성 원칙에 반한다.

3. 헌법재판소는, 2010헌가2 결정으로 '집회 및 시위에 관한 법률' 제10조 중 '시위' 부분 등에 대하여 한정위헌결정을 한 바 있고, 이 사건에 있어서 가능한 한 심판대상조항들 중 위헌인 부분을 가려내야 할 필요성은 2010헌가2 결정에서와 마찬가지로 인정되므로, 심판대상조항들은 '일몰시간 후부터 같은 날 24시까지의 옥외집회 또는 시위'에 적용되는 한 헌법에 위반된다.

[재판관 김창종, 재판관 강일원, 재판관 서기석의 전부위헌의견]

심판대상조항들이 과잉금지원칙에 위배되어 집회의 자유를 침해하는 것으로서 헌법에 위반된다는 점은 다수의견과 견해를 같이 한다. 그런데 심판대상조항들의 내용 중 일부만이 위헌이라고 하더라도, 위헌적인 부분을 명확하게 구분해 낼 수 없는 경우에는 원칙적으로 그 법률조항 전체가 헌법에 위반된다고 보아야 한다. 헌법재판소가 스스로 일정한 시간대를 기준으로 하여 심판대상조항들의 위헌적인 부분과 합헌적인 부분의 경계를 명확하게 정하는 것은 입법자의 일차적인 입법 권한과 책임에 대한 제약으로 작용하여 권력분립의 원칙을 침해할 가능성을 배제할 수 없으며, 심판대상조항들의 위헌적인 부분을 일정한 시간대를 기준으로 명확하게 구분하여 특정할 수는 없다고 할 것이므로, 심판대상법률조항들에 대하여 전부위헌결정을 하여야 한다.

㉦ 옥외집회와 시위의 금지 장소(제11조)

누구든지 i) 국회의사당, 각급 법원, 헌법재판소, ii) 대통령 관저(官邸), 국회의장 공관, 대법원장 공관, 헌법재판소장 공관, iii) 국무총리 공관(다만, 행진의 경우에는 해당하지 아니한다), iv) 국내 주재 외국의 외교기관이나 외교사절의 숙소(다만, 가. 해당 외교기관 또는 외교사절의 숙소를 대상으로 하지 아니하는 경우, 나. 대규모 집회 또는 시위로 확산될 우려가 없는 경우, 다. 외교기관의 업무가 없는 휴일에 개최하는 경우로서 외교기관 또는 외교사절 숙소의 기능이나 안녕을 침해할 우려가 없다고 인정되는 때에는 해당하지 아니한다)에 해당하는 청사 또는 저택의 경계 지점으로부터 100 미터 이내의 장소에서는 옥외집회 또는 시위를 하여서는 아니

된다.

ⓞ 교통 소통을 위한 제한(제12조)

관할 경찰관서장은 대통령령으로 정하는 주요 도시의 주요 도로에서의 집회 또는 시위에 대하여 교통 소통을 위하여 필요하다고 인정하면 이를 금지하거나 교통질서 유지를 위한 조건을 붙여 제한할 수 있다. 집회 또는 시위의 주최자가 질서유지인을 두고 도로를 행진하는 경우에는 금지를 할 수 없다. 다만 해당 도로와 주변 도로의 교통 소통에 장애를 발생시켜 심각한 교통 불편을 줄 우려가 있으면 금지를 할 수 있다.

ⓩ 경찰관의 출입(제19조)

경찰관은 집회 또는 시위의 주최자에게 알리고 그 집회 또는 시위의 장소에 정복(正服)을 입고 출입할 수 있다. 다만 옥내집회 장소에 출입하는 것은 직무 집행을 위하여 긴급한 경우에만 할 수 있다. 집회나 시위의 주최자, 질서유지인 또는 장소관리자는 질서를 유지하기 위한 경찰관의 직무집행에 협조하여야 한다.

ⓩ 집회 또는 시위의 해산(제20조)

관할 경찰관서장은 일정한 경우의 집회 또는 시위에 대하여는 상당한 시간 이내에 자진(自進) 해산할 것을 요청하고 이에 따르지 아니하면 해산(解散)을 명할 수 있다. 집회 또는 시위가 해산 명령을 받았을 때에는 모든 참가자는 지체 없이 해산하여야 한다. 자진 해산의 요청과 해산 명령의 고지(告知) 등에 필요한 사항은 대통령령으로 정한다.

ⓚ 집회의 일련의 조건이 충족되지 않거나 위반된 경우는 해산의 사유가 된다. 이와 관련하여 집시법상의 신고의무에도 불구하고 특별히 주최자 없이 우발적으로 성립된 집회는 신고를 기대할 수 없어 우발적 집회에 집시법을 적용하여 처벌 내지 강제해산할 수 있는가가 문제된다. 사전신고가 없었다 하더라도 집회의 목적, 행위태양 등을 고려하여 당해 우발적 집회가 집회의 개념에 포섭되는 신고의 유무를 불문하고 집회의 자유에 의해 보호된다고 보아야 할 것이다.[511)]

ii) 비상계엄에 의한 제한

제77조 제3항에 의하여 비상계엄이 선포된 경우에는 집회에 자유에 대해서도 특별한 조치를 할 수 있다.

---

511) 정종섭, 앞의 책, 636-637면.

iii) 특별권력관계에 의한 제한

군인, 공무원, 수감자 등은 일반국민에 비하여 집회의 자유가 더욱 제한될 수 있다. 다만 이 경우에도 법치주의의 원칙에 따라 법률에 근거하고 제한에 대한 구제가 인정되어야 한다.

② 제한의 한계

집회의 허가제는 금지된다(제21조 제1항). 제한시는 기본권제한의 일반원칙을 준수하여야 한다. 제한하더라도 집회의 자유의 본질적인 내용을 침해해서는 안 된다. 헌법재판소는 "집회신고서의 반려행위는 법률의 근거 없이 청구인들의 집회의 자유를 침해한 것으로서 헌법상 법률유보의 원칙에 위반된다"고 판시하였다.[512]

3. 결사의 자유

(1) 결사의 자유의 의의

결사의 자유는 2인 이상이 공동의 목적을 형성하거나, 수행하기 위해 조직・단체를 만들 수 있는 자유를 의미한다. 공동의 목적을 가지고 어느 정도 계속적으로 결합한 자율적인 인격적・정신적 결합체를 의미한다.

2인 이상이 요구되며, 목적이 무엇인가를 묻지 않는다. 정당, 종교, 학문과 예술단체, 노동조합 등은 결사의 자유이외에 헌법상 가중된 보호를 받는다. 그러나 공공목적에 의해 국가가 조직한 특수단체[513]나 공법의 결사는 국가의 개입으로 자율성을 가지지 않기 때문에 결사의 자유의 보호대상에 포함되지 아니한다.[514]

512) 헌재 2008. 5. 29. 2007헌마712.

513) "'주택건설촉진법상의 주택조합은 주택이 없는 국민의 주거생활의 안정을 도모하고 모든 국민의 주거수준의 향상을 기한다는(동법 제1조) 공공목적을 위하여 법이 구성원의 자격을 제한적으로 정해 놓은 특수조합이어서 이는 헌법상 결사의 자유가 뜻하는 헌법상 보호법익의 대상이 되는 단체가 아니며' 또한 주택건설촉진법 제3조 제9호가 '위 법률 소정의 주택조합 중 지역조합과 직장조합의 조합원 자격을 무주택자로 한정하였다고 해서 그로 인하여 유주택자가 위 법률과 관계없는 주택조합의 조합원이 되는 것까지 제한 받는 것이 아니'므로 위 법률조항은 '유주택자의 결사의 자유를 침해하는 것이 아니다'"(헌재 1994. 2. 24. 92헌바43; 헌재 1997. 5. 29. 94헌바5).

514) "(1) 결사의 자유에서 말하는 결사란 자유의사에 기하여 결합하고 조직화된 의사형성이 가능한 단체를 말하는 것이므로 공법상의 결사는 이에 포함되지 아니한다. (2) 축산업협동조합법상 축산업협동조합은 그 목적이나 설립, 관리면에서 자주적인 단체로서 공법인이라고 하기보다는 사법인이라고 할 것이다"(헌재 1996. 4. 25. 92헌바47). "농지개량조합은 공법인에 해당하므로 헌법상 결사의 자유가 뜻하는 헌법상 보호법익의 대상이 되는 단체로 볼 수 없고(헌재 1994. 2. 24. 92헌바43), 따라서 이 사건에서 농지개량조합이 농업기반공사 및 농지

(2) 결사의 자유의 법적 성격

결사의 자유가 자유권적 기본권(대국가적 방어권)의 성격을 가진다는 점에 대해서는 이론이 없으나, 제도보장의 성격을 인정할 것인지에 대해서는 견해가 갈린다. 부정설은 결사의 자유는 개인적 집단적 자유권을 의미할 뿐 제도적 보장을 의미하지는 않는다고 하는 반면, 긍정설은 집회의 자유와 함께 여론형성의 불가결의 요소로서의 결사제도 자체를 보장하는 것이라거나, 결사의 종류·형태·수·존립요건 등은 입법자의 입법형성권에 의해서 임의로 정할 수 있지만, 결사를 제도적으로 금지하는 입법형성권의 행사는 허용될 수 없다고 한다.

결사의 자유는 집회의 자유와는 달리 일정 정도의 지속성을 지니므로 제도보장으로서의 성격도 갖는다고 볼 수 있다. 그러나 결사의 자유를 국가에 대한 개인 및 소극적 방어권으로만 이해할 수 없고 국민이 여론을 형성하고 정치적 과정에 참여하는 권리로도 이해하면서 타인과 자유로이 교통할 수 있는 권리로서의 성격과 민주적인 국법질서를 구성하는 요소로서의 성격을 아울러 가지는 권리로 이해하면(기본권의 이중성) 크게 구별의 실익은 없다고 보인다.

(3) 결사의 자유의 주체

결사의 자유도 개성신장의 수단으로 기능하는 기본권이므로 원칙적으로 자연인의 권리이다. 그러나 법인·단체 간에도 단체를 조직할 필요가 있으므로 법인·단체도 결사의 자유의 주체가 된다. 외국인의 경우 원칙적으로 결사의 자유를 보장해야 할 것이나, 공동체의 외부인인 만큼 그 권리의 행사에 있어 광범위한 제한을 받을 수 있다.[515)]

(4) 결사의 자유의 내용

i) 결사의 자유는 적극적 측면의 자유로는 단체결성의 자유, 단체존속의 자유, 단체활동의 자유, 결사에의 가입·잔류의 자유 등을 들 수 있다. 소극적 측면의 자유로는 단체로부터 탈퇴할 자유와 결사에 가입하지 아니할 자유가 있다.[516)] 그러나 결사의 자유는 단체의 결성 및 참가에 대한 국가의 개입 금지가 핵심이다.

관리기금법에 의해 해산됨으로써 청구인이 조합원의 지위를 상실하였다고 하더라도 이로써 그의 결사의 자유가 침해되었다고 할 것은 아니다”(헌재 2000. 11. 30. 99헌마190).

515) 정종섭, 앞의 책, 641-642면.

516) 헌재 1996. 4. 25. 92헌바47; 헌재 2016. 4. 28. 2014헌바442.

ii) 국가는 기본권제한의 한계 내에서 일정한 결사의 자유의 제한을 법률로서 규정할 수 있는데, 일정한 단체의 결성과 가입을 법률로 강제할 수 있는 것은 이에 근거를 두고 있다(변호사회, 의사회 등의 가입강제). 그러나 사법적 결사에는 가입을 강제할 수 없다. 즉 단체결성의 자유에 소극적 결사의 자유가 인정되는가에 대해서는 학설이 대립하나 사법적 결사에는 인정되고, 공법적 결사에는 부인된다는 것이 통설이다.

iii) 공법상의 결사에 가입하지 아니할 자유의 근거는 결사의 자유가 아니라 일반적 행동의 자유권에서 찾는 것이 타당하다. 헌법재판소도 "국가가 국민을 강제로 국민건강보험에 가입시키고 능력에 따라 보험료를 납부하도록 하는 것은 행복추구권으로부터 파생되는 **일반적 행동의 자유의 하나인 '공법상 단체에 강제로 가입하지 아니할 자유**'와 정당한 사유 없는 금전의 납부를 강제당하지 않을 권리인 재산권에 대한 제한이 되는 바 …… "라고 하고 있어 같은 입장이다.[517)]

(5) 결사의 자유의 효력

결사의 자유도 국가에 대한 방어권으로서의 성격이 핵심이기 때문에 모든 국가권력을 구속한다(대국가적 효력). 한편 법률에 따라 단체결성에 대한 국가의 지원을 요구할 수도 있다.

사인에 대하여는 **사법상의 일반조항**을 통해 간접적으로 적용된다고 보는 것이 다수설이다. 독일에서는 어떤 결사가 가입자격을 구비한 가입지망자에 대하여 반도덕적 방법으로 가입을 거부함으로써 손해를 야기한 경우에는 독일민법 제826조에 의거하여 배상의무를 진다.

(6) 결사의 자유의 제한과 그 한계

① 결사의 허가제 금지

제21조 제2항에 의하여 결사에 대한 허가제는 금지된다. 여기서 '허가'의 의미 역시 같은 조항상의 표현에 대한 '검열'이나 '허가', 집회에 대한 '허가'의 의미와 다르지 아니하며, 따라서 결사의 자유에 대한 '허가제'란 행정권이 주체가 되어 예방적 조치로서 단체의 설립 여부를 사전에 심사하여 일반적인 단체 결성의 금지를

517) 헌재 2003. 10. 30. 2000헌마801. 헌법재판소는 이러한 제한은 정당한 국가목적을 달성하기 위하여 부득이 한 것이고, 가입강제와 보험료차등부과로 인하여 달성되는 공익은 그로 인하여 침해되는 사익에 비하여 월등히 크다고 보고 있다.

특정한 경우에 한하여 해제함으로써 단체를 설립할 수 있게 하는 제도, 즉 사전 허가를 받지 아니한 단체 결성을 금지하는 제도라고 할 것이다.518)

다만 종전에 채택하고 있던 등록제는 합헌으로 보고 있다. 구 '사회단체의 등록에 관한 법률'은 일반사회단체는 주무관청에 등록하도록 되어 있었다. 등록의 법적 성격은 확인행위에 불과하다. 행정의 참고자료를 얻기 위한 수단으로 보는 것이 지배적인 학설·판례의 입장이다. '사회단체의 등록에 관한 법률'은 1994년 '사회단체신고에 관한 법률'로 대치되었다가519) 1997년 '사회단체신고에 관한 법률'도 폐지되었다.520) 사회단체등록제는 1960년대에 사회질서유지 차원에서 사회단체의 결성과 활동을 사실상 통제할 목적으로 시행된 제도인 바, 국민자율시대의 상황에 맞도록 그 근거법률을 신고제의 내용으로 전환함으로써 국민의 건전한 사회단체활동을 보장하고 행정편의를 도모하려는 것이 대체이유였다. 신고제는 헌법의 허용범위 내로 해석되나, 사회단체신고에 관한 법률은 당초 사회단체의 활동을 촉진하고 건전한 사회질서를 유지하는 데에 기여하기 위하여 제정되었으나, 동법의 입법목적이 사실상 달성됨에 따라 사회단체 활동의 자율성을 보다 제고하기 위하여 동법을 폐지한 것이다.

노동조합 설립신고서 반려제도가 헌법상 금지되는 결사에 대한 허가에 해당하는지 여부가 다투어진 사건에서 헌법재판소는 "노동조합의 자유설립주의를 원칙으로 하면서도 노동조합 및 노동관계조정법 제12조 제3항 제1호에서 노동조합 설립 이전에 설립신고서를 제출하여 행정관청의 그 요건에 대한 실질적인 심사를 거쳐 신고증을 교부 또는 설립신고서를 반려하도록 하는 것은 노동조합의 본질적 요소인 자주성 등을 확보하도록 하기 위한 부득이한 조치로서, 단체의 설립 여부 자체를 사전에 심사하여 특정한 경우에 한해서만 그 설립을 허용하는 '허가'와는 다르므로, 위 조항이 헌법 제21조 제2항 후단에서 금지하는 결사에 대한 허가라고 할 수 없다"고 판시하였다.521)

② 결사의 자유 제한

결사의 자유도 제37조 제2항에 의한 일반적 법률유보에 의하여 제한될 수 있다. 현행법상 결사의 자유를 제한하는 법률로는 국가보안법상 반국가단체결성금지

518) 헌재 2012. 3. 29. 2011헌바53.
519) '사회단체의 등록에 관한 법률'은 1994. 1. 7. 법률 제4736호로 '사회단체신고에 관한 법률'로 대치되었다(1997. 3. 1. 시행).
520) 1997. 3. 7. 법률 제5304호로 폐지되었다.
521) 헌재 2012. 3. 29. 2011헌바53.

(국가보안법 제3조), 형법상 범죄를 목적으로 하는 단체를 조직·가입한 경우의 금지(형법 제114조)를 들 수 있다. 일반적 단체의 결성은 원칙적으로 자유이지만, 헌법적대적 또는 그 밖의 불법적 목적과 성격을 가진 단체의 결성은 원천적으로 금지된다. 결사의 자유도 비상계엄이 선포된 경우에는 제한될 수 있으며, 특수신분관계에 있는 국민의 경우에는 일반국민에 비하여 결사의 자유가 더 제한될 수 있다.

결사의 자유가 제한되나 위법한 침해가 아니라고 본 사례들로는 i) 안마사들로 하여금 의무적으로 대한안마사협회의 회원이 되어 정관을 준수하도록 한 것,[522] ii) 공무원이 정치활동을 하는 단체에 가입·활동하는 것을 금지하는 것,[523] iii) 대한민국고엽제전우회의 회원으로 가입한 사람은 월남전참전자회의 회원이 될 수 없다고 규정한 것,[524] iv) 이적단체에 가입한 자를 처벌하는 국가보안법 조항[525] 등을 들 수 있다.

한편 자연인인 약사가 아니면 약국을 개설할 수 없도록 한 것은 그 제한에 합리적 이유가 없으므로 위헌이라고 한다.[526]

---

522) "안마사들은 시각장애로 말미암아 공동의 이익을 증진하기 위하여 개인적으로나 이익단체를 조직하여 활동하는 것이 용이하지 않고, 안마사들로 하여금 하나의 중앙회에 의무적으로 가입하도록 하여 전국적 차원의 단체를 존속시키는 것은 그들 사이에 정보를 교환하고 친목을 도모하며 직업수행 능력을 높일 수 있으며, 시각장애인으로 하여금 직업 활동을 효과적으로 수행하도록 하기 위하여 국가가 적극적으로 개입하는 것도 필요하므로, 위 조항(의료법 제61조 제3항 중 제26조 제3항)이 안마사들의 결사의 자유를 침해한다고 볼 수 없다"(헌재 2008. 10. 30. 2006헌가15).

523) 선거관리위원회 공무원규칙 제233조 제3항 제3호 조항은 선거관리위원회 공무원의 정치적 중립성을 확보하고 직무수행의 공정성과 객관성을 담보하는 것으로서 과잉금지원칙에 위반하여 정치적 표현의 자유 내지 결사의 자유를 침해한다고 볼 수 없다(헌재 2012. 3. 29. 2010헌마97).

524) "위 조항('참전유공자예우 및 단체설립에 관한 법률' 제19조 단서)의 입법목적은 양 법인의 중복가입에 따라 발생할 수 있는 두 단체 사이의 마찰, 중복지원으로 인한 예산낭비, 중복가입자의 이해상반행위를 방지하기 위한 것이다. 월남전참전자회의 회원 범위가 고엽제 관련자까지 확대될 경우 상대적으로 고엽제전우회의 조직 구성력이 약화되어 고엽제 관련자에 대한 특별한 보호가 약화될 우려가 있기 때문에, 위 조항이 기존에 운영 중인 고엽제전우회의 회원이 월남전 참전자회에 중복가입 하는 것을 제한한 것은 불가피한 조치라 할 것이다. 또한 위 조항으로 인하여 고엽제 관련자가 월남전참전자회의 회원이 될 수 없는 것이 아니라 월남전 참전자 중 고엽제 관련자는 양 법인 중에서 회원으로 가입할 법인을 선택할 수 있고 언제라도 그 선택의 변경이 가능하므로 위 조항이 청구인의 결사의 자유를 전면적으로 제한하는 것은 아니다. 따라서 위 조항은 과잉금지원칙에 위배된다고 볼 수 없다"(헌재 2016. 4. 28. 2014헌바442).

525) 과잉금지원칙에 위배되지 않는다(헌재 2015. 4. 30. 2012헌바95등).

526) "결사의 자유에서 말하는 '결사'란 자연인 또는 법인의 다수가 상당한 기간 동안 공동목적을 위하여 자유의사에 기하여 결합하고 조직화된 의사형성이 가능한 단체를 말하는 것으로서, 영리단체도 헌법상 결사의 자유에 의하여 보호된다. 따라서 약사가 아니면 약국을 개설할

③ 제한의 한계

제한을 하는 경우에도 기본권제한의 일반원칙 준수가 요구되며, 제한하는 경우에도 본질적 내용을 침해할 수 없다. 단체결성을 원천적으로 금지하거나 사법적 결사에 가입강제를 허용하는 것은 결사의 자유의 본질적 내용을 침해하는 것으로 보고 있다.

제6절 사회 · 경제적 자유권

Ⅰ. 거주 · 이전의 자유

1. 거주 · 이전의 자유의 연혁과 헌법규정

(1) 연 혁

거주 · 이전의 자유는 고대 이래 여러 가지 형태로 제한되고 억압되었다. 고대 노예제도하에서는 물론이고 중세의 농노들은 토지에 예속되어 있었다. 종교개혁기간 중 영주 또는 그 지역의 다수종파에 속하지 않는 사람은 개종을 하거나 이민을 선택하지 않으면 안 되었다.

1215년 마그나 카르타에서는 영국의 상인들에 대하여 자유로운 출 · 입국과 이동을 보장하는 규정을 두고 있었으며, 중부유럽에서는 1555년의 아우구스부르크(Augusburg) 종교평화협정과 1648년의 베스트팔렌(Westfalen) 평화협정에 의해 종교적 이유로 인한 거주 · 이전의 제한이 완화되었다. 즉 아우구스부르크 협정에 따르면 영주는 자신의 영토 내에 살고 있는 신민(臣民)의 종교를 결정할 수 있었던 반면, 이러한 영주의 명에 따르기를 원하지 않는 자는 영토를 떠날 수 있었고 또한 떠나지 않으면 안 되었다. 종교와 관련한 **출국의 자유**는 베스트팔렌 조약에서 재확인하였다.[527)]

종교의 자유와 관련한 출국의 자유를 중심으로 논의되던 거주 · 이전의 자유는 경제과정이 자본주의화됨에 따라 경제적 관점에서 그 중요성이 강조되기에 이르렀

수 없도록 한 약사법 제16조 제1항은 결국 법인을 설립하여 약국을 경영하려는 약사 개인들과 이러한 법인의 결사의 자유를 제한하는바, 그러한 제한에 합리적 이유가 없으므로 위헌이다"(헌재 2002. 9. 19. 2000헌바84).

527) 홍성방, 헌법학(중), 박영사, 2010, 99면.

다. **근대 시민사회의 성립과 자본주의는 거주·이전의 자유를 당연한 전제**로 하였다. 버지니아 권리장전에는 거주 · 이전의 자유에 대한 명시적 규정이 없는 것도 이를 당연한 것으로 보는 사고와 무관하지 않다. 거주 · 이전의 자유가 기본권으로 규정된 것은 1791년의 프랑스헌법이었다. 독일에서는 1849년 프랑크푸르트헌법에서 이를 규정하였으나 시행되지는 못하였고, 1919년 바이마르헌법에 이어 1949년 기본법에 규정되었다.

오늘날 대부분의 헌법들이 거주 · 이전의 자유를 규정하고 있고, 국제적 차원에서도 세계인권선언, 시민적 · 정치적 권리에 관한 국제협약(동협약 제12조), 유럽인권규약 등이 이를 규정하고 있다.

(2) 헌법규정

우리나라는 1948년 건국헌법 이래 거주 · 이전의 자유를 규정하고 있다. 건국헌법에서는 주거의 자유와 함께 규정하면서 개별적 법률유보조항을 두었다. 즉 "모든 국민은 법률에 의하지 아니하고는 거주와 이전의 자유를 제한받지 아니하며 주거의 침입 또는 수색을 받지 아니한다"고 규정하고 있었다(동헌법 제10조). 1960년 헌법(제2공화국헌법)에서 개별적 법률유보조항이 삭제되었고, 1962년 제3공화국헌법에서 주거의 자유와 분리되어 규정되었다. 1972년 유신헌법에서는 다시 개별적 법률유보조항이 부활되었으나, 1980년 헌법에서 개별적 법률유보조항이 다시 삭제되어 오늘에 이르고 있다. 현행헌법은 "모든 국민은 거주, 이전의 자유를 가진다"고 규정하고 있다(제14조).

2. 거주 · 이전의 자유의 의의와 기능

거주 · 이전의 자유는 자기가 원하는 장소에 주소나 거소를 정하고 체류하며, 자유롭게 이전할 자유를 말한다. 소극적으로 자신의 의사에 반하여 주거지를 옮기지 않을 자유를 포함한다. 거주 · 이전의 자유는 국가의 간섭 없이 자유롭게 거주와 체류지를 정할 수 있는 자유로서 정치 · 경제 · 사회 · 문화 등 모든 생활영역에서 개성신장을 촉진함으로써 헌법상 보장되고 있는 다른 기본권들의 실효성을 증대시켜주는 기능을 한다. 즉 자기의 생활영역을 스스로 결정할 수 있는 개인적 자결권의 요소를 가지고 있으며, 거주 · 이전의 자유가 보장되지 않으면 직업선택을 비롯한 다른 기본권들이 무의미해지기 때문에 거주 · 이전의 자유는 다른 기본권을 효과적으로 행사할 수 있게 하는 전제로의 의미도 크다. 인간의 활동영역의 확대를 통한 자유로운 인간 교섭의 장을 마련해 주고, 개인의 인격형성과 인간적 성장을 뒷받침해준다는 점에서 인간의 존엄과 일반적 행동의 자유와도 관련된다. 그러나 특히 자본주의 경제는 인간과 재화의 자유로운 이동 없이는 성립할 수 없는 것이므로 거주・이전의 자유는 토지소유권의 보장・직업선택의 자유・영업의 자유와 더불어 자본주의의 존립에 불가결한 경제적 기본권으로서의 성격을 가지고 있기 때문에 사회・경제생활영역에서 매우 중요한 의의를 가진다. 이 점에서 거주・이전의 자유를 사회・경제적 자유권으로 분류하였다.

자유로운 이동을 보장하여 자신이 원하는 곳에서 원하는 생활을 할 자유를 뒷받침하는 거주・이전의 자유는 신체의 자유와 밀접한 관련이 있다. 그러나 신체의 자유가 국가의 수사권발동으로부터 신체활동의 자유를 보장하는 것이라면(신체활동의 임의성), 거주・이전의 자유는 국민에게 자유로운 생활형성의 전제를 보장하려는 것으로 보호법익의 차이는 존재한다.

3. 거주・이전의 법적 성격

거주・이전의 자유는 국가에 대한 방어권으로서 주관적 공권성을 가진다. 따라서 국가는 개인의 거주・이전의 자유를 부당하게 침해해서는 안 된다. 또한 객관적 가치질서의 성격도 가진다(이중성). 이러한 객관적 가치질서로서의 성격은 국가행위에 대하여 일정한 지침을 제공하기도 하고 사법상의 관계에서 간접적인 대사인적 효력의 이론에 따라 사법상의 개괄조항을 해석하는 데 의미를 가질 수 있다.

4. 거주・이전의 자유의 주체와 효력

(1) 주 체

거주・이전의 자유는 **자연인만이 아니라 법인도 향유가 가능한 대표적인 기본권**이다. 따라서 국민과 법인(특히, 사법인)에게 인정된다. 외국인에 대해서는 국제관습법상으로도 그리고 다수의 견해에 따르면 거주・이전의 자유의 주체성을 부인하고 있다. 입법정책에 따라 달라질 수 있지만, 이것이 법률상 권리인지 기본권인지는 논란이 될 수 있다. 대체로 **외국인은 입국의 자유는 제한되나, 출국의 자유는 허용**된다는 것이 다수설이다. 외국인의 입국의 자유는 호혜주의원칙에 따라 해결될 문제라는 견해[528]와 외국인, 무국적자의 경우는 행복추구권 등을 통하여 간접

528) 홍성방, 앞의 책(중), 100면.

적으로 주장이 가능하다는 견해가 있다. 외국인은 출입국관리법 등에서 거주 · 이전의 자유를 특별히 제한하고 있다.

북한지역도 우리 영토로 보고 **북한주민**도 우리 국민으로 보는 학설 · 판례에 따르면 북한주민에게도 (국내)거주 · 이전의 자유의 주체가 될 수 있다. 이러한 관점에서 보면 탈북주민의 입국은 입국의 자유로 설명이 가능하다.[529] 이에 대하여 북한지역을 우리 영토로 보지 않는 한 북한이탈주민이 우리 통치영역에 들어오는 것을 입국의 자유로 설명할 수 없고 정치적 망명권으로 처리하는 것이 타당하다는 견해[530]도 있다.

(2) 효 력

거주 · 이전의 자유에는 대국가적 효력과 대사인적 효력이 인정된다. 대사인적 효력은 사법의 일반조항을 통하여 간접적용된다고 보는 것이 다수설이다. 이혼한 부부가 이혼하면서 계약으로 일정한 지역에서 주거지를 선택해서는 안 되는 일방의 의무를 합의하는 경우가 사인 간에 거주 · 이전의 자유가 적용될 수 있는 예이다. 이 경우 이러한 합의내용의 사법의 일반조항에 위배 여부가 문제된다.

5. 거주 · 이전의 자유의 내용

(1) 거주 · 이전의 자유의 개념

거주 · 이전의 자유는 소극적 의미로는 원하지 않는 주소 · 거소를 거부할 수 있는 자유이며, 적극적 의미로는 원하는 곳에 주소 · 거소(거주지와 체류지)를 설정할 자유를 의미한다. 거주지는 생활의 근거지로 민법상의 주소의 개념으로 이해되며, 체류지는 한 장소에 잠시 머무는 것을 말한다.

(2) 국내 거주 · 이전의 자유

적극적 국내 거주 · 이전의 자유란 대한민국의 영토 안에서 자유롭게 그의 주소나 거소를 설정하고 이전할 수 있는 자유를 말한다. 거주 · 이전의 목적은 불문으로 직업상의 이전 · 거주를 위한 이전은 물론 휴양이나 관광목적의 경우도 포함된다. 따라서 관광의 자유도 거주 · 이전의 자유에 포함된다.

북한지역에의 거주 · 이전의 자유가 인정되는가와 관련해서 통치권이 현실적으

529) 허영, 전정13판 한국헌법론, 박영사, 2017, 492면.
530) 홍성방, 앞의 책(중) 101면.

로 미치지 않아 제한된다. 국가보안법(법률)에 의해서 처벌(탈출죄, 회합죄)될 수 있으며, 남북교류협력에 관한 법률은 남한의 주민이 북한을 방문하거나 북한의 주민이 남한을 방문하려면 대통령령이 정하는 바에 따라 통일부장관의 승인을 받도록 하고 있다(동법 제9조 제1항).

거주·이전의 자유는 장소를 변경하지 않을 자유, 즉 소극적 거주·이전의 자유를 보장한다. 강제퇴거나 주거의 강제지정은 거주·이전의 자유에 대한 침해가 된다. 지역개발 등의 이유로 타 지역으로의 이사를 강요당하지 않을 권리인 고향의 자유(소극적 거주·이전의 자유)도 거주이전의 자유에 포함된다.

1. 인천 영종도에 거주하는 주민들에게 인천국제공항고속도로의 사용료를 징수하는 것이 거주·이전의 자유를 침해하는가?

"청구인들은 이 공항고속도로를 이용하지 않고도, 이 도로개설 이전의 영종도 주민들과 마찬가지로, 뱃길을 이용하여 자유로이 다른 곳으로 거주를 옮길 수도 있으므로 거주·이전의 자유가 제한된 것으로 볼 수 없다."

헌재 2005. 12. 22. 2004헌바64

2. 지방자치단체장의 피선거권 자격요건으로서 90일 이상 관할구역 내에 주민등록이 되어 있을 것을 요구하는 공직선거 및 선거부정방지법 제16조 제3항이 거주·이전의 자유를 침해하는가?

"헌법 제14조는 '모든 국민은 거주·이전의 자유를 가진다'고 규정하여 거주·이전의 자유를 보장하고 있다. 이 거주·이전의 자유는 공권력의 간섭을 받지 아니하고 일시적으로 머물 체류지와 생활의 근거되는 거주지를 자유롭게 정하고 체류지와 거주지를 변경할 목적으로 자유롭게 이동할 수 있는 자유를 내용으로 한다. 그러나 거주·이전의 자유가 국민에게 그가 선택할 직업 내지 그가 취임할 공직을 그가 선택하는 임의의 장소에서 자유롭게 행사할 수 있는 권리까지 보장하는 것은 아니다. 물론 직업에 관한 규정이나 공직취임의 자격에 관한 제한규정이 그 직업 또는 공직을 선택하거나 행사하려는 자의 거주·이전을 간접적으로 어렵게 하거나 불가능하게 하거나 원하지 않는 지역으로 이주할 것을 강요하게 될 수는 있다. 그러나 그와 같은 조치가 특정한 직업 내지 공직의 선택 또는 행사에 있어서의 필요와 관련되어 있는 것인 한, 그러한 조치에 의하여 헌법 제15조의 직업의 자유 내지 헌법 제25조의 공무담임권이 제한될 수는 있어도 헌법 제14조의 거주·이전의 자유가 제한되었다고 볼 수 없다. 그러므로 선거일 현재 계속하여 90일 이상 당해 지방자치단체의 관할구역 안에 주민등록이 되어 있을 것을 입후보의 요건으로 하는 이 사건 법률조항으로 인하여 청구인이 그 체류지와 거주지의 자유로운 결정과 선택에 사실상 제약을 받는다고 하더라도 청구인의 공무담임권에 대한 위와 같은 제한이 있는 것은 별론으로 하고 거주·이전의 자유가 침해되었다고 할 수는 없을 것이다."

헌재 1996. 6. 26. 96헌마200

*이 사건에서는 공무담임권 및 평등권의 침해 여부도 다투어졌다. 공무담임권 침해 여부와 관련하여 헌법재판소는 "헌법이 보장한 주민자치를 원리로 하는 지방자치제도에 있어서 지연적 관계를 고려하여 당해 지역사정을 잘 알거나 지역과 사회적·지리적 이해관계가 있어 당해 지역행정에 대한 관심과 애향심이 많은 사람에게 피선거권을 부여함으로써 지방자치행정의 민주성과 능률성을 도모함과 아울러 우리나라 지방자치제도의 정착을 위한 규정으로서, 그 내용이 공무담임권을 필요 이상으로 과잉제한하여 과잉금지의 원칙에 위배된다거나 공무담임권의 본질적인 내용을 침해하여 위헌적인 규정이라고는 볼 수 없다"고 판시하였고, 평등권 침해 여부와 관련해서는 헌법재판소는 "국회의원의 경우 거주요건을 요구하지 아니하는 이유는 국회의원이 비록 지역구에서 선출되기는 하지만 국가의 입법기관의 구성원으로서 국민대표적 성격을 가지고 있는 데에 기인하는 것이므로, 당해 관할구역 내에 거주하지 아니하는 입후보자를 국회의원선거의 입후보자나 관할구역 안에 거주하는 다른 입후보자들에 비하여 합리적인 이유없이 차별하는 것이라고 볼 수 없다"고 판시하였다.

(3) 국외 거주·이전의 자유[531)]

국외 거주·이전의 자유는 해외로의 출국의 자유, 해외에서의 여행의 자유, 귀국의 자유, 그리고 외국으로의 이주나 외국에서의 영주의 자유 등을 포함한다.

① 출국의 자유

거주·이전의 자유는 국외로 출국할 수 있는 자유를 보장한다. 어떤 목적의 출국이든 상관없이 모두 보장한다. 출국의 자유도 합리적으로 제한될 수는 있다. 병역의무자의 출국을 제한하는 것은 거주·이전의 자유의 침해라고 볼 수 없다.

추징금 미납자에 대한 출국금지

"출국금지의 대상이 되는 추징금은 2,000만원 이상으로 규정하여 비교적 고액의 추징금 미납자에 대하여서만 출국의 자유를 제한할 수 있도록 하고 있으며 실무상

531) 독일기본법의 경우 제16조에서 "모든 독일인은 전 연방 영역 내에서 이전의 자유를 누린다"고 규정하기 때문에 출국의 자유는 동 제2조의 인격발현권으로부터 파생되는 일반적 행동의 자유에 의해서 보장되는 것으로 이해하고 있다(독일 판례).

추징금 미납을 이유로 출국금지처분을 함에 있어서는 재산의 해외도피 우려를 중요한 기준으로 삼고 있다. 출입국관리법 제4조 제1항 제4호는 출입국관리법시행령과 출국금지업무처리규칙의 관련 조항들과 유기적으로 결합하여 살피면 일정한 액수의 추징금 미납사실 외에 '재산의 해외도피 우려'라는 국가형벌권실현의 목적에 부합하는 요건을 추가적으로 요구함으로써 출국과 관련된 기본권의 제한을 최소한에 그치도록 배려하고 있다. 또한 간접강제(민사집행법 제261조)제도나 재산명시명령의 불이행에 대한 감치(민사집행법 제68조)처분, 강제집행면탈죄(형법 제327조)로 처벌하는 규정과, 사기파산죄(파산법 제366조) 등과 대비하여 볼 때 재산의 해외도피 우려가 있는 추징금 미납자에 대하여 하는 출국금지처분이 결코 과중한 조치가 아닌 최소한의 기본권제한조치라고 아니할 수 없다.

나아가 추징금을 납부하지 않는 자에 대한 출국금지로 국가형벌권 실현을 확보하고자 하는 국가의 이익은 형벌집행을 회피하고 재산을 국외로 도피시키려는 자가 받게 되는 출국금지의 불이익에 비하여 현저히 크다. 이처럼 고액 추징금 미납자에게 하는 출국금지조치는 정당한 목적실현을 위해 상당한 비례관계가 유지되는 합헌적 근거 법조항에 따라 시행되는 제도이다."

헌재 2004. 10. 28. 2003헌가18

② 해외여행의 자유

해외여행의 자유는 대한민국의 통치권이 미치지 않는 곳으로 여행할 수 있는 자유를 말한다. 이 자유는 출국의 자유를 전제로 한다. 해외여행을 하기 위해서는 여권법과 출입국관리법에 의한 제한을 받는데, 여권제도는 출국신고의 성격으로 운영되어야 한다. 여권제도가 사실상 출국의 허가제가 되거나 여권의 발급을 극히 어렵게 하는 경우 또는 분명하지 않은 이유로 발급을 거부하는 경우는 거주·이전의 자유를 침해한다고 볼 수 있다. 출입국관리법은 특별한 경우에 출국금지규정을 두고 있으며,[532] 헌법재판소는 해외 위난지역에서의 여권사용 제한과 병역의무자

532) 법무부장관은 1. 형사재판에 계속(係屬) 중인 사람, 2. 징역형이나 금고형의 집행이 끝나지 아니한 사람, 3. 대통령령으로 정하는 금액 이상의 벌금이나 추징금을 내지 아니한 사람, 4. 대통령령으로 정하는 금액 이상의 국세·관세 또는 지방세를 정당한 사유 없이 그 납부기한까지 내지 아니한 사람, 5. 그 밖에 제1호부터 제4호까지의 규정에 준하는 사람으로서 대한민국의 이익이나 공공의 안전 또는 경제질서를 해칠 우려가 있어 그 출국이 적당하지 아니하다고 법무부령으로 정하는 사람의 어느 하나에 해당하는 국민에 대하여는 6개월 이내의 기간을 정하여 출국을 금지할 수 있다(출입국관리법 제4조 제1항). 또한 법무부장관은 범죄 수사를 위하여 출국이 적당하지 아니하다고 인정되는 사람에 대하여는 1개월 이내의 기간을 정하여 출국을 금지할 수 있다. 단, 1. 소재를 알 수 없어 기소중지결정이 된 사람 또는 도주 등 특별한 사유가 있어 수사진행이 어려운 사람: 3개월 이내, 2. 기소중지결정이 된 경우로서 체포영장 또는 구속영장이 발부된 사람: 영장 유효기간 이내 출국을 금지할 수 있다(제4조 제2항). 그리고 중앙행정기관의 장 및 법무부장관이 정하는 관계 기관의 장은 소관 업

에 대한 국외여행허가제533)는 거주·이전의 자유를 침해하지 않는다고 판시하고 있다. 한편 1962년부터 시행해 온 병역의무자 귀국보증제는 2005년 폐지되었다.534)

해외 위난지역에서의 여권사용 제한

"우리 헌법 제14조 제1항은 '모든 국민은 거주·이전의 자유를 가진다'고 규정하고 있고, 이러한 거주·이전의 자유에는 국내에서의 거주·이전의 자유뿐 아니라 국외 이주의 자유, 해외여행의 자유 및 귀국의 자유가 포함되는바, 아프가니스탄 등 일정한 국가로의 이주, 해외여행 등을 제한하는 이 사건 고시로 인하여 청구인들의 거주·이전의 자유가 일부 제한된 점은 인정된다. 그러나 이 사건 고시는 국가의 국민에 대한 기본권 보장의무(헌법 제10조) 및 재외국민 보호의무(헌법 제2조 제2항)를 이행하며 국민의 생명·신체 및 재산을 보호하기 위한 것으로서 그 목적의 정당성이 인정되고, 천재지변·내란·폭동·테러 등 해외 위난상황이 발생한 지역에 대하여 여권의 사용제한 등의 조치를 함으로써 해당 지역으로 출국하는 것을 사전에 방지하는 것은 위와 같은 목적을 달성하기 위한 적절한 수단이라고 할 수 있다. 또한 이 사건 고시는 대상지역을 당시 전쟁이 계속 중이던 이라크와 소말리아, 그리고 실제로 한국인에 대한 테러 가능성이 높았던 아프가니스탄 등 3곳으로 한정하고, 여권의 사용제한 등 기간도 1년으로 하여 그다지 장기간으로 정하고 있지 않을 뿐 아니라, 부득이한 경우 예외적으로 외교통상부장관의 허가를 받아 여권의 사용 및 방문·체류가 가능하도록 함으로써 국민의 거주·이전의 자유에 대한 제한을 최소화하고 있다. 그 밖에 청구인들이 이 사건 고시로 인하여 일정한 기간 동안 특정 국가로 자유로이 출국할 수 없게 됨에 따른 사익의 제한보다는 해외 위난상황이 발생한 지역에서의 국민의 생명·신체 및 재산의 보호라는 공익이 훨씬 더 크다고

무와 관련하여 제1항 또는 제2항 각 호의 어느 하나에 해당하는 사람이 있다고 인정할 때에는 법무부장관에게 출국금지를 요청할 수 있다(제4조 제3항).

533) 병역법은 1. 25세 이상인 병역준비역, 보충역 또는 대체역으로서 소집되지 아니한 사람, 2. 승선근무예비역, 보충역 또는 대체복무요원으로 복무 중인 사람은 국외여행을 하려면 병무청장의 허가를 받아야 한다(병역법 제70조 제1항).

534) 종전의 병역법은 병역의무자가 국외여행을 하고자 할 때에는 친권자 및 친지 등의 귀국보증서를 첨부하여 병무청장의 허가를 받아야 하고, 이들이 귀국하지 아니할 때에는 귀국보증인이 5천만원 이하의 과태료를 부담하도록 되어 있었는데, 2005년 병역법을 개정하여 세계화 시대에 우리의 병역미필 인력자원이 국외에서 어학연수·유학 등을 통하여 지식과 경험을 습득하여 국가경쟁력 제고에 기여하도록 할 필요성이 있음은 물론 해외여행이 보편화된 사회적 변화 등을 고려할 때, 국외여행 귀국보증제도는 대다수 병역의무자들에게 절차상 큰 불편을 주고 있을 뿐만 아니라 귀국보증인에 대한 과태료 부과 자체가 타인의 과실에 대한 책임을 보증인에게 강요하는 측면이 크므로 귀국보증제도와 이에 따른 과태료 부과제도를 폐지하였다(2005. 3. 31. 개정, 2005. 7. 1. 시행).

할 것이므로 법익의 균형성도 갖추었다고 할 것이다. 결국 이 사건 고시가 과잉금지원칙에 위배하여 청구인들의 거주·이전의 자유를 침해하였다고 볼 수 없다."

헌재 2008. 6. 26. 2007헌마1366

*이 사건에서 헌법재판소는 청구인들의 종교의 자유, 평등권을 침해하는 여부에 대해서도 소극적으로 판시하고 있다.

병역의무자에 대한 국외여행허가제

병역의무자가 병무청장의 국외여행허가를 받지 않고 출국한 경우 이를 처벌하는 병역법 제94조 제1항이 죄형법정주의의 명확성원칙에 위배되는지 여부가 다투어진 사건에서 헌법재판소는 "이 사건 법률조항은 병역의무자가 국외여행 시 병무청장의 국외여행허가를 받지 않고 출국한 경우 형사처벌을 함으로써 국외여행을 제한하고 있는데 이는 병역자원관리를 위한 병역법상의 규제 중의 하나이다. 이 사건 법률조항의 입법목적이 병역의무의 충실한 이행을 담보하고 병역의무의 기피를 차단하고자 하는 데 있고, 구 병역법이 병역의 종류, 병역의무자에 대하여 명확한 규정을 두고 있는 점, 구 병역법 제70조 제1항에서 병역복무의무를 이행하였거나 이를 부담하지 않는 사람은 국외여행허가대상에서 제외되어 있다는 점 등을 고려하면, 이 사건 법률조항에 따라 국외여행허가를 받아야 하는 대상은 병역의무자 중 아직 현역이나 보충역 등으로 병역의무를 이행하지 않은 사람이 될 것임을 쉽게 짐작할 수 있다. 따라서 이 사건 법률조항은 죄형법정주의에서 요구하는 명확성의 원칙에 위배되지 아니한다.

헌재 2009. 7. 30. 2007헌바120

③ 국외이주의 자유

국외이주의 자유란 대한민국의 통치권이 미치지 않는 곳으로 자유롭게 이주하는 것을 말한다. 해외이주는 강요된 것이 아닌 자발적 의사에 의한 것이어야 한다. **해외이주법**은 국외이주를 신고사항으로 하고 있다(동법 제6조). 해외이주법은 i) 병역을 기피하고 있는 사람, ii) 금고 이상의 형을 선고받고 그 집행이 끝나지 아니하거나 그 집행을 받지 아니하기로 확정되지 아니한 사람의 해외이주를 제한하고 있다(동법 제3조). 또한 해외이주법은 해외이주의 종류를 i) **연고이주**,[535] ii) **무연고이주**,[536] iii) **현지이주**[537] 등으로 나누고 있다(동법 제4조).

535) 혼인·약혼 또는 친족 관계를 기초로 하여 이주하는 것.

536) 외국기업과의 고용계약에 따른 취업이주, 해외이주알선업자가 이주대상국의 정부기관·이주알선기관 또는 사업주와의 계약에 따르거나 이주대상국 정부기관의 허가를 받아 행하는 사업이주 등 연고이주 및 현지이주 외의 사유로 이주하는 것.

해직공무원의 보상금산정에서의 이민사유의 제외[538)]

헌법상 거주·이전의 자유 속에 국외거주의 자유가 포함된다고 하여도 특조법 제2조 제5항은 그 자체 청구인이나 대한민국 국민 누구에게도 거주이전의 자유를 제한하는 것이라거나 국외이주를 제한하는 규정이 아니므로, 동 조항에 따른 보상의 차별이 있더라도 동 규정이 헌법상 재외국민의 평등권을 침해하였다고 할 수 없는 것과 마찬가지로 거주이전의 자유를 침해한 것이라 할 수 없다.

헌재 1993. 12. 23. 89헌마189

해외체재자의 병역의무면제[539)]

"청구인은 이 사건 조항이 해외 체재의 전력이 있는 자에 대해서만 소집의무연령을 연장함으로써 불이익한 대우를 하는 것은 거주이전의 자유를 침해한다고 주장한다. 그러나 이 사건 조항은 해외거주를 이유로 징병검사를 연기 받은 사람들에게 입영의무 등 감면연령이 36세부터 적용된다는 것이며, 이 사건 조항이 있더라도 청구인은 자유롭게 해외에 거주하거나 해외로 이전할 수 있다. 따라서 해외에 체재하게 되면 그 감면연령이 다른 사람보다 늦춰지게 된다고 해서 이를 거주이전의 자유의 제한이라고 할 수는 없다. 즉, 이 사건에서 거주이전의 자유의 보호범위를 '거주이전을 이유로 국방의 의무를 면할 수 있는 혜택의 시기가 다른 사람보다도 늦어지지 않을 것'까지 포함하는 것으로 볼 수는 없는 것이다. 그러므로 해외에 체재한 사실 때문에 입영의무 등 감면연령이 31세부터가 아닌 36세부터 적용된다고 해서 이를 거주이전의 자유의 제한이라고 할 수 없다. 또한 그렇게 판단하는 이상 이 사건에서 별도로 과잉금지원칙 위배 여부를 판단하지 않는다."

헌재 2004. 11. 25. 2004헌바15

---

537) 해외이주 외의 목적으로 출국하여 영주권 또는 그에 준하는 장기체류 자격을 취득하고 이에 근거하여 거주여권을 발급받은 사람의 이주. 다만 1945년 8월 15일 이전부터 외국에 거주한 재외국민 중 최근 3년간 매년 90일 이상을 국내에서 거주한 사람으로서 「외국인투자촉진법」에 따른 최소투자금액 이상을 국내에 투자하거나, 학교법인·사회복지법인 등에 출연하여 그 법인을 운영하고 있는 사람은 현지이주의 예외로 하며, 이 경우 투자 및 출연 금액은 그 투자자 및 출연자가 「독점규제 및 공정거래에 관한 법률」 제2조 제2호에 따라 사실상 그 사업내용을 지배하는 외국법인이 투자하거나 출연한 금액을 포함한다.

538) 이른바 국보위(國保委)의 정화계획에 따라 해직된 공무원의 보상에 관한 '1980년 해직공무원의 보상(補償) 등에 관한 특별조치법'은 보상금산출을 위한 기간산정에 있어 '이민(移民)'을 사유로 보상제한 규정을 두고 있었다(제2조 제5항 단서). 이 규정의 헌법위반 여부가 다투어진 사건이다. 해직(解職) 이후 이민 간 자와 계속 국내에 거주하는 자와 차별이 발생하지만, 헌법재판소는 합리적 차별로 보면서 거주이전의 자유를 침해하는 것도 아니라고 판시하였다.

539) 통상 31세가 되면 입영의무 등이 감면되나 해외체재를 이유로 병역연기를 한 사람에게는 36세가 되어야 이에 해당되도록 한 구 병역법 제71조 제1항 단서 제6호가 평등권과 거주·이전의 자유를 침해하는가가 다투어진 사건이다.

④ 입국의 자유

입국의 자유란 출국한 자가 우리나라로 되돌아오는 자유를 말한다. 귀국의 자유라고도 한다. 입국의 자유는 출국의 자유에 당연히 전제된 자유이다. 북한주민의 귀순은 입국의 자유로 보장된다.

(4) 국적 이탈(변경)의 자유

국적을 가진 사람이 자국의 국적을 포기하고 외국국적을 취득할 수 있는 자유를 말한다. UN인권선언은 국적이탈의 자유를 규정하고 있다(동선언 제15조 제2항). 국적이탈의 자유에는 무국적의 자유까지 인정되는 것은 아니다. 또한 국적박탈은 허용되지 않는다.

국적변경의 자유를 거주・이전의 자유에 포함시키는 것이 다수설이지만, 국적변경(이탈)의 자유를 거주이전의 자유에서 도출하지 않고, 누구나 특정 공동체에 태어난 것은 자유의지로 태어난 것이 아니므로 자신이 살 공동체를 선택할 권리는 본질상 인간의 존엄과 가치 및 행복추구권을 규정하고 있는 제10조에서 도출된다고 하는 견해가 있다.[540)]

기본권보장이 범죄의 수단으로 악용되어서는 안 된다. 따라서 탈세, 병역기피 목적의 국적 이탈은 보호받을 수 없다. 국적선택권을 기본권으로 인식하기에 이르렀지만, 나라에 따라 국내법상 제약을 받는다. 일반적으로 외국인인 개인이 특정한 국가의 국적을 선택할 권리가 자연권으로서 또는 우리 헌법상 당연히 인정된다고 할 수 없다.[541)]

6. 거주・이전의 자유의 제한과 그 한계

(1) 제 한

거주・이전의 자유도 제37조 제2항의 일반적 법률유보조항에 의하여 제한될 수 있다. 즉 국가안전보장, 질서유지, 공공복리를 위하여 법률로 제한할 수 있다. 국가안전보장을 위한 제한으로 국가보안법(동법 제6조)이나 '군사기지 및 군사시설보호법'(동법 제9조 이하)이 북한지역으로의 여행을 제한하거나 군사시설에의 출입을 제한하고 있다. 또한 계엄법은 계엄사령관의 특별조치를 규정하고 있다(동법 제9조). 질서유지를 이유로 한 제한은 경찰관직무집행법(동법 제4조)이나 소년법(동법 제32조) 등에서 보호조치나 주거를 제한

540) 정종섭, 제11판 헌법학원론, 박영사, 2016, 689면.
541) 헌재 2006. 3. 30. 2003헌마806.

하고 있다. 또한 형사소송법은 형사피고인의 주거를 제한하고 있고(동법 제101조 제1항), 소방기본법은 소방상 강제처분을 규정하고 있다(동법 제25조). 치료감호법은 치료감호를 규정하고(동법 제16조 이하), 보안관찰법은 보안관찰처분을 규정하고 있다(동법 제4조). 공공복리를 위한 제한으로 '감염병의 예방 및 관리에 관한 법률'(동법 제42조), '마약류 관리에 관한 법률'(동법 제40조), 검역법(동법 제16조), 결핵예방법(동법 제25조) 등이 환자의 강제수용, 감염병방지를 위한 강제조치를 규정하고 있다. 해외 이전의 자유에 대한 제한으로는 해외이주법상의 신고의무, 결격자지정, 제한지역설정 등이 있고, 출입국관리법상의 제한이 있으며, 해외여행의 자유의 제한으로는 병역의무자의 출국이 제한된다(출국허가제). 그 밖에 민법상의 제한으로는 부부의 동거의무(동법 제826조 제2항), 친권에 의한 거소지정권(동법 제914조)이 있으며, 특수신분관계에 있는 재소자나 군인 등의 거주지 제한 등이 있다.

헌법재판소는 거주·이전의 자유에 대한 직접적인 제한이 아니라 부수적인 간접적인 제한의 경우에는 거주·이전의 자유의 제한으로 보지 않는다. 예를 들어 직업에 관한 규정이나 공직취임의 자격에 관한 제한규정이 그 직업 또는 공직을 선택하거나 행사하려는 자의 거주·이전의 자유를 간접적으로 어렵게 하거나 불가능하게 하거나 원하지 않는 지역으로 이주할 것을 강요하게 될 수 있다 하더라도, 그와 같은 조치가 특정한 직업 내지 공직의 선택 또는 행사에 있어서의 필요와 관련되어 있는 것인 한, 그러한 조치에 의하여 직업의 자유 내지 공무담임권이 제한될 수는 있어도 거주·이전의 자유가 제한되었다고 볼 수는 없다고 판시하였으며,[542] 또한 거주지를 기준으로 중·고등학교의 입학을 제한하는 것과 관련하여 헌법재판소는 생활상의 불이익만으로는 거주·이전의 자유를 제한한다고는 할 수 없고, 설혹 위 규정이 거주이전의 자유를 다소 제한한다고 하더라도 과잉금지원칙에 위반되지 않는다고 하였다.[543] 또한 기존에 소유하고 있는 택지에 대한 소유상한을 정한 경우 이는 토지재산권에 대한 제한이 수반하는 반사적 불이익에 불과하고, 설사 기본권의 침해가 있다고 하더라도 입법목적에 비추어 볼 때 그 규제의

542) 헌재 1996. 6. 26. 96헌마200.

543) "위 규정(교육법시행령 제71조 및 제112조의6)이 적용되는 학교에 자녀를 입학시키고자 하는 학부모는 생활상 발생할 수 있는 여러 가지 불이익을 감수하면서라도 당해 학교 소재지로 거주지를 이전하여야 하나, 학부모는 원하는 경우 언제든지 자유로이 거주지를 이전할 수 있으므로 그와 같은 생활상의 불이익만으로는 거주이전의 자유를 제한한다고는 할 수 없고, 설혹 위 규정이 거주·이전의 자유를 다소 제한한다고 하더라도 그 입법목적 및 입법수단이 정당하므로 그 제한의 정도는 기본권의 본질적인 내용을 침해하였다거나 이를 과도하게 제한한 경우에 해당하지 않으므로 헌법 제14조 및 헌법 제37조 제2항에 위반되지 아니한다고 할 것이어서, 위 규정이 거주·이전의 자유를 침해하는 것이라고는 할 수 없다"고 판시하였다(헌재 1995. 2. 23. 91헌마204).

합리성이 인정되므로, 비례의 원칙이나 과잉금지의 원칙에 위반되지 않는다고 판시한 바 있다.[544]

(2) 제한의 한계

거주·이전의 자유를 제한하더라도 본질적 부분을 침해해면 위헌이 된다. 예를 들어 거주·이전에 대한 허가제도 등은 위헌이다.

> **대도시 지역 내 법인등기시 중과세 하는 지방세법 제138조 제1항 제3호 위헌소원**
>
> [1] 구 지방세법 제138조 제1항 제3호가 법인의 대도시내의 부동산등기에 대하여 통상세율의 5배를 규정하고 있다 하더라도 그것이 대도시내에서 업무용 부동산을 취득할 정도의 재정능력을 갖춘 법인의 담세능력을 일반적으로 또는 절대적으로 초과하는 것이어서 그 때문에 법인이 대도시내에서 향유하여야 할 직업수행의 자유나 거주·이전의 자유의 자유가 형해화할 정도에 이르러 그 기본적인 내용이 침해되었다고 볼 수 없다.
>
> [2] 위 조항은 인구와 경제력의 대도시집중을 억제함으로써 대도시 주민의 생활환경을 보존·개선하고 지역간의 균형발전 내지는 지역경제를 활성화하려는 복지국가적 정책목표에 이바지하는 규정이고(목적의 정당성), 그 수단이 부동산등기에 대하여 통상보다 높은 세율의 등록세를 부과함으로써 간접적으로 이를 억제하는 방법을 선택하고 있고(수단의 상당성), 부동산을 취득할 정도의 재정능력을 갖춘 법인에 대하여 통상세율의 5배의 등록세를 부과하는 것이 위 목적달성에 필요한 정도를 넘는 자의적인 세율의 설정이라고 볼 수 없으며(침해의 최소성), 위 목적에 비추어 위 조항에 의하여 보호되는 공익과 제한되는 기본권 사이에 현저한 불균형이 있다고 볼 수 없으므로(법익의 균형성), 위 조항은 과잉금지원칙에 위배되지 아니한다.
>
> 헌재 1996. 3. 28. 94헌바42

544) "택지소유상한에 관한 법률에 의하여 택지에 대하여 소유상한을 설정하고 처분 또는 이용·개발의무를 부과한 후 그 불이행시 부담금을 부과하는 것은, 특히 법 시행 이전부터 이미 가구별 소유상한을 초과하는 택지를 소유하고 있던 개인이나 택지를 소유하고 있던 법인에게 사실상 그 처분을 강요하는 셈이 되어, 그들의 헌법 제14조의 거주이전의 자유 또는 헌법 제15조의 직업선택의 자유 내지 영업활동의 자유가 사실상 제한당할 여지가 있으나, 이는 위의 기본권에 대한 침해가 아니라 토지재산권에 대한 제한이 수반하는 반사적 불이익에 불과하고, 설사 기본권의 침해가 있다고 하더라도 입법목적에 비추어 볼 때 그 규제의 합리성이 인정되므로, 비례의 원칙이나 과잉금지의 원칙에 위반되지 않는다"고 판시하였다(헌재 1999. 4. 29. 94헌바37).

자경농지의 양도소득세면제의 요건으로 농지소재지 거주요건을 둔 경우

"구 조세특례제한법 제69조 제1항 제1호는 자경농민이 농지소재지로부터 거주를 이전하는 것을 직접적으로 제한하는 내용의 규정이라고 볼 수 없고, 다만 8년 이상 농지를 자경한 농민이 농지소재지에 거주하는 경우 양도소득세를 면제함으로써 농지소재지 거주자가 농지에서 이탈되는 것이 억제될 것을 기대하는 범위 내에서 간접적으로 제한되는 측면이 있을 뿐이며, 따라서 양도소득세의 부담을 감수하기만 한다면 자유롭게 거주를 이전할 수 있는 것이므로 거주·이전의 자유를 형해화할 정도로 침해하는 것은 아니다."

헌재 2003. 11. 27. 2003헌바2

Ⅱ. 직업의 자유

1. 연 혁

세습적 신분제가 유지되던 봉건시대에는 직업도 세습되어 직업선택의 자유가 제한을 받았다. 신분제도의 폐지와 인간의 자유, 평등이 강조된 근대 시민사회에서 경제적 자유의 일환으로 직업선택의 자유가 주장되었다. 직업의 자유를 최초로 헌법에 최초로 명문화한 것은 1919년의 바이마르헌법이다(동헌법 제11조).[545]

직업의 자유에 관한 헌법규정의 유형으로는 i) 거주·이전과 동일한 조항에 규정하는 경우(일본헌법, 바이마르헌법), ii) 명문규정이 없는 경우(우리나라 건국헌법, 미국헌법), iii) 독립된 규정이 있는 경우(현행헌법, 독일기본법) 등으로 나누어 볼 수 있다.

우리나라는 5차 개정헌법에서 최초로 직업선택의 자유를 명문화하였다. 그러나 헌법에 명시되기 이전에도 직업의 자유가 헌법상 보장되는 기본권이라고 보는 것이 학설·판례의 입장이다. 학설은 직업의 자유는 거주·이전의 자유에 포함된다는 견해와 포괄적인 자유권에 포함된다는 견해가 있었다. 대법원은 "재산권규정과 포괄적 기본권규정에 의하여 영업의 자유는 헌법상 국민에게 보장된 자유의 범위에 포함된다"고 판시하였다.[546]

---

545) 1849년의 프랑크푸르트 헌법에도 똑같은 표현이 있지만, 동헌법은 시행되지 못했다.
546) 대판 1963. 8. 22. 64누97.

2. 직업의 자유의 의의

(1) 의 의

자기가 원하는 직업을 자유로이 선택, 결정하여 수행, 영위하며, 언제든지 전환할 수 있는 자유를 말한다. 우리 헌법은 직업선택의 자유를 규정하고 있으나, 우리 헌법의 직업선택의 자유는 직업'선택'의 자유만이 아니라 '직업과 관련된 종합적이고 포괄적인 직업의 자유'[547]를 보장하는 것이기 때문에 직업의 자유로 개정하는 것이 타당하다.[548]

(2) 직업의 개념

① 직업의 개념요소

일반적으로 직업이란 생활수단을 얻거나 유지하기 위해 계속적으로 행하는 모든 활동을 지칭한다. 학설은 직업의 개념요소로 ⅰ) **생활수단성**, ⅱ) **계속성**, ⅲ) **공공무해성** 등을 들고 있다. 이 중 공공무해성을 직업의 요소로 볼 것인가에 대해서는 견해의 대립이 있다. 범죄와 같이 타인이나 공중에게 해를 끼치는 일은 생활수단성과 계속성을 구비하더라도 헌법이 보호하는 직업이 될 수 없다는 견해가 있다.[549] 절도, 밀수, 마약거래 등은 직업으로서 보호받지 못하며, 현행법상 성매매도 직업이 될 수 없다는 것이다. 그러나 공공무해성을 직업의 개념요소에 포함시키지 않고 절도, 밀수, 마약거래, 성매매의 금지를 직업의 자유에 대한 제한으로 파악함이 바람직하다고 본다.[550] 헌법재판소는 직업선택의 자유를 비교적 폭넓게 인정하여 "직업이란 생활의 기본적 수요를 충족시키기 위한 계속적인 소득활동을 의미하며 그러한 내용의 활동인 한 그 종류나 성질을 불문한다"고 판시하여 공공무해성을 직업의 요소에 포함시키고 있지 않다.[551]

---

547) 헌재 2002. 11. 28. 2001헌바50.
548) 허영, 앞의 책, 495면.
549) 허영, 앞의 책, 496면; 정종섭, 앞의 책, 692면.
550) 김학성 · 최희수 교수는 공공무해성은 제한의 정당성 단계에서 판단되어도 충분하다고 보면서 직업의 개념요소로 보지 않으면서도, 성매매, 절도 등과 같이 명백하게 허용될 수 없는 행위는 직업의 개념에 포함되지 않는다고 한다(김학성 · 최희수, 전정 4판[2020년판], 피앤씨미디어, 2020, 510면).
551) 헌재 1993. 5. 13. 92헌마80.

② 구체적 적용

생활수단성이 결여된 단순한 취미활동은 직업이 될 수 없으며, 생활수단성이 인정되는 한 둘 이상의 직업을 가질 수 있다. 종신적일 필요는 없지만 어느 정도 계속적으로 영위되어야 한다. 대학생이 학비를 벌기 위해 방학 또는 휴학 중 학원강사로 일하는 행위는 어느 정도 계속성을 띤 소득활동으로서 직업의 자유의 보호영역에 속한다.[552] 생활수단성과 계속성이 결여된 단지 일시적 · 일회적이거나 무상으로 가르치는 행위는 행복추구권에 포함된 일반적 행동의 자유의 보호영역으로 인정될 수 있다.[553]

3. 직업의 자유의 법적 성격

직업의 자유는 강제노동금지와 밀접히 연결되어 있는 자유권으로서 주관적 공권이며, 사회적 시장경제의 본질적 요소로서 객관적 가치질서의 성격도 아울러 가진다(이중성). 헌법재판소도 "직업의 선택 혹은 수행의 자유는 각자의 생활의 수요를 충족시키는 방편이 되고 또한 개성신장의 바탕이 된다는 점에서 주관적 공권의 성격이 두드러진 것이기는 하나, 다른 한편 국가의 사회질서와 경제질서가 형성된다는 점에서 사회적 시장경제질서라고 하는 객관적 법질서의 구성요소이기도 하다"고 판시하고 있다.[554]

직업의 자유는 각자의 생활의 기본적 수요를 충족시키는 방편이 되고 또한 개성신장의 바탕이 된다는 점에서 행복추구권과도 밀접한 관련을 가진다.[555]

4. 직업의 자유의 주체

헌법은 "모든 국민은 직업선택의 자유를 가진다"고 규정하여 직업선택의 자유의 주체로서 '모든 국민'을 명시하고 있다. 모든 국민에는 대한민국의 국적을 가진 자연인이 포함되는 것은 물론이다. 그러나 법인과 외국인이 직업의 자유의 주체가 될 것인가에 대해서는 논의가 있다. 대체로 직업선택의 자유를 원칙적으로 자연인인 **국민**과 **사법인**에 한정시키고 있는 것이 다수의 견해이나, 모든 기본권주체는 그 기본권능력의 범위 내에서 직업의 자유의 주체가 된다고 보는 것이 합리적이라

552) 헌재 2013. 10. 24. 2002헌마519.
553) 헌재 2013. 10. 24. 2002헌마519.
554) 헌재 1997. 4. 24. 95헌마273.
555) 헌재 2005. 4. 28. 2004헌바65.

는 견해도 있다.[556]

법인의 설립, 예컨대 사단법인의 설립은 그 자체가 간접적으로 직업선택의 한 방법으로 그 성질이 허용하는 범위 안에서 법인에게도 인정된다. 판례의 입장도 같다. 그러나 공법인은 원칙적으로 그 주체가 될 수 없다. 그리고 외국인은 원칙적으로 주체가 될 수 없다(국민의 권리). 다만 영주허가를 받은 외국인에게는 인정할 수 있으며,[557] 국가정책상 이유로 특정직업이나 특정영업에의 종사가 금지 또는 제한되는 경우가 있다(공증인법(제12조),[558] 광업법(제10조의2),[559] 도선법(제6조)[560] 등).[561] 외국인이나 무국적인은 행복추구권(인격의 자유발현 및 행동의 자유)을 근거로 직업의 자유를 간접적으로 주장할 수 있다고 하면서 현실적으로 외국인이나 무국적인은 법치국가가 허용하는 범위 내에서 즉 법에 따라 보호된다고 하는 견해도 유력하다.[562] 또한 장기체류외국인에 대해서는 직업의 자유의 주체성을 인정해야 한다는

556) 허영, 앞의 책, 497면.

557) 헌법재판소는 직업의 자유 중 직장 선택의 자유는 인간의 존엄과 가치 및 행복추구권과도 밀접한 관련을 가지는 만큼 단순히 국민의 권리가 아닌 인간의 권리로 보아야 할 것이므로 권리의 성질상 참정권, 사회권적 기본권, 입국의 자유 등과 같이 외국인의 기본권주체성을 전면적으로 부정할 수는 없고, 외국인도 제한적으로라도 직장 선택의 자유를 향유할 수 있다고 보아야 한다고 판시하고 있다(헌재 2000. 8. 31. 97헌가12). 그러나 기본권 주체성의 인정문제와 기본권 제한의 정도는 별개의 문제이므로, 외국인에게 직장 선택의 자유에 대한 기본권주체성을 인정한다는 것이 곧바로 이들에게 우리 국민과 동일한 수준의 직장 선택의 자유가 보장된다는 것을 의미하는 것은 아니라고 하고 있다.

558) **임명공증인**에 임명될 수 있는 사람은 통산하여 10년 이상 「법원조직법」 제42조제1항 각 호의 직에 재직했던 사람으로 한다.

559) **광업법 제10조의2** (외국인의 권리능력) ① 외국인은 다음 각 호의 어느 하나에 해당하는 경우에만 광업권을 가질 수 있다.

1. 그 외국인이 속하는 국가에서 대한민국 국민에 대하여 그 국가의 국민과 동일한 조건으로 광업권을 갖는 것을 인정하는 경우
2. 대한민국이 그 외국인에 대하여 광업권을 갖는 것을 인정하는 경우에는 그 외국인이 속하는 국가에서도 대한민국 국민에 대하여 그 국가의 국민과 동일한 조건으로 광업권을 갖는 것을 인정하는 경우
3. 조약 및 이에 준하는 것에서 광업권을 갖는 것을 인정하고 있는 경우

560) 대한민국 국민이 아닌 사람은 **도선사**가 될 수 없다(도선법 제6조 제1호).

561) 종전의 변호사법은 국가공로 외국변호사를 예외적으로 인가할 수 있었고 이들은 "그 본국에서 변호사의 자격이 있는 대한민국 국민에 대하여 변호사의 자격을 인정하고 개업을 허용하는 경우에 한하여 법무부장관의 허가를 받아 대한민국에서 개업할 수 있다. 다만, 외국인 또는 외국법에 관한 사항외의 법률사무는 행할 수 없다"고 규정하고 있었으나(제6조), 2008. 3. 28. 일부개정을 통하여 법조인력 선발 및 양성에 관한 기본 제도와 어울리지 아니하는 국가공로 외국변호사 제도를 폐지하였다. 이를 통하여 국내 변호사자격 제도를 일원화하고, 법률시장 개방에 대비하여 새로 도입된 **외국법자문사** 제도(외국법자문사법은 2016. 8. 10.부터 시행)에 따른 외국변호사 관리의 통일성을 기할 수 있을 것으로 기대된다.

562) 계희열, 신정2판 헌법(중), 박영사, 2007, 517면.

견해도 점차 많아지고 있다고 한다.[563)]

5. 직업의 자유의 내용

(1) 직업결정의 자유

직업결정의 자유란 자기가 원하는 직업을 선정하여 개시, 계속, 포기, 변경할 자유를 말한다. 직종결정(직업선정)의 자유, 전직의 자유,[564)] 직업교육장선택의 자유[565)] 등을 포함한다. 직업결정의 자유의 핵심은 직업분야의 결정은 각자의 임의에 맡겨지며 어떠한 강제도 받지 않는다는 점이다. 전직을 쉽게 하기 위하여 전직지원금을 부여하는 것이 직업결정의 자유에 영향을 줄 수 있으나, 위헌은 아니다.[566)] '근로자직업능력개발법'은 직업을 가지는 것을 용이하게 하기 위하여 각종 직업훈련에 대해서 규정하고 있다.

자유업에 종사하는 것은 인정될 수 있고, 직업 없이 자신의 재산으로 살고자 하는 **무직업의 자유**도 보호한다. 근로의무의 법적 성질에 따라 평가가 달라질 수 있다. 헌법상 근로의 의무를 윤리적 의무로 보면 무직업의 자유도 인정된다는 견해[567)]와 근로의무를 법적 의무로 보는 견해는 무직업의 자유는 원칙적으로 인정되지 않는다는 견해[568)]의 대립이 있다. 근로의 의무는 모든 국민에게 노동을 강제적으로 부담시키는 것이 아니므로 무직업의 자유와 모순되지 않는다.[569)]

---

563) 위의 책, 517면.

564) 전직의 자유는 직업포기 · 이탈의 자유와 직업결정의 자유가 결합된 것이라고 할 수 있다.

565) 직업교육장선택의 자유란 원하는 직업에 종사하는 데 필요한 지식, 기능을 습득하기 위한 직업교육장을 임의로 선택할 수 있는 자유이다.

566) 1997. 7. 1.부터 소금의 수입이 자유화됨에 따라 값싼 외국산 소금의 대량수입이 예상되고 대기업의 기계염 제조참여로 재래식 천일염제조업자들은 가격경쟁력 등에 밀려 폐전이 불가피하게 되었다. 이에 정부는 1995. 12. 29. 염관리법을 개정하여 천일염제조업허가를 받은 자가 다른 업종으로 전업 등을 하기 위하여 천일염전을 폐전하는 경우에는 지원금을 지급할 수 있도록 하였다. 다만, 1. 1996. 6. 30. 이전 3개 사업연도 기간 동안 염 생산실적이 없거나 그 기간 동안의 연평균 염생산량이 헥타르 당 25톤 이하인 염전, 2. 폐전지원비를 신청한 자가 소유한 염전의 면적이 30헥타르를 초과하는 경우 그 초과 부분은 폐전지원비의 지급대상에서 제외하였다(염관리법 제15조 제3항). 평등권과 재산권침해를 주장한 청구인들의 주장에 대하여 헌법재판소는 어느 정도 정상으로 가동 중인 염전의 소유자에게만 폐전지원금의 혜택을 부여하려고 한 것은 객관적이고 합리적인 판단이어서 평등권을 침해하는 자의적인 것이 아니라고 판시한 바 있다(헌재 1997. 11. 27. 96헌마279).

567) 권영성, 헌법학원론(2010년판), 법문사, 2010, 571면; 성낙인, 제19판 헌법학, 법문사, 2019, 1272면.

568) 김철수, 학설 · 판례 헌법학(상), 박영사, 2008, 801면. 헌법의 명문이 민주주의원칙에 따른 근로의 의무의 내용과 조건을 법률로 규정할 수 있도록 하고 있는 것을 볼 때 근로의무는 법적 의무라 할 것이므로 무위도식하는 무직업의 자유는 원칙적으로 인정되지 않는다고 한다.

국가기능의 수행은 직업이 될 수 없기 때문에 공직은 직업결정의 자유의 대상이 되지 않는다. 공직선택은 직업결정이기보다는 공무담임권의 문제로 공직수행은 직업수행이라기보다는 공권력행사로 이해되어야 한다고 한다.[570] 공무원직에 관한 한 공무담임권은 직업의 자유에 우선하여 적용되는 특별법적 규정이라고 보는 것이 헌법재판소의 입장이다.[571]

법인의 설립 그 자체는 간접적인 직업결정에 해당된다. 헌법재판소도 법인의 설립 및 존속은 그 자체가 간접적인 직업선택 또는 직업수행의 한 방법으로 보고 있다.[572]

(2) 직업수행 · 종사의 자유

① 의 의

직업의 자유는 선택한 직업을 수행(영위)할 직업수행의 자유 내지 직업종사의 자유를 당연히 수반한다. 직업수행의 자유는 자신이 결정한 직업 또는 직종을 자신에게 유리한 방식으로 착수(개업) · 계속 · 종결(폐업)하는 자유를 말한다.[573] 구체적으로 직장 · 영업장소의 선택,[574] 개업시기의 결정, 영업시간의 결정, 휴업 여부의 결정 등에 관한 자유와 겸직의 자유 및 경쟁의 자유 등을 내용으로 한다.

② 쟁 점

i) 영업의 자유도 직업수행의 자유에 포함되는가?

영업이란 직업 중 "독립적"인 수익적 활동을 의미한다(직업보다 좁은 개념). 영업의 자유를 직업수행의 자유의 일환으로 보는 견해가 다수설이다. 이와 관련하여 "직업의 자유의 주체가 자연인인 경우에는 영업은 직업의 한 형태이므로 당연히 직업의 자유의 내용으로 간주될 수 있지만, 법인이 주체가 되는 경우에는 법인이

569) BVerfGE 58, 358(364).
570) 김학성 · 최희수, 앞의 책, 512면.
571) 헌재 1999. 12. 23. 99헌마135.
572) 헌재 2000. 11. 30. 99헌마190; 헌재 1996. 4. 25. 92헌바47.
573) 권영성, 앞의 책, 576면.
574) 헌법재판소는 직장선택의 자유를 "개인이 그 선택한 직업분야에서 구체적인 취업의 기회를 가지거나, 이미 형성된 근로관계를 계속 유지하거나 포기하는 데에 있어 국가의 방해를 받지 않는 자유로운 선택 · 결정을 보호하는 것을 내용으로 한다. 그러나 이 기본권은 원하는 직장을 제공하여 줄 것을 청구하거나 한번 선택한 직장의 존속보호를 청구할 권리를 보장하지 않으며, 또한 사용자의 처분에 따른 직장 상실로부터 직접 보호하여 줄 것을 청구할 수도 없다. 다만 국가는 이 기본권에서 나오는 객관적 보호의무, 즉 사용자에 의한 해고로부터 근로자를 보호할 의무를 질 뿐이다"라고 판시하고 있다(헌재 2002. 11. 28. 2001헌바50).

가지는 직업의 자유는 법인의 기능상 마땅히 영업의 자유를 뜻할 수밖에 없다"라고 하면서 법인에게는 '영업의 자유'가 바로 직업의 자유라고 하는 견해가 있다(이원설).[575] 그 밖에 영업의 자유를 제23조의 재산권과 관련하여 이해하는 견해도 있다.

주세법 제38조의7 등에 대한 위헌제청사건

주세법의 자도소주 구입명령제도(自道燒酒 購入命令制度)가 헌법에 위반되는지 여부가 다투어진 사건에서 헌법재판소는 "구입명령제도는 소주판매업자의 직업의 자유는 물론 소주제조업자의 경쟁 및 기업의 자유, 즉 직업의 자유와 소비자의 행복추구권에서 파생된 자기결정권을 지나치게 침해하는 위헌적인 규정이다. 소주시장과 다른 상품시장, 소주판매업자와 다른 상품의 판매업자, 중소소주제조업자와 다른 상품의 중소제조업자 사이의 차별을 정당화할 수 있는 합리적인 이유를 찾아 볼 수 없으므로 이 사건 법률조항은 평등원칙에도 위반된다. 지방소주제조업자는 신뢰보호를 근거로 하여 구입명령제도의 합헌성을 주장할 수는 없다 할 것이고, 다만 개인의 신뢰는 적절한 경과규정을 통하여 고려되기를 요구할 수 있는 데 지나지 않는다" 하면서 "직업의 자유는 영업의 자유와 기업의 자유를 포함하고, 이러한 영업 및 기업의 자유를 근거로 원칙적으로 누구나가 자유롭게 경쟁에 참여할 수 있다. 경쟁의 자유[576]는 기본권의 주체가 직업의 자유를 실제로 행사하는 데에서 나오는 결과이므로 당연히 직업의 자유에 의하여 보장되고, 다른 기업과의 경쟁에서 국가의 간섭이나 방해를 받지 않고 기업활동을 할 수 있는 자유를 의미한다"고 판시하였다.

헌재 1996. 12. 26. 96헌가18

ii) 겸직의 자유

여러 개의 직업을 선택하여 함께 수행할 수 있는 겸직의 자유도 직업결정 및 수행의 자유의 내용이 된다.

행정사법 제35조 제1항 제1호 위헌확인사건

헌법재판소는 "행정사의 모든 겸직을 금지하고, 그 위반행위에 대하여 모두 징역

575) 허영, 앞의 책, 498면.

576) 자유경쟁의 규제: 영업 및 기업의 자유를 근거로 원칙적으로 누구나가 자유롭게 경쟁에 참여할 수 있지만, 사회적 시장경제질서에서는 일정한 범위 내에서 완전자유경쟁이 제한되거나 조정될 수 있다. 중소기업의 보호 · 육성, 균형있는 지역경제의 육성, 상업합리화정책, 부실기업에 대한 정부의 지원, 기업결합 · 상호출자 · 상호지급보증 · 부채비율의 규제 등은 자유경쟁에 대한 제한이 될 수 있지만 공익을 실현하기 위해 필요하고도 합리적인 범위 내에서 인정된다.

형을 포함한 형사처벌을 하도록 하는 내용으로 규정하고 있으므로 공익의 실현을 위하여 필요한 정도를 넘어 직업선택의 자유를 지나치게 침해하는 위헌적 규정이다"라고 하면서 "헌법 제15조는 모든 국민은 직업선택의 자유를 가진다고 규정하고 있는데 그 뜻은 누구든지 자기가 선택한 직업에 종사하여 이를 영위하고 언제든지 임의로 그것을 바꿀 수 있는 자유와 여러 개의 직업을 선택하여 동시에 함께 행사할 수 있는 자유, 즉 겸직의 자유도 가질 수 있다는 것이다"라고 판시하였다.

헌재 1997. 4. 24. 95헌마90

ⅲ) 자기가 수행하고 있는 직종의 영업소 · 지점 · 대리점 등을 추가로 개설하는 것은 영업 수행의 자유에 의해 보호된다.

독일판례

이미 약방을 경영하고 있는 자가 제2의 약방개설을 제한당할 경우, 그것은 직업선택의 자유의 제한이 아니라 직업수행의 자유의 제한을 의미하며, 따라서 원고의 '직업선택의 자유의 침해'라는 주장은 성립되지 않는다.

BVerfGE 17, 232(241)

지방공무원의 의사에 반한 전출 · 전입

지방공무원법 제29조의3은 "지방자치단체의 장은 다른 지방자치단체의 장의 동의를 얻어 그 소속 공무원을 전입할 수 있다"라고 규정하고 있는데 이 규정이 공무원의 직업선택의 자유를 침해하는가가 문제된다. 헌법재판소는 "해당 지방공무원의 동의 없이도 지방자치단체의 장사이의 동의만으로 지방공무원에 대한 전출 및 전입명령이 가능하다고 풀이하는 것은 헌법적으로 용인되지 아니하며, 헌법 제7조에 규정된 공무원의 신분보장 및 헌법 제15조에서 보장하는 직업선택의 자유의 의미와 효력에 비추어 볼 때 위 법률조항은 **해당 지방공무원의 동의가 있을 것을 당연한 전제**로 하여 그 공무원이 소속된 지방자치단체의 동의를 얻어서만 그 공무원을 전입할 수 있음을 규정하고 있는 것으로 해석하는 것이 타당하고, 이렇게 본다면 인사교류를 통한 행정의 능률성이라는 입법목적도 적절히 달성할 수 있을 뿐만 아니라 지방공무원의 신분보장이라는 헌법적 요청도 충족할 수 있게 된다. 따라서 위 법률조항은 헌법에 위반되지 아니한다"고 판시하였다.

* 그 밖에 소수의견으로 "지방공무원법 제29조의3은 지방공무원 본인의 동의를 요하지 않는다고 해석하는 한 헌법에 위반된다"는 3인의 한정위헌 의견과 헌법불합치결정을 내려야 한다는 1인의 의견이 있었다.

헌재 2002. 11. 28. 98헌바101 등, 합헌의견 5인

(3) 직업이탈의 자유

자신이 수행·종사하고 있는 직업을 포기하고 그 직업에서 이탈하는 자유를 말한다. 직업을 포기·이탈할 자유와 직업을 포기·이탈하지 않고 계속 유지할 자유 등을 내용으로 한다. 직업의 포기·이탈이나 유지를 강요하는 것은 허용되지 않는다. 영업을 그만두는 것은 직업의 자유에 해당하지만, 영업을 양도·이전하는 것은 재산권의 내용에 해당한다.

(4) 직업의 자유에 해당 직업에 합당한 보수를 받을 권리가 포함되는가?

경찰공무원 중 경장의 봉급월액을 이에 대응하는 군인계급인 중사의 봉급월액보다 적게 규정한 것이 이들의 직업선택의 자유를 침해는가와 관련하여 헌법재판소는 이를 부인하고 있다.[577]

6. 직업의 자유의 효력

(1) 대국가적 효력

직업의 자유는 주관적 권리로서 대국가적 효력을 가진다. 즉 직업선택이나 직업행사에 있어서 국가권력의 간섭이나 방해 또는 영향력행사로부터 방어할 권리이다.

(2) 대사인적 효력

① 간접적 효력

직업의 자유는 객관적 질서의 기본요소로서 사인에 대해서도 효력을 갖는다. 간접적으로 사인에게 적용된다고 보는 것이 다수설이다.[578] 근로기준법 제39조는 “누구든지 근로자의 취업을 방해할 목적으로 비밀기호 또는 명부를 작성·사용하거나 통신을 하여서는 아니 된다”하고 하여 **취업방해**를 금지하고 있다. 제3자에 의해 직업선택의 자유를 침해당한 국민은 특별법과 사법상의 일반원칙에 따라 계약의 무효를 주장하거나 침해배제·손해배상을 청구할 수 있다. 그러나 민법상의 일반원칙이나 강행규정에 저촉되지 않는 한 계약자유의 원칙이 인정되므로 직업선

577) 헌재 2008. 12. 26. 2007헌마444.
578) 계희열 교수는 직접적용되느냐, 간접적용되느냐의 문제는 구체적 상황에 따라 그때그때 직업의 자유의 임무와 기능을 고려하여 헌법질서의 테두리 안에서 판단할 문제이며 획일적으로 정할 수 없는 문제라고 한다(계희열, 앞의 책(중), 518면).

택의 자유를 어느 정도 제한하는 계약은 허용된다.

② 문제되는 경우

i) 고용계약기간

지나치게 장기인 고용계약은 피고용인의 직업선택의 자유를 침해할 수 있다. 따라서 민법은 "고용의 약정기간이 3년을 넘거나 당사자의 일방 또는 제3자의 종신까지로 된 때에는 각 당사자는 3년을 경과한 후 언제든지 계약해지의 통고를 할 수 있다"(민법 제659조 제1항), "고용기간의 약정이 없는 때에는 당사자는 언제든지 계약해지의 통고를 할 수 있다"(동법 제660조 제1항), "고용기간의 약정이 있는 경우에도 부득이한 사유가 있는 때에는 각 당사자는 계약을 해지할 수 있다"(동법 제661조 본문)라고 규정하고 있다. 또한 근로기준법은 "근로계약은 기간의 정함이 없는 것과 일정한 사업완료에 필요한 기간을 정한 것을 제외하고는 그 기간은 1년을 초과하지 못한다"(근로기준법 제16조), "사용자는 근로계약 불이행에 대한 위약금 또는 손해배상액을 예정하는 계약을 체결하지 못한다"(동법 제20조)라고 규정하여 피고용인·근로자의 직업선택의 자유를 지나치게 제한할 수 없도록 규제하고 있다.

ii) 경업금지

경업을 제한하는 것도 직업선택의 자유에 대한 제한이 될 수 있다. 그러나 영업양도인에 대한 경업의 제한은 양수인의 영업권의 보호와 양도인의 직업선택의 자유가 상충하는 경우이고 퇴직 후 일정기간 경업금지·비밀유지의 의무를 피고용인에게 부과하는 내용의 고용계약의 체결이나 취업규칙의 제정은 고용인의 무체재산권인 영업비밀의 보호와 피고용인의 직업선택의 자유가 상충하는 경우로서 양자의 이익을 형량하여 조정한다는 의미에서 영업권·영업비밀과 관련 있는 경우의 합리적 기간 내에서의 경업금지·비밀유지의무의 부과는 허용된다고 할 것이다. 따라서 영업비밀과 관련 없는 근로자에 대한 퇴직 후 경업금지의무의 부과는 직업선택의 자유를 침해하게 된다.

iii) 스카우트 금지

스카우트를 금지하는 것은 유리한 근로조건을 제시하는 직장으로 전직할 자유를 침해하게 된다. 다른 회사의 직원을 스카우트하는 것 자체는 문제되지 않을 것이지만, 다른 회사의 영업비밀에 해당하면 손해배상책임 등을 지게 된다.

7. 직업의 자유의 제한과 그 한계

(1) 제 한

① 법률에 의한 제한

직업의 자유는 제37조 제2항에 따른 일반적 법률유보조항에 따라 법률에 의해서 제한될 수 있다. 헌법재판소는 "직업선택의 자유에는 직업결정의 자유, 직업종사(직업수행)의 자유, 전직의 자유 등이 포함되지만 직업결정의 자유나 전직의 자유에 비하여 직업종사(직업수행)의 자유에 대하여서는 상대적으로 더욱 넓은 법률상의 규제가 가능하다고 할 것이고 따라서 다른 기본권의 경우와 마찬가지로 국가안전보장·질서유지 또는 공공복리를 위하여 필요한 경우에는 제한이 가하여질 수 있는 것은 물론이지만 그 제한의 방법은 법률로써만 가능하고 제한의 정도도 필요한 최소한도에 그쳐야 하는 것 또한 의문의 여지가 없이 자명한 것이다"고 판시하고 청구인이 경영하고 있는 당구장업에 대한 신고제도 바로 영업규제의 일환이라고 할 수 있지만 그것은 자격제나 허가제에 비하면 제한의 정도가 훨씬 약한 것이라고 할 수 있다고 하였다.[579)]

② 제한사유

i) 헌법 제37조 제2항의 사유

㉠ 국가안전보장을 위한 제한

방위산업에 관한 특별조치법상 방산업체의 지정[580)]과 군용총포·도검·화약류의 제조·수출입 등에 국방부장관의 허가·감독이 이에 해당한다.

㉡ 질서유지를 위한 제한

총포·도검·화약류 등 단속법에 의한 총포·도검·화약류·분사기·전자충격기·석궁의 제조·거래 등의 규제 등이 있다. 국가 형벌권의 행사로 인한 자유형의 집행도 직업의 자유에 대한 제한이 되며, 징역형의 수형자에게는 무직업의 자유가 인정되지 않는다.

---

579) 헌재 1993. 5. 13. 92헌마80.

580) 방산물자를 생산하고자 하는 자는 대통령령으로 정하는 시설기준과 보안요건을 갖추어 정부의 지정을 받아야 한다(동법 제4조 제1항).

㉢ 공공복리를 위한 제한

식품제조·가공·운반·판매·보존업의 허가제와 위해식품판매 등의 금지, 변호사·법무사·공인회계사·변리사의 자격제 및 등록제, 의사·치과의사·한의사·조산사·간호사의 자격제 및 면허제, 신용정보업의 허가제, 공인중개사의 자격제와 부동산중개업의 허가제, 청소년에 대한 주류·담배판매의 금지, 독과점·불공정거래의 금지 등이 있다. 공무원·공익법인임원·변호사의 겸직금지 또는 영리업무종사금지 등과 같이 국민에 대한 봉사자로서의 직무전념의무에 기초한 제한도 공공복리를 위한 제한이라고 할 수 있다.

ii) 사회적 시장경제질서

제119조－제123조·제125조－제126조에 따라 경제의 민주화, 자연자원, 농지, 국토, 농·어업 및 중소기업의 보호·육성과 지역경제의 육성, 대외무역, 국방상·국민경제상 긴절한 필요로 인한 사영기업의 통제·관리 등과 관련하여 필요한 규제와 조정을 할 수 있다. 담배·홍삼의 독점적 생산과 판매는 이에 해당한다.

영업양도와 경업금지의무

[결정요지]

가. 영업양도인의 경업가능성(競業可能性)은 영업의 종류 및 영업지 등에 따라 다양하게 나타날 수 있어 경업금지구역과 기간을 세분한다는 것이 입법기술상 쉽지 아니할 뿐 아니라, 구 상법(1984. 4. 10. 법률 제3724호로 개정되고 1994. 12. 22. 법률 제4796호로 개정되기 전의 것) 제41조 제1항은 그에 반하는 특약을 인정하고 있고 그 위반에 대한 처벌규정을 두고 있지 않으며 경업과 손해 사이에 상당인과관계가 있어야만 손해배상을 청구할 수 있어서 일률적인 경업금지구역 및 기간의 설정에서 오는 불합리성이 완화되고 있는 점 등에 비추어 입법재량권의 한계를 벗어나 직업선택의 자유를 과잉 침해한 것으로 볼 수 없다.

[결정이유]

…… 다. 그런데 양도인이 영업을 양도하고도 인근에서 동종의 영업을 재개하여 종전의 고객·신용 등 사실관계를 자기에게 유인하거나 구매처로 하여금 양수인과의 관계를 끊도록 하는 것은 원칙적으로 금지되는 일이고 이러한 영업양도는 실효성을 잃고 영업양수인은 소기의 목적을 이루기 어렵게 될 것이다. 상법이 규정하고 있는 경업금지의무는 당사자간의 특정한 약정이 없는 경우에 영업양도의 본질로부터 법이 당사자의 의사의 보완·해석규정으로 둔 것이라 할 수 있다. 즉 경업금지의무를 약정하는 것이 당사자의 합리적인 의사라고 보는 것이다. 이 사건 규정은

> 이러한 합리적인 당사자의 의사가 명확히 약정되어 있지 않은 경우를 대비한 **의사보충규정(意思補充規定)**이라고 할 수 있다. 영업양도인이 영업양도계약을 체결하여 이행하고도 후에 경업금지에 관한 명시적 약정이 없었음을 이유로 동종영업을 한다면 영업양도라는 형식의 상거래는 매우 불건전해지고 영업양수인에게는 부당한 손실을 가져오게 된다. 물론 상인들이 성실하고 신뢰할 수 있는 직업의식을 갖고 상행위에 임한다면 굳이 이러한 규정을 둘 이유가 없을 것이나 우리나라의 상행위의 양태에서 전반적으로 이러한 풍토를 기대하기에는 아직도 부족함이 많다고 할 것이다. 따라서 이를 방지하고 영업양도의 실효성을 높이기 위하여 상법의 후견적 기능으로서의 이 사건 심판대상 조항은 영업양도인에 대하여 경업금지의무를 부과하고 있는 것이므로 이로 인하여 양도인의 직업선택의 자유가 제한된다고 할지라도 제한의 입법목적 자체는 정당하고 이를 시장경제질서에 반하는 것이라고도 할 수 없다.
>
> 헌재 1996. 10. 4. 94헌가5

③ 제한의 형식

원칙적으로 법률로써 한다. 조약 · 긴급명령 · 긴급재정경제명령은 법률에 준한다. 비상계엄이 선포된 경우에는 계엄령으로써 할 수 있다. 제39조에 의한 병역의무의 부과는 직업의 자유에 대한 제한이라고 할 수 있다.

④ 제한의 방법

특허제 · 허가제 · 면허제 · 자격제 · 등록제 · 신고제 · 지정제 · 금지제 등이 있다. 다른 자유에 비해 직업의 자유에 대해서는 광범위한 사전제한이 인정된다.

⑤ 제한의 정도

제한목적이 정당한 경우에도 방법의 적정성, 피해의 최소성, 법익의 균형성이 충족되어야 한다. 일반적으로 소극적, 경찰적 목적의 제한인 경우에는 해악발생을 방지할 수 있는 필요최소한도의 규제에 그쳐야 하지만 적극적 · 경제정책적 목적의 제한인 경우에는 입법자의 광범위한 입법재량이 허용된다.

⑥ 직업의 자유의 제한에 대한 '삼단계이론'

직업의 자유를 직업결정의 자유와 직업수행의 자유로 구분하여 제한의 정도와 한계에 차등을 두어야 한다는 이론으로서, 1958년 독일 연방헌법재판소가 약국판결(Apothekenurteil)을 통해 확립한 것이다.[581] 우리 헌법재판소도 "직업결정의 자

---

581) BVerfGE 7, 377.

유나 전직의 자유에 비해 직업수행의 자유에 대해서는 상대적으로 더욱 넓은 법률상의 규제가 가능하다"라고 하여 단계이론을 수용하였다.[582] 단계이론은 과잉금지원칙에 속하는 **침해최소성원칙을 구체화한 것**으로 볼 수 있다.

i) 제1단계(직업수행의 자유의 제한)

영업자체를 금지하지 않으면서 영업시간·영업방법 등을 제한하는 것과 같이 기본권침해의 정도가 상대적으로 경미한 직업수행의 자유를 제한하는 방법이다. 유흥업소 영업시간의 제한, 주유소 공휴일영업의 제한, 택시의 합승금지와 10부제 운행, 백화점 할인판매의 연간 횟수·일수의 제한 등이 이에 해당한다. 이 경우에도 과잉금지의 원칙은 적용된다.

ii) 제2단계(주관적 사유에 의한 직업결정의 자유의 제한)

제1단계만으로 공익목적을 달성할 수 없을 때 직업결정의 자유를 제한하되, 직업수행에 필요한 기본권주체의 주관적 사유에 의해 제한하는 것이다. 일정한 국가고시·자격고시·면허시험을 통과한 자 또는 일정한 교육과정을 거치거나 경력을 갖춘 자에게만 당해 직업을 선택할 수 있도록 하는 것이 이에 해당한다.[583]

iii) 제3단계(객관적 사유에 의한 직업결정의 자유의 제한)

객관적 사유에 의해 직업결정의 자유를 제한하는 것이다. 제3단계 제한은 기본권주체의 능력과는 무관하므로 매우 엄격한 요건 하에서 행해질 수 있으며, 제한이 없음으로 인해 나타날 해악이 공익에 대한 명백하고 현존하는 위험이 될 때 정당화될 수 있다.[584] 사업체의 적정분포를 위한 영업소간 거리 또는 영업소 개수의 제한, 일정한 시설을 갖춘 경우에만 허가·특허·등록·신고제로 영업을 허용하는 것 등이 이에 해당한다. 그중에서도 기존업체의 기득권을 보호하기 위한 허가제는 위헌의 소지가 크므로 가장 엄격한 요건 하에서 신중하게 시행되어야 한다.

(2) 제한의 한계

직업의 자유를 제한하는 경우에도 과잉금지원칙에 위배되어서는 안 되며, 직업

---

582) 헌재 1993. 5. 13. 92헌마80.

583) 직업과 관련된 시험절차는 직업의 자유라는 기본권이 효율적으로 보장될 수 있도록 실시되어야 한다. 응시자는 자기의 점수에 대한 이의를 제기할 수 있는 권리를 가져야 한다(독일 연방헌법재판소).

584) 헌법재판소도 당사자의 능력이나 자격과 상관없는 객관적 사유에 의한 제한은 '월등하게 중요한 공익'을 위하여 명백하고 확실한 위험을 방지하기 위한 경우에만 정당화될 수 있다고 판시하고 있다(헌재 2008. 10. 30. 2006헌마1098).

선택의 자유의 본질적 내용을 침해하는 것이어서는 아니 된다. 헌법재판소는 근로자공급사업에 노동부장관의 허가를 요하게 한 것,[585] 골프장 취득세 중과제도,[586] 신체장애자 보호에 대한 헌법적 보호요청[587] 등은 직업의 자유의 본질적 내용을 침해하는 것이 아니라고 결정하였다.

8. 직업의 자유의 제한과 관련하여 위헌결정된 주요사례

직업의 자유와 관련해서는 수많은 헌법재판소의 결정이 있다. 여기서는 대표적인 위헌결정사례(헌법불합치결정 포함)들만 열거하기로 한다. ① 체육시설의 설치·이용에 관한 법률시행규칙이 18세 미만자에 대한 당구장출입을 금지하는 표시를 부착하게 한 것,[588] ② 대학 및 초중고등학교의 학교환경위생정화구역 내에서 극장영업을 제한한 것,[589] ③ 운전전문학원의 수료생이 일정비율 이상의 교통사고를 일으킨 경우 운전전문학원의 귀책사유를 불문하고 이를 해당학원의 법적 책임으로 연관시켜 해당학원에 대하여 운영정지나 등록취소를 할 수 있게 한 것,[590] ④ 검찰총장의 퇴임 후 2년간 공직취임 제한 규정,[591] ⑤ 식품 등의 표시기준이 식품의 용기나 포장에 '숙취해소' 또는 '음주전후'라는 표시를 하지 못하도록 한 것,[592] ⑥

585) 헌재 1998. 11. 26. 97헌바31, 직업안정법 제33조 등 위헌소원.
586) 헌재 1999. 2. 25. 96헌바64.
587) 헌재 2006. 5. 25. 2003헌마715, 2006헌마368(병합).
588) 헌재 1993. 5. 13. 92헌마80. 이 게시의무규정으로 인하여 당구장 이용고객의 일정범위를 당구장 영업대상에서 제외시키는 결과가 되어, 당구장 경영자의 직업종사(직업수행)의 자유가 제한되어 헌법상 보장되고 있는 직업선택의 자유가 침해된다고 판시하였다.
589) 헌재 2004. 5. 27. 2003헌가1. 이 사건에서 헌법재판소는 직업의 자유, 표현 및 예술의 자유, 행복추구권 등이 침해될 수 있다고 판시하면서 대학의 정화구역에서 극장영업을 일반적으로 금지하는 것에 대해서는 단순위헌결정을 내렸다. 그러나 단순위헌의 판단이 내려진다면 초중고등학교·유치원정화구역 내 금지가 모두 효력을 잃게 됨으로써 합헌적으로 규율된 새로운 입법이 마련되기 전까지는 학교정화구역 내에도 제한상영관을 제외한 모든 극장이 자유롭게 설치될 수 있어 초중고등학교·유치원정화구역 부분에 대해서는 헌법불합치결정을 내렸다.
590) 헌재 2005. 7. 21. 2004헌가30. '자동차운전전문학원을 졸업하고 운전면허를 받은 사람 중 교통사고를 일으킨 비율이 대통령령이 정하는 비율을 초과할 때'에는 학원등록을 취소하거나 1년 이내의 운영정지를 명할 수 있도록 한 도로교통법 제71조의15 제2항 제8호의 '교통사고'부분은 포괄위임금지원칙에 위배되며, 운전전문학원 운영자의 직업의 자유를 침해한다고 판시하였다.
591) 헌재 1997. 7. 16. 97헌마26. 헌법재판소는 "검찰청법 제12조 제4항은 검찰총장 퇴임후 2년 이내에는 법무부장관과 내무부장관직 뿐만 아니라 모든 공직에의 임명을 금지하고 있으므로 심지어 국·공립대학교 총·학장, 교수 등 학교의 경영과 학문연구직에의 임명도 받을 수 없게 되어 있다. 그 입법목적에 비추어 보면 그 제한은 필요 최소한의 범위를 크게 벗어나 직업선택의 자유와 공무담임권을 침해하는 것으로서 헌법상 허용될 수 없다"고 판시하였다.

보건복지부장관이 치과전문의 자격시험제도를 실시할 수 있도록 절차를 마련하지 않은 입법의 부작위,[593] ⑦ 지적측량업무를 비영리법인에게만 대행시킬 수 있도록 한 것,[594] ⑧ 약사들만으로 구성된 법인의 약국설립 및 운영금지,[595] ⑨ 한국방송광고공사와 이로부터 출자를 받은 회사에 대해서만 지상파 방송광고 판매대행을 할 수 있도록 한 것,[596] ⑩ 의사면허와 한의사면허를 복수 취득한 복수면허 의료인에게 하나의 의료기관만을 개설하도록 하는 것,[597] ⑪ 변호사의 개업지에 대한 제한규정을 둔 구 변호사법,[598] ⑫ 주세법상의 자도소주구입명령제도,[599] ⑬ 형사사건으로 기소된 변호사에 대하여 법무부장관이 판결확정시까지 업무정지를 명령할 수 있도록 한 규정,[600] ⑭ 학원설립·운영자가 '학원법'을 위반하여 벌금형이

---

592) 헌재 2000. 3. 30. 99헌마143. 헌법재판소는 숙취해소용 식품의 제조·판매에 관한 영업의 자유 및 광고표현의 자유를 과잉금지원칙에 위반하여 침해한다고 판시하였고, 특히 청구인들은 '숙취해소용 천연차 및 그 제조방법'에 관하여 특허권을 획득하였음에도 불구하고 위 규정으로 인하여 특허권자인 청구인들조차 그 특허발명제품에 '숙취해소용 천연차'라는 표시를 하지 못하고 '천연차'라는 표시만 할 수밖에 없게 됨으로써 청구인들의 헌법상 보호받는 재산권인 특허권도 침해되었다고 판시하였다.

593) 헌재 1998. 7. 16. 96헌마246. 헌법재판소는 "현행 의료법과 위 규정에 의하면 치과전문의의 전문과목은 10개로 세분화되어 있고, 일반치과의까지 포함하면 11가지의 치과의가 존재할 수 있는데도 이를 시행하기 위한 시행규칙의 미비로 청구인들은 일반치과의로서 존재할 수밖에 없는 실정이다. 따라서 이로 말미암아 청구인들은 직업으로서 치과전문의를 선택하고 이를 수행할 자유(직업의 자유)를 침해당하고 있다"고 판시하였다. 그 밖에 행복추구권과 평등권을 침해하고 있다고 판시하였다.

594) 헌재 2002. 5. 30. 2000헌마81. 과잉금지원칙에 위배하여 직업선택의 자유를 침해한다고 판시하였다.

595) 헌재 2002. 9. 19. 2000헌바84. 헌법재판소는 법인을 구성하여 약국을 개설·운영하려고 하는 약사들 및 이들로 구성된 법인의 직업선택(직업수행)의 자유의 본질적 내용을 침해하는 것이고, 동시에 약사들이 약국경영을 위한 법인을 설립하고 운영하는 것에 관한 결사의 자유를 침해한다고 판시하였다. 또한 다른 전문 직종과 비교해 보아도 평등권도 침해한다고 하였다. 단순위헌결정이 가져올 헌법적 혼란을 방지하기 위하여 헌법불합치결정을 내렸다.

596) 헌재 2008. 11. 27. 2006헌마352. 헌법재판소는 방송광고판매대행업자의 직업수행의 자유와 평등권을 침해한다고 판시하였다.

597) 헌재 2007. 12. 27. 2004헌마1021. 헌법재판소는 복수면허의료인들의 직업의 자유, 평등권을 침해한다고 판시하였다.

598) 헌재 1989. 11. 20. 89헌가102. 헌법재판소는 헌법 제11조 평등권, 제15조의 직업선택의 자유 및 제37조 제2항에도 위반되며, 특히 병역의무를 이행한 군법무관의 경우에는 헌법 제39조 제2항(병역의무이행으로 인한 불이익처우 금지)에도 위반된다고 판시하였다.

599) 헌재 1996. 12. 26. 96헌가18. 헌법재판소는 자도소주구입명령제도는 소주판매업자의 직업의 자유는 물론 소주제조업자의 경쟁 및 기업의 자유, 즉 직업의 자유와 소비자의 행복추구권에서 파생된 자기결정권을 침해하는 위헌적인 규정이며, 소주시장과 다른 상품시장, 소주판매업자와 다른 상품의 판매업자, 중소소주제조업자와 다른 상품의 중소제조업자 사이의 차별을 정당화할 수 있는 합리적 이유를 찾아볼 수 없어 평등원칙에도 위반된다고 판시하였다.

600) 헌재 1990. 11. 19. 90헌가48. 헌법재판소는 "변호사법 제15조는 동 규정에 의하여 입히는

확정되기만 하면 일률적으로 학원등록을 상실하도록 한 것,[601] ⑮ 임원이 금고 이상의 형을 선고를 받은 경우 법인의 건설업등록을 필요적으로 말소하도록 한 것,[602] ⑯ 선거범죄로 인하여 100만원 이상의 벌금형이 선고되면 임원의 결격사유가 됨에도 선거범죄와 다른 죄의 경합범에 대하여 분리선고규정을 두지 않은 것,[603] ⑰ 운전면허를 받은 사람이 자동차 등을 이용하여 살인 또는 강간 등 행정안전부령이 정하는 범죄행위를 할 때 운전면허를 필요적으로 취소하게 한 것,[604]

불이익이 죄가 없는 자에 준하는 취급이 아님은 말할 것도 없고, 직업선택의 자유를 제한함에 있어서 제한을 위해 선택된 요건이 제도의 당위성이나 목적에 적합하지 않을 뿐 아니라 그 처분 주체와 절차가 기본권제한을 최소화하기 위한 수단을 따르지 아니하였으며 나아가 그 제한의 정도 또한 과잉하다 할 것으로서 헌법 제15조(직업선택의 자유), 동 제27조 제4항(무죄추정의 원칙)에 위반된다"고 판시하였다. 또한 당해 변호사가 자기에게 유리한 사실을 진술하거나 증거를 제출할 수 있는 청문의 기회가 보장되지 아니하여 적법절차를 존중하지 아니한 것이 된다고 하여 적법절차원칙에도 위반된다고 판시하였다.

601) 헌재 2015. 5. 28. 2012헌마653. 헌법재판소는 이 사건 '등록실효조항'은 과잉금지원칙에 위배되어 직업수행의 자유를 침해한다고 판시하였다. 반면 벌금형의 선고를 받은 후 1년이 지나지 아니한 자는 학원설립·운영의 등록을 할 수 없도록 하는 규정('등록결격조항')은 과잉금지원칙에 위배되지 않아 직업선택의 자유를 침해하지 않는다고 판시하였다.

602) 헌재 2014. 4. 24. 2013헌바25. 헌법재판소는 "심판대상조문(건설산업기본법 제13조 제1항 제4호)이 건설업과 관련이 없는 죄로 임원이 형을 선고 받은 경우까지도 법인이 건설업을 영위할 수 없도록 하는 것은 입법목적달성을 위한 적합한 수단에 해당하지 아니하고, 이러한 경우까지도 가장 강력한 수단인 필요적 등록말소라는 제재를 가하는 것은 최소침해성 원칙에도 위배된다. 심판대상조문으로 인하여 건설업자인 법인은 등록이 말소되는 중대한 피해를 입게 되는 반면 심판대상조항이 공익달성에 기여하는 바는 크지 않아 심판대상조항은 법익균형성 원칙에도 위배된다. 따라서 심판대상조항은 과잉금지원칙에 위배되어 청구인의 직업수행의 자유를 침해한다"고 판시하였다.

603) 헌재 2014. 9. 25. 2013헌바208. 헌법재판소는 선거범죄로 인하여 100만원 이상의 벌금형이 선고되면 임원의 결격사유가 됨에도 선거범죄와 다른 죄의 경합범에 대하여 분리선고규정을 두지 않은 규정(새마을금고법 제21조 제1항 제8호)을 다투는 것은 부진정입법부작위에 대한 헌법소원심판청구에 대한 헌법소원심판청구에 해당한다고 보면서 이 사건 법률조항이 명확성의 원칙에는 위배되지는 않으나, 과잉금지원칙에 반하여 새마을금고의 임원이 되고자 하는 사람의 직업선택의 자유와 평등원칙에 위배된다고 판시하였다.

604) 헌재 2015. 5. 28. 2013헌가6. 헌법재판소는 심판대상조문(도로교통법 제99조 제1항 단서 제11호)이 법률유보의 원칙과 포괄위임금지원칙에는 위반되지 않지만, "자동차 등을 범죄를 위한 수단으로 이용하여 교통상의 위험과 장해를 유발하고 국민의 생명과 재산에 심각한 위협을 초래하는 것을 방지하여 안전하고 원활한 교통을 확보함과 동시에 차량을 이용한 범죄의 발생을 막고자 하는 심판대상조항은 그 입법목적이 정당하고 운전면허를 필요적으로 취소하도록 하는 것은 자동차 등을 이용한 범죄행위의 재발을 일정기간 방지하는 데 기여할 수 있으므로 이는 입법목적을 달성하기 위한 적정한 수단이다. 그러나 자동차 등을 이용한 범죄를 근절하기 위하여 그에 대한 행정적 제재를 강화할 필요가 있다 하더라도 이를 임의적 운전면허취소 또는 정지사유로 규정함으로써 불법의 정도에 상응하는 제재수단을 선택할 수 있도록 하여도 충분히 그 목적을 달성하는 것이 가능함에도, 심판대상조항은 이에 그치지 아니하고 필요적으로 운전면허를 취소하도록 하여 구체적 사안의 개별성과 특수성을 고려할 수 있는 여지를 일체 배제하고 있다. 나아가 심판대상조항 중 '자동차를 이용하여' 부

⑱ 전문과목을 표시한 치과의원은 그 표시한 전문과목에 해당하는 환자만을 진료하여야 한다는 것,[605] ⑲ 공무원이 형사사건으로 기소되기만 하면 일률적으로 직위해제처분을 하는 것,[606] ⑳ 교사의 신규채용에 있어서 국·공립대학 교육대학 및 사범대학 기타 교원양성기관의 졸업자 및 수료자를 우선 채용하는 것,[607] ㉑ 4층 이상의 건물에 대하여 화재보험가입을 획일적으로 강제하는 '화재로 인한 재해보상과 보험가입에 관한 법률' 규정[608] 등이 직업의 자유와 관련하여 위헌 또는 헌법불합치결정을 받은 사례들이다.

한편 헌법재판소는 2006년 시각장애인에 한하여 안마사 자격인정을 받을 수 있도록 한, 이른바 **비맹제외기준**을 설정하고 있는 안마사에 관한 규칙 제3조 제1항 제1호와 제2호 중 각 "앞을 보지 못하는" 부분은 법률유보원칙이나 과잉금지원칙에 위배하여 일반인의 직업의 자유를 침해한다고 판시한 바 있다.[609] 그러나 그

분은 포섭될 수 있는 행위의 태양이 지나치게 넓을 뿐만 아니라, 하위법령에서 규정될 대상범죄에 심판대상조항의 입법목적을 달성하기 위해 반드시 규제할 필요가 있는 범죄행위가 아닌 경우까지 포함될 우려가 있어 침해의 최소성 원칙에 위배된다. 심판대상조항은 운전을 생업으로 하는 자에 대하여는 생계에 지장을 초래할 만큼 중대한 직업의 자유의 제약을 초래하고, 운전을 업으로 하지 않는 자에 대하여도 일상생활에 심대한 불편을 초래하여 일반적 행동의 자유를 제약하므로 법익의 균형성원칙에도 위배된다. 따라서 심판대상조항은 직업의 자유 및 일반적 행동의 자유를 침해한다"고 판시하였다.

605) 헌재 2015. 5. 28. 2013헌마799. 헌법재판소는 심판대상조항(의료법 제77조 제3항)은 신뢰보호원칙과 명확성원칙에 위배되지는 않지만, 과잉금지원칙과 평등원칙에 위배된다고 판시하였다.

606) 헌재 1998. 5. 28. 96헌가12. 헌법재판소는 "1. 형사사건으로 기소되기만 하면 그가 국가공무원법 제33조 제1항 제3호 내지 제6호에 해당하는 유죄판결을 받을 고도의 개연성이 있는가의 여부에 무관하게 경우에 따라서는 벌금형이나 무죄가 선고될 가능성이 큰 사건인 경우에 대해서까지도 당해 공무원에게 일률적으로 직위해제처분을 하지 않을 수 없도록 한 이 사건 규정은 헌법 제37조 제2항의 비례의 원칙에 위반되어 직업의 자유를 과도하게 침해하고 헌법 제27조 제4항의 무죄추정의 원칙에도 위반된다. 2. 입법자가 임의적 규정으로도 법의 목적을 실현할 수 있는 경우에 구체적 사안의 개별성과 특수성을 고려할 수 있는 가능성을 일체 배제하는 필요적 규정을 둔다면, 이는 비례의 원칙의 한 요소인 '최소침해성의 원칙'에 위배된다"고 판시하였다. 현재 국가공무원법은 임의적 직위해제처분조항으로 바뀌었다(국가공무원법 제73조 제1항 제4호).

607) 헌재 1990. 10. 8. 89헌마89. 국·공립 사범대학 출신이외의 교사자격자의 평등권, 직업선택의 자유를 침해한다.

608) 헌재 1991. 6. 3. 89헌마204. 헌법재판소는 화재로 인한 재해보상과 보험가입에 관한 법률 제5조 제1항에서 4층 이상의 건물에 대해 획일적인 보험가입강제를 한 것은 그 한도에서 헌법 제37조 제2항에 의하여 정당화될 수 없는 것으로 필요부득이한 제한이 아니며 따라서 헌법 제10조(계약의 자유), 제11조(평등권), 제15조(직업선택의 자유), 제23조(재산권 보장), 제34조 제1항(인간다운 생활을 할 권리), 제119조 제1항(개인의 경제상의 자유와 창의의 존중을 기본으로 하는 경제질서)에 위반된다고 판시하였다.

609) 헌재 2006. 5. 25. 2003헌마715, 2006헌마368(병합).

후 시각장애인에 대해서만 안마사 자격인정을 받을 수 있도록 하는 이른바 비맹제외기준을 설정하고 있는 의료법 제61조 제1항 중 "「장애인복지법」에 따른 시각장애인 중" 부분 및 의료법 제82조 제1항 중 "「장애인복지법」에 따른 시각장애인 중" 부분의 위헌 여부가 다투어진 사건에서 헌법재판소는 이 법률조항이 비시각장애인의 직업선택의 자유와 평등권을 침해하지 않는다고 판시하면서, 이 사건조항이 종전에 헌법재판소가 선고한 위헌결정(2003헌마715, 2006헌마368(병합))의 기속력에 저촉되는 것인지 여부와 관련해서는 "설령 결정이유에까지 기속력을 인정한다고 보더라도, 결정주문을 뒷받침하는 결정이유에 대하여 적어도 위헌결정의 정족수인 재판관 6인 이상의 찬성이 있어야 할 것이고(헌법 제113조 제1항 및 헌법재판소법 제23조 제2항 참조), 이에 미달할 경우에는 결정이유에 대하여 기속력을 인정할 여지가 없는데, 헌법재판소가 2006. 5. 25. '안마사에 관한 규칙' 제3조 제1항 제1호와 제2호 중 각 "앞을 보지 못하는" 부분에 대하여 위헌으로 결정한 2003헌마715 등 사건의 경우 그 결정이유에서 비맹제외기준이 과잉금지원칙에 위반된다는 점과 관련하여서는 재판관 5인만이 찬성하였을 뿐이므로 위 과잉금지원칙 위반의 점에 대하여 기속력이 인정될 여지가 없다"고 판시하여[610] 의료법상의 비맹제외기준에 대해서 합법성을 인정하고 있다.

그리고 금고 이상의 형의 선고유예를 받은 공무원을 당연퇴직하도록 한 규정에 대해서 헌법재판소는 공무담임권을 침해한다고 판시하였으며,[611] 정부투자기관이 부정당업자에 대하여 입찰참가자격을 제한하는 것에 대해서는 입찰참가자격제한 제도 자체가 비례의 원칙에 위반되어 직업의 자유를 침해한다거나 평등원칙에 위반된다고 볼 수 없다고 하면서, 이 사건자격제한조항이 명확성원칙과 포괄위임입법금지원칙에 위반된다고 판시하고 있다.[612]

Ⅲ. 재산권

1. 재산권의 연혁 및 헌법규정

(1) 19세기의 자유주의적 헌법은 거의 예외 없이 재산권 또는 소유권의 신성불가침성을 선언하고 있다. 사유재산권의 존중과 계약의 자유 및 과실책임주의는 근대 사법의 기본원리로 작용하였고, 자본주의 시장경제의 원동력으로 기능하였다.

---

610) 헌재 2008. 10. 30. 2006헌마1098 · 1116 · 1117(병합).
611) 헌재 2003. 10. 30. 2002헌마684 등.
612) 헌재 2005. 4. 28. 2003헌바40.

그러나 19세기 말 자본주의의 고도화에 따르 폐해가 나타나기 시작하자 재산권(소유권)의 신성불가침(절대성)은 수정을 받게 되었으며 재산권행사의 공공복리성이 강조되기 시작하였다. 이러한 입장을 헌법적 규정에 최초로 반영한 것이 바로 1919년 바이마르헌법이다. 그 후 대부분의 세계 각국헌법은 비록 그 정도의 차이는 있어도 **재산권의 사회적 기속성**을 선언하게 되었다.

(2) 우리 헌법도 제23조에서 재산권의 보장과 사회적 기속성 및 보상을 규정하고 있고, 제22조 제2항에서는 지식재산권을 보장하고 있으며, 헌법 제9장에서 특수재산권을 보장하고 있다. 또한 제13조 제2항에서 소급입법에 의한 재산권의 박탈을 금지하고 있다.

헌법 제23조 【재산권의 보장과 제한】
① 모든 국민의 재산권은 보장된다. 그 내용과 한계는 법률로 정한다.
② 재산권의 행사는 공공복리에 적합하도록 하여야 한다.
③ 공공필요에 의한 재산권의 수용·사용 또는 제한 및 그에 대한 보상은 법률로써 하되, 정당한 보상을 지급하여야 한다.

2. 재산권보장의 의의 및 법적 성격

(1) 의 의

제23조의 재산권이라 함은 **공·사법상 경제적 가치가 있는 모든 권리**를 말하며, 그 재산가액의 다과는 묻지 아니한다. 재산권보장은 사유재산에 대한 임의적 처분권과 그 침해에 대한 방어권이라는 주관적 공권과 더불어 객관적 가치질서로서 사유재산제를 제도로서 보장하는 것이다.[613)]

여기서 재산 자체가 재산권보장의 범위에 포함되는가가 문제된다. 헌법재판소는 위헌적 법률에 의한 조세부과는 재산권을 침해하는 것으로 인정함으로써 재산 자체가 재산권의 객체가 된다고 보고 있다.[614)]

(2) 법적 성격

재산권보장에 관한 헌법규정(제23조 제1항 1문)의 법적 성격에 대하여 지배적인 견해는 권리와 제도를 동시에 보장한 것으로 보는 **권리·제도 동시보장설**(**절충설**)이다. 우리

613) 권영성, 앞의 책, 555면.
614) 헌재 2002. 8. 29. 2000헌가5 등.

헌법재판소도 "재산권보장은 개인이 현재 누리고 있는 재산권을 개인의 기본권으로서 보장한다는 의미와 사유재산제도를 보장한다는 이중적 의미를 가지고 있다"고 설시한 바 있다.[615)]

3. 재산권보장의 주체와 객체

(1) 주 체

재산권의 주체는 모든 국민이며, 법인도 당연히 인정된다. 국가와 지방자치단체도 그 주체가 되며, 외국인은 제6조 제2항(상호주의)에 의하여 국제법과 조약이 정하는 바에 따라 보장된다.

(2) 객체(범위)

재산권은 **공·사법상 경제적 가치가 있는 모든 권리**를 의미하므로 모든 종류의 **물권**(소유권 · 점유권 · 지상권 · 지역권 · 전세권 · 질권 · 저당권 등), 모든 사법상의 **채권**(급료청구권 · 이익배당청구권 · 회원권 · 주주권 · 임차권 등), **특별법상의 권리**(광업권 · 어업권 · 수렵권 등)가 포함된다. **공법상의 권리**(직업군인과 공무원의 봉급청구권 · 퇴직연금수급권 · 연금청구권), 원호보상급여청구권, 손실보상청구권 등도 포함된다. 또한 **지식재산권**(저작권 · 산업소유권 · 출판권 · 발명특허권 · 공연권, 컴퓨터소프트웨어 · 반도체칩 · 데이터베이스 영업비밀 등)도 포함된다. **상속권**에 대해서는 명문규정은 없으나 이 역시 재산권에 포함된다. 그러나 단순한 기대이익 · 반사적 이익 또는 경제적인 기회, 우연히 생긴 법적 지위 등은 재산권에 속하지 않는다(다수설).

4. 재산권보장의 내용

(1) 사유재산제도의 보장

사유재산제도를 보장한다는 것은 생산수단의 사유를 허용하는 제도의 보장을 의미한다. 따라서 개인소유권의 전면적 폐지 · 생산수단의 전면적 국유화 · 상속제의 부인 · 보상 없이 사기업을 국유화하는 것 등은 허용되지 않으며, 전면적인 계획경제도 인정될 수 없다.

사유재산제도의 구체적인 내용을 정하는 것은 재산권 형성적 법률유보(제23조 제1항 2문)에 의한 입법권자의 입법형성권에 속한다. 우리 헌법재판소도 제23조 제1항 2문에 대

---

615) 헌재 1993. 7. 29. 92헌바20.

하여 "헌법상의 재산권에 관한 규정은 다른 기본권 규정과는 달리 그 내용과 한계가 법률에 의해 구체적으로 형성되는 기본권형성적 법률유보의 형태를 띠고 있으므로, 헌법상의 재산권보장은 재산권의 **형성적 법률유보**에 의하여 실현되고 재산권의 구체적 모습은 재산권의 내용과 한계를 정하는 법률에 의하여 구체화되는 것이다"라고 판시한 바 있다.[616] 따라서 재산권의 내용과 한계를 정하는 법률은 재산권을 제한한다는 의미가 아니라 재산권을 형성한다는 의미를 가진다.

(2) 개인의 구체적인 재산권의 보장

이는 개인의 재산을 소유·상속할 뿐만 아니라 그것을 사용·수익·처분할 수 있는 자유를 보장하는 의미이다. 구체적으로 재산권의 내용과 한계는 법률로 정해야 하고, 제한 시에는 법률의 근거를 요하고, 그 법률은 헌법상의 원칙과 제약(제10조: 인간의 존엄성의 존중, 제11조: 평등의 원칙, 제126조: 긴절한 필요성, 제120조: 특허, 제23조: 정당한 보상)에 따라야 한다는 것이다.[617] 그러므로 제23조 제1항은 행정, 사법은 물론 입법권까지도 구속한다.

(3) 소급입법에 의한 재산권 박탈금지

제13조 제2항은 소급입법에 의한 재산권침해를 금지하고 있다. 이는 죄형법정주의 원칙상 당연한 것이지만 과거 4·19와 5·16 당시 소급입법에 의한 재산권 박탈사항을 둔 전례(부정축재처리법)가 있었기 때문에 특별히 규정한 것이다. 한편 2005. 12. 29. '친일반역행위자재산의 국가귀속에 관한 특별조치법'이라는 소급입법이 이루어졌다.

우리 헌법재판소는 소급입법을 진정소급입법(과거에 완성된 사실 또는 법률관계를 규율대상으로 하는 것)과 부진정소급입법(과거에 시작되었으나 아직 완성되지 아니하고 진행과정에 있는 사실 또는 법률관계를 규율대상으로 하는 것)으로 구분한 후, 전자의 경우는 입법권자의 입법형성권보다도 당사자가 구법질서에 기대했던 신뢰보호와

---

616) 헌재 1993. 7. 29. 92헌바20.

617) "재산권이 법질서 내에서 인정되고 보호받기 위하여는 입법자에 의한 형성을 필요로 한다. 즉, 재산권은 이를 구체적으로 형성하는 법이 없을 경우에는 재산에 대한 사실상의 지배만 있을 뿐이므로 다른 기본권과는 달리 그 내용이 입법자에 의하여 법률로 구체화됨으로써 비로소 권리다운 모습을 갖추게 된다. 입법자는 재산권의 내용을 구체적으로 형성함에 있어서 헌법상의 재산권보장(헌법 제23조 제1항 제1문)과 재산권의 제한을 요청하는 공익 등 재산권의 사회적 기속성(헌법 제23조 제2항)을 함께 고려하고 조정하여 양 법익이 조화와 균형을 이루도록 하여야 한다"(헌재 1998. 12. 24. 89헌마214등; 헌재 2000. 2. 24. 97헌바41; 헌재 2010. 9. 30. 2008헌가3; 헌재 2016. 9. 29. 2014헌바400).

법적 안정성을 위하여 특단의 사정이 없는 한 구법에 의하여 이미 얻은 권리를 새 입법을 하는 마당에 그대로 존중할 의무가 있다고 보기 때문에 원칙적으로 위헌이 된다.[618] 그러나 후자의 경우는 구법질서에 대하여 기대했던 당사자의 신뢰보호보다도 입법권자의 입법형성권을 존중해야 할 것이므로 특단의 사정이 없는 한 원칙적으로 허용된다고 본다.[619]

또한 헌법재판소는 기존의 담배자동판매기를 조례시행일로부터 3개월 이내에 철거하도록 한 조례의 부칙규정은 장래에 향하여 자판기의 존치 · 사용을 규제할 뿐이므로 제13조 제2항에서 금지하는 소급입법이라고 할 수 없다고 판시한 바 있다.[620]

시혜적 소급입법문제

"개정된 신법이 피적용자에게 유리한 경우에 이른바 시혜적 소급입법을 할 것인지의 여부는 입법재량의 문제로서 그 판단은 일차적으로 입법기관에 맡겨져 있으며, 이와 같은 시혜적 조치를 할 것인가 하는 문제는 국민의 권리를 제한하거나 새로운 의무를 부과하는 경우와는 달리 입법자에게 보다 광범위한 입법형성의 자유가 인정된다. 따라서, 입법자의 판단은 존중되어야 하며 그 결정이 합리적 재량의 범위를 벗어나 현저하게 불합리하고 불공정한 것이 아닌 한 헌법에 위반된다고 할 수는 없다."

헌재 2006. 5. 25. 2005헌바15

(4) 무체재산권(無體財産權)의 보장

무체재산권도 재산권의 일종이므로 당연히 보장되는 것이지만 헌법은 제22조 제2항에서 따로 보호규정을 두고 있다.

5. 재산권의 사회적 기속성(재산권행사의 공공복리적합성)

(1) 의의 및 헌법규정

① 의 의

재산권의 사회적 기속성이란 재산권의 주체가 그 재산에 관하여 보상 없이 일반적이고 적절한 그리고 기대 가능한 갖가지 제한을 받게 되는 것을 말한다.

---

618) 헌재 1998. 9. 30. 97헌바8; 헌재 2006. 6. 29. 2005헌마165 등(병합).
619) 헌재 2001. 4. 26. 99헌바55; 헌재 2008. 4. 24. 2005헌바43 등.
620) 헌재 1995. 4. 20. 92헌마264 등(병합).

② 헌법규정

재산권의 사회적 기속성이 최초로 성문화된 것은 1919년 바이마르헌법(제153조)이며, 그 후 독일기본법(제14조)・이탈리아헌법(제42조)・일본헌법(제29조) 등에서 규정하게 되었다. 우리 헌법도 제23조 제2항에서 "재산권의 행사는 공공복리에 적합하도록 하여야 한다"라고 하여 이를 명시적으로 규정하고 있다.

(2) 사회적 기속성의 법적 성격

제23조 제2항의 해석에 관해서는 이설이 없이 구체적인 재산권의 한계를 명시한 조항으로 본다. 그러나 이 조항의 법적 성격에 관해서는 20세기 헌법에 있어서 재산권에 당연히 수반되는 내재적 제약으로 보는 견해(헌법원리설), 재산권 행사의 헌법적 한계로 보는 견해, 헌법적 의무로서 법률에 의해 강제할 수 있는 법적 의무로 보는 견해, 단순한 윤리적 의무로 보는 견해가 대립한다. 우리 헌법재판소는 법적 의무설의 입장에서 "재산권의 사회적 기속성 내지 공공복리적합의무는 헌법상의 의무로써 입법형성권의 행사에 의해 현실적인 의무로 구체화된다"고 설시한 바 있다.[621]

(3) 사회적 기속성의 한계(재산권의 사회적 기속성과 공용침해의 구별기준)

① 문제제기

헌법이 정하는 재산권의 사회적 기속성을 지나치게 강조한 나머지, 보상이 필요 없는 사회적 제약의 범위를 너무 넓게 인정하는 경우에는 헌법상 재산권보장의 실효성이 상실되기 때문에 일정한 한계가 있다고 보아야 한다. **보상이 필요 없는 사회적 기속성**(제23조 제2항)**과 보상이 요구되는 재산권침해**(공용침해, 제23조 제3항)**의 구별기준**에 관해서는 경계이론과 분리이론의 대립이 있다.[622]

② 학 설

i) 경계이론(수용이론)

사회적 제약이나 공용침해 모두 재산권에 대한 제한을 의미하지만, 양자는 그 **제한의 정도에서 차이가 있다**고 보는 견해가 경계이론이다. 이 견해에 의하면 보

621) 헌재 1989. 12. 22. 88헌가13.
622) 독일에서 형성된 이론이다. 이 부분에 대해서는 행정법 교과서도 참조.

상을 요하지 않는 사회적 제약은 '재산권제한의 효과'가 일정한 강도를 넘음으로써 자동적으로 보상을 요하는 공용침해가 되며, 그 기준에 대해서는 재산권의 침해를 받는 자가 특정되어 있느냐에 따른 형식설과 재산권제한의 성질 내지 정도에 따른 실질설의 대립이 있다.

이 이론의 핵심은 보상의무가 시작되는 경계선을 찾는 문제이다.

㉠ 형식설

ㄱ) **개별행위설** 공권력의 주체가 공익을 위한 개별행위에 의하여 특정인 또는 제한된 범위 내의 자에게 특별한 손실을 가한 경우에 보상하자는 견해이다(바이마르헌법 하에서 판례상으로 정립된 견해).

ㄴ) **특별희생설** 공익을 위하여 다른 자에게 요구되지 아니하는 희생을 특정인 또는 특정 다수인에게만 불평등하게 부과하는 경우에 보상해야 한다는 견해이다(독일 연방최고재판소(BGH)가 개별행위설을 계승 · 발전시켜 정립한 견해).

㉡ 실질설

ㄱ) **사회기속설** 공익에 대한 위험을 방어하기 위한 제한은 단순한 사회적 제한으로 보상이 필요 없지만, 특정한 공적 목적을 위한 능동적 제한은 공용수용에 해당하므로 보상이 필요하다고 보는 견해이다(이 견해에 의하면 보상 없이 광견병에 걸린 개를 사살, 공해업소의 조업정지, 밀수용선박의 몰수 등을 할 수 있음).

ㄴ) **보호가치설** 개인의 재산권 중에서 보호가치 있는 부분에 대한 제한은 보상되어야 한다는 견해이다(Jellinek).

ㄷ) **수인한도설** 재산권의 제한이 보상을 요하는가의 문제는 그 침해행위의 내용과 정도가 보상 없이도 수인될 것으로 기대할 수 있는 것인지 여부에 따라 보상을 결정하자는 견해이다(Stödter, Maunz). 이 견해를 수인기대가능성설 · 진지성 이론이라고도 한다.

ㄹ) **사적 효용설** 재산권이 제한된 상태에서도 사적 유용성이 유지되고 있으면 보상이 필요 없으나, 완전히 다른 목적의 이용에 제공되고 있으면 보상하여야 한다는 견해이다(Reinhardt). 이 견해를 사적 유용성설이라고도 한다.

ㅁ) **상황기속설** 같은 부동산이라 하더라도 그것이 놓여있는 위치와 상황 등을 고려하여 현재 상태로 보전하기 위한 것인 때에는 재산권의 단순한 사회적인 제약으로서 무보상이지만, 그렇지 않은 경우에는 보상을 하여야 한다는 견해이다(이 견해에 의하면 지금까지 농경지나 임야로만 이용되던 토지를 그린벨트(Green Belt)로 지정한 경우에는 보상을 요하지 않음).

ㅂ) 목적 위배설 공익적 관점에서 개인의 재산권에 종래와는 다른 목적을 부여하기 위하여 본래의 목적 기능을 박탈하는 경우에는 보상을 하여야 한다는 견해이다(이 견해에 의하면 도로건설을 위한 농지수용은 보상을 요함).

ii) 분리이론(단절이론)

이 이론은 재산권의 사회적 제약과 공용침해를 **헌법적으로 서로 다른 독립된 제도**로 보고 재산권제한의 효과가 아니라 입법의 형식과 목적에 따라서 구분하려는 입장이다. 즉 사회적 제약은 '입법자가 장래에 있어서 추상적이고 일반적인 형식으로 재산권의 내용을 형성하고 확정하는 내용규정에 따른 구체적인 결과로서 초래되는 **개별적인 재산권능의 축소**'이고, 공용침해는 '국가가 구체적인 공적 과제를 수행하기 위하여 **이미 형성된 구체적인 재산권의 지위를 박탈**하는 것'이라고 설명한다.

서로 독립된 제도이기 때문에 위헌성을 심사하는 기준도 달라서 사회적 제약의 경우는 비례의 원칙·평등권·신뢰의 원칙 등을 기준으로 위헌 여부를 판단하지만, 공용침해는 '공용필요', '보상' 등 제23조 제3항이 스스로 정하고 있는 조건하에서만 허용된다고 한다.

③ 판 례

헌법재판소는 개발제한구역사건(도시계획법 제21조에 대한 위헌소원)에서 "개발제한구역 지정으로 인하여 토지를 종래의 목적으로도 사용할 수 없거나 또는 더 이상 법적으로 허용된 토지이용의 방법이 없기 때문에 실질적으로 토지의 사용·수익의 길이 없는 경우에는 토지소유자가 수인해야 하는 사회적 제약의 한계를 넘는 것으로 보아야 한다"고 하면서 "입법자가 도시계획법 제21조를 통하여 국민의 재산권을 비례의 원칙에 부합하게 합헌적으로 제한하기 위해서는, 수인의 한계를 넘어 가혹한 부담이 발생하는 예외적인 경우에는 이를 완화하는 보상규정을 두어야 한다. 이러한 보상규정은 입법자가 헌법 제23조 제1항 및 제2항에 의하여 재산권의 내용을 구체적으로 형성하고 공공의 이익을 위하여 재산권을 제한하는 과정에서 이를 합헌적으로 규율하기 위하여 두어야 하는 규정이다"고 판시하였다.[623]

헌법재판소는 사회적 제약의 한계를 넘는 재산권의 제한을 곧바로 제23조 제3항의 의미에서의 공용침해로 보지 아니하고 비례의 원칙에 위반되는 재산권의 내용 및 한계규정으로 이해하여 제23조 제1항 및 제2항에 근거하여 위헌성을 판단

---

623) 헌재 1998. 12. 24. 89헌마214.

함으로써 재산권의 사회적 제약과 공용침해를 구분함에 있어 경계이론이 아닌 분리이론을 취하고 있다고 평가되고 있다.

④ 결 어

재산권의 자유보장적 기능을 고려한다면 재산권보장의 제1차적 기능은 단순한 재산적 가치의 보장이 아니라 기본권 주체의 수중에 있는 구체적인 재산권의 존속을 보장하는 데 있다. 경계이론은 재산권이 수인의 한계를 넘는 정도로 제한되는 경우 재산권의 내용이 존속보장에서 가치보장으로 전환되는 것으로 파악하고 있는 점이 문제점으로 지적되고 있다. 이러한 점에서는 재산권의 자유보장적 관점에서 **재산권의 존속을 우선적으로 보호하는** 분리이론이 더 타당하다고 보인다.

6. 재산권의 제한(공용침해와 손실보상)

제23조 제3항은 "공공필요에 의한 재산권의 수용 · 사용 또는 제한 및 그에 대한 보상은 법률로써 하되, 정당한 보상을 지급하여야 한다"고 하여 재산권침해의 요건과 보상을 규정하고 있다. 이 조항은 공공필요에 의한 재산권의 침해(제한)와 보상과의 상호관계를 명백히 하기 위해서 재산권보장적 법률유보(보상은 법률로써 하되 정당한 보상을 지급하여야 함)와 재산권행사 절차적 법률유보(공공필요에 의한 재산권의 수용 · 사용 · 제한은 법률로써 함)를 함께 두는 규범구조를 택하고 있다.

(1) 재산권의 공용침해

① 의 의

재산권의 침해란 공권력에 의하여 개인의 기득재산권을 제한하거나 박탈하는 행위를 의미하므로, 불법적인 침해는 배제되며 합법적인 침해는 인정된다(**공용침해**).

② 목 적

재산권제한의 목적은 국가안전보장 · 질서유지 · 공공복리를 위한 경우와 공공필요를 위한 경우이다. 여기서 제23조 제3항의 **공공필요**와 제37조 제2항의 국가안전보장 · 질서유지 · 공공복리 간의 관계에 대하여 학설상 대립이 있다. 제23조 제3항의 공공필요는 여러 가지 국가적 목적을 실현하기 위한 정책적 고려 및 사회정의를 위한 경우까지도 포함시키는 개념이므로 공공필요는 공공복리보다 넓은 개념으로 보는 것이 타당하다는 견해[624]가 있는가 하면, 제23조 제3항은 보상을 필요로 하는 재산권에 대한 강력한 제한을 정당화하는 사유를 정하고 있기 때문에 공공필요를 공공복리보다 좁게 이해하는 견해[625]와 양자를 같은 개념으로 보는 견해[626]도 있다. 한편 헌법재판소는 헌법 제23조 제3항에서 규정하고 있는 '공공필요'는 "국민의 재산권을 그 의사에 반하여 강제적으로라도 취득해야 할 공익적 필요성"으로서, '공공필요'의 개념은 '**공익성**'과 '**필요성**'이라는 요소로 구성되어 있는바, '공익성'의 정도를 판단함에 있어서는 오늘날 공익사업의 범위가 확대되는 경향에 대응하여 재산권의 존속보장과의 조화를 위해서는, '공공필요'의 요건에 관하여, 공익성은 추상적인 공익일반 또는 국가의 이익 이상의 중대한 공익을 요구하므로 기본권 일반의 제한사유인 '공공복리'보다 좁게 보는 것이 타당하며, 공공수용을 허용하고 있는 개별법의 입법목적, 사업내용, 사업이 입법목적에 이바지하는 정도는 물론, 특히 그 사업이 대중을 상대로 하는 영업인 경우에는 그 사업시설에 대한 대중의 이용·접근가능성도 아울러 고려하여야 한다고 판시하였다.[627]

③ 형 식

i) 재산권제한의 형식은 형식적 의미의 법률로써만 제한할 수 있다. 즉 명령이나 조례로는 재산권의 제한을 할 수 없다고 본다(다수설).

ii) 결부조항의 문제

㉠ 의 의

재산권을 제한하는 법률 속에는 반드시 보상조항(보상의 기준 및 방법)이 삽입되어야 하는데, 이를 소위 **결부조항**(Junktim-Klausel, **부대조항·불가분조항**)이라고 한다. 독일기본법 제14조 제3항 2문은 "공용수용은 법률로써 하되 당해 법률은 보상의 방법과 정도를 규정해야 한다"라고 규정하고 있다. 우리 헌법 제23조 제3항은 "공공필요에 의한 재산권의 수용·사용 또는 제한 및 그에 대한 보상은 법률로써 하되, 정당한 보상을 지급하여야 한다"고 규정하고 있는데, 우리 헌법의 규정도 결부조항으로 볼 수 있는가에 대해서는 견해의 대립이 있다.

---

624) 김철수, 앞의 책(상), 884면; 권영성, 앞의 책, 568－569면; 홍성방, 앞의 책(중), 219면.
625) 계희열, 앞의 책(중), 567면.
626) 한수웅, 앞의 책, 882면. 공공필요를 '공공복리를 위하여 필요한 경우'로 보고 있다.
627) 헌재 2014. 10. 30. 2011헌바172등. 헌법재판소는 그리고 '**필요성**'이 인정되기 위해서는 공용수용을 통하여 달성하려는 공익과 그로 인하여 재산권을 침해당하는 사인의 이익 사이의 형량에서 사인의 재산권 침해를 정당화할 정도로의 공익의 우월성이 인정되어야 하며, 사업시행자가 사인인 경우에는 그 사업 시행으로 획득할 수 있는 공익이 현저히 해태되지 않도록 보장하는 제도적 규율도 갖추어져 있어야 한다고 판시하였다.

㉡ 제23조 제3항이 결부조항인지 여부

ㄱ) **긍정설** 이 조항을 공권력에 의한 자의적인 재산권침해행위를 저지함과 동시에 개인의 재산권을 보장하기 위한 헌법적 배려로 이해하며 법률집행자에게 재정부담과 같은 재산권제한의 결과에 대해서 경고하는 의미도 내포하고 있다고 한다.

ㄴ) **부정설** 이 조항을 결부조항으로 보면 보상규정이 없다는 이유로 중대한 공익을 위한 재산권제한이 위헌무효가 됨에 따라 사회적 혼란이 초래될 수 있다는 점을 들면서, 수용적 재산권제한 자체가 합헌이지만 보상규정이 없는 경우에는 입법부는 단지 보상입법을 해야 할 의무가 부과된다고 본다.

ㄷ) **판 례**

ㄱ. **조선철도(주) 주식의 보상금청구에 관한 헌법소원사건** "우리 헌법은 제헌 이래 현재까지 일관하여 재산의 수용, 사용 또는 제한에 대한 보상금을 지급하도록 규정하면서 이를 법률이 정하도록 위임함으로써 국가에게 명시적으로 수용 등의 경우 그 보상에 관한 입법의무를 부과하여 왔는바, 해방 후 사설철도회사의 전 재산을 수용하면서 그 보상절차를 규정한 군정법령 제75호에 따른 보상절차가 이루어지지 않은 단계에서 '조선철도의통일 폐지법률'에 의하여 위 군정법령이 폐지됨으로써 대한민국의 법령에 의한 수용은 있었으나 그에 대한 보상을 실시할 수 있는 절차를 규정하는 법률이 없는 상태가 현재까지 계속되고 있으므로, 대한민국은 위 군정법령에 근거한 수용에 대하여 보상에 관한 법률을 제정하여야 하는 입법자의 헌법상 명시된 입법의무가 발생하였으며, 위 폐지법률이 시행된 지 30년이 지나도록 입법자가 전혀 아무런 입법조치를 취하지 않고 있는 것은 입법재량의 한계를 넘는 입법의무불이행으로서 보상청구권이 확정된 자의 헌법상 보장된 재산권을 침해하는 것이므로 위헌이다"고 판시하였다.[628)]

ㄴ. **도시계획법 제21조 위헌사건(개발제한구역사건)** "도시계획법 제21조에 규정된 개발제한구역제도 그 자체는 원칙적으로 합헌적인 규정인데, 다만 개발제한구역의 지정으로 말미암아 일부 토지소유자에게 사회적 제약의 범위를 넘는 가혹한 부담이 발생하는 예외적인 경우에 대하여 보상규정을 두지 않은 것에 위헌성이 있는 것이고, 보상의 구체적 기준과 방법은 헌법재판소가 결정할 성질의 것이 아니라 광범위한 입법형성권을 가진 입법자가 입법정책적으로 정할 사항이므로,

---

628) 헌재 1994. 12. 29. 89헌마2.

입법자가 보상입법을 마련함으로써 위헌적인 상태를 제거할 때까지 위 조항을 형식적으로 존속케 하기 위하여 헌법불합치결정을 하는 것인바, 입법자는 되도록 빠른 시일 내에 보상입법을 하여 위헌적 상태를 제거할 의무가 있고, 행정청은 보상입법이 마련되기 전에는 새로 개발제한구역을 지정하여서는 아니 되며, 토지소유자는 보상입법을 기다려 그에 따른 권리행사를 할 수 있을 뿐 개발제한구역의 지정이나 그에 따른 토지재산권의 제한 그 자체의 효력을 다투거나 위 조항에 위반하여 행한 자신들의 행위의 정당성을 주장할 수는 없다"고 판시하고 있다.[629]

ㄷ. 이상의 헌재 판례의 태도는 결부조항으로 보지 않는 입장이라고 할 수 있다.

ㄹ) 결 어 재산권제한 자체가 위헌인 것과 재산권제한 자체는 합헌이나 손실보상규정을 두어야 함에도 두지 않아 문제인 경우는 구별된다. 즉 사적 이익을 위하여 타인의 재산권을 제한하는 입법이나 공공필요에 의한 제한이더라도 비례의 원칙에 위배되는 입법은 재산권제한 자체가 위헌이다. 그러나 공공필요에 따라 비례의 원칙에 합치하는 재산권제한입법은 보상규정이 없는 경우라면 보상규정을 두지 않은 입법부작위만이 위헌이라 할 것이다(부정설).

iii) 예외적으로 법률 이외의 형식으로 재산권을 제한하는 것으로는 제76조 대통령의 긴급재정경제처분·명령과 긴급명령이나 제77조 비상계엄시의 포고령 등이 있다.

④ 제한유형

재산권의 제한유형으로는 수용·사용·제한 등이 있다(제23조 제3항, 제122조, 제126조).

i) 수 용

특정의 개인의 재산권을 법률에 의하여 강제적으로 취득하는 것으로 공용수용 또는 공용징수란 표현도 쓰인다.

ii) 사 용

개인의 재산권을 일시적·강제적으로 사용하는 공용사용을 말한다.

iii) 제 한

특정한 개인의 재산권에 과해지는 공법상의 제한으로 수용·사용의 정도에 이르지 않은 공용제한을 말한다.

---

629) 헌재 1998. 12. 24. 89헌마214.

(2) 재산권의 손실보상

① 손실보상의 의의

손실보상이라 함은 공공필요에 의하여 적법한 공권력의 행사로 말미암아 사유재산을 침해한 경우에 그 손실을 보상하는 제도를 말한다.

② 보상의 근거

i) 이론적 근거

특정인에게 가해진 특별한 희생은 이를 국민 전체의 부담으로 보상하는 것이 정의와 공평에 맞는다는 **특별희생설**이 다수설 · 판례이다.[630]

ii) 실정법적 근거

실정법적 근거로는 제23조 제3항을 들 수 있는데, 이에 관한 법적 성격에 대하여 프로그램적 규정으로 보고 보상을 정하는 법률이 있어야만 손실보상을 청구할 수 있다는 **방침규정설**, 침해를 규정하면서 보상규정을 두고 있지 않는 법률은 위헌무효이고, 이에 근거한 침해행위는 불법행위가 되므로 이 경우에는 손해배상의 청구가 가능하다는 **위헌무효설**, 보상을 정하는 법률규정이 없더라도 헌법규정(제23조 제3항) 자체만으로도 손실보상을 청구할 수 있다는 **직접효력설**(헌법학자들의 다수설), 재산권침해에 따르는 보상규정이 없는 경우에 제23조 제1항(재산권보장) 및 제11조(평등원칙)에 근거하여 제23조 제3항 및 관계규정의 유추적용을 통하여 보상을 청구할 수 있다는 **수용유사침해설**[631](유추적용설, 간접효력규정설)이 대립하고 있다.

우리 대법원판례는 제3공화국 하에서는 직접효력설을 취하다가 제4공화국 하에서는 방침규정설로 변경하였으며,[632] 최근에는 어느 입장이라고 단언할 수 없다.

---

630) 서울고결 1989. 8. 23. 89부102.

631) **수용유사침해**란 개인의 재산권에 대한 위법 · 무책의 공권적 침해를 말한다. 여기서 위법은 보상규정을 결한 법률에 의한 침해로 위헌이라는 의미에서의 위법을 의미한다. 이처럼 수용유사침해가 위법 · 무책이라는 점에서 위법 · 유책의 침해에 대한 보전제도인 손해배상과 구별된다.
한편 **수용적 침해**라 함은 적법한 행정작용의 이례적 · 비의욕적인 부수적 결과로서 타인의 재산권을 침해란 경우를 말한다. 지하철공사의 장기화로 인하여 인근상점이 입는 손해가 수용적 침해의 한 예이다.

632) 대판 1976. 1. 12. 76다1443.

③ 보상의 요건

손실보상청구권은 개인의 재산이 공공필요를 위하여 적법한 공권력의 침해로 말미암아 특별한 희생을 당하여야 성립한다. 공공필요에 의한 재산권의 공권력적, 강제적 박탈을 의미하는 공용수용은 제23조 제3항에 명시되어 있는 대로 국민의 재산권을 그 의사에 반하여 강제적으로라도 취득해야 할 공익적 필요성이 있을 것, 수용과 그에 대한 보상은 모두 법률에 의거할 것, 정당한 보상을 지급할 것의 요건을 갖추어야 한다.[633)]

제23조 제3항은 재산권 수용의 주체를 한정하지 않고 있는바, 위 헌법조항의 핵심은 당해 수용이 공공필요에 부합하는가, 정당한 보상이 지급되고 있는가 여부 등에 있는 것이지, 그 수용의 주체가 국가인지 민간기업인지 여부에 달려 있다고 볼 수 없다. 또한 국가 등의 공적 기관이 직접 수용의 주체가 되는 경우와, 그러한 공적 기관의 최종적인 허부판단과 승인결정 하에 민간기업이 수용의 주체가 되는 경우 사이에 공공필요에 대한 판단과 수용의 범위에 있어서 본질적인 차이를 가져올 것으로 보이지 않는다. 따라서 수용 등의 주체를 국가 등의 공적 기관에 한정하여 해석할 이유가 없다.[634)]

수용에는 **입법적 수용**과 **행정적 수용**이 있다. 입법적 수용은 법률에 의하여 직접 수용이 이루어지는 것으로 법률에 근거하여 일련의 절차를 거쳐 별도의 행정처분에 의하여 이루어지는 소위 '행정적' 수용과 다르다.[635)]

④ 보상의 기준

제23조 제3항은 "보상은 법률로써 하되 정당한 보상을 지급하여야 한다"고 함으로써 정당보상을 보상기준으로 명문화하고 있다. **정당보상**의 해석과 관련하여 침해된 재산의 객관적 가치의 완전한 보상이어야 한다는 **완전(시가)보상설**, 사회관념에 비추어 타당 내지 합리적인 보상이면 된다는 **상당보상설**, 구체적 사정을 감안하여 때로는 완전보상을 하고 경우에 따라서는 상당보상을 하면 된다는 절충설

---

633) 헌재 1994. 2. 24. 92헌가15등; 헌재 1998. 3. 26. 93헌바12; 헌재 2000. 4. 27. 99헌바58; 헌재 2000. 6. 1. 98헌바34; 헌재 2009. 5. 28. 2008헌바18등; 헌재 2010. 2. 25. 2008헌바6; 헌재 2011. 4. 28. 2010헌바114; 헌재 2014. 10. 30. 2011헌바129등 참조.

634) 헌재 2009. 9. 24. 2007헌바114; 헌재 2011. 11. 24. 2010헌가95등; 헌재 2012. 3. 29. 2010헌바370; 헌재 2013. 2. 28. 2011헌바250 등.

635) 헌재 1998. 3. 26. 93헌바12. 하천관리라는 공익목적을 위하여 국민의 특정 재산권을 직접 하천법에 의하여 강제적으로 국가가 취득하였다면 이는 헌법 제23조 제3항에 규정된 재산권의 '수용'에 해당된다(헌재 1998. 3. 26. 93헌바12).

이 대립한다. 헌법재판소는 "헌법이 규정한 '정당한 보상'이란 …… 손실보상의 원인이 되는 재산권의 침해가 기존의 법질서 안에서 개인의 재산권에 대한 개별적인 침해인 경우에는 그 손실보상은 원칙적으로 피수용재산의 객관적인 재산가치를 완전하게 보상하는 것이어야 한다는 완전보상을 뜻하는 것으로서 보상금액뿐만 아니라 보상의 시기나 방법 등에 있어서도 어떠한 제한을 두어서는 아니 된다는 것을 의미한다고 할 것이다. 재산권의 객체가 갖는 객관적 가치란 그 물건의 성질에 정통한 사람들의 자유로운 거래에 의하여 도달할 수 있는 합리적인 매매가능가격 즉 시가에 의하여 산정되는 것이 보통이다"라고 하여[636] 완전보상설의 입장을 보여주고 있다. 한편 헌법재판소는 토지수용법 제46조 제2항에 관한 헌법소원에서 "정당보상이란 원칙적으로 완전보상을 의미하지만, 기준지가에 의한 보상도 정당한 보상이며 보상액을 산정함에 있어 개발이익을 배제하는 것도 헌법상 정당보상의 원리에 반하는 것이 아니다"라고 판시한 바 있다.[637)638)]

⑤ 보상의 지불방법

금전보상이냐 현물보상이냐, 선불이냐 후불이냐, 개별불이냐 일괄불이냐, 일시불(전액불)이냐 분할불이냐 등이 있는데, **금전보상 · 선불 · 개별불 · 일시불**이 원칙이다.

---

636) 헌재 1990. 6. 25. 89헌마107. 그 밖에 "정당한 보상은 원칙적으로 완전보상을 의미한다"는 결정(헌재 1989. 12. 22. 88헌가13; 헌재 1993. 7. 29. 92헌바20), "헌법 제23조 제3항에 규정된 '정당한 보상'이란 원칙적으로 피수용재산의 객관적인 재산가치를 완전하게 보상하는 것이어야 한다는 완전보상을 뜻하는데, 토지의 경우에는 그 특성상 인근유사토지의 거래가격을 기준으로 하여 토지의 가격형성에 미치는 제 요소를 종합적으로 고려한 합리적 조정을 거쳐서 객관적인 가치를 평가할 수밖에 없다"는 결정(헌재 1995. 4. 20. 93헌바20등; 헌재 1990. 6. 25. 89헌마107; 헌재 1998. 3. 26. 93헌바12; 헌재 2002. 12. 18. 2002헌가4; 헌재 2011. 10. 25. 2009헌바281; 헌재 2011. 12. 29. 2010헌바205; 헌재 2012. 3. 29. 2010헌바370) 등 참조.

637) 헌재 1990. 6. 25. 89헌마107. 또한 공익사업을 위한 토지수용의 경우 공시지가를 기준으로 보상하도록 하는 토지보상조항이 정당보상의 원칙에 위배되지 않는다고 한 판례도 있다. 즉 "이 사건 토지보상조항이 '부동산 가격공시 및 감정평가에 관한 법률'에 의한 공시지가를 기준으로 토지수용으로 인한 손실보상액을 산정하되, 개발이익을 배제하고 공시기준일부터 재결 시까지의 시점보정을 인근 토지의 가격변동률과 생산자물가상승률에 의하도록 한 것은 공시기준일의 표준지의 객관적 가치를 정당하게 반영하는 것이고 표준지의 선정과 시점보정의 방법이 적정하므로, 이 사건 토지보상조항은 헌법 제23조 제3항이 규정한 정당보상의 원칙에 위배되지 않는다"고 판시하였다(헌재 2013. 12. 26. 2011헌바162).

638) 제1 · 2공화국헌법(상당보상), 제3공화국헌법(정당보상), 제4공화국헌법(입법보상), 5공화국헌법(이익형량보상), 제6공화국헌법(정당보상).

⑥ **보상액의 가격시점**(공익사업토지보상법 제67조)

보상액의 산정은 협의에 의한 경우에는 **협의 성립 당시의 가격**을, 재결에 의한 경우에는 수용 또는 사용의 **재결 당시의 가격**을 기준으로 한다. 보상액을 산정할 경우에 해당 공익사업으로 인하여 토지 등의 가격이 변동되었을 때에는 이를 고려하지 아니한다.

⑦ **취득하는 토지의 보상**(공익사업토지보상법 제70조)

i) 협의나 재결에 의하여 취득하는 토지에 대하여는 '부동산 가격공시에 관한 법률'에 따른 공시지가를 기준으로 하여 보상하되, 그 공시기준일부터 가격시점까지의 관계 법령에 따른 그 토지의 이용계획, 해당 공익사업으로 인한 지가의 영향을 받지 아니하는 지역의 대통령령으로 정하는 지가변동률, 생산자물가상승률(한국은행법 제86조에 따라 한국은행이 조사·발표하는 생산자물가지수에 따라 산정된 비율을 말한다)과 그 밖에 그 토지의 위치·형상·환경·이용상황 등을 고려하여 평가한 적정가격으로 보상하여야 한다.

ii) 토지에 대한 보상액은 가격시점에서의 현실적인 이용상황과 일반적인 이용방법에 의한 객관적 상황을 고려하여 산정하되, 일시적인 이용상황과 토지소유자나 관계인이 갖는 주관적 가치 및 특별한 용도에 사용할 것을 전제로 한 경우 등은 고려하지 아니한다.

iii) 사업인정 전 협의에 의한 취득의 경우에 공시지가는 해당 토지의 가격시점 당시 공시된 공시지가 중 가격시점과 가장 가까운 시점에 공시된 공시지가로 한다.

iv) 사업인정 후의 취득의 경우에 공시지가는 사업인정고시일 전의 시점을 공시기준일로 하는 공시지가로서, 해당 토지에 관한 협의의 성립 또는 재결 당시 공시된 공시지가 중 그 사업인정고시일과 가장 가까운 시점에 공시된 공시지가로 한다.

v) 사업인정 전후를 불구하고 공익사업의 계획 또는 시행이 공고되거나 고시됨으로 인하여 취득하여야 할 토지의 가격이 변동되었다고 인정되는 경우에는 공시지가는 해당 공고일 또는 고시일 전의 시점을 공시기준일로 하는 공시지가로서 그 토지의 가격시점 당시 공시된 공시지가 중 그 공익사업의 공고일 또는 고시일과 가장 가까운 시점에 공시된 공시지가로 한다.

vi) 취득하는 토지와 이에 관한 소유권 외의 권리에 대한 구체적인 보상액 산정 및 평가방법은 투자비용, 예상수익 및 거래가격 등을 고려하여 국토교통부령으로 정한다.

7. 재산권제한의 한계

입법형성권이 부여된 입법부라고 할지라도 수권의 범위를 넘어 자의적인 입법을 할 수 있는 것은 아니며 사유재산권의 본질적인 내용을 침해하는 입법을 할 수 없음은 물론이다(제37조 제2항 후단). 토지재산권의 본질적인 내용이라는 것은 토지재산권의 핵이 되는 실질적 요소 내지 근본요소를 뜻하며, 따라서 재산권의 본질적인 내용을 침해하는 경우라고 하는 것은 그 침해로 사유재산권이 유명무실해지고 사유재산제도가 형해화(形骸化)되어 헌법이 재산권을 보장하는 궁극적인 목적을 달성할 수 없게 되는 지경에 이르는 경우라고 할 것이다. 사유재산제도의 전면적인 부정, 재산권의 무상몰수, 소급입법에 의한 재산권 박탈 등이 본질적인 침해가 된다.[639]

재산권 관련 주요 판례

1. 공직자의 주식백지신탁제도

"이 사건 법률조항은 국회의원으로 하여금 직무관련성이 인정되는 주식을 매각 또는 백지신탁하도록 하여 그 직무와 보유주식 간의 이해충돌을 원천적으로 방지하고 있는바, 헌법상 국회의원의 국가이익 우선의무, 지위남용 금지의무 조항 등에 비추어 볼 때 이는 정당한 입법목적을 달성하기 위한 적절한 수단이다. 나아가 이 사건 법률조항은 국회의원이 보유한 모든 주식에 대해 적용되는 것이 아니라 직무관련성이 인정되는 금 3천만원 이상의 주식에 대하여 적용되어 그 적용범위를 목적달성에 필요한 범위 내로 최소화하고 있는 점, 당사자에 대한 사후적 제재수단인 형사처벌이나 부당이득환수, 또는 보다 완화된 **사전적 이해충돌회피수단**이라 할 수 있는 직무회피나 단순보관신탁만으로는 이 사건 법률조항과 같은 수준의 입법목적 달성효과를 가져올 수 있을지 단정할 수 없다는 점에 비추어 최소침해성원칙에 반한다고 볼 수 없고, 국회의원의 공정한 직무수행에 대한 국민의 신뢰확보는 가히 돈으로 환산할 수 없는 가치를 지니는 점 등을 고려해 볼 때, 이 사건 법률조항으로 인한 사익의 침해가 그로 인해 확보되는 공익보다 반드시 크다고는 볼 수 없으므로 법익균형성원칙 역시 준수하고 있다. 따라서 이 사건 법률조항은 당해사건 원고의 재산권을 침해하지 아니한다.

이 사건 법률조항이 매각 또는 백지신탁의 대상이 되는 주식의 보유한도액을 결정함에 있어 국회의원 본인뿐만 아니라 본인과 일정한 친족관계가 있는 자들의 보유주식 역시 포함하도록 하고 있는 것은 본인과 친족 사이의 실질적·경제적 관련

639) 헌재 1989. 12. 22. 88헌가13; 헌재 1990. 9. 3. 89헌가95.

성에 근거한 것이지, 실질적으로 의미 있는 관련성이 없음에도 오로지 친족관계 그 자체만으로 불이익한 처우를 가하는 것이 아니므로 헌법 제13조 제3항에 위배되지 아니한다.

이 사건 법률조항이 매각 또는 백지신탁의 대상으로 부동산을 제외하고 있는 것은, 주식과 부동산 간의 환가성·개인생활과의 연관성·변동성 등의 차이를 종합적으로 고려한 합리적인 차별이라 할 것이므로 평등원칙에 위배되지 아니한다."

헌재 2012. 8. 23. 2010헌가65

2. 국가에 대한 가집행 불선고제도

"재산권 등 사권(私權)의 구제절차인 민사소송에서도 당사자가 누구인가에 따라 차별대우가 있어서는 아니 되는 것이며, 국가가 민사소송의 당사자가 되었다고 해서 합리적 이유 없이 우대받아서는 아니 되는 것이다. …… 소송촉진 등에 관한 특례법 제6조 제1항 중 '다만, 국가를 상대로 하는 재산권의 청구에 관하여는 가집행의 선고를 할 수 없다'라는 부분은 헌법 제11조 제1항에 위반"된다.

헌재 1989. 1. 25. 88헌가7

3. 택지소유상한에 관한 법률의 매수청구제도와 부담금의 부과

"부담금의 목적이 소유상한을 초과한 택지에 관한 처분 또는 이용·개발의무를 강제하는 데 있다는 것에 비추어 볼 때, 택지의 소유자가 매수청구의 의사표시를 함으로써 해당 택지의 처분을 통하여 입법목적에 부합하도록 행동하겠다는 의사를 명백히 밝힌 경우에도 부담금을 부과하는 것은, 입법목적을 달성하기 위하여 필요한 수단의 범위를 넘는 과잉조치로서, 최소침해성의 원칙에 위반되어 재산권을 과도하게 침해하는 것이다."

헌재 1999. 4. 29. 94헌바37

4. 일반국민이 군인과 공동불법행위를 한 경우의 구상권

"국가에 대한 구상권은 헌법 제23조 제1항에 의하여 보장되는 재산권이고 위와 같은 해석은 그러한 재산권의 제한에 해당하며 재산권의 제한은 헌법 제37조 제2항에 의한 기본권 제한의 한계 내에서만 가능한데, 일반국민이 공동불법행위자인 군인의 부담부분에 관하여 국가에 대하여 구상권을 행사할 수 없다고 해석한다면, 위와 같은 해석은 헌법 제37조 제2항에 의하여 기본권을 제한할 때 요구되는 비례의 원칙에 위배하여 일반국민의 재산권을 과잉 제한하는 경우에 해당하여 헌법 제23조 제1항에 위반된다고 할 것이다."

헌재 1994. 12. 29. 93헌바21

5. 토지초과이득세와 재산권의 보장

"토초세는 토지재산, 즉 원본에 대한 과세가 아니라 원본으로부터 파생된 이득에 대하여 과세하는 수득세의 일종이므로, 만약 유휴토지 등 소유자가 가공이득에 대한

> 토초세를 부담하는 경우가 생긴다면, 이는 원본인 토지 자체를 무상으로 몰수당하는 셈이 되어 수득세의 본질에도 반하는 결과가 될 뿐만 아니라, 결과적으로 헌법상의 재산권 보장원칙에 배치된다."
>
> 헌재 1994. 7. 29. 92헌바49등

Ⅳ. 소비자의 권리

1. 소비자권리의 의의와 성립배경

(1) 소비자의 개념

소비자기본법은 소비자를 "사업자가 제공하는 물품 또는 용역(시설물을 포함)을 소비생활을 위하여 사용(이용을 포함)하는 자 또는 생산활동을 위하여 사용하는 자로서 대통령령이 정하는 자[640]"로 정의하고 있다(소비자기본법 제2조 제1호).

(2) 소비자의 권리

소비자의 권리 내지 소비자기본권은 "소비자가 인간다운 생활을 영위하기 위하여 공정한 가격으로 양질의 상품 또는 용역을 적절한 유통구조를 통해 적절한 시기에 구입하거나 사용할 수 있는 권리"로 포괄적으로 정의하는 견해[641]가 있는가 하면, 구체적으로 "물품 및 용역의 구입 · 사용에 있어서 거래의 상대방, 구입장소, 가격, 거래조건 등을 자유로이 선택할 권리"[642]로 정의하기도 한다.

(3) 성립배경

기업의 독과점 및 대량생산의 현대사회에서 생산자와 소비자의 위치에 심각한 불균형이 초래되었다는 점, 소비자피해를 시민법상의 개별적 해결방식에 따르도록 방치한다면 경제민주화와 사회정의의 관념에 반한다는 것이 소비자권리의 성립배

---

640) 소비자기본법시행령 제2조
1. 제공된 물품 또는 용역(이하 "물품등"이라 함)을 최종적으로 사용하는 자. 다만, 제공된 물품등을 원재료(중간재를 포함), 자본재 또는 이에 준하는 용도로 생산활동에 사용하는 자는 제외한다.
2. 제공된 물품등을 농업(축산업을 포함) 및 어업활동을 위하여 사용하는 자. 다만, 「축산법」 제21조제1항에 따라 농림수산식품부령으로 정하는 사육규모 이상의 축산업을 영위하는 자 및 「원양산업발전법」 제6조제1항에 따라 농림수산식품부장관의 허가를 받아 원양어업을 하는 자는 제외한다.

641) 권영성, 앞의 책, 578면.

642) 헌재 1996. 12. 26. 96헌가18.

경이라 하겠다. 한편 소비자가 시장기능을 통하여 생산의 종류, 양과 방향을 결정하는 소비자주권의 사고가 바탕을 이루는 자유시장경제에서는 경쟁이 강화되면 될수록 소비자는 그의 욕구를 보다 유리하게 시장에서 충족시킬 수 있고, 자신의 구매결정을 통하여 경쟁과정에 영향을 미칠 수 있기 때문에 경쟁은 또한 소비자보호의 포기할 수 없는 중요 구성부분이다.[643]

2. 연혁과 입법례

(1) 1962년 미국 케네디 대통령의 의회에 대한 특별교서(‘**소비자의 권리에 관한 특별교서**’)에서 소비자권리를 최초로 선언하였다. 여기서는 안전의 권리, 알 권리, 선택할 권리, 의견을 반영시킬 권리 등 4가지 권리를 선언하였다.

(2) 소비자권리에서 소비자주권론으로

소비자주권이란 용어는 상품에 대한 소비자의 선호가 시장을 통하여 생산량을 조절하고 나아가 경제 전체의 자원배분을 결정한다는 것, 다시 말하면 자본주의 경제에 있어서 경제유형·산업구조 및 생산을 결정하는 최종적인 권한이 소비자에게 있다는 것을 의미한다. 1936년 후트(W. H. Hutt)에 의하여 처음 사용되었고 경제학자 사무엘슨(P. A. Samuelson)에 의하여 체계화되었다고 한다.

(3) 우리나라

1980년 헌법에서 소비자보호운동에 관한 규정을 도입하였으며, 1980년 소비자보호법이 제정되었고, 소비자보호법은 2006년 소비자기본법으로 전면 개정되었다.

3. 소비자권리의 헌법적 근거

소비자권리의 헌법적 근거를 ⅰ) 인간의 존엄성과 행복추구권을 규정한 제10조(이념적 근거규정)+소비자보호운동을 보장한 제124조(부분적인 직접적 근거규정)+헌법에 열거되지 않은 권리를 규정한 제37조 제1항(보완적 근거규정)+제23조 제1항의 재산권의 보장·제34조 제1항의 인간다운 생활을 할 권리·제34조 제6항의 국가의 재해예방과 위험으로부터의 국민의 보호의무·제36조 제3항의 보건권·제26조의 청원권·제30조의 범죄피해자구조청구권(간접적 근거규정)을 드는 견해[644]와

---

643) 헌재 1996. 12. 26. 96헌가18.
644) 권영성, 앞의 책, 579－580면.

ii) 소비자의 권리와 소비자보호운동을 각기 다른 헌법적 근거에서 찾는 것은 타당하지 않기 때문에 소비자의 권리도 소비자보호운동을 규정한 헌법 제124조에 근거한 것으로 이해하는 것이 타당하다는 견해[645] 등이 대립하고 있다.

4. 소비자권리의 법적 성격

소비자권리를 경제적 자유권으로 보는 견해,[646] 현대산업사회에 있어서 소비자의 권리는 경제적 약자로서 종속적 지위에 있는 소비자의 구조적 피해로부터 그 이익을 보호함으로써 인간다운 생활을 보장하기 위한 사회적 기본권의 성격을 가진다는 견해,[647] 경제적 자유권과 국가에 대한 보호청구권의 성격을 가진다는 견해,[648] 자유로운 경제생활의 보장에 관한 방어권적 측면, 소비자가 피해의 예방 또는 보상을 청구할 수 권리(청구권적 성격), 인간다운 생활을 영위할 수 있고 건강을 침해당하지 아니할 권리인 사회권적 측면, 공정한 가격으로 구입하거나 사용함으로써 경제적 손실을 피할 수 있는 권리인 경제적 기본권의 측면을 가지는 복합적 권리로 파악하는 견해[649] 등이 대립하고 있다.

소비자의 권리는 비교적 최근의 권리로 복합적인 성격을 가지고 있으나, 오늘날에는 경제적 약자라는 측면에서의 성격이 강조되어야 한다고 본다.

5. 소비자권리의 주체

모든 소비자가 주체가 되며, 외국인도 포함된다. 법인도 예외적으로 주체가 될 수 있다.

6. 소비자권리의 내용

소비자기본법에는 **소비자의 기본적 권리**로 i) 안전에 관한 권리(물품 또는 용역으로 인한 생명 · 신체 또는 재산에 대한 위해로부터 보호받을 권리), ii) 알 권리(물품등을 선택함에 있어서 필요한 지식 및 정보를 제공받을 권리), iii) 자유로운 선택권(물품등을 사용함에 있어서 거래상대방 · 구입장소 · 가격 및 거래조건 등을 자유로이 선택할 권리), iv) 의견반영권(소비생활에 영향을 주는 국가 및 지방자치단체의 정책과 사업자의

645) 계희열, 앞의 책(중), 566면.
646) 구병삭, 제2전정판 신헌법원론, 박영사, 1995, 549－556면.
647) 양건, 제8판 헌법강의, 법문사, 2019, 228면.
648) 계희열, 앞의 책(중), 577면.
649) 권영성, 앞의 책, 580면.

사업활동 등에 대하여 의견을 반영시킬 권리), v) 피해자보상청구권(물품등의 사용으로 인하여 입은 피해에 대하여 신속·공정한 절차에 따라 적절한 보상을 받을 권리), vi) 교육을 받을 권리(합리적인 소비생활을 위하여 필요한 교육을 받을 권리), vii) 소비자운동권[650](소비자 스스로의 권익을 증진하기 위하여 단체를 조직하고 이를 통하여 활동할 수 있는 권리), viii) 소비자환경권(안전하고 쾌적한 소비생활 환경에서 소비할 권리) 등을 규정하고 있다(소비자기본법 제4조).

7. 소비자권리의 효력

대국가적 효력을 가진다(소비자기본법 제6조, 국가와 지방자치단체의 의무). 소비자권리는 그 상대방으로 사업자를 개념상 필연적인 전제로 하므로 대사인적 효력을 가진다. 소비자기본법은 사업자의 의무를 규정하고 있다(동법 제18조-제20조의4).

8. 소비자권리의 침해와 구제

소비자권리는 공권력에 의하여 침해될 수도 있지만, 주로 사용자와의 관계에서 침해될 수 있다. 공권력에 의한 침해에 대해서는 청원권, 행정소송의 제기, 국가배상, 국가구조청구, 헌법소원 등을 제기할 수 있다. 사인에 의한 침해에 대해서는 한국소비자원을 통한 구제(분쟁조정)와 제조물책임법에 의해 책임을 물을 수 있으며, 피해소송을 통해 구제 받을 수 있다. 소비자피해의 효율적인 구제를 위하여 기존의 소송법리의 전환이 필요하다는 견해가 많다. 예를 들어 무과실책임의 인정문제, 인과관계에 있어서 개연성이론, 소비자단체의 당사자적격의 인정문제, 사업자들의 연대책임 인정문제, 소액재판제도, 소비자피해의 특성을 감안한 Class Action 제도나 독일의 단체소송 같은 집단소송제도 도입문제 등이 검토되어야 한다.

---

650) 헌법재판소는 현행 헌법이 보장하는 소비자보호운동을 "'공정한 가격으로 양질의 상품 또는 용역을 적절한 유통구조를 통해 적절한 시기에 안전하게 구입하거나 사용할 소비자의 제반 권익을 증진할 목적으로 이루어지는 구체적 활동'을 의미하고, 단체를 조직하고 이를 통하여 활동하는 형태, 즉 근로자의 단결권이나 단체행동권에 유사한 활동뿐만 아니라, 하나 또는 그 이상의 소비자가 동일한 목표로 함께 의사를 합치하여 벌이는 운동이면 모두 이에 포함된다 할 것이다"라고 정의하고 있다(헌재 2011. 12. 29. 2010헌바54등).

9. 소비자불매운동

(1) 의 의

소비자불매운동이란 헌법적으로 보장되어 있는 소비자보호운동 중 구매력을 무기로 소비자가 자신의 선호를 시장에 실질적으로 반영하고자 하는 시도로서 "하나 또는 그 이상의 운동주도세력이 소비자의 권익을 향상시킬 목적으로 개별 소비자들로 하여금 시장에서 특정 상품의 구매를 억지하거나 제3자로 하여금 그렇게 하도록 설득하는 조직화된 행위"를 의미한다.[651)]

(2) 소비자불매운동의 헌법적 허용한계

헌법상 보장되는 소비자보호운동의 일환으로 행해지는 소비자불매운동은 헌법이나 법률의 규정에 비추어 정당하다고 평가되는 범위에 해당하는 경우에만 형사책임이나 민사책임이 면제된다. 헌법재판소는 **4가지의 기준**을 제시하고 있다. 구체적으로는 "ⅰ) 객관적으로 진실한 사실을 기초로 행해져야 하고, ⅱ) 소비자불매운동에 참여하는 소비자의 의사결정의 자유가 보장되어야 하며, ⅲ) 불매운동을 하는 과정에서 폭행, 협박, 기물파손 등 위법한 수단이 동원되지 않아야 하고, ⅳ) 특히 물품 등의 공급자나 사업자 이외의 제3자를 상대로 불매운동을 벌일 경우 그 경위나 과정에서 제3자의 영업의 자유 등 권리를 부당하게 침해하지 않을 것이 요구된다. 이 경우 제3자의 정당한 영업의 자유 기타 권리를 부당하게 제한하거나 위축시키는지 여부는, 불매운동의 취지나 목적, 성격에 비추어 볼 때, 제3자를 불매운동 대상으로 선택해야 할 필요성이 있었는지, 또한 제3자를 대상으로 이루어진 불매운동의 내용과 그 경위 및 정도와 사이에 긴밀한 상관관계가 존재하는지를 기준으로 결정될 수 있을 것이다"라고 판시하였다.[652)]

헌법과 법률이 보장하고 있는 한계를 넘어선 소비자불매운동은 정당성을 결여한 것으로서 정당행위 기타 다른 이유로 위법성이 조각되지 않는 한 업무방해죄로 형사처벌할 수 있다.

---

651) 헌재 2011. 12. 29. 2010헌바54등.
652) 헌재 2011. 12. 29. 2010헌바54등.

제4장

사회적 기본권(생존권적 기본권)

제1절 사회적 기본권의 의의 · 법적 성격 · 체계

Ⅰ. 사회적 기본권의 의의

1. 용어 문제

용어상 사회적 기본권(사회권)[1]은 생존권적 기본권(생존권),[2] 생활권적 기본권(생활권),[3] 사회국가적 기본권[4] 등으로도 쓰이고 있으며, 헌법재판소도 '생존권적 기본권',[5] '생존권 내지 사회권적 기본권',[6] '사회적 기본권'[7]이라는 용어를 혼용하여

1) 권영성, 헌법학원론(2010년판), 법문사, 2010, 644면 이하; 계희열, 신정2판 헌법학(중), 박영사, 2007, 700면 이하; 양건, 제8판 헌법강의, 법문사, 2019, 994면 이하; 홍성방, 헌법학(중), 박영사, 2010, 226면 이하; 성낙인, 제19판 헌법학, 법문사, 2019, 1327면 이하; 강경근, 헌법, 법문사, 2002, 543면 이하; 정종섭, 제11판 헌법학원론, 박영사, 2016, 777면 이하; 장영수, 제7판 헌법학, 홍문사, 2012 784면 이하; 이준일, 제7판 헌법학강의, 홍문사, 2019, 760면 이하; 한수웅, 제9판 헌법학, 법문사, 2019, 959면 이하;

2) 김철수, 학설 · 판례 헌법학(상), 박영사, 2008, 1104면 이하; 구병삭, 제2전정판 신헌법원론, 박영사, 1995, 603면 이하; 김학성 · 최희수, 전정 4판[2020년판], 피앤씨미디어, 2020, 675면 이하. 인간생존이나 기본적인 삶을 보장하고 실현해준다는 의미가 보다 분명한 생존권이란 용어를 쓴다고 한다; 정재황, 제6판 신헌법입문, 박영사, 2016, 471면 이하. 생존권 외 다른 기본권들도 '사회적'이라는 점에서 생존권이라는 용어를 더 선호한다고 한다.

3) 문홍주, 한국헌법, 해암사, 1987, 282면; 허영, 전정13판 한국헌법론, 박영사, 2017, 335면. 허 교수는 '자유권의 생활권화'현상이 보편화되는 상황 하에서 자유권, 생활권 중심의 분류방식을 지양하고 생활영역에 따라 기본권을 분류하고 있다.

4) 안용교, 한국헌법, 고시연구사, 1989, 520면; 정극원, "독일에서의 사회국가적 기본권 이론의 성립과 내용", 공법연구, 제29권 제1호, 2000, 한국공법학회, 181 – 200면.

5) 헌재 1989. 4. 17. 88헌마3. 범죄행위로 인하여 피해를 받은 국민에 대하여 국가가 적극적인 구조행위까지 하도록 규정하여 피해자의 기본권을 '생존권적 기본권'의 차원으로 인정하였다고 표현하고 있다.

6) 헌재 1991. 7. 22. 89헌가106. 헌법 제32조 및 제33조에 각 규정된 근로기본권은 근로자의

사용하기도 하였다. 여기서는 많이 사용하는 사회적 기본권으로 사용하겠다.

2. 사회적 기본권의 개념

사회적 기본권이란 **사회정의의 실현**을 목적으로 하는 **사회국가**(**복지국가**)에서 국민의 **인간다운 생활을 보장**하기 위해 국민에게 부여된 **국가적 급부·배려를 요구할 수 있는 권리**라고 할 수 있다.[8] 사회적 기본권은 인간다운 생활의 보장을 이념으로 하고, 국가적 급부와 배려를 내용으로 하며, 헌법상의 보장과 법률에 의한 구체화·형성을 통해 실현된다.

사회적 기본권의 보장방법은 국가의 직접적 경제활동이나 경제에 대한 개입을 통해 경제적 약자를 보호하거나 사회계층간의 대립되는 이익을 조정하는 방법과 국가적 보호를 요하는 국민에게 국가가 직접 일정한 급부를 제공하는 방법이 대표적이다. 사회적 기본권은 일부 계층을 배려하기 위한 것일 수는 있어도 계급적 이익을 보호하는 것일 수는 없다.

Ⅱ. 사회적 기본권의 연혁

1. 사상적 배경과 입법례

(1) 사회적 기본권의 이념적 원천을 어디에서 찾을 것인가에 대해서는 프랑스 대혁명 당시의 3대 이념(자유, 평등, 박애) 중 **박애**에서 찾는 견해, 19세기 공장노동자의 운동에서 찾는 견해, 19세기 사회주의이론가들의 사상에서 찾는 견해 등 다

근로조건을 개선함으로써 그들의 경제적·사회적 지위의 향상을 기하기 위한 것으로서 자유권적 기본권으로서의 성격보다는 '생존권 내지 사회권적 기본권'으로서의 측면이 보다 강한 것으로서 그 권리의 실질적 보장을 위해서는 국가의 적극적인 개입과 뒷받침이 요구되는 기본권이라고 표현하고 있다.

7) 헌재 1996. 10. 4. 96헌가6. 연금수급권은 사회보장수급권의 하나로서 인간다운 생활을 보장하기 위한 '사회적 기본권'의 성격과 아울러, 연금의 주요재원인 연금보험료의 일부를 수급권자 자신이 부담한다는 점과 이는 재산적 가치가 있는 권리라는 점에서 헌법 제23조에 의하여 보장되는 재산권의 성격을 갖는다고 표현하고 있다.

8) "생활에 필요한 제반조건을 국가권력이 적극적으로 관여하여 확보해 줄 것을 요청할 수 있는 권리"(김철수, 앞의 책, 1105면); "단체주의적 사회정의실현을 국가목적으로 하는 사회국가(복지국가)에서 국민의 인간다운 생활을 확보하기 위하여 일정한 국가적 급부와 배려를 국가에게 요구할 수 있는 권리"(권영성, 앞의 책, 644면); "경제적·사회적 약자와 소외계층, 특히 산업사회에서 대량으로 발생한 무산근로대중의 인간다운 생활을 보장하고 '정의로운 사회질서를 형성'하기 위하여 규정된 기본권"(계희열, 앞의 책, 700면) 등으로 정의하기도 한다.

양하다.[9] 그러나 법조사회주의 사상가인 **멩거**(Anton Menger)에게서 사회적 기본권의 이념이 잘 나타나 있다. 멩거는 생존권·노동권 및 전(全)노동수익권을 핵심내용으로 하는 경제적 기본권을 주장하였다. 그는 '생존권은 사회의 각 구성원이 그 생존에 필요불가결한 물자와 용역을, 그 필요성이 더욱 절박하지 않은 타인의 욕망의 충족에 선행하여 자기에게 귀속시킬 것을 요구할 수 있는 권리'라고 하였다. 1789년의 프랑스 인권선언이 자유와 권리에 대한 제1의 선언이라면, 사회적 기본권은 자유와 권리에 대한 제2의 선언이라고 할 수 있다

(2) 사회적 기본권은 자본주의의 폐해에 따른 사회문제를 극복하기 위해 등장한 것으로서, 1919년 바이마르헌법에서 최초로 규정되었다. 바이마르헌법 하에서의 사회적 기본권은 입법지침으로만 인식하는 것이 지배적이어서 재판규범성이 부정되었다(G. Anschütz). 제2차 대전 이후 유럽 각국의 헌법과 세계인권선언 등은 사회적 기본권을 수용하였다. 그러나 미국은 사회적 기본권의 실효성을 법률을 통해 보장한다. 바이마르헌법에는 다양한 유형의 사회적 기본권이 광범위하게 규정되었으나, 독일기본법에서는 많이 삭제되었다. 독일기본법이 명시적으로 수용하지 않은 사회적 기본권을 인정하기 위해 전통적 자유권을 참여권으로 재해석하는 사회적 참여권의 이론이 등장하였다.

(3) 사회주의국가의 헌법(1918년의 소련헌법)도 사회적 기본권을 규정하고 있는바, 그것을 사회주의적 사회권이라 하여 자본주의국가에서의 개량주의적 사회권과 구별한다.

2. 우리나라에서의 연혁

1948년 건국헌법에서 교육을 받을 권리, 근로의 권리, 근로3권, 노동력상실로 인한 생계곤란자의 국가보호 등을 규정한 이래로 사회적 기본권을 점차 확대하여 인정하고 있다. 1963년의 제3공화국헌법은 인간다운 생활권과 국가의 사회보장 증진의무를 새로 규정하였고, 1980년 제5공화국헌법은 평생교육·적정임금·국가유공자우선취업·사회복지증진 등을 새로 규정하였다. 1987년에 개정된 현행헌법은 최저임금제, 여자근로 차별금지, 여자복지·권익의 향상, 노인·청소년의 복지향상, 신체장애자의 보호, 모성보호, 국가의 주택개발정책과 쾌적한 주거생활, 국가의 재해예방·국민보호 등을 새로 규정하고 있다.

9) 홍성방, 앞의 책(중), 228면 이하; 계희열, 앞의 책(중), 701면 참조.

Ⅲ. 자유권적 기본권과 사회적 기본권의 비교

종래 자유권적 기본권과 사회적 기본권의 특성을 비교하는 것을 표로 정리해보면 다음과 같다. 개별 기본권에 따라 차이가 있고, 기본권의 성격도 다양하게 논의되는 현실에서 특성비교는 절대적이지는 않지만, 사회적 기본권의 이념과 성격 등을 이해하는 데 도움이 되리라고 생각한다.

		자유권적 기본권	사회적 기본권
이념		시민적 법치국가 개인주의 · 자유주의	복지국가(사회국가) 단체주의 · 사회주의(사회적 정의, 실질적 평등)
법적 성격		1. 소극적 · 방어적 권리 * 국가로부터의 자유 2. 형이상학적 권리 3. 구체적 권리 4. 물권적 · 지배권적 권리	1. 적극적 · 수익적 권리 * 국가에 의한 자유, 국가로의 자유 2. 형이하학적 권리 3. 추상적 권리(구체적 권리설 증대) 4. 채권적 · 청구권적 성격
주체		인간의 권리(최대한 보장)	국민의 권리
효력	국가	입법, 행정, 사법부 모두 구속	주로 입법권만 구속, 약한 재판규범성(학설대립)
	사인	넓은 대사인효	예외적인 인정
법률유보		권리제한적 법률유보	권리형성 내지 구체화적 법률유보
제한의 기준		제37조 제2항의 모든 사유(국가안전보장, 질서유지, 공공복리)	주로 국가안전보장, 질서유지 * 공공복리를 이유로 자유권을 제한한 것이 사회권의 출발점(공공복리를 이유로 사회권제한 불가)
자유권적 기본권과 사회적 기본권의 조화적 해석이 바람직하다.			

Ⅳ. 사회적 기본권의 법적 성격

1. 서 설

사회적 기본권은 국가의 적극적 개입에 의해 실현될 수 있고 법률에 의해 구체화된다. 즉 사회적 기본권은 국가의 적극적인 개입을 통하여 실현될 수 있는 권리란 점에서 국가의 부작위로 실현되는 자유권적 기본권과는 그 법적 성격을 달리한다. 이와 같은 이유로 특정한 사회적 기본권에 관한 헌법규정에만 근거해서도 개인이 국가를 상대로 직접 일정한 급부를 요구할 수 있는지, 아니면 구체적 입법이 제정되어야 비로소 구체적 권리로서 주장할 수 있는지 여부가 문제된다. 사회적 기본권을 규정한 헌법조항의 규정양식이 다양하여 획일적으로 법적 성격을 구명하기는 어려운 점이 존재하지만,[10] 사회적 기본권의 법적 성격에 대해서는 다양한 견해들이 대립하고 있다. 이하의 학설 중 입법방침설, 국가목표규정설, 입법위임설, 헌법위임설 등은 사회적 기본권은 원칙적으로 권리성을 갖지 못하며 그것은 단지 국가에게 사회권의 내용을 실현할 객관적 의무를 부여하는 헌법규정으로 보는 점에서 **객관설**이라 분류할 수 있으며, 추상적 권리설, 구체적 권리설, 불완전한 구체적 권리설, 원칙모델설 등은 정도의 차이는 있으나 주관적 권리성을 인정한다는 점에서 **주관설**이라 할 수 있다.

2. 학 설

(1) 입법방침규정설(프로그램규정설)

사회적 기본권에 관한 헌법규정은 국가의 사회정책적 목표 내지 입법방침을 선언한 것에 불과하므로, 국가가 구체적인 입법 또는 시설을 하지 않는 한 헌법규정만으로 국가에 대해 그 권리를 재판상 주장할 수는 없으며, 국회가 그에 관한 입법을 하지 않는다 하여 입법부작위 위헌확인을 구하는 등의 사법적 구제조치를 취할 수 없다는 견해이다. 이 견해는 국가재정이 불충분하면 국가가 국민의 사회적 기본권을 현실적으로 실현시킬 수 없으므로 사회적 기본권 규정은 장래에 대한 국가정책적 방침의 선언에 불과하며, 헌법은 사회적 기본권을 추상적으로만 규정하고 있을 뿐 국가의 법적 의무를 명시하지 않고 있으므로 사회적 기본권은 구체적·법적 권리가 아니라고 한다.

(2) 국가목표규정설

사회적 기본권은 헌법이 제시하는 국가목표(목적)규정(Staatszielbestimmung)이라고 한다. 국가목표규정은 모든 국가활동에 원칙과 지침을 제시하고 명령과 지시를 통하여 특정의 방향으로 국가활동을 정향시키고 실질적 과제를 부여한다는 것이다. 국가목표규정은 입법만이 아니라 사법과 행정의 모든 국가작용에 대해 구속력

---

10) 사회권을 실현시키는 여러 가지 가능성에 비추어 볼 때 사회권이 어떤 법적 성격을 가지는가는 전적으로 헌법제정자 또는 입법자가 어떠한 형태로 사회권을 실정화하는가에 달려 있다고 할 수 있기 때문에 오늘날 사회권의 일반적인 법적 성격을 논의하는 것은 그리 커다란 의미를 갖지 않는다는 비판이 있다(홍성방, 앞의 책(중), 236면).

을 갖는다고 본다.[11)]

(3) 입법위임규정설

사회적 기본권을 입법위임규정으로 보는 설이다. 입법위임(Gesetzgebungsauftrage)이란 입법자에게 특정 내용의 입법활동을 하도록 의무를 과하는 헌법적 지시를 말한다. 국가목표규정설과 입법위임설은 양자 모두 국가에 대하여 활동의무를 부과한다는 점에서 공통점을 갖지만, 국가목표규정은 입법, 행정, 사법의 모든 국가작용을 구속하는 데 반해 입법위임은 입법자만을 구속한다. 입법위임은 국가목표규정보다 강한 구속력을 갖는다.[12)]

(4) 헌법위임설

사회적 기본권 규정을 헌법위임으로 보는 견해이다. 헌법위임(Verfassunsauftrage)이란 국가권력에게 일정한 방향으로의 활동을 수행하여야 할 의무를 부과하는 헌법적 명령을 말한다.[13)] 헌법위임은 독일의 문헌이나 판례에서 입법위임의 의미로 이해되고 있는 것이 보통이지만 헌법위임은 입법만이 아니라 행정과 사법도 구속한다는 점에서 입법위임과 구별된다.[14)]

국가목표규정설은 사회적 기본권이 일반적인 형태로 입법자를 구속한다고 보나, 헌법위임설은 국가목표규정보다 명확하고 구체적으로 입법자에게 작용한다는 점에서 더 강한 구속력이 있다. 국가목표규정을 대체로 헌법위임규정과 동일시하는 견해도 있다.[15)] 따라서 입법부작위의 경우 헌법위임규정설에 의하면 헌법소원을 청구할 수 있는 등 강한 헌법통제수단이 된다고 한다.

---

11) 한수웅, 앞의 책, 967－968면.
12) 계희열, 앞의 책(중), 710면.
13) 홍성방, 앞의 책(중), 242－243면.
14) 홍성방 교수는 입법위임과 헌법위임을 동의어로 보고 입법위임설을 취하면서 생활무능력자의 생계비청구권은 인간다운 생활을 할 권리의 최소한의 내용으로서 구체적 권리라는 하나의 예외를 인정하고 있다(홍성방, 앞의 책(중), 242면). 장영수 교수는 사회적 기본권을 헌법에 규정된 것만으로 직접적용되는 구체적 권리로 보기 어렵고, 일종의 잠정적인 권리로(아직은 법적 권리로서 사법을 통해 담보되지 못하고 있는 것으로) 보아야 할 것이며, 그 성격은 입법자에 대한 헌법적 위임으로 보는 것이 타당하다고 한다. 그러나 입법자에 의해 구체적 입법이 만들어지는 순간 현실적 권리가 된다고 한다(장영수, 앞의 책, 791－792면).
15) 한수웅, "헌법소송을 통한 사회적 기본권의 실현의 한계", 인권과 정의, 1997. 1, 75면.

(5) 추상석 권리실

헌법이 사회적 기본권을 권리로 명시한 이상 사회적 기본권도 참정권·청구권과 같이 법적 권리이고, 국민은 헌법의 사회적 기본권 규정에 적합한 입법 기타 필요한 조치의 강구를 국가에 요구할 수 있는 법적 권리라고 한다. 그러나 사회적 기본권은 보장방법이 애매하여 불완전한 권리이고 사법적 절차에 의해 강제될 수 없는 추상적 권리라는 견해이다.[16] 추상적 권리설은 구체적 입법이 없는 한 사회적 기본권에 대한 사법적 구제를 받을 수 없다고 주장하는 점에서 프로그램권리설과 실질적으로 차이가 없다는 비판을 받기도 한다.

(6) 구체적 권리설

헌법상의 사회적 기본권 규정은 그것을 구체화하는 법률이 없더라도 직접적·현실적 효력을 가지며, 국민은 헌법규정에 근거하여 국가에 대해 사회적 기본권을 사법적 절차를 통해 법적 권리로서 주장할 수 있다는 견해이다.[17] 즉 사회적 기본권은 헌법적 권리이며 국가는 사회적 기본권을 실현시켜야 할 헌법적 의무가 생기기 때문에 국민은 국가에 대하여 생존에 관한 조치 등을 해줄 것을 적극적으로 요구할 수 있고 국가는 이에 대하여 적극적으로 응할 의무가 있다는 것이다. 또한 국가는 적절한 입법을 해야 할 의무가 있으며, 입법을 하지 않거나 불충분하게 하면 그것은 헌법에 위반된다는 것이다. 사회적 기본권의 입법부작위에 의하여 국민의 사회적 기본권이 침해된 경우에는 헌법소원을 통하여 입법부작위확인과 권리구제를 받을 수 있다(헌법재판소법 제68조 및 제75조 제2항)고 본다.[18] 그러나 구체적 권리설을 설명함에 있어 '사회적 기본권은 급부판결을 구하는 구체적 권리가 아니라 입법부에 대해 권리를 구체화하는 입법을 하도록 청구하는 구체적 권리이며, 입법부가 입법을 하지 않는 경우엔 입법부작위가 위헌임을 소송을 통해 다툴 수 있다'라고 설명하는 경우가 많은데, 이는 사실상 '구체적 권리설'에 대한 설명이 아니라 '반구체적(半具體的) 권리설' 또는 '불완전한 구체적 권리설'에 대한 설명이라고 본다.

---

16) 정만희, "생존권적 기본권의 법적 성격", 고시연구, 1995. 10, 27면; 문홍주, 앞의 책, 213면; 윤세창, 신헌법, 일조각, 1988, 154면

17) 김철수, 앞의 책(상), 1114면; 성낙인, 앞의 책, 1334면; 구병삭, 앞의 책, 608면. 추상적 권리는 물론 구체적 권리의 측면도 아울러 가지고 있다고 한다; 정재황, 앞의 책, 474면.

18) 김철수, 앞의 책(상), 1115면.

(7) 불완전한 구체적 권리설

이 학설은 사회적 기본권이 오늘날 불완전하나마 구체적인 권리로서의 성격을 지니고 있다는 점을 유의해야 하고 또 사회적 기본권은, 특히 인간다운 생활을 할 권리가 정신적 자유에 못지않게 중요한 의미를 가진다는 점을 감안하여 이제 사회적 기본권을 구체적 권리로 파악하는 적극적인 이론구성이 불가피하다는 인식을 가져야 한다고 전제하고 사회적 기본권을 불완전한 구체적 권리로 파악하고 있다.[19]

그 논거로 몇 가지 이유를 제시하고 있다. ⅰ) 모든 헌법규정은 공동체구성원들의 헌법생활과정에서 그 내용이 반드시 실현되어야 할 재판규범이라는 점, ⅱ) 경제적으로 열악한 절대빈곤층과 사회적 빈곤층에는 자유권적 기본권이나 정치적 기본권보다 사회적 기본권의 실질적 보장이 더욱 절실한 의미를 가진다는 점, ⅲ) 사회국가에서는 국가의 과제·목표의 중점을 사회적 기본권의 실현에 두어야 한다는 점, ⅳ) 헌법재판이라는 방법을 통하여 헌법불합치·입법촉구결정을 하는 것이 헌법규범구조상 반드시 불가능하지 않다는 점 등이 그것이다. 이러한 의미에서 사회적 기본권은 자유권적 기본권처럼 직접효력을 갖는 완전한 의미의 구체적 권리일 수는 없다 할지라도 일부 청구권적 기본권이나 정치적 기본권과 동일한 수준의 불완전하나마 구체적인 권리로서의 성격은 가지고 있다는 견해이다.[20]

(8) 원칙모델에 따른 권리설

알렉시(R. Alexy)의 원칙모델에 따르면 모든 사회적 기본권은 헌법규정에 의해 일단은 잠정적으로 개인에게 주관적 권리를 부여하지만 곧바로 확정적 권리가 되지 않고, 여러 요소의 형량을 거쳐 각기 다양한 정도로 실현된다는 이론이다.[21] 이처럼 사회적 기본권에 권리성을 부여하면서 구체적 사안에 따라 형량을 통하여 융통성 있게 실현하는 경우 종래의 학설들이 갖고 있는 문제점들은 어렵지 않게

19) 권영성, 앞의 책, 648면.

20) 위의 책, 648면.

21) 알렉시는 법규범을 **규칙**(Regel)과 **원칙**(Prinzip)으로 나누는데, '규칙'은 정해진 요건이 충족되면 규칙이 정하고 있는 결과가 확정적으로 발생하는 규범, 즉 '**확정적 명령**'이며 그 적용방식은 '**포섭**'이라고 하는 반면, '원칙'은 법적 가능성과 사실적 가능성의 테두리 내에서 가급적 높은 정도로 실현되도록 명령하는 규범, 즉 '**최적화 명령**'이며 그 전형적 적용방식은 '**형량**'이라고 한다(R. Alexy, Theorie der Grundrechte, 1985; 이준일, "'원칙'으로서의 기본권과 비례성'명령'", 공법연구, 제28집 제1호, 1999, 79면 이하; 계희열, 앞의 책, 712면 이하; 김학성·최희수, 앞의 책, 682면 이하 참조).

해결될 수 있다고 한다.[22]

(9) 비판 및 소결

객관설에 속하는 학설들은 부분적인 차이점은 존재하지만, 권리성을 부정하므로 입법부작위 등에 대해 전혀 다툴 수 없거나 명확하지 않은 면이 있어 생존권 보장이 미흡하다는 비판을 가할 수 있다. 그리고 우리 헌법이 사회적 기본권을 권리의 형태로 규정하고 있다는 점을 무시한다는 점도 문제된다.

권리설 중에서 추상적 권리설은 권리로 보기는 하나 이를 근거로 직접 구체적 청구권을 주장할 수는 없고 법률의 제정에 의하여 비로소 구체적 권리가 된다고 하기 때문에 객관설과 실질적으로 차이가 없다는 비판을 받는다.

사회적 기본권은 보장수단이 불확실하다는 점에서 자유권과 차이가 존재함은 사실이지만, 이러한 차이를 이유로 불완전한 권리라고 하는 것은 역시 보장수단이 불확실한 청구권적 기본권 등과 비교해서 부당하다.

알렉시의 원칙모델설은 기준이 불명확하고 생존권의 상대화를 가져온다는 단점이 있다.

구체적 권리설에 대해서는 사회적 기본권의 권리성을 인정하려고 노력하나 그 내용은 침해배제청구권의 수준을 넘지 못하며 실제로 사회적 기본권은 '구체적 권리'라는 표현에도 불구하고 입법에 의해 구체화되지 않으면 구체적·현실적 권리가 되지 못한다는 사실에 별다른 영향을 주지 못한다는 점에서 법이론적 논증이 미흡하다는 비판이 있다.[23]

사회적 기본권의 중요성과 그 실현의 필요성을 고려하고 헌법소원제도를 활성화함으로써 국가권력에 대한 구속력을 강화한다는 목적론적 견지에서 구체적 권리설이 타당하다고 생각한다. 다만 헌법규정에 따라서는 다른 성격을 가지는 사회적 기본권을 인정할 수 있을 것이다.

3. 판 례

헌법재판소가 사회적 기본권 일반에 대한 법적 성격과 관련하여 어떠한 입장을 취하고 있는가는 명확히 판단하기 어렵다. 개별 기본권에 따라 다소 다른 입장을 보이는 것으로 파악할 수 있다.

---

22) 계희열, 앞의 책(중), 718면.
23) 계희열, 앞의 책(중), 717면.

인간다운 생활을 할 권리와 관련해서는 객관적으로 필요한 최소한도의 생활 즉 최소한의 물질적 생활의 유지에 필요한 급부를 요구할 수 있는 권리는 상황에 따라 구체적 권리가 직접 도출될 수 있어도, 동 기본권이 직접 그 이상의 급부를 내용으로 하는 구체적인 권리를 발생하게 한다고 볼 수 없고 이러한 구체적 권리는 국가가 재정형편 등 여러 가지 상황들을 종합적으로 감안하여 법률을 통하여 구체화할 때에 비로소 인정되는 법률적 권리라고 결정한 바 있다.[24]

사회보장수급권에 대해서는 그것이 헌법상의 권리라고 하면서도 그것이 구체적인 권리로 형성되려면 그 수급요건, 수급자의 범위, 수급액 등을 구체적으로 정하는 법률이 제정되어야 한다고 판시하였다.[25] 한편 장애인을 위한 저상버스 도입의무에 관한 결정에서 헌법재판소는 사회적 기본권을 국가의 모든 의사결정과정에서 사회적 기본권이 담고 있는 국가목표를 고려하여야 할 국가의무를 의미한다고 판시한 바 있다.[26]

4. 사회적 기본권의 구체적인 실현방법

(1) 입법의 부존재(진정입법부작위)

입법의무가 존재함에도 불구하고 입법부가 사회적 기본권을 구체화하는 입법을 하지 않는 진정입법부작위의 경우에는 헌법소원이 인정될 수 있으며, 이를 통하여 헌법불합치, 입법촉구결정이 가능하다고 본다.[27]

그러나 행정소송법에서의 소송유형과 마찬가지로 부작위법확인소송이나 이행소송가능 여부는 권력분립의 원리에 반한다는 견해가 지배적이다. 별도의 헌법소송법적 절차가 필요하다는 견해도 있다.

(2) 입법의 불충분(부진정입법부작위)

입법이 이루어지기는 하였으나, 불완전·불충분하여(부진정입법부작위), 사회적 기본권의 실현이 충족되지 않을 경우에는 불완전한 법규에 대한 위헌법률심판청구가 가능하고, 불완전한 법규 자체를 대상으로 법규(령)헌법소원이 가능하다고 본다. 이를 통하여 헌법재판소는 헌법불합치결정과 더불어 입법(법률개정)촉구결정이

---

24) 헌재 1995. 7. 21. 93헌가14.
25) 헌재 1995. 7. 21. 93헌가14.
26) 헌재 2002. 12. 18. 2002헌마52.
27) 헌재 1989. 3. 17. 88헌마1 참조.

가능하다고 본다.[28)]

(3) 위헌적 입법

국회가 적극적 입법을 통하여 사회적 기본권을 침해하는 경우에는 재판의 전제가 된 경우 법률에 대한 위헌법률심판청구가 가능하다. 또한 그 법률에 의하여 직접 기본권을 침해받은 자는 법률에 대한 헌법소원을 제기할 수 있으며, 헌법소원을 통하여 위헌확인이 가능하다고 본다.[29)]

다만 헌법재판소는 국가가 생계보호에 관한 입법을 전혀 하지 아니하였다든가 그 내용이 현저히 불합리하여 헌법상 용인될 수 있는 재량의 범위를 명백히 일탈한 경우에 한하여 헌법에 위반된다고 판시한 바 있다.[30)]

(4) 구체적이고 충분한 입법

사회적 기본권의 실현과 관련된 충분한 입법이 만들어진 경우에도 행정이 이를 이행하지 않을 경우에는 개인은 행정청에 대한 완전한 급부청구권을 가진다. 위법한 행정처분으로 권리침해가 된 경우에는 행정쟁송으로 구제가 가능하며, 위법한 행정입법으로 권리가 침해된 경우에는 위헌·위법 명령·규칙심사를 통해서도 구제받을 수 있다.

▣ 사회적 기본권의 법적 성격에 따른 구제의 가능성

	방침규정설	추상적 권리설	구체적 권리설
법률유보 없이 행정권을 구속할 수 있는지의 여부	×	×	○
입법부작위를 이유로 하는 헌법소원의 청구인적격	×	×	○
법률유보가 있는 경우 주관적 공권성의 인정 여부	×	○	○
방해배제청구권의 인정 여부	×	○	○

28) 권영성, 앞의 책, 651면.
29) 권영성, 앞의 책, 651면. 법률이 근로의 권리와 인간다운 생활을 할 권리를 침해하는 경우에는 단순한 위헌확인에 그치지 않고 직장알선청구권 또는 생계비지급청구권 등이 헌법상 보장되는 기본권의 하나임을 확인한다는 뜻의 결정까지 내릴 수 있다고 한다.
30) 헌재 1997. 5. 29. 94헌마33.

Ⅴ. 현행 헌법상 생존권적 기본권의 체계

1. 헌법에 보장된 사회적 기본권 규정

헌법에 명시적으로 규정된 사회적 기본권으로는 ⅰ) 교육을 받을 권리(제31조), ⅱ) 근로의 권리와 최저임금수령권(제32조), ⅲ) 근로3권(제33조), ⅳ) 인간다운 생활을 할 권리와 사회보장수급권(제34조), ⅴ) 환경권(제35조), ⅵ) 혼인·가족생활권과 보건권(제36조) 등이 있다.

2. 사회적 기본권 관련 규정

인간의 존엄과 가치·행복추구권(제10조), 평등권, 재산권행사의 사회적 기속성과 공공필요에 의한 재산권의 제한 규정(제23조)과 사회적 시장경제질서에 관한 규정(제119조 이하)도 사회적 기본권의 실현과 관련이 있는 규정이다.

제2절 인간다운 생활을 할 권리

Ⅰ. 헌법규정 및 연혁

1. 헌법규정

헌법은 제34조 제1항에서 인간다운 생활을 할 권리를 보장하고, 동 제2항에서 제6항까지 이를 실효적인 것으로 하기 위한 규정(사회보장수급권)을 두고 있다.

제34조 ① 모든 국민은 인간다운 생활을 할 권리를 가진다.
② 국가는 사회보장·사회복지의 증진에 노력할 의무를 진다.
③ 국가는 여자의 복지와 권익의 향상을 위하여 노력하여야 한다.
④ 국가는 노인과 청소년의 복지향상을 위한 정책을 실시할 의무를 진다.
⑤ 신체장애자 및 질병·노령 기타의 사유로 생활능력이 없는 국민은 법률이 정하는 바에 의하여 국가의 보호를 받는다.
⑥ 국가는 재해를 예방하고 그 위험으로부터 국민을 보호하기 위하여 노력하여야 한다.

2. 연 혁

인간다운 생활을 할 권리는 1919년 바이마르헌법에서 처음으로 규정한 것으로 알려지고 있다. 즉, "경제생활의 질서는 모든 사람의 **인간다운 생활**(menschen-würdiges Dasein)을 보장하려는 목적과 함께 정의의 제원칙에 상응하지 않으면 안 된다"고 규정하고 있다(바이마르헌법 제151조 1문). 우리나라에서는 제3공화국 헌법(5차 개정헌법)에서 인간다운 생활을 할 권리를 신설하였으며, 현행헌법에서 여자의 복지 · 권익향상, 노인 · 청소년의 복지향상, 신체장애자의 보호, 재해예방 및 위험으로부터의 국민보호의무 등을 신설하였다.

Ⅱ. 인간다운 생활을 할 권리의 체계상 지위

제34조 제1항의 인간다운 생활을 할 권리를 사회적 기본권 속에서 그 체계를 이해함에 있어서는 약간의 견해차가 존재한다. 인간다운 생활을 할 권리는 일련의 사회적 기본권 중에서도 핵심적인 조항이므로 **사회적 기본권의 이념적·총칙적 규정**이라 할 수 있고, 그 밖의 사회적 기본권은 인간다운 생활권을 실현하기 위한 수단적 권리로 이해하는 견해[31]와 인간다운 생활을 할 권리를 주생존권으로 이해하고 기타 사회적 기본권은 여기에서 파생하는 개별적 생존권으로 이해하는 견해,[32] 인간다운 생활권은 인간의 존엄성을 실현하기 위한 최소한의 방법적 기초를 뜻하고, 경제생활에 관한 기본권들의 이념적 기초를 뜻할 뿐 아니라 국가의 경제정책과도 불가분의 함수관계에 있다고 보는 견해[33] 등이 그것이다. 어느 견해(주생존권으로 보는 견해는 협의의 인간다운 생활을 할 권리)나 인간다운 생활을 할 권리가 사회적 기본권에서 핵심적인 권리이고 이념적인 권리란 점을 인정하고 있는 점에

31) 권영성, 앞의 책, 655면; 한수웅, 앞의 책, 1054면. 사회적 기본권의 이념적 기초이자 일반조항으로 이해한다.

32) 김철수, 앞의 책(상), 1118면 이하. 주생존권인 인간다운 생활을 할 권리는 ⅰ) 문화적 생존권(교육을 받을 권리, 문화생활을 할 권리), ⅱ) 사회적 생존권(가족생활과 혼인생활을 할 권리), ⅲ) 경제적 · 물질적 생존권(최저한도의 물질적 생활을 할 권리, 사회보장청구권, 생활보호청구권), ⅳ) 노동생존권(노동을 할 권리, 노동자의 근로3권), ⅴ) 환경권(쾌적한 환경생활권, 주거의 권리), ⅵ) 건강권(보건에 관한 권리, 의료보호청구권) 등의 개별적 생존권으로 분화한다고 한다. 그러면서 협의의 인간다운 생활을 할 권리의 내용으로 사회보장을 받을 권리, 생활보장을 받을 권리, 재해예방과 위험으로부터의 보호의 권리, 산업재해보상보험청구권 등을 설명하고 있다.

33) 허영, 앞의 책, 565－566면.

서 큰 차이는 없다고 보인다.[34] 아무튼 인간다운 생활을 할 권리는 인간의 존엄과 가치를 사회적 기본권영역에서 실현하기 위한 일반적인 사회권으로 기능하면서, 다른 사회권의 목적조항으로서의 역할을 수행한다.

인간다운 생활을 할 권리와 국가의 사회복지 · 사회보장 증진의무

"'인간다운 생활을 할 권리'는 여타 사회적 기본권에 관한 헌법규범들의 이념적인 목표를 제시하고 있는 동시에 국민이 인간적 생존의 최소한을 확보하는 데 있어서 필요한 최소한의 재화를 국가에게 요구할 수 있는 권리를 내용으로 하고 있다. 국가의 사회복지 · 사회보장증진의 의무도 국가에게 물질적 궁핍이나 각종 재난으로부터 국민을 보호할 대책을 세울 의무를 부과함으로써, 결국 '인간다운 생활을 할 권리'의 실현을 위한 수단적인 성격을 갖는다고 할 것이다."

헌재 1995. 7. 21. 93헌가14

Ⅲ. 인간다운 생활을 할 권리의 법적 성격

인간다운 생활을 할 권리는 사회적 기본권의 핵심적인 권리 내지 주생존권이기 때문에 앞에서 논의된 사회적 기본권의 법적 성격에 대한 논의가 인간다운 생활을 할 권리의 법적 성격에도 원칙적으로 적용된다고 하겠다. 인간다운 생활을 할 권리의 법적 성격을 불완전한 구체적 권리로 파악하는 견해,[35] 사회국가실현의 국가적 의무를 내포하는 국민의 구체적 권리로서 그 구체적인 내용은 생활무능력자의 국가에 대한 보호청구권과 각종 사회복지수혜권이라는 견해,[36] 개개의 국민이 국가에 대하여 구체적 청구권을 갖는 권리로 파악하는 견해,[37] 일차적으로 국가의 적극적인 사회국가적 활동과 급부를 통하여 모든 국민의 인간다운 생활을 실현해야 할 국가의 객관적인 목표의 성격을 가진다는 견해[38] 등이 있다.

---

34) 필자는 인간다운 생활을 할 권리를 **주생존권**으로 보고, 이에서 파생된 **개별적 생존권**을 경제적 생존권(노동기본권, 사회보장을 받을 권리, 주거권), 사회 · 문화적 생존권(혼인 · 가족생활에 관한 권리, 보건에 관한 권리, 환경권, 교육을 받을 권리), 평화적 생존권으로 파악한 바 있다(김수갑, 인간다운 생활을 할 권리, 서울대학교 대학원 법학석사학위논문, 1989, 49면 이하).

35) 권영성, 앞의 책, 657면.

36) 허영, 앞의 책, 567면; 홍성방 교수는 인간다운 생활을 할 권리는 입법위임규정으로 보면서도 생활무능력자의 생계비청구권은 인간다운 생활을 할 권리의 최소한의 내용으로서 구체적 권리라고 한다(홍성방, 앞의 책(중), 288면).

37) 김철수, 앞의 책(상), 1121면.

38) 한수웅, 앞의 책, 1055면. 다른 측면에서는 국가의 의무이행 여부 및 정도를 헌법소원을 통해서 다툴 수 있는 소송법적 권리를 내포하고 있다고 한다.

인간다운 생활을 할 권리를 주생존권으로 보면, 광의로는 다른 사회적 기본권을 포함하는 포괄적 권리의 성격을 가지고, 협의로는 핵심적인 사회보장을 받을 권리를 주된 내용으로 하게 된다. 앞에서 살펴본 사회적 기본권의 법적 성격은 사회적 기본권의 일반적 성격을 다룬 것으로 여기서도 구체적 권리설이 타당하다고 논증하였는데,[39] 하물며 인간의 존엄과 가치와 직접 연결되는 협의의 인간다운 생활을 할 권리는 더욱 더 구체적 권리설로 파악할 정당성을 가지게 된다.[40]

1. 1994년 생계보호기준 위헌확인사건

【판시사항】

보건복지부장관이 고시한 생활보호사업지침상의 "94년 생계보호기준"이 헌법상의 행복추구권과 인간다운 생활을 할 권리를 침해하는 것인지의 여부

【결정요지】

1. 모든 국민은 인간다운 생활을 할 권리를 가지며 국가는 생활능력 없는 국민을 보호할 의무가 있다는 헌법의 규정은 입법부와 행정부에 대하여는 국민소득, 국가의 재정능력과 정책 등을 고려하여 가능한 범위 안에서 최대한으로 모든 국민이 물질적인 최저생활을 넘어서 인간의 존엄성에 맞는 건강하고 문화적인 생활을 누릴 수 있도록 하여야 한다는 행위의 지침 즉 **행위규범**으로서 작용하지만, 헌법재판에 있어서는 다른 국가기관 즉 입법부나 행정부가 국민으로 하여금 인간다운 생활을 영위하도록 하기 위하여 객관적으로 필요한 최소한의 조치를 취할 의무를 다하였는지의 여부를 기준으로 국가기관의 행위의 합헌성을 심사하여야 한다는 **통제규범**으로 작용하는 것이다. 그러므로 국가가 인간다운 생활을 보장하기 위한 헌법적인 의무를 다하였는지의 여부가 사법적 심사의 대상이 된 경우에는, 국가가 생계보호에 관한 입법을 전혀 하지 아니하였다든가 그 내용이 현저히 불합리하여 헌법상 용인될 수 있는 재량의 범위를 명백히 일탈한 경우에 한하여 헌법에 위반된다고 할 수 있다.

2. 국가가 행하는 생계보호의 수준이 그 재량의 범위를 명백히 일탈하였는지의 여부, 즉 인간다운 생활을 보장하기 위한 객관적 내용의 최소한을 보장하고 있는지의 여부는 생활보호법에 의한 생계보호급여만을 가지고 판단하여서는 아니 되고 그 외의 법령에 의거하여 국가가 생계보호를 위하여 지급하는 각종 급여나 각종 부담의 감면 등을 총괄한 수준을 가지고 판단하여야 하는바, 1994년도를 기준으로 생활보호대상자에 대한 생계보호급여와 그 밖의 각종 급여 및 각종 부담감면의 액수를 고려할 때, 이 사건 생계보호기준이 청구인들의 인간다운 생활을 보장하기 위하여

39) 사회적 기본권의 법적 성격 부분 참조.
40) 김수갑, 앞의 논문, 31－48면 참조.

국가가 실현해야 할 객관적 내용의 최소한도의 보장에도 이르지 못하였다거나 헌법상 용인될 수 있는 재량의 범위를 명백히 일탈하였다고는 보기 어렵고, 따라서 비록 위와 같은 생계보호의 수준이 일반 최저생계비에 못미친다고 하더라도 그 사실만으로 곧 그것이 헌법에 위반된다거나 청구인들의 행복추구권이나 인간다운 생활을 할 권리를 침해한 것이라고는 볼 수 없다.

헌재 1997. 5. 29. 94헌마33

2. 구 국가유공자예우 등에 관한 법률 제70조 등 위헌소원

헌법재판소는 "장애인에 대한 생활보호를 위하여 일정한 혜택을 부여하는 법률조항이 헌법에 위배되는지 여부는 입법부가 장애인으로 하여금 인간다운 생활을 영위하도록 하기 위하여 객관적으로 필요한 최소한의 조치를 취할 의무를 다하였는가를 기준으로 판단하여야 할 것인바 …… "라고 판시하였다.

헌재 1999. 12. 23. 98헌바33

3. 국가유공자예우 등에 관한 법률 제9조 본문 위헌제청

"'인간다운 생활을 할 권리'로부터는, 그것이 사회복지·사회보장이 지향하여야 할 이념적 목표가 된다는 점을 별론으로 하면, 인간의 존엄에 상응하는 생활에 필요한 '**최소한의 물질적인 생활**'의 유지에 필요한 급부를 요구할 수 있는 구체적인 권리가 상황에 따라서는 직접 도출될 수 있다고 할 수는 있어도, 동 기본권이 직접 그 이상의 급부를 내용으로 하는 구체적인 권리를 발생케 한다고는 볼 수 없다고 할 것이다. 이러한 구체적 권리는 국가가 재정형편 등 여러 가지 상황들을 종합적으로 감안하여 법률을 통하여 구체화할 때에 비로서 인정되는 법률적 차원의 권리라고 할 것이다. 그러므로 이 사건 규정의 입법자도 전공상자 등에게 인간다운 생활에 필요한 최소한의 물질적 수요를 충족시켜 주고 있고 헌법상의 사회보장, 사회복지의 이념과 국가유공자에 대한 우선적 보호이념에 명백히 어긋나지 않는 한 광범위한 입법재량권을 행사할 수 있다고 할 것이다."

헌재 1995. 7. 21. 93헌가14

4. 헌법재판소 판례의 입장

헌법재판소는 인간다운 생활을 할 권리는 최소한의 물질적 생활을 요구할 수 있는 권리로 보고 그러한 범위 내에서 구체적 권리라고 보고 있으며, 그 이상의 급부를 내용으로 하는 경우는 법률상의 권리로 보고 있다. 즉 인간다운 생활을 할 권리의 구체적 실현형태에 따라 법적 성격에 차이가 있다는 입장이라고 할 수 있다.

Ⅳ. 인간다운 생활을 할 권리의 주체와 효력

1. 주 체

인간다운 생활을 할 권리는 사회적 기본권으로서 원칙적으로 국민이 향유하는 권리이다. 성격상 법인에게는 인정되지 아니한다. 외국인은 원칙적으로 주체가 될 수 없지만, 법률이 정하는 바에 따라 인정할 수 있으며 그것은 바람직한 현상이다.[41]

2. 효 력

인간다운 생활을 할 권리는 국가에 대한 급부청구권이기 때문에 대국가적 효력을 가진다. 대국가적 구속력에 대해서는 권리의 성격을 어떻게 파악하느냐에 따라 차이가 있다. 인간다운 생활을 할 권리가 대사인적 효력을 가지느냐에 대해서는 본질적으로 부정하는 견해[42]와 기본권의 대사인적 효력에 관한 간접적 효력의 이론에 따라 일정한 요건 하에 인정된다는 견해[43]의 대립이 있다. 국가에 대한 급부청구권이 사인에 의해서 침해되는 상황은 생각하기 힘들다고 본다.[44]

Ⅴ. 인간다운 생활을 할 권리의 내용

1. 인간다운 생활을 할 권리의 개념

인간다운 생활을 할 권리는 인간의 존엄성에 상응하는 최소한의 급부를 국가에

---

41) 외국인의 주체성 여부는 호혜주의원칙에 따라 결정될 문제라고 하는 견해가 있으며(홍성방, 앞의 책(중), 288면), 사회적 기본권은 법률에 의한 구체화를 통해서 그 내용과 효력이 확정되기 때문에 외국인에 대한 구체적 보호 여부 및 정도는 법률에 의해서 비로소 정해지기 때문에 외국인의 기본권주체성을 부정하는 것이 갖는 실익은 그다지 크지 않다고 하는 견해(장영수, 앞의 책, 803면)도 있다.

42) 계희열, 앞의 책(중), 732면; 김학성·최희수, 앞의 책, 696면.

43) 김철수, 앞의 책(상), 1122면; 성낙인, 앞의 책, 1341면; 권영성, 앞의 책, 659면. 인간다운 생활을 할 권리의 자유권적 측면은 사인 간에도 간접적용설에 입각한 제3자적 효력이 인정되는 경우가 없지 않다고 한다.

44) 제3자에 의한 사회적 기본권의 방해를 문제 삼아서 이를 배제하는 것이 사회적 기본권의 대사인적 효력이라고 보는 것은 문제가 있다는 지적이 있다. 즉 사회적 기본권은 어디까지나 국가에 대한 급부청구를 그 보호내용으로 하는 것이며, 기본권을 비롯한 권리행사에 대한 방해는 그 자체로서 별도로 취급되기 때문이라고 한다. 이러한 방해에 대한 보호는 그 방해의 내용과 방식에 따라 여러 기본권 특히 자유권적 기본권과 절차적 기본권의 행사를 통하여 확보될 수 있을 것이라고 한다(장영수, 앞의 책, 805면). 타당한 견해라 생각된다.

게 청구하는 권리이다. 문제는 인간의 존엄성에 상응하는 최소한의 수준을 어떻게 파악할 것인가에 있다. 이 문제와 관련해서는 견해의 대립이 있다. 크게 문화적 최저생활로 보는 견해와 물질적 최저생활로 보는 견해로 대별된다.

(1) 문화적 최저생활로 보는 견해

이와 관련해서도 약간의 차이는 있다. 예를 들어 "인간의 존엄성 유지에 상응하는 건강하고 문화적인 생활"이라고 보는 견해,[45] "개인과 그의 가족에게 건강과 행복, 특히 의식주, 의료 및 필요한 사회적 시설을 확보하기에 충분한 생활",[46] "인간으로서의 가치와 인격을 유지하고 그 존엄성이 보장되는 수준의 육체적 건강과 정신적 생활을 영위할 권리와 그러한 생활을 뒷받침하기 위한 물질적·정신적 서비스를 국가에 대하여 요구할 수 있는 권리"라고 보는 견해[47] 등이 있다.

(2) 물질적 최저생활로 보는 견해

"물질적인 궁핍으로부터의 해방을 그 주된 내용으로 하는 물질적 최저생활권"이라고 보는 견해,[48] 거의 같은 의미로 "인간의 생존에 필요한 물질적인 생활"로 보는 견해[49] 등이 있다. 판례는 앞에서 본 바와 같이 "인간의 존엄에 상응하는 생활에 필요한 '최소한의 물질적인 생활'의 유지에 필요한 급부를 요구할 수 있는 구체적인 권리가 상황에 따라서는 직접 도출될 수 있다고 할 수는 있어도, 동 기본권이 직접 그 이상의 급부를 내용으로 하는 구체적인 권리를 발생케 한다고는 볼 수 없다고 할 것이다"라고 있어서 기본적으로 물질적인 최저생활로 이해하고 있는 입장이라고 하겠다.[50]

---

45) 권영성, 앞의 책, 658면; 구병삭, 앞의 책, 613면; 성낙인, 앞의 책, 1341면. 인간다운 생활의 의미를 인간의 존엄성에 상응하는 건강하고 문화적인 최저한도로 이해하면서, 그 최소한의 의미는 인간이 정상적인 사회생활을 할 수 있는 정도의 인간다운 최저생존으로 이해한다.

46) 홍성방, 앞의 책(중), 288면.

47) 정재황, 앞의 책, 477면.

48) 허영, 앞의 책, 564면; 김학성·최희수, 앞의 책, 688면. 인간다운 생활을 최소한의 물질적 생존 보장으로 보면서 물질적 최저생존보장의 수준을 일률적으로 정하기는 어렵지만, 최저생계비 수준은 되어야 한다고 한다.

49) 계희열, 앞의 책(중), 723면. 인간의 생존에 필요한 물질생활은 경제적·사회적 여건에 따라 변할 수 있으며 물질생활에는 단순히 의·식·주만이 아니라 의료 환경도 포함된다고 한다.

50) 헌재 1995. 7. 21. 93헌가14.

(3) 결 어

인간다운 생활을 할 권리를 인간의 존엄성에 상응하는 최소한의 급부를 국가에 청구하는 권리로 인정한다면, 최소한의 수준은 건강하고 문화적인 생활을 할 수 있는 정도로 이해해야 한다. 물질적인 최저 생존보장으로 보고 그것만큼은 구체적 권리로 보고자 하는 충정은 이해되지만, 인간답다는 의미에 건강하고 문화적인 면이 포함되지 않는다면 그 의미는 퇴색할 수밖에 없다. 건강하고 문화적인 생활은 다른 기본권들과 기본권주체들의 노력에 의해서 실현하면 된다는 점도 이해 못할 바는 아니지만, 인간다운 생활을 할 권리가 사회적 기본권의 이념적 기초 내지 핵심적 권리라는 측면에서 본다면 다른 사회적 기본권 운영에 지침이 되어야 하는데, 최소한의 물질적 생존의 보장에 국한한다는 해석은 부당히 인간다운 생활의 수준을 저하시킬 위험성이 있다고 하겠다. 국가의 예산의 문제가 있지만, 인간다운 생활을 할 권리의 이념적 성격은 국가예산을 지도하는 원리로 작용해야 한다.

한편 물질적 최저생존보장을 주장하는 견해도 생활보호청구권(기초생활수급권)을 인간다운 생활을 할 권리의 본질적 내용으로 파악하고 있는데, 국민기초생활보장법은 최저생계비를 "국민이 건강하고 문화적인 생활을 유지하기 위하여 필요한 최소한의 비용"으로 정의하고(동법 제2조 제7호), 또한 "이 법에 따른 급여는 건강하고 문화적인 최저생활을 유지할 수 있는 것이어야 한다"고 급여기준을 정하고 있다(동법 제4조 제1항). 헌법의 인간다운 생활보장을 최소한의 물질적인 생활로 보는 해석 하에서 가장 본질적인 내용을 정한 국민기초생활보장법에서 요구하는 건강하고 문화적인 최저생활 유지의 기준이 제대로 지켜질 수 있는가는 의문이다.[51]

물론 문화적 최저생활로 보는 견해나 물질적 최저생활로 보는 견해나 그 구체적인 기준을 최저생계비로 정하고 있고, 물질적 최저생활에는 의·식·주뿐 아니라 의료·환경도 포함된다는 견해도 있는 점에서 양자는 접근하고 있고, 구별의 실익도 크지 않다는 주장도 일리가 있지만, 인간다운 생활을 할 권리가 사회적 기본권에서 차지하는 위치나 기능에서 보면 문화적인 최저생활로 보는 것이 옳다고 본다.[52] 그리고 오늘날 생활과학 등의 도움으로 무엇이 건강하고 문화적인 최저한도의 생활인가는 일정시점에서 확정이 가능하다고 보며, 그 수준은 국가가 구체적 권리로서 보호해주어야 한다.[53]

---

51) 구 생활보호법 제5조도 참조.
52) 김수갑, 앞의 논문, 9-16면 참조.
53) 헌법재판소는 " …… '인간다운 생활'이란 그 자체가 추상적이고 상대적인 개념으로서 그 나

2. 인간다운 생활의 보장

인간다운 생활을 할 권리의 보장은 넓은 의미에서는 제34조 제2항 이하에서 일련의 개별적인 사회적 기본권의 보장을 통해서 이루어지며, 또한 제119조 제2항 이하의 경제조항을 통해서도 이루어진다. 다만 인간다운 생활을 할 권리를 좁은 의미로 본다면, 제34조 제2항에서 제6항까지 규정된 사회보장수급권을 통해서 이루어진다고 하겠다.

Ⅵ. 인간다운 생활을 할 권리의 제한과 한계

인간다운 생활을 할 권리도 원칙적으로 제37조 제2항에 따라 제한될 수 있다. 다만 공공복리를 위하여 제한할 수 있는가가 문제되는데, 인간다운 생활을 할 권리 자체가 공공복리의 내용이기 때문에 제한이 불가능하다는 견해[54]와 국가안전보장과 질서유지의 목적과 함께 공공복리를 이유로도 특수한 상황에서는 제한이 가능하다는 견해[55]의 대립이 있다.

인간다운 생활을 할 권리를 제한하는 경우에도 본질적인 내용을 침해할 수 없다. 인간다운 생활을 할 권리의 본질적인 내용으로 생활무능력자의 권리를 드는 견해[56]도 있으나, 헌법재판소의 판례[57]는 부정적으로 보고 있다고 하겠다.

인간다운 생활을 할 권리의 본질적 내용을 물질적인 최저생활로 보는 한 인간

라의 문화의 발달, 역사적 · 사회적 · 경제적 여건에 따라 어느 정도는 달라질 수 있는 것이고, '최소한도의 조치' 역시 국민의 사회의식의 변화, 사회 · 경제적 상황의 변화에 따라 가변적인 것이므로, 국가가 인간다운 생활을 보장하기 위한 생계급여의 수준을 구체적으로 결정함에 있어서는 국민 전체의 소득수준과 생활수준, 국가의 재정규모와 정책, 국민 각 계층의 상충하는 갖가지 이해관계 등 복잡 다양한 요소를 함께 고려해야"한다고 한다(헌재 2004. 10. 28. 2002헌마328).

54) 허영, 앞의 책, 570-571면. 허영 교수는 인간다운 생활을 할 권리를 물질적인 최저생활의 보장으로 이해하는 한 국가안전보장과 질서유지를 위해서 이 권리가 반드시 제한되어야 할 필요가 있는 경우를 쉽게 생각할 수 없어 인간다운 생활을 할 권리는 법률로서 제한하기에 적합하지 않은 기본권이라고 한다. 다만 인간다운 생활을 할 권리에 내포된 국가의 사회국가실현의무만은 국가안전보장, 국가의 재정사정 등을 고려하여 단계적으로 점진적으로 이행이 가능할 것이고 또 그것이 바람직하다고 한다.

55) 김학성 · 최희수, 앞의 책, 696면.

56) 홍성방, 앞의 책(중), 293면.

57) "생계보호의 수준이 일반 최저생계비에 못 미친다고 하더라도 그 사실만으로 곧 그것이 헌법에 위반된다거나 청구인들의 행복추구권이나 인간다운 생활을 할 권리를 침해한 것이라고는 볼 수 없다"(헌재 1997. 5. 29. 94헌마33).

다운 생활을 할 권리는 제한이 불가능한 절대적 기본권으로 볼 가능성이 높다. 그러나 인간다운 생활을 할 권리도 제한이 불가능한 절대적 권리는 아니라고 본다. 이러한 점에서도 인간다운 생활을 할 권리를 문화적인 최저생활의 보장에 있다고 보는 것이 타당하다고 생각한다.

Ⅶ. 인간다운 생활을 할 권리의 침해와 구제

인간다운 생활을 할 권리가 국가권력에 의해 침해될 때에는 앞에서 설명한 사회적 기본권의 구체적인 실현방법에서의 구제책 등이 가능하다고 하겠다.

제3절 사회보장수급권

Ⅰ. 사회보장수급권의 의의

사회보장수급권 내지 사회보장을 받을 권리란 "**사회적 위험**(신체장애 · 질병 · 노령 · 실직 등)으로 말미암아 요보호상태에 있는 개인이 인간다운 생활을 영위하기 위하여 국가에 대해 일정한 내용의 적극적 급부를 요구할 수 있는 권리"로 이해된다.[58] 우리 헌법은 제34조 제1항의 인간다운 생활을 할 권리를 보장하기 위하여, 제2항에서 제6항까지 국민의 사회보장수급권에 관계되는 규정을 두고 있다. 학자에 따라서는 사회보장수급권과 생활보호청구권을 구별하여 설명하고 있지만,[59] 생활보호청구권도 넓은 의미의 사회보장에 속하는 것이기 때문에 여기서는 사회보장수급권 속에서 생활보호청구권을 포함시켜 다룬다. 한마디로 사회보장수급권은 사회보험, 공공부조, 사회복지를 통하여 국민의 인간다운 생활을 보장하기 위한 기본권이라 할 수 있다.

Ⅱ. 사회보장수급권의 법적 성격

사회보장수급권은 국가에 대하여 적극적으로 사회보장적인 급부를 요구할 수 있는 권리이다. 이러한 사회보장수급권은 제34조 제1항에 의한 인간다운 생활을

58) 권영성, 앞의 책, 660면.
59) 홍성방, 앞의 책(중), 289－292면.

보장하기 위하여 사회적 위험으로부터 인간적 생존을 보장하는 데 의미가 있다. 사회보장수급권은 본질적으로 사회권(생존권)이며, 인간다운 생활을 할 권리의 중요한 내용을 구성한다. 따라서 사회보장수급권의 법적 성격은 인간다운 생활을 할 권리의 법적 성격을 참고하면 될 것이다.

비록 사회보장수급권이 경제적 약자의 경제적 자유를 향한 경제적 기본권의 성격도 갖고 있기는 하지만 그 본질은 **사회권(생존권)**에 기초해 있다.[60]

사회보장수급권은 일반적으로 공공부조를 제외하고 개인의 기여금(건강보험, 연금보험)이나 희생(산재보험, 상이연금)을 바탕으로 형성된 것이기 때문에 사회권적인 성격 외에 **재산권의 성격**도 갖고 있다.[61]

한편 사회보장수급권의 헌법적 권리성을 부인하고 법률상의 권리로 보는 견해도 있다. 즉 사회보장수급권은 법률에 의한 형성을 필요로 한다고 하면서 동시에 사회적 기본권이라고 하는 것은 그 자체로서 논리적 모순이라는 점을 지적하고 사회보장수급권은 헌법상 사회적 기본권의 일반조항을 의미하며 개인의 주관적 권리인 인간다운 생활을 할 권리를 실현하기 위하여 입법에 의해 구체적으로 형성되는 권리로서 이는 헌법상의 권리라기보다는 법률상의 권리라고 하는 것이다.[62] 헌법재판소는 공무원연금법상의 연금수급권은 사회보장수급권과 재산권이라는 양 권리의 성격이 불가분적으로 혼재되어 있다고 보아 헌법상 권리로 인정하고 있지만,[63] 산재보험청구권[64]은 헌법규정만으로는 이를 실현할 수 없고 법률에 의한 형성을 필요로 한다고 하면서 법률에 의하여 구체적으로 형성되고 확정되는 권리로 파악

60) 성낙인, 앞의 책, 1344면.

61) 김학성·최희수, 앞의 책, 690면.

62) 한수웅, 앞의 책, 1056－1057면.

63) 공무원연금법상의 연금수급권은 사회보장수급권과 재산권이라는 양 권리의 성격이 불가분적으로 혼재되어 있다. "그러므로 비록 연금수급권에 재산권의 성격이 일부 있다 하더라도 그것은 이미 사회보장법리의 강한 영향을 받지 않을 수 없고, 또한 사회보장수급권과 재산권의 두 요소가 불가분적으로 혼재되어 있다면 입법자로서는 연금수급권의 구체적 내용을 정함에 있어 이를 하나의 전체로서 파악하여 어느 한 쪽의 요소에 보다 중점을 둘 수도 있다 할 것이다. 연금수급권의 구체적 내용을 형성함에 있어서 입법자는 이 법의 입법목적 달성에 알맞도록 독자적으로 규율할 수 있고, 여기에 필요한 정책판단·결정에 관하여는 일차적으로 입법자의 재량에 맡겨져 있다"(헌재 1999. 4. 29. 97헌마333; 헌재 2009. 5. 28. 2008헌바107).

64) 산재보험수급권은 이른바 사회보장수급권의 하나에 속한다. 이러한 산재보험수급권은 국가에 대하여 적극적으로 급부를 요구하는 것이므로 헌법규정만으로는 이를 실현할 수 없고 법률에 의한 형성을 필요로 한다. 즉 산재보험수급권의 구체적 내용인 수급요건·수급권자의 범위·급여금액 등은 법률에 의하여 구체적으로 형성되고 확정되는 권리이다(헌재 2009. 5. 28. 2005헌바20등; 헌재 2011. 11. 24. 2009헌바356등; 헌재 2011. 11. 24. 2010헌마510; 헌재 2014. 6. 26. 2012헌바382등; 헌재 2015. 6. 25. 2014헌바269).

하고 있다.

Ⅲ. 사회보장수급권의 내용

사회보장수급권은 실체적 사회보장수급권과 절차적 사회보장수급권으로 나누어 볼 수 있다.

1. 실체적 사회보장수급권

실체적 사회보장수급권이란 개인이 현실적인 사회보장급여를 해당 사회보장 관련법에 따라 청구할 수 있는 실체적이고 구체적인 권리를 말한다.

헌법은 국가의 사회보장·사회복지증진의무를 규정하고 있어(제32조 제2항), 국가는 사회보장제도를 확립하여 이를 실시할 의무를 진다. 국가의 과제인 '사회보장'의 개념에 대해서 사회보장기본법[65]은 "출산, 양육, 실업, 노령, 장애, 질병, 빈곤 및 사망 등의 사회적 위험으로부터 모든 국민을 보호하고 국민 삶의 질을 향상시키는데 필요한 소득·서비스를 보장하는 사회보험, 공공부조, 사회서비스를 말한다"고 정의하고 있어(동법 제2조), 사회보험, 공공부조, 사회서비스를 사회보장의 핵심영역으로 보고 있다.

(1) 사회보험수급권

사회보험제도란 국민의 인간다운 생활을 위협받을 정도의 질병·상해·사망 기타 상당한 재산상 부담이 되는 사고가 발생한 경우에 그 위험부담을 국가적 보험기술을 통하여 다수인에게 분산시킴으로써 경제적 약자의 인간다운 생활을 보장하기 위한 사회보장적 작용이다. 사회보험은 강제로 가입해야 하며 능력에 따라서 부담을 해야 한다. 사회보험은 사회보장제도 중에서 가장 핵심적이고 중추적인 제도이다. 이를 실현하기 위한 법률로는 국민건강보험법, 국민연금법, 공무원연금법, 군인연금법, 산업재해보상보험법, 고용보험법 등이 있다.

사회보험의 주요유형으로는 의료보험·상해보험·폐질 및 양로보험·실업보험·퇴직연금보험 등 다양하다. 사회보험수급권은 의료보험청구권, 연금보험청구권, 재

---

65) 동법은 "사회보장은 모든 국민이 다양한 사회적 위험으로부터 벗어나 행복하고 인간다운 생활을 향유할 수 있도록 자립을 지원하며, 사회참여·자아실현에 필요한 제도와 여건을 조성하여 사회통합과 행복한 복지사회를 실현하는 것"을 기본이념으로 한다(동법 제1조).

해보상보험청구권, 실업보험청구권 등을 포함한다.

(2) 공공부조청구권

공공부조란 현실적으로 생활불능상태에 있거나 생계의 유지가 곤란한 사람에게 국가가 최종적인 생활보장수단으로 국가에서 공공의 비용으로 (갹출을 요건으로 하지 않고) 자립을 지원해 주는 제도이다. 공공부조제도에는 생활보호, 의료보호, 생계보호, 재해보호, 교육보호 등이 있다. 생활능력 없는 국민에 대하여 최소한의 인간다운 생활을 보장하기 위한 제도이기 때문에 실업자와 같이 근로능력이 있는 자는 공공부조의 대상이 되지 아니한다.

헌법은 "신체장애자 및 질병·노령 기타의 사유로 생활능력이 없는 국민은 법률이 정하는 바에 의하여 국가의 보호를 받는다"고 공적 부조의 헌법적 근거를 두고 있다. 이를 생활보호청구권으로 보는 것이 일반적이다. 이 권리를 실현하기 위한 법률로는 국민기초생활보장법을 대표로 하여 의료급여법, 장애인복지법, 재해구호법, '의사상자 등 예우 및 지원에 관한 법률', '독립유공자예우에 관한 법률', '국가유공자 등 예우 및 지원에 관한 법률' 및 '보훈보상대상자 지원에 관한 법률', '노숙인 등의 복지 및 자립지원에 관한 법률' 등이 있다.

생활보호청구권은 사회적 기본권 중에서도 구체적 권리성 인정이 가장 필요한 권리이며, 과거의 생활보호법을 대치한 국민기초생활보장법은 기초생활수급자에게 지급되는 급여의 종류로 ⅰ) 생계급여, ⅱ) 주거급여, ⅲ) 의료급여, ⅳ) 교육급여, ⅴ) 해산급여(解産給與), ⅵ) 장제급여(葬祭給與), ⅶ) 자활급여 등을 규정하고 있다(동법 제7조 제1항).

(3) 사회보상청구권

사회보상이란 국가·민족을 위하여 활동한 국가유공자가 상해 또는 사망하거나 노동능력을 상실함으로써 본인 또는 유족의 생활이 곤궁하게 된 때에 본인이나 부양가족 또는 유족의 의료와 생활을 보장하기 위한 제도이다. 이를 실현하기 위한 대표적 법률로는 '국가유공자등 예우 및 지원에 관한 법률'을 들 수 있다.

(4) 사회복지서비스청구권

사회복지는 협의로는 국가에서 특별한 계층(청소년, 노인, 여성, 장애자 등)의 건강증진이나 가난 해소를 위한 정책을 실시하는 제도이다. 이와 관련하여 아동복지법, 노인복지법, 장애인복지법, 사회복지사업법 등이 이의 실현을 위한 법률이라고 하겠다.

사회보장기본법은 종전 법에서의 '사회복지서비스'란 용어를 없애고 "사회서비스"란 용어를 사용하고 있는데, 사회서비스를 "국가·지방자치단체 및 민간부문의 도움이 필요한 모든 국민에게 복지, 보건의료, 교육, 고용, 주거, 문화, 환경 등의 분야에서 인간다운 생활을 보장하고 상담, 재활, 돌봄, 정보의 제공, 관련 시설의 이용, 역량 개발, 사회참여 지원 등을 통하여 국민의 삶의 질이 향상되도록 지원하는 제도를 말한다"고 규정하고 있다.

(5) 재해예방과 위험으로부터의 보호에 관한 권리

헌법은 "국가는 재해를 예방하고 그 위험으로부터 국민을 보호하기 위하여 노력하여야 한다"고 규정하고 있다(제34조 제6항). 현행헌법은 재해를 단순히 개인의 문제로 보지 않고 '사회전체의 문제'로 인식하여 재해에 대비한 국가의 개입·규제를 통한 재산권 제한을 인정하고 있다. 이를 위한 법률로는 '재난 및 안전관리기본법'과 재해구호법 등이 있다.

2. 절차적 사회보장수급권

절차적 사회보장수급권이란 앞에서 살펴본 실체적 사회보장수급권의 원활한 실현을 위한 절차적 권리이다. 절차적 사회보장수급권으로는 ⅰ) 사회보장수급권이 국가기관의 위법·부당한 조치에 의하여 침해되었을 때에 그 구제를 구할 수 있는 사회보장쟁송권, ⅱ) 사회보장행정절차에 주민들이 참여할 수 있는 사회보장행정참여권, ⅲ) 사회보장을 구현할 구체적 입법이 없거나 기존법률의 내용이 불충분할 경우에 새로운 입법 내지 법의 개정을 요구할 수 있는 사회보장입법청구권 등을 들 수 있다.[66]

66) 권영성, 앞의 책, 663면.

Ⅳ. 사회보장수급권 관련 판례

1. 사회보장수급권의 법적 성질

(1) 군인연금법상 퇴역연금의 법적 성질

군인연금법상의 퇴역연금의 법적 성질은 군인이 장기간 충실히 복무한 공로에 대한 공적 보상으로서의 은혜적 성질을 갖는 한편, 퇴역연금 중 군인이 부담하는 기여금에 상당하는 부분은 봉급연불적인 성질과 군인인 기간 동안 및 퇴직 후에 있어서의 공적 재해보험의 성질이 있고, 국고의 부담금은 군인과 그 가족을 위한 사회보장 부담금으로서의 성질이 있다 할 것이므로, 결국 퇴역연금은 퇴역군인의 생활을 보장하기 위한 사회보험 내지 사회보장·사회복지적인 성질도 함께 갖는 것이며, 이와 같은 법적 성질은 퇴직일시금의 경우도 기본적으로 같다 할 것이다.[67]

(2) 공무원연금제도의 성격

공무원연금제도는 공무원을 대상으로 퇴직 또는 사망과 공무로 인한 부상·질병·폐질에 대하여 적절한 급여를 실시함으로써 공무원 및 그 유족의 생활안정과 복리향상에 기여할 목적으로(공무원연금법 제1조), 위의 사유가 발생한 때에 그 부담을 국가적인 보험기술을 통하여 여러 사람들에게 분산시킴으로써 구제를 도모하는 사회보험제도의 일종이다. 다만 **공무원연금제도**는 이 같은 **보험원리에 사회조정원리를 도입한 사회보장제도의 하나**로서 사보험과는 다른 면을 가지고 있다. 즉 공무원연금제도는 공무원이 퇴직하거나 사망한 때에 공무원 및 그 유족의 생활안정과 복리향상에 기여하기 위한 사회보험으로서 법상 퇴직급여나 유족급여는 청구인들의 주장과 같이 후불임금의 성격만 갖는 것이 아니라 기본적으로 **사회보장적 급여**로서의 성격을 가지면서 공무원이 기여금을 납부한다는 점에서 **후불임금**과 같은 성격도 함께 가진다.[68]

---

67) 헌재 1996. 10. 31. 93헌바55.
68) 헌재 1995. 7. 21. 94헌바27등; 헌재 1996. 10. 4. 96헌가6; 헌재 1998. 12. 24. 96헌바73.

(3) 산재보험수급권의 법적 성격

산재보험수급권은 국가에 대하여 적극적으로 급부를 요구하는 것이므로 헌법규정만으로는 이를 실현할 수 없고 법률에 의한 형성을 필요로 한다. 즉 산재보험수급권의 구체적 내용인 수급요건·수급권자의 범위·급여금액 등은 법률에 의하여 비로소 확정된다.[69] 산업재해보상보험법은 제4장에서 업무상의 재해에 대한 보험급여의 내용으로 요양급여, 휴업급여, 장해급여, 간병급여, 유족급여, 상병보상연금, 장의비를 규정하고, 각 지급사유, 수급권자, 산정기준, 지급시기 등을 정하고 있다. 따라서 산재보험수급권은 법률에 의하여 구체적으로 형성되는 권리라고 할 것이다.

산재보험수급권은 헌법규정만으로는 이를 실현할 수 없고 법률에 의한 형성을 필요로 한다. 다시 말하여 산재보험수급권이 헌법상의 재산권으로 보호를 받기 위해서는, 우선 입법자에 의하여 수급요건, 수급권자의 범위, 급여금액 등 구체적 사항이 법률에 규정됨으로써 구체적인 법적 권리로 형성되어야 한다.[70]

2. 사회보험료 형성의 원칙 및 사회국가원리와의 관계

"사회보험료를 형성하는 2가지 중요한 원리는 '**보험의 원칙**'과 '**사회연대의 원칙**'이다. 보험의 원칙이란 소위 등가성의 원칙이라고도 하는데, 이는 보험료와 보험급여 간의 등가원칙을 말한다. 물론 사회보험에서는 사보험(私保險)에서와 달리 각 피보험자에 대한 개별등가원칙이 적용되는 것은 아니지만, 사회보험 또한 보험료를 주된 재원으로 하는 보험의 성격을 가지고 있기 때문에, 보험자의 전체적 재정과 관련하여 보험자의 수입이 보험급여를 포함한 전체 지출을 충당할 수 있도록 개인의 보험료가 산정되어야 한다. 한편 사회보험은 사회국가원리를 실현하기 위한 중요한 수단이라는 점에서, 사회연대의 원칙은 국민들에게 최소한의 인간다운 생활을 보장해야 할 국가의 의무를 부과하는 사회국가원리에서 나온다. 보험료의 형성에 있어서 사회연대의 원칙은 보험료와 보험급여 사이의 개별적 등가성의 원칙에 수정을 가하는 원리일 뿐만 아니라, 사회보험체계 내에서의 소득의 재분배를 정당화하는 근거이며, 보험의 급여수혜자가 아닌 제3자인 사용자의 보험료 납부의무(소위 '이질부담')를 정당화하는 근거이기도 하다. 또한 사회연대의 원칙은 사회보

69) 헌재 1999. 4. 29. 97헌마333.
70) 헌재 2000. 6. 29. 99헌마289; 헌재 2003. 7. 24. 2002헌바51.

험에의 강제가입의무를 정당화하며, 재정구조가 취약한 보험자와 재정구조가 건전한 보험자 사이의 재정조정을 가능하게 한다."[71]

3. 연금제도의 내용을 정하는 입법형성권의 범위

퇴역연금 또는 퇴직일시금의 사회보장·사회복지적인 성질에 따라 연금제도의 내용을 결정함에 있어서, 그 시행시기를 언제부터로 할 것인지, 지급대상을 어떤 범위로 한정할 것이며 지급 정도는 어느 정도로 할 것인지, 급여액 산정의 기초가 되는 복무기간은 얼마로 할 것이며 복무기간의 계산은 어떤 방법으로 할 것인지, 복무기간을 시행일 이전으로 소급할 것인지, 소급한다면 어느 때까지로 할 것인지 등은 원칙적으로 입법자가 사회정책적 고려와 국가의 재정 및 기금의 상황 등 여러 가지 사정을 참작하여 폭넓게 그의 형성재량으로 결정할 수 있는 사항이라 할 것이다.[72]

제4절 교육을 받을 권리

Ⅰ. 교육을 받을 권리의 개념

교육을 받을 권리는 좁은 의미로는 교육을 받는 것을 국가로부터 방해받지 아니함은 물론 교육을 받을 수 있도록 국가가 적극적으로 배려해 주도록 요구할 수 있는 권리, 즉 **수학권(修學權)**을 의미한다. 우리 헌법 제34조 제1항에서 규정한 교육을 받을 권리는 대체로 이러한 의미로 이해될 수 있다. 협의의 교육을 받을 권리는 자유권적 측면인 국가로부터 방해받지 않고 교육을 할 권리[73]보다는 생존권적 측면인 교육을 받을 수 있도록 국가의 적극적인 배려를 요구할 수 있는 권리의 측면이 강조된다.

좀 더 넓게 이해하면 학부모가 그 자녀에게 교육을 시킬 권한, 즉 부모의 교육

---

71) 헌재 2000. 6. 29. 99헌마289; 헌재 2001. 8. 30. 2000헌마668.

72) 헌재 1996. 10. 31. 93헌바55.

73) 교육을 받을 권리의 소극적 측면을 인격의 자유발현에 대한 제한 등으로 이해하는 견해도 있지만, 헌법재판소는 '누구든지 과외교습을 하여서는 아니 된다'는 학원의 설립·운영에 관한 법률 제3조에 의해서 제한되는 기본권은 배우고자하는 아동과 청소년의 인격의 자유로운 발현권, 자녀를 가르치고자 하는 부모의 교육권, 교외교습을 하고자 하는 개인의 직업선택의 자유 및 행복추구권이라고 판시하고 있다(헌재 2000. 4. 27. 98헌가16, 98헌마429(병합)).

권을 포함한다. 부모는 아직 성숙하지 못하고 인격을 닦고 있는 초·중·고등학생인 자녀를 교육시킬 교육권을 가지고 있으며, 그 교육권의 내용 중 하나로서 자녀를 교육시킬 학교선택권이 인정된다. 헌법재판소는 이러한 부모의 학교선택권은 미성년자의 교육을 받을 권리를 실효성 있게 보장하기 위한 것이므로, 미성년인 자녀의 교육을 받을 권리의 근거규정인 헌법 제31조 제1항에서 그 헌법적 근거를 찾을 수 있다고 판시하고 있다.[74] 부모의 교육권은 자녀에게 적절한 교육의 기회를 제공하여 주도록 요구할 수 있는 교육기회제공청구권까지 포함한다.

가장 넓게 이해하면 교사의 교육의 자유(수업권)가 교육을 받을 권리에 포함될 수 있는가가 문제된다. 헌법재판소는 헌법 제34조 제1항의 교육을 받을 권리는 교사의 교육권(수업권)을 포함하지는 않는 것으로 보고 있다. 교사의 교육의 자유(수업권)도 기본권으로 인정할 수 있지만, 헌법적 근거는 학문의 자유에서 찾을 수 있고[75] 국민의 수학권이 수업권보다 더 우선적으로 보호되어야 한다는 입장이다.[76] 교육기본권이란 개념 하에서 이러한 모든 권리를 종합적으로 이해하는 견해도 상당한 설득력이 있다고 생각한다.[77]

Ⅱ. 연혁과 헌법규정

교육은 오랫동안 특수신분이나 특권계급에 의해 독점되었고, 자유방임주의 하에서 교육은 경제와 마찬가지로 국가에 의해 크게 간섭되지 않은 영역이었다. 따라서 경제적·사회적 약자인 많은 국민의 자녀는 경제적 이유로 교육을 받을 기회를 갖지 못했다. 교육은 시민혁명 초기에는 교회나 정치세력의 교육에 대한 지배를 배제하기 위하여 '**교육의 자유**'가 중시되었으나, 자본주의의 발전에 따라 '**교육의 평등**'이 문제되면서 교육기회의 균등한 보장이 국가의 의무로 되어 **공교육법제**가 마련되게 되었다.

---

74) 헌재 1995. 2. 23. 91헌마204. 이 사건에서 거주지를 기준으로 중·고등학교 입학을 제한하는 것이 학부모의 자녀를 교육시킬 학교선택권의 본질적인 내용을 침해하거나 과도하게 제한된 것은 아니라고 판시하였다.

75) 헌재 2000. 12. 14. 99헌마112·137(병합); 헌재 1992. 11. 12. 89헌마88.

76) 헌재 1992. 11. 12. 89헌마88.

77) 학습권과 교육권을 포괄하는 상위개념으로 '교육기본권'을 설정하고 협의의 교육권은 국민의 교육기본권을 실현하기 위해 각 주체(관련당사자)가 가질 수 있는 개별적·구체적 권리 또는 권한으로 파악하는 견해는 수학권, 교육의 자유 등을 교육기본권의 체계 하에서 종합적으로 파악하고 있다(신현직, 교육기본권에 관한 연구, 서울대학교 대학원 법학박사학위논문, 1990. 8).

1793년 자코뱅헌법, 1849년 프랑크푸르트헌법 등에도 교육을 받을 권리 관련 규정이 규정되어 있었지만, 교육과 학교에 대하여 풍부한 조항을 두어(바이마르헌법 제142조-제150조), 일반적인 교육을 받을 권리를 보장한 것은 1919년 바이마르헌법이 최초이다.[78] 제2차 세계대전 이후에 각국의 헌법에는 교육을 받을 권리가 규정되고 있으며, 세계인권선언(동선언 제26조), 국제연합의 경제적·사회적·문화적 권리에 관한 규약(동규약 제13조) 등 국제법규에도 규정되어 있다.

우리 헌법은 제31조 제1항에서 "모든 국민은 능력에 따라 균등하게 교육을 받을 권리를 가진다"라고 규정하여 교육을 받을 권리를 규정하고, 이 권리를 실현할 구체적 수단을 동조 제2항 이하에서 "② 모든 국민은 그 보호하는 자녀에게 적어도 초등교육과 법률이 정하는 교육을 받게 할 의무를 진다(교육을 받게 할 의무), ③ 의무교육은 무상으로 한다(무상의 의무교육제도), ④ 교육의 자주성·전문성·정치적 중립성 및 대학의 자율성은 법률이 정하는 바에 의하여 보장된다(교육의 자주성·전문성·정치적 중립성 및 대학의 자율성 보장), ⑤ 국가는 평생교육을 진흥하여야 한다(평생교육진흥의무), ⑥ 학교교육 및 평생교육을 포함한 교육제도와 그 운영, 교육재정 및 교원의 지위에 관한 기본적인 사항은 법률로 정한다(교육제도법정주의)"라고 규정하고 있다.

Ⅲ. 교육을 받을 권리의 헌법상 의의와 기능

헌법재판소는 교육을 받을 권리는, 첫째 교육을 통해 개인의 잠재적인 능력을 계발시켜 줌으로써 인간다운 문화생활과 직업생활을 할 수 있는 기초를 마련해 주고, 둘째 문화적이고 지적인 사회풍토를 조성하고 문화창조의 바탕을 마련함으로써 헌법이 추구하는 문화국가를 촉진시키고, 셋째 합리적이고 계속적인 교육을 통해서 민주주의가 필요로 하는 민주시민의 윤리적 생활철학을 어렸을 때부터 습성화시킴으로써 헌법이 추구하는 민주주의의 토착화에 이바지하고, 넷째 능력에 따른 균등한 교육을 통해서 직업생활과 경제생활의 영역에서 실질적인 평등을 실현시킴으로써 헌법이 추구하는 사회국가, 복지국가의 이념을 실현한다는 의의와 기능을 가지고 있다고 판시하고 있다.[79]

78) 홍성방, 앞의 책(중), 247면.

79) 헌재 1994. 2. 24. 93헌마192; 허영, 앞의 책, 463면. 허 교수의 주장을 헌법재판소가 수용한 것이다.

Ⅳ. 교육을 받을 권리의 법적 성격

교육을 받을 권리는 자유권적 기본권 측면과 생존권적 기본권 측면의 양면성을 가지며, 객관적 가치질서로서의 측면도 아울러 가진다. 자유권적 측면은 방해배제청구권으로, 생존권적 측면은 교육여건 조성청구권, 교육의 기회균등요구권, 교육여건 조성청구권 등으로 나타난다. 그 주된 내용은 국가에 대하여 적극적 배려를 요구할 수 있는 사회권적 측면이다. 생존권적 측면의 경우 추상적 권리인가 구체적 권리인가가 문제된다. 사회적 기본권의 법적 성격에 관한 논의가 교육을 받을 권리에도 원칙적으로 적용될 수 있다. 국민은 교육을 받을 수 있는 최소한의 외적 조건의 정비를 국가에 대하여 적극적으로 요구할 수 있으며, 국가의 입법조치가 없거나 입법내용이 불충분한 경우에는 헌법소원 등으로 다툴 수 있는 구체적 권리이다.

한편 교육을 받을 권리는 그것을 단순한 자유권 또는 사회권(생존권)만으로 이해할 수는 없고, 통합적인 성질을 가지는 주관적 공권인 동시에 객관적 가치질서라는 점을 강조하는 견해가 유력하다.[80] 헌법재판소도 교육을 받을 권리의 헌법적 의의와 기능을 중시하면서 교육을 받을 권리를 복합적인 성질을 가진 기본권으로 파악하고 있다.[81]

Ⅴ. 교육을 받을 권리의 주체

교육을 받을 권리는 국법상의 권리로 국민의 권리이고 외국인에게는 인정되지 않는다. 대한민국 국민의 신분을 가진 자는 학령아동만이 아니라, 초·중등학생, 대학생, 일반시민 등을 모두 포함한다. 교육을 받을 권리는 성질상 자연인에게만 보장되고 법인에게는 인정되지 않는다. 다만 의무교육을 받을 권리의 주체는 학령어린이다.

학부모가 교육을 받을 권리의 주체가 되는가가 문제되는데, 부모의 교육권이나 교육기회제공청구권의 주체는 학력아동의 부모가 주체가 된다. 거주지를 기준으로 중·고등학교 입학을 제한하는 것이 헌법에 위반되는지 여부가 다투어진 교

80) 허영, 앞의 책, 464면.
81) 헌재 1991. 2. 11. 90헌가27.

육법시행령 제71조 등에 대한 헌법소원에서 헌법재판소는 “이 사건 규정과 청구인이 자녀를 교육시킬 학교를 선택할 수 있는 권리를 포함하는 교육을 받을 권리 등 청구인이 주장하는 기본권의 침해 사이에는 헌법소원심판청구시 요구되는 자기 관련성 및 직접관련성이 인정된다고 할 것이다”고 하여 학부모의 교육을 받을 권리의 주체성을 인정하고 있다. 이 사건에서 헌법재판소는 “거주지를 기준으로 중·고등학교의 입학을 제한하는 교육법시행령 제71조 및 제112조의6 등의 규정은 과열된 입시경쟁으로 말미암아 발생하는 부작용을 방지한다고 하는 입법목적을 달성하기 위한 방안의 하나이고, 도시와 농어촌에 있는 중·고등학교의 교육여건의 차이가 심하지 않으며, 획일적인 제도의 운용에 따른 문제점을 해소하기 위한 여러 가지 보완책이 위 시행령에 상당히 마련되어 있어서 그 입법수단은 정당하므로, 위 규정은 학부모의 자녀를 교육시킬 학교선택권의 본질적 내용을 침해하였거나 과도하게 제한한 경우에 해당하지 아니한다”고 결정한 바 있다.[82]

대학교수의 교수의 자유와 달리 교사의 교육(수업)의 자유의 기본권성 인정 여부와 헌법적 근거에 대해서는 논란이 있지만, 수학권과 비교하여 제한적이긴 하지만 기본권성을 부인할 수 없다.

Ⅵ. 교육을 받을 권리의 내용

1. ‘능력에 따라 균등한 교육’을 받을 권리

제31조 제1항은 “모든 국민은 능력에 따라 균등하게 교육을 받을 권리를 가진다”고 규정하여 국민의 교육을 받을 권리를 보장하고 있다. 헌법재판소는 이를 수학권으로 파악하고 있다. 교육을 받을 권리는 통상 국가에 의한 교육조건의 개선·정비와 교육기회의 균등한 보장을 적극적으로 요구할 수 있는 권리로 이해되고 있다. 헌법재판소는 수학권의 보장은 “인간으로서의 존엄과 가치를 가지며 행복을 추구하고(헌법 제10조 전문) 인간다운 생활을 영위하는 데(헌법 제34조 제1항) 필수적인 조건이자 대전제다. 헌법 제31조 제2항 내지 제6항 소정의 교육을 받게 할 의무, 의무교육의 무상, 교육의 자주성·전문성·정치적 중립성 및 대학의 자율성, 평생교육진흥, 교육제도와 그 운영·교육재정 및 교원지위 법률주의 등은 수학권의 효율적인 보장을 위한 규정이다”고 판시하고 있다.[83]

82) 헌재 1995. 2. 23. 91헌마204.
83) 헌재 1999. 3. 25. 97헌마130.

(1) 능력에 따른 교육

교육을 받는 사람의 능력에 따라 적절한 교육이 제공되어야 한다는 점에서 **응능적(應能的)인 성격**을 가진 권리이다. 여기서의 "능력"은 일신전속적 능력(정신적 능력, 육체적 능력)만을 의미한다. 즉 정신적, 육체적 능력에 상응한 적절한 교육을 말한다. 국가는 장애인의 교육조건을 확보하는 데 노력해야 한다.

능력에 따른 교육은 기부금입학제의 위헌성의 근거 및 경쟁입시제도 등의 근거가 되며, 이와 관련하여 조기입학을 허용하지 않는 것은 위헌인가 여부도 논의된다.[84]

(2) 균등한 교육

균등한 교육의 자유권적 측면에서는 능력이외의 사유로 교육을 받을 기회가 차별을 당하지 않는 것이다(취학의 기회균등). 사회권적 측면에서는 모든 국민이 균등하게 교육을 받을 수 있도록 교육시설을 설치·운용하고 장학정책을 시행하는 등 교육의 외적 조건의 정비를 요구하는 것을 포함한다.

2. 교육내용 등에 대한 권리

(1) 교육을 받을 권리의 대상으로서의 교육

학교교육이[85] 중심이지만, 사회교육(평생교육 포함), 공민교육, 가정교육 등도 대상이 된다. 헌법은 제31조 제5항에서 "국가는 평생교육을 진흥하여야 한다"고 하여 평생교육진흥의무를 국가에게 지우고 있다. 관련제도로는 통신교육, 독학사, 학점은행제 등이 있으며 관련법률로는 평생교육법, '독학에 의한 학위취득에 관한 법률', '산업교육진흥 및 산학연협력촉진에 관한 법률'(약칭: 산학협력법) 등이 있다. 국가는 학교교육에 관한 광범위한 형성권을 가진다. 즉 국가는 부모의 교육권으로부터 독립된 독자적 교육권한을 가진다. 공교육은 국가의 교육권한 범위 내에 있으나 사교육과 가정교육은 보모의 교육권에 맡겨져 있다.

---

84) 만 6세가 되기 전에 앞당겨서 입학을 허용하지 않는다고 해서 헌법 제31조 제1항의 능력에 따라 균등하게 교육을 받을 권리를 본질적으로 침해한 것으로 볼 수 없다(헌재 1994. 2. 24. 93헌마192).

85) 유아교육·초등교육·중등교육 및 고등교육을 하기 위하여 학교를 둔다(교육기본법 제9조(학교교육)).

(2) 부모의 자녀교육권

자녀의 양육과 교육은 가족생활의 핵심적 요소로서 일차적으로 부모의 천부적인 권리인 동시에 부모에게 부과된 의무이기도 한다. 부모는 자녀의 교육에 관하여 전반적인 계획을 세우고 자신의 인생관·사회관·교육관에 따라 자녀의 교육을 자유롭게 형성할 권리를 가지고 아직 성숙하지 못한 초·중·고등학생인 자녀의 교육과정에 참여할 권리를 가진다.[86]

부모의 자녀교육권의 내용으로서의 학교선택권은 학습자가 받고자 하는 교육을 제공하는 학교를 선택할 수 있는 권리를 말한다. 부모가 자녀의 학교를 선택할 권리의 헌법적 근거는 제31조 제1항이라는 판례도 있지만,[87] 부모의 자녀교육권에 학교선택권을 포함시키면서 부모의 자녀교육권을 제36조 제1항, 제10조, 제37조 제1항에서 찾고 있는 판례[88]가 최근의 입장이다. 헌법재판소는 무시험 전형 추첨배정을 과잉금지원칙에 반하지 않는다고 한다.[89]

(3) 교육과정, 교육방법 등

교육기본법 제12조 제2항은 "교육내용·교육방법·교재 및 교육시설은 학습자의 인격을 존중하고 개성을 중시하여 학습자의 능력이 최대한으로 발휘될 수 있도록 마련되어야 한다"고 규정하고 있다. 부모의 교육권은 국가가 주도하는 교육과정에 대한 교육참여권을 보장한다. 학교가 학생에 대해 불이익 조치를 할 경우 해당 학생의 학부모가 의견을 제시할 권리는 자녀교육권의 일환으로 보호된다.[90]

3. 수학권과 수업권의 관계

헌법재판소는 "학교교육에 있어서 교사의 가르치는 권리를 수업권이라고 한다면 그것은 자연법적으로는 학부모에게 속하는 자녀에 대한 교육권을 신탁받은 것이고, 실정법상으로는 공교육의 책임이 있는 국가의 위임에 의한 것이다. 그것은 교사의 지위에서 생기는 학생에 대한 일차적인 교육상의 직무권한(직권)이지만, 학생의 수학권의 실현을 위하여 인정되는 것으로서 양자는 상호협력관계에 있다고

86) 헌재 2000. 4. 27. 98헌가16 등; 헌재 2007. 3. 29. 2005헌마1144.
87) 헌재 1995. 2. 23. 91헌마204.
88) 헌재 2009. 4. 30. 2005헌마514.
89) 헌재 2009. 4. 30. 2005헌마514.
90) 헌재 2013. 10. 24. 2012헌마832.

하겠으나, 수학권은 헌법상 보장된 기본권의 하나로서 보다 존중되어야 하며, 그것이 왜곡되지 않고 올바로 행사될 수 있게 하기 위한 범위 내에서는 수업권도 어느 정도의 범위 내에서 제약을 받지 않으면 안 될 것이다. 왜냐하면 초·중·고교의 학생은 대학생이나 사회의 일반성인과는 달리 다양한 가치와 지식에 대하여 비판적으로 취사선택할 수 있는 독자적 능력이 부족하므로 지식과 사상·가치의 자유시장에서 주체적인 판단에 따라 스스로 책임지고 이를 선택하도록 만연히 방치해 둘 수가 없기 때문이다. 그러므로 보통교육의 단계에서 학교교재 내지 교과용 도서에 대하여 국가가 어떠한 형태로 간여하여 영향력을 행사하는 것은 부득이 한 것이며 각급 학교·학년과 학과에 따라 국정 또는 검·인정제도의 제약을 가하거나 자유발행제를 허용하거나 할 수 있는 재량권을 갖는다고 할 것이다."[91]

수업권 내지 교사의 교육의 자유는 학문의 자유에서 근거를 찾는 것이 옳다고 생각한다.

Ⅶ. 무상의 의무교육

1. 의무교육의 범위

헌법은 "모든 국민은 그 보호하는 자녀에게 적어도 초등교육과 법률이 정하는 교육을 받게 할 의무를 진다"고 규정하고 있다(제31조 제2항). 이에 따라 교육기본법은 6년의 초등교육과 3년의 중등교육만을 의무교육으로 규정하고 있을 뿐이므로(동법 제8조 제1항), 대학교육은 헌법 제31조 제2항이 의미하는 의무교육에 해당하지 아니한다.[92]

2. 의무교육의 주체

의무교육을 받을 권리의 주체는 취학연령의 미성년자(6세~15세)이고, 교육을 받게 할 의무의 주체는 학령아동의 친권자 또는 후견인이다.

3. 의무교육의 무상성

의무교육제도의 실효를 거두기 위하여 헌법은 "의무교육은 무상으로 한다"(제31조 제3항)고 규정하고 있다. 헌법재판소는 "의무교육의 실시범위와 관련하여 의무교육의 무상원칙을 규정한 헌법 제31조 제3항은 초등교육에 관하여는 직접적인 효력규정으

91) 헌재 1992. 11. 12. 89헌마88.
92) 헌재 2015. 5. 28. 2014헌바262.

로서 개인이 국가에 대하여 입학금·수업료 등을 면제받은 수 있는 헌법상의 권리라고 볼 수 있다"고 판시하고 있다.[93]

4. 무상의 범위

무상의 범위와 관련하여 i) 무상범위법정설, ii) 수업료무상설, iii) 취학필요비무상설이 대립한다. 초·중등교육법은 수업료면제만을 규정하고 있으나(동법 제12조 제4항), 학용품·교과서·급식 등의 취학필요비용도 무상으로 하여야 한다는 **취학필요비무상설**이 다수설이고 타당하다.[94] 사립학교에서의 수업료 징수는 의무교육조항에 위반되지 않는다(자진하여 사립학교선택). 헌법재판소는 학교급식비의 일부를 학부모에게 부담시키는 것은 의무교육 무상원칙에 반하지 않으나,[95] 학교운영지원비를 학생의 부담으로 하는 것은 의무교육 무상원칙에 반한다[96]고 보고 있다.

의무교육 경비의 중앙정부 부담원칙이 헌법상 도출되는지 여부와 관련하여 헌법재판소는 "헌법 제31조 제2항·제3항으로부터 직접 의무교육 경비를 중앙정부로서의 국가가 부담하여야 한다는 결론은 도출되지 않으며, 그렇다고 하여 의무교육의 성질상 중앙정부로서의 국가가 모든 비용을 부담하여야 하는 것도 아니므로, 지방교육자치에 관한 법률 제39조 제1항이 의무교육 경비에 대한 지방자치단체의 부담 가능성을 예정하고 있다는 점만으로는 헌법에 위반되지 않는다"고 판시하였다.[97]

학교용지는 의무교육을 시행하기 위한 물적 기반으로, 국가의 일반재정이 아닌 학교용지부담금과 같은 별도의 재정수단을 동원하여 충당하는 것이 문제된다. 헌법재판소는 공동주택 수분양자들에게 학교용지부담금을 부과·징수하는 것은 헌법상 의무교육의 무상원칙과 평등원칙에 반한다고 결정하였으나,[98] 개발사업의 시행자에게 학교용지부담금을 부과하는 것은 헌법에 위반되지 않는다고 결정하였다.[99] 한편 헌법재판소는 '주택재건축사업'에 관한 부분이 매도나 현금청산의 대상이 되어 제3자에게 분양됨으로써 기존에 비하여 가구 수가 증가하지 아니하는 개발사업분을 학교용지부담금부과대상에서 제외하는 규정을 두지 아니하는 것은 평등원칙

93) 헌재 1991. 2. 11. 90헌가27. 이 결정에서 헌법재판소는 중학교 의무교육의 순차적 실시는 위헌이 아니라고 판시하였다.
94) 성낙인, 앞의 책, 1359면.
95) 헌재 2014. 4. 24. 2010헌바164.
96) 헌재 2012. 8. 23. 2010헌바220.
97) 헌재 2005. 12. 22. 2004헌라3.
98) 헌재 2005. 3. 31. 2003헌가20.
99) 헌재 2008. 9. 25. 2007헌가1.

에 위배되며,[100] 같은 취지로 '주택재개발사업'에 관한 부분이 현금청산의 대상이 되어 제3자에게 분양됨으로써 기존에 비하여 가구 수가 증가하지 아니하는 개발사업분을 학교용지부담금부과대상에서 제외하는 규정을 두지 아니하는 것도 평등원칙에 위배된다고 판시하였다.[101]

Ⅷ. 교육제도의 보장

1. 교육의 자주성 · 전문성 · 정치적 중립성의 보장

(1) 교육의 자주성

교육의 자주성은 교육내용과 교육기구가 행정관료가 아닌 교육자에 의해 자주적으로 결정되는 것을 말한다. 그 내용으로는 ⅰ) 교사의 교육시설설치자, 교육감독권자로부터의 자유, ⅱ) 교육내용에 대한 교육행정기관의 권력적 개입 배제, ⅲ) 교육관리기구의 공선제 등 실현, ⅳ) 사학의 경우 재단으로부터의 독립 등이 중요하다.

(2) 교육의 전문성

교육의 전문성은 교육정책의 수립이나 그 집행은 가급적 교육전문가가 담당하거나 적어도 그들의 참여하에 이루어져야 함을 의미한다.

> **교원의 직무가 갖는 특성**
>
> "교원의 직무가 갖는 특성은 다음의 두 가지 점에서 나타난다. 첫째, 교원의 수업활동과 학생지도에 필요한 기술과 능력은 해당분야에 대한 최신의 연구결과에 대한 식견과 정보뿐 아니라 인간의 성장과 발달, 행동심리, 정신건강과 위생, 학생의 욕구에 관한 고도의 지식을 필요로 하는 정신적 활동이므로 교원 자신이 장기간에 걸친 교육과 훈련을 받지 않고서는 그 직업이 요구하는 소양과 지식을 갖출 수 없는 점이다. 둘째, 교원은 다른 전문직인 의사 · 변호사 또는 성직자와 같이 고도의 자율성과 사회적 책임성을 아울러 가져야 한다는 사회적 · 윤리적 특성이 있다는 점이다."
>
> 헌재 1991. 7. 22. 89헌가106

---

100) 헌법재판소는 "주택재건축사업의 시행으로 공동주택을 건설하는 경우에는 신규로 주택이 공급되는 개발사업분만을 기준으로 학교용지부담금의 부과대상을 정하여야 한다"고 하면서 상기와 같이 결정하였다(헌재 2013. 7. 25. 2011헌가32).

101) 헌재 2014. 4. 24. 2013헌가28.

(3) 교육의 정치적 중립성

교육의 정치적 중립성은 교육이 국가권력이나 정치세력의 영향과 압력을 받아서는 아니 되고 반대로 교육이 정치에 개입하여서도 아니 됨을 의미한다. 교육의 정치적 중립성과 관련하여 교육기본법은 "교육은 교육 본래의 목적에 따라 그 기능을 다하도록 운영되어야 하며, 정치적·파당적 또는 개인적 편견을 전파하기 위한 방편으로 이용되어서는 아니 된다"고 규정하고 있으며(교육기본법 제6조 제1항), 교육공무원법은 교원의 정치운동을 금지하고 있다.[102] 또한 '교원의 노동조합 설립 및 운영 등에 관한 법률'은 제3조에서 "교원의 노동조합은 일체의 정치활동을 하여서는 아니 된다"고 규정하고 있다. 그러나 정당법은 대학교원의 정치활동을 예외적으로 인정하고 있다(정당법 제22조).

2. 교육제도 등의 법정주의

우리 헌법은 1948년 건국헌법부터 1972년 유신헌법까지 교육제도법정주의만을 규정하였으나, 1980년 헌법에 교원지위 법정주의가 추가되어 현행헌법에 이르고 있다. 제36조 제6항은 "학교교육 및 평생교육을 포함한 교육제도와 그 운영, 교육재정 및 교원의 지위에 관한 기본적인 사항은 법률로 정한다"고 하여 교육제도 등의 법정주의를 규정하고 있다.

(1) 교육제도법정주의

교육제도법정주의란 교육의 물적 기반이 되는 교육제도의 기본적 사항은 법률로 정한다는 제도이다. 교육제도에 관한 기본법으로는 교육기본법, 초·중등교육법, 고등교육법, 사립학교법, 평생교육법, 교육공무원법 등이 있다.

교육제도법정주의

"헌법이 교육제도와 그 운영에 관한 기본적인 사항을 법률로 정할 수 있도록 한 것은 국가의 백년대계인 교육이 일시적인 특정정치 세력에 영향을 받거나 집권자의 통치상의 의도에 따라 수시로 변경되는 것을 예방하고 장래를 전망한 일관성이 있는 교육체계를 유지·발전시키기 위한 것으로 국민의 대표기관인 국회의 통제하에 두는 것이 가장 온당하다는 의회민주주의 내지 법치주의 이념에서 비롯된 것이다.

102) 교육공무원법 제51조가 국가공무원법의 제78조 제1항의 징계사유를 교육공무원의 징계사유로 규정하고 있어 교원의 정치운동이 금지된다.

이는 헌법이 한편으로는 수학권을 국민의 기본권으로서 보장하고 다른 한편으로 이를 실현하는 의무와 책임을 국가가 부담하게 하는 교육체계를 교육제도의 근간으로 하고 있음을 나타낸 것이다."

헌재 1992. 11. 12. 89헌마88; 헌재 1999. 3. 25. 97헌마130

(2) 교육재정법정주의

교육재정법정주의란 국가·지방자치단체가 교육활동을 지원하기 위한 재원 확보·배분·평가하는 일련의 활동의 법정주의를 말한다. 교육재정과 관련된 법률로는 교육세법, 지방교육재정교부금법 등이 있다.

(3) 교원의 지위 법정주의

교원의 지위란 교원의 직무의 중요성 및 그 직무수행능력에 대한 인식의 정도에 따라서 그들에게 주어지는 사회적 대우 또는 존경과 교원의 근무조건·보수 및 그 밖의 물적 급부 등을 모두 포함하는 의미이다.[103] 직무의 공공성과 윤리성이라는 특색으로 형성적 법률유보의 성격을 띠고 있다.

교원의 근로자로서의 지위와 관련해서는 헌법재판소는 과거에 교원에게 근로3권 박탈도 본질적 침해가 아니라고 판시한 바 있지만,[104] 1999년 1월 제정된 '교원의 노동조합설립 및 운영 등에 관한 법률'은 교원들에게도 노동조합을 결성할 수 있고 단체교섭과 단체협약을 제결할 수 있음을 규정하고 있다(동법 제4조, 제6조). 그러나 교원의 경우는 정치활동은 금지되고 파업·태업 등 쟁의행위는 할 수 없도록 하고 있다(동법 제3조, 제8조).

교원의 지위의 특수성

"교원의 지위에 관한 '기본적인 사항'은 다른 직종의 종사자들의 지위에 비하여 특별히 교원의 지위를 법률로 정하도록 한 헌법규정의 취지나 교원이 수행하는 교육이라는 직무상의 특성에 비추어 볼 때 교원이 자주적·전문적·중립적으로 학생을 교육하기 위하여 필요한 중요한 사항이라고 보아야 한다. 그러므로 입법자가 법률로 정하여야 할 기본적인 사항에는 무엇보다도 교원의 신분이 부당하게 박탈되지 않도록 하는 최소한의 보호의무에 관한 사항이 포함된다."

헌재 2003. 12. 18. 2002헌바14 등(병합)

---

103) 헌재 1991. 7. 22. 89헌가106.

104) 위의 판례.

교원지위법정주의

"헌법 제31조 제6항이 규정한 교원지위 법정주의는 단순히 교원의 권익을 보장하기 위한 규정이라거나 교원의 지위를 행정권력에 의한 부당한 침해로부터 보호하는 것만을 목적으로 한 규정이 아니고, 국민의 교육을 받을 기본권을 실효성 있게 보장하기 위한 것까지 포함하여 교원의 지위를 법률로 정하도록 한 것이다."

헌재 1998. 7. 16. 96헌바33 등(병합)

3. 대학의 자치

대학에 있어 교수의 인사나 시설, 운영 등에 관한 사항은 대학의 자율에 맡기는 대학의 자치에 대해서는 이미 학문의 자유에서 설명하였다.

4. 지방교육자치제

교육의 자주성 및 전문성과 지방교육의 특수성을 살리기 위해 당해 지역의 교육·과학·기술·체육 기타 학예에 관한 사무를 일반 행정조직과 별개의 행정조직을 구성하여 운영하는 제도이다.

지방교육자치는 광역자치단체에서만 인정하고 기초자치단체에는 인정하지 않고 있다. 시·도의회의 교육상임위원회는 특별심의·의결기관, 합의제의결기관이다. 종전에는 교육위원회로 하였으나, 개정법에서 시·도의회의 상임위원회로 전환토록 하고 있다(지방교육자치법 제4조, 제5조). 교육의원은 주민이 직선한다.

특별시·광역시·도의 교육·학예에 관한 사무의 집행기관으로 교육감이 있는데, 교육감은 임기 4년, 계속재임은 3기에 한한다. 시·군 등에 존재하는 교육장은 교육자치기관이 아니라, 국가의 하급교육행정기관의 성격을 가진다.

Ⅸ. 교육을 받을 권리의 제한과 한계

교육을 받을 권리도 법률상 제한이 가능하다. 다만 다른 사회적 기본권처럼 제한적 법률유보의 성격보다 형성적 법률유보의 성격이 더 크기 때문에 입법자는 교육을 받을 권리의 내용을 입법을 통하여 형성할 수 있다. 입법형성에 있어 그 실현수준은 최소한의 보장 그 이상이어야 한다. 이에 미치지 못한다면 과소보호금지원칙에 위배된다. 교육을 받을 권리의 제한 또는 형성도 교육을 받을 권리의 본질적 내용을 침해할 수는 없다.

제5절 근로기본권

근로기본권 내지 노동기본권은 개인적인 차원에서 근로자를 보호하는 '근로의 권리'와 집단적인 노사관계에서 근로자의 근로조건 향상을 위한 '근로3권'을 함께 지칭한다.

Ⅰ. 근로의 권리

1. 근로의 권리의 연혁과 헌법규정

(1) 연 혁

근대 자연법사상의 입장에서는 근로의 권리, 즉 노동권은 개인의 천부의 권리의 일종으로 생각되었다. 즉 17·8세기의 자연법론의 개인주의적 사회관에 있어서는 개인의 자유로운 근로의 기회를 국가가 침해하지 않는다는 소극적 의의의 자유권의 일종으로 생각되었다. 그러나 실업이 대량화·주기화되면서 사회주의사상의 대두와 사회적 기본권의 요구는 근로의 권리도 국가의 능동적인 보호를 요청하게 하는 사회권으로 인식되게 되었다. 이러한 의미의 근로의 권리는 1919년 바이마르 헌법에서 규정되었고, 공산주의헌법(1918년 소련헌법)에도 규정되게 되었다. 세계 2차 대전 후 세계 각국의 헌법은 근로의 권리를 기본권으로 규정하고 있으며, 1948년 세계인권선언[105]과 1976년의 국제연합인권규약 A규약[106] 등에도 근로의 권리가 기본적 권리로 규정되어 있다.

---

105) "모든 사람은 일할 권리, 자유롭게 직업을 선택할 권리, 공정하고 유리한 조건으로 일할 권리, 실업상태에서 보호받을 권리가 있다. 모든 사람은 차별 없이 동일한 노동에 대해 동일한 보수를 받을 권리가 있다(Everyone has the right to work, to free choice of employment, to just and favourable conditions of work and to protection against unemployment)"(동선언 제23조 제1항).

106) "이 규약의 당사국은, 모든 사람이 자유로이 선택하거나 수락하는 노동에 의하여 생계를 영위할 권리를 포함하는 근로의 권리를 인정하며, 동 권리를 보호하기 위하여 적절한 조치를 취한다(The States Parties to the present Covenant recognize the right to work, which includes the right of everyone to the opportunity to gain his living by work which he freely chooses or accepts, and will take appropriate steps to safeguard this right"(동규약 제6조 제1항).

(2) 우리 헌법규정

헌법 제32조(근로의 권리) ① 모든 국민은 근로의 권리를 가진다. 국가는 사회적, 경제적 방법으로 근로자의 고용의 증진과 적정임금의 보장에 노력하여야 하며, 법률이 정하는 바에 의하여 최저임금제를 시행하여야 한다.[107)]
② 모든 국민은 근로의 의무를 진다. 국가는 근로의 의무의 내용과 조건을 민주주의원칙에 따라 법률로 정한다.
③ 근로조건의 기준은 인간의 존엄성을 보장하도록 법률로 정한다.
④ 여자의 근로는 특별한 보호를 받으며, 고용, 임금 및 근로조건에 있어서 부당한 차별을 받지 아니한다.[108)]
⑤ 연소자의 근로는 특별한 보호를 받는다.
⑥ 국가유공자, 상이군경 및 전몰군경의 유가족은 법률이 정하는 바에 의하여 우선적으로 근로의 기회를 부여받는다.

2. 근로의 권리의 개념과 기능

(1) 개 념

사전적 의미로 근로란 새로운 것을 창조하거나 기존의 물질을 변화시켜 생산에 기여하는 인간의 육체적·정신적 활동을 의미한다. 근로의 권리란 근로자가 타인의 방해를 받지 않고 근로관계를 유지하며, 근로의 기회를 얻지 못한 경우에는 국가에 대하여 근로의 기회를 제공하여 줄 것을 요구할 수 있는 권리이다. 근로의 권리의 정의에 있어서 자유권적 측면(방해배제)은 부수적이고 **그 본질은 사회권적 측면(근로기회요구)에 있다**.

(2) 기 능

근로의 권리는 국민으로 하여금 근로를 통하여 생활의 기본적 수요를 스스로 충족하게 하고, 자본주의 경제질서의 기초를 이루는 권리로서 기능한다. 아울러 근로를 통하여 개성과 자주적 인간성을 제고하고 함양하게 하는 등 인간존엄·인격

107) 적정임금의 보장은 1980년 제8차 개헌에서 신설되었고 최저임금제 시행은 현행헌법에서 신설되었다.

108) 1980년 제8차 개정헌법은 “여자와 소년의 보호는”으로 규정하고 있었다. 현행헌법은 여자와 연소자를 구분하여 규정하고 있다.

의 기초로서도 기능한다.[109)]

3. 근로의 권리의 법적 성질

근로의 권리의 법적 성격에 대해서는 근대 자연법론자들처럼 자유권(소극적 방어권)으로 이해하는 견해도 있지만, 오늘날은 사회권으로 보는 것이 주류적인 견해이다. 근로의 권리의 발생배경과 헌법규정상의 위치를 근거로 사회권이라고 보는 견해,[110)] 자유권적 성격(부수적)과 사회권적 성격(본질적)의 복합적 권리로 보는 견해,[111)] 근로의 권리를 '일할 자리에 관한 권리'와 '일할 환경에 관한 권리'로 나누고 전자는 복합적 성질의 권리로, 후자는 생활권적 성질의 권리로 보는 견해[112)] 등의 대립이 있다.

사회권적 성격으로 보더라도 i) 국가의 노력을 표시함에 불과한 선언적인 규정으로 보는 방침규정설, ii) 법적 권리이지만 구체적인 입법에 의해서만 실현될 수 있다는 추상적 권리설, iii) 헌법규정에 의하여 국가에 대해 일할 기회를 적극적으로 요구할 수 있다는 구체적 권리설, iv) 헌법규정에 의해 잠정적인 권리로 인정되나, 다른 원리들(사용자의 재산권, 직업의 자유, 기업의 생산성과 경쟁력의 고려 등)과의 형량을 통해서 확정적 권리의 성질을 가진다는 원리모델에 따른 권리설,[113)] 그 밖에 입법위임[114)]으로 보는 견해의 대립이 있다. 근로의 권리를 구체적 권리로 보더라도 근로자의 근로의 기회제공요구에 국가는 최선을 다해서 노력하고도 이행치 못하는 경우 최저생계비를 제공해야 하는 권리로 이해된다.

---

109) "근로의 권리는 생활의 기본적인 수요를 충족시킬 수 있는 생활수단을 확보해 주고 나아가 인격의 자유로운 발현과 인간의 존엄성을 보장해 주는 기본권이다"(헌재 2008. 9. 25. 2005헌마586). 근로의 권리의 기능으로 생활무능력자에 대한 국가적 보호의무의 경감기능 및 고용・노동・사회정책의 방향지표 기능 등을 추가하는 견해(허영, 앞의 책, 540면)와 부당한 해고로부터 보호함으로써 안정적 생존보장을 확보해 준다는 점을 추가하는 견해(김학성・최희수, 앞의 책, 713면)도 참조.

110) 김철수, 앞의 책(상), 1169면.

111) 권영성, 앞의 책, 673면.

112) 허영, 앞의 책, 543면.

113) 김학성・최희수, 앞의 책, 713면.

114) 홍성방 교수는 근로의 권리를 입법위임규정으로 보고 있다. 입법위임으로 본다면 제32조 제1항 1문으로부터 근로의 기회에 대한 청구권을 도출할 수 없다고 한다. 그러면서도 부수적으로 근로의 권리에는 국가에 의하여 근로의 기회를 박탈당하지 아니할 권리라는 자유권적 측면이 함께 있다는 것을 부인할 수 없고 근로의 권리는 객관적 가치질서의 성격을 갖는다고 한다(홍성방, 앞의 책(중), 266면).

4. 근로의 권리의 주체

근로의 권리의 주체를 자연인인 국민에 한정시키고 있는 것이 다수설과 판례의 입장이다. 국민 중에도 특히 생산수단을 소유하지 못한 근로자에 한정되며, 근로기회제공청구권으로 근로의 권리를 이해할 때에는 제1차적 주체는 근로자 중에서도 실업상태에 있는 미취업근로자라고 한다.[115]

국민의 권리이기 때문에 근로의 기회의 제공을 청구할 권리는 외국인에게는 인정되지 않는다고 보는 것이 다수의 견해이다. 한편 근로의 권리가 근로자인 인간의 권리인 이상 외국인에게 근로의 권리의 주체능력을 부정할 근거는 없고 외국인의 권리의 주체성 여부는 호혜주의의 원칙에 따라 정해질 일이라는 견해[116]도 있다.

헌법재판소는 산업기술연수생 도입기준 완화결정 등 위헌확인사건에서 "근로의 권리가 '**일할 자리에 관한 권리**'만이 아니라 '**일할 환경에 관한 권리**'도 함께 내포하고 있는바, 후자는 인간의 존엄성에 대한 침해를 방어하기 위한 자유권적 기본권의 성격도 갖고 있어 건강한 작업환경, 일에 대한 정당한 보수, 합리적인 근로조건의 보장 등을 요구할 수 있는 권리 등을 포함한다고 할 것이므로 외국인 근로자라고 하여 이 부분에까지 기본권 주체성을 부인할 수는 없다. 즉 근로의 권리의 구체적인 내용에 따라, 국가에 대하여 고용증진을 위한 사회적·경제적 정책을 요구할 수 있는 권리는 사회권적 기본권으로서 국민에 대하여만 인정해야 하지만, 자본주의 경제질서 하에서 근로자가 기본적 생활수단을 확보하고 인간의 존엄성을 보장받기 위하여 최소한의 근로조건을 요구할 수 있는 권리는 자유권적 기본권의 성격도 아울러 가지므로 이러한 경우 외국인 근로자에게도 그 기본권 주체성을 인정함이 타당하다"고 판시하여 외국인에게도 한정적으로 주체성을 인정하고 있다.[117]

하급심 판례 중에는 근로의 권리는 국민의 권리이기 때문에 외국인에게는 근로의 본래적 내용, 즉 국가에 대하여 근로기회의 제공을 청구할 권리는 당연히 없지만, 외국인(불법입국자 포함)이 국내사업주와 근로계약체결은 유효하며 근로기준법상 근로자에 해당되며 근로기준법상의 근로자보호규정은 외국인인 근로자에게 적용되어 임금채권도 보호되어야 하고 산업재해보상보험법의 적용대상이 된다고 한

115) 권영성, 앞의 책, 674면.
116) 홍성방, 앞의 책(중), 267면.
117) 헌재 2007. 8. 30. 2004헌마670.

판례도 있다.[118)]

제32조 제1항이 규정한 근로의 권리는 근로자를 개인의 차원에서 보호하기 위한 권리로서 개인인 근로자가 그 주체가 되는 것이고 노동조합은 그 주체가 될 수 없다.[119)]

5. 근로의 권리의 내용

(1) 근로기회청구권

근로의 권리는 개인의 일할 권리를 국가에 의해서 부당하게 침해받지 않는다는 방해배제청구권으로서의 자유권적 측면도 있지만, 이 권리의 핵심은 사회권으로서 국가에 대하여 근로의 기회를 얻을 수 있도록 청구하는 권리이다. 고용증진을 위한 사회적·경제적 정책을 요구할 수 있는 권리이다. 그러나 근로의 권리를 직접적인 일자리 청구권으로 이해할 수 없으며, 국가에 대한 직접적인 **직장존속청구권**을 도출할 수도 없다.[120)]

(2) 생계비지급청구권의 포함 여부

① 학 설

근로의 권리의 구체적 내용이 무엇인가에 대해서는 견해의 대립이 있다. 근로의 권리를 국가에 대하여 근로기회의 제공을 청구하는 권리라는 점(근로기회제공청구권설)에 대해서는 큰 이견이 없다. 문제는 나아가 국가가 국민의 근로기회제공청구권에 상응하여 개인에게 일자리를 제공하지 못하는 경우에는 제32조를 근거로 실업수당을 청구할 수 있는 권리(생계비지급청구권설)까지 포함되는가에 있다.

바이마르헌법의 "적정한 근로의 기회가 부여되지 아니한 자에 대해서는 필요한 생계비를 지급한다"는 규정(동헌법 제163조 제2항 2문)을 빌어 우리 헌법의 해석에도 이를 긍정해야 한다는 견해도 있지만, 근로의 권리에서 실업수당청구권(생계비지급청구권)을 도출하는 것에 반대하는 견해[121)]가 다수의 입장이다.

---

118) 서울고판 1993. 11. 26. 93구16774.

119) 헌법재판소는 노동조합을 사업소세의 비과세 대상으로 규정하고 있지 않은 지방세법 조항(제245조의2 제1항)이 헌법 제32조 제1항(근로의 권리), 헌법 제33조 제1항(근로3권), 평등원칙을 위반하는지 여부가 다투어진 사건에서 모두 위배되지 않는다고 판시하였다(헌재 2009. 2. 26. 2007헌바27).

120) 헌재 2002. 11. 28. 2001헌바50.

121) 우리 헌법에는 바이마르헌법과 같은 규정이 없으며, 생계비청구권 내지 실업수당에 관해서

② 판 례

헌법재판소는 "근로의 권리의 보장은 생활의 기본적인 수요를 충족시킬 수 있는 생활수단을 확보해 주며, 나아가 인격의 자유로운 발현과 인간의 존엄성을 보장해 주는 의의를 지닌다. 근로의 권리는 사회적 기본권으로서, 국가에 대하여 직접 일자리(직장)를 청구하거나 일자리에 갈음하는 생계비의 지급청구권을 의미하는 것이 아니라, **고용증진을 위한 사회적·경제적 정책을 요구할 수 있는 권리**에 그친다. 근로의 권리를 직접적인 **일자리 청구권**으로 이해하는 것은 사회주의적 통제경제를 배제하고, 사기업 주체의 경제상의 자유를 보장하는 우리 헌법의 경제질서 내지 기본권규정들과 조화될 수 없다"고 하여 부정하고 있다.[122]

③ 결 어

근로의 권리의 본질상 근로기회제공청구권이 근로의 권리의 핵심적인 내용이지만, 근로의 권리의 구체적 권리성을 인정하고 국가에게 고용증진노력의 의무성을 강화하기 위해서도 최후에는 생계비청구권으로 화(化)하는 것이 타당하다고 생각한다.[123]

(3) 직업훈련 및 실업급여의 청구권

근로의 권리는 근로기회의 제공을 요구하는 데 그치는 것이 아니고 취업중이거나 실업 중에 직업소개·직업훈련·실업급여를 청구할 수 있는 권리까지 포함되어야 한다. 근로자의 고용증진을 위한 직업소개업무는 단순한 구인·구직자의 고용계약 알선에만 그치는 것이 아니라 필요에 따라서는 구직자의 직업능력을 평가

는 제34조의 인간다운 생활을 할 권리에 관한 규정이 근거가 된다고 하는 견해(권영성, 앞의 책, 620면)와 국가가 실업에 대한 예방책으로서 실업보험제도를 운용하고 그 제도에 따라 실업자에게 생계비를 지급하는 것은 근로의 권리와는 별개의 문제라는 견해(홍성방, 앞의 책(중), 268-269면). 후자의 견해는 생계비지급청구의 근거를 제34조에서 찾는 견해에도 반대한다. 제34조 제5항은 생활무능력자에게 적용되는 규정이지 실업자에게 적용되는 규정으로 볼 수 없다고 한다.

122) 헌재 2002. 11. 28. 2001헌바50. 이 사건(한국보건산업진흥원법 부칙 제3조 위헌소원)에서 헌법재판소는 마찬가지 이유로 근로의 권리로부터 국가에 대한 직접적인 직장존속청구권을 도출할 수도 없다고 판시하였다.

123) 근로의 기회를 제공받지 못하여 인간다운 삶이 위협되는 때에는 제34조의 인간다운 생활을 할 권리로 이관되어 다루어져야 한다고 보면서, 실업상태에 있는 자는 제34조에 근거하여 물질적 최저 생활의 급부를 청구할 수 있다고 하는 견해가 있다(김학성·최희수, 앞의 책, 715면).

하고, 직업지도·직업훈련알선 등의 수단으로 산업계에 필요한 인력을 적재적소에 배치되게 함으로써 완전고용의 달성·유지와 국가 인력자원의 개발·이용을 통한 국민경제발전의 한 수단이 된다.[124)]

(4) 부당한 해고를 당하지 않을 권리

근로의 권리는 근로관계를 계속 유지하고 부당하게 해고를 당하지 않을 권리를 포함한다. 근로의 권리의 보장이 사용자의 해고의 자유를 제한하는가가 문제되는데, 근로의 권리는 국가와 국민의 관계에 관한 것이라는 이유에서 부정하는 견해와 제32조는 국가와 국민 간에서뿐만 아니라 개별적 노사관계에서도 적용된다고 보아 긍정하는 견해의 대립이 있다. 사용자가 근로자를 해고하는 경우에도 정당한 사유가 없는 해고는 위헌·무효가 된다.

근로기준법은 정당한 이유 없는 해고 등을 제한하고 있다(동법 제30조). 해고가 정당화되는 사유로는 근로자의 귀책사유로 인한 징계해고, 긴박한 경영상의 필요에 의한 정리해고 등이 있다. 근로기준법에 마련된 해고예고제도는 근로조건의 핵심적 부분인 해고와 관련된 사항일 뿐만 아니라, 근로자가 갑자기 직장을 잃어 생활이 곤란해지는 것을 막는 데 목적이 있으므로, 근로자의 인간 존엄성을 보장하기 위한 최소한의 근로조건으로서 근로의 권리의 내용에 포함된다.[125)]

6. 근로의 권리의 실효성보장을 위한 제도

(1) 국가의 고용증진의무

제32조 제1항 2문 전단은 "국가는 사회적·경제적 방법으로 근로자의 고용의 증진 ……에 노력하여야 하며"라고 하여 국가의 고용증진의무를 규정하고 있다. 이러한 의무를 달성하기 위하여 고용정책기본법, '고용상 연령차별금지 및 고령자고용촉진에 관한 법률', 근로복지기본법, 근로자직업능력 개발법, 직업안정법 등이 있다.

(2) 적정임금의 보장

헌법은 제32조 제1항 2문에서 "국가는 …… 적정임금의 보장에 노력하여야 하며"라고 하여 국가에게 적정임금보장의무를 부여하고 있다. 적정임금은 근로자와

---

124) 헌재 1996. 10. 31. 93헌가13.
125) 헌재 2015. 12. 23. 2014헌바3.

그 가족이 인간의 존엄성에 상응하는 건강하고 문화적인 생활을 영위하는 데 필요한 정도의 임금수준을 말한다.

(3) 최저임금제의 보장

第32조 제1항 2문은 "국가는 …… 법률이 정하는 바에 의하여 최저임금제를 시행하여야 한다"고 하여 최저임금제 시행을 헌법적으로 명령하고 있다. 최저임금제란 국가가 임금의 최저한도를 정하여 그 이하의 수준으로는 사용자가 근로자를 고용하지 못하도록 법적으로 강제하는 제도를 말한다. 최저임금법은 근로자를 사용하는 모든 사업 또는 사업장에 적용한다. 다만 동거의 친족만을 사용하는 사업과 가사사용인에 대해서는 적용하지 아니한다. 최저임금법은 최저임금의 결정기준과 구분을 "최저임금은 근로자의 생계비, 유사 근로자의 임금, 노동생산성 및 소득분배율 등을 고려하여 정한다. 이 경우 사업의 종류별로 구분하여 정할 수 있다"고 규정하고 있다.

(4) 근로조건기준의 법정주의

第32조 제3항은 "근로조건의 기준은 인간의 존엄성을 보장하도록 법률로 정한다"고 하여 적어도 근로자들의 인간존엄성을 확보하는 데 필요한 최저한의 근로조건의 기준을 법률로 정하도록 규정하고 있다. 이처럼 헌법이 근로조건의 기준을 법률로 정하도록 한 것은 인간의 존엄에 상응하는 근로조건에 관한 기준의 확보가 사용자에 비하여 경제적·사회적으로 열등한 지위에 있는 개별 근로자의 인간존엄성의 실현에 중요한 사항일 뿐만 아니라, 근로자와 그 사용자들 사이에 이해관계가 첨예하게 대립될 수 있는 사항이어서 사회적 평화를 위해서도 민주적으로 정당성이 있는 입법자가 이를 법률로 정할 필요성이 있다. 인간의 존엄성에 관한 판단기준도 사회경제적 상황에 따라 변화하는 상대적 성격을 띠는 만큼 그에 상응하는 근로조건에 관한 기준도 시대상황에 부합하게 탄력적으로 구체화하도록 법률에 유보한 것이다.[126] 한편 입법자는 第32조 제3항에 의거하여 근로조건의 최저기준을 근로기준법에 규정하고 있다.

헌법의 근로기본권에 관한 규정은 근로자의 근로조건을 기본적으로 근로자와 사용자 사이의 자유로운 계약에 의하여 결정하도록 한다는 계약자유의 원칙을 그 바탕으로 하되, 근로자의 인간다운 존엄성을 보장할 수 있도록 계약기준의 최저선을

---

126) 헌재 1996. 8. 29. 95헌바36.

법정하여 이를 지키도록 강제하는 한편, 사용자에 비하여 경제적으로 약한 지위에 있는 근로자로 하여금 사용자와 대등한 지위를 갖추도록 하기 위하여 단결권·단체교섭권 및 단체행동권 등 이른바 근로3권을 부여하고, 근로자가 이를 무기로 하여 사용자에 맞서서 그들의 생존권을 보장하고 근로조건을 개선하도록 하는 제도를 보장함으로써 사적자치의 원칙을 보완하고자 하는 것이다.[127)]

근로기준법의 규정에 위반하는 내용에 합의를 하였더라도 기준미달의 계약부분은 당연무효이다.[128)]

(5) 여자와 연소자의 근로의 특별보호

제32조 제4항은 "여자의 근로는 특별한 보호를 받으며, 고용·임금 및 근로조건에 있어서 부당한 차별을 받지 아니한다"라고 규정하고 있으며, 제32조 제5항은 "연소자의 근로는 특별한 보호를 받는다"고 규정하고 있다. 이들이 사회적 약자라는 것을 감안하여 특별규정을 둔 취지로 이해된다. '남녀고용평등과 일·가정 양립 지원에 관한 법률'은 모집과 채용에 있어서 차별을 금지하며, 동일한 사업내의 동일가치의 노동에 대해서는 동일임금을 지급하여야 한다고 규정하고 있다(동법 제7조, 제8조).

(6) 국가유공자 등의 우선적 근로기회보장

제32조 제6항은 "국가유공자·상이군경 및 전몰군경의 유가족은 법률이 정하는 바에 의하여 우선적으로 근로의 기회를 부여받는다"고 하여 국가유공자 등의 우선적 근로기회보장의 특례를 인정하고 있다. 이는 국가와 민족을 위하여 헌신한 공로에 대한 국가적 보상이다. '국가유공자 등 예우 및 지원에 관한 법률'이 제정되어 있다. 국가유공자에게 가산점을 주는 것은 제36조 제6항에 근거한 것으로 완화된 심사기준에 따라 심사하며 합헌이다. 다만 유공자의 가족에게 가산점을 주는 것은 제32조 제6항에는 해당되지 않으나 입법정책상 허용되어 합헌이지만, 국가유공자의 가족에게 10%의 가산점을 주는 것은 지나친 차별의 효과를 가져오므로 헌법에 합치되지 않는다는 불합치결정이 내려진 바 있다.[129)] 제32조 제6항의 해석상 국가유공자에 대한 근로기회의 우선보장에 관한 입법의무가 있음은 별론으로 하고 이를 넘어서 우선보직·우선승진의 시행에 관한 입법의무를 도출할 수 없다.[130)]

---

127) 헌재 1991. 7. 22. 89헌가106.
128) 대판 1990. 12. 21. 90다카24496.
129) 헌재 2006. 2. 23. 2004헌마675 등(병합). 종전의 합헌결정(헌재 2001. 2. 22. 2000헌마25)을 변경하였다.

7. 근로의 권리의 효력

(1) 대국가적 효력

근로의 권리의 대국가적 효력은 인정된다. 국가의 고용증진 및 적정임금 보장 의무를 명시하고 있는 헌법의 규정(제32조 제1항 2문)은 근로의 권리의 대국가적 효력의 근거가 될 수 있다. 다만 구속력의 정도는 근로의 권리의 법적 성격의 이해에 따라 달라진다.

(2) 대사인적 효력

사인 간에도 간접적으로 적용된다는 것이 다수설이다. 특히, 제32조 제4항·제5항(여자 및 연소자의 특별보호)은 사인 간에 직접적용된다는 견해[131)]와 이 역시 간접적용된다는 견해[132)]의 대립이 있다.

> **정리해고 요건**
>
> 1. 종전의 판례
>
> 기업이 경영상의 사정에 의하여 근로자를 해고하는 이른바 정리해고에 있어서는 근로관계의 존속보호라는 관점에서 첫째로 해고를 하지 않으면 기업경영이 위태로울 정도의 긴박한 경영상의 필요성이 존재하여야 하고, 둘째로 경영방침이나 작업방식의 합리화, 신규채용금지, 일시휴직 및 희망퇴직의 활용, 배치전환등 해고회피를 위한 노력을 다하였어야 하며, 셋째로 합리적이고 공정한 정리기준을 설정하여 이에 따라 해고대상자를 선별하여야 하고, 이밖에도 해고에 앞서 노동조합이나 근로자 측에 적절한 통지를 하고 이들과 사이에 성실한 협의를 거칠 것이 요구된다.
>
> 대판 1990. 3. 13. 89다카24445
>
> 2. 완화한 판례
>
> 정리해고가 정당하다고 하기 위한 요건으로서의 "긴박한 경영상의 필요"라 함은 반드시 기업도산을 회피하기 위한 것에 한정할 필요는 없고 인원의 삭감이 객관적으로 보아 합리성이 있다고 인정될 때에는 긴박한 경영상의 필요성이 있는 것으로 보아야 할 것이다."
>
> 대판 1992. 5. 12. 90누9421

---

130) 헌재 2003. 7. 24. 2002헌마378.
131) 권영성, 앞의 책, 681면; 홍성방. 앞의 책(중), 272면.
132) 허영, 앞의 책, 547면.

8. 근로의 권리의 제한(제37조 제2항)

근로의 권리도 제37조 제2항에 따라 제한될 수 있다. 다만 공공복리를 이유로 제한할 수 있는가에 대해서는 견해의 대립이 있다. 근로보호 자체가 공공복리에 속하기 때문에 공공복리를 위해서는 제한되지 않는다고 한다.[133] 다만 근로의 권리의 자유권적 측면은 국가안전보장, 질서유지, 공공복리를 위해서도 제한가능하다고 한다.

Ⅱ. 근로3권(노동3권)

1. 근로3권의 의의와 연혁

(1) 의 의

근로자의 근로조건 개선을 위한 단결권, 단체교섭권, 단체행동권을 근로3권 또는 노동3권이라고 한다. 다시 말하면 근로3권은 근로자가 자신의 근로조건 향상을 위하여 단결하여 자주적인 단체(노동조합)를 결성하고, 그 단체의 이름으로 사용자와 교섭하며, 교섭이 결렬될 경우 자신들의 주장을 관철시키기 위하여 단체행동을 할 수 있는 권리를 말한다.

근로3권은 자본주의 사회에서 생산수단을 소유하지 못한 경제적 약자인 근로자들이 자신들의 근로조건 향상과 인간다운 생활을 보장하기 위하여 인정된 것으로 **근로자(노동자)의 기본권**이다.[134] 근로3권은 근로자로 하여금 사용자와 대등한 지위에서 근로조건을 결정할 수 있도록 하기 위한 것, 즉 자유와 평등을 기조로 하는 헌법이 실질적 의미에 있어서 자유와 평등을 근로자에게 확보하여 주기 위한 것이다.

근로3권은 합리적 근로조건과 적정임금보장을 규정한 제32조의 실효성을 보장하고, 나아가 인간다운 삶(제34조 제1항), 인간의 존엄과 가치·행복추구(제10조)의 보장수단으로 기능하고 사회안정과 평화유지에도 기여하는 기능을 수행한다.[135]

---

133) 김철수, 앞의 책(상), 1181면; 홍성방, 앞의 책(중), 272면.

134) 학자에 따라서는 현행헌법은 근로활동권의 하나로 근로자(일하는 사람)에게 자주적인 단결권, 단체교섭권, 단체행동권을 보장하고 있는데(제33조 제1항) 이것이 바로 "일하는 사람의 기본권"이라고 불리는 근로3권이라고 한다(허영, 앞의 책, 547면).

135) 근로3권의 헌법적 의의와 기능에 대해서는 허영, 앞의 책, 547-548면 참조.

근로3권의 헌법적 의의

1. "헌법의 근로기본권에 관한 규정은 근로자의 근로조건을 기본적으로 근로자와 사용자 사이의 자유로운 계약에 의하여 결정하도록 한다는 계약자유의 원칙을 그 바탕으로 하되, 근로자의 인간다운 존엄성을 보장할 수 있도록 계약기준의 최저선을 법정하여 이를 지키도록 강제하는 한편, 사용자에 비하여 경제적으로 약한 지위에 있는 근로자로 하여금 사용자와 대등한 지위를 갖추도록 하기 위하여 단결권·단체교섭권 및 단체행동권 등 이른바 근로3권을 부여하고, 근로자가 이를 무기로 하여 사용자에 맞서서 그들의 생존권을 보장하고 근로조건을 개선하도록 하는 제도를 보장함으로써 사적자치의 원칙을 보완하고자 하는 것이다. 다시 말하면 국가가 직접 근로자의 생활을 보장하는 대신 근로자에게 근로기본권을 보장함으로써 근로자가 자주적으로 보다 좋은 근로조건을 마련할 수 있도록 하려는 것이다."

헌재 1991. 7. 22. 89헌가106

2. "근로3권의 헌법적 의의는, 근로자단체라는 사용자에 반대되는 세력의 창출을 가능하게 함으로써 노사관계의 형성에 있어서 사회적 균형을 이루어 근로조건에 관한 협상에 있어 노사 간의 실질적 자치를 보장하려는 데 있다. 근로3권은 다른 기본권과 달리 자기 목적적이지 않고 내재적으로 '근로조건의 유지·개선과 근로자의 경제적·사회적 지위의 향상'을 목적으로 하는 기본권으로, 이러한 집단적 자치영역에 대한 국가의 부당한 침해를 배제하는 것을 목적으로 한다."

헌재 2014. 5. 29. 2010헌마606

(2) 연 혁

자유주의 사상을 바탕으로 하는 근대 시민사회에서는 근로자와 사용자는 형식상 모두 자유롭고 대등한 인격의 주체였지만, 실질적으로는 생산수단을 소유한 사용자와 일자리가 한정된 노동자에게 계약의 자유는 노동자에게는 실질적인 의미를 가질 수 없었다. 따라서 개별적 근로관계에서는 근로자의 개인을 보호하기 위하여 계약의 제한을 가하여 최소한의 근로조건의 확보를 국가가 보장하고 국가가 고용증진노력을 강조하는 형태로 나타난 것이 근로의 권리이다. 그러나 근로자는 사용자와 일 대 일로 대결하는 구조 하에서는 근로자의 근로조건 향상은 요원하였다. 이리하여 근로자가 단결하여 자신들의 주장을 관철하는 권리가 부여되어야만 사용자와 대등한 교섭력을 확보하고 실질적인 근로조건의 향상을 기할 수 있다는 의식하에 근로자들의 노동운동이 일어났고, 마침내 집단적 근로관계에서의 근로자의 권리로 근로3권이 인정되기에 이르렀던 것이다.

이러한 근로자의 단결권(노동3권)이 처음으로 규정된 것은 1919년의 바이마르

헌법이었다(동헌법 제159조, 제169조 제1항). 제2차 세계대전 이후에는 프랑스 제4공화국헌법, 이탈리아 헌법, 일본헌법 등도 이를 규정하기에 이르렀고, 오늘날 많은 나라들이 헌법에서 근로자의 근로3권을 규정하거나 입법으로 이를 보장하고 있다. 독일기본법은 결사의 자유 조항에서 단결권만 규정하고 있으며(동기본법 제9조 제3항), 미국연방헌법은 결사의 자유만 규정하고 근로3권은 입법을 통해 보장하는 입법례이다. 한편 세계인권선언(동선언 제23조)이나 국제연합인권규약, 특히 A규약인 '경제적, 사회적, 문화적 권리에 관한 국제규약'(동규약 제7조, 제8조) 등 국제법규에서도 이를 규정하고 있다.

(3) 헌법규정

우리나라는 비록 규정의 변천은 있었지만, 1948년 건국헌법이래 근로자의 근로3권을 인정하고 있다. 현행헌법은 제33조에서 "① 근로자는 근로조건의 향상을 위하여 자주적인 단결권, 단체교섭권 및 단체행동권을 가진다. ② 공무원인 근로자는 법률이 정하는 자에 한하여 단결권, 단체교섭권 및 단체행동권을 가진다. ③ 법률이 정하는 주요방위산업체에 종사하는 근로자의 단체행동권은 법률이 정하는 바에 의하여 이를 제한하거나 인정하지 아니할 수 있다"고 하여 근로자의 근로3권을 보장하는 한편 예외적 제한을 규정하고 있다.

2. 근로3권의 법적 성격

근로3권의 법적 성격과 관련해서도 i) 국가의 간섭·방해배제권으로 보는 자유권적 기본권설,[136] ii) 근로3권의 보장을 위한 국가의 적극적인 개입을 요구할 권리라고 보는 사회권적 기본권설, iii) 자유권적 성격과 사회권적 성격을 동시에 가진다는 혼합설(절충설)이 주장되고 있다. 다수설은 혼합설의 입장이라고 할 수

---

136) 한수웅 교수는 근로3권의 보장은 역사적으로 근로자가 단체를 결성함에 있어서 국가나 사용자에 의한 방해를 금지하는 것에서 출발한다고 한다. 근로3권은 국가공권력에 대하여 근로자 권리의 방어를 일차적인 목표로 하지만, 그보다 더욱 중요한 헌법적 의도는 근로자단체라는 사회적 반대세력의 창출을 가능하게 함으로써 노동생활의 형성에 있어서 사회적 세력균형을 이루어 근로조건에 관한 노사단체의 사적자치를 보장하려는 데 있다고 한다(한수웅, 앞의 책, 1027면). 정종섭 교수는 단결권·단체교섭권·단체행동권은 근로자의 단결, 단체행동에 대한 국가로부터의 불간섭 즉 형사면책으로부터 형성·발전되어 온 것이고 사적자치의 이념을 실질적으로 실현하여 노사 간의 근로관계를 자율적으로 형성하도록 하는 기능을 하는 것이므로 자유권으로서의 성격을 갖는다고 한다(정종섭, 앞의 책, 730면). 근로3권은 근로자의 인간다운 생활 보장과 연관은 있으나, 기본적으로 국가에 대한 자유권으로서의 성질을 가지므로 생존배려를 실현하기 위해 국가에 대하여 구체적인 급부를 요구하는 사회적 기본권과는 구별되어야 한다고 한다.

있다. 근로3권이 국가의 간섭·방해배제권으로서의 자유권적 측면을 가지고 있으나, 이는 모든 기본권에 내재하고 있는 속성이란 점과 근로3권의 등장배경을 볼 때 근로3권은 본질적으로 사회적 기본권으로 보는 것이 옳다고 생각한다.

헌법재판소는 헌법 제32조 및 제33조에 각 규정된 근로기본권은 "근로자의 근로조건을 개선함으로써 그들의 경제적·사회적 지위의 향상을 기하기 위한 것으로서 자유권적 기본권으로서의 성격보다는 생존권 내지 사회권적 기본권으로서의 측면이 보다 강한 것으로서 그 권리의 실질적 보장을 위해서는 국가의 적극적인 개입과 뒷받침이 요구되는 기본권"이라고 보기도 하고,[137] "사회적 보호기능을 담당하는 자유권" 또는 "사회권적 성격을 띤 자유권"이라고 보기도 하여,[138] 생존권에 중점을 두는 혼합설의 입장이라고 할 수 있다.

3. 근로3권의 주체

(1) 근로자

근로3권은 본질적으로 근로자의 권리이다. 근로자(노동자)는 노동의 대가로 생활하는 자이면 충분하고 직업의 종류는 불문한다. '노동조합 및 노동관계조정법'은 "근로자"라 함은 직업의 종류를 불문하고 임금·급료 기타 이에 준하는 수입에 의하여 생활하는 자를 말한다고 정의하고 있다(동법 제2조 제1호).[139] 따라서 자기계산으로 사업에 종사하는 자영업자는 근로3권의 주체가 될 수 없다.

① 잠재적 근로자로서의 실업자와 해고자

잠재적 노동자라고 할 수 있는 실업자와 해고된 자가 근로3권의 주체가 될 수 있는가가 문제가 되고 있다. 일시적으로 실업상태에 있는 사람이나 구직중인 사람은 근로3권의 주체가 될 수 있다고 보는 견해가 다수설이다.[140] 다만 순수한 실업

137) 헌재 1991. 7. 22. 89헌가106.

138) 헌재1998. 2. 27. 94헌바13.

139) 한편 근로기준법은 근로자를 "직업의 종류와 관계없이 임금을 목적으로 사업이나 사업장에 근로를 제공하는 자를 말한다"고 정의하고 있어(동법 제2조 제1호), 사용종속관계를 전제로 한다.

140) 대법원은 "특정한 사용자에게 고용되어 현실적으로 취업하고 있는 사람 이외에도, 일시적인 실업 상태에 있거나 구직 중인 사람도 노동3권을 보장할 필요성이 있는 한 그 범위에 포함되며, 노동조합법 제2조 제4호 (라)목 단서(예외적으로 노동자로 보는 것)는 일정한 사용자와의 종속관계가 전제되지 않는 산업별·직종별·지역별 노동조합이 아니라 기업별 노동조합의 조합원이 해고되어 근로자성이 부인될 경우에만 한정적으로 적용된다고 보아야 한다(대판 2004. 2. 27. 2001두8568 참조). 원심이 같은 취지에서 지역별 노동조합인 원고의 조

자는 근로자로 볼 수 없다는 견해,[141] 현재 실업중인 사람이라도 노동력제공의사와 능력이 없는 사람은 근로3권의 주체가 될 수 없다고 하는 견해[142]가 있으며, 실업자는 근로3권의 주체가 될 수 없다는 견해[143]도 있다.

해고된 자와 관련하여 대법원은 "근로자가 회사로부터 해고를 당하였다 하더라도 상당한 기간 내에 노동위원회에 **부당노동행위구제신청**을 하여 그 해고의 효력을 다투고 있었다면, 위 법 규정의 취지에 비추어 노동조합원으로서의 지위를 상실하는 것이라고 볼 수 없다"고 하여[144] 일정한 경우에 근로3권의 주체가 될 수 있음을 인정하고 있다. '노동조합 및 노동관계조정법'은 '근로자가 아닌 자의 가입을 허용하는 경우'를 노동조합으로 보지 않으면서도 "다만, 해고된 자가 노동위원회에 부당노동행위의 구제신청을 한 경우에는 중앙노동위원회의 재심판정이 있을 때까지는 근로자가 아닌 자로 해석하여서는 아니된다"고 규정하고 있다(동법 제2조 제4호).

개별기업노조와 달리 기업 또는 사업장 단위를 넘어 '지역, 산업, 직종' 등을 단위로 조직되는 초기업노조에는 실업자, 해고자, 미취업자, 자유직종 근로자, 정년퇴직자 등의 가입이 가능하다.[145]

② 외국인

근로3권의 "자연권성"을 인정하는 이상, 외국인도 근로3권의 주체가 될 수 있다고 보기도 하고,[146] 긍정하는 견해가 많다.[147] 노동력을 제공하고 그 대가로 임금을 받는 사람이면 외국인에게도 인정하는 것이 바람직하다고 본다. 비록 취업자격이 없는 외국인근로자라 하여도 노동조합을 설립하거나 노동조합에 가입할 수 있는 노동조합법상의 근로자에 포함된다.[148] 한편 외국인의 취업 여부는 주권국가

합원 중 1명이 구직자라고 하여 노동조합법상 근로자가 아니라고 할 수는 없다는 이유로, 원고의 노동조합 설립신고를 반려한 피고의 처분이 위법하다고 판단한 것은 정당하고, 거기에 상고이유로 주장하는 바와 같은 노동조합법상 근로자의 개념이나 그 인정 범위, 노동조합의 단체성 등에 관한 법리오해, 석명권 불행사, 심리미진, 판단누락, 위헌적 법률 해석 등의 위법이 없다"고 판시하였다(대판 2015. 1. 29. 2012두28247).

141) 김학성 · 최희수, 앞의 책, 725면.

142) 허영, 앞의 책, 551.

143) 정종섭 교수는 실업자는 임금 기타 이에 준하는 수입으로 현실적으로 생활하는 것은 아니고, 사용자에 의하여 고용되어 있는 지위에 있지 않기 때문에 단결권 · 단체교섭권 · 단체행동권의 주체가 되지 못한다고 한다(정종섭, 앞의 책, 731–732면).

144) 대판 1992. 3. 31. 91다14413.

145) 김학성 · 최희수, 앞의 책, 725면.

146) 서울고판 1993. 11. 26. 93구16774.

147) 허영, 앞의 책, 550면; 홍성방, 앞의 책(중), 275면; 김학성 · 최희수, 앞의 책, 724면; 한수웅, 앞의 책, 1047면.

의 고려사항이라는 견해는 입법으로 외국인의 근로3권을 인정하더라도 그것은 입법정책의 문제이고 국내의 사정변경에 의하여 이를 폐지할 수도 있다고 하여 부정적으로 보고 있다.[149]

③ 공무원

우리 헌법은 공무원인 근로자는 **법률이 정하는 자에 한하여** 근로3권을 가질 수 있도록 규정하고 있다(제33조 제2항). 이에 따라 현행 법률은 단순히 노무에 종사하는 공무원이 근로3권의 주체가 될 수 있도록 규정하고 있고(국가공무원법 제66조 제1항 단서, 지방공무원법 제58조 제1항 단서), 일정 공무원에게 근로3권 중 일부의 주체성을 인정하고 있다. '공무원의 노동조합설립 및 운영에 관한 법률'에 따라 6급 이하 일반직 공무원도 노조를 설립할 수 있고, 단체교섭권과 단체협약체결권을 가진다(공무원노조법 제5조-제10조). 다만 쟁의행위와 정치활동은 할 수 없다(동법 제4조, 제11조). '교원의 노동조합 설립 및 운영 등에 관한 법률'은 초·중등교원의 단결권과 단체교섭권을 보장하고 있다(교원노조법 제4조, 제6조). 그러나 정치활동과 태업이나 파업 등의 단체행동권은 부인하고 있다(동법 제3조, 제8조).

④ 근로자단체

근로자 개인뿐만 아니라 근로자단체 등 집단에게도 근로3권의 주체성이 인정된다고 보는 것이 지배적이다. 특히 **단체교섭권의 주체는 근로자가 아니라 근로자단체**이다. 여기서의 근로자단체는 영속적인 단체인 노동조합의 형태를 띠는 것이 보통이나 일시적인 단체인 쟁의단도 포함된다고 보고 있다. 다만 근로자의 근로3권과 근로자단체의 근로3권이 충돌하는 경우가 문제될 수 있다. 이와 관련해서는 단결체가 가지는 근로3권은 근로자의 단결권을 실현하는 데 기여하는 전제하에서 인정되므로 단결체는 자신의 근로3권을 근로자의 근로3권에 대항할 수 없다고 하는 주장[150]이 있다. 반면 헌법재판소는 '노동조합 및 노동관계조정법'은 특정한 노동조합의 가입을 강제하는 단체협약의 체결을 용인하고 있으므로(Union Shop **인정**), **근로자의 개인적 단결권**(단결선택권)과 **노동조합의 집단적 단결권**이 충돌하고 있다는 점을 언급하고 그 심사방법으로 **규범조화적 해석원칙**을 제시하고 있다. 즉 "이

148) 대법원은 출입국관리 법령에 따라 취업활동을 할 수 있는 체류자격을 받지 않은 외국인이 타인과의 사용종속관계 하에서 근로를 제공하고 그 대가로 임금 등을 받아 생활하는 경우, 노동조합 및 노동관계조정법상 근로자의 범위에 포함된다고 판시하고 있다(대판 2015. 6. 25. 2007두4995).

149) 정종섭, 앞의 책, 732면.

150) 정종섭, 앞의 책, 732면.

와 같이 개인적 단결권과 집단적 단결권이 충돌하는 경우 기본권의 서열이론이나 법익형량의 원리에 입각하여 어느 기본권이 더 상위기본권이라고 단정할 수 없다. 왜냐하면 개인적 단결권은 헌법상 단결권의 기초이자 집단적 단결권의 전제가 되는 반면에, 집단적 단결권은 개인적 단결권을 바탕으로 조직·강화된 단결체를 통하여 사용자와 사이에 실질적 대등한 관계를 유지하기 위해 필수불가결한 것이기 때문이다. 즉 개인적 단결권이든 집단적 단결권이든 기본권의 서열이나 법익의 형량을 통하여 어느 쪽을 우선시키고 다른 쪽을 후퇴시킬 수 없다고 할 것이다"고 하면서 **상충하는 기본권 모두가 최대한 그 기능과 효력을 발휘할 수 있는 조화로운 해석방법**(규범조화적 해석)을 모색하여야 한다고 하여 개인의 단결권제한은 헌법에 위반되지 않는다고 판시하였다.[151)]

(2) 사용자

근로3권은 경제적 약자인 근로자를 보호하기 위한 권리이기 때문에 사용자는 근로3권의 주체가 될 수 없다. 다만 사용자단체도 결성할 수 있으나, 보장 정도는 노동자단체와 다르며, 이는 제21조에 의해 보호되는 일반결사에 불과하다.

'노동조합 및 노동관계조정법'은 사용자의 **직장폐쇄**(lock out)를 인정하고 있다(동법 제46조). 그러나 사용자의 직장폐쇄는 근로3권에 행사에 대항하는 면이 있지만, 이는 헌법상이 **재산권** 부장조항과 제119조 제1항의 **기업의 경제적 자유**에 의해 인정된다고 본다.[152)]

4. 근로3권의 내용

(1) 단결권

근로자의 단결권이란 근로자가 단체교섭을 행하기 위한 목적으로 자주적인 근로자단체(노동조합)를 조직하는 권리이다. 근로자는 자유로이 노동조합을 조직하거나 가입할 수 있으며, 사용자가 침해할 경우에는 '노동조합 및 노동관계조정법' 제81조의 규정에 의하여 부당노동행위가 된다. 근로자의 단결권은 개인적, 집단적, 적극적 단결권을 포함하며, 이는 제21조의 결사의 자유의 특별법적 성질을 가진다. 단결권은 근로조건의 유지·개선 또는 근로자의 경제적·사회적 지위향상을

151) 헌재 2005. 11. 24. 2002헌바95·96(병합).
152) 사용자의 직장폐쇄권은 재산권·자본주의 경제질서·무기평등·쟁의당사자의 기능 등의 시각에서 불가피하다고 한다(허영, 앞의 책, 551면).

목적으로 행사되어야 한다. 근로자는 자유롭게 단체(노조)를 설립할 수 있으며, 복수노조도 허용된다. 단결권은 노조의 자유로운 설립 외에 기존 노조를 선택하여 노조에 가입, 잔류, 활동할 수 있는 자유를 보장한다.

단결권과 관련해서는 다음과 같은 점이 논의되고 있다.

① 근로자단체의 경우 법인격은 구비되어야 하는가?

근로자 및 근로자단체가 주체가 되는데, 근로자단체는 계속적인 단체, 즉 노동조합인 것이 원칙이나 **일시적인 단체(쟁의단)**도 인정되기 때문에 법인격 구비 여부는 불문한다.

② 사용자도 단결권의 주체가 될 수 있는가?

앞에서 살펴본 바와 같이 단결권은 근로자의 권리이므로 사용자는 단결권의 주체가 될 수 없다. 다만 사용자들도 사용자단체를 조직할 수 있지만, 이는 제21조의 결사의 자유의 한 내용이다.

③ 제33조 제1항 단결권에 소극적 단결권이 포함되는가?

근로자가 단결하지 않을 자유, 즉 소극적 단결권도 인정될 수 있으나, 이는 일반적 행동의 자유 내지 헌법에 열거되지 않은 권리 또는 제21조 **결사의 자유의 소극적인 면**에서 그 근거를 찾는 것은 별론으로 하더라도, 제33조의 단결권에는 포함되지 않는다고 본다. 왜냐하면 근로자의 단결권은 사회권적 특성을 강하게 띠고 있기 때문에 결사의 자유의 시각에서 바라보아서는 안 된다. 제33조의 단결권에 소극적 단결권과 적극적 단결권이 모두 포함되는 것으로 해석하면 근로자에게 단결권을 보장한 취지에 반한다. 따라서 제33조의 단결권은 적극적 단결권을 의미하고 일정한 단결강제도 예외적으로 허용된다고 본다.

④ 단결강제의 인정

'노동조합 및 노동관계조정법'은 근로자가 어느 노동조합에 가입하지 아니할 것 또는 탈퇴할 것을 고용조건으로 하거나 특정한 노동조합의 조합원이 될 것을 고용조건으로 하는 행위를 부당노동행위로 금지하면서, 예외적으로 노동조합이 당해 사업장에 종사하는 근로자의 3분의 2 이상을 대표하고 있을 때에는 근로자가 그 노동조합의 조합원이 될 것을 고용조건으로 하는 단체협약의 체결은 인정하며, 이 경우 사용자는 근로자가 당해 노동조합에서 제명된 것을 이유로 신분상 불이익한 행위를 할 수 없도록 하여 예외적으로 유니온 샵(Union Shop)을 인정하고 있다 (동법 제81조 제2호). 이는 적극적 단결권의 실효성 보장을 위하여 인정된 것으로 타당하다고 생각한다. 헌법재판소도 근로자의 단결하지 않을 자유와 단체선택권을 침해하지 않는다고 하여 단결강제의 합헌성을 인정하고 있다.[153]

(2) 단체교섭권

① 단체교섭권 개념

단체교섭권은 근로자의 단체인 노동조합이 근로조건의 향상을 위하여 사용자와 협상할 수 있는 권리를 말한다. 좀 더 자세히는 근로자 단체, 즉 노동조합이 그 대표자 또는 조합이 위임하는 자를 통하여 사용자(또는 사용자단체)와 근로조건에 관한 교섭을 하고 단체협약(노동협약)을 체결하는 권리를 말한다.[154] 단체교섭에 있어서 근로자 측의 주체는 **노동조합**이고, 사용자 측의 당사자는 **사용자 및 사용자 단체**이다.

② 단체교섭권의 대상(내용)

단체교섭은 근로조건의 유지·향상을 목적으로 하여야 한다. 근로조건과 무관한 사항은 단체교섭의 대상에서 제외된다. 또한 사용자가 독점적으로 보유하는 경영권·인사권 및 이윤취득권에 속하는 사항은 원칙적으로 단체교섭의 대상이 될 수 없다. 그러나 근로자들의 근로조건이나 지위에 직접 관련되거나 중대한 영향을 미치는 사항에 대해서는 단체교섭이 이루어질 수 있다.[155]

③ 단체교섭과 단체협약

사용자가 정당한 이유 없이 단체교섭을 거부하면 그것은 부당노동행위가 된다 (노동조합법 제81조). 단체교섭의 결과 단체교섭이 성공하면 단체협약이 체결되는데, 비록 헌법

153) 헌재 2005. 11. 24. 2002헌바95 등. 노동조합의 적극적 단결권은 근로자 개인의 단결하지 않을 자유보다 중시된다고 할 것이어서 노동조합에 적극적 단결권(조직강제권)을 부여한다고 하여 이를 두고 곧바로 근로자의의 단결하지 않을 자유의 본질적인 내용을 침해하는 것으로 단정할 수 없다고 한다. 또한 조직강제를 적법·유효하게 할 수 있는 노동조합의 범위를 엄격하게 제한하고 지배적 노동조합의 권한남용으로부터 개별근로자를 보호하기 위한 규정을 두고 있는 등 전체적으로 상충되는 두 기본권 사이에 합리적인 조화를 이루고 있고 그 제한에 있어서도 적정한 비례관계를 유지하고 있으며, 또 근로자의 단결선택권의 본질적인 내용을 침해하는 것으로도 볼 수 없으므로, 근로자의 단결권을 보장한 헌법 제33조 제1항에 위반되지 않는다고 한다.

154) 헌재 1998. 2. 27. 94헌바13.

155) 서울민사지판 1991. 9. 12. 90가합5721.

이 '단체협약체결권'을 명시하여 규정하고 있지 않다고 하더라도 근로조건의 향상을 위한 근로자 및 그 단체의 본질적인 활동의 자유인 '단체교섭권'에는 단체협약체결권이 포함되어 있다고 보아야 한다.[156] 따라서 단체교섭결과 체결되는 단체협약은 법적인 보호를 받으며, 단체교섭이 결렬된 경우에는 조정 · 중재를 거쳐 단체행동의 전제가 된다. 단체교섭권의 정당한 행사에 대해서도 민 · 형사 책임이 면제된다. 행정관청은 단체협약 중 위법한 내용이 있는 경우에는 노동위원회의 의결을 얻어 시정명령을 내릴 수 있다. 시정명령에 위반하는 행위를 처벌하는 것과 관련하여 헌법재판소는 죄형법정주의(명확성원칙)와 과잉금지원칙에 위반되지 않는다고 판시하였다.[157] 하나의 사업 또는 사업장에 두 개 이상의 노동조합이 있는 경우 단체교섭에 있어 그 창구를 단일화하도록 하고 교섭대표가 된 노동조합에게만 단체교섭권을 부여한 이른바 '교섭단체단일화제도'는 단체교섭권의 부당한 침해가 아니다.[158]

(3) 단체행동권

① 단체행동권의 개념

단체행동권은 통상 노동쟁의가 발생한 경우에 쟁의행위를 할 수 있는 권리로 사용되나, 단체행동권과 쟁의권은 개념상 구별된다. **쟁의행위**는 "파업 · 태업 · 직장폐쇄 기타 노동관계 당사자가 그 주장을 관철할 목적으로 행하는 행위와 이에 대항하는 행위로서 **업무의 정상적인 운영을 저해하는 행위**"로 정의되듯이(노동조합법 제2조 제6호), '업무의 정상적인 수행을 저해'하는 행위를 개념요소로 한다. 이에 반하여 단체행동권은 업무의 정상적인 수행을 저해하지 않더라도 근로자의 행동을 표현하는 것(검은 리본을 패용하고 작업하는 경우)을 포함하므로 쟁의행위보다 단체행동권이 더 넓은 개념이라고 하겠다.

② 단체행동권의 주체

ⅰ) 단체행동권의 근로자 측 주체는 제1차적으로 근로자 개개인이지만, 단체행동이 근로자들의 의식적인 집단행동이므로 근로자 측의 주체는 노동조합이라 할 수 있다.

ⅱ) 사용자도 단체행동권의 주체가 될 수 있는가?

156) 헌재 1998. 2. 27. 94헌바13 등.
157) 헌재 2012. 8. 23. 2011헌가22.
158) 헌재 2012. 4. 24. 2011헌마338.

사용자의 직장폐쇄도 제33조의 단체행동권(쟁위행위)인가의 문제이다. '노동조합 및 노동관계조정법' 제46조는 쟁위행위의 하나로서 직장폐쇄를 예시하고 있다. 직장폐쇄는 노사균형론의 관점에서 합헌이나, 그 헌법적 근거는 제23조 제1항(재산권), 제119조 제1항(기업의 경제상 자유)에서 찾아야 할 것이다.[159]

③ 단체행동권의 내용(쟁의행위의 유형)과 행사의 효과

단체행동이란 다수의 근로자들에 의하여 공동으로 계획적으로 이루어지는 쟁의행위를 말한다. 통상 **쟁의행위**에는 여러 가지 유형이 존재하나, 목적, 방법, 절차에 있어서 법령을 준수하여야 한다. 단체행동의 유형으로는 '노동조합 및 노동관계조정법'은 파업과 태업을 예로 들고 있지만, 대체로 ⅰ) 다수의 노동자가 노동조건을 유지·개선하기 위해 단체로 근로제공을 거부하는 행위인 **파업**(Strike), ⅱ) 근로자들이 단결하여 의식적으로 작업능률을 저하시키는 행위인 **태업**(Soldiering, Sabotage),[160] ⅲ) 사용자 및 그와 거래관계에 있는 자의 상품구입이나 시설이용을 거절할 것을 호소하는 행위인 **보이콧**(Boycott),[161] ⅳ) 파업을 효과적으로 수행하기 위하여 근로희망자들의 사업장 또는 공장의 출입을 저지하고 파업참여에 협력할 것을 구하는 행위인 **피케팅**(Picketting), ⅴ) 근로자들이 단결하여 사용자의 지휘·명령을 거부하면서 사업장 또는 공장을 점거하여 조합간부의 지휘하에 노무를 제공하는 **생산관리** 등이 있다.

정당한 근로자의 단체행동에 대해서는 민사상·형사상 책임이 면제된다(노동조합법 제3조, 제4조). 또한 근로자가 정당한 단체행위에 참가한 것을 이유로 그 근로자를 해고하거나 그 근로자에게 불이익을 주는 행위는 **부당노동행위**가 된다(동법 제81조 제5호). 나아가 노동조합은 **필수유지업무협정**이 체결되거나 노동위원회의 결정이 있는 경우 사용자에게 필수유지업무에 근무하는 조합원 중 쟁의행위기간 동안 근무하여야 할 조합원을 통보하여야 하며, 사용자는 이에 따라 근로자를 지명하고 이를 노동조합과 그 근로자에게 통보하여야 하기 때문에(동법 제43조 제1항) 사용자는 다른 자를 채용하거나 대체할 수

159) 권영성, 앞의 책, 692면.

160) 태업은 이론적으로는 작업을 하지만 실제적으로는 작업을 하지 않거나 필요 이상의 태만한 작업 또는 조잡한 작업을 하는 것을 말한다. 태업과 유사한 것으로서 사보타주와 준법투쟁이 있다. 사보타주는 생산 또는 사무를 방해하는 행위로서 단순한 태업에 그치지 않고 의식적으로 생산설비를 파괴하는 행위까지를 포함하는 개념이며, 준법투쟁은 일반적으로 준수하게 되어 있는 보안규정이나 안전규정을 필요 이상으로 엄격하게 준수함으로써 작업능률과 생산능률을 의식적으로 저하시키는 행위로 협의의 태업과 구별하는 것이 보통이다.

161) 일명 불매운동이라 한다. Boyott이란 용어는 19세기 소작인들에게 "보이콧"을 당한 Charles Boycott의 이름에서 유래했다고 한다.

없다. 그리고 파견사업주는 쟁의행위중인 사업장에 그 쟁의행위로 중단된 업무의 수행을 위하여 근로자를 파견하여서는 아니 된다(파견근로자보호법 제16조 제1항).

그러나 사용자는 쟁의행위에 참가한 근로자에 대하여는 그 기간 중의 임금을 지급할 의무가 없다(노동조합법 제44조). **무노동 무임금원칙**에 대한 규정이다.[162]

④ 단체행동권 행사의 한계

정당한 쟁의행위만이 면책되는 것이기 때문에 쟁의행위는 목적, 수단, 절차 등을 준수하여야 한다. 대법원은 쟁의행위의 정당화요건으로 "쟁의행위가 단체교섭과 관련하여 근로조건의 유지·개선 등을 목적으로 하는 것이어서 그 목적이 정당하여야 하고, 쟁의행위의 시기와 절차가 법령의 규정에 따른 것으로 정당하여야 하며, 또 쟁의행위의 방법과 태양이 폭력 또는 파괴행위를 수반하거나 기타 고도의 반사회성을 띤 행위가 아닌 정당한 범위 내의 것이어야 한다"는 점을 제시하고 있다.[163]

특히 사업주가 해결하기 어려운 **동정파업**이나, **정치파업**의 정당성이 논의되며, 생산관리의 위법성 여부가 문제된다. 근로3권이 근로자의 인간다운 생활을 할 권리의 보장에 그 근본이념을 두고 있다고 보면, 순수한 동정파업이나 정치파업이 아닌 궁극적으로 근로자의 지위에 중대한 영향을 미치는 사안인 경우(예를 들어 법률의 개악)에는 예외적으로 (**산업적**) **동정파업이나 정치파업**은 허용될 수 있다고 하겠다. 생산관리에 대해서는 사유재산제도와 정면으로 배치되기 때문에 인정될 수 없다는 견해[164]와 재산권 및 경제질서에 관한 헌법규정과의 규범조화가 가능한 범위 내에서만 허용될 수 있다는 견해[165]의 대립이 있다. 부인설이 타당하다고 생각한다.

---

162) 무노동 무임금원칙과 관련하여 종전 대법원은 사실상 근로를 제공한 데 대하여 받는 교환적 부분과 근로자의 지위에서 받는 생활보장적 부분 중(**임금2분설**)에서 전자만을 무노동 무임금의 범위로 보았으나(대판 1992. 3. 27. 91다36307), 그 후 현실의 근로제공을 하지 않고 단순히 근로자의 지위에 기하여 발생한다는 생활보상적 임금은 있을 수 없다고 하여(대판 1995. 12. 21. 94다26721) 무노동 부분임금의 근거를 포기하였다.

163) 대판 1992. 9. 22. 92도1855.

164) 김철수, 앞의 책(상), 1194면; 권영성, 앞의 책, 695면; 홍성방, 앞의 책(중), 280면; 김학성·최희수, 앞의 책, 736면; 정종섭, 앞의 책, 739면.

165) 허영, 앞의 책, 557면; 계희열, 앞의 책(중), 782면.

5. 근로3권의 효력

(1) 대국가적 효력

근로3권이 대국가적 효력을 가진다는 점에 대해서는 이론이 없다. 근로자는 국가기관에 적극적 조치를 요구할 수 있으며, 근로3권의 행사가 국가권력에 의하여 차별되어서는 안 된다.

(2) 대사인적 효력

근로3권의 대사인적 효력에 대해서는 직접적 효력을 가진다는 견해와 간접적으로 적용된다는 견해의 대립이 있다. 근로3권이 사용자를 개념필연적으로 전제하고 있고 노동운동의 역사는 노사간의 관계로 전개되어 왔다는 점을 들어 성질상 근로3권은 근로자 대 사용자라는 차원에서 사인 간에도 직접적용되는 현실적·구체적 권리의 성격을 가진다는 견해[166)]가 다수설이다. 즉 근로3권은 사인 간에도 직접적용되는 대표적인 헌법규정이라고 한다. 이에 반하여 우리나라의 헌법규정은 독일기본법 제9조 제3항[167)]의 규정형식이나 내용과 다르기 때문에 직접적인 대사인적 효력을 인정할 수 없고 이 기본권에 내포된 객관적 가치질서로서의 성질을 논거로 하는 간접적 사인 효력설이 타당하다고 하는 견해[168)]가 있다. 한편 근로3권규정을 사인 간에 직접적용하느냐 간접적용하느냐의 문제는 원칙적으로 구체적인 상황에 따라 판단할 것이라는 일종의 절충설적 견해[169)]도 있다.

---

166) 김철수, 앞의 책(상), 1187면. 이들 권리는 계약자유에 대한 제한원리를 내포하는 사회국가적 이념 하에 보장되어 있는 것이며, 사적자치에 맡겨지는 것이 허용되지 않는 것으로서 사인 간에 강제되는 것은 명백하기 때문이라고 한다. 권영성, 앞의 책, 695면. 노동조합 및 노동관계조정법상의 부당노동행위제도가 바로 근로3권이 사용자에게도 직접적용된다는 점을 확인하고 있다고 한다. 홍성방, 앞의 책(중), 282면; 김학성·최희수, 앞의 책, 737면.

167) "노동 및 경제조건을 유지하고 개선하기 위하여 단체를 조직하는 권리는 누구에게나 그리고 모든 직업에 보장된다. 이 권리를 제한하거나 방해하기 위한 협정은 무효이며, 이를 꾀하는 조치는 위법이다"라고 규정한 독일기본법(제9조 제3항)은 사인 간에 직접적용되는 강력한 근거가 된다.

168) 허영, 앞의 책, 562－563면. 사용자가 노동계약위반(노동조합에 가입하지 않는다는 조건의 계약)을 이유로 근로자를 해고시킨다면, 근로자는 헌법이 보장하는 근로3권에 근거하여 무효를 주장하겠지만, 그와 같은 무효주장만으로 당연히 복직되는 것은 아니고 법에 따라 구제신청을 하고 노동위원회의 구제명령을 받아야 권리구제가 가능하기 때문에, 근로자의 단결권은 노동위원회의 이 같은 법해석을 통하여 간접적으로 사용자에게 그 효력을 미치게 되는 것이라는 점을 주목해야 한다고 한다. 정종섭, 앞의 책, 741면도 같은 의견임.

169) 계희열, 앞의 책(중), 787면. 노사관계를 규율하는 법률이 이미 거의 완비되어 있기 때문에

비록 노사관계의 입법이 정비되어 있다고 하더라도 근로3권은 사용자를 전제하지 않고서는 의미가 없는 권리이기 때문에 직접적용된다고 보는 것이 근로자의 보호를 위해서도 타당하다고 생각한다. 따라서 근로3권을 포기한다는 각서는 헌법의 근로3권 규정에 반하여 무효로 보아야 한다. "단결의 자유는 일반적으로 사적자치의 원리에 우선한다"는 독일 연방헌법재판소의 판례[170]도 참고할 만하다.

6. 근로3권의 제한

(1) 헌법에 의한 제한

헌법은 공무원과 방위산업체 근로자의 근로3권을 제한하는 규정을 두고 있다.

① 공무원의 근로3권 제한

i) 헌법규정

헌법은 "공무원인 근로자는 법률이 정하는 자에 한하여 단결권, 단체교섭권 및 단체행동권을 가진다"고 규정하여 공무원에 대하여 근로3권은 법률이 인정한 자에 한하여 인정된다는 헌법적 제한을 두고 있다. 다만 구체적인 대상은 법률에 위임하고 있다. 공무원과 교원은 따로 정한다는 '노동조합 및 노동관계조정법'에 따라(동법 제5조 단서) '국가공무원법'과 '지방공무원법', '공무원의 노동조합 설립 및 운영에 관한 법률'에서 제한되는 공무원이 구체화되어 있다.

ii) 공무원의 근로3권 제한의 이론적 근거

헌법과 법률은 공무원들에게 일반국민에게는 허용되지 아니하는 기본권제한을 인정하고 있다. 이의 근거와 관련해서는 학설이 대립된다. i) 특별권력(특수신분)관계설, ii) 국민전체의 봉사자설, iii) 직무성설이 주장되나, 이상의 제 근거를 종합적으로 고려해서 공무원의 기본권(근로3권)이 제한된다고 보는 것이 타당하나, 특히 직무의 성질상 제한이 정당화된다고 보는 것이 다수설과 판례[171]의 입장이다.

현실적으로 근로3권 규정이 적용되는 경우란 상상하기 어려울 정도라 하면서도 근로3권의 성질상 직접적용되는 것이 일반적이라 한다.

170) BVerfGE 57, 220(245).

171) 공무원의 집단행위금지(국가공무원법 제66조)의 위헌성이 다투어진 사건에서 헌법재판소는 "공무원은 그 임용주체가 궁극에는 주권자인 국민 또는 주민이기 때문에 국민전체에 대하여 봉사하고 책임을 져야 하는 특별한 지위에 있고, 그가 담당한 업무가 국가 또는 공공단체의 공공적인 일이어서 특히 그 직무를 수행함에 있어서 공공성 · 공정성 · 성실성 및 중립성 등이 요구되기 때문에 일반근로자와는 달리 특별한 근무관계에 있는 사람이다. 그리하여 우리 헌법도 제7조 제1항 · 제2항에서 '공무원은 국민전체에 대한 봉사자이며 국민에 대하여 책임

iii) 공무원 근로자의 특수성

공무원도 당연히 노동을 제공하고 그 대가로 보수를 받는 근로자임에는 틀림이 없지만, 다음과 같은 근로자로서의 특수성이 인정되기 때문에 일반근로자에 비하여 근로3권이 제한되는 것이 정당화될 수 있다. 즉 i) 국민 전체에 대한 봉사자라는 지위가 있으므로 개인적 이윤추구를 직접 목적으로 하는 일반근로자와 차이가 있다는 점, ii) 공무원의 보수는 근로의 대가라는 의미 외에 공직의 효과적 수행에 대한 보상이라는 의미도 가진다는 점, iii) 공무원의 보수는 법령의 규율대상이므로 단체협약의 대상인 일반근로자와 차이가 있다는 점, iv) 다루는 업무가 공적 업무라는 점 등을 들 수 있겠다.[172]

iv) 공무원의 근로3권의 구체적 제한

㉠ 법정근로자에 한하여 근로3권이 인정된다(제33조 제2항). 제33조 제2항이 '법률이 정하는 자에 한하여' 공무원의 근로3권이 보장된다는 규정과 관련하여, 제37조 제2항에 따라 근로3권이 제한되는 공무원의 범위를 정함에 있어서 어떤 원칙을 따를 것인가의 문제가 제기된다. 그 규정은 근로3권이 제한되는 공무원의 범위를 법률로 정하도록 하고 있는 것으로 해석해야 한다고 하면서 어떤 경우에도 모든 공무원의 근로3권을 전면적으로 부정하는 입법은 허용되지 않는다는 견해도 있다.[173]

㉡ 공무원의 노동운동과 기타 공무 이외의 일을 위한 집단행위를 금지[174]하면서, 예외적으로 국회규칙 · 대법원규칙 · 대통령령으로 범위를 정하는 사실상 노무에 종사하는 공무원은 여기서 제외하고 있다(국가공무원법 제66조). 노무에 종사하는 공무원의 범위는 국회규칙 · 대법원규칙 · 헌법재판소규칙 · 중앙선거관리위원회규칙 · 대

을 진다. 공무원의 신분과 정치적 중립성은 법률이 정하는 바에 의하여 보장된다'라고 규정하고 있고, 그 밖에 제29조 제1항 · 제2항에서 공무원의 불법행위책임과 그에 대한 국가의 배상의무 및 일정한 공무원에 대한 배상제한 규정을 두고 있으며, 제33조 제2항에서 근로기본권에 관하여 공무원에 대한 특별규정을 두고 있다. 우리 헌법이 위와 같은 규정을 두게 된 뜻은 바로 위에서 본 바와 같은 공무원의 지위의 특수성과 직무의 공공성에서 비롯되는 것이다"라고 판시하고 있다(헌재 1992. 4. 28. 90헌바27); 헌재 1991. 7. 22. 89헌가106도 참조.

172) 권영성, 앞의 책, 697면.

173) 이승우, 기본권론, 도서출판 두남, 2007, 366면.

174) 공무행위이외의 집단행위라 함은 공무원으로서 직무에 관한 기강을 저해하거나 기타 그 본분에 배치되는 등 공무의 본질을 해치는 특정목적을 위한 다수인의 행위로서 단체의 결성단계에는 이르지 않은 상태에서의 행위를 말한다. 건설부장관주재의 정례회의시에 집단적으로 퇴장하는 행위는 그것이 기구개편에 관한 불만의 의사표시에서 비롯되었어도 국가공무원법이 금지하는 공무외의 집단행위에 해당한다(대판 1992. 3. 27. 91누9145).

통령령 또는 지방자치단체의 조례로 정하게 되어 있다.[175)]

㉢ '공무원직장협의회의 설립 · 운영에 관한 법률'에 따라 6급 이하 공무원의 공무원직장협의회 설립이 가능하다. 근무환경개선 · 업무능률향상 및 고충처리를 목적으로 설립이 가능하다.

㉣ 2005년 1월 27일에는 공무원의 근로조건의 개선과 사회적 지위의 향상을 기하기 위하여 공무원의 노동조합설립 및 운영, 단체교섭, 분쟁조정절차 등에 관한 사항을 규정한 '공무원의 노동조합 설립 및 운영 등에 관한 법률'이 제정 공포되었다. 가입할 수 있는 공무원의 범위는 6급 이하의 일반직 공무원 등으로 한정되어 있다. 따라서 2006년부터 6급 이하 일반직 공무원은 공무원노동조합을 설립할 수 있고 단체교섭권과 단체협약체결권을 가진다(공무원노조법 제5조, 제10조). 다만 쟁의행위와 정치활동은 금지된다(동법 제4조, 제11조).

㉤ '교원의 노동조합 설립 및 운영 등에 관한 법률'에 따라 초 · 중등교원은 시 · 도단위 또는 전국단위에 한하여 교원노동조합의 설립이 가능하며, 단체교섭은 허용되나 법령 · 조례 · 예산에 의하여 규정되는 내용은 단체협약으로서의 효력을 갖지 않으며 쟁의행위와 정치활동은 금지된다(교원노조법 제2조, 제4조, 제8조).

② 주요방위산업체 근로자의 단체행동권 제한

헌법은 제33조 제3항에서 "법률이 정하는 **주요방위산업체에 종사하는 근로자**의 단체행동권은 법률이 정하는 바에 의하여 이를 제한하거나 인정하지 아니할 수 있다"고 규정하고 있다. '노동조합 및 노동관계조정법'은 방위사업법에 의하여 지정된 주요 방위산업체에 종사하는 근로자 중 전력, 용수 및 주로 방산물자를 생산하는 업무에 종사하는 자에게 쟁의행위를 금지하고 있다(동법 제41조 제2항). 한편 주요방위산업체가 국방과 국민경제 내지는 국민생활에 미치는 직접적이고도 생존적인 의미를 충분히 고려한다 하더라도, 국방과 국민경제의 발전 및 국민생활의 안정이 이들 주요방위산업체 종사자들의 일방적인 희생 위에 이루어질 수는 없다고 보아야 하기 때문에, 그들이 '인간다운 생활'과 '합리적인 작업환경'을 보장받기 위한 노력으로서 행하는 단체행동을 전적으로 부인할 수 없다는 견해도 있다.[176)]

175) 국가공무원법 제66조 제2항, 지방공무원법 제58조 제1항. 현행법상 철도 · 우정 · 의료 등 현업기관 노무공무원이 이에 속한다.
176) 허영, 앞의 책, 562면.

(2) 법률에 의한 제한

헌법의 명시적인 규정을 떠나 그 밖에 근로자의 근로3권은 제37조 제2항에 따른 일반적 법률유보에 의해서도 제한될 수 있다. 다만 공공복리를 이유로 한 제한은 불가하다는 견해도 있으나, 단체행동권은 공공복리를 위해서도 제한할 수 있다고 본다. 공공복리를 이유로 제한하는 법률로는 '노동조합 및 노동관계조정법'을 들 수 있다. 다만 제한하는 경우에도 근로3권의 본질적 내용을 제한할 수 없으며, 또한 과잉제한을 허용할 수 없다. 예컨대 노동조합의 결성을 금지하거나, 복수노조의 설립을 금지한 것, 노동조합의 내부적 인사문제에 대하여 국가가 간섭하는 행위 등은 헌법에서 명시적인 규정을 둔 경우는 별론으로 하더라도 근로3권의 본질적인 내용의 침해가 될 수 있다고 본다.

(3) 국가비상사태 하에서의 근로3권의 제한

제77조에 따라 대통령이 비상계엄을 선포한 경우, 제76조에 의한 긴급명령, 긴급재정경제명령에 의해서도 근로3권을 제한할 수도 있다. 그러나 이 경우에도 근로3권의 본질적인 내용은 침해할 수 없다.

제6절 환 경 권

Ⅰ. 연혁과 헌법규정

1. 연 혁

환경권 개념이 등장한 것은 1960년대 이후이다. 이는 어느 사상가에 의하여 천부인권으로 주장된 것이 아니고, 공해의 폐해와 싸우기 위한 권리 개념으로서 등장하였다. 미국은 1969년 국가환경정책법(NEPA)을 제정하였는데, 가히 환경권리장전이라고도 할 수 있는 내용을 담고 있다. 독일에서는 1971년 이후 환경권 개념이 대두되었으며, 1973년 1월 18일 브란트 수상이 "인간은 모두 인간에 적합한 환경에 대한 기본권인 권리를 가지며, 이것은 '헌법 차원'의 권리이다"라고 강조하였고, 1994년에는 환경보호를 위한 기본법 제20a조가 추가되었다. 일본에서도 1970년대에 들어 환경파괴에 대항하는 주민의 권리로서 환경권을 확립할 것을 주장하였다.

특히 각 도시조례에서 건강하고 안전하며 쾌적한 생활을 영위할 권리를 가짐을 강조하고 있다.

또한 환경보호를 위한 국제적 노력의 일환으로 1972년 6월에는 스웨덴의 스톡홀름에서 제1차 **유엔환경회의**가 개최되어 '**하나뿐인 지구**'라는 표현을 채택하면서 유엔상설기구로서 **유엔환경계획**(UNEP)을 설치하였고, 1992년 6월에는 브라질의 리우데자네이루에서 유엔환경개발회의가 개최되어 '**리우선언**'과 국제환경법제의 기본원칙이 된 '**의제21**'(Agenda 21)이 채택된 바 있다.

우리나라에서도 1970년대 이후 공해산업의 발달에 따라 환경보전의 필요성이 강조되어 환경권론이 등장하였다. 1978년 7월 1일부터 시행된 환경보전법은 "환경을 적정하게 보전함으로써 국민보건향상에 기여함"을 목적으로 제정된 것이었다. 우리나라에서 헌법에 환경권이 신설된 것은 1980년 제5공화국헌법이다.

2. 헌법규정

1980년 헌법에서 처음으로 환경권규정이 신설되었으며, 현행헌법은 이를 좀 더 세분화하고 있다. 현행헌법은 제35조에서 "① 모든 국민은 건강하고 쾌적한 환경에서 생활할 권리를 가지며 국가와 국민은 환경보전을 위하여 노력하여야 한다. ② 환경권의 내용과 행사에 관하여는 법률로 정한다. ③ 국가는 주택개발정책 등을 통하여 모든 국민이 쾌적한 주거생활을 할 수 있도록 노력하여야 한다"고 하여 환경권을 비교적 상세히 규정하고 있다. 1980년 헌법에 비하여 환경권에 '쾌적'이라는 표현을 추가하였고, 쾌적한 주거생활권을 추가하고 있다.

우리나라에서는 환경과 관련하여 1963년 **공해방지법**이 처음으로 제정되었고, 공업화의 추진 결과 환경문제가 심각하게 대두되자 1977년 **환경보전법**과 **해양오염방지법**이 제정되었다. 그리고 헌법에 환경권과 환경보전의무가 신설되면서 기본권으로서의 중요성이 강조되었다. 그러나 환경오염이 다양화되는 현실에서 포괄적인 단일법인 환경보전법이 한계를 드러내자, 1990년 환경보전정책의 기본방향을 설정하는 **환경정책기본법**을 기본으로 하여 **개별 환경법제**로 **자연환경보전법**, **토양환경보전법**, **대기환경보전법**, **물환경보전법**, **소음·진동관리법**, **유해화학물질관리법**, **환경분쟁조정법**, **환경영향평가법** 등을 제정하여 환경법제를 정비하였다.

Ⅱ. 환경권의 의의와 특성

1. 환경권의 의의

환경권은 협의로는 오염되거나 불결한 환경으로 말미암아 건강을 훼손당하거나 훼손당할 위험에 놓인 자가 오염되거나 그러한 환경에 대하여 책임이 있는 공권력이나 제3자에 대하여 그 원인을 예방 또는 배제하여 주도록 요구할 수 있는 권리이나, 광의로는 **협의의 환경권**은 물론 청정한 환경을 보전하고 조성하여 줄 것을 국가에 대해 요구할 수 있는 권리로 이해된다.[177] 헌법재판소는 "환경권은 건강하고 쾌적한 생활을 유지하는 조건으로서 양호한 환경을 향유할 권리"라고 정의하고 있다.[178]

2. 환경권의 특성

ⅰ) 환경권은 환경에 영향을 미치는 인간의 행위를 규제함으로써 실현되는 것이기 때문에 **다른 기본권의 제한을 전제**로 하는 기본권이다.

ⅱ) 환경권은 **의무성을 수반**하는 것으로, 환경보전의무의 이행이라든가 상린관계의 존중 등을 통해서 실현될 수 있는 기본권이다. 다른 기본권보다 의무성이 강하다.

ⅲ) 환경권은 산업체의 활동 등을 억제함으로써 실현될 수 있는 것이기 때문에 경제성장의 장애요인이 될 수도 있다.[179]

ⅳ) 현존세대의 기본권만이 아니라 **미래세대의 기본권**적인 성질을 가지고 있다.

ⅴ) 국제사회가 연대하여 보전할 필요가 강한 기본권이다. 이러한 점에서 국제적 기본권, **제3세대 기본권**으로서 그 가치가 중시된다.

---

177) 권영성, 앞의 책, 701면. 환경정책기본법은 "환경오염"을 "사업활동 기타 사람의 활동에 따라 발생되는 대기오염, 수질오염, 토양오염, 해양오염, 방사능오염, 소음·진동, 악취, 일조방해 등으로서 사람의 건강이나 환경에 피해를 주는 상태를 말한다"고 정의하고 있다(동법 제3조).

178) 헌재 2008. 7. 31. 2006헌마711; 헌재 2014. 6. 26. 2011헌마150.

179) 이 점이 환경권의 특성으로 들어질 수 있지만, 환경권과 산업발전 및 경제발전을 택일관계로 이해해서는 안 되며, 오히려 우호적인 상린관계에 있다는 점을 강조하는 견해는 타당하다(허영, 앞의 책, 478면).

Ⅲ. 환경권의 법적 성격

1. 학 설

환경권도 헌법에서 권리로 규정되고 있기 때문에 개인이 국가에 대하여 방해배제나 환경조성을 청구할 수 있는 주관적 공권이다. 이러한 점에서 프로그램규정설은 타당하지 않다. 주관적 공권으로 보더라도 그 성격에 대해서는 i) 생존권설,[180] ii) 자유권과 생존권의 성격을 모두 가지고 있다는 병존설,[181] iii) 생존권과 인격권의 성질을 가진다는 설,[182] iv) 종합적 기본권으로 보는 견해[183] 등 다양하다. 특히 생존권으로 볼 경우와 복합적 권리로 볼 때 생존권적 측면의 권리를 추상적 권리로 보는 견해, 불완전한 구체적 권리로 보는 견해, 구체적 권리로 보는 견해, Alexy의 원리모델에 따른 권리설을 주장하는 견해[184] 등 다양하다.

2. 판 례

판례는 환경권을 자유권과 생존권의 성격을 가지는 권리로 파악하면서, 프로그램규정 내지 추상적 권리의 관점에서 환경권을 이해하는 것도 있고 일종의 불완전한 구체적 권리설에 유사한 판례도 있다.

헌법규정만으로 사법상 권리의 도출이 가능한가?

환경권에 관한 헌법 제35조의 규정이 개개의 국민에게 직접으로 구체적인 사법상

---

180) 홍성방, 앞의 책(중), 299면. 다만 국가와 국민을 수범자로 하며 부분적으로 방어권적인 성격을 동시에 가지고 있는 사회적 기본권이라 한다.

181) 김철수, 앞의 책(상), 1223면. 자유권과 생존권의 성격을 가지고 있는 종합적 기본권이라는 견해(김학성·최희수, 앞의 책, 746면).

182) 구병삭, 앞의 책, 581면.

183) 권영성, 앞의 책, 703면. 인간의 존엄성을 그 이념적 기초로 하면서 여러 가지 성격(청구권, 인간다운 생활권, 보건에 관한 권리, 행복추구권)을 아울러 가지는 총합적 기본권이라 한다. 그러면서 주된 성격은 사회적 기본권성에 있다고 하면서 이는 불완전하나마 구체적 권리로 파악하고 있다. 허영 교수는 환경권은 "국가와 국민의 환경보전의무를 전제로 하는 권리와 의무의 복합형태인데, '기본권의 전제조건을 보장'하는 기본권으로서의 성질과 기본권의 헌법적 한계로서의 성질을 함께 가지고 있는 종합적인 기본권"이라고 하며, 제도보장의 성질도 가지고 있다고 한다(허영, 앞의 책, 479－480면).

184) 환경권은 헌법규정에 의해 잠정적인 권리로 인정되나, 다른 원칙들(타인의 소유권 및 재산권, 기업의 생산성, 기업의 경쟁력, 국가의 재정 등)과의 형량을 통해 확정적 권리의 성격을 갖게 된다고 한다(김학성·최희수, 앞의 책, 746면).

> 익 권리를 부여한 것이라고 보기는 어렵고, 사법상의 권리로서의 환경권이 인정되려면 그에 관한 명문의 법률규정이 있거나 관계법령의 규정취지 및 조리에 비추어 권리의 주체, 대상, 내용, 행사방법 등이 구체적으로 정립될 수 있어야 한다.
>
> 대판 1995. 9. 15. 95다23378

> **환경권의 법적 성격**
>
> "환경권은 건강하고 쾌적한 생활을 유지하는 조건으로서 양호한 환경을 향유할 권리이고, 생명·신체의 자유를 보호하는 토대를 이루며, 궁극적으로 '삶의 질' 확보를 목표로 하는 권리이다. 환경권을 행사함에 있어 국민은 국가로부터 건강하고 쾌적한 환경을 향유할 수 있는 자유를 침해당하지 않을 권리를 행사할 수 있고, 일정한 경우 국가에 대하여 건강하고 쾌적한 환경에서 생활할 수 있도록 요구할 수 있는 권리가 인정되기도 하는바, 환경권은 그 자체 종합적 기본권으로서의 성격을 지닌다."
>
> 헌재 2008. 7. 31. 2006헌마711

3. 결 어

환경권에 여러 가지 복합적인 성격을 인정할 수 있지만, 주된 성격은 사회적 기본권이라 할 수 있으며 이 점에서 사회적 기본권의 법적 성격에 대한 논의가 원칙적으로 타당하다고 본다(구체적 권리설). 따라서 국가권력을 규제하고 구제를 가능하게 하는 방향으로 이론구성을 해야 한다고 본다.

Ⅳ. 환경권의 주체

환경권은 성질상 자연인에게만 인정된다. 제35조 제1항의 해석을 통해서도 자연스럽게 이해되는 것으로 보인다. 환경소송에 관하여 원고적격의 문제에 있어서도 현재 원고적격을 광범위하게 인정하려는 경향이 있고, 오염된 환경과 관련 있는 모든 자로 원고적격이 확대되어야 한다는 대법원의 판례도 있다.[185]

현재 세대의 환경보존의무는 미래세대에 이익이 된다는 점에서 미래의 자연인도 환경권의 주체가 될 수 있다.[186] 미래세대가 환경권의 주체가 된다고 하더라도 그 내용은 미래세대를 위하여 현재세대가 많은 노력을 해야 한다는 의미로 이해할

---

185) 대판 1977. 4. 12. 76다2707, 2708; 대판 1978. 12. 26. 77다2228.

186) 김철수, 앞의 책(상), 1224면; 허영, 앞의 책, 477면; 홍성방, 앞의 책(중), 300면. 미래세대가 충분히 그들의 깨끗한 환경에 대한 권리를 누릴 수 있도록 모든 노력을 다해야 한다는 의미로 이해할 것을 주문한다.

수밖에 없다. 그러나 미래세대는 현존하는 자연인이 아니므로 권리의 주체가 될 수 없다는 견해도 있다.[187]

Ⅴ. 환경권의 내용

1. 환경권의 대상으로서의 환경

(1) 환경에 대한 정의와 분류 개관

보통 환경이라고 할 때에는 인간을 둘러싸고 있는 **주위**(Surroundings)를 말하지만, 환경은 그 가시성(可視性)에 따라 물리적 환경과 사회적 환경으로 나눌 수 있고, 인공에 의하여 창출된 것인가에 따라 자연환경과 인공환경으로 분류할 수 있다. 이 두 기준을 종합하면 자연환경, 물리적 인공환경, 사회적 환경으로 나눌 수 있다.[188] 우리나라 환경정책기본법은 환경을 자연환경과 생활환경으로 나누고 있다(동법 제3조 제1호).[189]

(2) 제35조 환경권의 대상으로서의 환경

이에 대해서는 ⅰ) 자연환경만을 의미한다고 보는 견해(협의설),[190] ⅱ) 자연환경과 생활환경을 포함한다고 보는 견해(광의설),[191] ⅲ) 자연환경에서 살 권리뿐만 아니라 보다 좋은 사회적 환경에서 살 권리, 즉 교육권, 의료권, 도로・공원이용권 등도 포함된다고 보는 견해(최광의설)[192] 등이 대립한다.

---

187) 계희열, 앞의 책(중), 806면. 환경이 미래에 영향을 미친다는 사실과 기본권의 본질적 속성을 혼동하면 안 된다고 한다.

188) 김안제, "환경과 계획", 환경논총 제1권 제1호, 1974, 246면.

189) 환경정책기본법은 "자연환경"이라 함은 지하・지표(해양을 포함한다) 및 지상의 모든 생물과 이들을 둘러싸고 있는 비생물적인 것을 포함한 자연의 상태(생태계 및 자연경관을 포함한다)를 말하고, "생활환경"이라 함은 대기, 물, 폐기물, 소음・진동, 악취, 일조 등 사람의 일상생활과 관계되는 환경을 말한다고 정의하고 있다(동법 제3조 제3호, 제4호).

190) 허영 교수는 환경권에 의해서 보장하려고 하는 '건강하고 쾌적한 환경'은 우선 자연환경이라고 말하는 것이라고 볼 때, 자연환경은 그것을 권리의 객체 내지는 법적 규율로 삼는 데는 스스로 일정한 한계가 있다고 보면서, 헌법의 규정은 결국 자연환경에 나쁜 영향을 미치는 행위를 자제 내지 규제해서라도 자연환경이 '건강하고 쾌적한 환경'으로 보전될 수 있도록 노력하겠다는 것이라고 한다. 다만 생활환경조성권에는 자연환경을 자연환경 그대로 보전하는 것뿐만 아니라 인공환경과 쾌적한 주거환경을 조성하고 보존하는 것까지 포함된다고 한다(허영, 앞의 책, 480, 482면).

191) 권영성, 앞의 책, 705면.

192) 김철수, 앞의 책(상), 1225면. 교육환경은 사회적, 문화적 환경으로서 제35조의 보호범위에

넓은 의미의 사회적 환경까지 포함할 경우 환경권은 다른 기본권과 구별이 어려워지며, 자연환경에 한정할 경우 물리적 인공환경 등으로 인한 공해의 문제가 배제될 수 있기 때문에 제35조의 대상으로서의 환경은 자연환경과 물리적 인공환경을 포함하는 것으로 이해하는 것이 타당하다고 생각한다. 헌법재판소도 '건강하고 쾌적한 환경에서 생활할 권리'를 보장하는 환경권의 보호대상이 되는 환경에는 자연환경뿐만 아니라 인공적 환경과 같은 생활환경도 포함된다고 보고 있다.[193]

2. 환경권의 내용

환경권의 내용과 행사는 법률에 의해 구체적으로 정해진다(제35조 제2항). 그러나 이 헌법조항의 취지는 특별히 명문으로 헌법에서 정한 환경권을 입법자가 그 취지에 부합하도록 법률로써 내용을 구체화하도록 한 것이지 환경권이 완전히 무의미하게 되는데도 그에 대한 입법을 전혀 하지 아니하거나, 어떠한 내용이든 법률로써 정하기만 하면 된다는 것은 아니다. 그러므로 일정한 요건이 충족될 때 환경권 보호를 위한 입법이 없거나 현저히 불충분하여 국민의 환경권을 과도하게 침해하고 있다면 헌법재판소에 그 구제를 구할 수 있다고 해야 할 것이다.[194]

환경권의 내용을 설명하는 데는 학자에 따라 차이가 있다.[195] 대체로 환경권의 대상으로서의 환경과 환경권의 법적 성질에 대한 이해의 차이에서 기인한 것이지만, 본서에서는 환경권의 내용을 대국가적 방어권(침해배제권), 사인의 환경침해에 대한 국가권력개입 청구권(청구권적 기본권), 적극적 환경권(환경조성청구권) 등으로 나누어 설명하기로 한다.

포함된다고 본 하급심 판례가 있다(부산고판 1995. 5. 18. 95카합5).

193) 일상생활에서 소음을 제거·방지하여 정온한 환경에서 생활할 권리는 환경권의 한 내용을 구성한다(헌재 2008. 7. 31. 2006헌마711; 헌재 2014. 6. 26. 2011헌마150).

194) 헌재 2008. 7. 31. 2006헌마711.

195) 공해예방청구권(환경보전청구권), 공해배제청구권(환경복구청구권), 쾌적한 주거생활권으로 나누는 견해(권영성 앞의 책, 705－706면. 여기서 공해예방청구권과 공해배제청구권은 국가, 공공단체 또는 사인에 대한 청구권으로 파악하고 있다), 국가에 대한 환경침해에 대한 방어권, 공해배제청구권, 생활환경조성청구권 등으로 나누는 견해(허영, 앞의 책, 480－482면), 침해배제청구권(침해예방청구, 침해회복청구), 생활환경의 조성청구권, 쾌적한 주거생활권으로 나누는 견해(김학성·최희수, 앞의 책, 747－749면), 환경권을 헌법상 권리(환경향유권과 환경접근권)와 법률적 권리(환경개선요구권, 환경조성요구권)로 나누는 견해(정종섭, 앞의 책, 894－896면), 건강하고 쾌적한 환경에서 생활을 할 권리, 쾌적한 주거생활의 권리, 문화적·교육적 환경 등에 대한 권리(정재황, 잎의 책, 505면), 공해예방·환경보전청구권, 공해배제·환경회복청구권, 쾌적한 주거생활권 등으로 나누는 견해(정만희, 앞의 책, 411면) 등 다양하다.

(1) 대국가적 방어권(침해배제권)

이는 환경권의 자유권적 측면으로 국가활동으로 인한 공해의 배제와 손해배상을 청구할 수 있는 권리를 말한다. 환경권은 국가작용으로 말미암아 발생하는 각종 환경오염행위에 대한 방어권을 제1차적인 내용으로 한다.

(2) 사인의 환경침해에 대한 국가권력개입청구권(청구권적 기본권)

사인 등의 행위로 말미암아 발생하는 환경오염이나 공해를 국가가 방지하고 배제하여 주도록 요구할 수 있는 권리를 말한다. 일명 공해배제청구권이라 한다. 공해배제청구권은 국가가 환경보전의 의무를 부담하는 결과 당연히 인정되는 권리이다. 공해배제청구권은 상린관계성으로 인한 이익균형을 감안하여 그 보장범위가 결정되어야 하므로 수인의 한도를 넘는 경우에만 행사될 수 있다.

(3) 적극적 환경권(환경조성청구권)

생활의 질을 향상시키기 위한 생존배려를 요구할 수 있는 권리이다. 생활환경조성청구권이 구현되려면 막대한 예산이 소요되고 다른 기본권과 이익균형이 이루어져야 한다. 또한 생활환경조성지역의 인근주민과 그 밖의 이해관계가 있는 사람들에게는 조성계획 수립과정에 적극 참여하여 의견을 개진할 수 있도록 하여야 한다. 쾌적한 주거생활권도 생활환경조성청구권에 포함된다고 할 수 있으나 헌법은 이를 별도로 규정하고 있다. 쾌적한 주거생활권이라 함은 인간다운 생활에 필수적인 쾌적한 주거생활의 확보를 위하여 국가에 대하여 일정한 배려와 급부를 요구할 수 있는 권리를 말한다. 주거는 인간의 삶의 보금자리이고 사회의 기본적 조직단위인 가정의 근거지이며 건강하고 문화적인 생활을 영위하기 위한 필수적인 요소이므로, 쾌적한 환경이 조성되어야 한다. 쾌적한 주거생활권은 국가에 대하여 적극적인 급부 내지 배려를 요구할 수 있는 것이라는 점에서 소극적 불가침을 내용으로 하는 제16조의 주거의 자유와는 구별된다.

환경권과 수돗물 질 개선의무

"헌법 제35조 제1항은 모든 국민은 건강하고 쾌적한 환경에서 생활할 권리를 가진다고 규정하고 있으므로(구 헌법 제33조도 거의 같은 취지로 규정하고 있다), 국민이 수돗물의 질을 의심하여 수돗물을 마시기를 꺼린다면 국가로서는 수돗물의 질을 개선하는 등의 필요한 조치를 취함으로써 그와 같은 의심이 제거되도록 노력하여야 하고, 만일 수돗물에 대한 국민의 불안감이나 의심이 단시일 내에 해소되기 어렵다면 국민으로 하여금 다른 음료수를 선택하여 마실 수 있게 하는 것이 국가의 당연한 책무이다."

대판 1994. 3. 8. 92누1728

토지초과이득세법 및 택지소유상한에 관한 법률과 쾌적한 주거생활권

"택지소유상한에 관한 법률은 각 국민으로 하여금 일정 면적 내의 토지를 가구별로 고르게 소유하게 하는 것을 그 목적으로 삼고 있고, 한편 국민 각자의 경제적 능력에 따라서는 장차 주택을 소유하기 위하여 우선 택지만을 확보하여 둘 필요가 있는 경우도 있을 것이며, 토지의 효율적 이용이라는 측면만을 지나치게 강조하다 보면 당장의 토지이용에 급급한 무계획하고도 무질서한 건축행위가 남발될 결과가 발생할 수도 있다. 그런데 토초세법은 위 법률에 따른 소유제한범위 내의 택지인지 여부에 관계없이, 토초세 과세 여부를 결정하도록 되어 있는바, 이는 위 법률과 입법체계적으로도 조화를 이루지 못하고 있을 뿐만 아니라, 헌법이 보장하고 있는 인간다운 생활을 할 권리와 헌법상의 국가의 사회보장·사회복지 증진의무 및 국가의 쾌적한 주거생활 보장의무에도 배치된다."

헌재 1994. 7. 29. 92헌바49,52(병합)

Ⅵ. 환경권의 효력

1. 대국가적 효력

환경권은 국가에 대하여 환경을 침해하지 말아달라고 요구하는 측면과 국가에 대하여 환경을 개선·보호해 달라고 요구할 수 있는 두 측면이 있다. 국가는 환경보전을 위하여 노력하여야 하며, 국민은 국가에 대하여 공공단체나 사인의 환경침해에서 구제해달라고 요구할 수 있는 권리가 있다. 따라서 환경권은 입법권, 행정권, 사법권 모두를 구속하는 대국가적 효력을 가진다.

2. 대사인적 효력

환경권도 그것이 사기업에 의한 공해에서 보호받을 권리를 내포하기 때문에 사인에 대해서도 효력을 가진다고 하겠다. 따라서 사인에 의해서 환경권이 침해된 경우 사법의 일반조항을 통하여 사인에게 간접적용된다고 볼 것이다.[196] 그러나 우리 헌법은 "국민은 환경보전을 위하여 노력하여야 한다"고 하는 규정을 근거로

196) 김철수, 앞의 책(상), 1228면.

직접적용을 주장하는 견해도 있다.[197]

Ⅶ. 환경권의 한계와 제한

환경권도 절대적 권리는 아니므로 제37조 제2항에 의한 일반적 법률유보에 의하여 제한될 수 있다. 특히 환경권은 상린권적 기본권의 성격을 띠므로 수인한도론 등이 적용되며, 기본권이 충돌하는 경우에는 규범조화적 해석이 요구된다. 다만 제한하는 경우에도 환경권의 본질적인 내용을 침해할 수 없다. 환경은 한번 파괴되면 회복이 쉽지 않다는 측면에서 제한은 신중할 필요가 있다. 환경권의 "본질적 내용"의 의미와 관련하여 생명, 건강에 위협이 되는 정도를 뜻한다고 보는 견해[198]가 있는가 하면 이는 보건권의 문제에 불과하다는 반론도 있다. 생명·건강에 영향을 미치지 않는 경우라도 과잉금지원칙을 위배한 환경권제한을 본질적인 내용으로 보는 것[199]이 무난하다고 본다. 다만 헌법재판소는 환경권 침해 내지 환경권에 대한 국가의 보호의무위반도 생명·신체의 안전에 대한 침해로 귀결된다고 보고 있다.[200]

Ⅷ. 환경권의 침해와 구제

1. 사인에 의한 침해와 구제

(1) 손해배상청구와 유지청구

① 손해배상

손해배상은 사후구제책이다(민법 제750조). 환경정책기본법은 사업자는 환경피해에 대하여 무과실책임을 진다고 규정하고 있다(동법 제31조).

---

197) 권영성, 앞의 책, 708면.

198) 권영성, 앞의 책, 708면.

199) 허영, 앞의 책, 483-484면.

200) "헌법은 '모든 국민은 건강하고 쾌적한 환경에서 생활할 권리를 가지며, 국가와 국민은 환경보전을 위하여 노력하여야 한다'고 규정하여(제35조 제1항) 국가에게 환경보전을 위하여 노력하여야 할 의무를 부여하고 있다. 그런데 환경권에 대하여 국가의 보호의무를 인정한 것은, 환경피해는 생명·신체의 보호와 같은 중요한 기본권적 법익 침해로 이어질 수 있다는 점 등을 고려한 것이므로, 환경권 침해 내지 환경권에 대한 국가의 보호의무위반도 궁극적으로는 생명·신체의 안전에 대한 침해로 귀결된다"고 판시하고 있다(헌재 2015. 9. 24. 2013헌마384).

② 유지청구

유지청구는 **사전예방적인 구제책**으로 본안소송과 가처분신청의 형태로 제기할 수 있다. 문제는 환경침해에 대한 유지청구의 법적 근거, 즉 피보전권리는 무엇으로 볼 것인가와 관련해서 견해의 대립이 있다. i) 공해란 피해자가 지배하는 토지·건물의 소유권, 점유권 등의 물권에 대한 침해라고 파악하여 이들 권리에 기한 물권적 청구권으로서 그 침해의 예방·배제를 구하는 것이라고 하는 **물권적 청구권설**,[201] ii) 공해는 곧 인간생활 자체에 대한 침해, 즉 인격권의 침해라고 파악하는 데서 출발하여 인격권 또한 물권과 마찬가지로 하나의 절대권이므로 그 침해에 대해서는 배제나 예방을 청구할 수 있다고 하는 **인격권설**,[202] iii) 물권이나 인격권 등의 절대권의 침해가 없더라도 환경의 침해로부터 보호받을 이익이 있는 이상 그 침해행위에 대하여 민법상 불법행위에 기한 침해금지를 청구할 수 있다는 **불법행위설**,[203] iv) 주민이 가지는 환경권이 지배권으로서의 배타성을 가지는 결과 환경에 대한 침해가 있으면 주민의 생명·건강·재산에 대한 구체적 침해를 입히는 일이 없어도 곧바로 유지청구를 할 수 있다는 **환경권설**[204] 등이 대립한다. 구체적 상황에 따라 물권적 청구권설이나 인격권 등도 근거가 될 수 있지만, 환경권을 근거로 하면서 수인한도론과의 조화를 고려하는 것이 바람직하다고 생각한다.

물권적 청구권설

대법원은 "어느 토지나 건물의 소유자가 종전부터 향유하고 있던 경관이나 조망, 조용하고 쾌적한 종교적 환경 등이 그에게 하나의 생활이익으로서의 가치를 가지고 있다고 객관적으로 인정된다면 법적인 보호의 대상이 될 수 있는 것이라 할 것이므로, 인접 대지에 건물을 신축함으로써 그와 같은 생활이익이 침해되고 그 침해가 사회통념상 일반적으로 수인할 정도로 넘어선다고 인정되는 경우에는 토지 등의 소유자는 소유권에 기하여 방해의 제거나 예방을 위하여 필요한 청구를 할 수 있다"고 판시한 사건에서는 물권적 청구권설을 취하고 있다고 판단된다.

대판 1999. 7. 27. 98다47528

---

201) 물권적 청구권설에 대해서는 환경침해의 본질을 재산적 이익의 침해로 보기 어렵다는 점과 물권을 가지지 않은 사람은 유지청구를 할 수 없다는 점에서 비판되고 있다.

202) 인격권의 내용이 불명확하여 이를 근거로 할 경우 법적 안정성을 해한다는 비판이 있다.

203) 이 설에 대해서는 민법상 불법행위의 효과로서 금전배상원칙을 하고 있다는 점에서 비판되고 있다.

204) 공해의 피해자 내지 환경의 피해자가 사법적 구제의 근거로 삼을 수 있는 구체적 사법상 권리로서 환경권을 승인할 수 있어야 한다는 점에서 비판되고 있다.

(2) 개연성이론

인과관계의 입증을 완화하기 위한 것으로 환경분쟁에 있어서 인과관계의 증명은 침해행위와 손해발생 사이에 인과관계가 존재한다는 상당한 정도의 개연성이 있음을 입증함으로써 족하다는 이론이다. 대법원은 가해기업이 어떠한 유해한 원인물질을 배출하고 그것이 피해물건에 도달하여 손해가 발생하였다면 가해자 측에서 그것이 무해하다는 것을 입증하지 못하는 한 책임을 면할 수 없다고 판시하여[205] 개연성이론을 수용하고 있는 것으로 보인다.

(3) 수인한도이론

환경분쟁에 있어서 위법성을 판단함에 있어서 가해자 측의 사정과 지역적 특성 등을 비교형량하여 피해가 일반인으로 하여금 통상 견딜 수 있는 한도를 넘어서는 경우에 위법성이 인정된다는 이론이다.

2. 공권력에 의한 침해와 구제

환경권이 국가권력에 의하여 침해된 경우에는 행정쟁송, 국가배상, 손실보상, 헌법소원, 행정개입청구 등이 가능하다.

3. 환경피해분쟁조정제도

환경피해는 원인의 다양성, 인과관계입증의 곤란성, 피해분쟁의 복잡성 등으로 기존의 구제방법에 한계가 있다는 지적 하에 환경분쟁 조정법(1997년 시행)이 제정되었다.

환경부장관 소속하에 준사법기구로서 중앙환경분쟁조정위원회, 시·도지사 소속하에 지방환경분쟁조정위원회를 설치하여 알선·조정·중재를 담당한다.

4. 새로운 환경소송제도

사법기관이나 분쟁조정위원회에 의한 피해구제는 피해자가 불특정다수인인 현대적 환경피해분쟁의 해결수단으로는 한계가 있다는 지적과 함께 외국의 집단소송제도, 단체소송제도 도입논의도 활발하다.

---

205) 대판 1997. 6. 27. 95다2692.

제7절 혼인 · 가족생활의 권리와 제도

Ⅰ. 헌법규정

우리 헌법은 "혼인과 가족생활은 개인의 존엄과 양성의 평등을 기초로 성립되고 유지되어야 하며, 국가는 이를 보장 한다"고 하여 혼인·가족제도 내지 혼인·가족생활의 권리를 규정하고 있다(제36조 제1항).

Ⅱ. 혼인 · 가족생활에 관한 헌법규정의 의의와 법적 성격

1. 의 의

재래의 가부장제에 대한 개혁을 선언하고, 개인의 존엄과 양성의 평등에 입각한 민주적 혼인·가족제도를 보장하고, 혼인·가족생활의 권리를 기본권으로 인정한 데 그 의의가 크다.

2. 법적 성격

제36조 제1항의 법적 성격과 관련해서는 ⅰ) 제도적 보장과 주관적 방어권의 성격을 가진다는 견해,[206] ⅱ) 생존권적 성격과 제도보장의 성격을 가진다는 견해,[207] ⅲ) 헌법 차원의 원칙규범임과 동시에 제도보장에 관한 규정으로 보는 견해,[208] ⅳ) 문명적인 가족관계를 정립하겠다는 헌법적 결단의 표현이라고 하는 견해[209] 등 다양한 의견이 제시되고 있다. 생각건대 혼인·가족제도의 보장과 더불어 혼인·가족생활에 관한 권리를 보장한 규정으로 이해하는 것이 옳다고 본다. 기본권의 성격도 가진다고 볼 때, 혼인·가족생활의 자유라는 자유권적 측면과 국가에 대한 적극적인 급부를 요구할 수 있는 사회권적 측면의 양 측면을 가지고 있다고 본다.

---

206) 헌재 2002. 8. 29. 2001헌바82.
207) 김철수, 앞의 책(상), 1206면.
208) 권영성, 앞의 책, 279면.
209) 허영, 앞의 책, 178-179면. 허영 교수는 혼인과 가족생활에 관한 규정은 우리 헌법의 근본원리의 하나인 문화민족의 이념에 알맞은 문명적인 가족관계를 실현하기 위한 것으로 이 규정을 제도보장적 이론에 따라 설명하거나 기본권적 성격에 관한 논의는 무의미하다고 한다.

혼인 · 가족제도의 법적 성격

"헌법 제36조 제1항은 '혼인과 가족생활은 개인의 존엄과 양성의 평등을 기초로 성립되고 유지되어야 하며, 국가는 이를 보장한다'라고 규정하고 있는데, 헌법 제36조 제1항은 혼인과 가족생활을 스스로 결정하고 형성할 수 있는 자유를 기본권으로서 보장하고, 혼인과 가족에 대한 제도를 보장한다. 그리고 헌법 제36조 제1항은 혼인과 가족에 관련되는 공법 및 사법의 모든 영역에 영향을 미치는 헌법원리 내지 원칙규범으로서의 성격도 가지는데, 이는 적극적으로는 적절한 조치를 통해서 혼인과 가족을 지원하고 제3자에 의한 침해 앞에서 혼인과 가족을 보호해야 할 국가의 과제를 포함하며, 소극적으로는 불이익을 야기하는 제한조치를 통해서 혼인과 가족을 차별하는 것을 금지해야 할 국가의 의무를 포함한다."

헌재 2002. 8. 29. 2001헌바82

3. 헌법상 보장되는 혼인 · 가족생활의 내용

(1) 혼인의 자유와 민주적 혼인제도

① 혼인형성의 자유

혼인결정의 자유는 혼인 여부, 시기, 상대방 결정의 자유를 포함한다. 결혼퇴직제는 혼인의 자유를 침해하여 위헌이다. 동성동본 금혼제도도 헌법불합치 결정을 받았다.[210]

다만 미성년자의 혼인에 친권자 또는 후견인의 동의를 요하는 것과 중혼을 금지하는 것, 합리적 범위 내의 근친혼을 금지하는 것 등은 합리적 제한이다.

동성 간의 혼인을 인정할 것인가에 대해서는 많은 논란이 있다. 아일랜드는 2015년 헌법개정을 통하여 동성 간의 결혼을 헌법으로 보장한 대표적인 나라이다.[211] 미국의 경우에는 연방헌법에 혼인에 대한 규정은 없지만, 연방대법원은 동성혼인의 권리도 헌법상 보장되는 근본적 권리라고 인정한 바 있다.[212] 독일의 경우 종전 연방헌법재판소는 동성 간의 결합은 기본법 제6조 제1항의 혼인에 포함되지 않는다는 보면서도, 입법을 통해 동성 간 결합에 대하여 혼인과 동등 내지 유사한 보호를 하는 것은 기본법의 혼인보호조항에 위반되는 것은 아니라고 판시하였다.[213] 우리나라에서는 혼인은 남녀의 합의를 말하므로 동성 간의 생활공동체는

210) 헌재 1997. 7. 16. 95헌가6 내지 13(병합).

211) "성별에 관계없이 두 사람이 법률에 따라 혼인관계를 맺을 수 있다"(아일랜드 헌법 제42조 제4항).

212) Obergefell v. Hodges, 576 U.S. 644(2015). 그 밖에 네덜란드, 벨기에, 캐나다 등이 동성 커플의 혼인을 인정하는 나라들이다.

헌법이 보호하는 혼인에 포함되지 않는다는 견해,[214] 제36조 제1항의 '양성'이라는 법문은 혼인이 남녀 간의 결합이어야 한다는 전제이므로 동성혼인을 인정하지 않는 것은 헌법에 위반되지 않는다고 하면서 동성혼인을 인정하려면 헌법개정이 필요하다는 견해[215] 등은 대체로 부정적으로 보는 입장이다. 헌법재판소도 "헌법 제36조 제1항에서 규정하는 '혼인'이란 양성이 평등하고 존엄한 개인으로서 자유로운 의사의 합치에 의하여 생활공동체를 이루는 것으로서 법적으로 승인받은 것을 말하므로, 법적으로 승인되지 아니한 사실혼은 헌법 제36조 제1항의 보호범위에 포함된다고 보기 어렵다"고 판시한 예에서도 보듯이 혼인은 양성을 전제한 것으로 보고 있다. 한편 혼인에 있어서 '법적 승인'의 의미를, 법률에 의해 구체화된 합법성의 테두리 내에서 이루어진 혼인만을 의미하는 것으로 이해해서는 안 된다고 하면서 국가가 용인하는 특정형태의 결합만을 혼인으로 보게 되어 혼인의 자유를 출발점으로 하는 혼인헌법의 근본정신을 훼손할 우려가 있다는 견해도 있다.[216]

② 혼인관계유지의 자유

간통죄의 경우 성적 자기결정권의 제한이라는 논의가 있다. 혼인의 순결, 일부일처제를 보호하는 공익적인 요구가 커 아직은 합헌이라는 것이 종래의 판례의 태도였지만,[217] 2015년 헌법재판소는 간통죄를 규정한 형법 제241조는 과잉금지원칙에 위배하여 국민의 성적 자기결정권 및 사생활의 비밀과 자유를 침해하는 것으로서 헌법에 위반된다고 결정하였다.[218] 혼인관계유지의 자유에는 일정한 경우에 혼인의 해소가 인정되지 않으면 안 된다. 즉 일정한 요건과 절차에 따라 이혼이 허용된다.

---

213) BVerfGE 105, 313(Rn. 79, 88, 90). 이에 따라 독일에서는 2001년 동성동반자법(Gesetz über die Eingetragene Lebenspartnerschaft)이 제정되어 동성간의 결합에 대해 규율하고 있어 혼인대체제도를 인정하는 예라고 할 수 있다.

214) 김학성 · 최희수, 앞의 책, 753-754면. 동성커플의 '행복추구 및 평등'을 '동반자관계를 긍정하는 법률'을 통해 보호하려는 접근이 세계적 조류지만, 동성혼은 자연법질서에 반하는 것으로 동시에 헌법이 보호하는 '혼인 및 가정'을 파괴하는 것으로 허락될 수 없다고 한다. 이들이 행복추구권을 추구하는 것은 별개의 문제라고 한다.

215) 정종섭, 앞의 책, 250면. 그러나 동성간에 사실상 결합 · 생활하거나 성행위를 하는 것은 행복을 추구하기 위한 일반적 행동의 자유권과 성적 자기결정의 자유에 의하여 보장되는 것이므로 이를 제한하는 경우에는 제37조 제2항에 근거한 정당화가 있지 않으면 안 된다고 한다.

216) 김하열, 앞의 책, 735면.

217) 헌재 2008. 10. 30. 2007헌가17 등; 헌재 2001. 10. 25. 2000헌바60; 헌재 1993. 3. 11. 90헌가70; 헌재 1990. 9. 10. 89헌마82.

218) 헌재 2015. 2. 26. 2009헌바17 · 205, 2010헌바194, 2011헌바4, 2012헌바57 · 255 · 411, 2013헌바139 · 161 · 267 · 276 · 342 · 365, 2014헌바53 · 464, 2011헌가31, 2014헌가4(병합).

성적 자기결정권

"성적자기결정권은 각인 스스로 선택한 인생관 등을 바탕으로 사회공동체 안에서 각자가 독자적으로 성적 관을 확립하고, 이에 따라 사생활의 영역에서 자기 스스로 내린 성적 결정에 따라 자기책임 하에 상대방을 선택하고 성관계를 가질 권리를 의미하는 것이다. 비록 여성의 입장에서도 그 상대 남성이 설혹 결혼을 약속하면서 성행위를 요구한다고 하더라도 혼전 성관계를 가질 것인지 아닌지는 여성 스스로 판단하고 그에 따르는 책임도 스스로 지는 것이 원칙이다. 그리고 이러한 남녀간의 성문제는 기본적으로 개인간의 은밀한 사생활의 영역에 속하는 것이어서 범죄적인 측면보다는 도덕·윤리적인 측면이 강하게 드러나는 점을 부인할 수는 없다."

헌재 2002. 10. 31. 99헌바40, 2002헌바50(병합)

③ 민주적 혼인제도

헌법이 보장하는 혼인제도는 개인의 존엄이 보장되고 양성평등을 기초로 성립되는 민주적 혼인제도이다. 입법으로도 이러한 민주적 혼인제도가 형해화될 수 있는 내용을 담아서는 안 된다.

(2) 개인의 존엄과 양성평등에 기초한 가족생활

① 부부관계

부부관계는 기본적으로 부부평등의 원칙하에 유지되어야 한다. 부부에게는 동거·부양의무, 일상가사대리권, 공동친권이 인정되며, 부부별산제도 인정된다.

② 친자관계

자녀에 대한 교육과 양육은 양친의 자연적 권리인 동시에 의무이다. 어린이에 대한 양육과 교육의 문제는 국가적 공동체도 응분의 책임을 져야 한다.

부모의 자녀교육권의 위치

"자녀의 양육과 교육에 있어서 부모의 교육권은 교육의 모든 영역에서 존중되어야 하며, 다만, 학교교육에 관한 한, 국가는 헌법 제31조에 의하여 부모의 교육권으로부터 원칙적으로 독립된 독자적인 교육권한을 부여받음으로써 부모의 교육권과 함께 자녀의 교육을 담당하지만, 학교 밖의 교육영역에서는 원칙적으로 부모의 교육권이 우위를 차지한다."

헌재 2000. 4. 27. 98헌가16 등(병합)

③ 호주제의 위헌성

헌법재판소는 “호주제는 당사자의 의사나 복리와 무관하게 남계혈통 중심의 가의 유지와 계승이라는 관념에 뿌리박은 특정한 가족관계의 형태를 일방적으로 규정·강요함으로써 개인을 가족 내에서 존엄한 인격체로 존중하는 것이 아니라 가의 유지와 계승을 위한 도구적 존재로 취급하고 있는데, 이는 혼인·가족생활을 어떻게 꾸려나갈 것인지에 관한 개인과 가족의 자율적 결정권을 존중하라는 헌법 제36조 제1항에 부합하지 않는다”고 판시하였다.[219]

4. 혼인·가족생활에 관한 헌법규정의 효력

대국가적 효력을 가지므로 국가권력을 구속한다. 따라서 제36조 제1항에 위반되는 법률은 무효이고 집행과 사법도 이 조항에 위배될 때에는 헌법위반으로 무효가 된다. 혼인가족생활은 양성의 평등에 기초하므로 사인 간에도 적용된다.

5. 혼인·가족생활의 권리의 제한과 그 한계

혼인·가족생활의 권리는 제도보장과 기본권의 성격을 아울러 가지고 있다. 이렇게 본다면 입법에 의하여 제도의 내용이 형성될 수 있지만, 제두의 본질적인 내용이 침해되어서는 안 된다. 그리고 제37조 제2항에 따라 법률유보에 의한 제한이 가능하지만, 제한하더라도 그 본질적인 내용은 침해할 수 없다.

중혼의 취소청구권자에서 직계비속을 제외한 것(헌법불합치)

“중혼의 취소청구권자를 규정한 이 사건 법률조항은 그 취소청구권자로 직계존속과 4촌 이내의 방계혈족을 규정하면서도 직계비속을 제외하였는바, 직계비속을 제외하면서 직계존속만을 취소청구권자로 규정한 것은 가부장적·종법적인 사고에 바탕을 두고 있고, 직계비속이 상속권 등과 관련하여 중혼의 취소청구를 구할 법률적인 이해관계가 직계존속과 4촌 이내의 방계혈족 못지않게 크며, 그 취소청구권자의 하나로 규정된 검사에게 취소청구를 구한다고 하여도 검사로 하여금 직권발동을 촉구하는 것에 지나지 않은 점 등을 고려할 때, 합리적인 이유 없이 직계비속을 차별하고 있어, 평등원칙에 위반된다.”

헌재 2010. 7. 29. 2009헌가8

---

219) 헌재 2005. 2. 3. 2001헌가9등.

이혼으로 인한 재산분할시 상속세 인적공제액을 초과하는 재산에 대한 증여세부과(위헌)

1. 이혼시의 재산분할제도는 본질적으로 혼인 중 쌍방의 협력으로 형성된 공동재산의 청산이라는 성격에, 경제적으로 곤궁한 상대방에 대한 부양적 성격이 보충적으로 가미된 제도라 할 것이어서, 이에 대하여 재산의 무상취득을 과세원인으로 하는 증여세를 부과할 여지가 없으며, 설령 증여세나 상속세를 면탈할 목적으로 위장이혼하는 것과 같은 경우에 증여와 동일하게 취급할 조세정책적 필요성이 있다 할지라도, 그러한 경우와 진정한 재산분할을 가리려는 입법적 노력없이 반증의 기회를 부여하지도 않은 채 상속세 인적공제액을 초과하는 재산을 취득하기만 하면 그 초과부분에 대하여 증여세를 부과한다는 것은 입법목적과 그 수단간의 적정한 비례관계를 벗어난 것이며 비민주적 조세관의 표현이다. 그러므로 이혼시 재산분할을 청구하여 상속세 인적공제액을 초과하는 재산을 취득한 경우 그 초과부분에 대하여 증여세를 부과하는 것은, 증여세제의 본질에 반하여 증여라는 과세원인 없음에도 불구하고 증여세를 부과하는 것이어서 현저히 불합리하고 자의적이며 재산권보장의 헌법이념에 부합하지 않으므로 실질적 조세법률주의에 위배된다.

2. 이혼시의 재산분할청구로 취득한 재산에 대하여 증여세를 부과하는 주된 입법목적은, 배우자의 사망으로 상속받는 재산에 대하여 상속세를 부과하는 것과 과세상 형평을 유지한다는 데 있다고 하나, 이혼과 배우자의 사망은 비록 혼인관계의 종료를 가져온다는 점에서 공통점이 있다 하더라도 그로 인한 재산관계, 신분관계는 여러 가지 면에서 차이가 있다. 그러므로 증여세의 상속세 보완세적 기능을 관철하는 데에만 집착한 나머지 배우자상속과 이혼시 재산분할의 재산관계의 본질적이고도 다양한 차이점을 무시하고 이를 동일하게 다루는 것은, 본질적으로 다른 것을 같게 다룸으로써 자신의 실질적 공유재산을 청산받는 혼인당사자를 합리적 이유없이 불리하게 차별하는 것이므로 조세평등주의에 위배된다.

헌재 1997. 10. 30. 96헌바14

종합부동산 세대별 합산과세 및 부부자산소득합산과세(위헌)

1. "특정한 조세 법률조항이 혼인이나 가족생활을 근거로 부부 등 가족이 있는 자를 혼인하지 아니한 자 등에 비하여 차별 취급하는 것이라면 비례의 원칙에 의한 심사에 의하여 정당화되지 않는 한 헌법 제36조 제1항에 위반된다 할 것인데, 이 사건 세대별 합산규정은 생활실태에 부합하는 과세를 실현하고 조세회피를 방지하고자 하는 것으로 그 입법목적의 정당성은 수긍할 수 있으나, 가족 간의 증여를 통하여 재산의 소유 형태를 형성하였다고 하여 모두 조세회피의 의도가 있었다고 단정할 수 없고, 정당한 증여의 의사에 따라 가족 간에 소유권을 이전하는 것도 국민의 권리에 속하는 것이며, 우리 민법은 부부별산제를 채택하고 있고 배우자를 제외

한 가족의 재산까지 공유로 추정할 근거규정이 없고, 공유재산이라고 하여 세대별로 합산하여 과세할 당위성도 없으며, 부동산 가격의 앙등은 여러 가지 요인이 복합적으로 작용하여 발생하는 것으로서 오로지 세제의 불비 때문에 발생하는 것만이 아니며, 이미 헌법재판소는 자산소득에 대하여 부부간 합산과세에 대하여 위헌 선언한 바 있으므로 적절한 차별취급이라 할 수 없다.

또한 부동산실명법상의 명의신탁 무효 조항이나 과징금 부과 조항, 상속세 및 증여세법상의 증여 추정규정 등에 의해서도 조세회피의 방지라는 입법목적을 충분히 달성할 수 있어 반드시 필요한 수단이라고 볼 수 없다."

헌재 2008. 11. 13. 2006헌바112, 2007헌바71 · 88 · 94, 2008헌바3 · 62, 2008헌가12(병합)

2. "부부간의 인위적인 자산 명의의 분산과 같은 가장행위 등은 상속세 및 증여세법상 증여의제규정 등을 통해서 방지할 수 있고, 부부의 공동생활에서 얻어지는 절약가능성을 담세력과 결부시켜 조세의 차이를 두는 것은 타당하지 않으며, 자산소득이 있는 모든 납세의무자 중에서 혼인한 부부가 혼인하였다는 이유만으로 혼인하지 않은 자산소득자보다 더 많은 조세부담을 하여 소득을 재분배하도록 강요받는 것은 부당하며, 부부 자산소득 합산과세를 통해서 혼인한 부부에게 가하는 조세부담의 증가라는 불이익이 자산소득합산과세를 통하여 달성하는 사회적 공익보다 크다고 할 것이므로, 소득세법 제61조 제1항이 자산소득합산과세의 대상이 되는 혼인한 부부를 혼인하지 않은 부부나 독신자에 비하여 차별취급하는 것은 헌법상 정당화되지 아니하기 때문에 헌법 제36조 제1항에 위반된다."

헌재 2002. 8. 29. 2001헌바82

공동사업합산과세제도(비례원칙위반)

"거주자 1인과 그와 대통령령이 정하는 특수관계에 있는 자가 사업소득이 발생하는 사업을 공동으로 경영하는 사업자 중에 포함되어 있는 경우에는 당해 특수관계자의 소득금액은 그 지분 또는 손익분배의 비율이 큰 공동사업자의 소득금액으로 본다"고 규정한 부분(구 소득세법 제43조 제3항)의 포괄위임입법금지원칙 위반 여부, 특수관계자 간의 공동사업에 있어 배우자와 가족을 차별하여 헌법 제36조 제1항에 위반되는지 여부, 헌법상 비례의 원칙에 위반되는지 여부가 다투어진 사건에서 헌법재판소는 포괄위임입법금지원칙[220]과 헌법 제36조 제1항에 위반되지는 않는

220) "이 사건 법률조항에서 포괄위임의 문제가 되고 있는 '특수관계자'의 의미를 이 사건 법률조항의 입법목적을 고려하여 이해할 경우, 대통령령에 정해질 특수관계자는 '공동사업을 가장한 소득의 위장 분산에 있어 이해가 상충되지 않는 관계' 또는 더 구체적으로 '당사자 쌍방의 이해관계가 대부분 서로 일치하여 공동사업의 소득 분산에 있어서도 이를 자유로이 좌우하여 조세부담을 경감시키기 쉬운 관계'로 파악하는 것이 그다지 어려운 것이 아니며, 특히 우리의 사회통념상 이러한 관계에 있을 것이 유력한 '친족 및 그와 유사한 관계에 있는 자'

다[221]고 보면서 비례의 원칙에는 위반된다고 판시하고 있다. 즉 "이 사건 법률조항은 일률적으로 특수관계자의 사업소득을 지분이나 손익분배의 비율이 큰 공동사업자의 소득금액으로 의제함으로써 조세회피행위의 방지라는 입법목적을 달성하는 데 있어 필요 이상의 과도한 방법을 사용하였다. 즉, 실질적으로 사업소득이 누구에게 귀속되었는가와 상관없이 이 사건 법률조항을 일률적으로 적용하게 됨으로 과세 대상의 실질이나 경제적 효과가 납세자에게 발생한 것으로 볼 수 없는 상황에서도 실질조사나 쟁송 등을 통해 조세회피의 목적이 없음을 밝힘으로써 그 적용을 면할 수 있는 길을 열어두지 않고 있으며 이는 일정한 외관에 의거하여 가공의 소득에 대해, 또는 소득이 귀속되지 않은 자에 대한 과세로서 조세행정의 편의만을 위주로 제정된 불합리한 법률이다. 또한, 이러한 입법 형식을 정당화시켜줄 수 있는 다른 입법목적이나 조세정책적 필요성이 있다고 보이지도 않는다. 비록 공동사업을 가장한 소득의 위장 분산에 대한 개별 구체적 사정 등을 과세관청에서 실질적으로 조사하여 파악하기 어렵다 하여도 추정의 형식을 통해 그 입증 책임을 납세자에게 돌릴 수 있으며 이러한 것이 조세행정상 과세관청의 부담을 특별히 가중시킨다고 볼 수 없는 반면, 반증의 기회를 제공하지 않음으로써 납세자에게 회복할 수 없는 피해를 초래할 가능성이 높아 이를 통해 달성하려는 입법 목적과 사용된 수단 사이의 비례관계가 적정하지 아니하다"고 판시하였다.

헌재 2006. 4. 27. 2004헌가19

가 특수관계자의 개념에 포함될 것 또한 예측하기 어렵지 않다. 더불어 여러 조세법령의 입법형식에서 보여지 듯 특수관계자의 범위를 대통령령에 위임한 경우가 많은데, 이것은 경제현실의 변화에 즉응한 공정한 과세를 하고 조세회피행위에 적절히 대처하기 위한 조세입법정책상의 강한 필요에 따른 것으로 이러한 입법형식은 인정될 수 있다. 따라서, 이 사건 법률조항은 포괄위임입법금지원칙에 위반되지 않는다"고 판시하였다.

221) "이 사건 법률조항이 정한 공동사업합산과세제도는 공동사업이라는 특정한 사업형태에 대한 소득세 조세규율에 있어 조세회피방지라는 목적을 위해 특수한 관계에 있는 자들을 예외적으로 규율하는 것으로 이러한 관계 속에 배우자나 가족이 들어간다 하여도 이것이 혼인이나 가족관계를 결정적 근거로 한 차별 취급이라고 볼 수 없으며 단지 합리적인 조세제도 운용에 있어 파생된 부수적인 결과물이다. 또한, 공동사업은 이것을 영위하는 것처럼 가장하여 소득분산을 기도할 개연성이 높고 그 입증이 쉽지 않으므로 이러한 특성을 고려하여 입법자는 공동사업을 위장하여 소득분산을 추구할 개연성이 높은 집단의 조세회피행위에 대처하기 위한 입법정책상의 강한 필요에 따라 이들을 달리 취급하도록 규정한 것이며 그러한 집단을 선정함에 있어 혼인이나 가족관계를 특별히 차별 취급하려는 것이 아니라 위장 분산의 개연성이 높고 그 입증이 쉽지 않을 것으로 예상되는 여러 집단 중의 하나로 규정한 것으로 이 사건 법률조항은 헌법 제36조 제1항에 위반되지 않는다"고 판시하였다.

성전환자에 대한 호적상 성별 기재의 정정 허용 여부[222)]

[1] 종래에는 사람의 성을 성염색체와 이에 따른 생식기·성기 등 생물학적인 요소에 따라 결정하여 왔으나 근래에 와서는 생물학적인 요소뿐 아니라 개인이 스스로 인식하는 남성 또는 여성으로의 귀속감 및 개인이 남성 또는 여성으로서 적합하다고 사회적으로 승인된 행동·태도·성격적 특징 등의 성 역할을 수행하는 측면, 즉 정신적·사회적 요소들 역시 사람의 성을 결정하는 요소 중의 하나로 인정받게 되었으므로, 성의 결정에 있어 생물학적 요소와 정신적·사회적 요소를 종합적으로 고려하여야 한다.

[2] 성전환증을 가진 사람의 경우에도, 남성 또는 여성 중 어느 한쪽의 성염색체를 보유하고 있고 그 염색체와 일치하는 생식기와 성기가 형성·발달되어 출생하지만 출생 당시에는 아직 그 사람의 정신적·사회적인 의미에서의 성을 인지할 수 없으므로, 사회통념상 그 출생 당시에는 생물학적인 신체적 성징에 따라 법률적인 성이 평가될 것이다. 그러나 출생 후의 성장에 따라 일관되게 출생 당시의 생물학적인 성에 대한 불일치감 및 위화감·혐오감을 갖고 반대의 성에 귀속감을 느끼면서 반대의 성으로서의 역할을 수행하며 성기를 포함한 신체 외관 역시 반대의 성으로서 형성하기를 강력히 원하여, 정신과적으로 성전환증의 진단을 받고 상당기간 정신과적 치료나 호르몬 치료 등을 실시하여도 여전히 위 증세가 치유되지 않고 반대의 성에 대한 정신적·사회적 적응이 이루어짐에 따라 일반적인 의학적 기준에 의하여 성전환수술을 받고 반대 성으로서의 외부 성기를 비롯한 신체를 갖추고, 나아가 전환된 신체에 따른 성을 가진 사람으로서 만족감을 느끼고 공고한 성정체성의 인식 아래 그 성에 맞춘 의복, 두발 등의 외관을 하고 성관계 등 개인적인 영역 및 직업 등 사회적인 영역에서 모두 전환된 성으로서의 역할을 수행함으로써 주위 사람들로부터도 그 성으로서 인식되고 있으며, 전환된 성을 그 사람의 성이라고 보더라도 다른 사람들과의 신분관계에 중대한 변동을 초래하거나 사회에 부정적인 영향을 주지 아니하여 사회적으로 허용된다고 볼 수 있다면, 이러한 여러 사정을 종합적으로 고려하여 사람의 성에 대한 평가 기준에 비추어 사회통념상 신체적으로 전환된 성을 갖추고 있다고 인정될 수 있는 경우가 있다 할 것이며, 이와 같은 성전환자는 출생시와는 달리 전환된 성이 법률적으로도 그 성전환자의 성이라고 평가받을 수 있을 것이다.

222) 호적상 여성으로 등재되어 있으나, 성장기부터 여성에 대한 불일치감과 남성으로의 귀속감을 나타내면서 성인이 된 후에는 오랜 기간 동안 남성으로서 살다가 성전환수술을 받아 남성의 외부 성기와 신체 외관을 갖춘 사람이 호적정정 및 개명 신청을 한 사안에서, 사회통념상 남성으로 평가될 수 있는 성전환자에 해당함이 명백하므로 호적정정 및 개명을 허가할 여지가 충분히 있다고 보아, 성전환자에 대한 호적정정을 허용할 근거가 없다는 등의 이유로 이를 불허한 원심결정을 파기한 사례이다. 그 밖에 대법원은 성전환자가 강간죄의 객체인 '부녀'에 해당한다고 판시하였다(대판 2009. 9. 10. 2009도3580).

[3] [다수의견] 성전환자의 경우에는 출생시의 성과 현재 법률적으로 평가되는 성이 달라, 성에 관한 호적의 기재가 현재의 진정한 신분관계를 공시하지 못하게 되므로, 현재 법률적으로 평가되는 성이 호적에 반영되어야 한다. 현행 호적법에는 출생시 호적에 기재된 성별란의 기재를 위와 같이 전환된 성에 따라 수정하기 위한 절차 규정이 따로 마련되어 있지 않다. 그러나 진정한 신분관계가 호적에 기재되어야 한다는 호적의 기본원칙과 아울러, 첫째 성전환자도 인간으로서의 존엄과 가치를 향유하며 행복을 추구할 권리와 인간다운 생활을 할 권리가 있고 이러한 권리들은 질서유지나 공공복리에 반하지 아니하는 한 마땅히 보호받아야 한다는 점, 둘째 호적법이 성전환자의 호적상 성별란 기재를 수정하는 절차규정을 두지 않은 이유는 입법자가 이를 허용하지 않기 때문이 아니라 입법 당시에는 미처 그 가능성과 필요성을 상정하지 못하였기 때문이라는 점, 셋째 호적법 제120조에 의한 호적정정사유 중 호적의 기재가 법률상 허용될 수 없는 경우를 해석함에 있어서 호적 기재 후의 법령의 변경 등 사정의 변경에 의하여 법률상 허용될 수 없음이 명백하게 된 경우를 반드시 배제하여야 할 필요가 있다고 보기 어려울 뿐 아니라, 호적법 제120조에 의한 호적정정 절차를 둔 근본적인 취지가 호적의 기재가 부적법하거나 진실에 반하는 것이 명백한 경우에 그 기재 내용을 판결에 의하지 아니하고 간이한 절차에 의하여 사실에 부합하도록 수정할 수 있도록 함에 있다는 점을 함께 참작하여 볼 때, 구체적인 사안을 심리한 결과 성전환자에 해당함이 명백하다고 증명되는 경우에는 호적법 제120조의 절차에 따라 그 전환된 성과 호적의 성별란 기재를 일치시킴으로써 호적기재가 진정한 신분관계를 반영할 수 있도록 하는 것이 호적법 제120조의 입법 취지에 합치되는 합리적인 해석이라는 점을 종합하여 보면, 성전환자에 해당함이 명백한 사람에 대하여는 호적정정에 관한 호적법 제120조의 절차에 따라 호적의 성별란 기재의 성을 전환된 성에 부합하도록 수정할 수 있도록 허용함이 상당하다. 성전환자에 해당함이 명백한 사람에 대하여 호적법 제120조에서 정한 절차에 따라 성별을 정정하는 호적정정이 허가되고 그에 따라 전환된 성이 호적에 기재되는 경우에, 위 호적정정 허가는 성전환에 따라 법률적으로 새로이 평가받게 된 현재의 진정한 성별을 확인하는 취지의 결정이므로 호적정정허가 결정이나 이에 기초한 호적상 성별란 정정의 효과는 기존의 신분관계 및 권리의무에 영향을 미치지 않는다고 해석함이 상당하다.

대결 2006. 6. 22. 2004스42

성전환자의 성별정정(성전환자가 혼인 중에 있거나 미성년자인 자녀가 있는 경우)

[1] [다수의견] 성전환수술에 의하여 출생 시의 성과 다른 반대의 성으로 성전환이 이미 이루어졌고, 정신과 등 의학적 측면에서도 이미 전환된 성으로 인식되고 있다면, 전환된 성으로 개인적 행동과 사회적 활동을 하는 데에까지 법이 관여할

> 방법은 없다. 그러나 성전환자가 혼인 중에 있거나 미성년자인 자녀가 있는 경우에는, 가족관계등록부에 기재된 성별을 정정하여, 배우자나 미성년자인 자녀의 법적 지위와 그에 대한 사회적 인식에 곤란을 초래하는 것까지 허용할 수는 없으므로, 현재 혼인 중에 있거나 미성년자인 자녀를 둔 성전환자의 성별정정은 허용되지 않는다.
>
> [2] 가족관계등록부상 남성으로 등재되어 있는 갑이 을과 혼인을 하여 미성년자인 자녀 병을 두고 있었는데 심한 성정체성 장애 때문에 수차례 정신과 치료를 받아오다가 결국 성전환수술 등을 받았고 이에 가족관계등록부상의 성별란 정정을 신청한 사안에서, 성전환자가 혼인 중에 있거나 미성년자인 자녀가 있는 경우에는 가족관계등록부에 기재된 성별을 정정하여 배우자나 미성년자인 자녀의 법적 지위와 그에 대한 사회적 인식에 곤란을 초래하는 것까지 허용할 수는 없으므로, 현재 혼인 중에 있거나 미성년자인 자녀를 둔 성전환자의 성별정정은 허용되지 않는다.
>
> 대결 2011. 9. 2. 2009스117

제8절 보건권과 모성보호권

Ⅰ. 의 의

우리 헌법은 제36조 제3항에서 "모든 국민은 보건에 관하여 국가의 보호를 받는다"라고 규정하고 있다. 이는 국민이 자신과 가족의 건강을 유지하는 데 필요한 일정한 국가적 급부와 배려를 요구할 수 있는 권리 즉 보건권을 규정한 것이다.

보건권을 개별적 기본권으로 인정할 수 있을 것인지에 대한 논란이 있는데, 이는 헌법상 '권리를 가진다'라고 하지 않고 '보호를 받는다'라고 규정하고 있기 때문이다.[223)]

개인의 건강은 존엄성을 가진 인간의 전제조건일 뿐만 아니라 행복을 추구할 수 있는 기본조건이다. 또한 국민의 건강은 국가의 존립과 발전의 근본이 되므로 국가가 국민의 건강을 적극적으로 보호하는 것은 지극히 당연하고도 중대한 일이라 하겠다. 보건권은 생명권, 행복추구권, 인간다운 생활권 등과 이념적으로 일체를 이루며 상호 관련된다.

---

223) 김경수, 헌법상 국가의 건강보호의무와 그 실현방안에 관한 연구, 서울대학교 박사학위논문, 2002. 2.

Ⅱ. 연혁 및 입법례

과거 개인의 건강에 관한 것은 일반적으로 사적 과제로 인식되어왔고, 국가적 차원에서의 빈민구휼제도나 치료시설 등의 운영들은 국가의 법적 의무로 인식된 것은 아니었다. 보건에 대한 보호가 국가의 법적 과제로 인식된 것은 사회국가원리의 도입을 통해서이며, 바이마르헌법 제119조 제2항에서 "가족의 순결과 건강은 유지되어야 하며, 국가와 공공단체는 이를 지원하여야 한다"고 규정하여 최초로 명문화하였다. 이후 보건의 권리는 국가의 사회적 과제로 인식되어 이탈리아헌법(동헌법 제32조 제1항), 포르투갈헌법(동헌법 제64조 제2항), 인도헌법(동헌법 제47조) 등이 국민의 보건권 내지 국민보건에 관한 국가적 의무를 규정하고 있으며, 우리나라도 1948년 건국헌법 제20조에서 가족의 건강조항을 규정한 이래 역대헌법이 가족의 건강 내지 국민의 보건권을 규정해오고 있다.

Ⅲ. 법적 성격

보건권은 기본권의 하나로, 공권력에 의한 건강침해를 방어할 수 있는 자유권적 성격과, 자신과 가족의 건강에 대하여 국가의 적극적 배려를 청구할 수 있다는 점에서 사회권적 성격 또한 가지고 있다. 이에 대해 논란이 적지 않은데, 자유권적 측면을 배제한 순수한 사회적 기본권으로 이해하는 견해도 있다.[224]

또한 보건권은 모든 국민이 건강하고 쾌적한 환경에서 생활을 누리는 것은 개인적인 행복추구의 한 내용이 될 수도 있기 때문에 '보건에 관한 권리'는 환경권과 행복추구권과도 불가분의 이념적인 상호관계에 있다.[225]

Ⅳ. 주 체

자연인인 국민이 주체가 될 수 있으며, 외국인은 원칙적으로 보건권의 주체가 되지 아니한다. 보건권의 주체는 가족이 아니라 개개인이다.

---

224) 장영수 교수는 보건권을 자유권과 사회권의 양면을 갖는 것으로 이해할 경우에는 신체를 훼손당하지 않을 권리와의 관계가 문제된다고 보아 사회적 기본권으로 이해해야 한다고 한다(장영수, 앞의 책, 851면); 김학성·최희수, 앞의 책, 760면.

225) 허영, 앞의 책, 472면.

Ⅴ. 효 력

보건권은 국가권력을 직접 구속하는 효력을 가지고, 사인 상호간에는 간접적용된다. 사인에 의하여 건강을 훼손당한 경우 보건권을 근거로 피해배제청구 또는 손해배상청구를 할 수 있다.

Ⅵ. 내 용

1. 보호대상

보건권의 보호대상은 1948년 건국헌법에서처럼 가족의 건강만이 아니라 모든 국민의 건강이다.

2. 구체적 내용

보건권은 국가가 개인의 건강을 침해하여서는 아니 된다는 소극적 의미와 국민보건을 위해 필요한 정책을 적극적으로 수립하고 추진해야 한다는 적극적 의미를 가진다.[226][227]

국가는 국민보건을 위하여 국민건강증진법, 지역보건법, 정신건강증진 및 정신질환자 복지서비스 지원에 관한 법률(약칭: 정신건강복지법), 공중위생관리법, 감염병의 예방 및 관리에 관한 법률, 의료법, 검역법 등을 제정하였고, 국민건강보험법을 제정하여 의료보험제도를 실시하고 있다.

이에 관하여 국가의 담배전매사업과 보건권과의 관계가 문제되는데 능동적 흡연은 물론이고 수동적 흡연도 인체에 유해하기 때문에 국가가 전매사업으로 담배

---

226) "헌법은 '모든 국민은 보건에 관하여 국가의 보호를 받는다'라고 규정하고 있는바, 이를 '보건에 관한 권리' 또는 '보건권'으로 부르고, 국가에 대하여 건강한 생활을 침해하지 않도록 요구할 수 있을 뿐만 아니라 보건을 유지하도록 국가에 대하여 적극적으로 요구할 수 있는 권리로 이해한다하더라도 치과전문의제도를 시행하고 있지 않기 때문에 청구인을 포함한 국민의 보건권이 현재 침해당하고 있다고 보기는 어렵다"(헌재 1998. 7. 16. 96헌마246).

227) 예컨대 국가의 공권력작용으로 행해지는 강제적인 예방접종에 의해서 국민의 건강을 해치는 일이 없도록 세심한 주의를 해야 함은 물론 오염된 상수도에 의해 비위생적인 오물처리 과정이나 시설 때문에 전염병이 발생하는 일이 없도록 해야 하는 것 등은 국가의 소극적 침해금지의 측면이지만, 비위생적인 식품의 제조・판매로 인해서 국민건강을 해치는 일이 없도록 식품의 유통과정에 대한 관리・감시를 철저히 하고, 마약 때문에 국민건강에 악영향이 미치지 않도록 마약의 단속을 철저히 하는 것 등은 국가의 적극적인 의무에서 나온다.

를 제조·판매하는 행위는 국민의 건강을 보호하여야 할 국가의 의무와 충돌할 우려가 있다.[228] 또한 국가는 공공장소나 공공시설 내에서 수동적 흡연으로 인하여 건강을 침해하는 일이 없도록 적절한 조치를 강구할 의무를 진다. 헌법재판소는 담배사업법이 국가의 보호의무를 위반하여 청구인의 생명·신체의 안전에 관한 권리를 침해하는지 여부가 다투어진 사건에서 "담배사업법은 담배의 제조 및 판매 자체는 금지하고 있지 않지만, 현재로서는 흡연과 폐암 등의 질병 사이에 필연적인 관계가 있다거나 흡연자 스스로 흡연 여부를 결정할 수 없을 정도로 의존성이 높아서 국가가 개입하여 담배의 제조 및 판매 자체를 금지하여야만 한다고 보기는 어렵다. 또한, 담배사업법은 담배성분의 표시나 경고문구의 표시, 담배광고의 제한 등 여러 규제들을 통하여 직접흡연으로부터 국민의 생명·신체의 안전을 보호하려고 노력하고 있다. 따라서 담배사업법이 국가의 보호의무에 관한 과소보호금지 원칙을 위반하여 청구인의 생명·신체의 안전에 관한 권리를 침해하였다고 볼 수 없다"고 판시하였다.[229] 대법원도 30갑년 이상의 흡연력을 가진 사람과 40갑년 이상의 흡연력을 가진 사람이 폐암의 일종인 비소세포암과 세기관지 폐포세포암 진단을 받게 되자, 담배를 제조·판매한 국가 등을 상대로 손해배상을 구한 사안에서, "폐암은 흡연으로만 생기는 특이성 질환이 아니라 물리적, 생물학적, 화학적 인자 등 외적 환경인자와 생체 내적 인자의 복합적 작용에 의하여 발병할 수 있는 비특이성 질환인 점, 비소세포암에는 흡연과 관련성이 전혀 없거나 현저하게 낮은 폐암의 유형도 포함되어 있는 점, 세기관지 폐포세포암은 선암의 일종인데 편평세포암이나 소세포암에 비해 흡연과 관련성이 현저하게 낮고 비흡연자 중에도 발병률이 높게 나타나 흡연보다는 환경오염물질과 같은 다른 요인에 의한 것일 가능성이 높은 점 등에 비추어 흡연과 비특이성 질환인 비소세포암, 세기관지 폐포세포암의 발병 사이에 역학적 인과관계가 인정될 수 있다고 하더라도 어느 개인이 흡연을 하였다는 사실과 비특이성 질환에 걸렸다는 사실이 증명되었다고 하여 그 자체로 양자 사이의 인과관계를 인정할 만한 개연성이 증명되었다고 단정하기는 어렵다는

228) 실제로 국내에서도 1999년 첫 담배소송이 있었는데, 원고는 폐암 발병의 국가책임을 국민의 보건권 보장에 대한 의무위반, 국가의 입법 및 관리의무위반, 소비자보호법·국민건강증진법 등 법규상의 의무를 다하지 아니한 책임, 국가의 자기책임 및 한국담배인삼공사에 대한 감독의무위반 등을 근거로 하여 손해배상을 청구했다. 이 사안에서 재판부는 "흡연과 폐암 사이에 역학적 관련성이 인정된다 하더라도 그것만으로는 원고들의 폐암 발병과 흡연 사이의 개별적 인과관계가 입증됐다고 할 수 없다"며 KT&G의 손을 들어주었다(서울중앙지판 2007. 1. 25. 99가합104973).

229) 헌재 2015. 4. 30. 2012헌마38.

등의 이유로 갑, 을의 흡연과 폐암 발병 사이의 인과관계가 인정되지 않는다"고 판시하였다.230)

Ⅶ. 보건권의 제한 및 한계

보건권도 제37조 제2항에 따라 법률로써 제한될 수 있으나, 보건권의 본질적인 내용을 침해할 수 없고, 과잉제한금지의 원칙을 존중하여야 한다.231)

무면허 의료행위를 일률적, 전면적으로 금지하고 이를 위반한 경우에는 그 치료결과에 관계없이 형사처벌을 받게 하는 의료법 규정(동법 제25조, 제66조)은 헌법 제10조가 규정하는 인간으로서의 존엄과 가치를 보장하고 헌법 제36조 제3항이 규정하는 국민보건에 관한 국가의 보호의무를 다하고자 하는 것으로서, 국민의 생명권, 건강권, 보건권 및 그 신체활동의 자유 등을 보장하는 규정이지, 이를 제한하거나 침해하는 규정이라고 할 수 없다.232)

교도소에 수용된 때에는 국민건강보험급여를 정지하도록 한 국민건강보험법 제49조 제4호의 위헌여부와 관련하여 헌법재판소는 "위 조항은 수용자에게 불이익을 주기 위한 것이 아니라, 국가의 보호·감독을 받는 수용자의 질병치료를 국가가 부담하는 것을 전제로 수용자에 대한 의료보장제도를 합리적으로 운영하기 위한 것이므로 입법목적의 정당성을 갖고 있다. 가사 국가의 예산상의 이유로 수용자들이 적절한 의료보장을 받지 못하는 것이 현실이라고 하더라도 이는 수용자에 대한 국가의 보건의무불이행에 기인하는 것이지 위 조항에 기인하는 것으로 볼 수 없다. 위 조항은 수용자의 의료보장수급권을 직접 제약하는 규정이 아니며, 입법재량을 벗어나 수용자의 건강권을 침해하거나 국가의 보건의무를 저버린 것으로 볼 수 없으므로 수용자의 건강권, 인간의 존엄성, 행복추구권, 인간다운 생활을 할 권리를 침해하는 것이라 할 수 없다"고 판시하였다.233)

---

230) 대판 2014. 4. 10. 2011다22092.

231) 허영 교수는 비흡연자의 건강을 보호한다는 이유로 흡연자에게 흡연을 금하도록 명하는 조치는 흡연자의 개성신장의 자유를 필요 이상 제한한 위법적인 조치라고 하면서, 또한 국가의 불임수술명령에 관한 모자보건법의 규정을 삭제한 것은 타당하다고 한다(허영, 앞의 책, 476면).

232) 헌재 1996. 10. 31. 94헌가7.

233) 헌재 2005. 2. 24. 2003헌마31등.

Ⅷ. 모성을 보호받을 권리

제36조 제2항은 "국가는 모성의 보호를 위하여 노력하여야 한다"라고 하여 국가의 모성보호의무를 규정하고 있다. 여기서 모성이라 함은 모든 여성을 지칭하는 것이 아니라 **자녀를 가진 여성**을 말한다. 가족의 핵심적 구성요소이자 국가구성원인 국민의 생산적 모체를 말한다.

이러한 국가적 노력의 의무에 대응하여 모성은 국가적 보호를 청구할 수 있다.[234] 모성의 보호란 모성의 건강에 대한 보호뿐만 아니라 모성을 사회적·경제적으로 보호하는 것까지 포함한다. 소극적으로는 모성을 이유로 사회적·경제적 불이익이 주어져서는 안 되며, 모성을 적극적으로 보호해야 한다.

---

234) 권영성, 앞의 책, 714면.

제5장

청구권적 기본권

제1절 청구권적 기본권의 의의 · 법적 성격 · 구조

1. 청구권적 기본권의 의의

청구권적 기본권이라고 함은 기본권이 침해되었을 때 이를 구제해주고 기본권의 보호를 해 줄 것을 국가에 대하여 요구할 수 있는 권리를 말한다. 이처럼 청구권적 기본권은 다른 기본권의 존재를 전제하고 그 기본권의 보호를 요청하는 권리이기 때문에 '**권리구제를 위한 기본권**', '**기본권을 보장하기 위한 기본권**'이라고도 불린다. 청구권적 기본권은 국민이 국가에 대하여 일정한 행위(작위, 부작위)를 적극적으로 청구할 수 있는 주관적 공권을 말한다.

청구의 대상이 되는 국가적 행위는 입법 · 집행 · 사법 등 국가작용일 수도 있고 경제적 급부일 수도 있다. 청구권적 기본권은 **옐리네크**(G. Jellinek)**의 지위론**에 따라 **수익권**으로 불리기도 하나, 이러한 수익권 개념은 오늘날 청구권적 기본권과 사회적 기본권으로 분리되었다.[1)]

1) 학자에 따라서는 수익권을 18 · 19세기 이래 근대적 인권선언에서 전통적으로 보장되어온 고전적인 개인적인 수익권(청원권, 재판청구권 등)과 20세기 초 이래 사회적 복지국가에 있어서 등장한 국가의 적극적 봉사를 요구하는 사회적 권리(교육을 받을 권리, 근로의 권리, 생활보호를 받을 권리 등)로 이분하고, 전자는 개인주의적 내지 시민적 법치주의를 원리로 하는 개인적 수익권으로서 이것을 수익청구권이라 하고, 후자는 사회정의를 실현하려는 사회적 법치주의를 원리로 하는 사회적 수익권으로서 이것을 사회권 또는 사회적 기본권이라고 한다(한동섭, 헌법, 향학사, 1964, 172면).

2. 청구권적 기본권의 법적 성격

(1) 구체적인 권리

청구권적 기본권은 헌법에 의해서 직접적이고 구체적인 효력이 부여된 권리로 보고 있다. 개별법은 헌법상의 청구권을 구체화한 구체화적 법률유보이다.

(2) 적극적인 권리

국민이 국가기관에 특정한 행위를 요구할 수 있는 적극적인 권리이다. 즉 국가에 대하여 특정한 행위의 요구나 청구를 할 수 있는 권리를 의미한다.

(3) 절차적 권리

기본권 실현을 위한 절차적 규정을 내재하고 있는 절차적 기본권이다. 대표적으로 재판제도와 소송절차가 청구권의 절차적 권리성을 잘 보여주고 있다.

(4) 국가내적인 권리

청구권적 기본권은 자유권과 같은 자연권의 성격을 지니기보다는 국가에 의해서 보장된 국가내적 권리이다.

(5) 수단적 권리

다른 기본권은 그 자체가 권리의 목적이지만, 청구권적 기본권은 그 밖의 권리나 이익이 침해되거나 침해당할 우려가 있을 때에 이를 확보하기 위한 수단적 권리이다.

3. 우리 헌법상 청구권적 기본권의 유형

헌법은 청원권, 재판청구권, 국가배상청구권, 형사보상청구권, 범죄피해자구조청구권 등을 규정하고 있다. 또한 재산권과 관련하여 손실보상청구권과 신체의 자유를 침해하는 경우에 대비한 구속적부심사청구권도 청구권적 기본권으로 분류할 수 있다. 청구권적 기본권은 대개 사후구제권으로서의 성질을 가지는데, 청원권은 사전·예방적으로도 행사할 수 있다.

제2절 청원권

1. 청원권의 의의

(1) 개 념

청원권은 국가기관에 대해 문서로 일정한 사항에 관한 의견이나 희망을 진술할 수 있는 권리를 말한다. 청원권은 근대에는 국민의 권리구제 수단으로서의 의의가 있었지만, 다른 권리구제수단이 잘 갖추어진 현대에는 국민의 희망사항 진술권의 의의가 있다.

(2) 다른 제도와의 관계

① 청원과 헌법소원

	청원 (건국헌법에서부터 규정)	헌법소원 (3차 개정헌법, 현행헌법)
요 건	최후성, 보충성을 요하지 않는다. 따라서 다른 구제수단(소송 등)과 병행이 가능하다.	최후성, 보충성을 전제로 한다. 따라서 다른 구제수단을 모두 경료한 후에만 허용된다.
주 체	1) 제3자의 청원 가능하다. 따라서 민중소송적 성격도 지니고 있다. 2) 청원인이 직접 행사할 수 있다.	1) 제3자의 신청이 불가능하다(자기관련성). 2) 변호사를 선임해야 한다(변호사 강제주의)
구속력	직접적인 구속력은 없으며, 수리의무와 재결의무만 있다.	모든 국가기관에 대한 기속력이 있다.

② Ombudsman제도

옴부즈맨제도는 의회에서 임명된 기관이 독립하여 행정기관의 위법·부당한 행위로 인해 피해를 입은 국민의 청원 등을 조사하여 시정하게 하는 제도이다. 국민의 청원을 단순히 접수·심사하는 데 그치지 않는다는 점에서 청원과 구별될 수 있다. 우리나라의 법상으로는 국무총리소속의 국민권익위원회와 지방자치단체에 설치할 수 있도록 되어 있는 시민고충처리위원회가 옴부즈맨과 유사한 기능을 수행하는 것으로 보고 있다(부패방지법 제11조, 제32조). 행정부소속보다는 독일식의 의회청원위원회제도가 옴부즈맨제도에 더 부합한다.

(3) 기 능

청원권은 정식 사법절차보다 신속하고 간편한 권리구제수단이며, 직접민주주의적 요소로서 국가기관에 대한 국민의 신임을 유지해 주고 국회의 대정부통제의 계기가 될 수 있는 기능을 수행한다.

2. 연혁과 헌법규정

청원권은 본래 봉건주의 하에서 군주의 자의적 권력행사에 의하여 국민의 이익이 침범되는 것을 구제하기 위한 수단으로 발달하였다.[2] 1215년 영국의 대헌장이 청원권을 최초로 용인한 사례로 들어지나, 1689년 권리장전은 청원을 국민의 권리로 규정함과 아울러 청원권을 이유로 한 구금이나 소추를 불법으로 규정하였다.[3] 1791년 미국 수정헌법 제1조는 "평화적인 집회의 권리와 불만구제를 위한 정부에의 권리"를 규정하였다. 오늘날 많은 국가들이 청원권을 헌법에 규정하고 있다.

우리나라 헌법도 1948년 건국헌법에서부터 계속 규정하였으며, 현행헌법 제26조는 "① 모든 국민은 법률이 정하는 바에 의하여 국가기관에 문서로 청원할 권리를 가진다. ② 국가는 청원에 대하여 심사할 의무를 진다"고 규정하고 있다. 청원에 관한 일반법으로 청원법이 있고, 특별법으로는 국회법의 규정과 지방자치법 등의 규정이 있다.

3. 청원권의 법적 성격

청원권의 법적 성격과 관련해서는 ⅰ) 자유권적 기본권이라고 보는 견해,[4] ⅱ) 청구권적 기본권이라고 보는 견해,[5] ⅲ) 자유권적 기본권과 청구권적 기본권의 복

2) 홍성방, 헌법학(중), 박영사, 2010, 344면.

3) "국왕에게 청원을 하는 것은 국민의 권리이니, 그러한 청원을 했다고 해서 구금되거나 박해를 가하는 것은 위법이다"(That it is the right of the subjects to petition the king, and all commitments and prosecutions for such petitioning are illegal).

4) 청원권은 국가기관에 의한 방해를 받지 아니하고 자유롭게 의견 또는 희망을 진술하는 권리라는 점에서 소극적이고 방어적인 자유권적 성격을 가지고 있다고 한다(한태연, 헌법학, 법문사, 1977, 355면).

5) 김철수, 학설·판례 헌법학(상), 박영사, 2008, 1267면. 공권력에 대한 소극적 방어적 자유권처럼 보이지만, 청원의 수리·심사라는 지위를 공기관에게 의무지우는 것이기 때문에 청구권이며, 참정권의 일종으로 보는 견해도 있지만, 청원권은 국가의사에 참여하는 권리 그 자체는 아니기 때문에 전형적 참정권으로 볼 수는 없다고 한다. 성낙인, 앞의 책, 1411면. 자유권적 측면과 참정권적 측면이 있지만, 청구권적 성격을 청원권의 본질적인 내용으로 보고 있다.

합적 성격을 가진다고 보는 견해,[6] ⅳ) 자유권적 기본권, 청구권적 기본권, 참정권적 기본권의 성격 등 다원적인 성격을 가진다는 견해[7]의 대립이 있다. 생각건대 본질적인 성격인 청구권적 성격 외에 자유롭게 희망을 진술하고 불이익을 받지 않는다는 점에서 자유권적 성격도 가지며, 본래의 권리구제기능보다 현대에서는 국가의사에 참여하는 참정권적 성격도 아울러 가진다고 보는 것이 타당하다고 본다.

4. 청원권의 주체

헌법은 '모든 국민'의 권리로 규정하고 있으나, 청원권은 모든 자연인과 법인이 향유할 수 있는 권리이다. 국민은 물론 외국인에게도 인정된다고 본다. 다만 공법인은 청원의 객체이므로 청원권의 주체가 될 수 없다.[8] 한편 특수신분관계에 있는 공무원·군인의 경우 직무에 관한 청원·집단청원이 금지되고, 수형자도 집단청원이 금지되는 등 제한이 따른다.

5. 청원사항

청원에 대한 사항은 청원법 제4조에 규정하고 있으며, 헌법재판소에서는 1989년 9월 8일 결정에서 청원법 제4조는 예시적 규정이라고 결정한 바 있다. 한편 청

▣ 청원법상 청원사항과 청원의 불수리 및 금지사항

청원사항(제4조)	청원불수리 및 금지사항(제5조, 제11조)
1. 피해의 구제 2. 공무원의 비위의 시정 또는 공무원의 징계나 처벌 요구 3. 법률·명령 또는 규칙의 제정, 개정, 폐지 4. 공공의 제도 또는 시설의 운용 5. 기타 공공기관의 권한에 속하는 사항	1. 감사·수사·재판·행정심판·조정·중재 등 다른 법령에 의한 조사·불복 또는 구제절차가 진행 중인 때 2. 허위의 사실로 타인으로 하여금 형사처분 또는 징계처분을 받게 하거나 국가기관 등을 중상모략하는 사항인 때 3. 사인 간의 권리관계 또는 개인의 사생활에 관한 사항인 때 4. 청원인의 성명·주소 등이 불분명하거나 청원내용이 불명확한 때(이상 불수리사유, 제5조 제1항) 5. 누구든지 타인을 모해(謀害)할 목적으로 허위의 사실을 적시한 청원을 하여서는 아니된다(금지사항, 제11조).

---

6) 권영성, 헌법학원론(2010년판), 법문사, 2010, 604면.

7) 허영, 전정13판 한국헌법론, 박영사, 2017, 586면. 허영 교수는 오늘날 청원권은 주로 국민의 정치생활영역과 가장 밀접한 관계에 있기 때문에 정치·사회생활영역을 보호하기 위한 기본권에서 다루고 있다. 김학성·최희수, 전정 4판[2020년판], 피앤씨미디어, 2020, 764면.

8) 권한쟁의·기관소송의 문제가 될 뿐이다

원법은 청원의 불수리 또는 금지사유도 규정하고 있다. 여러 기관에 중복청원 또는 단일기관에 반복하여 청원하는 경우는 금지되며, 먼저 접수된 청원만이 유효하다(동법 제8조).

6. 청원 대상기관

헌법은 '**국가기관**'을 청원대상기관으로 규정하고 있지만(제26조 제1항), 국가기관뿐만 아니라 지방자치단체와 그 소속기관, 법령에 의하여 행정권한을 가지고 있거나 행정권한을 위임 또는 위탁받은 법인·단체 또는 그 기관이나 개인도 청원의 대상기관이 될 수 있다(청원법 제3조).

7. 청원의 방법과 절차

(1) 청원은 **문서**로 하여야 한다. 이는 헌법상의 요청이다(제26조 제1항). 청원법은 청원은 청원인의 성명(법인인 경우에는 명칭 및 대표자의 성명)과 주소 또는 거소를 기재하고 서명한 문서('전자정부법'에 의한 전자문서를 포함)로 하여야 한다고 규정하여 익명청원을 금지하고 있다(청원법 제6조 제1항). 문맹자, 외국인 등은 대리청원이 허용된다.

(2) 청원은 청원사항을 주관하는 부서에 제출하여야 한다(동법 제7조 제1항). 접수한 부서는 소관사항이 아니더라도 일단 접수한 후 해당부서에 이송하여야 할 의무가 있다(동법 제9조 제1항). 접수거부는 위헌이며, 유관기관이 불명인 청원은 행정안전부 장관에게 접수의무가 있다. 청원을 관장하는 기관이 청원을 접수한 때에는 특별한 사유가 없는 한 90일 이내에 그 처리결과를 청원인에게 통지하여야 하며, 청원을 관장하는 기관은 부득이한 사유로 처리기간 내에 청원을 처리하기 곤란하다고 인정하는 경우에는 60일의 범위 내에서 1회에 한하여 그 처리기간을 연장할 수 있다. 이 경우 그 사유와 처리예정기한을 지체 없이 청원인에게 통지하여야 한다(동법 제9조 제2항, 제3항).

(3) 동일인이 동일한 내용의 청원서를 동일한 기관에 2건 이상 제출하거나 2 이상의 기관에 제출한 때에는(**이중청원**) 나중에 접수된 청원서는 이를 반려할 수 있다(동법 제8조).[9]

---

9) 구 청원법은 "후에 접수한 청원서는 취급하지 아니한다"고 되어 있었다. 이와 관련하여 이중청원에 대하여 아무런 회신이 없다고 하여 헌법소원심판을 청구한 사건에서 헌법재판소는 "청원법 제8조는 동일내용의 청원서를 동일기관에 2개 이상 또는 2개 기관 이상에 제출할 수 없도록 하고, 이에 위배된 청원서를 접수한 관서는 이를 취급하지 아니하도록 하고 있으므로, 동일내용의 청원에 대하여는 국가기관이 이를 수리, 심사 및 통지를 하여야 할 아무런 의무가 없다"고 판시한 바 있다(헌재 2004. 5. 27. 2003헌마851).

(4) 국회, 지방의회에의 청원은 **의원의 소개**가 있어야 한다(국회법 제123조 제1항, 지방자치법 제65조 제1항). 국회에 청원을 할 때 의원의 소개를 얻어 청원서를 제출하도록 한 국회법 규정(동법 제123조 제1항)과 관련하여 헌법재판소는 " …… 의회에 대한 청원에 국회의원의 소개를 얻도록 한 것은 청원 심사의 효율성을 확보하기 위한 적절한 수단이다. 또한 청원은 일반의안과 같이 처리되므로 청원서 제출단계부터 의원의 관여가 필요하고, 의원의 소개가 없는 민원의 경우에는 진정으로 접수하여 처리하고 있으며, 청원의 소개의원은 1인으로 족한 점 등을 감안할 때 이 사건 법률조항이 국회에 청원을 하려는 자의 청원권을 침해한다고 볼 수 없다"고 판시하였다.[10] 그러나 청원에 있어서 의원의 소개는 내용에 대한 사전심사의 성격과 청원에 대한 허가의 성격을 부정하기 어렵기 때문에 소개제도를 폐지하는 것이 타당하다.[11]

(5) 다수인이 공동으로 청원을 하는 때에는 그 처리결과를 통지받을 3인 이하의 대표자를 선임하여 이를 청원서에 표시하여야 한다(청원법 제6조 제2항).

(6) 청원서에는 청원의 이유와 취지를 밝히고, 필요한 때에는 참고자료를 첨부할 수 있다(동법 제6조 제3항).

8. 청원의 효과

(1) 적극적 효과

청원에 대하여 국가기관은 헌법상의 의무로서 **수리의무 및 심사의무**를 부담하고, 청원법상으로는 성실하고 공정하게 청원을 심사·처리하여야 할 의무(청원법 제9조 제1항) 외에, 결과를 통지할 의무(동법 제9조 제2항)가 부과되어 있다. 그러나 청원에 따를 의무까지 인정되는 것은 아니다. 또한 이유를 명시할 의무도 없다고 본다.

청원대상기관의 의무

"헌법상 보장된 청원권은 공권력과의 관계에서 일어나는 여러 가지 이해관계, 의견, 희망 등에 관하여 적법한 청원을 한 모든 국민에게 국가기관이 청원을 수리할

10) 헌재 2006. 6. 29. 2005헌마604. 헌법재판소는 또한 행정부 등에 대한 청원은 당해 기관이 단독으로 의사결정을 할 수 있기 때문에 합의제 기관인 국회에 대한 청원과는 달리 취급할 수 있으므로 국회에 청원을 하려는 자를 행정기관 등에 청원을 하는 자와 차별하는 이 사건 법률조항이 자의적이라거나 합리성이 없는 것이라고 볼 수 없다고 하였다. 지방의회의 청원에 지방의회의원의 소개를 얻도록 한 것에 대해서도 헌법재판소는 같은 취지의 결정을 하였다(헌재 1999. 11. 25. 97헌마54).

11) 김학성·최희수, 앞의 책, 767면. 청원의 남발문제는 이를 방지하기보다는 의회의 청원처리능력을 강화하는 방향으로 해결되어야 한다고 한다.

> 뿐만 아니라 이를 심사하여 청원자에게 그 처리결과를 통지할 것을 요구할 수 있는 권리를 말하나, 청원사항의 처리결과에 심판서나 재결서에 준하여 이유를 명시할 것을 요구하는 것은 청원권의 보호범위에 포함되지 아니하므로, 청원 소관관서는 청원법이 정하는 절차와 범위 내에서 청원사항을 성실·공정·신속히 심사하고 청원인에게 그 청원을 어떻게 처리하였거나 처리하려 하는지를 알 수 있는 정도로 결과통지함으로써 충분하다."
>
> 헌재 1994. 2. 24. 93헌마213,214,215(병합)

(2) 소극적 효과

청원법은 "누구든지 청원을 하였다는 이유로 차별대우를 받거나 불이익을 강요당하지 아니한다"고 규정하고 있다(동법 제12조).

9. 청원권의 효력

청원권은 국가기관에 대해 문서로 일정한 사항에 관한 의견이나 희망을 진술할 수 있는 권리이기 때문에 대국가적 효력만을 가지며, 대사인적 효력은 인정되지 않는다.

10. 청원권의 제한과 그 한계

청원권도 제37조 제2항에 의하여 제한될 수 있다. 다만 본질적인 내용을 침해하거나 과잉금지원칙에 위반할 수 없다. 청원서의 수리·심사를 원칙적으로 거부하는 것이나,[12] 청원내용을 심사하여 선별적으로 수리하는 것[13]은 청원권의 본질적 내용을 침해하는 것이다.

> **교도소 수형자의 청원(행형법시행령 제62조 등 위헌확인)**
>
> 교도소내의 수형자가 국무총리실, 국민고충처리위원회(현 국민권익위원회), 감사원 등에게 교도소내의 폭행·가혹행위 등을 조사하여 달라는 서신을 보낼 때 사전에 교도소장의 허가를 받도록 요구하는 것이 청원권을 침해하는지가 다투어진 사건에서 헌재는 "헌법상 청원권이 보장된다 하더라도 청원권의 구체적 내용은 입법활동에 의하여 형성되며 입법형성에는 폭넓은 재량권이 있으므로 입법자는 수용 목적달성을 저해하지 않는 범위 내에서 교도소 수용자에게 청원권을 보장하는 합리적인

---

12) 허영, 앞의 책, 590면.
13) 김학성·최희수, 앞의 책, 768면.

수단을 선택할 수 있다고 할 것인바, 서신을 통한 수용자의 청원을 이무런 제한 없이 허용한다면 수용자가 이를 악용하여 검열 없이 외부에 서신을 발송하는 탈법수단으로 이용할 수 있게 되므로 이에 대한 검열은 수용 목적 달성을 위한 불가피한 것으로서 청원권의 본질적 내용을 침해한다고 할 수 없다"고 판시하였다.

헌재 2000. 11. 29. 99헌마713

로비스트에 대한 형사처벌(특정범죄 가중처벌 등에 관한 법률 제3조 위헌소원)

공무원의 직무에 속한 사항의 알선에 관하여 금품이나 이익을 수수·요구 또는 약속한 자를 형사처벌하는 것이 국민의 청원권을 침해하는지가 다투어진 사건에서 헌법재판소는 "특정범죄가중처벌 등에 관한 법률 제3조는 행위자가 공무원의 신분을 가지고 있는지 여부를 불문하고 누구든지 공무원의 직무에 속한 사항에 관해 알선을 명목으로 금품 등을 수수하면 형사처벌을 하고 있다. 그런데 공무원 신분을 가지지 않은 자도 학연이나 지연 또는 개인의 영향력 등을 이용하여 공무원의 직무에 영향력을 미칠 수 있는바, 이러한 자가 공무원의 직무와 관련하여 알선자 내지는 중개자로서 알선을 명목으로 금품 등을 수수하는 등의 행위를 하게 되면, 현실적으로 담당 공무원에게 알선을 주선했는지 여부와 관계없이 공무원의 직무 집행의 공정성은 의심받게 될 것이므로 이 사건 규정이 공무의 공정성과 그에 대한 사회의 신뢰성 등을 보호하기 위해 알선 명목의 금품수수행위를 형사처벌하고 있다고 하더라도 이것이 입법의 한계를 일탈한 것이라고 볼 수 없다. 다만, 다원화되고 있는 현대 사회에서 국가기관 등의 정책결정 및 집행과정에 로비스트와 같은 중개자나 알선자를 통해 자신의 의견이나 자료를 제출할 수 있도록 허용한다면, 국민은 언제나 이러한 의견 전달 통로를 이용해 국정에 참여할 수 있을 것이므로 국민주권의 상시화가 이루어질 수 있을 것이다. 그러나 **금전적 대가를 받는 알선 내지 로비활동을 합법적으로 보장할 것인지 여부**는 그 시대 국민의 법 감정이나 사회적 상황에 따라 **입법자가 판단할 사항**으로, 우리의 역사에서 로비가 공익이 아닌 특정 개인이나 집단의 사익을 추구하는 도구로 이용되었다는 점이나 건전한 정보제공보다는 비합리적인 의사결정을 하게 하여 시민사회의 발전을 저해하는 요소가 되었다는 점을 감안하여 청원권 등의 구체적인 내용 형성에 폭넓은 재량을 가진 입법부가 대가를 받는 로비제도를 인정하고 않고, 공무원의 직무에 속한 사항의 알선에 관하여 금품 등을 수수하는 모든 행위를 형사처벌하고 있다고 하더라도 이것이 청원권이나 일반적 행동자유권을 침해하는 것으로 볼 수 없다"고 판시하였다.

헌재 2005. 11. 24. 2003헌바108

제3절 재판청구권

Ⅰ. 연혁 및 헌법규정

1. 연 혁

재판청구권은 1215년 대헌장에서 "신민(臣民)은 등족의 동료에 의해 국법에 따라 법적 재판을 받을 권리"를 규정한 것이 처음이라 알려지고 있으나, 근세에 들어와 계몽사상과 자유주의 사상의 영향을 받아 자의적인 재판이나 전단재판에 대항하는 투쟁이 전개되면서 프랑스에서 1789년 프랑스인권선언(동선언 제7조)과 1791년 헌법(동헌법 제3장 제5절)이 독립된 법원에서 법관에 의해 재판받을 권리 등을 내용으로 하는 규정을 채택하였다.[14] 오늘날에는 모든 국가들이 어떤 형태로든 재판청구권을 규정하고 있고, 국제연합인권규약(B규약), 유럽인권규약(동규약 제6조) 등 국제적 차원에서도 이를 규정하고 있다.

2. 헌법규정

우리 헌법은 1948년 건국헌법이래로 재판청구권을 규정해 오고 있다. 현행 헌법 제27조는 "① 모든 국민은 헌법과 법률이 정한 법관에 의하여 법률에 의한 재판을 받을 권리를 가진다. ② 군인 또는 군무원이 아닌 국민은 대한민국의 영역 안에서는 중대한 군사상 기밀, 초병, 초소, 유독음식물공급, 포로, 군용물에 관한 죄 중 법률이 정한 경우와 비상계엄이 선포된 경우를 제외하고는 군사법원의 재판을 받지 아니한다. ③ 모든 국민은 신속한 재판을 받을 권리를 가진다. 형사피고인은 상당한 이유가 없는 한 지체 없이 공개재판을 받을 권리를 가진다. ④ 형사피고인은 유죄의 판결이 확정될 때까지는 무죄로 추정된다. ⑤ 형사피해자는 법률이 정하는 바에 의하여 당해 사건의 재판절차에서 진술할 수 있다"고 규정하고 있다. 그 밖에 헌법의 법원 및 헌법재판소에 관한 규정은 재판청구권의 보장을 위한 전제규정이며, 신체의 자유와 관련한 진술거부권, 변호인의 조력을 받을 권리, 형벌불소급의 원칙과 일사부재리의 원칙 등도 재판청구권과 관련 있는 규정이다.

---

14) 계희열, 신정2판 헌법(중), 박영사, 2007, 632면.

Ⅱ. 재판청구권의 의의와 법적 성격

1. 의 의

재판청구권이란 행정부의 자의적인 판단을 배제하고 독립된 법원에서 신분이 보장된 법관에 의해 적법한 절차에 따른 공정한 재판을 받을 권리를 의미한다. 헌법에서 보장되고 있는 기본권이 실효를 거두기 위해서는 사전예방책과 사후구제절차가 요구된다. 사후구제절차의 핵심이 바로 재판청구권이다. 재판이란 사실확정과 법률의 해석적용을 본질로 함에 비추어 볼 때, 헌법상의 재판을 받을 권리란, 법관에 의하여 사실적 측면과 법률적 측면의 적어도 한 차례의 심리검토의 기회는 보장되어야 한다는 것을 의미한다.[15]

2. 법적 성격

재판청구권은 국가에 대하여 기본권을 보장하기 위하여 청구하는 주관적 공권이며, 청구권적 기본권이다. 재판청구권을 청구권적 기본권으로 보는 데는 이설은 없으며, 문제는 자유권의 성격을 동시에 가지는가에 대해서 견해의 대립이 있다. 즉 재판이라는 국가적 행위를 청구하는 적극적 측면과 헌법과 법률이 정한 법관이 아닌 자에 의한 재판 및 법률에 의하지 아니하는 재판을 받지 아니하는 소극적 측면을 동시에 가지고 있어 청구권과 자유권의 양면적 성격을 가진 권리라는 견해[16]가 있는가 하면, 재판청구권의 소극적인 측면은 주관적 공권에서 나오는 당연한 내용이며 이를 자유권적 기본권으로 볼 이유가 없다는 견해가 있다.[17] 또한 재판청구권은 헌법상 보장된 기본권을 실질적으로 보장하기 위한 사법절차상 기본권 또는 소송상의 기본권이라는 점에서 보조적·형식적 기본권이라는 견해[18]와 제도

15) 헌재 1992. 6. 26. 90헌바25; 헌재 2000. 6. 29. 99헌바66등.

16) 권영성, 앞의 책, 608면. 헌법재판소도 "재판청구권은 재판이라는 국가적 행위를 청구할 수 있는 적극적 측면과 헌법과 법률이 정한 법관이 아닌 자에 의한 재판이나 법률에 의하지 아니한 재판을 받지 아니하는 소극적 측면을 아울러 가지고 있다"고 판시하고 있다(헌재 1998. 5. 28. 96헌바4).

17) 계희열, 앞의 책(중), 650면. 계희열 교수는 재판청구권은 주관적 공권성과 사법질서(司法秩序)를 형성하는 객관적 요소, 더 나아가 법치국가질서와 공동체질서의 객관적 요소로서 이중적 성격을 가진다고 한다.

18) 성낙인, 제19판 헌법학, 법문사, 2019, 1416면; 정종섭, 제11판 헌법학원론, 박영사, 2016, 828면. 재판청구권은 적극적 측면과 소극적 측면을 가지고 있음을 인정하면서 법의 공정한 집행과 분쟁의 해결 및 자유와 권리의 실현을 관철하기 위한 절차적 수단이라는 점에서 형식

적 성격이 강한 기본권이라는 견해[19]가 있다.

생각건대 재판청구권은 본질적으로 국가에 대하여 재판을 청구하는 청구권이며, 재판청구권의 소극적인 측면은 통상 기본권이 가지는 속성의 하나라고 볼 수도 있다. 그러나 재판청구권에서는 헌법과 법률이 정한 법관에 의한 재판, 법률에 의한 재판은 핵심적 내용이므로 재판청구권은 이러한 소극적 측면을 아울러 가진다고 본다.

Ⅲ. 재판청구권의 주체

재판청구권은 실체적 기본권의 실효성을 보장하기 위한 기본권이기 때문에 자연인인 국민뿐만 아니라 외국인에게도 인정되는 기본권이며, 법인도 내·외국법인(사단, 재단) 및 법인 아닌 사법상 결사에게도 인정된다.

Ⅳ. 재판청구권의 내용

1. '헌법과 법률이 정한 법관'에 의한 재판을 받을 권리

(1) '헌법과 법률이 정한 법관'의 의미

'헌법과 법률이 정한 법관'에 의하여 재판을 받을 권리라 함은 헌법과 법률이 정한 자격과 절차에 의하여 임명되고(제104조, 법원조직법 제41조 내지 제43조), 물적 독립(제103조)과 인적 독립(제106조, 법원조직법 제46조)이 보장된 법관에 의한 재판을 받을 권리를 의미한다.[20] 한마디로 정당한 자격이 있는 법관에 의하여 재판을 받을 권리이다. 이하에서는 '헌법과 법률이 정한 법관'에 의한 재판을 받을 권리의 침해 여부가 논의되는 사항들을 분설하기로 한다.

(2) 배심제도의 도입가능성

배심제라 함은 직업법관이 아닌 일반 시민이 사실심에 있어서 판단자로 참여하

적 기본권이며 절차적 기본권으로도 보고 있다.

19) 헌법재판소는 "재판청구권과 같은 절차적 기본권은 원칙적으로 제도적 보장의 성격이 강하기 때문에, 자유권적 기본권 등 다른 기본권의 경우와 비교하여 볼 때 상대적으로 광범위한 입법형성권이 인정되므로, 관련 법률에 대한 위헌심사기준은 합리성원칙 내지 자의금지원칙이 적용된다"고 한다(헌재 1998. 9. 30. 97헌바51; 헌재 1998. 12. 24. 94헌바46).

20) 헌재 1992. 6. 26. 90헌바25.

여 그 판단(평결)에 법관이 구속되어 판결하는 제도를 말한다. 참심제는 사실심뿐만 아니라 법률심에서도 일반 시민이 직업법관과 함께 재판부를 구성하여 판단에 참가하는 제도이다.

배심제와 **참심제**가 현행헌법상 가능한가에 대해서는 의견의 대립이 있다. 먼저 사실심에만 관여하는 배심제와 관련해서는 현행 헌법상 도입할 수 있다고 보는 것이 다수의 견해이다. 즉 '헌법과 법률이 정한 법관'에 의한 재판을 받을 권리를 침해하는 것이 아니다. 그러나 사실심에서도 법관의 재판을 받을 권리는 포함되므로 사실심판단에 직업법관이 완전히 배제되는 형태의 배심제는 허용되기 어렵다. 한편 직업법관과 재판부를 구성하여 법률심에도 관여하는 이른바 참심제는 현행헌법에 저촉된다고 본다.

현재 일정한 형사사건에 **국민참여재판제도**가 도입·운영되고 있다.[21] '국민의 형사재판 참여에 관한 법률'에 따른 배심원의 형사재판참여는 법원조직법 제32조 제1항(제2호 및 제5호는 제외)에 따른 합의부 관할사건이 원칙적으로 대상이 된다(동법 제5조 제1항).[22]

배심원은 국민참여재판을 하는 사건에 관하여 사실의 인정, 법령의 적용 및 형의 양정에 관한 의견을 제시할 권한이 있지만(동법 제12조 제1항), 법원의 증거능력에 관한 심리에 관여할 수 없다(동법 제44조). 재판장은 변론이 종결된 후 법정에서 배심원에게 공소사실의 요지와 적용법조, 피고인과 변호인 주장의 요지, 증거능력, 그 밖에 유의할 사항에 관하여 설명하여야 한다. 이 경우 필요한 때에는 증거의 요지에 관하여 설명할 수 있고(동법 제46조 제1항), 심리에 관여한 배심원은 재판장의 설명을 들은 후 유·무죄에 관하여 평의하고, 전원의 의견이 일치하면 그에 따라 평결한다. 다만 배심원 과반수의 요청이 있으면 심리에 관여한 판사의 의견을 들을 수 있다(동법 제46조 제2항). 배심원은 유·무죄에 관하여 전원의 의견이 일치하지 아니하는 때에는 평결을 하기 전에 심리에 관여한 판사의 의견을 들어야 한다. 이 경우 유·무죄의 평결은 다수결의 방법으로 한다. 심리에 관여한 판사는 평의에 참석하여 의견을 진술한 경우에도 평결에는 참여할 수 없다(동법 제46조 제3항). 평결이 유죄인 경우 배심원은 심리에 관여한 판사와 함께 양형에 관하여 토의하고 그에 관한 의견을 개진한다. 재판장은 양형

21) 헌법과 법률이 정한 법관에 의한 재판을 받을 권리는 직업법관에 의한 재판을 주된 내용으로 하는 것이므로, 국민참여재판을 받을 권리가 헌법 제27조 제1항에서 규정한 재판을 받을 권리의 보호범위에 속한다고 볼 수 없다(헌재 2015. 7. 30. 2014헌바447).

22) 다만 성폭력범죄의 처벌 등에 관한 특례법 제2조의 범죄로 인한 피해자 또는 법정대리인이 국민참여재판을 원하지 아니하는 경우에는 국밈참여재판을 하지 아니하기로 하는 결정을 할 수 있다(동법 제9조 제1항 제3호).

에 관한 토의 전에 처벌의 범위와 양형의 조건 등을 설명하여야 한다(동법 제46조 제4항). 배심원의 평결과 의견은 법원을 기속하지 아니한다(동법 제46조 제5항).

현행 국민의 형사재판참여제도는 배심원이 사실인정과 양형과정에 모두 참여한다는 점에서 배심제와 구별되고, 배심원의 의견은 권고적 효력을 가질 뿐이라는 점에서 배심제나 참심제와 구별된다. 평의에서 만장일치의 의견이 있더라도 법관을 구속하지 않는다는 점에서 국민의 형사재판참여제도는 위헌은 아니라고 본다. 사실인정과 양형에 관여하되 법관을 구속하지 않는 이러한 형태를 준참심제라 하여 법률의 뒷받침이 있으면 도입이 가능하다고 한다.[23]

(3) 행정심판

행정심판은 법관이 아닌 자에 의한 준사법절차이기 때문에 위헌의 문제가 제기될 수 있으나, 행정심판에 불복하는 경우에는 정식재판을 청구하는 길이 열려 있기 때문에 위헌은 아니다. 우리 헌법은 "재판의 전심절차로서 행정심판을 할 수 있다. 행정심판절차는 법률로 정하되, 사법절차가 준용되어야 한다"고 규정하여 행정심판의 헌법적 근거를 두고 있다. 과거 행정심판의 원칙적 필수적 전치주의와 국가배상심의회의 필수적 전치주의는 모두 임의적 전치주의로 바뀌었다.

(4) 통고처분

통고처분이라 함은 "법원에 의하여 자유형 또는 재산형에 처하는 과벌제도에 갈음하여 행정관청이 법규위반자에게 금전적 제재를 통고하고 이를 이행한 경우에는 당해 위반행위에 대한 소추를 면하게 하는 것"이라 정의된다.[24] 통고처분은 재정범에 대한 국세청장·세무서장·세관장 등의 벌금·과료·몰수 등의 통고처분과 경찰서장이 교통범칙자 및 경범죄자에게 하는 통고처분의 두 유형이 있다. 통고처분 제도는 경미한 교통법규 위반자나 재정법규 위반자 등으로 하여금 형사처벌절차에 수반되는 심리적 불안, 시간과 비용의 소모, 명예와 신용의 훼손 등의 여러 불이익을 당하지 않고 범칙금 납부로써 위반행위에 대한 제재를 신속·간편하게 종결할 수 있게 하여 주며, 행정공무원에 의한 전문적이고 신속한 사건처리를 가능하게 하고, 검찰 및 법원의 과중한 업무 부담을 덜어 준다. 또한 통고처분 제도는 형벌의 비범죄화 정신에 접근하는 제도이다.[25] 통고처분은 법관에 의한 처

---

23) 성낙인, 앞의 책, 1421면. 특허소송에서 '기술심리관'제도를 도입하여 심리참여 및 재판합의에서 의결진술권을 인정하고 있는 것(법원조직법 제54조의2)을 예로 들고 있다.

24) 헌재 1998. 5. 28. 96헌바4.

분이 아니라는 점에서 문제되는 것이나, 처분을 받은 자의 임의의 승복을 필요요건으로 하고 불응시에는 정식재판을 청구할 수 있으므로 재판청구권의 침해는 아니다. 즉 통고처분은 적법절차원칙이나 사법권을 법원에 둔 권력분립원칙에 위배된다거나, 재판청구권을 침해하는 것이라 할 수 없다.[26)]

한편 통고처분은 성질상으로는 행정처분이라 하여도 그 처분을 받은 자가 통고취지를 이행하지 아니한 때에는 행정관서의 고발에 의하여 형사절차로 옮아가 처분의 대상이 된 사실은 그 절차에 의하여 최종적으로 결정될 것이고 통고처분은 따로히 그대로 존속하여 별개의 효력을 나타낼 수 있는 것이 아니므로 행정소송의 대상이 되지 않는다는 것이 대법원의 일관된 입장이다.[27)] 그리고 통고처분의 상대방이 범칙금을 납부하지 아니하여 즉결심판, 나아가 정식재판의 절차로 진행되었다면 당초의 통고처분은 그 효력을 상실한다 할 것이므로 이미 효력을 상실한 통고처분의 취소를 구하는 헌법소원은 권리보호의 이익이 없어 부적법하다.[28)]

(5) 즉결심판, 약식절차 등

즉결심판은 관할경찰서장 또는 관할해양경찰서장이 청구하고 약식절차는 공판절차 없이 검사가 청구하는 것이나, 헌법과 법률이 정한 법관에 의하여 심판절차가 이루어지고, 정식재판 청구가 가능하므로(즉결심판법 제14조, 형사소송법 제448조 제1항) 합헌이다. 가정법원의 가사심판, 가정법원 소년부 또는 지방법원 소년부의 보호처분, 구 사회보호법상의 보호처분 등도 법관에 의한 재판이다.

(6) 군사법원의 재판

군사재판은 일반법관이 아닌 현역군인인 군판사에 의한 재판이지만, 군사법원은 헌법에 인정하는 특별법원(예외법원)의 하나이며, 군사법원의 상고심은 대법원에서 관할하고 있으므로 위헌이 아니다.

군사법원 설치의 위헌성 여부(군사법원법 제6조 등 위헌소원)

"헌법이 군사법원을 특별법원으로 설치하도록 허용하되 대법원을 군사재판의 최

25) 헌재 2003. 10. 30. 2002헌마275.
26) 헌재 2003. 10. 30. 2002헌마275; 헌재 1998. 5. 28. 96헌바4.
27) 대판 1956. 8. 14. 4289행상77; 대판 1962. 1. 31. 4294행상40; 대판 1976. 1. 27. 75누40; 대판 1979. 6. 12. 79누89; 대판 1980. 10. 14. 80누380; 대판 1995. 6. 29. 95누4674; 대판 2016. 4. 15. 2015두52326 등.
28) 헌재 2003. 10. 30. 2002헌마275.

> 종심으로 하고 있고, 구 군사법원법 제21조 제1항은 재판관의 재판상의 독립을, 같은 조 제2항은 재판관의 신분을 보장하고 있으며, 또한 같은 법 제22조 제3항, 제23조 제1항에 의하면 군사법원의 재판관은 반드시 일반법원의 법관과 동등한 자격을 가진 군판사를 포함시켜 구성하도록 하고 있는바, 이러한 사정을 감안하면 구 군사법원법 제6조가 일반법원과 따로 군사법원을 군부대 등에 설치하도록 하였다는 사유만으로 헌법이 허용한 특별법원으로서 군사법원의 한계를 일탈하여 사법권의 독립을 침해하고 위임입법의 한계를 일탈하거나 헌법 제27조 제1항의 재판청구권, 헌법 제11조의 평등권을 본질적으로 침해한 것이라고 할 수 없고, 또한 같은 법 제7조, 제23조, 제24조, 제25조가 일반법원의 조직이나 재판부구성 및 법관의 자격과 달리 군사법원에 관할관을 두고 군검찰관에 대한 임명, 지휘, 감독권을 가지고 있는 관할관이 심판관의 임명권 및 재판관의 지정권을 가지며 심판관은 일반장교 중에서 임명할 수 있도록 규정하였다고 하여 바로 위 조항들 자체가 군사법원의 헌법적 한계를 일탈하여 사법권의 독립과 재판의 독립을 침해하고 죄형법정주의에 반하거나 인간의 존엄과 가치, 행복추구권, 평등권, 신체의 자유, 정당한 재판을 받을 권리 및 정신적 자유를 본질적으로 침해하는 것이라고 할 수 없다."
>
> 헌재 1996. 10. 31. 93헌바25

(7) 검사의 기소유예처분 · 불기소처분

검사의 기소유예처분 · 불기소처분이 자의적으로 이루어지는 경우에는 법관에 의한 재판을 받을 권리를 침해할 우려가 있다. 헌법재판소는 검사의 자의적인 불기소처분의 경우 고소인의 재판절차진술권과 평등권을 침해한다고 판시하고 있다.[29] 다만 고발인의 헌법소원심판청구인적격은 부인하고 있다(자기관련성이 없음). 종전에는 일정범죄에만 재정신청을 인정하고 있어 재정신청을 인정하지 않는 범죄의 불기소처분에 대한 헌법소원이 인정되었으나, 형사소송법의 개정으로 모든 범죄에 재정신청을 확대하여 검사의 불기소처분에 대한 헌법소원은 사실상 인정되기 어렵게 되었다(헌법소원의 보충성원칙).

(8) 기타 사례

① 대한변호사협회 변호사징계위원회에서 징계를 받은 변호사는 법무부 변호사징계위원회에서의 이의절차를 밟은 후 곧바로 대법원에 즉시항고를 할 수 있도록 한 것은 법관에 의한 재판을 받을 권리의 침해이다.[30] 위헌결정에 따라 현재 변호

---

29) 헌재 1995. 1. 20. 94헌마246.

30) "대한변호사협회 변호사징계위원회나 법무부 변호사징계위원회의 징계에 관한 결정은 비록

사법은 "법무부징계위원회의 결정에 불복하는 징계혐의자는 「행정소송법」으로 정하는 바에 따라 그 통지를 받은 날부터 90일 이내에 행정법원에 소(訴)를 제기할 수 있다"고 개정하였다.

② 구 국가배상법상 "심의회의 배상결정은 신청인이 동의한 때에는 민사소송법의 규정에 의한 재판상의 화해가 성립된 것으로 본다"는 규정(동법 제16조)은 권력을 입법·행정 및 사법 등으로 분립한 뒤 실질적 의미의 사법작용인 분쟁해결에 관한 종국적인 권한은 원칙적으로 이를 헌법과 법률에 의한 법관으로 구성되는 사법부에 귀속시키고 나아가 국민에게 그러한 법관에 의한 재판을 청구할 수 있는 기본권을 보장하고자 하는 헌법의 정신에도 충실하지 못한 것이다.[31]

③ 구 사회보호법이 가출소, 집행면제 등 보호감호의 관리와 집행에 관한 종전의 사회보호위원회의 권한을 법관이 아닌 「치료감호법」에 따른 치료감호심의위원회로 하여금 행사하도록 한 것은 법관에 의한 재판을 받을 권리를 침해하는 것이 아니다. 헌법재판소는 "치료감호심의위원회의 심사대상은 이미 판결에 의하여 확정된 보호감호처분을 집행하는 것에 불과하므로 이를 법관에게 맡길 것인지, 아니면 제3의 기관에 맡길 것인지는 입법 재량의 범위 내에 있으며, 위원회의 결정에

그 징계위원 중 일부로 법관이 참여한다고 하더라도 이를 헌법과 법률이 정한 법관에 의한 재판이라고 볼 수 없으므로, 법무부 변호사징계위원회의 결정이 법률에 위반된 것을 이유로 하는 경우에 한하여 법률심인 대법원에 즉시항고할 수 있도록 한 변호사법 제100조 제4항 내지 제6항은, 법관에 의한 사실확정 및 법률적용의 기회를 박탈한 것으로서 헌법상 국민에게 보장된 "법관에 의한" 재판을 받을 권리를 침해하는 위헌규정이다"(헌재 2002. 2. 28. 2001헌가18). 또한 이 사안에서 헌법재판소는 전심절차로서 기능하여야 할 법무부 변호사징계위원회를 최종적인 사실심으로 기능하게 함으로써, 일체의 법률적 쟁송에 대한 재판기능을 대법원을 최고법원으로 하는 법원에 속하도록 규정하고 있는 헌법 제101조 제1항 및 제107조 제3항에 위반되며, 의사·공인회계사·세무사·건축사 등 여타 전문직 종사자들에 비하여 변호사의 자유성·공공성·단체자치성·자율성 등 두드러진 직업적 특성들을 감안하더라도 이러한 차별을 합리화할 정당한 목적이 있다고 할 수 없다고 판시하였다.

31) 헌법재판소는 이 사건에서 "국가배상에 관한 분쟁을 신속히 종결·이행시키고 배상결정에 안정성을 부여하여 국고의 손실을 가능한 한 경감하려는 입법목적을 달성하기 위하여 동의된 배상결정에 재판상의 화해의 효력과 같은, 강력하고도 최종적인 효력을 부여하여 재심의 소에 의하여 취소 또는 변경되지 않는 한 그 효력을 다툴 수 없도록 하고 있는바, 사법절차에 준한다고 볼 수 있는 각종 중재·조정절차와는 달리 배상결정절차에 있어서는 심의회의 제3자성·독립성이 희박한 점, 심의절차의 공정성·신중성도 결여되어 있는 점, 심의회에서 결정되는 배상액이 법원의 그것보다 하회하는 점 및 불제소합의의 경우와는 달리 신청인의 배상결정에 대한 동의에 재판청구권을 포기할 의사까지 포함되는 것으로 볼 수도 없는 점을 종합하여 볼 때, 이는 신청인의 재판청구권을 과도하게 제한하는 것이어서 헌법 제37조 제2항에서 규정하고 있는 기본권 제한입법에 있어서의 과잉입법금지의 원칙에 반할 뿐 아니라 …… "라고 판시하였다(헌재 1995. 5. 25. 91헌가7). 위와 같은 위헌결정에 따라 현재 국가배상법 제16조는 삭제되었다.

대하여 불복이 있는 경우 행정소송 등 사법심사의 길이 열려 있으므로 법관에 의한 재판을 받을 권리를 침해한다고 할 수 없다"고 판시하였다.[32]

2. '법률에 의한' 재판을 받을 권리

(1) 의의 · 취지

'법률에 의한 재판을 받을 권리라 함은 법관에 의한 재판을 받되 법대로의 재판 즉 절차법이 정한 절차에 따라 실체법이 정한 내용대로 재판을 받을 권리를 보장하자는 취지라고 할 수 있다. 이는 재판에 있어서 법관의 자의와 전단에 의한 재판을 배제한다는 것이다.[33]

(2) '합헌적'인 법률에 의한 재판을 받을 권리

국민의 재판청구권을 기본권으로 인정하고 있는 제27조 제1항에서의 '법률에 의한 재판'이라 함은 합헌적인 실체법과 절차법에 따라 행하여지는 재판을 의미한다. 특히 형사재판에 있어서는 적어도 그 기본원리인 죄형법정주의와 적법절차주의에 위반되지 않는 실체법과 절차법에 따라 규율되는 재판이라야 '법률에 의한 재판'이라고 할 수 있다.[34]

(3) 내 용

① 실체법률에 의한 재판

형사절차에는 죄형법정주의 원칙상 엄격하게 적용되나, 민사 · 행정절차에는 관습법 · 조리에 의한 재판도 허용된다.

② 절차법률에 의한 재판

민사절차 · 형사절차 모두에 엄격하게 적용되나, 대법원규칙, 헌법재판소규칙에 의한 절차규율은 헌법 제108조, 제113조 제2항에 의해 허용된다.

---

32) 헌재 2009. 3. 26. 2007헌바50. 나아가 치료감호심의위원회의 구성, 심사절차 및 심사대상에 비추어 볼 때 위원회가 보호감호의 관리 및 집행에 관한 사항을 심사 · 결정하도록 한 것이 헌법상 적법절차 원칙에 위배된다고 볼 수 없다고 판시하였다.

33) 헌재 1995. 10. 26. 94헌바28.

34) 헌재 1993. 7. 20. 90헌바35.

3. '재판'을 받을 권리

(1) 의 미

재판이라 함은 구체적 사건에 관하여 사실의 확정과 그에 대한 법률의 해석적용을 그 본질적인 내용으로 하는 일련의 과정이다.[35] 따라서 법관에 의한 재판을 받을 권리를 보장한다고 함은 결국 법관이 사실을 확정하고 법률을 해석·적용하는 재판을 받을 권리를 보장한다는 뜻이고, 만일 그러한 보장이 제대로 이루어지지 아니한다면, 헌법상 보장된 재판을 받을 권리의 본질적 내용을 침해하는 것으로서 우리 헌법상 허용되지 아니한다. 재판을 받을 권리란 적극적으로는 국가에 대한 각종 재판을 청구하는 권리이다. 소극적으로는 헌법에 보장된 형태가 아닌 재판의 거부권을 의미한다. 민사소송인지법 제3조는 무자력자의 재판청구권을 침해하거나 불합리하게 차별하는 규정은 아니지만,[36] 민사소송 등에서 지나치게 높은 고액의 인지대의 첩부를 요구하는 것은 위헌으로 볼 수 있다.[37]

재판을 청구하려면 재판을 청구할 자격이 있는 자(당사자적격)가 법적 판단을 구하기에 적합한 사건(권리보호사건)에 관하여 소를 제기할 이익(소의 이익)이 있는 경우라야 한다.

(2) 재판을 받을 권리의 유형

'재판'을 받을 권리의 유형으로는 i) 민사재판을 받을 권리, ii) 형사재판을 받을 권리, iii) 행정재판을 받을 권리, iv) 헌법재판을 받을 권리, v) 대법원의 재판을 받을 권리(재판청구권에 포함되는지의 여부가 문제된다), vi) 군사재판을 받지 않을 권리 등이 있다.

헌법재판을 받을 권리와 대법원의 재판을 받을 권리가 재판청구권에 포함되는가와 관련해서는 견해의 대립이 있다.

(3) 대법원의 재판을 받을 권리

① 문제의 소재

우리 헌법에는 제107조 제2항[38]과 제110조 제2항[39]을 제외하고, 대법원의 재

35) 헌재 2002. 2. 28. 2001헌가18.
36) 헌재 1994. 2. 24. 93헌바10.
37) 성낙인, 앞의 책, 1426면.

판을 받을 권리에 대한 명시적 규정이 없다. 따라서 제27조 제1항의 재판청구권에 대법원의 재판을 받을 권리가 당연히 포함되는가가 문제된다. 이는 상고를 제한하는 법률규정의 위헌 여부의 전제가 될 수 있다.

② 학 설

1) 긍정설

"법원은 최고법원인 대법원과 각급법원으로 조직된다"는 규정(제101조 제2항)과 제27조 제1항의 재판청구권을 근거로 재판청구권에는 대법원의 재판을 받을 권리가 포함된다고 한다.[40)]

2) 부정설

대법원의 재판을 받을 권리에 관한 명시적 규정이 없어서 상고문제는 법률에 맡겨져 있고 대법원의 재판을 받을 권리는 입법정책의 문제라고 한다.[41)]

③ 판 례

헌법재판소는 상고이유를 제한한 구 소송촉진 등에 관한 특례법 제11조와 상고허가제를 규정한 동법 제12조에 대한 위헌소원사건에서 "헌법이 대법원을 최고법원으로 규정하였다고 하여 대법원으로 하여금 모든 사건을 상고심으로서 관할할 것을 요구하는 것은 아니며, '헌법과 법률이 정한 법관에 의하여 법률에 의한 재판을 받을 권리'가 사건의 경중을 가리지 않고 모든 사건에 대하여 대법원을 구성하는 법관에 의한 균등한 재판을 받을 권리를 의미한다거나 또는 상고심재판을 받을 권리를 의미하는 것이라고 할 수는 없다"고 판시하여[42)] 제27조의 재판청구권에 대법원의 재판을 받을 권리가 당연히 포함되는 것은 아니라는 부정설의 입장이라고 하겠다.

---

38) "명령·규칙 또는 처분이 헌법이나 법률에 위반되는 여부가 재판의 전제가 된 경우에는 대법원은 이를 최종적으로 심사할 권한을 가진다."

39) "군사법원의 상고심은 대법원에서 관할한다."

40) 구병삭, 제2전정판 신헌법원론, 박영사, 1995, 633면. 최고법원인 대법원의 심리를 생략하는 재판은 헌법 제27조의 재판을 받을 권리를 위반하는 것이라 한다. 김철수, 앞의 책(상), 1291－1292면. 법령해석의 최종심은 대법원이 되어야 하며, 따라서 법률심의 상고이유제한은 재판을 받을 권리의 제한이므로 인정할 수 없다고 한다. 허영, 앞의 책, 402면. 적법한 재판절차에는 심급제와 최고법원인 대법원에의 상고절차가 포함된다고 보아야 한다고 한다. 대법원에의 상고를 부당히 제한하는 것은 단순한 입법정책의 문제가 아니고 헌법과 법률에 의한 재판을 받을 권리와 저촉될 소지가 크다고 한다. 홍성방, 앞의 책(중), 356면.

41) 권영성, 앞의 책, 609면; 계희열, 앞의 책(중), 558면.

42) 헌재 1995. 1. 20. 90헌바1.

또한 대법원에 상고사유를 한정한 소액사건심판법 제3조에 관한 위헌소원사건에서도 "상소심에서 재판을 받을 권리를 헌법상 명문화한 규정이 없고 상고문제가 일반법률에 맡겨진 우리의 법제에서는 헌법 제27조에서 규정한 재판을 받을 권리에 모든 사건에 대해 상고법원의 구성법관에 의한, 상고심절차에 의한 재판을 받을 권리까지도 포함된다고 단정할 수 없을 것이고, 모든 사건에 대해 획일적으로 상고할 수 있게 하느냐 않느냐는 특단의 사정이 없는 한 **입법정책의 문제**라고 할 것이다"고 판시하여 같은 입장을 보이고 있다.[43]

④ 결 어

우리 헌법은 법원을 대법원과 각급법원으로 정하고 있기 때문에(제101조 제1항, 제2항) 상소의 심급을 몇 심으로 하느냐는 입법정책의 문제로 보더라도 최소한 1심법원과 대법원은 존재해야 하므로 대법원의 재판을 받을 권리는 제27조의 재판청구권에 포함되는 기본권으로 보는 것이 타당하다고 생각된다. 다만 기본권도 제한될 수 있는 것이기 때문에 상고제한이라든가, 상고허가제 등이 대법원의 재판을 받을 권리를 과도하게 제한하는가에 초점을 맞추어야지, 기본권이 아니므로 헌법소원의 대상이 되지 않는다든가 단순히 입법정책의 문제로 치부해버리는 것은 국민의 기본권을 실질적으로 보장하는 취지에 반하다고 하겠다.

(4) 헌법재판을 받을 권리

제27조는 국민의 재판청구권을 보장하고 있는데, 헌법재판소는 이 때 재판을 받을 권리에는 민사재판, 형사재판, 행정재판뿐 아니라 헌법재판도 포함된다고 판시하고 있다.[44] 그러나 일부견해는 헌법재판(특히, 헌법소원)을 받을 권리가 제27조의 재판청구권에 포함되지 않는다고 한다. 즉 재판청구권은 기본권침해를 주장하고 보호를 요청할 수 있는 구제절차를 요구할 뿐, 그 절차가 헌법소원의 형태로 헌법재판기관인 헌법재판소에 의해 이루어질 것을 요구하지 않는다고 하면서, 헌

43) 헌재 1992. 6. 26. 90헌바25. 한편 이 사건에서 변정수 재판관은 "대법원의 재판을 받을 권리, 즉 상고권은 헌법 제27조 제1항에서 도출되는 기본권으로서 일종의 헌법상 보장된 절차적 기본권이다. 소액사건심판법 제3조는 헌법 제27조 제1항에서 도출되는 기본권인 대법원의 재판을 받을 권리의 본질적 내용을 침해하는 것이고 또한 단순히 소송가액만을 기준으로 하여 획일적으로 상고권을 제한하는 것이어서 헌법 제11조 제1항의 평등의 원칙에도 위배되는 위헌의 법률이고, 위 법률조항과 불가분의 관계에 있는 소액사건심판법 제2조 제1항도 헌법상 법치주의의 원리, 특히 그 중에서도 법률유보의 원칙에 정면으로 위배되는 위헌의 법률이다"라고 하는 소수의견을 제시하고 있다.

44) 헌재 2013. 8. 29. 2011헌마122.

법소원을 청구할 권리는 재판청구권에서 파생되는 기본권이 아니라 헌법소원을 별도로 규정하고 있는 헌법규정에 의하여 비로소 부여되는 것이라고 한다.[45] 기본권구제를 위한 헌법소원제도를 비롯한 헌법재판제도는 현행헌법에서 인정하고 있고, 날로 그 중요도가 높아지는 현실에서 재판청구권의 주요 구성내용이 된다고 하겠다.

4. '신속한 공개재판'을 받을 권리

(1) 신속한 재판을 받을 권리

아무리 정당한 재판이라도 그 재판이 납득하기 어려울 만큼 상당기간을 지연시킨 후에 행해진 경우에는 재판당사자에게는 재판의 결과가 무용지물이 될 수 있으며, 재판의 장기화는 입증의 어려움과 법관계의 불안정이 지속되기 때문에 신속한 재판을 받을 권리는 재판청구권의 중요한 내용이 된다. 우리 헌법은 "모든 국민은 신속한 재판을 받을 권리를 가진다. 형사피고인은 상당한 이유가 없는 한 지체없이 공개재판을 받을 권리를 가진다"고 규정하여(제27조 제3항), 신속한 재판을 받을 권리를 보장하고 있다. 특히 형사사건에는 신속한 재판의 요구가 더 크기 때문에 '지체없이' 공개재판을 받을 권리를 헌법이 이를 직접 명시하고 있는 것이다.[46]

헌법재판소는 군사법원의 적용대상이 되는 모든 범죄에 대하여 수사기관의 구속기간의 연장을 허용하는 것,[47] 형사소송에서 항소를 제기한 경우 원심소송기록을 검사를 거쳐서 항소법원에 송부하도록 하는 것[48] 등이 신속한 재판을 받을 권리를 침해하는 것이라고 위헌결정을 내린 바 있다. 한편 "재판이 지연된 까닭이 재판부구성원의 변경, 재판의 전제성과 관련한 본안심리의 필요성, 청구인에 대한 송달불능 등인 경우에는 법원이 재판을 특별히 지연시킨 것이 아니다"고 판시한 바도 있다.[49]

국민의 재판청구행위에 대하여 법원이 헌법 및 법률상으로 신속한 재판을 해야 할 작위의무가 존재 여부

"법원은 민사소송법 제184조에서 정하는 기간내에 판결을 선고하도록 노력해야 하겠지만, 이 기간 내에 반드시 판결을 선고해야 할 법률상의 의무가 발생한다고

45) 한수웅, 앞의 책, 924-925면.
46) 정재황, 앞의 책, 506면.
47) 헌재 2003. 11. 27. 2002헌마193.
48) 헌재 1995. 11. 30. 92헌마44.
49) 헌재 1993. 11. 25. 92헌마169.

볼 수 없으며, 헌법 제27조 제3항 제1문에 의거한 신속한 재판을 받을 권리의 실현을 위해서는 구체적인 입법형성이 필요하고, 신속한 재판을 위한 어떤 직접적이고 구체적인 청구권이 이 헌법규정으로부터 직접 발생하지 아니하므로, 보안관찰처분들의 취소청구에 대해서 법원이 그 처분들의 효력이 만료되기 전까지 신속하게 판결을 선고해야 할 헌법이나 법률상의 작위의무가 존재하지 아니한다."

헌재 1999. 9. 16. 98헌마75

형사소송법상의 구속기간연장의 헌법상의 제약원리

형사소송법상의 구속기간은 헌법상의 무죄추정의 원칙에서 파생되는 불구속수사원칙에 대한 예외로서 설정된 기간으로 이 구속기간을 더 연장하는 것은 예외에 대하여 또 다시 특례를 설정하는 것이 되므로 그 예외의 범위를 확장하는 데에는 국가안전보장과 질서유지라는 공익과 국민의 기본권보장이라는 상충되는 긴장관계의 비례성 형량에 있어서 더욱 엄격한 기준이 요구되며 따라서 그 예외의 확장은 극히 최소한에 그쳐야 한다.

국가보안법 제7조(찬양·고무) 및 제10조(불고지의 죄)는 구성요건이 특별히 복잡한 것도 아니고 사건의 성질상 증거수집이 더욱 어려운 것도 아님에도 불구하고 국가보안법 제19조가 제7조 및 제10조의 범죄에 대하여서까지 형사소송법상의 수사기관에 의한 피의자구속기간 30일보다 20일이나 많은 50일을 인정한 것은 국가형벌권과 국민의 기본권과의 상충관계 형량을 잘못하여 불필요한 장기구속을 허용하는 것이어서 결국 헌법 제37조 제2항의 기본권 제한입법의 원리인 과잉금지의 원칙을 현저하게 위배하여 피의자의 신체의 자유, 무죄추정의 원칙 및 신속한 재판을 받을 권리를 침해한 것이다.

헌재 1992. 4. 14. 90헌마82

(2) 공개재판을 받을 권리

공개재판이란 재판의 심리와 판결의 선고를 일반인에게 공개하는 것을 말한다. 우리 헌법은 "…… 형사피고인은 상당한 이유가 없는 한 지체없이 공개재판을 받을 권리를 가진다"고 규정하여(제27조 제3항 후단) 형사재판의 공개원칙을 규정하고 있지만, 공개재판은 모든 재판에 적용되는 원칙이다. 공개재판은 일반공개를 통하여 재판의 공정성을 확보하고자 하는 이념에 기초하는 것이다. 그러나 제109조 단서에 의하여 심리는 국가의 안전보장 또는 안녕질서를 방해하거나 선량한 풍속을 해할 염려가 있을 때에는 법원의 결정으로 공개하지 아니할 수 있다. 단 판결은 항상 공개하여야 한다.

5. '공정한' 재판을 받을 권리

공정한 재판을 받을 권리는 헌법에 명문규정은 없지만, 재판청구권에 당연히 포함된다. 헌법재판소도 "우리 헌법에는 비록 명문의 문구는 없으나 '공정한 재판을 받을 권리'를 국민의 기본권으로 보장하고 있음이 명백하며, '공정한 재판을 받을 권리'는 공개된 법정의 법관 앞에서 모든 증거자료가 조사되고 검사와 피고인이 서로 공격·방어할 수 있는 공평한 기회가 보장되는 재판을 받을 권리를 포함한다"고 하여 공정한 재판을 받을 권리를 인정하고 있다.[50] 즉 원칙적으로 당사자주의와 구두변론주의가 보장되어 당사자가 공소사실에 대한 답변과 입증 및 반증하는 등 공격·방어권이 충분히 보장되는 재판을 받을 권리가 재판청구권에 당연히 포함된다.

헌법재판소는 피고인 등의 반대신문권을 제한하고 있는 형사소송법 제221조의2 제5항에 대해서 "피고인들의 공격·방어권을 과다히 제한하는 것으로써 그 자체의 내용이나 대법원의 제한적 해석에 의하더라도 그 입법목적을 달성하기에 필요한 입법수단으로서의 합리성 내지 정당성이 인정될 수는 없다고 할 것이므로, 헌법상의 적법절차의 원칙 및 청구인의 공정한 재판을 받을 권리를 침해하고 있다"고 판시하였다.[51]

▣ 구 형사소송법 제221조의2 제2항, 제5항

② 전조의 규정에 의하여 검사 또는 사법경찰관에게 임의의 진술을 한 자가 공판기일에 전의 진술과 다른 진술을 할 염려가 있고 그의 진술이 범죄의 증명에 없어서는 아니 될 것으로 인정될 경우에는 검사는 제1회 공판기일 전에 한하여 판사에게 그에 대한 증인신문을 청구할 수 있다(1996. 12. 26. 헌법재판소 위헌결정으로 제221조의2 제2항이 무효로 되었으므로 제2항에 관한 부분은 자동 효력 상실).

---

50) 헌법재판소는 "'공정한 재판'이란 헌법과 법률이 정한 자격이 있고, 헌법 제104조 내지 제106조에 정한 절차에 의하여 임명되고 신분이 보장되어 독립하여 심판하는 법관으로부터 헌법과 법률에 의하여 그 양심에 따라 적법절차에 의하여 이루어지는 재판을 의미하며, 공개된 법정의 법관의 면전에서 모든 증거자료가 조사·진술되고, 이에 대하여 검사와 피고인이 서로 공격·방어할 수 있는 공평한 기회가 보장되는 재판을 받을 권리도 그로부터 파생되어 나온다"고 판시하였다(헌재 2001. 8. 30. 99헌마496; 헌재 2012. 5. 31. 2010헌바403; 헌재 2013. 8. 29. 2011헌바253등; 헌재 2013. 12. 26. 2011헌바108; 헌재 2015. 9. 24. 2012헌바302; 헌재 2016. 12. 29. 2015헌바221).

51) 헌재 1996. 12. 26. 94헌바1.

⑤ 판사는 수사에 지장이 없다고 인정할 때에는 피고인·피의자 또는 변호인을 제1항 또는 제2항의 청구에 의한 증인신문에 참여하게 할 수 있다(현재 제5항은 "판사는 제1항의 청구에 따라 증인신문기일을 정한 때에는 피고인·피의자 또는 변호인에게 이를 통지하여 증인신문에 참여할 수 있도록 하여야 한다"로 개정됨.)

6. 형사피해자의 재판절차(공판정)진술권

현행헌법은 제27조 제5항에서 "형사피해자는 법률이 정하는 바에 의하여 당해 사건의 재판절차에서 진술할 수 있다"는 규정을 신설하였다. 이 규정은 검사의 불기소처분에 의하여 형사피해자가 법정에서 진술할 기회가 박탈되는 것을 방지하여 형사사법의 절차적 정당성을 확보하면서 동시에 그동안 단순히 심리의 대상에 그쳤던 형사피해자의 정당한 권리를 보장한 것으로 상당한 의의를 가진다.

여기서 형사피해자란 형사 실체법상의 보호법익의 주체에 한정되지 않는다.[52] 보호법익뿐 아니라, 범죄로 인하여 법률상 불이익을 받는 자 모두에게 인정된다. 다만 피해자가 아닌 자가 신청한 경우, 신청인이 이미 당해 사건에 관하여 공판절차 또는 수사절차에서 충분히 진술하여 다시 진술할 필요가 없다고 인정되는 경우, 신청인의 진술로 인하여 공판절차가 현저하게 지연될 우려가 있는 경우 등에는 인정되지 않는다.

형사피해자의 범주

"교통사고로 사망한 사람의 부모는 형사소송법상 고소권자의 지위에 있을 뿐만 아니라, 비록 교통사고처리특례법의 보호법익인 생명의 주체는 아니라고 하더라도, 그 교통사고로 자녀가 사망함으로 인하여 극심한 정신적 고통을 받은 법률상 불이익을 입게 된 자임이 명백하므로, 헌법상 재판절차진술권이 보장되는 형사피해자의 범주에 속한다."

헌재 1993. 3. 11. 92헌마48

Ⅴ. 재판청구권의 효력

재판청구권은 국가에 대한 국민의 주관적 공권으로서 입법권, 집행권, 사법권을 구속한다(대국가적 효력). 재판청구권이 사인에 의해서 침해될 수 있는 기본권이냐

52) 이는 제30조 범죄피해자구조청구권에서의 피해자보다 범위가 넓다

가 논란될 수 있지만, 사인 상호간에서도 재판청구권이 적용된다(간접적용). 사인에 의한 재판청구권의 침해에 대해서는 구제가 인정되며, 재판청구권은 당사자의 합의로 포기할 수 없다.

재판청구권의 포기는 부제소의 합의 내지 불항소의 합의와는 구별된다.

소권의 포기금지 관련 판례

"원래 소권은 사인의 국가에 대한 공권이므로 당사자의 합의로써 국가에 대한 공권을 포기할 수 없으며, 이 법리는 민사소송에서와 같이 행정소송에서도 동일하다."

대판 1961. 11. 2. 4293행상6

"행정소송에 있어서 소권은 개인의 국가에 대한 공권이므로 당사자의 합의로써 이를 포기할 수 없다."

대판 1995. 9. 15. 94누4455

"특정한 권리나 법률관계에 관하여 분쟁이 있더라도 항소하지 않기로 한 합의에 위반하여 제기한 소는 권리보호이익이 없다."

대판 1968. 11. 5. 68다1955

Ⅵ. 재판청구권의 제한

1. 헌법에 의한 제한

국회의 자율권을 존중한다는 취지에서 제64조에서는 국회의 국회의원에 대한 자격심사·징계·제명처분에 대해서는 법원에 제소를 금지하고 있다. 그리고 비상계엄 하에서 군사재판은 단심으로 하도록 하고 있는데, 이러한 단심제 규정은 대법원의 상고를 제한하는 것이어서 재판청구권에 대한 중대한 제한이지만, 헌법이 예외를 인정하고 있으므로 위헌은 아니다.

2. 법률에 의한 제한

재판청구권도 제37조 제2항에 의거한 법률유보에 의해서도 제한될 수 있다. 법원조직법, 행정소송법, 군사법원법, 소액사건심판법, 민사소송법 등에 의해서 군사법원에 의한 재판, 상고의 제한, 제소기간의 제한 등이 이루어지고 있다.

재판청구권에 관한 입법형성권의 한계와 관련하여 헌법재판소는 헌법 제27조의 재판청구권은 "법원이 법률에 기속된다는 당연한 법치국가적 원칙을 확인하고, '법률에 의한 재판, 즉 절치법이 정힌 절차에 따라 실체법이 정한 내용대로 재판을 받을 권리'를 보장하고 있다. 그런데 이러한 재판청구권의 실현은 재판권을 행사하는 법원의 조직과 소송절차에 관한 입법에 의존하고 있기 때문에 입법자에 의한 재판청구권의 구체적 형성은 불가피하며, 따라서 입법자는 소송요건과 관련하여 소송의 주체·방식·절차·시기·비용 등에 관하여 규율할 수 있다. 그러나 헌법 제27조 제1항은 권리구제절차에 관한 구체적 형성을 완전히 입법자의 형성권에 맡기지는 않는다. 입법자가 단지 법원에 제소할 수 있는 형식적인 권리나 이론적인 가능성만을 제공할 뿐, 권리구제의 실효성이 보장되지 않는다면 권리구제절차의 개설은 사실상 무의미할 수 있기 때문이다. 그러므로 재판청구권은 법적 분쟁의 해결을 가능하게 하는 적어도 한 번의 권리구제절차가 개설될 것을 요청할 뿐 아니라, 그를 넘어서 소송절차의 형성에 있어서 실효성 있는 권리보호를 제공하기 위하여 그에 필요한 절차적 요건을 갖출 것을 요청한다. 비록 재판절차가 국민에게 개설되어 있다 하더라도, 절차적 규정들에 의하여 법원에의 접근이 합리적인 이유로 정당화될 수 없는 방법으로 어렵게 된다면, 재판청구권은 사실상 형해화될 수 있으므로, 바로 여기에 입법형성권의 한계가 있다"고 판시하였다.[53]

상소에 의하여 주장하였던 사유를 재심사유로 하여 재심의 소를 제기할 수 없도록 규정한 민사소송법 제451조 제1항 제9호 중 "상소에 의하여 그 사유를 주장하였거나" 부분이 재판청구권을 침해하는지 여부(소극)

재심은 확정판결을 불복의 대상으로 한다는 점에서 법적 안정성의 요청을 물리쳐야 할 만큼 정의의 요청이 절박한 예외적인 경우에 한하여 인정되어야 하므로, 재심사유를 상소심에서 주장하여 판단을 받은 경우 다시 그 재심사유로 재심의 소를 제기하는 것을 허용하지 않더라도 이를 재판청구권의 본질을 심각하게 훼손한다거나 자의적이라 할 수 없다. 또한 헌법재판소가 심리불속행제도 자체와 심리불속행 상고기각 판결에 이유를 기재하지 않을 수 있도록 한 '상고심절차에 관한 특례법' 조항들에 대하여 여러 차례 합헌결정을 하였고, 소송당사자가 민사소송법 제451조 제1항 제9호의 재심사유를 상고이유로 주장하고 이유 기재 없는 심리불속행 기각판결을 선고받는 경우 상고이유로 주장한 재심사유가 심리속행사유로 인정되지 않는다는 판단이 이루어진 것이라는 점을 고려하면, 이 사건 법률조항이 이유 기재 없는 심리불속행 상고기각판결에도 적용되는 것이 재판청구권의 본질을 심각하게 훼손하여 입법형성권의 한계를 일탈하였다고 보기 어렵다.

헌재 2012. 12. 27. 2011헌바5

53) 헌재 2002. 10. 31. 2001헌바40.

재심제도와 입법형성권

재심제도의 규범적 형성에 있어서, 입법자는 확정판결을 유지할 수 없을 정도의 중대한 하자가 무엇인지를 구체적으로 가려내어야 하는바, 이는 사법에 의한 권리보호에 관하여 한정된 사법자원의 합리적인 분배의 문제인 동시에 법치주의에 내재된 두 가지의 대립적 이념 즉, 법적 안정성과 정의의 실현이라는 상반된 요청을 어떻게 조화시키느냐의 문제로 돌아가므로, 결국 이는 불가피하게 입법자의 형성적 자유가 넓게 인정되는 영역이라고 할 수 있다.

헌재 2012. 12. 27. 2011헌바5

3. 예외적 제한

비상계엄이 선포된 때에는 법률이 정하는 바에 의하여 법원의 권한에 특별한 조치를 할 수 있다(제77조 제3항). 그러나 이 경우에도 재판작용 자체를 배제하는 조치는 인정될 수 없다 하겠다. 국가긴급권에도 한계가 있기 때문이다.

4. 제한의 한계

재판청구권을 제한하더라도 그 본질적 내용은 침해할 수 없다(제37조 제2항). 법관에 의한 재판을 받을 권리를 보장한다고 함은 결국 법관이 사실을 확정하고 법률을 해석·적용하는 재판을 받을 권리를 보장한다는 뜻이고, 그와 같은 법관에 의한 사실확정과 법률의 해석적용의 기회에 접근하기 어렵도록 제약이나 장벽을 쌓아서는 아니 된다고 할 것이며, 만일 그러한 보장이 제대로 이루어지지 아니한다면 헌법상 보장된 재판을 받을 권리의 본질적 내용을 침해하는 것이다.[54)]

제4절 국가배상청구권

Ⅰ. 국가배상청구권의 의의와 연혁

1. 의 의(개념)

국가배상청구권이라 함은 공무원의 직무상 불법행위로 손해를 받은 국민이 국가 또는 공공단체에 대하여 그 손해의 배상을 청구할 수 있는 권리를 말한다. 현

54) 헌재 1992. 6. 26. 90헌바25.

행 국가배상법은 헌법이 규정한 '공무원이 직무상 불법행위로 인한' 국가배상 외에 일종의 무과실책임인 '영조물의 설치·관리상의 하자'로 인한 국가배상도 인정하고 있다.

2. 연 혁

위법한 공권력 행사에 대한 국가책임이 인정되기까지는 적지 않은 시간이 걸렸다. 공무원의 직무수행 중 발생한 손해에 대해서는 처음에는 국가면책이론에 따라 국가무책임원칙이 지배적이었다. 영국에서는 전통적으로 "왕은 악(잘못)을 행할 수 없다"(The King can do no wrong)는 법리에 따라 국가무책임원칙이 지배하고 있었다. 그러다가 1947년 국왕소추법(Crown Proceeding Act)에 의해 일정범위 내의 국가의 손해배상책임을 인정하고 있다. 공권력행사에 대한 국가책임을 처음으로 인정한 프랑스의 경우 국참사원(Conseil d'Etat) 판례를 통해 발전시켰다. 1873년의 Blanco판결이 대표적이다.[55] 독일은 초기에는 국고작용(18세기)에서만 국가책임을 인정하다가 점차 공행정으로 확대되었으며, 1919년 바이마르헌법이 국가책임을 인정하였다(동헌법 제131조). 미국도 1946년의 연방불법행위법(Federal Tort Claims Act)에서 비로소 인정되게 되었다. 오늘날 국가기능의 확대로 인하여 공무원책임만으로는 피해자가 충분한 구제를 받을 수 없는 현실에서 국가배상제도가 채택되고 있다. 대표적으로 독일기본법, 오스트리아헌법, 일본헌법 등이 국가배상책임을 규정하고 있다.

3. 헌법규정

우리 헌법은 1948년 건국헌법에서부터 국가배상책임을 인정하여 오늘에 이르고 있다. 제4공화국헌법에서는 군인·군무원의 이중배상금지규정을 헌법에 명문화하였다. 군인·군무원의 이중배상금지규정은 제3공화국에서 위헌법률심판권을 가진 대법원이 이중배상을 제한한 국가배상법조항을 위헌결정하자,[56] 위헌논의를 봉쇄하기 위하여 헌법에 규정한 것이다.

현행헌법은 제29조에서 "① 공무원의 직무상 불법행위로 손해를 받은 국민은 법률이 정하는 바에 의하여 국가 또는 공공단체에 정당한 배상을 청구할 수 있다.

55) 블랑코라는 소년이 국영의 담배공장의 운반차에 의해 부상하자 민사법원에 손해배상청구소송을 내었다. 손해가 공역무(Service Public)에 의해 발생한 것이라는 이유에서 국참사원으로 옮겨진 사례이다. 공법상의 공공역무 과실책임임을 밝혔고, 이것이 국가배상제도의 시작으로 알려져 있다(1873. 2. 8. 권한법원 판결).

56) 대판 1971. 6. 22. 70다1010.

이 경우 공무원 자신의 책임은 면제되지 아니한다. ② 군인·군무원·경찰공무원 기타 법률이 정하는 자가 전투·훈련등 직무집행과 관련하여 받은 손해에 대하여는 법률이 정하는 보상외에 국가 또는 공공단체에 공무원의 직무상 불법행위로 인한 배상은 청구할 수 없다"고 규정하고 있다.

Ⅱ. 국가배상청구권의 법적 성격

1. 청구권적 기본권

국가배상청구권은 실체적 기본권인 재산권으로서의 성질보다 오히려 절차적 기본권인 청구권적 기본권으로서의 성격이 본질이라고 하겠다. 헌법재판소는 "우리 헌법상의 국가배상청구권에 관한 규정은 단순한 재산권의 보장만을 의미하는 것은 아니고 국가배상청구권을 청구권적 기본권으로 보장하고 있는 것이다. 그리고 위 헌법규정에 따라 국가 또는 지방자치단체의 손해배상의 책임과 절차에 관한 국가배상법이 제정되었다"고 하여 청구권과 재산권의 성질을 가진다는 입장을 취하고 있다.[57)]

제29조의 국가배상청구권을 입법방침규정으로 이해하는 견해도 있지만, 직접적 효력규정으로 이해해야 한다. 따라서 국가배상청구권은 헌법규정에서 직접 도출되는 권리이며, 국가배상법상의 규정은 세부적인 기준이나 방법 등을 구체화한 것으로 보아야 한다.

2. 사권인가, 공권인가?

국가배상청구권은 실무상 민사소송으로 다루어지기 때문에 사권으로 보는 견해도 있지만, 국가배상이 공법적 원인에 의해 발생한 것이므로 공권으로 보는 것이 타당하다고 본다.

3. 국가배상법은 공법인가, 사법인가?

역시 같은 이유로 공법이라고 본다. 대법원은 "공무원의 직무상 불법행위로 손해를 받은 국민이 국가 또는 공공단체에 배상을 청구하는 경우 국가 또는 공공단체에 대하여 그의 불법행위를 이유로 손해배상을 구함은 국가배상법이 정한 바에

57) 헌재 1997. 2. 20. 96헌바24.

따른다 하여도 이 역시 민사상의 손해배상 책임을 특별법인 국가배상법이 정한데 불과"하다고 하여 사법으로 보고 있는 듯하다.[58] 아무튼 공법설(다수설)에 의하면 국가배상절차는 처분의 무효·취소를 다투는 소송이 아니기 때문에 공법상 당사자 소송의 형식을 취하게 되고, 사법설을 취하면 사법상의 민사소송의 형식을 취하게 된다. 실무상으로는 국가배상소송을 민사소송으로 다루고 있다.

Ⅲ. 국가배상청구권의 주체와 효력

1. 주 체

제29조는 '국민'이라고 규정하고 있는데, 이는 내국인에 한한다고 볼 것이다. 국민에는 자연인뿐 아니라 내국법인도 포함된다. 외국인에 대하여 국가배상법 제7조가 "이 법은 외국인이 피해자인 경우에는 상호의 보증이 있는 때에 한하여 적용한다"라고 하여 상호주의를 채택하고 있다.

2. 효 력

국가배상청구권은 대국가적 효력을 가지며, 성질상 대사인적 효력은 부정된다.

Ⅳ. 국가배상청구권의 유형

헌법규정과 달리 국가배상법은 ⅰ) 공무원의 직무상 불법행위로 인한 손해배상(동법 제2조) 외에, ⅱ) 영조물의 설치·관리의 하자로 인한 손해배상[59](동법 제5조)을 인정하고 있다.

---

58) 대판 1972. 10. 10. 69다701.

59) 영조물의 설치·관리의 하자로 인하여 손해배상청구권은 일종의 무과실책임으로 공무원의 직무상 불법행위로 인한 배상책임과는 구별된다. 원래 영조물은 국가나 공공단체가 관리하는 인적·물적 시설의 종합체를 의미한다. 도서관, 대학교, 병원 등이 그것이다. 그러나 국가배상법 제5조의 '영조물'은 이를 의미하는 것이 아니다. 국가가 공적목적에 제공한, 즉 일반 공중의 사용에 제공된 도로나 하천 같은 공공시설(물건)의 설치나 관리를 잘못한 것을 추궁하는 것이다. 즉 공적 목적에 제공된 유체물, 공물의 개념으로 이해된다. 도로, 가로수, 하천, 건널목경보기 등이 이에 해당한다. 설치·관리의 하자는 사회통념상 일반적으로 갖추어야 할 안전성을 갖추지 못한 상태(객관설)를 말하며, 입증책임은 원고인 피해자에게 있다(불가항력적 사유는 제외). 영조물의 설치·관리의 하자로 인하여 손해배상에 대해서는 행정법 교과서를 참조하기 바람. 이하 국가배상청구권은 공무원의 직무상불법행위로 인한 손해배상을 중심으로 설명한다.

Ⅴ. 국가배상청구권의 성립요건

'공무원의 직무상 불법행위로 인한 손해의 발생'이 국가배상청구권의 성립요건이다(국가배상법 제2조).

1. 공무원

여기서 공무원은 국가공무원법과 지방공무원법상의 공무원은 물론 널리 공무를 위탁받아 그에 종사하는 모든 자를 말하며, 기관 자체도 포함한다(**최광의 공무원**).

판례에 의하면 소집중인 예비군, 집달관(현 집행관), 미군부대 카투사, 시(市)청 소차운전수, 철도건널목간수, 전입신고서에 확인인을 찍는 통장, 파출소에 근무하는 방범원, 교통할아버지[60] 등은 공무원으로 보나, 의용소방대원[61]이나 시영버스 운전수는 공무원으로 보지 않는다. 국회의원은 국가공무원법상의 공무원에 해당하나, 국회의원의 입법행위로 인한 국가배상청구는 인정되기 어렵다.[62]

2. 직무상 행위

(1) 직무상 행위의 범위

직무상 행위의 범위와 관련해서는 권력행위만을 의미한다는 설(협의설), 권력행위와 관리행위를 포함한다는 설(광의설), 권력행위와 관리행위 외에 사법상행위(국고작용)까지 포함한다는 설(최광의설)이 대립하고 있다. 통설과 판례[63]는 **광의설**의

60) "지방자치단체가 '교통할아버지 봉사활동계획'을 수립한 후 관할 동장으로 하여금 '교통할아버지'를 선정하게 하여 어린이보호, 교통안내, 거리질서확립 등의 공무를 위탁하여 집행하게 하던 중 '교통할아버지'로 선정된 노인이 위탁받은 업무범위를 넘어 교차로 중앙에서 교통정리를 하다가 교통사고를 발생시킨 경우, 지방자치단체가 국가배상법 제2조 소정의 배상책임을 부담한다"(대판 2001. 1. 5. 98다39060).

61) "소방법 제63조의 규정에 의하여 시, 읍, 면이 소방서장의 소방업무를 보조하게 하기 위하여 설치한 의용소방대를 국가기관이라고 할 수 없음은 물론 또 그것이 이를 설치한 시, 읍, 면에 예속된 기관이라고 할 수 없다"(대판 1978. 7. 11. 78다584).

62) 대판 2008. 5. 29. 2004다33469.

63) 공무원의 직무에는 국가나 지방자치단체의 권력적 작용뿐만 아니라 비권력적 작용도 포함되지만, 단순한 사경제의 주체로서 하는 작용은 포함되지 않는다고 보고 있는 판례(대판 2004. 4. 9. 2002다10691)와 공무원의 직무행위에는 권력작용만이 아니라 행정지도와 같은 비권력작용도 포함되며 단지 행정주체가 사경제주체로서 하는 활동만이 제외된다고 한 판례(대판 1998. 7. 10. 96다38791) 등이 대표적이다.

입장을 따르고 있다.

국가의 사경제적 작용에 의한 손해는 민사상 손해배상청구소송으로 구제받을 수 있기 때문에 이를 제외한 권력행위와 관리행위만을 포함하는 것이 국가배상청구권을 공권으로 보는 견지에서 타당하다고 생각한다.

(2) 직무행위의 판단기준

국가배상법은 공무원이 '직무를 집행함에 당하여'라고 규정하고 있는데, '직무를 집행함에 당하여'의 의미는 직무집행 그 자체는 물론이고 객관적으로 직무집행의 외형을 갖추고 있는 행위까지도 포함하면서, 행위자의 주관적 의사와 관계없이 외관을 객관적으로 관찰하여 직무행위를 판단한다(**객관설**).[64] 한편 '직무의 내용'에 관하여는 행정작용뿐만 아니라 입법작용과 사법작용도 포함한다. 다만 입법작용과 사법작용에 대하여 어떤 경우에 국가배상책임이 인정되는지에 관해서는 견해가 일정치 않다.

국회의 입법행위 또는 입법부작위의 국가배상책임 인정 여부

"우리 헌법이 채택하고 있는 의회민주주의 하에서 국회는 다원적 의견이나 갖가지 이익을 반영시킨 토론과정을 거쳐 다수결의 원리에 따라 통일적인 국가의사를 형성하는 역할을 담당하는 국가기관으로서 그 과정에 참여한 국회의원은 입법에 관하여 원칙적으로 국민 전체에 대한 관계에서 정치적 책임을 질 뿐 국민 개개인의 권리에 대응하여 법적 의무를 지는 것은 아니므로, 국회의원의 입법행위는 그 입법 내용이 헌법의 문언에 명백히 위배됨에도 불구하고 국회가 굳이 당해 입법을 한 것과 같은 특수한 경우가 아닌 한 국가배상법 제2조 제1항 소정의 위법행위에 해당한다고 볼 수 없고, 같은 맥락에서 국가가 일정한 사항에 관하여 헌법에 의하여 부과되는 구체적인 입법의무를 부담하고 있음에도 불구하고 그 입법에 필요한 상당한 기간이 경과하도록 고의 또는 과실로 이러한 입법의무를 이행하지 아니하는 등 극히 예외적인 사정이 인정되는 사안에 한정하여 국가배상법 소정의 배상책임이 인정될 수 있으며, 위와 같은 구체적인 입법의무 자체가 인정되지 않는 경우에는 애당초 부작위로 인한 불법행위가 성립할 여지가 없다."

대판 2008. 5. 29. 2004다33469; 대판 1997. 6. 13. 96다55115

---

64) 대판 1966. 6. 28. 66다781. 그동안 판례가 외형상 직무행위와 관련이 있는 행위라고 인정한 것으로는 감방 내에서의 사형(私刑), 상관의 명에 의한 상사의 이삿짐운반, 훈계권행사로서의 기합, 시위진압중인 전경이 조경수를 짓밟는 행위 등이 있으며, 반면 판례는 군인의 휴식 중의 비둘기 사냥, 결혼식참석을 위한 군용차 운행, 가솔린불법처분 중의 발화 등은 직무행위와 관련있는 행위가 아니라고 판단하고 있다.

사법작용에 대한 국가배상책임 인정 여부

법관이 행하는 재판사무의 특수성과 그 재판과정의 잘못에 대하여는 따로 불복절차에 의하여 시정될 수 있는 제도적 장치가 마련되어 있는 점 등에 비추어 보면, 법관의 재판에 법령의 규정을 따르지 아니한 잘못이 있다 하더라도 이로써 바로 그 재판상 직무행위가 국가배상법 제2조 제1항에서 말하는 위법한 행위로 되어 국가의 손해배상책임이 발생하는 것은 아니고, 그 국가배상책임이 인정되려면 당해 법관이 위법 또는 부당한 목적을 가지고 재판을 하는 등 법관이 그에게 부여된 권한의 취지에 명백히 어긋나게 이를 행사하였다고 인정할 만한 특별한 사정이 있어야 한다고 해석함이 상당하다.

대판 2001. 4. 24. 2000다16114

헌법재판소결정에 대한 국가배상책임 인정

헌법재판소 재판관이 청구기간 내에 제기된 헌법소원심판청구사건에서 청구기간을 오인하여 각하결정을 한 경우, 이에 대한 불복절차 내지 시정절차가 없는 때에는 국가배상책임(위법성)을 인정할 수 있다.

대판 2003. 7. 11. 99다24218

3. 불법행위

불법행위란 고의 또는 과실에 의하여 법령을 위반한 행위(작위, 부작위, 행위의 지체)를 말한다. 법령위반에 있어서 법령은 법률・명령・관습법을 불문한다. 불법행위의 입증책임은 피해자에게 있다. 국가배상청구권은 불법행위를 요건으로 한다는 점에서 손실보상청구권과 형사보상청구권과 차이가 있다. 과실책임주의이므로 과실을 전제로 하지 않은 영조물의 설치・관리의 하자로 인한 손해에 대한 국가배상책임과도 구별된다.

공무원의 법령해석에 있어서의 과실과 관련하여 대법원은 "법령에 대한 해석이 복잡・미묘하여 워낙 어렵고 이에 대한 학설과 판례조차 귀일되어 있지 않는 등의 특별한 사정이 없는 한 일반적으로 공무원이 관계법규를 알지 못하였거나 필요한 지식을 갖추지 못하여 법규의 해석을 그르쳐 행정처분을 하였다면 그가 법률전문가가 아닌 행정공무원이라고 하여 과실이 없다고 할 수 없다"고 판시하고 있다.[65]

---

65) 대판 1981. 8. 25. 80다1598(미성년자인 남녀를 혼숙케 한 행위를 이유로 구청장이 숙박업영업 허가를 취소한 경우 서울특별시의 손해배상책임).

4. 타인에 대한 손해의 발생

국가배상청구권이 성립하려면 공무원의 직무상 불법행위로 타인에게 손해가 발생하여야 한다. 여기서 타인이라 함은 가해자인 공무원과 그 위법한 직무행위에 가담한 자 이외의 모든 사람을 말한다. 다만 제29조 제2항에 규정된 군인·군무원·경찰공무원은 여기서 말하는 타인에서 제외된다. 손해라 함은 가해행위로 말미암아 야기되는 모든 불이익을 말한다. 물질적인 것이든 정신적인 것이든 불문하나 손해발생과 공무원의 직무행위 간에는 상당인과관계가 있어야 한다.

한편 헌법재판소는 적과 교전 중 적의 포탄에 맞아 부상한 청구인으로서는 특별한 사정이 없는 한 헌법 제29조 제1항 소정의 '공무원의 직무상 불법행위로 손해를 받은 국민'에 해당될 수 없다고 판시하였다[66]

영조물의 설치관리로 인한 국가배상책임

영조물시설의 하자라 함은 영조물의 축조에 불완전한 점이 있어 이 때문에 영조물 자체가 통상 갖추어야 할 안전성을 갖추지 못한 상태에 있음을 말한다고 할 것인바, 영조물설치의 하자유무는 객관적 견지에서 본 안전성의 문제이고 재정사정 등은 안전성을 결정지을 절대적 요건이 되지 못한다.

대판 1967. 2. 21. 66다1723

Ⅵ. 국가배상책임의 본질

국가나 지방자치단체가 부담하게 되는 국가배상책임의 본질과 관련해서는 ⅰ) 불법행위를 한 공무원의 책임을 국가나 지방자치단체가 대신 책임을 지게 된다는 설(**대위책임설**), ⅱ) 공무원을 자신의 기관으로 사용한 데 대한 국가나 지방자치단체의 자신의 책임이라고 보는 설(**자기책임설**),[67] ⅲ) 공무원의 위법행위가 고의나 중과실에 의한 경우에는 대위책임이고, 경과실에 기한 경우에는 자기책임이라고

---

66) 헌재 1989. 7. 28. 89헌마61. 적과 교전 중 적의 포탄에 맞아 부상한 자는 헌법 제29조 제2항이나 국가배상법 제2조 제1항에 의하여 기본권(평등권, 국가배상청구권)을 침해받고 있는 자라고 볼 수 없으므로 헌법소원심판을 청구할 이익이 없다고 하였다.

67) 권영성, 앞의 책, 624면. 국가의 책임은 국가자신의 위험책임이기 때문에 공무원의 고의·과실에 관계없이 발생하는 것이며 본질적으로 무과실책임이라고 한다. 다만 자기책임설을 취하는 경우에도 입법정책으로 책임의 범위를 한정할 수 있다고 한다. 구병삭, 앞의 책, 706면; 계희열, 앞의 책(중), 664면; 성낙인, 앞의 책, 1451면; 허영, 앞의 책, 635면; 한수웅, 앞의 책, 949면; 김학성·최희수, 앞의 책, 795-796면; 이준일, 앞의 책, 742면 등 헌법학계의 다수설이다.

하는 설(절충설 또는 **중간설**)[68] 등으로 견해가 갈리고 있다. 판례는 절충설의 입장을 취하는 것으로 파악된다.

생각건대 대위책임설은 기본적으로 국가무책임사고에 기반을 두고 있는 학설로 법치국가적 관점에서 용인하기 어려우며, 국가배상법이 정하는 구상권의 유무에 따라 국가배상책임의 성격이 다르다고 보는 절충설은 법률의 내용에 따라 헌법규범의 성격이 좌우될 수 없다는 점, 특히 주관적 요소인 고의·과실의 정도에 따라 국가배상책임의 성격이 달라진다는 점은 용납하기 어렵다. 따라서 국가가 형식적으로는 그의 기관인 공무원의 행위이기는 하나 실질적으로는 자신의 행위에 직접 책임을 진다고 하는 자기책임설이 국가무책임사고에서 국가책임사고로 변화해 온 발전의 역사라는 관점에서도 타당하고 국민의 피해구제입장에서도 바람직하다고 생각한다. 또한 공법상의 외부적 법률관계는 공법상의 법인격을 가지는 국가 등의 행정주체와 개인 사이에 성립하는 것이지 국가 등 행정주체를 위하여 기관으로 활동하는 공무원과 개인 사이에서 성립하지 않는 점에서 자기책임설이 공법상의 법률관계의 구조에도 부합한다.[69]

국가배상청구권의 본질

"국가배상법 제2조 제1항 본문 및 제2항의 입법취지는 …… 경과실로 타인에게 손해를 입힌 경우에는 그 직무수행상 통상 예기할 수 있는 흠이 있는 것에 불과하므로, 이러한 공무원의 행위는 여전히 국가 등의 기관의 행위로 보아 그로 인하여 발생한 손해에 대한 배상책임도 전적으로 국가 등에만 귀속시키고 공무원 개인에게는 그로 인한 책임을 부담시키지 아니하여 공무원의 직무집행의 안정성을 확보하고, 반면에 공무원의 위법행위가 고의·중과실에 의한 경우에는 …… 품격을 상실하여 국가 등에게 그 책임을 귀속시킬 수 없으므로 공무원 개인에게 불법행위로 인한 손해배상책임을 부담시키되, 피해자인 국민을 두텁게 보호하기 위하여 국가 등이 공무원 개인과 중첩적으로 배상책임을 부담하되 국가 등이 배상책임을 지는 경우에는 공무원 개인에게 구상할 수 있도록 함으로써 궁극적으로 그 책임이 공무원에게 귀속되도록 하려는 것이라고 봄이 합당하다."

대판 1996. 2. 15. 95다38677

68) 정종섭, 앞의 책, 872-873면. 경과실과 중과실로 구별하여 경과실의 경우에만 공무원개인의 책임이 면제가 된다고 보는 것이 국가 운영과 법치국가원리에 합당하다 한다. 김동희, 행정법(Ⅰ), 박영사, 2000, 484면 이하; 정만희 앞의 책, 370면.

69) 이 점에 관해서는 정하중, 행정법총론, 법문사, 2005, 515면 참조.

Ⅶ. 국가배상청구의 상대방

1. 국가(지방자치단체)에 대한 청구권(외부적 책임)

– 피해자는 불법행위를 한 공무원에 대한 청구도 가능한가?(선택적 청구의 가능 여부)

국가배상청구권은 국가와 지방자치단체에 청구하는 청구권이다.[70] 문제는 피해자가 국가(공공단체)와 가해 공무원 중에서 **선택적 청구**가 가능한가인데, 종래 이를 국가배상책임의 본질과 관련하여 설명하는 경향이 있다. 그러나 국가배상책임을 자기책임으로 보는 이상 피해자는 국가를 상대로 청구해야지 공무원을 상대로도 선택적으로 청구할 수는 없다고 하겠다. 대위책임설의 입장에서는 국가의 대위적 배상책임 외에 가해 공무원의 배상책임도 인정하게 되며, 절충설은 공무원의 고의·중과실의 경우에는 대위책임으로 공무원에 대한 선택적 청구가 가능하고, 경과실의 경우에는 자기책임으로 공무원에 대한 선택적 청구가 불가능하다는 논리가 도출될 수 있다.

그러나 많은 행정법학자의 경우 오히려 대위책임설을 취할 경우 공무원의 책임을 국가가 대신 인수하여 책임을 지는 것이므로 피해자는 공무원에 대해서 선택적 청구가 불가능하고, 자기책임설을 취할 경우 가해행위는 국가의 행위인 동시에 공무원 자신의 행위에 해당한다고 하여 가해공무원에 대한 선택적 청구가 가능하다고 설명하고 있는데, 논리적으로 이해하기 어렵다.[71]

판례는 이와 관련하여 여러 번 입장의 변화가 있었다. 즉 공무원의 고의·중과실·경과실을 불문하고 공무원에 대한 직접적 배상책임을 인정한 판례,[72] 공무원에 대한 선택적 청구를 부인한 판례,[73] 공무원의 고의·중과실의 경우에 한하여 공무원에 대한 선택적 청구를 인정하는 판례[74]가 그것이다. 선택적 청구를 인정한

---

70) 헌법 제29조 제1항은 '국가와 공공단체'에게 책임을 규정하고 있으나, 국가배상법은 '국가와 지방자치단체'로 규정하고 있어 공공조합, 영조물법인 등이 제외되고 있는 것에 대해 위헌 내지 법의 흠결을 지적한 견해가 있다(권영성, 앞의 책, 619면).

71) 김도창, 일반행정법(상), 청운사, 637면; 박윤흔, 최신행정법강의(상), 721면; 홍정선, 행정법원론(상), 박영사, 1993, 482면; 류지태, 행정법신론, 신영사, 1996, 343면. 정재황 교수도 대위책임으로 보면 공무원의 책임이 국가로 넘어가기 때문에 피해자는 국가에 대해서만 청구할 수 있고, 자기책임으로 보면 국가와 공무원 중에서 선택하여 청구할 수 있다고 설명한다(정재황, 앞의 책, 558면).

72) 대판 1972. 10. 10. 69다701.

73) 대판 1994. 4. 12. 93다11807.

74) 대판 1996. 2. 15. 95다38677; 대판 1997. 2. 11. 95다5110.

판례에 대해서도 같은 비판을 할 수 있으며, 자기책임설을 취하면서 공무원에게도 선택적 배상책임을 인정하는 견해도 피해자구제에 만전을 기하자는 의도는 이해되지만 논리적으로 납득하기 어렵다.[75] 공무원에 대해서도 선택적 청구를 인정하는 것이 피해자 구제에 유리한 것 같지만, 이것도 지불능력이 상대적으로 낮은 공무원을 상대로 하는 경우 효율적인 구제수단이 되기는 어렵고 오히려 국가에 대한 청구만을 인정하는 것이 시간적으로나 경제적으로도 효율적일 수 있고 공무원의 직무수행의욕을 고취시킬 수 있다. 그리고 고의·중과실의 경우에 공무원에 대한 구상권을 인정하는 국가배상법 제2조 제2항의 취지는 공무원 개인의 외부적 책임을 부인하고 경과실의 경우에는 공무원의 책임을 면제시켜 국가행정기능을 활성화하는 데 그 궁극적인 의의가 있다고 본다.[76]

2. 선임감독자와 비용부담자가 다른 경우

공무원의 선임감독자와 비용부담자가 서로 다른 경우에는 비용부담자도 손해배상의 책임이 있다. 국가배상법은 "국가나 지방자치단체가 손해를 배상할 책임이 있는 경우에 공무원의 선임·감독 또는 영조물의 설치·관리를 맡은 자와 공무원의 봉급·급여, 그 밖의 비용 또는 영조물의 설치·관리 비용을 부담하는 자가 동일하지 아니하면 그 비용을 부담하는 자도 손해를 배상하여야 한다"고 규정하고 있다(국가배상법 제6조 제1항). 이 경우 손해를 배상한 자는 내부관계에서 그 손해를 배상할 책임이 있는 자에게 구상할 수 있다(동법 제6조 제2항). 따라서 피해자는 공무원의 선임감독자와 비용부담자에게 선택적 청구가 가능하다. 이는 앞에서 살펴 본 피해자가 국가와 공무원 중에서 선택적으로 청구할 수 있는지 여부와는 본질을 달리하는 것이다.

고의나 과실의 요구는 가해자인 공무원을 기준으로 검토하는 것이므로 이들 배상책임자(선임감독자 또는 비용부담자)가 지는 책임은 무과실책임이다.

---

75) 류지태, 앞의 책, 344면; 김철수, 앞의 책(상), 1330-1332면. 김철수 교수는 앞으로 입법에서는 이를 자기책임으로 하여 무과실책임을 이전하는 방향으로 나아가는 것이 바람직하다고 하면서도, 국가배상청구권을 대위책임으로 보는 한 피해구제를 신속·확실하게 하기 위하여 공무원에 대한 선택적 청구를 인정하고 있다.

76) 정하중, 앞의 책, 538-539면. 정하중 교수는 자기책임설을 취하면서 선택적 청구를 이러한 이유에서 부인하고 있다. 타당한 주장이라 생각된다.

Ⅷ. 구상권 행사와 구상권자(내부적 책임)

국가 또는 지방자치단체가 피해자에게 손해를 배상한 경우에 가해공무원에게 고의나 중과실이 있으면 국가(지방자치단체)가 가해공무원에게 구상권을 행사할 수 있다(국가배상법 제2조 제2항). 가해공무원의 경과실의 경우에는 구상권을 행사할 수 없도록 한 것은 공무원의 사기저하를 방지하기 위한 정책적 배려라고 할 수 있다.

가해공무원을 선임·감독하는 자와 비용을 부담하는 자가 동일하지 아니할 때에는 손해를 배상한 자가 내부관계에서 손해를 배상할 책임이 있는 자에 대하여 구상권을 행사할 수 있다(동법 제6조 제2항). 이 조항은 공무원의 중과실의 경우는 손해를 배상한 자(선임감독자 또는 비용부담자)가 가해공무원에 대해서 구상을 청구할 수 있다는 뜻과 공무원이 경과실인 경우 공무원에 대해서는 구상을 청구할 수 없지만, 선임감독자 또는 비용부담자가 내부관계에서 손해를 배상할 책임이 있는 선임감독자 또는 비용부담자에게 구상을 할 수 있다는 뜻도 가지는 것으로 해석할 수 있다.

Ⅸ. 국가배상청구의 절차와 기준

1. 배상절차

(1) 임의적 전치주의

구 국가배상법은 필요적 전치주의를 채택하여 법무부 소속의 배상심의회의 배상금지급결정 또는 기각결정을 거친 후에라야 법원에 손해배상의 소송을 제기할 수 있었다. 그러나 개정된 국가배상법(2000. 12. 29)은 임의적 전치주의를 채택하고 있다. 즉 국가배상법에 따른 손해배상의 소송은 배상심의회에 배상심의를 하지 아니하고도 제기할 수 있도록 하였다(동법 제9조).

국가나 지방자치단체에 대한 배상신청사건을 심의하기 위하여 법무부에 본부심의회를 두며, 다만 군인이나 군무원이 타인에게 입힌 손해에 대한 배상신청사건을 심의하기 위하여 국방부에 특별심의회를 두도록 되어 있다(동법 제10조 제1항).

(2) 배상청구권의 소멸시효

국가배상법은 국가배상청구권의 소멸시효기간을 별도로 두지 않고 있는데, 국가배상법 제8조의 규정, 즉 "국가나 지방자치단체의 손해배상 책임에 관하여는 이 법에 규정된 사항 외에는 「민법」에 따른다. 다만, 「민법」 외의 법률에 다른 규정이 있을 때에는 그 규정에 따른다"는 규정에 따라 민법상의 소멸시효기간이 적용된다. 헌법재판소는 국가배상청구권의 소멸시효기간을 별도로 두지 않은 것과 관련하여 소멸시효에 관하여 별도의 규정을 두지 아니함으로써 국가배상청구권에도 소멸시효에 관한 민법상의 규정인 민법 제766조(가해자를 안 날로부터 3년, 불법행위를 한 날로부터 10년)가 적용되게 되었다 하더라도 이는 국가배상청구권의 성격과 책임의 본질, 소멸시효제도의 존재이유 등을 종합적으로 고려한 입법재량 범위 내에서의 입법자의 결단의 산물인 것으로 국가배상청구권의 본질적인 내용을 침해하는 것이라고는 볼 수 없고 기본권 제한에 있어서의 한계를 넘어서는 것이라고 볼 수도 없으므로 헌법에 위반되지 아니한다고 판시하였다.77)

2. 배상범위와 배상기준

국가배상의 배상범위는 당해 불법행위와 상당인과관계에 있는 모든 손해를 배상하여야 한다. 배상액산정에 관해서는 호프만 방식을 채택하고 있다(국가배상법 제3조의2 제3항, 동법시행령 제6조 제3항). 또한 국가배상법 제3조에 상세한 배상기준을 정하고 있다. 예를 들어 사망한 경우는 i) 사망 당시(신체에 해를 입고 그로 인하여 사망한 경우에는 신체에 해를 입은 당시를 말한다)의 월급액이나 월실수입액 또는 평균임금에 장래의 취업가능기간을 곱한 금액의 유족배상, ii) 대통령령으로 정하는 장례비 등을 지급하도록 되어 있다.78)

그리고 생명 · 신체의 침해로 인한 국가배상을 받을 권리는 양도하거나 압류하지 못한다(동법 제4조).

X. 국가배상청구권의 제한

1. 헌법상 제한(군인 · 군무원 등의 이중배상금지)

(1) 연 혁

1950년 이후 대두되기 시작한 전쟁 피해의 보상문제는 특히 국군의 월남파병이

77) 헌재 1997. 2. 20. 96헌바24.
78) 기타 자세한 배상기준과 공제액은 국가배상법 제3조 및 제3조의2 참조.

단행된 1960년내에 이르러 월남전에서 내량의 전사상사가 발생함에 따라 국가배상소송의 폭주를 초래하게 되었다. 이에 정부는 국가배상으로 인한 과중한 재정적 부담을 해소한다는 명목으로 국가배상법에 **이중배상금지규정**을 둔 것이다. 이 규정에 대한 위헌논의가 끊임이 없었고 그 당시 대법원에 의하여 위헌결정을 받았다. 그러나 1972년 유신헌법에서 정부는 위헌결정을 받은 법률조항과 같은 내용을 헌법에 명문규정으로 신설하여 그 위헌시비를 봉쇄하였다. 그 후 1980년 8차 개헌과 1987년 9차 개헌에서도 문제점에 대한 논의가 있었으나, 그대로 규정되어 현재에 이르고 있다. 즉 제29조 제2항은 "군인·군무원·경찰공무원 기타 법률이 정하는 자가 전투·훈련 등 직무집행과 관련하여 받은 손해에 대하여는 법률이 정하는 보상 외에 국가 또는 공공단체에 공무원의 직무상 불법행위로 인한 배상은 청구할 수 없다"고 규정하고 있다. 국가배상법은 제2조 제1항 단서에서 "다만, 군인·군무원·경찰공무원 또는 예비군대원이 전투·훈련 등 직무집행과 관련하여[79] 전사·순직하거나 공상을 입은 경우에 본인이나 그 유족이 다른 법령에 따라 재해보상금·유족연금·상이연금 등의 보상을 지급받을 수 있을 때에는 이 법 및 민법에 따른 손해배상을 청구할 수 없다"고 규정하고 있다.[80]

---

79) 구 국가배상법은 "전투·훈련·기타 직무집행과 관련하여"라고 규정하고 있어 전투·훈련에 준하는 직무행위 외에 일반적 직무수행(기타 직무집행)에서 받은 손해에 대해서도 국가배상을 청구할 수 없었는데, 2005년 국가배상법을 개정하여 "전투·훈련 등 직무집행과 관련하여"로 개정하였다. 대법원은 경찰관이 숙직실에서 연탄가스로 사망한 경우 숙직실은 전투훈련에 관련된 시설이 아니므로 배상청구가 허용된다고 판시한 바 있다(대판 1979. 1. 30. 77다2389).

80) 대법원은 **공익근무요원**과 현역병으로 입대하였지만 **경비교도**로 임용된 자는 이중배상이 금지되는 군인·군무원 등에 해당되지 않는다고 판시하였다. 즉 공익근무요원과 관련해서는 "공익근무요원은 병역법 제2조 제1항 제9호, 제5조 제1항의 규정에 의하면 국가기관 또는 지방자치단체의 공익목적수행에 필요한 경비·감시·보호 또는 행정업무 등의 지원과 국제협력 또는 예술·체육의 육성을 위하여 소집되어 공익분야에 종사하는 사람으로서 보충역에 편입되어 있는 자이기 때문에, 소집되어 군에 복무하지 않는 한 군인이라고 말할 수 없으므로, 비록 병역법 제75조 제2항이 공익근무요원으로 복무 중 순직한 사람의 유족에 대하여 '국가유공자 등 예우 및 지원에 관한 법률'에 따른 보상을 하도록 규정하고 있다고 하여도, 공익근무요원이 국가배상법 제2조 제1항 단서의 규정에 의하여 국가배상법상 손해배상청구가 제한되는 군인·군무원·경찰공무원 또는 향토예비군대원에 해당한다고 할 수 없다"고 판시하였고(대판 1997. 3. 28. 97다4036), 경비교도와 관련해서는 "현역병으로 입영하여 소정의 군사교육을 마치고 병역법 제25조의 규정에 의하여 전임되어 구 교정시설경비교도대설치법 제3조에 의하여 경비교도로 임용된 자는, 군인의 신분을 상실하고 군인과는 다른 경비교도로서의 신분을 취득하게 되었다고 할 것이어서 국가배상법 제2조 제1항 단서가 정하는 군인 등에 해당하지 아니한다"고 판시하였다(대판 1998. 2. 10. 97다45914).

(2) 헌법규정(제29조 제2항)의 위헌 여부

제29조 제2항이 군인 등에 대하여 이중배상을 금지하고 있는 것과 관련하여, 이 헌법규정 자체가 위헌이 아닌가가 문제된다. 이와 관련하여 헌법재판소는 '국가배상법 제2조 제1항 등 위헌소원사건'에서 "1. 헌법 제111조 제1항 제1호 및 헌법재판소법 제41조 제1항은 위헌법률심판의 대상에 관하여, 헌법 제111조 제1항 제5호 및 헌법재판소법 제68조 제2항, 제41조 제1항은 헌법소원심판의 대상에 관하여 그것이 법률임을 명문으로 규정하고 있으며, 여기서 위헌심사의 대상이 되는 법률이 국회의 의결을 거친 이른바 형식적 의미의 법률을 의미하는 것에 아무런 의문이 있을 수 없으므로, 헌법의 개별규정 자체는 헌법소원에 의한 위헌심사의 대상이 아니다. 2. 헌법은 전문과 각 개별조항이 서로 밀접한 관련을 맺으면서 하나의 통일된 가치 체계를 이루고 있는 것으로서, 헌법의 제 규정 가운데는 헌법의 근본가치를 보다 추상적으로 선언한 것도 있고, 이를 보다 구체적으로 표현한 것도 있으므로 이념적·논리적으로는 규범상호간의 우열을 인정할 수 있는 것이 사실이다. 그러나 이때 인정되는 **규범상호간의 우열은 추상적 가치규범의 구체화에 따른 것**으로 헌법의 통일적 해석에 있어서는 유용할 것이지만, 그것이 **헌법의 어느 특정규정이 다른 규정의 효력을 전면적으로 부인할 수 있을 정도의 개별적 헌법규정 상호간에 효력상의 차등을 의미하는 것이라고는 볼 수 없다**. 3. 국가배상법 제2조 제1항 단서는 헌법 제29조 제1항에 의하여 보장되는 국가배상 청구권을 헌법내재적으로 제한하는 헌법 제29조 제2항에 직접 근거하고, 실질적으로 그 내용을 같이하는 것이므로 헌법에 위반되지 아니한다"고 하여[81] 헌법규정은 위헌법률심판이나 헌법소원심판의 대상이 될 수 없다는 입장을 취하고 있다.

(3) 국가배상법 제2조 제1항 단서의 위헌 여부[82]

① 제3공화국시의 대법원판례(위헌)

1971년 대법원은 군인·군무원에게 이중배상을 금지한 국가배상법 제2조 제1항 단서 규정은 헌법에서 보장된 국민의 기본권인 손해배상청구권을 구 헌법 제32조 제2항(기본권의 일반적 법률유보조항)의 질서유지 또는 공공복리를 위하여 제한할

---

81) 헌재 1995. 12. 28. 95헌바3.

82) 국가배상법 제2조 제1항 단서(군인·군무원 등의 이중배상금지규정)는 법률상의 제한으로 설명될 수 있지만, 헌법에서 예외를 인정하고 있는 점에서 헌법상 제한에서 다루었다.

필요성이 없이 제한한 것이고 평등의 원칙에 반하여 군인 또는 군속인 피해사에 대해서만 그 권리를 부인함으로써 그 권리 자체의 본질적 내용을 침해하였으며 기본권제한의 범주를 넘어 권리 자체를 박탈하는 규정으로 보아 위헌결정을 내렸다.[83)]

② 헌법재판소의 합헌 결정례

i) 경찰공무원의 국가배상청구권을 제한하는 헌법 제29조 제1항과 국가배상법 제2조 제1항 단서의 위헌 여부

이 사건에서 헌법재판소는 "(1) 국가배상법 제2조 제1항 단서의 '경찰공무원 부분은 헌법 제29조 제1항에 의하여 보장되는 국가배상청구권을 헌법 내재적으로 제한하는 헌법 제29조 제2항에 직접 근거하고, 실질적으로 그 내용을 같이하는 것이므로 헌법에 위반되지 아니한다. (2) 전투경찰순경은 경찰청산하의 전투경찰대에 소속되어 대간첩작전의 수행 및 치안업무의 보조를 그 임무로 하고 있어서 그 직무수행상의 위험성이 다른 경찰공무원의 경우보다 낮다고 할 수 없을 뿐만 아니라, 전투경찰대설치법 제4조가 경찰공무원법의 다수 조항을 준용하고 있는 점 등에 비추어 보면, 국가배상법 제2조 제1항 단서 중의 경찰공무원은 경찰공무원법상의 경찰공무원만을 의미한다고 단정하기 어렵고, 널리 경찰업무에 내재된 고도의 위험성을 고려하여 경찰조직의 구성원을 이루는 공무원을 특별취급하려는 취지로 파악함이 상당하므로 전투경찰순경은 헌법 제29조 제2항 및 국가배상법 제2조 제1항 단서 중의 경찰공무원에 해당한다고 보아야 한다"고 판시한 바 있다.[84)]

ii) 향토예비군[85)] 부분의 위헌 여부

이와 관련하여 헌법재판소는 "향토예비군의 직무는 그것이 비록 개별 향토예비군대원이 상시로 수행하여야 하는 것이 아니라 법령에 의하여 동원되거나 소집된 때에 한시적으로 수행하게 되는 것이라 하더라도 그 성질상 고도의 위험성을 내포하는 공공적 성격의 직무이므로, 국가배상법 제2조 제1항 단서가 그러한 직무에 종사하는 향토예비군대원에 대하여 다른 법령의 규정에 의한 사회보장적 보상제도를 전제로 이중보상으로 인한 일반인들과의 불균형을 제거하고 국가재정의 지출을 절감하기 위하여 임무수행 중 상해를 입거나 사망한 개별 향토예비군대원의 국가

---

83) 대판 1971. 6. 22. 70다1010. 제3공화국에서는 대법원이 위헌법률심판권을 가졌었다.
84) 헌재 1996. 6. 13. 94헌마118 등.
85) 헌법에서는 군인·군무원·경찰공무원 기타 법률이 정하는 자라고, 입법위임에 따라 국가배상법에서는 군인·군무원·경찰공무원 또는 향토예비군대원이라고 규정하고 있다.

배상청구권을 금지하고 있는 데에는 그 목적의 정당성, 수단의 상당성 및 침해의 최소성, 법익의 균형성이 인정되어 기본권제한규정으로서 헌법상 요청되는 과잉금지의 원칙에 반한다고 할 수 없고, 나아가 그 자체로서 평등의 원리에 반한다거나 향토예비군대원의 재산권의 본질적인 내용을 침해하는 위헌규정이라고 할 수 없다"고 하여 합헌결정을 내렸다.[86]

헌법재판소는 향토예비군대원의 국가이중배상금지 판결에서 이중배상금지규정인 제29조 제2항에 대해서 '헌법의 개별규정 자체가 위헌의 심사의 대상이 될 수 없다'고 판시하여 위헌법률심판이나 헌법소원의 대상성을 부정하였다. 그리고 국가배상법 제2조 제1항의 단서에 대해서는 헌법에 직접 근거하고 헌법규정과 그 내용을 같이 하는 것으로 합헌결정을 내린 바 있다.[87]

③ 헌법재판소의 한정위헌 결정

헌법재판소는 '일반국민이 공무집행중인 군인과의 공동불법행위로 직무집행중인 다른 군인에게 공상을 입힌 공동의 불법행위로 인한 손해배상사건과 관련된 국가배상법 제2조 제1항 단서 위헌소원사건'에서 "국가배상법 제2조 제1항 단서 중 군인에 관련되는 부분을, 일반국민이 직무집행 중인 군인과의 **공동불법행위**로 직무집행 중인 다른 군인에게 공상을 입혀 그 피해자에게 공동의 불법행위로 인한 손해를 배상한 다음 공동불법행위자인 군인의 부담부분에 관하여 국가에 대하여 구상권을 행사하는 것을 허용하지 않는다고 해석한다면, 이는 위 단서 규정의 헌법상 근거규정인 헌법 제29조가 구상권의 행사를 배제하지 아니하는데도 이를 배제하는 것으로 해석하는 것으로서 합리적인 이유 없이 일반국민을 국가에 대하여 지나치게 차별하는 경우에 해당하므로 헌법 제11조, 제29조에 위반되며, 또한 국가에 대한 구상권은 헌법 제23조 제1항에 의하여 보장되는 재산권이고 위와 같은 해석은 그러한 재산권의 제한에 해당하며 재산권의 제한은 헌법 제37조 제2항에 의한 기본권제한의 한계 내에서만 가능한데, 위와 같은 해석은 헌법 제37조 제2항에 의하여 기본권을 제한할 때 요구되는 비례의 원칙에 위배하여 일반국민의 재산권을 과잉제한하는 경우에 해당하여 헌법 제23조 제1항 및 제37조 제2항에도 위반된다"고 결정한 바 있다.[88] 위와 같은 한정위헌결정으로 피해자인 군인은 민간인에게 피해의 전부에 대한 배상을 청구할 수 있고, 가해자 군인의 부분에 대하여

86) 헌재 1996. 6. 13. 94헌바20.
87) 헌재 1995. 12. 28. 95헌바3.
88) 헌재 1994. 12. 29. 93헌바21.

는 민간인이 국가에 대하여 구상권을 행사할 수 있다고 보아야 한다. 그러나 대법원은 공동불법행위자의 한 사람인 민간인이 자신의 부담을 넘는 손해를 책임지는 것은 부당하므로 **부진정연대채무**[89]의 예외를 인정하여 자신의 부담부분에 한해 손해배상의무를 부담하고 국가 등에 대하여는 그 귀책부분의 구상을 청구할 수 없다고 판시하였다.[90]

2. 법률상 제한

국가배상청구권도 제37조 제2항의 일반원리에 의해 제한될 수 있다. 따라서 국가안전보장·질서유지·공공복리를 위해서 필요한 경우에는 법률로 제한할 수 있다(우편법, 철도사업법, 전기통신사업법 등). 그러나 제한하는 경우에도 본질적 내용을 침해할 수 없기 때문에 입법으로 국가배상을 전면적으로 부인하거나 지나치게 낮게 규정하는 경우는 국가배상청구권의 본질적 내용을 침해하는 것으로 본다.

재판청구권에서도 살펴본 바와 같이 헌법재판소는 구 국가배상법 제16조 중 "심의회의 배상결정은 신청인이 동의하거나 지방자치단체가 배상금을 지급한 때에는 민사소송법의 규정에 의한 재판상의 화해가 성립된 것으로 본다"는 부분은 헌법에 위반된다고 결정하여,[91] 국가배상법 제16조는 삭제되었다.

---

89) 공동불법행위의 일반적인 경우는 공동불법행위자 등이 부진정연대채무자로서 각자 피해자의 손해 전부를 부담한다. 대법원은 군인과 민간인의 공동불법행위에는 부진정연대채무의 예외를 인정한 것이다.

90) 대판 2001. 2. 15. 96다42420.

91) "사법절차에 준한다고 볼 수 있는 각종 중재·조정절차와는 달리 배상결정절차에 있어서는 심의회의 제3자성·독립성이 희박한 점, 심의절차의 공정성·신중성도 결여되어 있는 점, 심의회에서 결정되는 배상액이 법원의 그것보다 하회하는 점 및 부제소합의의 경우와는 달리 신청인의 배상결정에 대한 동의에 재판청구권을 포기할 의사까지 포함되는 것으로 볼 수도 없는 점을 종합하여 볼 때, 이는 신청인의 재판청구권을 과도하게 제한하는 것이어서 헌법 제37조 제2항에서 규정하고 있는 기본권 제한입법에 있어서의 과잉입법금지의 원칙에 반할 뿐 아니라, 권력을 입법·행정 및 사법 등으로 분립한 뒤 실질적 의미의 사법작용인 분쟁해결에 관한 종국적인 권한은 원칙적으로 이를 헌법과 법률에 의한 법관으로 구성되는 사법부에 귀속시키고 나아가 국민에게 그러한 법관에 의한 재판을 청구할 수 있는 기본권을 보장하고자 하는 헌법의 정신에도 충실하지 못한 것이다"고 판시하였다(헌재 1995. 5. 25. 91헌가7). 한편 보상금 등의 지급결정에 동의한 때에는 특수임무수행 등으로 인하여 입은 피해에 대하여 재판상 화해가 성립된 것으로 보는 '특수임무수행자보상에 관한 법률' 제17조의2가 보상금 지급 신청인들의 재판청구권을 침해하는지 여부가 다투어진 사건에서 헌법재판소는 "개정 보상법상의 위원회는 국무총리 소속으로 관련분야의 전문가들로 구성되고, 임기가 보장되며, 국무총리의 위원에 대한 지휘·감독권 규정이 없는 등 제3자성 및 독립성이 보장되어 있는 점, 위원회가 보상금 지급심사를 함에 있어서 심의절차의 공정성·신중성이 충분히 갖추어져 있는 점, 보상금 등의 수급권은 보상법 및 시행령에서 정하는 지급요건과 기준에 따라 그 권리

3. 예외적 제한

국가배상청구권은 긴급명령 등의 국가긴급권 발동에 의해서도 제한될 수 있다.

제5절 형사보상청구권

Ⅰ. 형사보상청구권의 의의

형사피의자 또는 형사피고인으로서 구금되었던 자가 법률이 정하는 불기소처분을 받거나 무죄판결을 받은 때 법률이 정하는 바에 의하여 국가에 정당한 보상을 청구할 수 있다(제28조). 현행헌법은 법률이 정하는 불기소처분을 받은 형사피의자에게도 형사보상을 인정하고 있다. 형사보상청구권제도는 형사사법의 과오로 입은 피해를 국가가 사후적으로 보상한다고 하여 침해된 인권이 완전히 회복될 수는 없지만, 보상을 통하여 인권을 보장하려고 하는 것은 인권보장의 차원에서 중대한 의의를 갖는다. 다른 한편으로 형사보상제도는 공권력의 남용에 대한 경고적 작용을 한다는 데서도 그 의의를 찾을 수 있다.[92]

Ⅱ. 형사보상청구권의 연혁

형사보상청구권은 본래 형사피고인의 권리로 규정된 것으로서 그 기원은 1849년 독일의 프랑크푸르트헌법에서 찾을 수 있으나, 이 헌법은 시행되지 못하였고 그 후 독일에서는 개별입법(가령 1904년의 미결구류보상법)을 통해 형사보상제도가

가 당연히 발생함과 아울러 그 금액도 확정되는 것으로서 위원회에서 결정되는 보상액과 법원의 그것 사이에 별다른 차이가 없게 되는 점, 보상금 지급결정에 대한 보상신청인들의 동의에는 특수임무수행 등으로 인한 피해에 대하여 더 이상 재판을 청구하지 않겠다는 재판청구권 포기의사까지 명백하게 포함되어 있는 점 등에다가, 청구인들이 보상금 지급결정에 대한 동의 여부를 자유롭게 선택할 수 있는 상황에서 보상금 지급결정에 동의한 다음 보상금까지 수령한 점까지 감안하여 볼 때, 이 사건 재판상 화해조항으로 인하여 청구인들의 동의 과정에 실체법상 무효 또는 취소사유가 있더라도 재심절차 이외에는 더 이상 재판을 청구할 수 있는 길이 막히게 된다고 하더라도, 위 재판상 화해조항이 합리적인 범위를 벗어나 청구인들의 재판청구권을 과도하게 제한하였다고 보기는 어렵다"고 하여 합헌성을 인정한 바 있다(헌재 2009. 4. 30. 2006헌마1322).

92) 계희열, 앞의 책(중), 685면.

실시되었다. 제2차 세계대전 후 1947년의 이탈리아헌법(동헌법 제24조 제4항), 1947년의 일본 헌법(동헌법 제40조), 포르투갈헌법(동헌법 제29조 제6항) 등이 형사보상청구권을 규정하고 있다. 우리 헌법은 1948년 건국헌법부터 형사피고인의 형사보상청구권을 인정해왔으며, 현행헌법은 법률이 정하는 불기소처분을 받은 자에게도 형사보상청구권을 인정하는 명문 규정을 두었다. 헌법상의 형사보상청구권을 구체화하기 위하여 형사보상법이 제정되었으며, 형사보상법은 2011. 5. 23. 전부개정되어(2011. 11. 24. 시행) 제명을 '형사보상 및 명예회복에 관한 법률(약칭: 형사보상법)'로 변경하고 목적 조항을 새로이 규정하여 무죄재판 등을 받은 자에 대한 정당한 형사보상과 실질적인 명예회복을 위한 법률임을 명확히 하였다.

Ⅲ. 형사보상청구권의 본질

형사보상의 본질 내지 이론적 근거에 대하여는 손해배상설, 손실보상설, 이분설 등으로 견해가 갈리고 있다.

1. 손해배상설

형사보상은 객관적으로 위법한 행위에 대한 국가의 배상책임으로서, 공무원의 불법행위에 의한 국가의 손해배상책임과 다를 바 없다는 것이다. 즉 비록 고의·과실이 없다 하더라도 부당한 구속영장이나 하급심판결은 객관적으로 보아 위법이므로 배상책임을 진다고 한다.[93]

2. 손실보상설

형사보상은 적법하고 정당한 구속의 경우에도 불기소처분을 받거나 무죄판결을 받았을 때에는 그에 대한 손실을 보상해 주어야 한다는 것이다. 이 설은 그 근거를 공법상의 조절적 공평보상에 두고 있고 형사보상은 마치 무과실손해배상과 같은 무과실손실배상책임이라고 한다.[94] 국가의 형사사법작용으로 야기된 인권침해

93) 구병삭, 앞의 책, 640면.

94) 권영성, 앞의 책, 636면. 홍성방 교수는 "우리 헌법은 제29조에서 국가배상제도를 규정하여 국가에 대하여 불법행위책임을 인정하고 있다. 우리 헌법이 제29조와는 분리하여 제28조에서 형사보상청구권을 인정하는 것은 제29조와는 다른 책임, 곧 국가에 대하여 원인행위의 비난가능성과는 관계없이 결과책임을 지우는 것으로 해석하여야 한다. 형사보상청구권을 구체화한 형사보상법 제5조가 형사보상을 청구한 사람도 손해배상을 청구할 수 있도록 하고 있는 것은

의 결과에 대한 책임을 국가에 지우고자 하는 것이다(무과실, 결과책임).

3. 이분설

형사보상을 오판에 대한 보상과 피의자의 구금에 대한 보상으로 나누어 오판에 대한 보상은 손해배상이지만, 피의자의 구금에 대한 보상은 손실보상이라고 한다.

4. 결 어

헌법은 형사보상제도를 국가배상제도와 별도로 규정하고 있을 뿐 아니라, 형사보상의 경우에는 고의나 과실을 요건으로 하지 않으므로, 형사보상은 인신의 구속으로 말미암은 손실의 발생에 대하여 결과책임인 **무과실손실보상책임**을 인정하는 것으로 보는 것이 타당하다. 손실보상설이 통설적 입장이다.

Ⅳ. 형사보상청구권의 법적 성격

형사보상청구권 규정이 직접적 효력규정이냐 프로그램규정이냐에 대하여 학설이 대립되고 있으나, 형사보상청구권 자체는 헌법규정만으로 직접적 효력을 가지는 규정이라고 보아야 할 것이다. 그러나 제28조가 '법률이 정하는 불기소처분'이라고 규정하고 있으므로, 형사보상청구의 구체적인 대상과 보상의 내용 및 절차는 법률이 정하는 바에 따른다고 보는 것이 타당한 해석이 될 것이다.[95]

Ⅴ. 형사보상청구권의 주체

형사보상청구권은 형사피고인(구속된 피고인이 무죄판결을 받은 경우), 형사피의자(구속된 피의자가 법률이 정하는 불기소처분을 받은 경우), 상속인(본인이 청구를 하지 아

이러한 뜻을 분명히 한 것이라고 할 수 있다"라고 설명한다(홍성방, 앞의 책(중), 367면).

95) 권영성 교수는 이러한 규정을 법률구체화적 법률유보로 본다(권영성, 앞의 책, 636면). 헌법재판소는 형사보상청구의 구체적 절차에 관한 입법은 단지 형사보상을 청구할 수 있는 형식적인 권리나 이론적인 가능성만을 허용하는 것이어서는 안 되고, 상당한 정도로 권리구제의 실효성이 보장되도록 하는 것이어야 한다고 하면서, "형사보상청구에 관하여 어느 정도의 제척기간을 둘 것인가의 문제는 원칙적으로 입법권자의 재량에 맡겨져 있는 것이지만, 그 청구기간이 지나치게 단기간이거나 불합리하여 무죄재판이 확정된 형사피고인이 형사보상을 청구하는 것을 현저히 곤란하게 하거나 사실상 불가능하게 한다면 이는 입법재량의 한계를 넘어서는 것으로서 대한민국 헌법이 보장하는 형사보상청구권을 침해하는 것이라 하지 않을 수 없다"고 판시하였다(헌재 2010. 7. 29. 2008헌가4).

니하고 사망한 경우 또는 시형이 집행된 경우[96]) 등이 주체가 되녀, 외국인도 주체가 될 수 있다. 법인은 성질상 주체가 될 수 없다.

Ⅵ. 형사보상청구권의 내용

1. 성립요건

형사보상청구권은 형사피의자 또는 형사피고인으로서 구금되었던 자가 법률이 정하는 불기소처분을 받거나 무죄판결을 받은 때에 성립한다.

(1) 형사피고인과 형사피의자

형사피고인은 특정한 형사사건으로 검사에 의해 기소되거나 기소된 것으로 간주된 자를 말한다. 기소가 되었다는 점에서 아직 수사단계에 있는 피의자와 구분되며, 확정판결을 받지 않았다는 점에서 수형자와 구별된다. 원칙적으로 공소장에 피고인으로 기재되어 있는 자가 형사소송법상의 피고인이 된다.

형사피의자는 형사사건에서 수사기관으로부터 혐의를 받고 수사의 대상에 있는 자로서 아직 공소의 제기가 없는 자를 말한다. 수사기관에 의해 입건된 상태부터 피의자로서의 지위가 부여된다.

(2) 구 금

형사소송법상의 구금으로 미결구금이나 형의 집행을 포함한다. 이 때의 구금에는 형의 집행을 위한 구치, 노역장 유치의 집행이 포함된다. 불구속이었던 피고인이나 피의자는 형사보상청구를 할 수 없다.

(3) 불기소처분(피의자보상) 또는 무죄판결(피고인보상)

① 불기소처분

형사피의자가 형사보상을 받을 수 있는 경우는 '법률이 정하는 불기소처분'을 받은 경우이다. 여기서 '법률이 정하는 불기소 처분'이란 구금되었던 피의자가 기소유예처분이나 기소중지처분이 아닌 불기소처분을 받은 경우로서, 범인이 아니거나 구금한 당시부터 불기소처분의 사유가 존재하여 공소를 제기하지 아니하는 처

96) 형사보상 및 명예회복에 관한 법률 제3조.

분을 말한다. 따라서 법률이 정하는 불기소처분은 협의의 불기소처분, 즉 무혐의·범죄불성립·공소권 없음의 경우에 한정된다. 다만 구금된 이후 공소를 제기하지 아니하는 처분을 할 사유가 있는 경우와 공소를 제기하지 아니하는 처분이 종국적(終局的)인 처분이 아니거나 형사소송법 제247조(기소편의주의)에 따른 것일 경우에는 형사보상을 청구할 수 없다(형사보상법 제27조 제1항 단서).[97]

② 무죄판결

무죄판결이란 형사소송법에 따른 일반 절차에 의한 무죄판결만이 아니라 재심이나 비상상고 절차에서 받은 무죄재판도 포함되며, 상소권회복에 의한 상소, 재심 또는 비상상고의 절차에서 받은 무죄재판도 포함된다(형사보상법 제2조 제1항, 제2항).[98] 무죄의 재판은 실질적 의미의 무죄판결이라고 보아야 하며, 면소나 공소기각의 재판을 받은 경우에도 면소 또는 공소기각의 재판을 할 만한 사유가 없었더라면 무죄의 재판을 받을 만한 현저한 사유가 있었을 때, 치료감호법 제7조에 따라 치료감호의 독립 청구를 받은 피치료감호청구인의 치료감호사건이 범죄로 되지 아니하거나 범죄사실의 증명이 없는 때에 해당되어 청구기각의 판결을 받아 확정된 경우에도 국가에 대하여 구금에 대한 보상을 청구할 수 있다(동법 제26조 제1항 제1호, 제2호). 또한 형사보상법의 규정은 군사법원에서 무죄판결을 받은 자에 대한 보상[99]에 준용된다(동법 제29조 제1항 제1호).

(4) 무과실책임

형사보상책임은 무과실의 결과책임이다. 따라서 관계기관의 고의·과실을 요하지 아니한다.

2. 형사보상청구 절차

(1) 피고인보상의 경우 보상청구는 무죄재판을 한 법원에 대하여 하여야 하며,

---

97) 기소유예처분이나 기소중지처분은 범죄가 성립되고 혐의가 충분하나 기소편의주의에 따라 여러 가지 사정을 고려하여 기소를 중지하거나 유예한 경우이므로 형사보상을 청구할 수 없다.

98) 대판 2004. 10. 18. 2004코1(2004오1). "비상상고의 절차에서 보호감호를 기각하는 재판을 받은 자가 원판결에 의하여 보호감호의 집행을 받았을 때에도 형사보상법 제1조 제2항을 유추적용하여 보호감호의 집행에 대한 보상을 청구할 수 있다"고 하여, 보호감호의 경우 인신을 구속한다는 점에서 형의 집행과 유사하다고 보아, 청구인에게 동법 제1조 제2항을 유추적용하여 형사보상하여야 한다고 판시하였다.

99) 대판 1965. 5. 18. 65다537. "관할권이 없는 군법회의가 한 형사보상결정의 효력은 당연무효가 아니다."

보상청구는 무죄재판이 확정된 사실을 안 날부터 3년, 무죄재판이 확정된 때부터 5년[100] 이내에 하여야 한다(형사보상법 제7조, 제8조).

(2) 피의자보상의 경우 보상청구는 공소를 제기하지 아니하는 처분을 한 검사가 소속된 지방검찰청의 심의회에 보상을 청구하여야 하며, 보상의 청구는 검사로부터 공소를 제기하지 아니하는 처분의 고지(告知) 또는 통지를 받은 날부터 3년 이내에 하여야 한다(동법 제28조 제1항, 제3항).

3. 보상청구에 대한 결정과 재판

(1) 피고인보상은 법원합의부에서 재판하며(동법 제14조 제1항), 법원의 보상결정에 대하여는 1주일 이내에 즉시항고를 할 수 있으며, 청구기각 결정에 대하여도 즉시항고를 할 수 있다(동법 제20조).

(2) 피의자보상은 피의자보상심의회에서 결정하며, 피의자보상의 청구에 대한 심의회의 결정에 대하여는 '행정심판법'에 따른 행정심판을 청구하거나 '행정소송법'에 따른 행정소송을 제기할 수 있다(동법 제27조 제1항, 제4항).

(3) 보상의 청구에 대하여 보상심의회와 법원은 검사와 청구인의 의견을 들은 후 결정한다(동법 제14조 제2항, 제29조 제1항).

(4) 과거 형사보상의 결정에 대하여는 불복을 신청할 수 없도록 하여 형사보상의 결정을 단심재판으로 규정한 조항(구 형사보상법 제19조 제1항)과 관련하여 헌법재판소는 보상액의 산정에 기초되는 사실인정이나 보상액에 관한 판단에서 오류나 불합리성이 발견되는 경우에도 그 시정을 구하는 불복신청을 할 수 없도록 하는 것은 형사보상청구권 및 그 실현을 위한 기본권으로서의 재판청구권의 본질적 내용을 침해한다고 하여 위헌결정을 내렸다.[101]

---

100) 과거 형사보상법은 형사보상의 청구는 무죄재판이 확정된 때로부터 1년 내에 하도록 규정하고 있었는데(동법 제7조), 헌법재판소는 "권리의 행사가 용이하고 일상 빈번히 발생하는 것이거나 권리의 행사로 인하여 상대방의 지위가 불안정해지는 경우 또는 법률관계를 보다 신속히 확정하여 분쟁을 방지할 필요가 있는 경우에는 특별히 짧은 소멸시효나 제척기간을 인정할 필요가 있으나, 위 조항은 위의 어떠한 사유에도 해당하지 아니하는 등 달리 합리적인 이유를 찾기 어렵고, 또한 형사피고인은 그가 책임질 수 없는 사유에 의하여 무죄재판의 확정사실을 모를 수 있는 가능성이 있으므로 형사피고인이 책임질 수 없는 사유에 의하여 위 조항의 제척기간을 도과할 가능성이 있는바, 이는 국가의 잘못된 형사사법작용에 의하여 신체의 자유라는 중대한 법익을 침해받은 국민의 기본권을 사법상의 권리보다도 가벼게 보호하는 것으로서 부당하다"고 판시하였다(헌재 2010. 7. 29. 2008헌가4).

101) 헌재 2010. 10. 28. 2008헌마514 등. 헌법재판소는 "나아가 법적 안정성만을 지나치게 강조함으로써 재판의 적정성과 정의를 추구하는 사법제도의 본질에 부합하지 아니하는 것이다.

4. 형사보상의 내용

(1) 정당한 보상

헌법은 형사보상에 있어서 정당한 보상을 규정하고 있다. 정당보상이란 형사보상청구권자가 입은 손실액의 완전한 보상이어야 한다. '형사보상 및 명예회복에 관한 법률(형사보상법)'은 보상내용을 다음과 같이 규정하고 있다(동법 제5조).[102)]

ⅰ) 구금에 대한 보상의 경우 그 구금일수에 따라 1일당 보상청구의 원인이 발생한 연도의 '최저임금법'에 따른 일급 최저임금액 이상 대통령령으로 정하는 금액 이하의 비율에 의한 보상금을 지급한다.[103)] 노역장유치의 집행을 한 경우도 같다.

ⅱ) 사형 집행에 대한 보상을 할 때에는 집행 전 구금에 대한 보상금 외에 3천만원 이내에서 모든 사정을 고려하여 법원이 타당하다고 인정하는 금액을 더하여 보상한다. 이 경우 본인의 사망으로 인하여 발생한 재산상의 손실액이 증명되었을 때에는 그 손실액도 보상한다.

ⅲ) 벌금 또는 과료(科料)의 집행에 대한 보상을 할 때에는 이미 징수한 벌금 또는 과료의 금액에 징수일의 다음날부터 보상 결정일까지의 일수에 대하여 민법 제379조의 법정이율을 적용하여 계산한 금액을 더한 금액을 보상한다.

ⅳ) 몰수 집행에 대한 보상을 할 때에는 그 몰수물을 반환하고, 그것이 이미

또한, 불복을 허용하더라도 즉시항고는 절차가 신속히 진행될 수 있고 사건수도 과다하지 아니한데다 그 재판내용도 비교적 단순하므로 불복을 허용한다고 하여 상급심에 과도한 부담을 줄 가능성은 별로 없다고 할 것이어서, 형사보상결정에 대한 불복금지조항은 형사보상청구권 및 재판청구권을 침해한다고 할 것이다"라고 판시하였다.

102) 형사보상금을 일정한 범위 내로 제한하고 있는 조항은 형사보상청구권을 침해하는 것이 아니다. 헌법재판소는 형사보상청구권은 헌법 제28조에 따라 '법률이 정하는 바에 의하여' 행사되므로 그 내용은 법률에 의해 정해지는바, 형사보상의 구체적 내용과 금액 및 절차에 관한 사항은 입법자가 정하여야 할 사항이라고 하면서 "형사보상은 형사사법절차에 내재하는 불가피한 위험으로 인한 피해에 대한 보상으로서 국가의 위법·부당한 행위를 전제로 하는 국가배상과는 그 취지 자체가 상이하므로 형사보상절차로서 인과관계 있는 모든 손해를 보상하지 않는다고 하여 반드시 부당하다고 할 수는 없으며, 보상금액의 구체화·개별화를 추구할 경우에는 개별적인 보상금액을 산정하는 데 상당한 기간의 소요 및 절차의 지연을 초래하여 형사보상제도의 취지에 반하는 결과가 될 위험이 크고 나아가 그로 인하여 형사보상금의 액수에 지나친 차등이 발생하여 오히려 공평의 관념을 저해할 우려가 있는바, 그 범위를 일정하게 제한하고 있다고 하여 형사보상청구권을 침해한다고 볼 수 없다"고 판시하였다(헌재 2010. 10. 28. 2008헌마514).

103) '형사보상 및 명예회복에 관한 법률' 제5조 제1항에 따른 구금에 대한 보상금의 한도는 1일당 보상청구의 원인이 발생한 해의 '최저임금법'에 따른 일급(日給) 최저임금액의 5배로 한다(동법시행령 제2조).

처분되었을 때에는 보상결정 시의 시가를 보상한다.

v) 추징금에 대한 보상을 할 때에는 그 액수에 징수일의 다음날부터 보상 결정일까지의 일수에 대하여 민법 제379조의 법정이율을 적용하여 계산한 금액을 더한 금액을 보상한다.

(2) 형사보상결정의 공시제(형사보상 및 명예회복에 관한 법률 제25조)

법원은 보상결정이 확정되었을 때에는 2주일 내에 보상결정의 요지를 관보에 게재하여 공시하여야 한다. 이 경우 보상결정을 받은 자의 신청이 있을 때에는 그 결정의 요지를 신청인이 선택하는 두 종류 이상의 일간신문에 각각 한 번씩 공시하여야 하며 그 공시는 신청일부터 30일 이내에 하여야 한다.

이 법에 따른 보상을 받을 자가 같은 원인에 대하여 다른 법률에 따라 손해배상을 받은 경우에 그 손해배상의 액수가 이 법에 따라 받을 보상금의 액수와 같거나 그보다 많을 때에는 보상하지 아니하고, 그 손해배상의 액수가 이 법에 따라 받을 보상금의 액수보다 적을 때에는 그 손해배상 금액을 빼고 보상금의 액수를 정하여야 하는데, 이 경우도 공시규정이 준용된다.

(3) 명예회복조치의 일환으로서의 무죄재판서 게재 청구

무죄재판을 받아 확정된 사건의 피고인은 무죄재판이 확정된 때부터 3년 이내에 확정된 무죄재판사건의 재판서를 법무부 인터넷 홈페이지에 게재하도록 해당 사건을 기소한 검사가 소속된 지방검찰청에 청구할 수 있다(동법 제30조).

청구가 있을 때에는 그 청구를 받은 날부터 1개월 이내에 무죄재판서를 법무부 인터넷 홈페이지에 게재하여야 한다. 다만 청구를 받은 때에 무죄재판사건의 확정재판기록이 해당 지방검찰청에 송부되지 아니한 경우에는 무죄재판사건의 확정재판기록이 해당 지방검찰청에 송부된 날부터 1개월 이내에 게재하여야 한다(동법 제32조).

5. 형사보상이 제외될 수 있는 경우

(1) 피고인보상

i) 피고인이 형법 제9조 및 제10조 제1항의 사유(형사미성년자 또는 심신장애자 행위임을 이유로 한 경우)로 무죄재판을 받은 경우, ii) 본인이 수사 또는 심판을 그르칠 목적으로 거짓 자백을 하거나 다른 유죄의 증거를 만듦으로써 기소, 미결구금 또는 유죄재판을 받게 된 것으로 인정된 경우, iii) 1개의 재판으로 경합범의

일부에 대하여 무죄재판을 받고 다른 부분에 대하여 유죄재판을 받았을 경우 등에는 법원은 재량으로 보상청구의 전부 또는 일부를 기각할 수 있다(동법 제4조).

(2) 피의자보상

i) 본인이 수사 또는 재판을 그르칠 목적으로 거짓 자백을 하거나 다른 유죄의 증거를 만듦으로써 구금된 것으로 인정되는 경우, ii) 구금기간 중에 다른 사실에 대하여 수사가 이루어지고 그 사실에 관하여 범죄가 성립한 경우, iii) 보상을 하는 것이 선량한 풍속이나 그 밖에 사회질서에 위배된다고 인정할 특별한 사정이 있는 경우에는 피의자보상의 전부 또는 일부를 지급하지 아니할 수 있다(동법 제27조 제2항).

제6절 범죄피해자구조청구권

Ⅰ. 범죄피해자구조청구권의 의의

타인의 범죄행위로 말미암아 생명·신체에 피해를 입은 국민이 국가에 대하여 유족구조 또는 장해구조를 청구할 수 있는 권리이다. 범죄피해자가 민사법이나 국가배상법 또는 소송촉진에 관한 특례법상의 형사배상명령제도에 따른 배상청구를 할 수 있는 종전의 제도는 범인이 배상능력이 없거나 범인이 도주한 경우에는 실효성이 없는 제도이다. 이에 범죄피해자구조청구권을 도입한 것이며, 국민의 인간의 존엄과 가치 침해에 대한 국가의 보충적 책임을 인정한 것이라 하겠다.

Ⅱ. 범죄피해자구조청구권의 연혁

범죄피해자에 대한 구조제도는 강도범이나 살인범이 체포되지 않았을 경우 범죄행위가 행하여진 마을과 마을의 장은 그 범죄피해자에 대하여 배상할 의무를 진다고 규정한 함무라비법전(BC 2250년경)에서 이미 그 원형을 찾을 수 있다. 그리고 공리주의 철학자 제레미 벤담(J. Bentham)은 국민이 타인의 범죄로 인하여 신체나 재산에 대한 피해를 입었을 경우에 사회는 마땅히 그 피해를 배상할 책임이 있다고 주장하였으며, 범죄피해자구조문제는 형사법학의 일부로 자리 잡게 되었다.[104]

우리나라는 현행헌법에서 “타인의 범죄행위로 인하여 생명·신체에 대한 피해를 받은 국민은 법률이 정하는 바에 의하여 국가로부터 구조를 받을 수 있다"고 범죄피해자구조청구권을 규정하였는데, 범죄피해자구조에 관련한 입법은 여러 나라에 상당수가 존재하지만, 헌법에 기본권으로 규정한 것은 거의 세계 최초라는 점에서 그 의미가 크다.

헌법의 범죄피해자구조청구권을 구체화하기 위하여 1988년 7월 1일 '범죄피해자구조법'이 제정되었다. 한편 2005년 12월 23일 범죄피해자 보호·지원의 기본시책 등을 정하고 범죄피해자에 대한 국가 및 지방자치단체의 보호·지원과 국민의 범죄피해자 지원활동을 촉진함으로써, 범죄피해자의 손실 복구, 정당한 권리 행사 및 복지증진에 기여함을 목적으로 '범죄피해자 보호법'이 제정되었다. 그러나 2010년 5월 14일 범죄피해자구조법은 폐지되고, 범죄피해자 보호법에 통합되었다. 그 이유는 헌법 제30조에서 범죄행위로 인하여 생명·신체에 대한 피해를 받은 국민에 대하여 국가의 구조의무를 명시하고 있음에도 불구하고, 가해자에 대한 수사·재판·행형상의 인권 개선폭과 비교하여 범죄피해자의 인권개선은 여전히 부진한 실정이므로, 범죄피해자에 대한 국가 차원의 보호·지원체계를 구축하고 민간 활동을 촉진하는 등 종합적이고 효과적인 대책을 마련하려는 것으로 범죄피해자를 보호·지원하는 제도와 범죄피해자를 구조하는 제도는 정책 방향이 같으므로 범죄피해자구조법을 범죄피해자 보호법에 통합한 것이다.

범죄피해자 보호법 제2조는 그 기본이념으로 "① 범죄피해자는 범죄피해 상황에서 빨리 벗어나 인간의 존엄성을 보장받을 권리가 있다. ② 범죄피해자의 명예와 사생활의 평온은 보호되어야 한다. ③ 범죄피해자는 해당 사건과 관련하여 각종 법적 절차에 참여할 권리가 있다"고 규정하고 있다.

Ⅲ. 범죄피해자구조청구권의 법적 성격

1. 범죄피해자구조의 본질

(1) 학 설

① 국가책임설

범죄의 발생을 예방하고 진압하지 못한 데에 대하여 국가가 배상책임을 지는 것이라는 견해이다. 국가의 무과실책임을 인정하는 것이다.

104) 민경식, "범죄피해자의 구조청구권", 월간고시, 1988. 2, 156-158면.

② 사회보장설

국가는 범죄피해자에게 배상해야 할 책임은 없으나, 사회국가의 이념 하에 사회보장적 차원에서 범죄피해를 구조하는 것이라는 견해이다.

③ 사회분담설

세금에 의한 보험의 형태를 통해 범죄피해를 국가가 사회구성원에게 분담시킨 것이라는 견해이다.

(2) 헌법재판소 판례

헌법재판소는 헌법은 범죄로부터 국민을 보호하여야 할 국가의 의무를 소극적 차원에서만 규정하지 아니하고 이에 더 나아가 범죄행위로 인하여 피해를 받은 국민에 대하여 국가가 적극적인 구조행위까지 하도록 규정하여 피해자의 기본권을 생존권적 기본권의 차원으로 인정하였다.[105)]

(3) 결 어

범죄피해자구조제도의 본질을 어느 하나의 학설만으로 설명하기는 힘들다. 단순한 청구권적 기본권으로만 이해해서는 안 되며, 사회보장으로서의 성격과 국가책임으로서의 성격을 아울러 가지는 복합적 성격의 제도로 파악하는 것이 타당하다.[106)]

2. 범죄피해자구조청구권의 법적 성격

범죄피해자구조청구권은 사회보장적 성격을 띠는 청구권의 일종[107)]으로 피해자가 범죄자로부터 제대로 보상을 받지 못할 때 보충적으로 인정되는 것이다. 헌법 제30조의 '법률이 정하는 바에 의하여' 범죄피해자구조청구권을 보장하기 위해서는 입법자에 의한 범죄피해자구조청구권의 구체적 형성이 불가피하므로 입법자의 광범위한 입법재량이 인정된다고 할 것이나, 당해 입법이 단지 범죄피해를 입은 경

105) 헌재 1989. 4. 17. 88헌마3. '생존권적 기본권으로서의 성격을 가지는 청구권적 기본권'이라고 한다.

106) 권영성, 앞의 책, 641면.

107) 홍성방, 앞의 책(중), 384면; 김철수, 앞의 책(상), 1338면. 생존권적 기본권의 성격을 띤 청구권적 기본권이라 한다. 허영, 앞의 책, 643면. 사회보장적 성질의 구체적 청구권이라 한다. 김학성 · 최희수, 앞의 책, 803면.

우에 국가에 대한 구조청구권을 행사할 수 있는 형식적인 권리나 이론적인 가능성만을 허용하는 것이어서는 아니 되고, 상당한 정도로 권리구제의 실효성이 보장되도록 하여야 한다.[108]

Ⅳ. 범죄피해자구조청구권의 주체와 효력

1. 주 체

제30조는 '생명·신체에 대한 피해를 받은 국민'으로 규정하고 있는 바, 자연인만이 주체가 될 수 있고, 법인이나 단체는 주체가 될 수 없다. 범죄피해자구조청구권은 대한민국 국민에게만 인정되고, 외국인은 상호보증이 있는 경우에만 인정된다(범죄피해자보호법 제23조).

범죄피해자보호법은 유족구조금·장해구조금 및 중상해구조금으로 구분하는데, 유족구조금은 구조피해자가 사망하였을 때 유족이 청구하며, 장해구조금 및 중상해구조금은 해당 구조피해자가 청구한다.

2. 효 력

범죄피해자구조청구권은 대국가적 효력을 가지며, 국가권력을 직접 구속하는 효력이 있다. 범죄피해자보호법은 헌법의 범죄피해자구조청구권의 세부적인 절차기준을 구체화하는 법률이다. 범죄피해자구조청구권은 성질상 사인 간에는 적용되지 않는 기본권이라 본다.

Ⅴ. 범죄피해자구조청구권의 성립요건

1. 적극적 요건

범죄피해자구조청구권이 성립하려면 "타인의 범죄 행위로 인하여 생명·신체에 피해"를 받은 자가 피해의 전부 또는 일부를 배상받지 못하는 경우라야 한다. 헌법 제30조는 생명, 신체에 대한 피해를 입은 경우에 적용되는 것으로서 재산상 피해를 입는 경우에는 위 헌법조항은 적용될 수 없다.[109]

---

108) 헌재 2011. 12. 29. 2009헌마354.
109) 헌재 2009. 7. 30. 2008헌바1.

(1) 구조대상 범죄피해

범죄피해자보호법은 "**구조대상 범죄피해**"를 대한민국의 영역 안에서 또는 대한민국의 영역 밖에 있는 대한민국의 선박이나 항공기 안에서 행하여진 사람의 생명 또는 신체를 해치는 죄에 해당하는 행위로 인하여 **사망**하거나 장해 또는 중상해를 입은 것으로 정의하고 있다(범죄피해자보호법 제3조 제1항 제4호). 형사미성년자, 심신장애인, 강요된 행위, 긴급피난 등으로 처벌되지 아니하는 행위는 구조대상 범죄피해에 포함되나, 정당행위 또는 정당방위에 따라 처벌되지 아니하는 행위 및 과실에 의한 행위는 제외한다(제4호 괄호). 여기서 "**장해**"란 범죄행위로 입은 부상이나 질병이 치료(그 증상이 고정된 때를 포함)된 후에 남은 신체의 장해로서 대통령령으로 정하는 경우를 말하며(동법 제3조 제1항 제5호), "**중상해**"란 범죄행위로 인하여 신체나 그 생리적 기능에 손상을 입은 것으로서 대통령령으로 정하는 경우를 말한다(동법 제3조 제1항 제6호).

(2) 피해의 전부 또는 일부를 배상받지 못할 것

국가는 구조대상 범죄피해를 받은 사람이 i) 피해의 전부 또는 일부를 배상받지 못하는 경우, ii) 자기 또는 타인의 형사사건의 수사 또는 재판에서 고소·고발 등 수사단서를 제공하거나 진술, 증언 또는 자료제출을 하다가 구조피해자가 된 경우에 구조피해자 또는 그 유족에게 범죄피해 구조금을 지급한다(동법 제16조).

(3) 가해자의 불명 또는 무자력 요건의 삭제

종전 법에는 가해자의 불명 또는 무자력으로 피해 전부 또는 일부를 배상받지 못한 때에 구조금을 받을 수 있는 것으로 하였으나,[110] 2010. 5. 14. 개정법에서는 '가해자불명 또는 무자력'을 요건에서 삭제하여 범죄피해자의 구조범위를 확대하였다.

2. 구조금을 지급하지 아니할 수 있는 경우 (소극적 요건)

범죄피해자보호법은 다음에 해당하는 사항에 대해서는 구조금을 지급하지 아니

110) 또한 종전의 범죄피해자구조법에서는 '피해자의 생계유지 곤란'이 범죄피해자 구조요건 중 하나였으나, 2005. 12. 29. 개정으로 이 부분이 삭제된 바 있었다. 피해자의 생계유지 곤란이 요건으로 되어 있던 당시에도 형사사건의 수사 또는 재판에 있어서 고소·고발 등 수사단서 제공·진술·증언자료 제출 관련하여 피해자가 된 때에는 생계유지곤란 여부를 불문한다고 되어 있었다.

하거나 아니할 수 있다고 규정하고 있다(동법 제19조).

(1) 전부미지급이 되는 친족

범죄행위 당시 구조피해자와 가해자가 i) 부부(사실상의 혼인관계를 포함), ii) 직계혈족, iii) 4촌 이내의 친족, iv) 동거친족에 해당하면 구조금을 지급하지 아니한다.

(2) 일부미지급이 되는 친족

범죄행위 당시 구조피해자와 가해자가 부부, 직계혈족, 4촌 이내의 친족, 동거친족에 해당하지 아니하는 친족관계가 있는 경우에는 구조금의 일부를 지급하지 아니한다.

(3) 기타 전부미지급이 되는 구조피해자

구조피해자가 i) 해당 범죄행위를 교사 또는 방조하는 행위, ii) 과도한 폭행·협박 또는 중대한 모욕 등 해당 범죄행위를 유발하는 행위, iii) 해당 범죄행위와 관련하여 현저하게 부정한 행위, iv) 해당 범죄행위를 용인하는 행위, v) 집단적 또는 상습적으로 불법행위를 행할 우려가 있는 조직에 속하는 행위(다만, 그 조직에 속하고 있는 것이 해당 범죄피해를 당한 것과 관련이 없다고 인정되는 경우는 제외), vi) 범죄행위에 대한 보복으로 가해자 또는 그 친족이나 그 밖에 가해자와 밀접한 관계가 있는 사람의 생명을 해치거나 신체를 중대하게 침해하는 행위 등을 한 때에는 구조금을 지급하지 아니한다.

(4) 기타 일부미지급이 되는 구조피해자

구조피해자가 i) 폭행·협박 또는 모욕 등 해당 범죄행위를 유발하는 행위, ii) 해당 범죄피해의 발생 또는 증대에 가공(加功)한 부주의한 행위 또는 부적절한 행위 등을 한 때에는 구조금의 일부를 지급하지 아니한다.

(5) 재량에 따른 미지급

구조피해자 또는 그 유족과 가해자 사이의 관계, 그 밖의 사정을 고려하여 구조금의 전부 또는 일부를 지급하는 것이 사회통념에 위배된다고 인정될 때에는 구조금의 전부 또는 일부를 지급하지 아니할 수 있다.

(6) 재량에 따른 지급

이상의 미지급사유에도 불구하고 구조금을 지급하지 아니하는 것이 사회통념에 위배된다고 인정할 만한 특별한 사정이 있는 경우에는 구조금의 일부를 지급할 수 있다.

3. 범죄피해자구조금의 환수

국가는 법에 따라 구조금을 받은 사람이 i) 거짓이나 그 밖의 부정한 방법으로 구조금을 받은 경우, ii) 구조금을 받은 후 동법 제19조에 규정된 사유(구조금을 지급하지 아니할 수 있는 경우)가 발견된 경우, iii) 구조금이 잘못 지급된 경우 등의 하나에 해당하면 지구심의회 또는 본부심의회의 결정을 거쳐 그가 받은 구조금의 전부 또는 일부를 환수할 수 있다. 국가가 범죄피해자구조금을 환수를 할 때에는 국세징수의 예에 따르고, 그 환수의 우선순위는 국세 및 지방세 다음으로 한다(동법 제30조).

4. 범죄피해자구조청구권의 보충성

구조피해자나 유족이 해당 구조대상 범죄피해를 원인으로 하여 국가배상법이나 그 밖의 법령에 따른 급여 등을 받을 수 있는 경우에는 대통령령으로 정하는 바에 따라 구조금을 지급하지 아니하며(동법 제20조), 국가는 구조피해자나 유족이 해당 구조대상 범죄피해를 원인으로 하여 손해배상을 받았으면 그 범위에서 구조금을 지급하지 아니한다(동법 제21조 제1항).[111]

111) 국가는 지급한 구조금의 범위에서 해당 구조금을 받은 사람이 구조대상 범죄피해를 원인으로 하여 가지고 있는 손해배상청구권을 대위한다. 대위할 때 대통령령으로 정하는 바에 따라 가해자인 수형자나 보호감호대상자의 작업장려금 또는 근로보상금에서 손해배상금을 받을 수 있다(범죄피해자보호법 제21조 제2항, 제3항).

Ⅵ. 범죄피해자구조금의 내용

1. 유족구조금

(1) 유족구조금을 받을 순위

유족구조금은 구조피해자가 사망하였을 때 법이 정한 유족에게 지급한다. 다만 순위가 같은 유족이 2명 이상이면 똑같이 나누어 지급한다(동법 제17조 제1항).

구조금을 받을 수 있는 유족의 순위는 ⅰ) 배우자(사실상 혼인관계를 포함) 및 구조피해자의 사망 당시 구조피해자의 수입으로 생계를 유지하고 있는 구조피해자의 자녀, ⅱ) 구조피해자의 사망 당시 구조피해자의 수입으로 생계를 유지하고 있는 구조피해자의 부모, 손자·손녀, 조부모 및 형제자매(열거된 순), ⅲ) ⅰ)과 ⅱ)에 해당하지 아니하는 구조피해자의 자녀, 부모, 손자·손녀, 조부모 및 형제자매 순(열거한 순)으로 한다.[112] 부모의 경우에는 양부모를 선순위로 하고 친부모를 후순위로 한다(동법 제18조 제1항-제3항).

(2) 유족구조금을 받을 수 없는 경우

유족이 ⅰ) 구조피해자를 고의로 사망하게 한 경우, ⅱ) 구조피해자가 사망하기 전에 그가 사망하면 유족구조금을 받을 수 있는 선순위 또는 같은 순위의 유족이 될 사람을 고의로 사망하게 한 경우, ⅲ) 구조피해자가 사망한 후 유족구조금을 받을 수 있는 선순위 또는 같은 순위의 유족을 고의로 사망하게 한 경우 등의 하나에 해당하면 유족구조금을 받을 수 있는 유족으로 보지 아니한다(동법 제18조 제4항).

(3) 유족구조금액

유족구조금은 구조피해자의 사망 당시(신체에 손상을 입고 그로 인하여 사망한 경우에는 신체에 손상을 입은 당시)의 월급액이나 월실수입액 또는 평균임금에 24개월 이상 48개월 이하의 범위에서 유족의 수와 연령 및 생계유지상황 등을 고려하여 대통령령으로 정하는 개월 수를 곱한 금액으로 한다.[113]

---

112) ⅰ)과 ⅱ)의 유족의 범위에서 태아는 구조피해자가 사망할 때 이미 출생한 것으로 본다(범죄피해자보호법 제18조 제2항).

113) 월급액이나 월실수입액 또는 평균임금 등은 피해자의 주소지를 관할하는 세무서장, 시장·군수·구청장(자치구의 구청장) 또는 피해자의 근무기관의 장(長)의 증명이나 그 밖에 대통

2. 장해구조금과 중상해구조금

장해구조금 및 중상해구조금은 해당 구조피해자에게 지급한다. 장해구조금과 중상해구조금은 구조피해자가 신체에 손상을 입은 당시의 월급액이나 월실수입액 또는 평균임금에 2개월 이상 48개월 이하의 범위에서 피해자의 장해 또는 중상해의 정도와 부양가족의 수 및 생계유지상황 등을 고려하여 대통령령으로 정한 개월 수를 곱한 금액으로 한다.

Ⅶ. 범죄피해자구조금의 청구절차와 지급방법

1. 청구절차

(1) 청구대상기관 및 청구기간

구조금을 받으려는 사람은 법무부령으로 정하는 바에 따라 그 주소지, 거주지 또는 범죄 발생지를 관할하는 범죄피해구조심의회(지구심의회)에 신청하여야 한다. 구조금의 신청은 해당 구조대상 범죄피해의 발생을 안 날부터 3년이 지나거나 해당 구조대상 범죄피해가 발생한 날부터 10년이 지나면 할 수 없다(동법 제25조).

(2) 구조결정

지구심의회는 신청을 받으면 신속하게 구조금을 지급하거나 지급하지 아니한다는 결정(지급한다는 결정을 하는 경우에는 그 금액을 정하는 것을 포함)을 하여야 한다(동법 제26조).

(3) 구조결정에 대한 불복

지구심의회에서 구조금 지급신청을 기각(일부기각된 경우를 포함) 또는 각하하면 신청인은 결정의 정본이 송달된 날부터 2주일 이내에 그 지구심의회를 거쳐 범죄피해구조심의회(본부심의회)에 재심을 신청할 수 있다(동법 제27조 제1항).

령령으로 정하는 공신력 있는 증명에 따르며, 구조피해자의 월급액이나 월실수입액이 평균임금의 2배를 넘는 경우에는 평균임금의 2배에 해당하는 금액을 구조피해자의 월급액이나 월실수입액으로 본다. 장애구조금이나 중상해구조금에도 동일하다(범죄피해자보호법 제22조 제3항, 제4항).

(4) 긴급구조금의 지급

지구심의회는 구조금신청을 받았을 때 구조피해자의 장해 또는 중상해 정도가 명확하지 아니하거나 그 밖의 사유로 인하여 신속하게 결정을 할 수 없는 사정이 있으면 신청 또는 직권으로 대통령령으로 정하는 금액의 범위에서 긴급구조금을 지급하는 결정을 할 수 있다(동법 제28조 제1항).

(5) 범죄피해자구조청구권의 소멸시효기간

구조금을 받을 권리는 그 구조결정이 해당 신청인에게 송달된 날부터 2년간 행사하지 아니하면 시효로 인하여 소멸된다(동법 제31조).

(6) 구조금에 대한 양도 · 압류 등의 금지

한편 구조금의 수급권을 보호하기 위하여 구조금을 받을 권리는 양도하거나 담보로 제공하거나 압류할 수 없도록 하고 있다(동법 제32조).

2. 지급방법

유족구조금 · 장해구조금 및 중상해구조금 모두 일시금으로 지급한다(동법 제7조 제1항).

Ⅷ. 범죄피해자구조청구권의 제한

범죄피해자구조청구권도 제37조 제2항의 일반원칙에 따라 제한될 수 있는 기본권이다. 일정한 경우의 구조금의 지급 제한, 외국인의 경우 상호원칙 적용은 제한의 한 예이다. 다만 제한하는 경우에도 본질적 내용을 침해할 수 없는 한계가 있다. 따라서 법률에 의해 범죄피해자구조청구권을 전면적으로 부인하는 것은 본질적 내용을 침해하는 것이다.[114)]

114) 홍성방, 앞의 책(중), 387면.

제6장

참정권(정치권)

제1절 참정권의 의의 · 법적 성격 · 구조

1. 의 의

참정권은 국민이 국가의사형성에 능동적으로 참여하는 권리이다. 일명 정치권이라고도 한다. 옐리네크(G. Jellinek)의 지위론에 따르면 능동적 공권이다. 참정권은 민주국가의 구성과 민주주의 실현의 기본적인 전제조건이기 때문에 중요한 의의를 가진다.

2. 참정권의 기능

참정권은 그 행사의 여러 가지 형태를 통해서 국가권력을 창설하고, 국민의 다양한 의사를 하나의 국가의사로 형성하는 중요한 기능을 수행하고 있다. 한마디로 참정권은 오늘날 민주정치에 있어서 국민주권을 실현하는 가장 핵심적인 기능을 수행하고 있다고 보아도 과언이 아니다. 헌법재판소는 참정권을 우월적 지위를 가지는 기본권으로 보고 있으며, 인격주의와 연결시켜 그 본질을 파악하고 있다.

> **참정권과 인격주의**
>
> "우리 헌법은 민주정치의 실현을 위해 모든 국민이 자유롭고 평등하게 국가 의사의 형성과정에 참여하고, 국가기관의 구성원으로서 공무를 담임하는 권리와 기회를 갖도록 국민의 참정권을 필수적인 것으로 인정하고 있다. 국민이 국정에 참여하는 참정권은 국민주권의 상징적 표현으로서 국민의 가장 중요한 기본적 권리의 하나이며 다른 기본권에 대하여 우월적 지위를 가진다. 따라서 이러한 국민주권이 현실적으로 행사될 때에는 국민 개인이 가지는 불가침의 기본권으로 보장된다. 그 기본권

> 은 대리 행사를 시킬 수 없는 국민 각자의 고유한 주관적인 권리이고, 참정권의 행사와 보장도 개인주의 사상에 기초를 두고 그 개인의 인격을 기본으로 하고 있다."
> 헌재 1989. 9. 8. 88헌가6

3. 참정권의 구조

참정권은 오늘날 대의민주주의 하에서 주가 되고 있는 간접참정권(선거권, 피선거권, 공무담임권)과 예외적인 직접민주주의 방식인 직접참정권(국민발안권, 국민투표권, 국민소환권)으로 구분된다. 우리 헌법은 참정권에 관하여 여러 조항을 규정하고 있다. 즉 제24조에서 "모든 국민은 법률이 정하는 바에 의하여 선거권을 가진다"고 하여 선거권을 규정하고, 제25조에서는 "모든 국민은 법률이 정하는 바에 의하여 공무담임권을 가진다"고 하여 공무담임권을 규정하고 있다. 또한 직접참정권으로 제72조는 "대통령은 필요하다고 인정할 때에는 외교·국방·통일 기타 국가안위에 관한 중요정책을 국민투표에 붙일 수 있다" 하여 중요정책에 대한 국민투표권을, 제130조 제2항은 "헌법개정안은 국회가 의결한 후 30일 이내에 국민투표에 붙여 국회의원선거권자 과반수의 투표와 투표자 과반수의 찬성을 얻어야 한다"고 하여 헌법개정에 대한 국민투표권을 규정하고 있다. 또한 각종 선거에 있어서 피선거권과 관련된 규정도 두고 있다.

4. 참정권의 주체

참정권은 인간의 권리가 아닌 국민의 권리이다. 따라서 외국인이나 무국적자는 그 주체가 될 수 없다. 국민에는 재외국민도 포함된다. 국민이라 하더라도 참정권을 행사하기 위해서는 헌법이 정하는 참정권의 행사능력을 갖추어야 한다. 우리 헌법은 참정권의 행사능력을 헌법에 직접 규정하기도(예: 대통령의 피선거권 40세)하고 법률에 위임하기도 한다. 공직선거법은 선거연령을 18세로 규정하고 있다. 입법에 위임된 경우도 입법형성권에는 한계가 있다. 또한 참정권은 일신전속적 권리로서 대리행사가 허용되지 않는다.

선거권은 자연인만의 권리이기 때문에 법인은 주체가 될 수 없다. 정당에게 정치적 기본권이 인정된다는 것이 법인에게 참정권을 인정한다는 논리는 아니라고 본다.

5. 외국인의 지방참정권

원칙적으로 외국인은 참정권을 갖지 못한다. 근래 외국인에 대해서도 일정한 범위 내에서 참정권을 부여하는 경향이 있다. 공직선거법에서는 일정한 요건을 구비한 외국인에게 지방선거의 선거권을 인정하고 있다(공직선거법 제15조 제2항).[1] 또한 주민투표법에서도 일정한 자격을 갖춘 외국인에게 투표권을 부여하고 있다(주민투표법 제5조).[2] 나아가서 외국인의 국가공무원과 지방공무원 임용도 가능하게 되었다(국가공무원법 제26조의3, 지방공무원법 제25조의2).

그러나 헌법재판소는 주민투표권은 그 성질상 선거권, 공무담임권, 국민투표권과 전혀 다른 것이어서 이를 법률이 보장하는 참정권이라고 할 수 있을지언정 헌법이 보장하는 참정권이라고 할 수는 없다고 한다.[3] 오늘날 국제화 사회에서 외국인에게도 단계적으로 선거권을 비롯한 참정권을 인정할 필요가 있다는 견해도 있다.[4]

6. 참정권의 의무성

(1) 긍정설

참정권의 건실한 행사는 민주정치 구현 내지 국력의 부강을 확립하는 방도이니 참정권은 동시에 국가자신의 이익을 위한 권리라고 할 수 있고, 이런 의미에서 국민은 개인의 법적 권리로서 참정권을 보유하는 동시에 국가의 이익을 위해 적절하게 이를 행사할 도의적 의무를 가진다고 한다.[5]

---

1) 18세 이상으로서 선거인명부작성기준일 현재 ⅰ) 해당 지방자치단체의 관할 구역에 주민등록이 되어 있는 사람, ⅱ) '재외동포의 출입국과 법적 지위에 관한 법률' 제6조 제1항에 따라 해당 지방자치단체의 국내거소신고인명부에 3개월 이상 계속하여 올라 있는 국민, ⅲ) '출입국관리법' 제10조에 따른 영주의 체류자격 취득일 후 3년이 경과한 외국인으로서 같은 법 제34조에 따라 해당 지방자치단체의 외국인등록대장에 올라 있는 사람은 그 구역에서 선거하는 지방자치단체의 의회의원 및 장의 선거권이 있다(2009. 2. 12. 법률 제9466호에 의하여 2007. 6. 28. 헌법재판소에서 헌법불합치 결정된 이 조 제2항 제1호를 개정함).

2) 19세 이상의 주민 중 투표인명부 작성기준일 현재 ⅰ) 그 지방자치단체의 관할 구역에 주민등록이 되어 있는 사람 또는 '재외동포의 출입국과 법적 지위에 관한 법률' 제6조에 따라 국내거소신고가 되어 있는 재외국민, ⅱ) 출입국관리 관계 법령에 따라 대한민국에 계속 거주할 수 있는 자격(체류자격변경허가 또는 체류기간연장허가를 통하여 계속 거주할 수 있는 경우를 포함)을 갖춘 외국인으로서 지방자치단체의 조례로 정한 사람에게는 주민투표권이 있다. 다만 '공직선거법' 제18조에 따라 선거권이 없는 사람에게는 주민투표권이 없다(2009. 2. 12 법률 제9468호에 의하여 2007. 6. 28 헌법재판소에서 헌법불합치 결정된 이 조 제1항을 개정함).

3) 헌재 2001. 6. 28. 2000헌마735.

4) 홍성방, 헌법학(중), 박영사, 2010, 325면.

(2) 부정설

참정권은 권리이지 의무가 아니다. 긍정설은 국가기관에 참가할 수 있는 권리인 참정권과 구체적인 투표권, 공무집행권 등 국민이 국가기관으로서 행하는 권리를 구별하지 못하고, 후자에 있어서의 의무성을 전자의 기본권에 갖다 붙인 것이므로 국민이 국가기관에 참여할 수 있는 권리를 의미하는 참정권은 권리이지 의무가 아니라고 한다.[6]

(3) 결 어

선거권이나 투표권의 행사·불행사는 법적으로 자유이며, 그 불행사에 대해서는 실정법상 제재규정이 없으므로 권리로서의 성질만을 가질 뿐 법적 의미에서 의무성을 가지는 것은 아니라고 본다.

제2절 간접참정권

Ⅰ. 선거권

1. 선거권의 개념

선거권이란 국민이 각종 공무원을 선출하는 권리를 의미한다(제24조). 우리나라와 같은 간접민주제하에서는 선거권이 참정권의 가장 중요한 내용이 된다. 현행 헌법은 선거연령에 관한 규정을 삭제하고 선거연령을 법률(공직선거법)에 위임하고 있다. 이 법에는 선거연령을 만 18세로 하고 있다.[7]

---

5) 박일경, 제6공화국 신헌법, 법경출판사, 1996, 338면.

6) 권영성, 헌법학원론(2010년판), 법문사, 2010, 593면; 성낙인, 제19판 헌법학, 법문사, 2019, 1319면. 기본적으로는 권리이지만, 주권자의 권리를 포기하는 것은 바람직하지 않기 때문에 윤리적 의무로서의 성격은 강조된다고 한다. 참정권은 국가내적인 권리이기 때문에 실정법상 의무를 부과한다고 하더라도 위헌은 아니라고 한다.

7) "선거권과 공무담임권의 연령을 어떻게 규정할 것인가는 입법자가 입법목적 달성을 위한 선택의 문제이고 입법자가 선택한 수단이 현저하게 불합리하고 불공정한 것이 아닌 한 재량에 속하는 것인바, 선거권 연령을 공무담임권의 연령인 18세와 20세로 규정한 것은 입법부의 주어진 합리적인 재량의 범위를 벗어난 것으로 볼 수 없다"(헌재 1997. 6. 26. 96헌마89).

2. 선거권의 법적 성격

선거권을 천부적 권리로서 불가침, 불가양의 자연권으로 보는 자연권설(로크 등 근대 자연법론자), 국가가 자기목적을 위해서 국민에게 부여한 공무로 보는 기능설(공무설, 법실증주의자), 국기기관의 선임행위인 선거에 참가하는 권한으로 보는 권한설(권한 · 자격설, 옐리네크), 선거권은 개인을 위한 주관적 공권인 동시에 공무로서의 성격을 아울러 가진다고 보는 이원설의 대립이 있는바, 이원설이 통설의 입장이다. **이원설**이 타당하다고 생각되나, 선거권의 주된 성격은 주관적 공권이고 그 의무성은 법적 의무라고 보기보다는 도의적 의무로 본다.

3. 선거권의 주체

선거권은 국민의 권리로서 대한민국 국적을 가진 자연인인 국민이 주체가 된다. 성질상 법인에게는 인정되지 않는다. 선거권에 관하여 거주요건을 둠으로써 재외국민에 대하여 선거권을 인정하지 아니한 것에 대해 헌법재판소는 종전의 합헌결정[8]을 변경하여 헌법불합치결정[9]을 내림으로써, 현재는 재외국민에게도 원칙적으로 선거권을 부여하고 있다.

제1조의 국민주권주의 원칙상 외국인은 제외된다. 국민이 아닌 자에 대하여 국가를 구성하는 선거에 관한 권리를 인정하기 위해서는 헌법상의 근거가 필요하다. 연방국가인 독일에서는 연방을 구성하는 주인 란트(Land)가 법률로 외국인에게 선거권을 부여한 것을 연방헌법재판소가 국민주권에 위반된다고 결정한 바 있다.[10]

현행 공직선거법은 18세 이상의 국민은 대통령 및 국회의원[11]의 선거권과 지방

8) 종전에 헌법재판소는 “ …… 국토가 분단된 우리나라의 현실, 선거의 공정성 확보상의 문제점, 선거기술상의 문제점 및 납세의무 등 국민의 의무와 선거권과의 관계 등을 고려하면, 그 입법목적에 있어서 정당할 뿐 아니라 그 입법에 의하여 보호하려는 공공의 필요와 침해되는 기본권 사이의 균형성을 갖추었고 그 목적달성을 위하여 적절한 방법을 취하고 있다고 할 것이다”라고 하여 합헌결정을 내렸었다(헌재 1999. 1. 28. 97헌마253 등).

9) 헌법재판소는 ⅰ) 주민등록을 요건으로 재외국민의 국정선거권을 제한하는 것이 재외국민의 선거권, 평등권을 침해하고 보통선거원칙에 위반된다. ⅱ) 국내거주자에게만 부재자신고를 허용하는 것도 국외거주자의 선거권 · 평등권을 침해하고 보통선거원칙에 위반된다. ⅲ) 주민등록을 요건으로 국내거주 재외국민의 지방선거 선거권을 제한하는 것이 국내거주 재외국민의 평등권과 지방의회의원선거권을 침해한다. ⅳ) 주민등록을 요건으로 국내거주 재외국민의 지방선거 피선거권을 제한하는 것이 국내거주 재외국민의 공무담임권을 침해한다. ⅴ) 주민등록을 요건으로 재외국민의 국민투표권을 제한하는 것도 국민투표권을 침해한다는 취지로 판시하였다(헌재 2007. 6. 28. 2004헌마644 등).

10) BVerfGE 83, 37.

자치단체의 의회의원 및 장의 선거권[12]이 있다고 규정하고 있다(공직선거법 제15조 제1항－제2항). 공직선거법은 지방자치단체의 의회의원 및 장의 선거에 있어서 일정한 조건의 외국인에게 선거권을 부여하고 있는데, 이러한 선거권은 기본권이 아니라 법률상 권리라고 보는 것이 헌법재판소 판례의 입장이다.

4. 선거권의 내용

국민의 선거권으로 헌법은 대통령 선거권(제67조 제1항), 국회의원 선거권(제41조 제1항), 지방의회 의원선거권(제118조 제2항) 등을 규정하고 있다. **지방자치단체의 장 선거권**은 헌법에서 규정한 피선거권은 아니다. 왜냐하면 제118조 제2항은 "지방의회의 조직 · 권한 · 의원선거와 지방자치단체의 장의 선임방법 기타 지방자치단체의 조직과 운영에 관한 사항은 법률로 정한다"고 규정하여 지방의회의원선거는 헌법에 규정되어 있으나, 지방자치단체의 장은 그 선임방법을 법률에 위임하고 있기 때문이다. 이러한 점에서 지방자치단체의 장 선거권은 헌법상의 권리가 아니라 법률상의 권리라는 해석이 가능하다. 헌법재판소도 '주민투표법 제7조 제1항 위헌확인사건'에서 동일한 취지의 결정을 내리고 있다.[13] 그러나 지방자치단체의 장의 선임방법이 법률에 위임되고 있더라도 주민자치를 본질로 하는 지방자치제에 있어서 자치단체의 장을 선거이외의 방법으로 임명한다는 것은 현실적으로 불가능하다는 주장이 유력하다.[14]

---

11) 다만 지역구국회의원의 선거권은 선거인명부작성기준일 현재 1. 「주민등록법」 제6조 제1항 제1호(거주자) 또는 제2호(거주불명자)에 해당하는 사람으로서 해당 국회의원지역선거구 안에 주민등록이 되어 있는 사람, 2. 「주민등록법」 제6조 제1항 제3호(재외국민)에 해당하는 사람으로서 주민등록표에 3개월 이상 계속하여 올라 있고 해당 국회의원지역선거구 안에 주민등록이 되어 있는 사람에 한하여 인정된다(공직선거법 제15조 제1항 단서).

12) 1. 「주민등록법」 제6조 제1항 제1호(거주자) 또는 제2호(주거불명자)에 해당하는 사람으로서 해당 지방자치단체의 관할 구역에 주민등록이 되어 있는 사람, 2. 「주민등록법」 제6조 제1항 제3호(재외국민)에 해당하는 사람으로서 주민등록표에 3개월 이상 계속하여 올라 있고 해당 지방자치단체의 관할구역에 주민등록이 되어 있는 사람, 3. 「출입국관리법」 제10조(체류자격)에 따른 영주의 체류자격 취득일 후 3년이 경과한 외국인으로서 같은 법 제34조에 따라 해당 지방자치단체의 외국인등록대장에 올라 있는 사람은 그 구역에서 선거하는 지방자치단체의 의회의원 및 장의 선거권이 있다(공직선거법 제15조 제2항).

13) "우리 헌법은 법률이 정하는 바에 따른 '선거권'과 '공무담임권' 및 국가안위에 관한 중요정책과 헌법개정에 대한 '국민투표권'만을 헌법상의 참정권으로 보장하고 있으므로, 지방자치법 제13조의2에서 규정한 주민투표권은 그 성질상 선거권, 공무담임권, 국민투표권과 전혀 다른 것이어서 이를 법률이 보장하는 참정권이라고 할 수 있을지언정 헌법이 보장하는 참정권이라고 할 수는 없다"(헌재 2001. 6. 28. 2000헌마735).

14) 계희열, 신정2판 헌법(중), 박영사, 2007, 605－606면; 권영성, 앞의 책, 597면; 김학성 · 최희

5. 선거권의 제한

선거권도 일반적 법률유보조항(제37조 제2항)에 따라 법률에 의해 제한된다. 공직선거법은 **선거권의 결격사유**를 규정하고 있다. 즉 선거권 결격자는 ⅰ) 금치산 선고를 받은 자, ⅱ) 1년 이상의 징역 또는 금고의 형의 선고를 받고 그 집행이 종료되지 아니하거나 그 집행을 받지 아니하기로 확정되지 아니한 사람(다만, 그 형의 집행유예를 선고받고 유예기간 중에 있는 사람은 제외[15]), ⅲ) 선거범,[16] '정치자금법' 제45조(정치자금부정수수죄) 및 제49조(선거비용관련 위반행위에 관한 벌칙)에 규정된 죄를 범한 자 또는 대통령·국회의원·지방의회의원·지방자치단체의 장으로서 그 재임중의 직무와 관련하여 형법('특정범죄 가중처벌 등에 관한 법률' 제2조에 의하여 가중처벌되는 경우를 포함) 제129조(수뢰, 사전수뢰) 내지 제132조(알선수뢰)·'특정범죄 가중처벌 등에 관한 법률' 제3조(알선수재)에 규정된 죄를 범한 자로서, 100만원 이상의 벌금형의 선고를 받고 그 형이 확정된 후 5년 또는 형의 집행유예의 선고를 받고 그 형이 확정된 후 10년을 경과하지 아니하거나 징역형의 선고를 받고 그 집행을 받지 아니하기로 확정된 후 또는 그 형의 집행이 종료되거나 면제된 후 10년을 경과하지 아니한 자(형이 실효된 자도 포함), ⅳ) 법원의 판결 또는 다른 법률에 의하여 선거권이 정지 또는 상실된 자 등이다(공직선거법 제18조).

앞에서도 본 바와 같이 재외국민에 대하여 선거권 행사를 전면적으로 부인하는 것은 위헌결정을 받았다.[17] 우리 공직선거법은 선거범이 아닌 수형자 또는 전과자 등도 선거권을 제한하고 있는데, 선거사범을 제외하고는 형사책임과 주권자의 권리는 별개의 것이기 때문에 선거권을 인정하는 것이 헌법의 정신에 합치된다는 견해들이 유력하게 주장되고 있다.[18]

수, 전정 4판[2020년판], 피앤씨미디어, 2020, 807면. 자치단체의 장을 임명하는 것은 지방자치에 대한 중대한 침해로서 불가능하기에 자치단체장의 선출권 역시 헌법상 권리로 보아야 한다고 한다.

15) "집행유예자는 3년 이하의 징역 또는 금고의 형을 선고받으면서 정상에 참작할 만한 사유가 있어 1년 이상 5년 이하의 기간 그 형의 집행을 유예받아 사회의 구성원으로 생활하고 있는 사람이다. 집행유예 선고가 실효되거나 취소되지 않는 한, 집행유예자는 교정시설에 구금되지 않고 일반인과 동일한 사회생활을 하고 있으므로, 그들의 선거권을 제한해야 할 필요성이 크지 않다. 따라서 심판대상조항은 청구인들의 선거권을 침해하고, 보통선거원칙에도 위반하여 집행유예자를 차별취급하는 것이므로 평등원칙에도 어긋난다"는 헌법재판소의 위헌결정(헌재 2014. 1. 28. 2013헌마105)에 따라 집행유예자는 제외되었다.

16) 여기서 선거범이란 공직선거법 제16장 벌칙에 규정된 죄와 '국민투표법' 위반의 죄를 범한 자를 말한다(공직선거법 제18조 제3항).

17) 헌재 2007. 6. 28. 2004헌마644 등.

Ⅱ. 공무담임권

1. 의 의

공무담임권이란 행정부 · 사법부 · 입법부는 물론 지방자치단체와 기타 공공단체의 직무를 담당할 수 있는 권리를 의미한다. 따라서 공무담임권은 선거에 의해 국가기관의 구성원이 될 수 있는 자격인 피선거권과 구별되며, 공무담임권이 피선거권을 포함하는 개념으로 보아야 한다. 헌법재판소도 "모든 국민에게 선거직공무원을 비롯한 모든 국가기관 및 지방자치단체의 공직에 취임할 수 있는 권리를 내용으로 하는 공무담임권을 보장하고 있다. 그러므로 공무담임권은 여러 가지 선거에 입후보하여 당선될 수 있는 피선거권과 모든 공직에 임명될 수 있는 공직취임권을 포괄하고 있다"고 판시하고 있다.[19]

2. 내 용

(1) 헌법이 공무담임권을 보장하고 있더라도 모든 국민이 직접 공무를 담당할 수는 없다. 법률이 정하는 바에 따라 선거에서 당선을 요하거나, 시험에 합격하거나 기타 임명에 필요한 제 자격을 구비해야 한다. 이러한 점에서 공무담임권은 현실적인 권리가 아니고 공무담임의 기회보장적 성격을 가지고 있다.[20]

(2) 피선거권에는 국회의원피선거권, 대통령피선거권, 지방의회의원피선거권, 지방자치단체의 장 피선거권[21] 등이 있다. 그러나 이들 공직에 선출되기 위해서는 일정한 피선 요건을 갖추어야 한다. 국회의원에 선출되기 위해서는 만 25세 이상의 국민이어야 한다(공직선거법 제16조 제2항). 대통령에 선출되기 위해서는 국회의원의 피선거권이 있고 선거일 현재 40세에 달하여야 하며(제67조 제4항), 5년 이상 국내에 거주해야 한다

---

18) 권영성, 앞의 책, 598－599면; 김철수, 학설 · 판례 헌법학(상), 박영사, 2008, 1379면. 선거권의 결격사유를 이렇게까지 넓혀야 할 것인지는 의심스럽다고 한다. 허영, 전정13판 한국헌법론, 박영사, 2017, 579면. 정치상황에 대한 정확한 인식능력과 판단능력이 결여되어 올바른 주권행사를 기대하기 어려운 금치산자를 제외하고는 입법권의 과잉행사라는 비난을 면하기 어렵다고 한다. 홍성방, 앞의 책(중), 333면.

19) 헌재 1996. 6. 26. 96헌마200. 같은 견해로는 허영, 앞의 책, 580면; 홍성방, 앞의 책(중), 334－335면 참조.

20) 허영, 앞의 책, 580면.

21) 선거권에서 설명한 것과 마찬가지로 자치단체의 장 피선거권은 헌법상의 권리인지, 법률상의 권리인지가 논란이 될 수 있다.

(공직선거법 제16조 제1항). 지방의회의원과 지방자치단체의 장으로 선출되기 위해서는 선거일 현재 계속하여 60일 이상 그 지방자치단체의 관할구역 안에 주민등록이 되어 있는 주민으로서 만 25세 이상의 국민이어야 한다(동법 제16조 제3항).

(3) 선거직 이외에 공직에 취임할 수 있는 공직취임권은 국가공무원법, 지방공무원법, 교육공무원법, 국회법, 법원조직법, 헌법재판소법 등 각종법률에서 그 임용조건 및 자격기준 등을 규정하고 있다.

3. 공무담임권의 제한

(1) 피선거권의 제한

앞에서 설명한 피선자격을 통하여 피선거권이 제한될 수 있지만, 공직선거법은 일정한 자의 피선거권을 인정하지 않고 있다(**피선거권 결격사유**). 즉 i) 제18조(선거권이 없는 자) 제1항 제1호(금치산자)·제3호(선거범 등) 또는 제4호(법원의 판결 등에 의하여 선거권이 정지 또는 상실된 자)에 해당하는 자,[22] ii) 금고 이상의 형의 선고를 받고 그 형이 실효되지 아니한 자, iii) 법원의 판결 또는 다른 법률에 의하여 피선거권이 정지되거나 상실된 자, iv) 국회법 제166조(국회 회의 방해죄)의 죄를 범한 자로서 가. 500만원 이상의 벌금형의 선고를 받고 그 형이 확정된 후 5년이 경과되지 아니한 자, 나. 형의 집행유예의 선고를 받고 그 형이 확정된 후 10년이 경과되지 아니한 자, 다. 징역형의 선고를 받고 그 집행을 받지 아니하기로 확정된 후 또는 그 형의 집행이 종료되거나 면제된 후 10년이 경과되지 아니한 자(형이 실효된 자 포함), v) 공직선거법 제230조 제6항의 죄(매수 및 이해유도죄)를 범한 자로서 벌금형의 선고를 받고 그 형이 확정된 후 10년을 경과하지 아니한 자(형이 실효된 자 포함) 등은 피선거권이 없다(공직선거법 제19조).

그 밖에 공직선거에 기탁금이 지나치게 고액인 경우[23]와 공직선거후보자가 되려는 자에게 일정기간 전에 공직을 사퇴하도록 하는 것[24] 등도 피선거권의 (간접

---

22) 선거권결격자 중 '금고 이상의 형의 선고를 받고 그 집행이 종료되지 아니하거나 그 집행을 받지 아니하기로 확정되지 아니한 자'는 피선거권의 결격사유가 아니다.

23) 헌법재판소는 시·도지사선거에서 5천만원의 기탁금제도는 공무담임권을 침해하는 것이 아니라고 보았다(헌재 1996. 8. 29. 95헌마108).

24) 헌법재판소는 공직선거후보자가 되려는 공무원은 선거일전 90일까지 그 직을 사직하게 하는 것은 그 필요성과 합리성이 인정되며 공무담임권의 본질적인 내용의 침해도 아니며 과잉금지원칙에도 위배되지 않는다고 결정한 바 있다(헌재 1995. 3. 23. 95헌마53). 이와는 달리 지방자치단체장이 임기 중 그 직을 사퇴하고 대통령·국회의원선거 등 다른 공직에 출마하지 못하게 제한하는 것은 공무담임권을 침해하고 평등원칙에도 위반되는 위헌적인 규정이라고 결

적인) 제한이 될 수 있다. 피선거권의 행사능력을 제한하는 것은 과잉금지원칙에 위배되지 않는 범위에서 허용되어야 한다.

(2) 공직취임권의 제한

선거직 이외의 공직에 취임을 제한하는 규정은 국가공무원법 등에 규정되어 있다. 국가공무원법과 지방공무원법은 공무원의 결격사유를 규정하고 있다. 즉 i) 피성년후견인, ii) 파산선고를 받고 복권되지 아니한 자, iii) 금고 이상의 실형을 선고받고 그 집행이 종료되거나 집행을 받지 아니하기로 확정된 후 5년이 지나지 아니한 자, iv) 금고 이상의 형을 선고받고 그 집행유예 기간이 끝난 날부터 2년이 지나지 아니한 자,[25] v) 금고 이상의 형의 선고유예를 받은 경우에 그 선고유예 기간 중에 있는 자, vi) 법원의 판결 또는 다른 법률에 따라 자격이 상실되거나 정지된 자, vii) 공무원으로 재직기간 중 직무와 관련하여 형법 제355조(횡령·배임) 및 제356조(업무상의 횡령·배임)에 규정된 죄를 범한 자로서 300만원 이상의 벌금형을 선고받고 그 형이 확정된 후 2년이 지나지 아니한 자, viii) '성폭력범죄의 처벌 등에 관한 특례법' 제2조에 규정된 성폭력범죄를 범한 사람으로서 100만원 이상의 벌금형을 선고 받고 그 형이 확정된 후 3년이 지나지 않은 사람, ix) 미성년자에게 '성폭력범죄의 처벌 등에 관한 특례법' 제2조에 따른 성폭력범죄, '아

정한 바 있으며, 정부투자기관의 직원을 임원이나 집행간부들과 마찬가지로 지방선거후보자등록전에 사퇴하도록 한 것은 공무담임권, 평등원칙 및 제37조 제2항을 침해한다고 결정한 바 있다(헌재 1995. 6. 12. 95헌마172).

25) 위헌 여부가 다투어졌으나 헌법재판소는 "금고 이상의 형에 대한 집행유예 판결에 내포된 사회적 비난가능성과 공무원에게는 직무의 성질상 고도의 윤리성이 요구된다는 점을 함께 고려할 때 금고 이상의 형의 집행유예 판결을 받은 공무원으로 하여금 계속 그 직무를 수행하게 하는 것은 공직에 대한 국민의 신뢰를 손상시키고 나아가 원활한 공무수행에 어려움을 초래하여 공공의 이익을 해할 우려 또한 적지 아니하다. 그렇다면 공무원에게 가해지는 신분상 불이익과 보호하려는 공익을 비교할 때 금고 이상의 형의 집행유예 판결을 받은 것을 공무원 임용 결격 및 당연퇴직사유로 규정한 이 사건 법률조항이 입법자의 재량을 일탈하여 직업선택의 자유나 공무담임권, 평등권, 행복추구권, 재산권 등을 침해하는 위헌의 법률조항이라고 볼 수는 없다"고 하여 합헌으로 결정하였다(헌재 1997. 11. 27. 95헌바14 등). 한편 자격정지 이상의 선고유예를 받고 그 선고유예기간 중에 있는 자에 대하여 당연퇴직을 규정하고 있는 경찰공무원법 제21조와 제7조 제2항 제5호 규정이 공무담임권, 재산권 및 행복추구권을 침해하는지 여부가 다투어진 사건에서 헌법재판소는 "범죄행위로 인하여 형사처벌을 받은 경찰공무원에게 그에 상응하는 신분상의 불이익을 과하는 것은 국민의 신뢰손상 방지, 원활한 경찰권의 행사 등 국민전체의 이익을 위해 불가피하고, 자격정지 이상의 선고유예판결을 받은 경우 그러한 범죄의 중대성 및 경찰공무원 신분의 중대성에 비추어 볼 때 이 사건 규정이 입법자의 재량을 일탈하여 공무담임권, 재산권 및 행복추구권을 침해하는 위헌의 법률조항이라 할 수 없다"고 합헌결정을 하였다(헌재 1998. 4. 30. 96헌마7).

동 · 청소년의 성보호에 관한 법률' 제2조 제2호에 따른 아동 · 청소년 대상 성범죄에 해당하는 죄를 저질러 파면 · 해임되거나 형 또는 치료감호를 선고받아 그 형 또는 치료감호가 확정된 사람(집행유예를 선고받은 후 그 집행유예기간이 경과한 사람 포함), x) 징계로 파면처분을 받은 때부터 5년이 지나지 아니한 자, xi) 징계로 해임처분을 받은 때부터 3년이 지나지 아니한 자는 공무원으로 임용될 수 없다(국가공무원법 제33조, 지방공무원법 제31조).

선거직공직과 달리 직업공무원에게는 정치적 중립성과 더불어 효율적으로 업무를 수행할 수 있는 능력이 요구되므로, 직업공무원으로의 공직취임권에 관하여 규율함에 있어서는 임용희망자의 능력 · 전문성 · 적성 · 품성을 기준으로 하는 이른바 능력주의 또는 성과주의를 바탕으로 하여야 한다.[26]

그리고 공무원의 정년제도도 공직취임권의 제한규정이라 볼 수 있다.[27] 군필자에 대한 가산점제도[28]와 유공자가산점제도[29]도 군필자와 유공자이외의 자의 공직취임권의 제한이 될 수 있다. 검찰총장에게 퇴임 후 2년 이내에는 일체의 공직을 맡을 수 없도록 한 것은 공무담임권의 침해이다.[30]

공무담임권의 보호영역에는 공직취임의 기회의 자의적인 배제뿐 아니라, 공무원신분의 부당한 박탈도 포함된다.[31] 반대로 합리적이고 비례의 원칙에 부합한다면 공직취임과 신분박탈도 가능하다고 하겠다. 공무담임권의 보호영역에는 일반적

26) 헌재 1999. 12. 23. 98헌바33; 헌재 2001. 2. 22. 2000헌마25.

27) 연구 및 특수기술직렬 공무원의 정년을 58세 내지 61세로 규정한 국가공무원법 제74조 제1항 제2호에 대한 위헌소원사건에서 헌법재판소는 "구체적인 정년연령에 관하여 광범위한 입법재량을 가진 입법권자가 국민의 평균수명과 사회경제적 여건 및 공무원 조직내부의 인력수급사정 등을 종합적으로 고려하여 입법에 반영한 결과로서 그와 같은 입법에 우리 재판소가 관여하여야 할 정도로 입법재량의 한계를 벗어난 잘못이 있다고 볼 수 없으므로, 이 사건 심판대상조항이 헌법에 보장된 공무담임권, 직업선택의 자유, 행복추구권 등 기본권을 침해하는 위헌의 것이라고 볼 수도 없다"고 합헌결정을 하였다(헌재 1997. 3. 27. 96헌바86).

28) 제대군인이 공무원채용시험 등에 응시한 때에 과목별 득점에 과목별 만점의 5% 또는 3%를 가산하는 제대군인가산점제도는 헌법에 근거를 둔 제도가 아니고, 가산점제도로 여성, 신체장애자 등의 평등권, 공무담임권 등을 침해하는 것으로 위헌으로 결정되었다(헌재 1999. 12. 23. 98헌마363).

29) 국가유공자와 그 유족 등 취업보호대상자가 국가기관이 실시하는 채용시험에 응시하는 경우에 10%의 가점을 주도록 한 것과 관련하여 헌법재판소는 "헌법 제32조 제6항이 근로의 기회에 있어서 국가유공자 등을 우대할 것을 명령하고 있는 점을 고려하여 보다 완화된 기준을 적용하여야 할 것이다"라고 하면서, 이 사건 가산점제도에 의한 공직취임권의 제한은 헌법 제32조 제6항에 헌법적 근거를 두고 있는 능력주의의 예외로서 평등권, 공무담임권을 침해하는 것이 아니라고 합헌결정을 내렸다(헌재 2001. 2. 22. 2000헌마25).

30) 헌재 1997. 7. 16. 97헌마26.

31) 헌재 2002. 8. 29. 2001헌마778.

으로 공직취임의 기회보장, 신분박탈, 직무의 정지가 포함될 뿐이고 '승진시험의 응시제한'이나 이를 통한 승진기회의 보장 문제는 공직신분의 유지나 업무수행에는 영향을 주지 않는 단순한 내부 승진인사에 관한 문제에 불과하여 공무담임권의 보호영역에 포함된다고 보기 어렵다.[32]

공무담임권 관련 판례

1. 피선거권의 정지사유의 차별(지방의회의원선거법 제12조 제3호에 대한 헌법소원)

피선거권의 정지사유가 국회의원선거법은 100만원인데 지방의회선거법은 50만원으로 되어 있는 것과 관련하여 헌법재판소는 "피선거권의 정지는 선거의 공정을 확보하고 본인의 반성을 촉구하기 위한 법적 조치로서 공무담임권의 침해가 아니며, 어느 종류의 형벌을 어느 정도의 기간 동안 피선거권을 정지할 것인가의 문제는 입법형성의 문제이고, 국회의원선거법은 법정형이나 처단형이 지방의회의원선거법보다 높게 되어 있으므로 양자의 벌금형의 차이는 합리적 차별"이라고 하여 합헌으로 결정하였다.

헌재 1993. 7. 29. 93헌마23

2. 조합장에 대한 겸직금지규정 등의 위헌 여부(지방의회의원선거법 제28조 등에 대한 헌법소원)

농업협동조합은 사법인성이 강하고, 조합장은 공무원이 아니며, 조합장은 정당의 당원이 될 수 있는 반면, 농지개량조합의 조합장은 상근직이며, 토지구획정리사업을 수행하는 공법인성이 강하므로 농지개량조합을 제외한 다른 조합장에게 겸직을 금지한 것은 국민의 참정권을 제한함에 있어서 합리성 없는 차별대우의 입법이라 할 것이므로 헌법에 위반되어 위헌이다.

헌재 1991. 3. 11. 90헌마28

3. 초중등교사와 대학교수의 교육위원직 겸직에 있어서의 차별(지방교육자치에 관한 법률 제9조 제1항에 대한 헌법소원)

헌법재판소는 이 사건에서 겸직금지를 하는 이유를 첫째, 직무전념 내지 직무수행의 이념으로, 둘째, 제도상 직무상호 간의 권력분립의 필요성이 있는 경우, 셋째, 직무의 공정성과 전념성 및 정치적 중립성을 확보할 목적으로 하는 경우가 있다면서, 교사와 교수는 직무의 본질과 내용 그리고 근무태양이 다르므로, 초중등교사에 대해서 교육위원직의 겸직을 금하면서 대학교수에게는 겸직을 허용하고 있는 것은

---

32) 헌재 2007. 6. 28. 2005헌마1179. 이 사건에서 헌법재판소는 공무원임용시험령 제42조 제1항 중 '시험요구일 현재'와 '승진임용이 제한되거나' 부분이 청구인으로 하여금 5급일반승진시험을 보지 못하게 하는 것이 청구인의 공무담임권을 침해한다고 볼 수 없다고 판시하였다.

초중등교사의 평등권과 공무담임권을 침해하는 것이 아니라고 하였다.

헌재 1993. 7. 29. 91헌마69

4. 5급 공개경쟁채용시험의 응시연령 상한을 '32세까지'로 제한한 것(국가공무원법 제36조 등 위헌확인)(헌법불합치)

"이 사건 시행령조항은 32세가 넘은 사람의 공직취임권을 직접적으로 제한하는 것이므로, 그러한 제한을 정당화하려면 헌법 제37조 제2항이 요구하는 과잉금지의 원칙에 부합하여야 한다. 그런데 32세까지는 5급 공무원의 직무수행에 필요한 최소한도의 자격요건을 갖추고, 32세가 넘으면 그러한 자격요건을 상실한다고 보기 어렵고, 6급 및 7급 공무원 공채시험의 응시연령 상한을 35세까지로 규정하면서 그 상급자인 5급 공무원의 채용연령을 32세까지로 제한한 것은 합리적이라고 볼 수 없으므로, 이 사건 시행령조항이 5급 공채시험 응시연령의 상한을 '32세까지'로 제한하고 있는 것은 기본권 제한을 최소한도에 그치도록 요구하는 헌법 제37조 제2항에 부합된다고 보기 어렵다. 다만 5급 공무원의 공채시험에서 응시연령의 상한을 제한하는 것이 전면적으로 허용되지 않는다고 보기는 어렵고, 정년제도의 틀 안에서 공무원 채용 및 공무수행의 효율성을 도모하기 위하여 필요한 최소한도의 제한은 허용된다고 할 것인바, 그 한계는 공무원정년제도와 인사정책 및 인력수급의 조절 등 여러 가지 입법정책을 고려하여 입법기관이 결정할 사항이다."

헌재 2008. 5. 29. 2007헌마1105

* 이 사건에서 헌법불합치의견을 표시한 것은 재판관 5인이고 재판관 3인은 위헌의견을 표시하였는데, 단순위헌의견도 헌법불합치의견의 범위 내에서는 헌법불합치의견과 의견을 같이 하는 것이기 때문에 헌법불합치결정을 한 것이다.

제3절 직접참정권

Ⅰ. 직접참정권의 의의

직접참정권은 국민이 국가의 의사형성이나 정책결정에 직접 참여할 수 있는 권리를 말한다. 직접참정권은 직접민주주의를 위한 수단으로서 간접민주제를 보완하는 기능을 한다. 직접참정권으로는 국민발안권, 국민표결권, 국민소환권 등이 있다.

Ⅱ. 직접참정권의 유형

1. 국민발안권

국민발안권은 국민이 직접 헌법개정안이나 법률안을 제안할 수 있는 권리를 말한다. 국민발안은 법안의 제안이 곧 국민투표에 부의되는 직접발안과 의회의 의결 후에 그것이 국민투표에 부의되는 간접발안으로 나누어진다.[33]

국민이 법안의 세부적이고 구체적인 내용까지 직접 작성하여 국민투표로 확정하는 것을 **국민입법제**라고 한다. 국민입법제에 대해서는 대의제원칙과 입법기술상 부정적으로 파악하는 것이 다수의 견해이다.[34]

2. 국민표결권

국민표결권이라 함은 국민이 중요한 법안이나 정책을 국민투표로써 결정하는 권리를 말한다. 이는 직접민주제의 한 형태로서 간접민주제의 단점을 수정·보완하기 위한 것이다.

국민표결(투표)에는 **레퍼렌덤**(**협의의 국민표결**)과 **플레비지트**(**국민결정**)가 있다. 레퍼렌덤은 대체로 헌법상 제도화되어 있는 헌법규범적인 것으로, 국민이 일정한 중요사항을 직접투표로서 최종적으로 확정하는 국민표결제이다. 플레비지트는 대체로 헌법상 제도화되어 있지 않은 헌법 현실적인 것으로, 통치권자가 특정한 사안에 대해 국민의 의사를 묻거나 새로운 통치질서의 정당성이나 집권자의 계속집권 여부에 관해 신임을 묻는 국민표결제이다.[35]

양자의 차이를 비교해보면 전자가 국민의 직접입법이라면 후자는 국민의 정치적 결단을 의미하며, 전자가 법전에서의 입법이라면 후자는 개별적 행위를 대상으로 하며, 전자가 의무적 국민투표라면 후자는 임의적 국민투표이며, 전자는 스위스가 후자는 프랑스가 기원이라고 한다.

---

33) 권영성, 앞의 책, 594면.
34) 김철수, 학설·판례 헌법학(하), 박영사, 2008, 1726면; 권영성, 앞의 책, 995면; 허영, 앞의 책, 722면, 1015면.
35) 권영성, 앞의 책, 594면.

3. 국민소환권

국민소환권 또는 국민파면권이라 함은 국민이 공직자를 임기만료 전에 해직시킬 수 있는 권리를 말한다. 국민소환권은 선거직공무원에 대한 것을 말하고, 국민파면권은 선거직 이외의 임명직에 대한 것으로 구별하기도 한다.

국민소환제는 일정한 절차에 따라 일정수의 유권자가 소환청구를 하면 직접 파면의 효과가 발생한다.

Ⅲ. 현행헌법과 직접참정권

현행 헌법은 대의제에 기초한 간접민주제를 원칙으로 하고, 직접민주제는 다만 헌법개정안에 대한 국민투표제와 대통령이 부의한 국가안위에 관한 중요정책에 대한 국민투표제만을 규정하고 있을 뿐이다. 국민발안제와 국민소환제를 인정하지 않고 있다.

우리 헌정사에 있어서는 이승만 정권하에서 국회의원에 대한 소환운동을 벌인 적은 있지만, 국민소환권이 인정된 적은 없다. 그러나 지방자치 차원에서는 지방자치단체장을 소환할 수 있는 **주민소환제**가 인정되고 있다(주민소환에 관한 법률). 이 제도에 의한 주민소환권은 헌법상 권리인가 법률상 권리인가가 논의될 수 있지만, 헌법재판소가 주민투표권과 마찬가지로 법률상 권리로 보고 있다.[36]

우리 헌정사에 있어서 국민발안제는 도입된 적이 있었다. 즉 1954년 제2차 개정헌법 제7조의2에서는 "대한민국의 주권의 제약 또는 영토의 변경을 가져올 국가안위에 관한 중대사항은 국회의 가결을 거친 후에 국민투표에 부하여 민의원의원 선거권자 3분지 2 이상의 투표와 유효투표 3분지 2 이상의 찬성을 얻어야 한다. 전항의 국민투표의 발의는 국회의 가결이 있은 후 1개월 이내에 민의원의원선거권자 50만인 이상의 찬성으로써 한다"고 규정하여 국민투표발의에 민의원의원선거권자 50만인 이상의 찬성을 요구하였고, 제98조 제1항은 "헌법개정의 제안은 대통령, 민의원 또는 참의원의 재적의원 3분지 1 이상 또는 민의원의원선거권자 50만인 이상의 찬성으로써 한다"고 규정하여 헌법개정안에 대한 국민발안제가 인정되었다. 전자인 국민투표의 발의권은 1963년 6차 개헌(제3공화국헌법)에서 폐지되었으며, 후자인 헌법개정안에 대한 국민발안제는 제3공화국까지 유지되다가[37] 1972

36) 헌재 2001. 6. 28. 2000헌마735.

넌 제7차 개헌(유신헌법)에서 폐지되었다.

1. 국가안위에 관한 중요정책에 대한 국민투표권

"대통령은 필요하다고 인정할 때 외교 · 국방 · 통일 · 기타 국가안위에 관한 중요정책을 국민투표에 붙일 수 있다"(제72조). 이는 부의권자인 대통령이 부의에 재량을 가지는 임의적 국민투표이다. 헌법재판소는 제72조의 **정책국민투표**에 신임을 묻거나 정책에 연계한 신임을 묻는 국민투표는 포함되지 않고 이를 할 수 없다고 보고 노무현대통령에 대한 탄핵심판에서 신임투표를 제안한 대통령의 행위는 위헌이라고 판단하였다.[38]

2. 헌법개정안에 대한 국민투표권

헌법개정안은 국회가 의결한 후 30일 이내에 국민투표에 붙여 국회의원 선거권자 과반수의 투표와 투표자 과반수의 찬성이 있어야 한다(제130조 제2항).

3. 주민투표권과 주민소환제

헌법에 규정된 제도는 아니지만, 지방자치법에서는 "지방자치단체의 장은 지방자치단체의 폐치 · 분합 또는 주민에게 과도한 부담을 주거나 중대한 영향을 미치는 지방자치단체의 주요 결정사항 등에 대해서는 주민의 의사를 물을 수 있도록 하는 주민투표제를 채택하고 있다(지방자치법 제13조 제2항 및 주민투표법).

'주민소환에 관한 법률'은 지방자치단체의 장을 일정한 요건 하에 주민이 소환할 수 있음을 규정하고 있다.

---

37) 제3공화국헌법(제5차개헌)은 "헌법개정의 제안은 국회의 재적의원 3분의 1 이상 또는 국회의원선거권자 50만인 이상의 찬성으로써 한다"고 규정하고 있었다(제119조 제1항).

38) "국민투표는 직접민주주의를 실현하기 위한 수단으로서 '사안에 대한 결정' 즉, 특정한 국가정책이나 법안을 그 대상으로 한다. 따라서 국민투표의 본질상 '대표자에 대한 신임'은 국민투표의 대상이 될 수 없으며, 우리 헌법에서 대표자의 선출과 그에 대한 신임은 단지 선거의 형태로써 이루어져야 한다. 대통령이 자신에 대한 재신임을 국민투표의 형태로 묻고자 하는 것은 헌법 제72조에 의하여 부여받은 국민투표부의권을 위헌적으로 행사하는 경우에 해당하는 것으로, 국민투표제도를 자신의 정치적 입지를 강화하기 위한 정치적 도구로 남용해서는 안 된다는 헌법적 의무를 위반한 것이다. 물론, 대통령이 위헌적인 재신임 국민투표를 단지 제안하였을 뿐 강행하지는 않았으나, 헌법상 허용되지 않는 재신임 국민투표를 국민들에게 제안한 것은 그 자체로서 헌법 제72조에 반하는 것으로 헌법을 실현하고 수호해야 할 대통령의 의무를 위반한 것이다"라고 판시하였다(헌재 2004. 5. 14. 2004헌나1).

그러나 앞에서 본 바와 같이 헌법재판소는 주민투표권과 주민소환권은 법률상의 권리로 보고 있다.

제4절 참정권의 제한과 그 한계

1. 일반적 법률유보에 의한 제한

참정권도 제37조 제2항의 일반적 법률유보조항에 따라 법률로 제한될 수 있다. 참정권의 중요성에 비추어 제한하더라도 비례의 원칙은 존중되어야 하며, 본질적인 내용을 침해할 수 없다.

2. 소급입법에 의한 참정권 제한의 금지

소급입법에 의하여 참정권의 제한을 할 수 없다(제13조 제2항). 이는 민주국가에서는 당연한 원칙이나, 과거에 '반민족행위자처벌법'이나 '반민주행위자공민권제한법', '정치활동정화법'과 '정치풍토쇄신을 위한 특별조치법' 등에 의하여 참정권을 소급적으로 제한하여 왔기에, 이러한 일이 다시는 없도록 하기 위한 반성적 고려에서 헌법에 명문의 규정을 둔 것이다.

제7장

국민의 기본의무

제1절 국민의 의무 개관

1. 기본의무의 의의와 기능

국민의 기본의무란 국민이 통치권의 대상(국가구성원)으로서의 지위에서 부담하는 기본적 의무를 말한다. 국민의 기본의무에 관하여는 각국 헌법이 대부분 규정하고 있는 바, 국민의 기본의무로서 규정하는 구체적 내용은 각국 헌법의 이념과 역사적 발전단계에 따라 다를 수 있으며, 그 규정은 일치하지 않는다.

국민의 기본의무는 국가구성원으로서 국민이 부담하는 여러 의무 중 헌법에서 직접 국민에게 부여한 의무를 말한다. 따라서 개별법률상의 의무와 구별된다.

국민의 기본의무를 헌법에 규정한 것은 소극적으로는 국가권력으로부터 국민의 자유를 최대한 보장하기 위하여 국민이 부담하는 의무를 명확히 할 필요가 있고, 적극적으로는 국민주권원리의 실현으로 국민이 민주국가의 존립과 발전에 능동적으로 참여함에 그 의미가 있다.

2. 기본의무의 유형

기본의무의 유형을 분류하는 데 있어서도 견해의 차이가 있으나, 대체로 **고전적 의무**와 **현대적 의무**로 나누는 것이 전통적이다.[1)]

---

1) 허영 교수는 ⅰ) 국가창설적 국민의무(순종의무와 평화의무), ⅱ) 기본권에 내포된 국민의 윤리적 의무, ⅲ) 헌법상의 기본적 의무로 나누고 있고(허영, 전정13판 한국헌법론, 박영사, 2017, 646면 이하), 계희열 교수는 ⅰ) 헌법에 명시된 기본의무, ⅱ) 헌법에 열거되지 아니한 기본의무(법률에 대한 복종의무, 타인의 권리를 존중할 의무, 허용된 위험을 감수할 의무, 증언의무)로 분류하고 있으며(계희열, 신정2판 헌법(중), 박영사, 2007, 833면 이하), 김철수 교수는 ⅰ) 고전적 의무와 새로운 의무, ⅱ) 국민의 의무와 인간의 의무로 나누고 있다(김철수,

(1) 고전적 의무

고전적 의무는 국가의 존립이나 유지를 목적으로 국민에게 부여된 의무로 국방의무와 납세의무가 이에 속한다. 대체로 고전적 의무는 편면적 의무의 성격을 띤다. 1791년 프랑스 헌법에서 최초로 납세의 의무를 명문으로 규정하였다.

그 밖의 고전적 의무로 헌법에 명문의 규정은 없으나 당연한 것으로 조국에 대한 충성의무, 헌법 및 법률의 준수의무를 들기도 한다.[2]

(2) 현대적 의무

국가의 존립을 위한 것이 고전적 의무라면, 인간다운 공동의 삶의 실현에 기여하는 것을 현대적 의무(새로운 의무)로 본다. 이러한 형태의 현대적 의무는 1919년 바이마르헌법에서 유래한 것으로 보고 있다. 현대적 의무는 사회국가나 문화국가의 이념에 봉사하고 생존권을 실질화시키는 적극적인 성격을 지니고 있다. 현대적 의무는 권리와 의무의 양면성을 갖는 경우가 많다.

현대적 의무로는 교육을 받게 할 의무, 근로의무, 환경보전의무, 재산권행사의 공공복리적합의무 등이 들어지고 있다.

3. 기본의무의 법적 성격

(1) 국민의 의무

국민의 기본의무의 법적 성격과 관련해서는 인간으로서의 의무인가, 국민으로서 의무인가에 관한 논의가 있다. 그러나 국민의 기본의무는 국민의 국가구성원으로서의 의무라는 점에 비추어 볼 때 인간으로서의 의무가 아니라 국민으로서의 의무라고 보아야 한다.[3]

한편 국가존립을 위한 고전적인 의무는 국적을 가진 국민의 의무이지만, 새로운 의무는 사회복지를 향상시키기 위한 인간의 의무라고 보고, 인간의 의무는 국적을 불문하고 인정되는 의무라고 하는 견해도 있다.[4]

학설 · 판례 헌법학(상), 박영사, 2008, 1427면 이하).

2) 김학성 · 최희수, 전정 4판[2020년판], 피앤씨미디어, 2020, 816면.

3) 성낙인, 제19판 헌법학, 법문사, 2019, 1466면.

4) 김철수, 앞의 책(상), 1428면.

(2) 실정법상의무

국민의 기본의무를 전국가적 의무로 보는 견해도 있으나, 국가공동체를 형성하고 유지하기 위한 국민의 실정법상의무로 보는 것이 다수설이다. 기본의무가 법적으로 강제될 수 있는 의무가 되기 위해서는 전적으로 입법자에 의한 구체화가 필요하다. 이 점에서 사회적 기본권과 비슷한 구조를 가지고 있다고 보기도 한다.[5)]

제2절 납세의무

1. 납세의무의 의의

제38조는 "모든 국민은 법률이 정하는 바에 의하여 납세의 의무를 진다"라고 규정하고 있다. 납세의 의무라 함은 국가의 통치활동에 필요한 경비를 충당하기 위하여 국민이 조세를 납부하는 의무를 말한다. 납세의 의무는 국방의 의무와 함께 고전적인 의무의 하나이며, 1789년의 프랑스 인권선언 이래 헌법에 이것을 규정하는 것이 각국의 경향이다. 납세의 의무는 역사적으로는 국민의 재산권의 보장을 위한 소극적 성격을 가지는 동시에 국민주권주의사상 하에서는 국가공동체의 기초의 형성을 의미하는 적극적 성격을 가진다.[6)]

납세의무는 원칙적으로 국민에게 부과된다. 법인도 부과대상이 된다. 외국인과 외국법인은 국내에 재산이 있거나 납세의무가 부과되는 행위를 하는 때에는 납세의무를 진다(치외법권자는 제외).

2. 납세의무의 내용

과세에 있어서는 조세법률주의, 공평과세의 원칙 등 헌법의 원칙이 적용되어야 한다. 우리 헌법은 국민주권주의와 국민의 기본권보장 차원에서 조세의 부과징수에 있어서는 반드시 법률적 근거를 필요로 하게 하고(조세의 합법률성의 원칙), 아울러 조세관계법률의 내용이 형평의 원칙 내지 평등의 원칙에 합당하여 조세의 부과

---

5) 홍성방, 헌법학(중), 박영사, 2010, 393면. 홍성방 교수는 이러한 점에서 기본의무는 프로그램적 성격과 원칙규범으로서의 성격 및 입법위임규정으로서의 성격을 가진다고 보고 있다(392면).

6) 김철수, 앞의 책(상), 1429면.

북한을 포함한 외부의 적대세력의 직접적 간접적인 침략행위로부터 국가의 독립을 유지하고 영토를 보전하기 위한 의무로서 현대전이 고도의 과학기술과 정보를 요구하고 국민전체의 협력을 필요로 하는 이른바 총력전인 점에 비추어 단지 병역법 등에 의하여 군복무에 임하는 등의 직접적인 병력형성의무만을 가리키는 것으로 좁게 볼 것이 아니라, 향토예비군설치법, 민방위기본법, 비상대비자원관리법, 병역법 등에 의한 간접적인 병력형성의무 및 병력형성이후 군작전명령에 복종하고 협력하여야 할 의무도 포함하는 넓은 의미의 것으로 보아야 할 것이므로, 전투경찰순경으로서 대간첩작전을 수행하는 것도 위와 같이 넓은 의미의 국방의 의무를 수행하는 것으로 볼 수 있고, 국방의 의무의 이행을 위하여 현역병으로 입영한 사람을 어디에 배치하여 어떠한 임무를 부여할 것인가의 문제나 대간첩작전을 수행하는 자의 소속이나 신분을 국방부 소속의 군인으로 할 것인가, 내무부 소속의 경찰로 할 것인가의 문제는 입법자가 국가의 안보상황 및 재정, 대간첩작전의 효율성 등 여러 가지 사정을 고려하여 합목적적으로 정할 사항이다. 따라서 위에서 본 바와 같은 입법목적과 필요성에 따라 대간첩작전의 수행을 임무로 하는 전투경찰순경을 현역병으로 입영하여 복무중인 군인에서 전임시켜 충원할 수 있도록 한 이 사건 법률조항들이 그 자체로서 청구인의 행복추구권 및 양심의 자유를 침해한 것이라고 볼 수 없다"고 합헌결정을 내렸다.[12]

제4절 근로의 의무

1. 근로의무의 의의

제22조 제2항은 "모든 국민은 근로의 의무를 진다. 국가는 근로의 의무의 내용과 조건을 민주주의원칙에 따라 법률로 정한다"고 하여 근로의무를 규정하고 있

12) 헌재 1995. 12. 28. 91헌마80. 한편 이 사건에서 4인의 재판관은 "경찰의 순수한 치안업무인 집회 및 시위의 진압의 임무는 결코 국방의무에 포함된 것이라고 볼 수 없으므로, 이 진압명령은 곧 헌법 제39조 제1항 소정의 국방의무 이외에 헌법상 아무런 근거가 없는 또 다른 의무를 청구인에게 부과하는 것이 된다. 따라서 이는 누구든지 병역의무의 이행으로 인하여 불이익한 처우를 받지 아니한다는 헌법 제39조 제2항 규정에 위반되며, 이로 인하여 일반적인 행동자유권과 개성의 자유로운 발현권을 함축하고 있는 헌법 제10조 소정의 행복추구권을 침해한 것이다. 가사 다수의견과 같이 입법목적과 필요성이 있다고 가정하더라도 정부부처간의 업무공조체제 등의 대체성이 있으므로 국민의 행복추구권을 제한할 필요성은 없다고 할 것이며 그 점에서 위 법률조항부분은 헌법 제37조 제2항 소정의 비례의 원칙에 반하는 것이다"라고 하여 위헌의견을 제시하였다.

다. 자본주의 경제의 발달은 현실적으로 실업문제가 사회문제화되고 있는 상황에서 이러한 근로의 의무는 국가가 광범위한 사회보장제도를 확충해야 하는 역할을 저버릴 수 있는 법적 근거를 제도화하는 측면으로도 남용될 가능성도 있다. 이 점에서 근로의 의무 역시 특별법에 의하는 경우 외에는 다만 도의적인 의무에 지나지 않는다고 보아야 한다.

2. 근로의무의 내용

근로의무가 법률로 규정되는 경우도 제10조의 존엄성규정과 제12조 제1항의 강제노역의 금지규정에 비추어 '근로의 강제'가 될 수 없기 때문에 일정한 한계 내에서 구체화되어야 한다. 즉 법률에 의하여 근로의무를 부과하는 경우에도 언제나 금전적 대체이행이 가능하여야 하고, 그 위반에 대한 제재도 금전적 처벌에 국한되어야 한다.[13] 이것은 결국 근로의무는 모든 국민으로 하여금 '일자리 선택'의 실업보험적인 한계를 인식시키고, 입법권자로 하여금 이 같은 내용을 제도화하게 함으로써 누구나 주어진 일자리를 거절하고 그 대신 실업보험금의 지급을 요구하는 일이 없도록, 그리고 근로능력도 갖추고 근로의 기회도 주어지는 경우에는 사회보장적인 국가의 급부를 요구할 수 없게 하려는 데 그 근본취지가 있다고 보아야 한다.[14]

제5절 교육을 받게 할 의무 (교육을 받을 권리 참조)

1. 교육을 받게 할 의무의 의의

"모든 국민은 그 보호하는 자녀에게 적어도 초등교육과 법률이 정하는 교육을 받게 할 의무를 진다"(제31조 제2항). 교육을 받게 할 의무는 친권자나 후견인이 그 보호하는 어린이에게 초등교육과 법률이 정하는 교육을 받게 할 의무이다. 이 의무는 제1차적으로 학령아동의 부모와 후견인의 의무이지만, 국가도 의무교육의 무상제와 관련하여 주체가 된다.

---

13) 권영성, 헌법학원론(2010년판), 법문사, 2010, 725면.
14) 허영, 앞의 책, 656면.

2. 교육을 받게 할 의무의 내용

교육을 받게 할 의무의 대상이 되는 교육은 초등교육과 법률이 정하는 교육이다. 교육기본법은 "① 의무교육은 6년의 초등교육과 3년의 중등교육으로 한다. ② 모든 국민은 제1항에 따른 의무교육을 받을 권리를 가진다"고 규정하고 있다. 한편 헌법 제31조 제2항은 "의무교육은 무상으로 한다"고 규정하여 의무교육의 무상제를 인정하고 있다. 무상의 범위에 관하여 초·중등교육법은 수업료면제만을 규정하고 있으나(동법 제12조 제4항), 학용품·교과서·급식 등의 취학필수비용도 무상으로 하여야 한다.[15]

헌법재판소는 중등교육에 대한 무상교육을 대통령령이 정하는 바에 의하여 순차적으로 실시하도록 한 것은 위헌이 아니라고 결정하였다.[16]

교육을 받게 할 의무는 윤리적 의무가 아니라 법적 의무이다. 이 의무위반에 대해서는 일정한 제재가 가해진다.[17]

제6절 기타의무

1. **환경보전의무** (환경권 참조)

(1) 환경보전의무의 의의

심각한 환경문제에 대처하기 위하여 헌법상 환경권과 더불어 환경보전의무를 규정하고 있다. 즉 헌법은 "국민은 환경보전을 위하여 노력하여야 한다"고 규정하여 환경보전의무를 인정하고 있다. 이 의무는 1980년 제5공화국헌법에서 신설되었다. 환경보전의무는 국가뿐만 아니라 국민에게도 부과되고 있는 의무이다.

---

15) 성낙인, 앞의 책, 1471면.
16) 헌재 1991. 2. 11. 90헌가27.
17) **초중등교육법 제68조** (과태료) ① 다음 각 호의 어느 하나에 해당하는 자에게는 100만원 이하의 과태료를 부과한다.
  1. 제13조제4항에 따른 취학 의무의 이행을 독려받고도 취학 의무를 이행하지 아니한 자
  2. 제15조를 위반하여 의무교육대상자의 의무교육을 방해한 자
  3. 제53조를 위반하여 학생을 입학시키지 아니하거나 등교와 수업에 지장을 주는 행위를 한 자
  ② 제1항에 따른 과태료는 대통령령으로 정하는 바에 따라 해당 교육감이 부과·징수한다.

(2) 환경보전의무의 법적 성격

환경보전의무는 다른 의무와는 달리 헌법상 "노력하여야 한다"라고 규정하고 있다. 하지만 이는 헌법상 명시되어 있는 의무이기 때문에 단순한 윤리적 의무가 아니라 헌법적 의무로 보아야 하며, 이에 근거하여 법률로써 환경보전의무를 강제할 수 있다.

(3) 환경보전의무의 주체

환경보전의무의 주체는 환경보전의 성격상 내·외국인 및 무국적자뿐만 아니라 내·외국법인도 포함한다. 환경보전의무는 환경권을 사인 간에 직접적용할 수 있는 중요한 헌법적 근거가 된다.[18)]

(4) 환경보전의무의 내용

환경보전의무에는 환경을 오염시키지 않을 의무, 공해방지시설을 할 의무 등이 있다.

2. 재산권행사의 공공복리적합의무 (재산권 참조)

(1) 재산권행사의 공공복리적합의무의 의의

제23조는 제2항에서 "재산권의 행사는 공공복리에 적합하도록 하여야 한다"라고 규정하고 있다. 이는 일반적으로 재산권의 사회적 구속성(기속성)으로 표현되고 있다.

(2) 재산권행사의 공공복리적합의무의 법적 성격

재산권행사의 공공복리적합의무는 단순한 윤리적 의무에 불과하다는 견해도 있으나, 이 의무는 단순한 윤리적 차원을 넘어선 헌법적 의무이기 때문에 이에 근거하여 법률로써 재산권행사의 공공복리적합의무를 강제할 수 있다. 재산권행사의 공공복리적합의무를 재산권 자체에 필연적으로 수반하는 내재적 제약성을 명문화한 헌법적 원리로 이해하는 견해도 있다.[19)]

---

18) 김학성·최희수, 앞의 책, 819면.
19) 권영성, 앞의 책, 726면.

(3) 재산권행사의 공공복리적합의무의 주체

재산권행사의 공공복리적합의무의 주체에는 자연인으로서의 내·외국인 및 무국적자뿐만 아니라 내·외국법인도 포함된다.

(4) 재산권행사의 공공복리적합의무의 내용

재산권행사의 공공복리적합의무의 내용으로 재산권을 남용하지 않을 의무와 특히 토지의 적극적인 이용·개발의무 등이 있다. 이 의무를 구체화하는 법률로는 토지공개념 입법을 비롯하여 농지법 등 여러 법률이 존재한다.

판례색인

[헌법재판소]

[대 법 원]

사항색인

ㄹ

ㅁ

ㅂ

ㅅ

ㅇ

ㅈ

ㅊ

ㅋ

ㅌ

지자 약력

■ **김 수 갑**(金銖甲)

충북 괴산 출생
충북대학교 사회과학대학 법학과 졸업
서울대학교 대학원 법학과 석사과정 수료(법학석사)
고려대학교 대학원 법학과 박사과정 수료(법학박사)
미국 Santa Clara 대학교 Visiting Scholar
충북대학교 법과대학장 · 법무대학원장 · 법학전문대학원장 역임
한국공법학회 · 한국헌법학회 · 한국비교공법학회 부회장 역임
충청북도 행정심판위원 · 충북노동위원회 위원 · 충북선거방송토론위원회 위원장 역임
행정고등고시, 입법고등고시 등 국가시험 위원 역임

현 충북대학교 법학전문대학원 교수
현 충북대학교 제21대 총장
현 전국 국 · 공립대학교 총장협의회 회장

[주요저서 및 논문]

무형문화재보호를 위한 법정책적 연구(2018)
사회적 기본권의 법적 성격(2017)
기본권론－이론과 실제(진원사, 2013)
독일의 '예술가 사회보험법'에 관한 소고(2013)
문화국가론(충북대출판부, 2012)
국가조직론(공저, 법문사, 2010)
기본권으로서의 생명권(2010)
행정중심복합도시 건설, 정책 · 입법평가(2007)
문화국가를 위한 법체계 검토(2007)
한국주택법의 과제(공저, 2006)
문화재향유권의 법리에 관한 고찰(2002)
언론 · 출판의 자유와 명예훼손의 법리(1999)
인체생명공학의 발전에 따른 공법상의 제문제(1998)
저항권의 개념과 저항권사상의 역사적 발전과정에 관한 소고(1995)
정당의 역사적 발달(1995) 외

기본권론

2021년 8월 10일 초판 인쇄
2021년 8월 15일 초판 1쇄 발행

저 자 김 수 갑

발행인 배 효 선

발행처 도서출판 法 文 社

주 소 10881 경기도 파주시 회동길 37-29
등 록 1957년 12월 12일/제2-76호(윤)
전 화 (031)955-6500~6 FAX (031)955-6525
E-mail (영업) bms@bobmunsa.co.kr
(편집) edit66@bobmunsa.co.kr
홈페이지 http://www.bobmunsa.co.kr
조 판 법 문 사 전 산 실

정가 37,000원 ISBN 978-89-18-91212-7